Sophie Wörishöffer

Die Diamanten des Peruaners

Abenteuer in Brasilien und Peru

Sophie Wörishöffer: Die Diamanten des Peruaners. Abenteuer in Brasilien und Peru

Erstdruck: Bielefeld, Velhagen und Klasing, 1889

Neuausgabe
Herausgegeben von Karl-Maria Guth
Berlin 2019

Der Text dieser Ausgabe wurde behutsam an die neue deutsche Rechtschreibung angepasst.

Umschlaggestaltung von Thomas Schultz-Overhage unter Verwendung des Bildes: Rodolfo Amoedo, Bandeirante, 1929

Gesetzt aus der Minion Pro, 11 pt

Die Sammlung Hofenberg erscheint im
Verlag der Contumax GmbH & Co. KG, Berlin
Herstellung: BoD – Books on Demand, Norderstedt

ISBN 978-3-7437-3265-0

Bibliografische Information der Deutschen Nationalbibliothek

Die Deutsche Nationalbibliothek verzeichnet diese Publikation in der Deutschen Nationalbibliografie; detaillierte bibliografische Daten sind im Internet über www.dnb.de abrufbar.

1.

Der Zirkus vor dem Millerntor – Das Haus Zurheiden – Schatten aus der Vergangenheit – Künstlerelend – Die Zirkusprobe

Es war im ersten Viertel unseres Jahrhunderts. Über die grün belaubten Wälle der alten Hansestadt Hamburg schlenderte, in lauter Unterhaltung begriffen, eine Anzahl halberwachsener Knaben, die sämtlich einer der Oberklassen des Gymnasiums anzugehören schienen.

Einer aus der Schar überragte um Kopfeslänge seine jugendlichen Genossen, er war hübsch und schlank, ein Krauskopf voll Feuer und Leben; seine blauen Augen lachten lustig in die Welt hinein, das rosige Gesicht zeigte Kraft und liebenswürdige Offenheit zugleich.

Das war Benno Zurheiden, der Neffe des gleichnamigen Großkaufmanns und Senators, in dessen Haus der Knabe erzogen wurde. Jetzt blieb er plötzlich horchend stehen.

»Auf dem Heiligengeistfeld geht irgendetwas vor«, rief er. »Ich sehe Laternen und höre eine Stimme, die fortwährend zu befehlen scheint.«

»Auch Hammerschläge«, setzte ein anderer hinzu. »Und da wieherte eben ein Pferd.«

»Wenn es Kunstreiter wären!«

Das Wort elektrisierte alle. Kunstreiter! – Eine bunt geputzte Gesellschaft fahrender Gaukler mit gelehrten Affen und Hunden, das war in jenen Tagen ein selten gebotenes Vergnügen, – man musste sich beeilen, um so bald wie möglich zu erfahren, ob etwas dergleichen in Aussicht stand.

Das Millerntor lag schon ganz in nächster Nähe, die Knaben stürmten hinaus und sahen dann rechts hinter dem breiten Stadtgraben eine Szene, welche ihr lebhaftestes Interesse erregte. Gelb und blau angestrichene, mit Fenstern und Schornsteinen versehene Wagen standen im Hintergrund einer hölzernen, noch im Bau begriffenen kreisrunden Bude, die jedenfalls als Zirkus dienen sollte; mehrere Pferde, ein Esel und allerlei sonstige Vierfüßler waren an Pflöcke gebunden, während einige Affen, in rote Lappen gehüllt, trübselig auf dem Deckel einer großen Kiste hockten und offenbar den milden Sommerabend für ihre Neigungen noch zu kühl fanden.

Kinder in mehr als bescheidenen Anzügen tummelten sich zwischen den Wagen im Gras; mehrere Männer, mit Beilen und Hämmern versehen, arbeiteten eifrig an den Wänden der Bretterbude, die bis zum nächsten Abend nicht allein fix und fertig dastehen, sondern auch, mit allerlei fadenscheinigem Aufputz behangen, als Schauplatz der Eröffnungsgalavorstellung dienen sollte.

Bennos Blicke überflogen neugierig die von einigen Blechlaternen ziemlich ungenügend beleuchtete Szene.

»Prachtvolle Pferde!«, flüsterte er. »Ach, wenn der Rappe mein Eigentum wäre!«

»Dein Onkel soll ja Millionär sein, er kann dir doch leicht ein Pferd kaufen, nicht wahr?«

Ein Schatten flog über Bennos hübsches Gesicht.

»Hat einer von euch Geld bei sich?«, fragte er.

»Ja, ich!«

»Und ich! Was soll es damit?«

Benno deutete verstohlen auf den angepflockten Esel.

»Der Graue ist jedenfalls darauf abgerichtet, seinen Reiter, sobald er ein bestimmtes Zeichen erhält, in den Sand zu werfen, – ich möchte einmal die Sache probieren.«

»Tu es! Tu es! Hier sind vier Schillinge.«

»Und hier noch zwei. Hast du denn eigentlich nie Geld, Benno?«

Dunkle Röte überzog das hübsche Gesicht des Knaben.

»Mein Onkel hält es nicht für richtig!«, versetzte er. »Gib mir nur jetzt die vier Schillinge, Moritz.«

Der andere reichte ihm den kleinen Schatz und nun näherten sich alle Knaben den arbeitenden Männern, besonders dem, der fast immer sprach und anordnete, der als Anführer aller übrigen den Bau zu leiten schien und dessen Falkenaugen jeden Vorgang überwachten.

»Guten Abend, meine jungen Herren!«, grüßte er, die Pfeife sekundenlang aus dem Mund nehmend. »Wollen Sie sich die Pferde einmal ansehen? Das ist recht von Ihnen! Kommen doch morgen sämtlich zur ersten Vorstellung, he?«

»Das wissen wir noch nicht«, versetzte Benno. »Was ist es denn mit dem Esel, Herr Direktor, macht er Kunststücke?«

Der Mann mit dem pechschwarzen Haar und der südlich-braunen Gesichtsfarbe schien offenbar den ihm gespendeten Titel sehr wohlgefällig aufzunehmen, er schmunzelte und sagte dann:

»Kunststücke? Der da? – Ich glaube nicht. Es ist der eigensinnigste und bösartigste Esel, den man jemals sah, noch nie gelang es einem Reiter, sich auf seinem Rücken im Sattel zu halten.«

Bennos Blicke überflogen die Reihe seiner Genossen.

»Ich dachte es wohl!«, sagten die lebhaften blauen Augen.

Laut setzte der Knabe dann hinzu: »Ich möchte die Sache doch wohl einmal probieren!«

»Sehr gern«, lachte der fahrende Gaukler. »Geben Sie ein Trinkgeld, junger Herr?«

»Das ist natürlich die Hauptsache.«

Und Benno reichte dem Mann die vier Schillinge mit einer Bewegung, als habe er Geld in allen Taschen.

»Was zahlen Sie denn, Herr Direktor, wenn ich Ihren Esel auf und ab reite, ohne in den Sand gesetzt zu werden?«

»Tausend Taler!«, versetzte mit vieler Würde der braune Geselle. »Sie können meine Ankündigung täglich auf allen Zetteln lesen.«

»Holen Sie gefälligst das Geld aus dem Kasten, Herr!«

Die Kunstreiter lachten; der Direktor sattelte den Esel und brachte ihn herbei, dann nahm er aus der Kiste eine kurze Lederpeitsche, mit der er herausfordernd klatschte.

»So, Rigolo, mein Tierchen, nun sei einmal recht liebenswürdig gegen den hübschen jungen Herrn, recht sanft und nachgiebig, hörst du!«

Moritz und die übrigen Knaben flüsterten miteinander.

»Nimm dich in Acht, Benno!«, sagte einer. »Das Tier sieht böse aus.«

»Lammfromm ist es, ein abgetriebener, schlecht gefütterter Bursche. Passt auf, wie ich ihn regieren will!«

Er gab das Zeichen und Rigolo setzte sich in langsamen Trab. Der Graue schien harmlos wie ein zahmes Hündchen. Aber Benno ließ sich keineswegs täuschen, er beobachtete auf das Schärfste jede Miene und jede Bewegung des Direktors, der sich nach den Schritten des Esels im Kreis drehte und fortwährend mit der Peitsche dieselbe Figur beschrieb, ein leichtes Heben und Senken durch die Luft.

Der Gaukler wollte einen glänzenden Sieg feiern, daher ließ er dem Knaben Zeit, sich für ganz sicher zu halten. Bennos Herz schlug schneller. Er begriff sich selbst nicht, aber in diesem Augenblick schien ihm von dem Gelingen des übermütigen Streiches alles abzuhängen.

Er bewachte den Direktor, als erwarte er von demselben einen Angriff auf Tod und Leben.

Und jetzt! – Jetzt! – Wie zufällig, nur sekundenlang hob sich die Peitsche kerzengerade empor, im gleichen Augenblick stieg mit plötzlichem Ruck der Esel, so dass Benno unfehlbar in den Sand gepurzelt wäre, wenn er sich nicht auf diesen Fall vorbereitet gehalten hätte.

Wie eiserne Schrauben pressten seine Muskeln die Weichen des Tieres, es war genötigt, sich zu seiner eigenen Rettung schleunigst wieder auf alle vier Füße zu stellen. Der Direktor verzog das Gesicht.

»Sie haben einen famosen Sitz«, sagte er. »Am Ende bleibt es Ihnen vorbehalten, den eigensinnigen Rigolo doch noch zu zähmen.«

Benno nickte, er klopfte den Hals des Esels.

»Möglich«, antwortete er kurz. »Weiter, mein gutes Tier!«

»Wie blass ist Benno!«, flüsterte einer der Knaben. »Seine Augen glänzen vor Aufregung.«

»Du, ich glaube, der passt nicht für die Bücher und das Stubensitzen überhaupt. Kannst du ihn dir als bedächtigen Herrn Doktor oder gar als Richter mit Brille und Amtsmiene denken?«

»Still! Der Esel läuft Galopp.«

Die Peitsche des Direktors hob und senkte sich schneller, dann stieg sie urplötzlich wieder in die Luft empor und das Spiel von vorhin geschah zum zweiten Mal. Rigolo konnte weder seinen Reiter absetzen, noch sich selbst zu Boden werfen.

Das Tier zitterte jetzt am ganzen Körper, es schlich zu seinem Pflock und war zu keinem weiteren Schritt mehr zu bewegen. Ein halb zorniger, halb ängstlicher Laut verriet die Aufregung, in der es sich befand. Benno sprang zu Boden.

»Jetzt meinen Lohn, Herr Direktor!«, rief er mit lachender, den heimlichen Triumph kaum verbergender Stimme. »Sie alle sind Zeugen, dass mich Rigolo nicht abwerfen konnte.«

Keine Stimme antwortete ihm. Der Mann mit der Peitsche war blass bis in die Lippen, er schien kaum sprechen zu können.

»Mein Zirkus ist noch nicht eröffnet!«, stammelte er. »Es war also mit den tausend Talern –.«

»– nur ein Scherz natürlich. Aber dennoch beanspruche ich einen Lohn, Herr Direktor!«

»Welchen, junger Herr?«

»Sie sollen mir versprechen, den armen Rigolo nicht zu schlagen!«

Ein Blitz brach aus den Augen des braunen Gesellen, um seine Lippen schwebte ein zufriedenes Lächeln.

»Und das ist alles?«, rief er.

»Das ist alles!«

»Topp! Schlagen Sie ein, – ich mag Sie leiden, junger Herr! Welch einen famosen Kunstreiter würden Sie abgeben.«

Benno lachte. »Viel Ehre!«, sagte er gutgelaunt.

»Warum nicht? Den Künstler ehrt die ganze Welt. Was wollen Sie denn werden, junger Herr?«

Der Knabe verzog die Lippen.

»Was ich werden will? – Will? – Nun, das Studentenleben könnte mir gefallen. Was später kommt, das findet sich wohl.«

Der Gaukler nickte.

»Bis dahin sind Sie ein Mann und können tun und lassen, was Ihnen gefällt, nicht wahr? Eines schönen Tages gehen Sie auf und davon und lassen die Bücher – Bücher sein.«

Bennos Gesicht überzog sich mit dunkler Röte.

»Das glauben Sie?«, sagte er, augenscheinlich, um nur etwas zu antworten. »Davon bin ich ganz überzeugt und – ich meine, Sie könnten dann ebenso gut Kunstreiter als sonst irgendetwas anderes werden. Am besten wäre es freilich, wenn Sie Ihre Laufbahn als Künstler jetzt gleich beginnen wollten. Ich hätte für einen so schneidigen jungen Burschen wie Sie sind gerade Verwendung.«

Benno lachte.

»Auf Wiedersehen!«, rief er. »Vergessen Sie Ihr Gelübde nicht, Herr!«

»Nein! Nein! Rigolo ist vor meiner Peitsche ganz sicher.«

Benno grüßte und wollte sich abwenden, da berührte eine Hand seinen Arm und als er aufblickte, sahen zwei dunkle Augen mit einer Art von banger Frage in die seinigen. Ein junger Mensch, nur wenig älter als er selbst, schlank und blass, stand unmittelbar vor ihm.

»Verstehen Sie die schwarze Kunst, Herr?«

»Was sagen Sie da?«

»Ob Ihnen übernatürliche Kräfte zu Gebote stehen?«

»Michael!«, rief im strengen Ton der Direktor. »Komm hierher!«

»Er ist ein guter Bursche«, setzte der Mann dann, gegen die Knaben gewendet, hinzu, »treu und fleißig, aber –.«

Und der braune Finger zog Kreise auf der von pechschwarzen Locken überschatteten Stirn.

»Das hat so seine besonderen Ursachen, müssen Sie wissen.«

Michael sah ängstlich auf die Peitsche in der Hand des Gauklers.

»Ich möchte doch gern erfahren, ob dieser Herr die geheimen Künste versteht«, sagte er.

»Nur weil ich den Esel zwang, mich im Sattel zu lassen?«

»Ja! Ja! – Rigolo zittert noch. Das Tier hat sich bis jetzt vor keinem Menschen gefürchtet.«

Benno reichte dem Burschen gutmütig die Hand.

»Da war nichts Übernatürliches im Spiel«, sagte er. »Glauben Sie denn überhaupt an dergleichen Dinge?«

Ein scheuer Blick streifte die Umgebung.

»Ja!«

»Michael!«, rief wieder der Direktor.

»Ich schweige ja schon.«

Die Knaben entfernten sich, um noch zur rechten Zeit, ehe die Sperrglocke erklang, nach Hamburg zurückzukehren. Benno war gegen seine Gewohnheit sehr schweigsam, nur einmal sagte er:

»Ein Pferd möchte ich fürs Leben gern haben!«

»Auf meinem Pony darfst du immer reiten, Benno!«

»Das weiß ich, Moritz, du bist ein guter Kerl, aber – es müsste mein Eigentum sein, das Tier.«

»Hast du denn eigentlich nichts, das dir selbst gehört, keine Bibliothek zum Beispiel, keine Sammlungen?«

»Nichts.«

»Aber doch einen Werkzeugkasten, Schlittschuhe, ein Abonnement in der Badeanstalt?«

»Auch nicht.«

»Das ist sonderbar. Was schenkt man dir denn zum Geburtstag, am Weihnachtsabend?«

Benno wechselte wieder die Farbe.

»O – das kommt darauf an. Aber Gute Nacht jetzt, ich gehe rechts ab.«

»Warte doch, Benno, wir begleiten dich noch eine Strecke weit.«

»Nein, nein, ich habe Eile. Gute Nacht!«

Und fort war er. Die Zurückgebliebenen sahen einander an.

»Ihr habt ihm weh getan«, sagte Moritz. »Der arme Benno hat weder Vater noch Mutter, er lebt im Haus seines mürrischen alten Onkels und wird als eine Last betrachtet. Nun ist ihm das so recht deutlich zum Bewusstsein gekommen.«

»Der Senator soll ja ein sehr strenger Herr sein. Er gibt keinem Bettler einen Pfennig und lässt in seinem Haus keinen Bittsteller vor sich kommen. Niemand hat ihn gern.«

»Mein Vater sagte neulich: Zurheiden kann nicht lachen. Und dann setzte er noch etwas hinzu, – aber ihr müsst nicht weiter davon sprechen! – ich sollte es eigentlich auch nicht hören.«

Die Knaben steckten die Köpfe zusammen.

»Was war es denn, du?«

»Mein Vater sagte: Ich bin ganz überzeugt, Zurheiden hat irgendeine Untat, etwas recht Abscheuliches auf dem Gewissen.«

»So sieht er auch aus. Immer allein, immer verdrossen, – in sein Haus kommt kein Mensch und er selbst geht zu keinem. Nur mit ihm und der steinalten Großmutter muss Benno doch ein trauriges Leben führen.«

»Das sage ich ja. Ihr habt ihm wehgetan.«

Während die jugendliche Schar jetzt nach verschiedenen Richtungen auseinander ging, hatte Benno im Sturmschritt die innere Stadt durchmessen und nach einer Viertelstunde den »Alten Wandrahmen« erreicht. Hier lag noch dunkler und schwärzer in der umgebenden Finsternis das Haus seines Onkels, das hohe alte Haus von holländischer, den massiven Giebel der Straße zukehrender Bauart.

Der Messingklopfer an der eisenbeschlagenen Doppeltür trug einen Drachenkopf, und die Scheiben der Fenster waren in Blei gefasst.

»Zurheiden und Söhne«

stand auf einer Metallplatte am Eingang, über dem Torbogen dagegen die lateinische Inschrift:

In Deo spes mea.[1]

---

1   In Gott meine Hoffnung.

So war das Haus, in dessen Mauern Benno lebte. An diesem Abend zeigte kein Fenster mehr einen Lichtschimmer, es lag alles dunkel und still, als brause der Novembersturm eisig und atemraubend um die alten Mauern, so dass der Platz am Ofenfeuer als der beneidenswerteste von allen erscheinen müsse.

Das frohe Treiben auf den Straßen, der milde, sternhell Augustabend mochten auf die Bewohner dieses Hauses keinen Einfluss üben können, – Fenster und Türen waren dicht verschlossen, hinter den Scheiben grünte keine Zimmerpflanze, sang kein Vogel und tönte keine fröhliche Menschenstimme. Es lag alles wie ausgestorben. Benno schlüpfte in den schmalen, ebenfalls dunklen Gang, der das Zurheidensche Erbe von dem Nachbarhaus trennte; geräuschlos schlich er bis auf den Hof und klopfte hier leise an ein beleuchtetes Kellerfenster.

»Ich bin es, Harms, lass mich hinein.«

»Gleich, gleich, mein Junge.«

Das Licht verschwand und bald danach wurde die Hoftür vorsichtig geöffnet. Ein älterer Mann begrüßte freundlich den Knaben, dem er liebkosend die Schulter klopfte.

»Na, wo bist du denn heute gewesen, mein Junge? Du siehst mir ja gar nicht so recht vergnügt aus.«

Benno seufzte.

»Harms«, sagte er, »ich möchte gern noch ein halbes Stündchen mit dir plaudern.«

»Nun, dann komm nur mit; die alte Margarete ist doch noch nicht zu Hause. Was fehlt dir denn aber, Junge?«

»Gar nichts. Ich dachte nur so zufällig heute Abend an allerlei Dinge, fremde und eigene. Harms, ist es nicht ein seltsames, unnatürliches Leben, welches wir führen? Ein Leben, anders als das aller übrigen Menschen?«

Der Alte hatte seinen Schützling in ein bescheiden eingerichtetes Zimmer geführt und nun saß er mit der kurzen Pfeife zwischen den Zähnen ihm gegenüber.

»Seltsam?«, nickte er. »Ja, das ist es, ein trauriges Leben für dich, armer Kerl. Großmama und der Herr Onkel sind eben alte Leute, grämlich und kränklich obendrein, sie lieben es nicht, fremde Stimmen zu hören oder fremde Gesichter zu sehen, während es dich doch hinaustreibt unter andere, während du lachen und dich amüsieren möchtest. Musst an den Zwiespalt gar nicht weiterdenken, mein Junge, bald kommt ja für dich die fröhliche Studentenzeit, das freie Herrenleben in Jena oder Heidelberg, dann hast du es gut und brauchst nur deinem Gewissen Rechenschaft abzulegen, sonst niemand.«

Bennos Augen glänzten, obwohl er seufzte und zweifelnd den Kopf neigte.

»Du, Harms«, flüsterte er, während sich sein hübsches Gesicht mit dunklerer Röte überzog, »Harms, ob das wirklich für mich eine schöne Zeit werden wird?«

Der Alte schob das Kinn vor und versenkte beide Hände in die Taschen.

»Na, Potz Velten (Ausruf des Erstaunen)«, sagte er, »ich sollte es doch wohl denken! Die Herren Studenten leben ja, als gehöre ihnen die ganze Welt.«

»Ja, – wenn sie reich sind, Harms. Aber siehst du, Onkel Johannes gibt für sich selbst keinen Schilling aus, er geht nie in ein Wirtshaus oder in das Theater; also wird er doch gewiss verlangen, dass ich ebenso lebe. Dabei kannst du dir aber gar nicht denken, wie gern ich ein Rapier (Stich- und Hiebwaffe) hätte, und Fechthandschuhe und –.«

Der Alte lachte schelmisch.

»Na?«, sagte er. »Na? Heraus damit, junger Herr! – Und?«

»Und ein Reitpferd, Harms. Das über alles.«

»Weiter nichts, Junge? Du spannst aber den Bogen stramm! Das gibt dir der Herr Senator im Leben nicht.«

»Siehst du wohl, Harms?«

»Nichts sehe ich. Der Alte da oben – Seine Gestrengen, wollte ich sagen – würde wohl bei solchen Wünschen denken, dass es nun an der Zeit sei, für dich einen Platz im Irrenhaus zu abonnieren, das ist wahr, aber lasse nur darum den Mut nicht sinken, mein Bursche, hinter dem Berge wohnen auch noch Leute, und einer derselben, ein Jemand, der dich sehr lieb hat, das bin ich.«

Benno nickte gerührt.

»Ich weiß es, Alter. Aber du, – ich meine, – ja, – von dir!?«

»Jawohl, jawohl, denke den Satz nur ruhig aus. Du wolltest über das Rapier sprechen und über den Gaul. Sollst alles haben, Benno, sollst reiten und fechten und sehr, sehr glücklich werden!«

Er tat einen tiefen Zug aus der Pfeife und fuhr dann fort:

»Siehst du, ich bin so an die vierzig Jahre hier im Haus Diener gewesen, das hat ein hübsches Stück Geld gebracht, während der Verbrauch allezeit ein geringer war. Als dann vor Jahren mein alter Vater zur Ruhe ging, da bekam ich die beiden Häuser in der Gröningerstraße, und seitdem sind alljährlich an den Mietzahltagen ein paar Tausende ›auf die hohe Kante gelegt worden‹, wie wir Hamburger sagen. Alles für dich, Benno, alles für dich!«

Der Knabe schien sehr erstaunt.

»Für mich?«, wiederholte er. »Harms, ich denke, die Zurheidens sind schwerreiche Leute?«

Der Diener nickte lebhaft.

»Herr Johannes mag wohl Millionen besitzen«, antwortete er. »Aber damit hast du noch keinen Pfennig, mein Junge.«

»Nicht? Ich hörte doch immer sagen, dass wir die letzten Zurheidens sind, der Onkel und ich? Wer soll denn einmal, wenn er stirbt, das Erbe antreten?«

Harms wiegte den Kopf von einer Seite zur anderen.

»Gott weiß es«, seufzte er, »Gott weiß es. Du nicht, mein armes Kind, du gewiss nicht; denn er hat ganz kürzlich ein Testament gemacht, und das wäre ja, wenn dem gesetzlichen Erben die Hinterlassenschaft zufallen sollte, durchaus unnötig gewesen. Du bist seines einzigen Bruders Sohn, andere Verwandte sind nicht vorhanden, also müsste das Geld notwendig dir gehören.«

»Aber lassen wir das alles, Benno«, unterbrach er sich selbst, »lassen wir das gänzlich. Du bist für dergleichen Dinge noch viel zu jung und überdies kann auch dein vortrefflicher Herr Onkel in Gottes Namen sein Geld vermachen, wem er will, meinetwegen den Fischen in der Elbe, mich soll es nicht kümmern, denn du musst nur wissen, Benno, dass ich auch so einen ›letzten Willen‹ habe aufsetzen lassen, einen großen, gewaltigen Brief mit Siegeln und Stempeln, der liegt im Zehnten-Amt, und dein Name steht darin neben netten, runden Zahlen. Basta. Das alles soll dir gehören, denn ich will es so, ich, Peter Leberecht Harms, Hamburger Bürger und Grundeigentümer ebenso wohl als der Herr Johannes Zurheiden, wenn er auch Senator und Großkaufmann ist, daneben ein – na, na, das gehört ja nicht zur Sache.«

Benno lächelte belustigt und gerührt zugleich.

»Du bist ein guter Mensch, Harms«, sagte er, »und ich danke dir gewiss von Herzen, wünsche aber doch, dass du lange genug leben mögest, um wohlgemut das Deinige selbst zu verzehren und besonders auch, dass ich ein Mann werde, der imstande ist, sein Brot allein zu verdienen. Du könntest mir indessen schon heute einen großen Gefallen erweisen, Alter, – willst du das?«

Harms horchte auf. »Was meinst du denn?«, forschte er.

»Erzähle mir ein wenig von meinem verstorbenen Vater!«

Der Diener schien zu erschrecken, er nahm die Pfeife aus dem Mund und sah sinnend vor sich hin.

»Von deinem Vater, Benno? Ach, das war ein gar lieber leutseliger Herr.«

»Das sagtest du mir schon häufig, Harms, die Großmutter hat mir auch zuweilen sein Porträt gezeigt und jedes Mal sehr dabei geweint, aber Näheres, Genaueres konnte ich weder von ihr noch von dir erfahren. Weshalb wird in diesem Haus von meinem Vater nie gesprochen? Weshalb ist sein Andenken so vollständig erloschen, sein Name vergessen? Weißt du, was ich oft gedacht habe?«

Der Diener sah zur Seite.

»Unsinn!«, brummte er.

Benno wechselte die Farbe, seine Augen glänzten höher.

»Harms«, sagte er, »mein Verdacht ist in diesem Augenblick stärker als jemals. Soll ich ihn dir nennen? – Es gibt mit Bezug auf meinen Vater irgendetwas, das verschwiegen oder bemäntelt werden muss, es ist da ein Schatten, der auf etwas Böses, auf eine wunde Stelle fällt!«

»Woher glaubst du das, Junge?«

»Es liegt so im Gefühl, es drängt sich mir wider Willen auf. Also habe ich doch richtig vermutet, nicht wahr?«

Harms schüttelte den Kopf.

»Ganz und gar nicht, du, – oder doch nur im Sinne des Herrn Johannes. Damit du dir aber nicht etwa allerlei Geschichten zusammen grübelst und am Ende deinen armen Vater für einen schlechten Menschen hältst, will ich dir lieber reinen Wein einschenken. Nun passe auf, du! Seit drei Jahrhunderten haben die Zurheidens hier in Hamburg fleißig auf dem Kontorbock gesessen und gerechnet und geschrieben, dass ihnen die Finger knackten. Zurheiden und Söhne hieß die Firma, alle waren Kaufleute und Schiffsreeder, bis dein Vater kam, der hatte andere Absichten, und das war sein Verbrechen. So, nun weißt du es.«

Benno schüttelte den Kopf.

»Das allein, Harms?«

»Das und anderes. Er konnte kein Geld festhalten, er liebte den Sonnenschein und das frohe Lachen, während sein Bruder nur an den Gewinn dachte, an Zahlen, Zahlen und immer wieder Zahlen. Da vertrugen sich die beiden denn sehr schlecht, das kannst du wohl denken, sie sind auch schließlich im Unfrieden auseinandergegangen.«

»Mein Vater starb also nicht hier im Haus?«

Harms sah wie zufällig zur Seite.

»Nein«, sagte er einsilbig. »Aber was war er denn, was betrieb er?«

Der Diener zuckte die Achseln.

»Hat hier studiert, dort studiert, – sehr viel Geld verbraucht.«

Benno fuhr mit der Hand über die Stirn.

»Harms«, fragte er, »war mein Vater ein Verschwender?«

Der Alte nickte.

»Das war er. Junge, das war er. Ein guter, herrlicher Mensch, ein treuer Freund und durch und durch ehrenwerter Charakter, aber das Geld schien zwischen seinen Fingern förmlich zu schmelzen. Eine Handvoll goldener Hamburgischer Dukaten, das war für ihn nur ein Spaß. Husch! – und sie hatten plötzlich alle Flügel bekommen.«

Das sagte der Alte aber mit so glänzenden Augen und so unverkennbarem Behagen, als sei durch seine Worte dem verstorbenen Sohn des Hauses Zurheiden ein äußerst glänzendes Zeugnis ausgestellt worden.

»Irgendeinen Fehler hat jeder Mensch«, fuhr er dann fort, »es wird nur nicht gleich alles so gewaltig aufgebauscht, wie in diesem Fall. Das lass dich aber gar nicht kümmern, mein Söhnchen, für alle derartigen Angelegenheiten bist du noch viel zu jung. Das Zurheiden'sche Geld ist nicht besser als das Meinige und dieses letztere ist dir gewiss. Basta. Nun geh hinaus und sieh nach an der gewohnten Stelle, ich habe dir da eine Handvoll Pflaumen versteckt.«

Benno erhob sich.

»Du meinst, ich soll gar nicht erst ins Wohnzimmer gehen, Harms?«

Der Alte schüttelte den Kopf.

»Nein, mein Lämmchen, nein, ich glaube, das Wetterglas steht heute auf Sturm.«

14

»Meinetwegen?«, fragte unruhig der Knabe.

»Das wohl nicht, aber die beiden alten Leute scheinen aufgeregt, sie wechseln allerlei scharfe Redensarten; weshalb wolltest du dich also hineinmischen?«

»Sicherlich nicht. Gute Nacht, Harms!«

»Gute Nacht, Schatz. Schlaf süß und vergiss nicht, in das Ofenrohr zu sehen.«

Der Knabe glitt leichtfüßig die Kellertreppen hinauf, über den große, dunkle Flur mit den hohen Bogenwölbungen und der tickenden alten Wanduhr hinweg, dann die Stufen bis zur ersten Etage empor, – hier plötzlich vor der Tür des Wohnzimmers stehen bleibend. Er hatte gehört, dass drinnen jemand seinen Namen aussprach, der Senator selbst sogar, – das veranlasste ihn, pochenden Herzens stillzustehen. Der Flur war im Dunkeln gehüllt; er konnte, wenn die Tür von innen geöffnet wurde, leicht hinter der Bogenwindung des altväterlichen Treppengeländers einen Schutz finden.

»Weshalb weinen Sie, Mama?«, hatte der Senator gesagt. »Ist es Bennos wegen? Glauben Sie einmal wieder, dass es dem Burschen nicht gut genug ergehe?«

Und dann antwortete eine leise, kaum verständliche Frauenstimme; es klang ein tiefer Seufzer zu dem lauschenden Knaben hinüber.

»Weshalb sollte ich Bennos wegen weinen, Johannes? Ist er nicht ein guter, prächtiger Junge? Sind nicht seine Schulzeugnisse die besten? – Aber du liebst ihn nicht, du verfolgst noch in dem schuldlosen Kind das Andenken des Vaters, den deine Härte, deine Unduldsamkeit in den Tod getrieben haben.«

Der Senator lachte spöttisch.

»Vorwürfe?«, sagte er in scharfem Ton. »Wahrhaftig, man könnte mit größerem Rechte behaupten, dass das Andenken des Verstorbenen bis zu dieser Stunde die Gegenwart mit allerlei Verdrießlichkeit erfüllt. Und nun weiß ich denn auch schon, weshalb Sie weinen, – es ist heute Theodors Geburtstag, nicht wahr, Mama?«

Ein Schluchzen erklang drinnen im Zimmer, aber die alte Dame antwortete nicht; sie hatte vielleicht beide Hände vor das Gesicht gelegt und weinte so bitterlich, dass es ihr unmöglich war, zu sprechen. Auch Benno fühlte sich seltsam erschüttert. Seines Vaters Geburtstag! – Und wo war das einsame Grab des Mannes, den die Seinigen verleugnet und verstoßen hatten? Wessen Hand mochte jemals einen Kranz darauf gelegt haben?

»Ich will hinkommen«, dachte der Knabe. »Ich will es und wäre diese Stelle noch so weit entfernt. Harms soll mir alles sagen.«

Der Senator ging drinnen immer auf und ab.

»Ich liebe ihn nicht, den Jungen«, begann er endlich wieder in demselben scharfen, unfreundlichen Ton. »Ich liebe ihn nicht, das sagen Sie mir, als sei es ein Unrecht, eine Versündigung sogar. Natürlich, wenn man eine Anklage schmieden will, so ist jedes Mittel das richtige. Aber wie lange meine Geduld, diesen Zuständen gegenüber noch andauert, das weiß ich nicht. Gestern begegnete mir Bennos Klassenlehrer, der –.«

»Der dir doch von dem Knaben nur Gutes gesagt haben kann, Johannes!«

»Das weiß ich noch nicht, Mama. Wenigstens in meinem Sinne nicht. Benno lernt spielend seine Aufgaben, er ist der Primus der Klasse, er bleibt nie eine Antwort schuldig, aber er neigt zum Leichtsinn. Jede Torheit seiner Genossen hat er angestiftet, jeder dumme Streich ist ihm willkommen, ich denke, Sie kennen den Hass, mit welchem ich dergleichen Dingen gegenüberstehe, nicht wahr, Mama?«

»Weil du ein ganz anderer Mensch bist, Johannes. Deine guten Eigenschaften erkenne ich ja an, aber neben diesen ist die Unduldsamkeit mit den Jahren immer stärker geworden. Soll der sechzehnjährige Knabe etwa denken und Empfinden wie du, der Mann mit grauem Haar?«

»Er soll es wenigstens lernen!«, rief energisch der Senator. »Ist denn das Leben ein Tummelplatz lustiger Spiele, oder ist es eine ernste Aufgabe, die den Einsatz aller Kräfte erfordert?«

»Benno ist ein Kind!«, seufzte die alte Dame.

»Und wird ein Mann in meinem Sinne des Wortes höchstwahrscheinlich niemals werden«, setzte der Senator hinzu. »Hatte ich bisher noch gehofft, den Jungen, wenn er das Abiturientenexamen gemacht hat, als Lehrling ins Kontor nehmen zu können, so ist das jetzt endgültig aufgegeben. Der Lehrer erzählte mir ein Geschichtchen, wie sie in früheren Tagen das Haus Zurheiden schon reichlich erlebt hat, ein –.«

»Wahrscheinlich eine harmlose Kinderei! Theodor wenigstens hat niemals etwas Unrechtes, Unedles verübt.«

16

»Wirklich nicht. Mama?«

Und der Senator blieb plötzlich mitten in seinem Spaziergange stehen.

»Wirklich nicht?«, wiederholte er.

Der Ton klang so sonderbar, so bedeutsam, dass Benno glaubte, es raube ihm plötzlich eine erstickende, unerträgliche Hitze den Atem. Sein Herz schlug schneller, seine Hand zuckte unwillkürlich, als wolle sie die Tür öffnen.

Musste er nicht vor den kühnen Sprecher da drinnen hintreten und ihn fragen:

»Was hast du gemeint? Rede unumwunden! Welches Unrecht hat mein Vater begangen?«

Aber er bezwang sich. Ein unterdrückter Schrei seiner Großmutter antwortete dem hämischen, feindseligen Angriff des Senators.

»Nein!«, rief die alte Dame. »Nein! Tausendmal nein! Theodor hat nichts, hörst du wohl, nichts getan, was ihn vor Gott und vor mir verklagen müsste!«

Der Senator nahm seine Wanderung wieder auf.

»Glauben Sie, was Ihnen gefällt, Mama, nur gestatten Sie ein gleiches Recht auch mir. Ich wollte Ihnen ja übrigens das Geschichtchen des Klassenlehrers erzählen.«

»Eine Kinderei«, beharrte die alte Dame.

Ihr Sohn nahm von dieser Einrede keine Notiz.

»Es ist ein sehr kurzsichtiger Lehrer am Johanneum angestellt«, fuhr er fort, »ein Mann, den die Herren Jungen, weil er ihnen scharf auf die Finger passt, nicht besonders gern haben und den sie zu hänseln suchen. Für diesen Zweck ist denn ein Bindfaden quer über das Klassenzimmer gespannt und daran eine Gliederpuppe aus Papier befestigt worden. Sooft der kurzsichtige Lehrer das Buch dicht vor die Augen hält, senkt sich die Puppe ganz leise auf seine Stirn herab, so dass er glauben muss, es belästige ihn eine Fliege. Natürlich hebt er die Hand, um sie zu verscheuchen; aber kaum ist der Vortrag wiederaufgenommen, als auch dasselbe Spiel sich erneuert, und natürlich hält kein anderer, als eben der letzte Sprosse des Hauses Zurheiden den Bindfaden in seiner Hand. Der Lehrer, welcher mir die Sache erzählte, hat alles mit angesehen.«

»Und Benno ist bestraft worden?«

»Die Erziehung von heute scheint merkwürdigen Grundsätzen zu huldigen«, sagte grollend der Senator. »Jener andere Lehrer ist in das Klassenzimmer getreten und hat mit dem ruhigsten Ton von der Welt gesagt: Zurheiden, gehen Sie doch einmal hinaus und rufen Sie den Schuldiener! – Als dann der Mann kam, befahl er wieder ganz gelassen: Schneiden Sie das da ab und nehmen Sie es mit. – Mosjö Benno hat rot wie ein Krebs dagestanden, aber es ist von der ganzen Sache weiter keine Notiz genommen worden. Wahrhaftig, wäre ich an des Lehrers Stelle gewesen –.«

»Aber gleichviel«, unterbrach er sich. »Einen Menschen, der so zum Leichtsinn neigt, kann ich im Kontor nicht brauchen. Der Lehrer sagte auch: ›Ihr Neffe muss studieren, Karriere machen!‹ – und dann noch ein Wort – o ein Wort, das sich in meine Seele förmlich hinein geätzt hat, – ›er besitzt künstlerische Anlagen! Sie sollten einmal in die Aula kommen und ihn deklamieren hören, Herr Senator! Der Junge ist ein Talent.‹«

Die alte Dame schien erschrocken.

»Du brauchst ja nicht hinzugehen«, sagte sie ganz verwirrt. Vielleicht hatte nur eine Handbewegung geantwortet, denn der Senator ließ sich auf diesen Punkt gar nicht ein.

»Ich denke, den Jungen in fremde Hände zu geben«, sagte er nach einer Pause. »Wenn ich ihn nicht mehr täglich zu sehen brauche, so wird mir das eine große Erleichterung sein.«

Ein erstickter, unverständlicher Laut klang von den Lippen der alten Frau.

»Das geschieht nicht, Johannes«, sagte sie mit dem Ton der höchsten Unruhe, »das geschieht nicht, oder du müsstest denn die Absicht hegen, deine Mutter in das Grab zu bringen. Ja, ja, in das Grab, – ach, mein Gott, ich will ja –.«

»Sie sollten sich nicht so unnötig aufregen, Mama! Gute Nacht jetzt, ich schicke Ihnen das Mädchen.«

Er ging zur Klingel und Benno huschte geräuschlos die Treppen hinauf in sein eigenes Zimmer. Mechanisch drehte er den Schlüssel im Schloss, als müsse er einem Verfolger den Weg absperren. Aus dem Haus wollte ihn der Onkel geben! – Freilich, der Gedanke schien an und für sich nicht gerade so sehr erschreckend, aber es war doch für einen ehrlichen Charakter höchst empfindlich, gewissermaßen verbannt zu werden. Und das der harmlosen Papierpuppe wegen!

In dem Kopf unseres Freundes wirbelten die Eindrücke dieses Abends bunt durcheinander. Immer wieder dachte er an seinen Vater, an die bittere Verachtung, mit welcher der Senator von ihm gesprochen, und an den tiefen Groll, der offenbar seine Seele erfüllte. Wieder sagte sich Benno, dass hier ein Geheimnis, ein böses, trauriges Geheimnis zugrunde liegen müsse.

Er setzte sich an das Fenster und sah auf die stiller werdende Straße hinab; ein Gefühl unsäglicher Vereinsamung überschlich sein Herz, langsam lehnte er den Kopf gegen die flachen Hände und schloss die Augen, wie in großer Ermüdung. Jetzt saßen seine Kameraden daheim bei den Ihrigen und erzählten von den lustigen Geschehnissen im Zirkus; man lachte mit ihnen und verabredete wohl auch einen gemeinschaftlichen Gang nach St. Pauli.

Sein eigener, Bennos, Name wurde überall genannt, die Freunde erzählten von seiner Reitkunst, wie er richtig den dressierten Esel gezähmt habe. Man lachte über Rigolos Angst und über den großsprecherischen Direktor. Ein Stich ging durch das Herz des Knaben. Es war ihm, als sähe er diese zärtlichen, liebevollen Mütter, wie sie bedauernd die Köpfe schüttelten.

»Armer Benno, seine Jugend geht freudlos dahin, – es ist da in dem spukhaften alten Haus am Wandrahmen gewiss für den armen Jungen wie in einem Gefängnis.«

Wie oft waren ihm ähnliche Worte hinterbracht worden! – Er seufzte tief. Zu ihm kam nie einer seiner Kameraden; wer mit ihm sprechen wollte, der erwartete ihn auf der Straße oder pfiff unter den Fenstern, bis er das Signal bemerkt hatte. Seltsame Zustände! Er dachte auch an das Abschiedsgespräch mit den übrigen, an ihre Fragen und ihr Erstaunen. Wie peinlich war das alles gewesen.

Und nun weinte er bitterlich. Die Pflaumen im Ofenrohr blieben unberührt, Benno warf sich auf das Bett und schluchzte, bis er nach Mitternacht endlich einschlief.

In der Klasse wurde am folgenden Morgen nur von den Kunstreitern gesprochen; jeder der Knaben wollte den Zirkus besuchen, beinahe in jedem vornehmen Haus der Stadt war Ramiro selbst gewesen und hatte mit größter Zungengeläufigkeit seine Eintrittskarten zum Verkauf angeboten.

Wieder wurde Benno gefragt:

»Nimmt denn dein Onkel keine? In seiner Stellung müsste er es doch.«

Und der Knabe schüttelte seufzend den Kopf.

»Einen Menschen wie den Kunstreiter lässt er überhaupt nicht vor.«

»Du gehst mit uns«, entschied Moritz. »Meine Mutter sagte es gleich.«

»Und ich sage es auch!«, rief ein anderer. »Wenn du nicht dabei bist, gibt es gar keinen Spaß.«

»Abgemacht, du gehst mit uns.«

Benno schüttelte den Kopf.

»Nein! Nein! Das ist unmöglich. Ihr müsst mich nicht quälen, – es ist ganz unmöglich.«

Und dann sahen sich die übrigen verstohlen an; er bemerkte es sehr wohl, – jeder dieser Blicke schien ihm ins Herz zu bohren. Sie sollten ihn aber doch nicht freihalten, etwas in seiner Seele empörte sich gegen diesen Gedanken. Dennoch aber wuchs, je weiter der Tag vorrückte, die Sehnsucht nach dem Anblick der Vorstellung. Diese schönen Pferde, wie sie wohl dahinfliegen würden unter dem rauschenden Applaus der Menge, – besonders der schwarze Hengst mit der Lockenmähne, der, welcher so häufig wieherte und den Kopf schüttelte, als wollte er fragen: »Fängt denn die Geschichte noch nicht bald an?« Und Pferde waren Bennos große Leidenschaft.

»Ich kann doch immerhin nach St. Pauli gehen«, dachte er. »Weshalb nicht? Es ist mir nie verboten worden.«

Und dann nahm er die Mütze und verließ geräuschlos das Haus. Um sein Kommen und Gehen bekümmerte sich niemand als nur der alte Harms, und dieser verzog ihn auf das Unglaublichste; er würde sicherlich nichts verraten. War es denn überhaupt ein Unrecht, sich den Zirkus von Weitem anzusehen? – Die beachtenswertesten Menschen gingen dahin, alle seine Klassenkameraden waren in der Bretterbude versammelt, – weshalb sollte nur er selbst es nicht dürfen?

Onkel Johannes hatte so seltsame Anschauungen, daran lag es. Und unser Freund schlenderte quer durch die Stadt bis zum Zeughausmarkt. Schon hier schallte ihm eine ohrenzerreißende Musik kräftig entgegen; eine gewaltige Fahne, das hamburgische Wappen darstellend, flatterte im Wind über einem Leinendach, unter dem die Bretterbude fix und fertig dastand, rings im weiten Halbkreis umgeben von einer schadhaften Holzplanke, welche alle die interessanten Geheimnisse des Inneren den neugierigen Augen der Vorübergehenden verbergen sollte.

Zahlreiche Straßenjungen jedes Alters hingen an den morschen Pfählen und versuchten beharrlich einen Einblick in die Wunder des umschlossenen Hofes zu erlangen, bis sich hinter den Brettern plötzlich ein mit einer riesigen Peitsche bewaffneter Arm drohend erhob, worauf denn Jung-Hamburg wie reife Äpfel von den Palisaden fiel, dieses Ereignis mit einem durchdringenden Hohngeschrei begleitend.

Der Arm mit der Peitsche war mit einem fleischfarbenen Trikot bekleidet, und als zufällig sein Eigentümer einmal über die Planke sah, da begegneten Bennos und Señor Ramiros Blicke einander aus nächster Nähe.

Der Direktor grüßte blinzelnd.

»Hier nebenan ist die Seitenpforte, junger Herr! – Bitte, treten Sie näher.«

Bennos Herz schlug schneller. Er sollte also mehr sehen, als alle, die später an der Kasse bezahlen würden – die Kunstleistungen der Truppe und ihr privates Leben zwischen den bunten Wagen, den Packkisten und den Tieren. Er müsste kein geweckter und lebensfroher Knabe von sechzehn Jahren gewesen sein, wenn ihn dieser Gedanke nicht unwiderstehlich angezogen hätte.

Die Mütze abnehmend, fragte er:

»Wünschen Sie mich zu sprechen, Herr Direktor?«

»Ganz notwendig sogar. Bitte!«

Die Pforte wurde von innen geöffnet, ein wirbelnder Schwung mit der Peitsche verjagte die liebe Jugend und Benno war, ehe Sekunden vergingen, hindurch geschlüpft. Sein strenger Onkel hätte ihn an diesem Ort nicht sehen dürfen, das wusste er freilich, aber die Versuchung siegte über alle Bedenken. Er wollte ja auch weiter nichts als nur mit dem Direktor eine Viertelstunde plaudern, – das konnte keine Sünde sein.

Ramiro drückte ihm kräftig die Hand.

»Willkommen!«, sagte er. »Willkommen, junger Herr! Wie heißen Sie denn eigentlich?«

Benno nannte seinen Namen.

»Was wollten Sie mir mitteilen, Herr Direktor?«, fragte er.

»Etwas sehr Wichtiges, Bedeutsames. Kommen Sie aber zunächst mit mir, ich möchte Sie der Frau Direktorin und meiner Tochter vorstellen.«

Benno lächelte in sich hinein, aber er folgte dem vorausschreitenden Mann und begrüßte höflich eine Gesellschaft von Personen, die da in den verschiedensten Gruppierungen und in gar sonderbarer Weise zwischen den Wagen ihr Wesen trieb.

Wie ein Zigeunerlager präsentierte sich die Umgebung. Bei der milden Wärme des Abends vollzog sich das gesamte Leben und Treiben des fahrenden Völkchens draußen im Freien; all sein Elend, sein Leichtsinn und sein lustiges, sorgloses Wesen lagen wie ein aufgeschlagenes Buch vor den Blicken des Knaben, der solche Dinge noch nie mit angesehen hatte und dessen lebhafter Geist von jeder Kleinigkeit angeregt wurde.

Heute, so dicht vor Beginn der Schaustellung trugen alle diese Leute ihre bunten Flitter, ihre fantastischen Kopfbedeckungen und falschen Schmuckgegenstände; Kronen aus Papier umgaben die braunen Stirnen, blank geputztes Messing galt als Gold und gepresste Pappe als eiserner Panzer.

Da gab es den Schlangenmenschen in schuppigem Gewand, den Athleten in schäbigem Trikot mit noch schäbigerem Samtaufputz und den ganz weiß angestrichenen Hanswurst mit Zipfelkappe und einem Kleid, das der Länge nach aus zwei verschiedenen Stoffen angefertigt war.

Ein Mädchen im Gewand einer Spanierin schälte eifrig Kartoffeln, und eine Riesendame in Purpurseide – sechs Fuß hoch – rührte in dem über einem qualmenden Holzfeuer aufgehängten Kessel.

Dazwischen spielten Kinder; gelehrte Ziegen mit vergoldeten Hornspitzen weideten friedlich das zertretene Gras, während ihr Genosse, der buchstabierende Pudel in einer Ecke lag und einem längst abgenagten Knochen vergeblich noch ein genießbares Fäserchen zu entreißen suchte.

Neben dem Esel stand Michael in seinen gewöhnlichen Kleidern; ihn konnte man »draußen« nicht brauchen, der Träumer hätte leicht die ganze Vorstellung umgeworfen, hier hinter der Bahn aber versah er bei den Tieren seinen Dienst und beschäftigte sich gerade jetzt mit Rigolos Lieblingsfutter, den Disteln, welche er ihm in die Krippe schnitt.

Über dieses ganze bunte Bild warf die Sonne ihre letzten sinkenden Strahlen, von der Straße tönte das heitere Schwatzen und Lachen einer immer wachsenden Volksmenge herein und hier drinnen scherzten die fantastisch aufgeputzten Menschen im lustigen Durcheinander, Benno fühlte, wie ihm das Herz von Minute zu Minute leichter schlug.

Diese armen heimatlosen Menschen liebten das Leben und wussten ihm jede Lichtseite dankbar abzugewinnen; in dem düsteren Haus am Alten Wandrahmen dagegen schien alles eingefroren, das Herz in der Brust und die Freude im Blick, da gab es keinen Sonnenschein, keine warme, innige Empfindung, weder im Glück, noch im Leid. Unser Freund schauderte, als er des hohen dunklen Flures gedachte und der tickenden, melancholischen Wanduhr. Lebten sie in Wirklichkeit, die beiden alten Gebieter des Hauses mit den Drachenköpfen, oder führten sie nur ein trauriges, herzerkältendes Scheindasein?

»Mir ist ein großartiger, ein genialer Gedanke gekommen!«, sagte an Bennos Seite der Direktor. »Ein Gedanke, so recht meiner würdig!«

Die löffelschwingende Riesendame probierte ein Tröpfchen des Gemisches.

»Prosit!«, rief sie. »Das für deinen Einfall. Ramiro!«

Nun lachten alle bis auf Michael, dessen Augen immer größer und dessen blasses Gesicht immer blasser zu werden schienen.

»Ich danke dir, Juanita, meine Gemahlin!«, versetzte mit elegantem Armschwung der Kunstreiter. »Ich danke dir, obgleich mir dein Glückwunsch anstatt in edlem Weine in ganz gemeiner Grütze zugetrunken wird. Und nun urteile selbst, Frauchen, wie dir meine Idee gefällt. Ich –.«

»Du denkst jedenfalls an den Esel, deinen besonderen Liebling, nicht wahr, Ramiro?«

Der Direktor nickte würdevoll. »An ihn, der den Glanzpunkt des Abends bildet, – ja, meine Teure!«

»Na, was hast du denn, Michael?«, setzte er hinzu. »Was gibt es mit dem Grauen?«

»Nichts! Nichts!«

»Weshalb drängst du dich dann aber vor ihn, als drohe ihm eine Gefahr?«

»Rigolo fürchtet sich, er zittert.«

Der Kunstreiter trat zu der Gruppe der beiden und zog den Esel am Zaum hervor. Das Tier sträubte sich, es hatte offenbar seinen

Bezwinger erkannt und wollte sich beizeiten entfernen. Auch Michael presste den schmächtigen Körper fest an die Wand; seine großen Augen sandten unruhige Blicke umher, seine Hände zerpflückten mechanisch eine blühende Distel aus Rigolos Vorrat.

Der Kunstreiter lächelte zufrieden.

»Sehr gut«, sagte er, »sehr gut. Das passt mir außerordentlich. Und nun hört mich an, Kinder, mein Gedanke ist der eines immer arbeitenden, immer sinnenden und erfindenden Geistes!«

Er verschränkte die Arme, gab sich ein möglichst wichtiges Ansehen und umfasste mit einem bedeutsamen Rundblick sämtliche Anwesenden.

»Nicht wahr, Kinder, es werden tausend Taler demjenigen versprochen, der dreimal auf Rigolos Rücken die Bahn zu durchreiten vermag?«

Madame Juanita seufzte ein wenig.

»Versprochen!«, wiederholte sie in gedehntem Ton. »Ja!«

Die übrigen lachten, nur Ramiro blieb bei seinem unerschütterlichen Ernst.

»Wohl an«, fuhr er fort, »es werden sich wie gewöhnlich einige Wagehälse melden und bei der zweiten Tour in den Sand fallen. Soweit wäre alles nur das Altgewohnte, jetzt aber kommt mein Vorschlag. Sie, junger Herr, treten ganz plötzlich durch eine Nebentür, anscheinend aus der Mitte des Publikums in die Bahn hinein und –.«

»Um Gottes willen!«, rief Benno. »Ich sollte vor aller Augen den Esel besteigen? – Wohin denken Sie, Herr?«

»Still! Still! Es ist ja noch etwas ganz Besonderes, ganz Unerwartetes dabei. Nachdem Männer und Knaben in den Sand gepurzelt sind, erscheinen Sie als altes Weib mit ungeheurer Haube, geschminktem Gesicht und einer riesigen Küchenschürze. Als Peitsche gebrauchen Sie einen Schaumlöffel oder einen Besen. Ist das nicht ein großartiger, alles Dagewesene übersteigender Gedanke?«

Madame Juanita, der Athlet und der Schlangenmensch klatschten vergnügt in die Hände.

»Das muss fabelhaft ziehen!«, rief die Riesin. »Nicht wahr? Ich wusste es ja!«

Der Schlangenmensch rollte sich vor Vergnügen zur Kugel und sah unter seinem eigenen linken Arm hervor.

»Famos!«, bestätigte er.

Benno selbst lachte unwillkürlich.

»Ich als altes Weib!«, rief er.

»Natürlich, gerade Sie! Gerade Sie! Wir wollen gleich eine Probe machen!«

»Ich tue es nicht! Ich kann es unmöglich wagen!«

»Die Probe verpflichtet Sie zu nichts, junger Herr! Wo haben Sie denn eigentlich reiten gelernt, he?«

»Niemals. Einer meiner Klassenkameraden besitzt ein Pony und zuweilen lässt er mich darauf sitzen, das ist alles.«

Ramiro nickte.

»Angeborenes Talent also. Deutlich vorgezeichneter Beruf. Bitte, drehen Sie sich so herum, junger Herr! Die Schminke kommt zuerst.«

Und nun erhielten Bennos Wangen eine ziegelrote Färbung, auch die Nasenspitze bekam ihren Klecks, dann folgten dicke kohlschwarze Augenbrauen, und als unser betörter junger Freund in einen vorgehaltenen Spiegel sah, da glaubte er sein eigenes Gesicht nicht mehr erkennen zu können.

»Jetzt die große Haube!«, befahl Ramiro. »Es ist doch eine solche vorhanden? – Und eine recht breite Küchenschürze?«

Ein junges Mädchen brachte schon beides, auch das aus buntem Stoff gefertigte und vielfach mit Flecken von anderer Farbe ausgebesserte Frauenkleid.

»Hier, Papa, das kann der junge Herr anziehen.«

Benno warf den Rock ab und die Ausstaffierung begann. Wie lachten der Athlet und der Schlangenmensch, wie hüpften die Kinder vor Vergnügen. Es kam eine Likörflasche zum Vorschein, die aus der Hand des Direktors von Mund zu Mund wanderte.

»Auf gutes Glück für die Vorstellung!«

»Reiten Sie einmal versuchsweise herum«, meinte Ramiro. »Noch ist es Zeit, die Kasse wird erst in einer Viertelstunde geöffnet.«

»Draußen im Zirkus?«

»Ja, natürlich, hier ist der Boden viel zu uneben.«

Benno lachte; mit allen übrigen Anwesenden folgte er dem den widerstrebenden Esel führenden Direktor in die Bahn. Was er am gestrigen Abend ganz ohne Scheu ausprobiert hatte, das konnte er ja jedenfalls heute wiederholen! Warum auch nicht? Es war ein Scherz ohne alle Bedeutung. Und dennoch klopfte sein Herz, dennoch empfand er geheime Unruhe. Ein Etwas, das sich nicht bannen ließ, lag lastend auf seiner Seele.

»Courage, junger Herr«, ermahnte Ramiro. »Courage, sage ich Ihnen! Sie haben ein brillantes Talent für das komische Fach. Jetzt müssen Sie sich ein wenig zieren, recht zimperlich tun, als wären Sie furchtsam und könnten doch dem Verlangen nicht widerstehen. Da aus dieser Ecke kommen Sie hervor – und dass Sie nur tüchtig mit dem Kleide herumschwenken! Wenn das Publikum lacht, ist alles gewonnen! – So, jetzt geben Sie Acht auf Ihr Stichwort!«

Er warf sich in Positur und vollführte gegen die leeren Bänke eine einladende Armschwenkung.

»Meine verehrten Herrschaften, will noch jemand von Ihnen sein Glück probieren? Tausend Taler, wer den Esel dreimal herumreitet!«

Donna Juanita seufzte unwillkürlich.

»Tausend Taler!«, sagte sie im Ton innigster Sehnsucht.

Benno hatte ein Zeichen des Direktors erhalten, das Vergnügen des Augenblickes riss ihn unwiderstehlich mit sich fort, er fasste mit Daumen und Zeigefinger an beiden Seiten das bunte Gewand und fächelte wie in Verlegenheit damit hin und her; der ungeheure Haubenstrich wackelte ihm um die Stirn, seine ganze Haltung war ein so vorzügliches Gemisch von Verschämtheit und brennender Begierde, dass alle Zuschauer dieser Szene in ein donnerndes Hurra ausbrachen.

Der Schlangenmensch ergriff eine alte an der Wand hängende Trompete und blies ein schmetterndes Signal, der Direktor klatschte in die Hände, als wolle er seine Haut zersprengen, selbst die Kinder lachten und jauchzten.

»So recht!«, rief Ramiro. »So recht! Nun springen Sie auf Ihr Tier!«

Benno nahm einen Anlauf und flog behände in den Sattel. Ehe er noch das Grautier antreiben konnte, hob dieses die Schnauze zum Himmel empor und schrie kläglich, als wolle es sagen:

»Jetzt beginnt meine Niederlage!«

Dann klemmte es den Schwanz so weit wie möglich ein und fing an zu traben, aber mit gesenktem Kopf und gänzlich mutloser Haltung, ja sogar seufzend, wenn die tieferen, angstvollen Atemzüge eines Esels als Seufzer bezeichnet werden dürfen. Alles lachte, selbst Benno vermochte dieser stürmischen Heiterkeit nicht zu widerstehen; der Direktor wischte sich die Tränen aus den Augen.

»Rigolo!«, rief er. »Du bist ein unbezahlbares Vieh!«

Wenn die Kreatur verstände, was man von ihr wünscht, dann könnte sie ja nicht anders, nicht zutreffender handeln! Dann hob er plötzlich die Peitsche empor – der Esel machte einen schwachen Versuch, sich hinzulegen, schüttelte aber sogleich höchst betrübt den Kopf und nahm seinen langsamen Trab wieder auf, – diesen Reiter konnte er nicht abwerfen.

»Bravo!«, rief der Schlangenmensch, indem er mit den Händen an der Seite des Grauen dahin trabte und immerwährend mit den Füßen hoch in der Luft aneinander schlug. »Bravo! Bravissimo!«

»Das verspricht uns eine goldene Ernte!«, jubelte Ramiro. »Hei, für eine solche Nummer können wir uns erlauben, extra zu sammeln!«

Bennos anfänglicher Widerstand war im Schwinden begriffen.

»Aber es geht ja doch nicht!«, stammelte er. »Es geht wahrhaftig nicht!«

Die Riesendame näherte sich ihm mit gehobenen Händen.

»Ach, junger Herr, wenn Sie es doch tun wollten!«, bat sie im beweglichsten Ton. »Da drinnen im Wagen liegt eins unserer Kind schwer krank, – das stirbt bald, es hat die Schwindsucht, – und wir wissen nicht, wie wir ihm ein Tröpfchen zur Pflege herbeischaffen sollen, ja sogar das Standgeld für den Platz ist noch nicht einmal bezahlt, also –.«

»Juanita!«, unterbrach unruhig der Direktor.

Aber seine riesige Ehehälfte winkte ihm ziemlich gebieterisch.

»Das mag der junge Herr immerhin wissen«, rief sie. »Es ist kein Unrecht dabei. Ach, bitte, bitte, legen Sie uns in das heutige Programm diese Nummer ein!«

»Und wenn es denn auch nur diesmal wäre!«, fügte der Direktor hinzu.

Benno sah auf.

»Topp!«, rief er. »Das soll gelten. Heute und nicht wieder, denn die Gefahr ist für mich zu groß. Wenn meine Familie erführe, dass ich bei einer öffentlichen Schaustellung –.«

Er zögerte, aber der würdige Direktor hatte ihn schon vollständig begriffen.

»Ich verstehe«, sagte er mit emporgezogenen Augenbrauen, »das sind Verhältnisse, denen man Rechnung tragen muss. Die menschliche Kurzsichtigkeit, ihr geringes Kunstverständnis! Hm, hm, Sie haben ja ganz Recht, ich will Ihnen daher durchaus keine Zwangslage bereiten. Heute und nicht wieder!«

Benno nickte. »Heute!«, bestätigte er.

Ramiro und die Riesendame sahen einander an, der Direktor blinzelte.

»Lass ihn nur erst einmal den Beifall hören«, dachte er, »dann klingt seine Sprache anders. Das Händeklatschen des Publikums wirkt berauschend wie alter Wein.«

Und die Uhr aus der Westentasche ziehend, fügte er laut hinzu:

»Halb acht, Pedrillo, es ist Zeit!«

Der Schlangenmensch wanderte auf den Händen zu der Stelle, wo das Horn hing, nahm es mit den Füßen von der Wand und schnellte dann empor, um bald darauf draußen auf den Holzstufen vor der Bude als Ausschreier die Menge anzulocken.

Schnedderedeng! Schnedderedeng!

Es schallte, als sei Hamburg in das alte Jericho verwandelt und als wolle Pedrillo, der Schlangenmensch, seine Mauern ohne Erbarmen umblasen.

2.

Der Wahnsinnige – Eine Pantomime im Zirkus – Das Debüt auf dem Esel Rigolo – Der Torwächter – Hilfe in der Not – Ein unerbittlicher Onkel und ein treuer Diener – Das Geheimnis des Hauses Zurheiden

Draußen vor der Tür hatte längst die schaulustige Menge Posto gefasst. Bei den verheißungsvollen Klängen der Trompete stürzte sie sich gleich einer plötzlich entfesselten Wasserflut in das Innere der Holzbaracke, an deren Eingang die Spanierin hinter dem Kassentisch saß und mit sorgloser Miene, aber heimlich pochendem Herzen das Eintrittsgeld in Empfang nahm.

Benno war hinter dem Vorhang zurückgetreten, so dass er alles überblicken konnte, ohne selbst gesehen zu werden. Da kam seine ganze Klasse angerückt. Mann für Mann, alle mit freudestrahlenden Gesichtern, – sie nahmen zwei Bänke für sich allein in Anspruch und jeder unter ihnen hatte für die Tiere irgendeine Nascherei mitgebracht. Äpfel, Zucker oder Kuchen.

Sie unterhielten sich halblaut miteinander und mehrere Male hörte Benno seinen Namen, der immer in bedauerndem Ton ausgesprochen wurde.

»Wäre er doch hier! Man muss über seine Witze so herzlich lachen!«

Es ging dem Versteckten durchs Herz wie ein Messerstich. Allmählich füllte sich der Zirkus bis auf den letzten Platz. Ramiro schmunzelte vor Vergnügen. Das Geschäft blühte augenscheinlich. Dann kam die erste Nummer. Pierrot machte seine Dummheiten, fiel zwischen zwei Stühle und bekam schmähliche Prügel; die Affen schossen Pistolen ab und trommelten, die Ziegen standen mit allen vier Füßen auf Tellern, die ihrerseits auf Flaschenhälsen balancierten.

Während aller dieser Dinge näherte sich hinter der Bahn Michael in seinen schäbigen Kleidern mit scheuem Wesen unserem Freunde und berührte leise dessen Schulter:

»Ich bin es, Herr!«

Benno sah ihn mitleidig an.

»Wünschen Sie etwas, Michael?«

Der junge Mann nickte.

»Weshalb wollen Sie es mir nicht anvertrauen?«, flüsterte er. »O bitte, sagen Sie mir alles!«

Benno zuckte die Achseln.

»Was denn?«, fragte er.

Michael legte den Finger auf die Lippen.

»Sie können mit der Geisterwelt verkehren, ich weiß es, Sie verstehen die schwarze Kunst!«

Benno seufzte unwillkürlich.

»Glauben Sie doch nicht so Unsinniges, Michael«, versetzte er. »Es gibt keine schwarze Kunst.«

Der Genosse des Graurocks erschrak.

»Doch«, raunte er ängstlich, »doch! Wenn es keine Zaubermittel gäbe, so könnte man ja mit den Wassernixen niemals sprechen!«

Ein Gefühl des Mitleids mit dem Halbirren durchflutete Bennos Seele.

»Was wollten Sie denn von den Wassernixen?«, fragte er in freundlichem Ton.

Michaels Augen glänzten heller.

»Können Sie mir eine Zusammenkunft verschaffen?«, bebte es hastig über seine Lippen.

Benno schüttelte den Kopf.

»Das ist unmöglich!«, versetzte er.

Michael sah ihn verwirrten Blickes an.

»Unmöglich! Unmöglich! – Nein, das will ich nicht glauben, – ach, nein, nein! Wenn ich nur warte, ganz geduldig warte, bis Sie die Stunde für gekommen halten, dann wird sich mein Wunsch doch noch erfüllen. Weshalb sollten Sie mir auch diese große Gnade verweigern?«

»Michael!«, rief mit halber Stimme die Riesendame. »Komm hierher!«

Der tiefsinnige junge Mann verschwand sofort, und aufatmend sah Benno wieder hinüber in den hell erleuchteten Zirkus.

Die verworrenen Reden des Unglücklichen übten eine beklemmende Wirkung aus, – es war besser, nicht an ihn zu denken, besonders jetzt, wo der Glanzpunkt des ganzen Abends, die große Pantomime, ihren Anfang nahm.

»Etwas Außerordentliches, nie Dagewesenes!«, hatte der Direktor dem Publikum verkündet. »Der Triumph der Kunst!«

Dann war er verschwunden. Er kam als Müller mit bestäubten Kleidern und kurzer Pfeife wieder, ein Pferd am Zügel führend, und mit einem Sack voll Mehl unter dem Arm. Man lachte schon bei seinem Erscheinen; das derbe Bauerngesicht sah so urkomisch aus!

Und nun nahm er einen Stuhl, um recht schwerfällig und behäbig den Rücken des Tieres zu erklettern. Den Mehlsack legte er vor sich hin, dann zündete er die Pfeife an und setzte das Pferd in Schritt.

»Hübsch langsam, mein Brauner!«, sagte die Bewegung, mit der er den Hals des Tieres klopfte.

»Hübsch langsam! Keine Überstürzung, hörst du!«

Die Leute lachten, sie wussten vielleicht nicht worüber, aber Ramiro verstand es meisterlich, sein pfiffiges Gesicht zu schminken; er sah aus, wie der gutmütigste, dümmste Bauer. Da, nachdem das Pferd einige Schritte gemacht hatte, sprang plötzlich aus den faltigen Vorhängen des seitwärts gelegenen Einganges ein Schornsteinfeger hervor, setzte mit der größten Keckheit seine Leiter an den Hals des Braunen und kletterte hinauf, dem verdutzten Müller zunickend, als wolle er sagen:

»Hier bin ich! Guten Tag, mein Bester!«

Dabei berührte er den weißen Rock des Bauern und hinterließ auf dem Glanz desselben einen schwarzen Fleck.

»Pfui, was war das?«

Der Bauer wischte emsig, er streifte aber dabei den Schornsteinfeger und stäubte ihm eine Wolke von Mehl ins Gesicht, so dass auch dieser zu pusten und zu reiben anfing. Unaufhörlich bewegten sich die vier Arme, unaufhörlich wurden mit erbitterten Mienen hier schwarze, dort weiße Flecke gezeigt; es purzelte die Leiter zu Boden, dann der Mehlsack, – das Publikum jubelte laut, und als endlich der Schornsteinfeger mit kühnem Griff dem Bauern die Pfeife aus dem Mund nahm, um sie zwischen seine eigenen Zähne zu schieben, da widerhallte der ganze Zirkus von Händeklatschen und Beifallsrufen.

»Bravo! Bravo!«, klang es von allen Seiten.

Am lautesten waren natürlich die Knaben, sie klatschten wieder und wieder und rissen dadurch das Publikum zu fortwährend erneuten Kundgebungen mit sich fort. Auch Benno lachte, auch er war gespannt, wie sich die Szene weiter entwickeln werde.

Dann trat schleichend aus der Seitentür eine seltsame Erscheinung hervor, der Schlangenmensch; unser Freund erkannte ihn sofort. Pedrillo trug eine schwarze Maske und einen ungeheuren Schlapphut mit einem Büschel bunter Papageienfedern, dazu einen zerlumpten Anzug und im Arm eine vorsintflutliche, gewaltige Donnerbüchse.

Er war offenbar ein Straßenräuber, der die beiden streitenden Männer auf dem Pferde, mit dem Zeigefinger an der Nase, beobachtete, um sie zu bestehlen. Kam der Braune in seine Nähe, dann duckte er sich hinter die Vorhänge des Einganges, und als er wieder erschien, war vermutlich ein bestimmter Plan ersonnen. Schleichend lehnte er die riesige Waffe an eine Wand, dann rieb er sich frohlockend die Hände und kicherte hinter der Maske.

»So! Jetzt lass sie nur kommen!«, hieß die Bewegung.

Der Müller und der Schornsteinfeger saßen immer noch auf dem Rücken des Braunen in nächster Nähe beieinander, aber sie waren vom bloßen Erstaunen zum Ärger, von Beleidigungen zu Tätlichkeiten übergegangen, jeden Augenblick klatschte eine derbe Ohrfeige, hob sich eine schwarze oder weiße Faust drohend empor.

Diese Gelegenheit erkannte der Räuber, mit keckem Griff erfasste er den Mehlsack und verbarg ihn hinter dem Vorhang, dann folgte die Leiter und schließlich die Kopfbedeckungen der beiden Kämpfer, welche in der Hitze des Gefechts nicht bemerkten, dass man sie ausplünderte. Wieder rieb sich der Räuber die Hände. Beide Hüte, den schwarzen und den weißen presste er über seinen eigenen Filz, dann schnallte er sich Sack und Leiter auf den Rücken und zeigte dem Publikum, was er jetzt beabsichtige.

»Passt auf«, sagten seine Bewegungen, »ich erwische auch noch den Braunen.«

»Bravo! Bravo!«, schallte es durch den Zirkus.

Schornsteinfeger und Müller hatten sich nunmehr gegenseitig bei den Haaren gepackt. Einer suchte vergeblich, den anderen vom Pferde zu werfen und diesen Augenblick nutzte der Räuber zur Ausführung seines Planes. Mit einem wahren Tigersprung fuhr er auf den Knäuel der Kämpfenden los, warf beide nach rechts und links in den Sand, schwang sich mit Sack und Pack auf den Rücken des Tieres und sprengte zur Bahn hinaus, während die so plötzlich Überfallenen am Boden liegen blieben.

Ein nicht enden wollendes Gelächter ließ den Zirkus erdröhnen. Alles klatschte, schrie und jubelte. Der Müller erhob sich halben Leibes, rieb seine Knochen und sah umher; etwas weiter entfernt tat der Schornsteinfeger das Gleiche, bis sich ihre beiderseitigen Blicke begegneten, dann rückten sie, im Sand kriechend, einander näher.

»Mein Hut ist weg!«, sagte die Pantomime des Schwarzen. »Und meine Leiter!«

»Auch mein Hut, mein Mehlsack!«

Und nun umarmten sie einander und wiegten sich im gemeinsamen Schmerze hin und her. Jeder trocknete die Tränen des anderen, jeder deutete zum Himmel, als wolle er sagen:

»Von dort muss der Rächer kommen.«

Dabei vermischten sich Schwarz und Weiß zum Grau. Wie Gespenster saßen die beiden Männer im Sand und zeigten sich gegenseitig ihre geschundenen Knie und Ellenbogen. Plötzlich bemerkte der Schornsteinfeger die Donnerbüchse, er sprang auf und schlich sich zu der Waffe, dann winkte er dem Müller.

»Lass uns den Räuber verfolgen und ihn totschießen!«, hieß die Geste.

Der Müller stimmte lebhaft ein; die beiden schüttelten sich die Hände. Der eine lud das Mordgewehr auf die Schulter und dann verließen beide unter dem Beifallsjubel des Publikums die Bahn. Ein glänzender Sieg war mit dieser Pantomime errungen worden; der Direktor beglückwünschte sich, während er die Ruß- und Kreideschicht von seinem Kopf abwusch, einmal über das andere.

»Nun noch der Pudel«, sagte er, »dann kommen Sie an die Reihe, junger Herr! – Ich verspreche mir für die nächsten vierzehn Tage ein ausverkauftes Haus. Endlich scheint das Glück mich aufzusuchen!«

Er fuhr eilends in den abgeschabten schwarzen Anzug, ergriff den Stock mit dem Messingknopf und erschien wieder in der Bahn, umsprungen von dem lustig bellenden Karo, dem gelehrten Pudel, der genau wusste, dass es eine Ehrenpflicht für ihn sei, in dieser Stunde außerordentlich heiter und lebensfroh zu erscheinen.

Auch diese Vorführung fiel gut aus, und dann kam Rigolo an die Reihe. Heute wedelte er freundlichst mit dem Schweife und schien so harmlos wie ein zahmes Schoßhündchen. Sein Widersacher war ja nicht zu sehen, er konnte frei atmen, ohne eine neue Niederlage befürchten zu müssen.

Die Knaben stießen einander an und ermutigten sich gegenseitig; der Direktor bot lächelnd, als handle sich es um eine Anzahl Strohhalme, seine tausend Taler an und in der Ecke hinter dem Vorhang faltete Madame Juanita vor Entsetzen die Hände.

»Wenn einer dieser kecken jungen Schlingel den Widerstand des Esels besiegen würde? – Was dann?«

Vorläufig sah es freilich danach nicht aus, Moritz Dehnhardt, Bennos intimster Freund hatte sich zum Ritt gemeldet und war auf das heimliche Zeichen hin schmählich in den Sand gesetzt worden; dann folgte Hermann Bärenberg, den ein gleiches Schicksal ereilte, und nach ihm fand keiner mehr den Mut, sich der Tücke des grauen Vierfüßlers anzuvertrauen, Señor Ramiro streckte den Arm aus.

»Will niemand von den Herrschaften mehr sein Glück versuchen? Tausend Taler, wer den Esel dreimal um die Bahn reitet.«

»Tausend Taler, meine Herrschaften!«

Das war Bennos Stichwort, er wusste es, und der ganze Übermut seiner sechzehn Jahre erwachte. Das Kleid an beiden Seiten fassend, bald laufend, bald stehen bleibend, begab er sich in die Reitbahn und sah ringsumher, als sei er unsicher, ob man das Wagnis erlaubt finden werde oder nicht.

Madame Juanita hatte ihm den großen Grützlöffel in die Hand gedrückt und so bewaffnet näherte er sich dem Esel, der vor Schreck ein lautes: »Ja! Ja!« hören ließ, worauf er schleunigst Reißaus nahm.

Ein unauslöschliches Gelächter des Publikums begleitete diese Flucht, von der jeder einzelne annahm, dass dieselbe sorgfältig einstudiert sei. Stöcke und Füße trommelten in ohrenzerreißendem Getöse auf den Bretterboden; der Esel wurde stürmisch gerufen.

»Rigolo heraus! Rigolo heraus!«

Pedrillo hatte ihn draußen eingefangen und brachte jetzt den Widerstrebenden zurück. Der Direktor hielt ihn am Zügel, bis Benno den Sitz gewonnen hatte, und nun begann der Ritt durch den kreisrunden Raum, wieder mit allen Zeichen der entsetzlichsten Angst des Esels, wieder mit seinem kläglichen Geschrei, das indessen von dem tobenden Gelächter der Zuschauer vollständig übertönt wurde.

Rigolo sah den erhobenen Stiel der Peitsche und schüttelte den Kopf, während Bennos Klassenkameraden in ein lautes Hurra ausbrachen. Sie mochten in den Frauenkleidern ihren kecken Primus erkannt haben; ein betäubender Lärm verkündete die ungeheure Heiterkeit, von der sie beseelt waren, aber auch zugleich die Gefahr, in der Benno während dieses Triumphzuges schwebte.

»Er ist es!«, hörte er zischeln. »Er ist es!«

»Hurra, Benno, Hurra!«

»Da capo!«, schrien zahllose Stimmen. »Da capo!«

»Ja! Ja! Die Nummer muss wiederholt werden!«

»Wir geben einen Extraschilling!«

»Benno! Benno!«

»Hurra für die Madame mit dem Kochlöffel!«

In dem Durcheinander von Stimmen lenkte Benno den gern gehorchenden Esel zur Ausgangstür, wo ihn der Athlet in Empfang nahm, während unser Freund seine ungeheure Haube vom Kopf riss und in einem Wassereimer das erhitzte Gesicht von der darauf haftenden Farbe reinigte.

Ein zweites Mal das Kunststück zu probieren, wagte er nicht; die Kameraden hatten gar zu unvorsichtig seinen Namen genannt; aber in seinem Herzen schlug das Vergnügen immer noch hohe Wellen.

Er horchte, – fortwährend hieß es drinnen:

»Rigolo heraus! Die Madame mit dem Löffel heraus!«

Ramiro sattelte in aller Eile das schwarze Pferd, welches auf den Hinterfüßen zu gehen verstand; er sah dabei über die Schulter nach unserem jungen Freunde.

»Meine Tochter sammelt!«, raunte er. »Die Leute geben, als sei das gute Silber nichts mehr wert, denn eine Handvoll welker Blätter. Ja! Ja! Es ist etwas Wunderbares um die Kunst!«

Benno lachte ausgelassen, während ihm Madame Juanita mütterlich auf die Schulter klopfte. In den Augen der Riesendame standen große Tränen.

»Ich danke Ihnen, junger Herr!«, sagte sie mit bebender Stimme. »Für jeden Schilling, der auf den Blechteller fällt, segne Sie Gott?«

»Morgen Abend folgt die Fortsetzung, nicht wahr?«, lächelte der Schlangenmensch.

»Sie waren der Glanzpunkt der Vorstellung.«

»Und könnten es bleiben, solange wir hier spielen.«

Aber Benno schüttelte energisch den Kopf.

»Es ist ganz unmöglich«, sagte er. »Ich habe von vornherein ausgemacht, dass sich die Sache nicht wiederholen dürfe. Wahrhaftig, Madame, besäße ich Geld, so würde ich Ihnen dasselbe für Ihr krankes

Kind mit Vergnügen geben, aber nochmals den Esel reiten kann ich nicht.«

Dann reichte er nacheinander den verschiedenen Gliedern der Truppe zum Abschied die Hand, bat den Direktor zu grüßen und ging in Michaels Begleitung zur Pforte, um sich schleunigst auf den Heimweg zu machen.

Der Halbirre deutete auf die das Heiligengeistfeld bedeckenden, wallenden und ziehenden Nebelmassen hinaus.

»Wer alle diese Geheimnisse kennen würde!«, flüsterte er schaudernd.

»Welche?«, fragte Benno. »Was meinen Sie, Michael? Das Weiße, Wolkige da am Ufer des Stadtgrabens ist feuchte Luft, weiter nichts.«

Der junge Mensch nickte.

»Ich weiß schon, – das sind die Schleier, mit denen alles zugedeckt wird. Einmal sah ich dahinter, einmal vor Jahren als –.«

»Michael, wo bist du?«

»Ja, ja, Madame.«

Und hastig schloss der blasse Knabe auf, um unseren Freund hinauszulassen.

»Gehen Sie nicht in das Weiße hinein, junger Herr! Tun Sie es um des Himmels willen nicht!«

»Nein, Michael, nein, seien Sie ganz ruhig!«

»Gute Nacht!«, flüsterte der Irre. »Ich muss fort.«

»Gute Nacht, mein Freund. Vielleicht sehen wir uns nächstens wieder!«

Benno stand draußen, das Herz immer noch voll Freude und Vergnügen. Heute war alles Ungemach seiner häuslichen Verhältnisse untergegangen in Lachen und Jubel, er fühlte sich so glücklich, wie nie vorher. Aber wiederholen sollte sich die Sache trotzdem nicht, und wenn auch Ramiro oder die übrigen noch so inständig bitten würden.

Nein, nein, wiederholen sollte es sich nicht! Unter diesen Gedanken hatte er die wenigen Schritte bis zum Millerntor zurückgelegt, und er wollte ebenso rasch wie möglich nach Haus eilen, da traf ihn wie ein plötzlicher Blitzstrahl die Erkenntnis, dass er verloren sei, ganz und gar verloren. In der lauten Freude des Abends hatte er die vier Schillinge Sperrgeld vergessen.

Das Tor war geschlossen, und er besaß keinen Pfennig, um es sich von dem Wächter öffnen zu lassen. Was sollte er nun beginnen? Einen Augenblick überfiel ihn ein Schwindel. Der Rückschlag von dem ausgelassenen Jubel der letzten Stunden war zu empfindlich. Dann näherte er sich blass vor Furcht dem Wächter.

»Ich habe mich leider um einige Minuten verspätet«, sagte er mit unsicherer Stimme. »Mein Name ist Benno Zurheiden, ich bin der Neffe des Senators und bringe Ihnen morgen die vier Schillinge Sperrgeld, – wollen Sie mir nicht daraufhin eine Marke verabfolgen?«

Der Mann lachte.

»Guter Freund. Sie halten mich wohl für sehr einfältig, nicht wahr? – Ihr Mittel ist übrigens verbraucht, Sie müssen etwas Neues ersinnen, denn seit Menschengedenken führen alle, die umsonst in das Tor hinein wollen, immer die besten hamburgischen Namen und sind fest entschlossen, morgen das fehlende Geld zu bringen. Besonders großmütig Veranlagte sprechen bei dieser Gelegenheit auch noch von einem hübschen Trinkgeld für mich.«

Benno hatte nur eins gehört, dass ihm nämlich der Torwächter keinen Glauben schenkte; er rang in wahrem Entsetzen die Hände.

»Aber ich kenne hier auf St. Pauli keinen Menschen«, sagte er, »wo soll ich während der Nacht bleiben?«

Der Mann sah ihn prüfend an.

»So geben Sie mir ein Pfand«, meinte er halb zweifelnd, halb spöttisch. »Der Neffe des Herrn Senators wird ja doch eine Uhr besitzen.«

Eine Uhr! Benno erglühte über und über. Wer hätte ihm wohl eine Uhr schenken sollen? – Vor seiner Seele zog die Reihe der durchlebten Weihnachtsfeste gleich einer Vision traumartig vorüber, lauter stille freudlose Abende ohne Lichterglanz oder Festjubel. Stunden in denen die halbgelähmte Großmutter mehr denn je weinte, während ihm der Onkel mit verdrießlichen Worten seine sogenannten Geschenke überreichte, die notdürftigsten Kleidungsstücke und Schulbücher.

Ihm graute noch im Andenken dieser Stunden; er hatte so oft als Kind bitterlich weinen müssen, wenn ihm andere. Glücklichere, ihre Spielsachen zeigten, – er selbst entsann sich ja nicht, jemals etwas Derartiges sein eigen genannt zu haben.

Das spöttische Lachen des Torwächters unterbrach seinen Gedankengang.

»Nun«, sagte der Mann, »wie wird es denn mit der Uhr?«

»Ich – ich habe keine!«

»Auch kein Taschenmesser, keine Börse, – gar nichts?«

Benno schüttelte nur stumm den Kopf.

»Nun, Herr Zurheiden, dann gehen Sie nur hübsch bis morgen früh Schlag fünf Uhr im Grünen spazieren. Wünsche viel Vergnügen!«

Und lachend setzte der Mann seinen kurzen Trab vor dem Tor wieder fort, ohne von unserem Freund weiter Notiz zu nehmen. Benno sah zum Zirkus hinüber. Es gab für ihn jetzt nur noch eine einzige Hoffnung, dass nämlich die Schar seiner Klassenkameraden mit vereinten Kräften imstande sein werde, die mangelnden vier Schillinge aufzubringen. Den guten Willen der Freunde bezweifelte er keinen Augenblick; aber ob bares Geld vorhanden war?

In den Zwischenpausen der Vorstellung hatte eine Kuchenhändlerin ihre verlockende Ware feilgeboten, – er wusste es und fürchtete das Schlimmste. Jetzt öffneten sich drüben die Türen und der Menschenstrom flutete heraus.

Lautes Lachen und Sprechen erscholl überall, ganze Züge näherten sich dem Millerntor. Benno ging ein wenig in den Schatten, um von der Böschung des Stadtgrabens her die Kommenden zu beobachten. Wenn die Sekunda anrückte, wollte er das schwere Wort der Bitte aussprechen.

Harms würde ihm ja auf die erste Andeutung hin die geliehenen vier Schillinge geben, dessen war er sicher. Und da kamen sie auch schon, seine Genossen, da schwatzten sie nach Knabenart alle laut durcheinander. Benno unterschied zuerst seinen eigenen Namen.

»Er war es!«, behauptete einer. »Meinen Kopf darauf, er war es.«

»Und wie famos er aussah. Wenn Benno wieder reitet, müssen wir hin, es koste, was es wolle.«

»Aber die Sache ist doch für ihn gefährlich«, meinte einer. »Sein griesgrämiger Onkel verzeiht das nie.«

»Ach, der wird es ja nicht gleich erfahren. Was ist es denn auch für ein großes Verbrechen, wenn ein Junge einmal auf einem Esel reitet?«

»Ja, – aber hier war es eine öffentliche Schaustellung, das verändert doch wohl die Sache sehr.«

»Na, dann lasst uns nur sämtlich reinen Mund halten, damit der arme Benno nicht etwa hart bestraft wird. Er hat keine Mutter, die ihn in Schutz nehmen könnte.«

»Ja, ja, das ist wahr. Wir wollen ihm die traurigen Verhältnisse, in denen er lebt, nicht noch mehr erschweren.«

Die ganze Schar setzte sich nach dieser Beratung wieder in Trab, um das verlorene Viertelstündchen einzuholen, und jetzt trat Benno aus dem Versteck hervor, so blass vor Aufregung, dass seine Freunde erschraken.

»Wie siehst du aus!«, rief Moritz. »Also du warst es wirklich! – Wir plaudern nichts aus.«

»Würde denn dein Onkel, wenn er es erführe, einer solchen Kleinigkeit wegen gleich Lärm schlagen, du?«

Benno nickte mit zusammengepressten Lippen, er konnte kein Wort hervorbringen. Eine unabweisliche Ahnung sagte ihm, dass das Geheimnis kein solches bleiben werde, dass Böses, sehr Böses bevorstehe.

Diese Empfindung war schon am Beginn des Abends vorhanden gewesen und nur auf kurze Zeit unter Lachen und lautem Jubel erstickt worden; – jetzt brach sie mit verdoppelter Stärke wieder hervor. Die anderen suchten ihren erschreckten Genossen nach Möglichkeit zu trösten.

»Es war im Zirkus kein bekanntes Gesicht«, sagte Moritz. »Wer sollte dich denn verraten? Von uns doch sicherlich niemand.«

»Nein, nein, keiner, darauf kannst du dich verlassen.«

Benno nickte wieder; die Spannung seines Innern löste sich, als er inmitten teilnehmender Freunde stand, ihre Stimmen hörte und an ihre kameradschaftliche Gesinnung dachte.

»Ich danke euch«, sagte er tief atmend. »Aber es ist nicht genug, dass ihr in meinem Interesse schweigen werdet, ihr müsst mir jetzt gleich auch noch einen anderen großen Dienst leisten. Ich besitze keinen Pfennig Sperrgeld.«

»Ach lieber Gott, das ist bös.«

»Habt ihr denn alles ausgegeben?«

»Ein Schilling ist bei mir noch vorhanden.«

»Und ich habe einen Sechsling.«

»Ich auch einen Sechsling.«

Mehr Kapitalisten als diese drei meldeten sich nicht. Seine eigenen vier Schillinge Sperrgeld besaß jeder, aber daran durfte doch nicht gerüttelt werden, – verstörte Gesichter sahen einander an. Was nun? Schnell entschlossen griff Moritz in die Tasche.

»Da hast du mein Geld, Benno! Ich laufe nach Altona und hole mir von meiner Tante vier Schillinge. Das erfordert eine kleine Stunde, es macht nichts aus, nur muss einer von euch zu mir nach Haus gehen und Bescheid hinbringen.«

»Ich tue es! Und ich! Und ich!«

»Sollen wir sagen, du hättest das Geld verloren, Moritz?«

Der Knabe schüttelte den Kopf.

»Sagt gar nichts, ich werde schon später die Sache aufklären. Meine Eltern haben mir noch nie verboten, einem Freunde in der Not beizustehen. Adieu! Adieu!«

Er wandte sich in der Absicht, im Sturmschritt die Lange Reihe hinab zu laufen und dann rechts ab im weiten Bogen das Altonaer Nobistor zu umgehen. Da fiel plötzlich auf die Gruppe der versammelten Knaben ein Schatten und hinter ihnen stand mit dem Stock unter dem Arm, eine große Brille auf der Nase, in etwas abgetragener Kleidung ein älterer Mann, der jetzt den Neffen des Senators scharf ins Auge fasste und ziemlich verwundert den Kopf schüttelte.

Das war Herr Mählmann, im Kontor von Zurheiden und Söhnen seit längerem als einem Menschenalter das Faktotum, die rechte Hand der Chefs, ebenso menschenfeindlich und übertrieben sparsam wie Herr Johannes, ebenso abgeneigt aller Weltlust und Lebensfreude wie dieser.

Er zog das Kinn ganz in die hohe Halsbinde hinein, stellte den Stock energisch auf das Pflaster und nickte wohl zehnmal, als bejahe er sich selbst eine im Stillen aufgeworfene, etwas fatale Frage.

»Na, Mosjö«, sagte er endlich laut, »was sind denn das für Geschichten? Wie kommen wir gegen Mitternacht hierher nach St. Pauli? He?«

Ein hörbares Kichern ging durch die Reihen der Knaben.

»Mitternacht ist gut!«, murmelte einer. »Meine Uhr zeigt zwanzig Minuten über zehn.«

»Komm, Benno, – lass doch den Nussknacker laufen.«

Herr Mählmann stieß wieder seinen Stock auf das Pflaster.

»Nun?«, fragte er. »Wissen etwa der Herr Senator Gestrengen, dass wir uns um diese Zeit vor den Toren der Stadt befinden? Wie steht es damit, he?«

Benno hatte jetzt dem Unvermeidlichen gegenüber die verlorene Fassung wiedererlangt.

»Herr Mählmann«, antwortete er möglichst ruhig, »ich habe mich bei einem Ausgang mit meinen Kameraden ein wenig verspätet, das ist alles. Vor das Tor zu gehen, wurde mir niemals verboten.«

»Auch zu dieser Stunde? Was? – Jedenfalls werde ich dem Herrn Senator Mitteilung machen. Es hapert wohl jetzt mit dem Sperrgeld, was? Dieser Bursche wollte nach Altona laufen, um vier Schillinge zu leihen!«

»Für mich, ja. Es ist nur, – nur –.«

»Hm, hm, das Wort scheint nicht recht heraus zu wollen. Da ist Geld, aber meine Mitteilung muss ich machen, das gute Gewissen heischt es ganz unabänderlich.«

Er reichte dem Knaben ein Vierschillingstück und wehrte dann, als ihn dieser anreden wollte, mit der Hand.

»Nichts! Nichts! Ich kenne meine Schuldigkeit. Habe zu jeder Frist mit Ehren bestehen können, – kann es auch heute. Muss aber die Geschichte melden, geht nicht anders. Und nun vorwärts! Vorwärts!«

Er setzte sich gegen das Tor in Bewegung, während ihm die Knaben langsameren Schrittes folgten, nicht ohne den mürrischen Wächter mit einer Flut von Spottreden zu überschütten. Dann wandte sich die allgemeine Aufmerksamkeit dem Erlebnis des heutigen Abends wieder zu.

»Dass uns auch dieser alte Bursche begegnen musste!«

»Hättest du es nur lieber nicht getan, Benno!«

»Lügen kannst du nicht«, entschied Moritz. »Das ist unmöglich.«

Benno nickte.

»Ich denke nicht daran«, versetzte er. »Habt ihr das von mir geglaubt? – Wirklich?«

Sie umringten ihn sämtlich.

»Nein! Nein! Aber wenn man schweigen könnte, das wäre am besten.«

»Dieser verwünschte Aufpasser! Wäre ich dein Onkel, so müsste ein derartiger Schleicher und Angeber augenblicklich zum Haus hinaus.«

Benno seufzte heimlich. Er wusste, fühlte, dass ihm Böses bevorstand; beinahe mit Grauen sah er etwas später die dunklen Umrisse des Hauses am Alten Wandrahmen vor seinen Blicken auftauchen. Welch eine Flut von Vorwürfen wird es geben! Ziemlich beklommen nahmen die letzten seiner Begleiter von ihm Abschied.

»Du«, raunte Moritz, »du, weißt du was? Morgen wird mein Vater kommen und mit deinem Onkel sprechen, er soll ihm zuerst die ganze Geschichte erzählen, dann ist der gehässigen Angeberei die Spitze abgebrochen.«

Aber Benno schüttelte den Kopf; es widerstrebte ihm, einen Fremden so In die trostlosen Familienverhältnisse des Hauses Zurheiden hineinsehen zu lassen.

»Ich danke dir. Moritz«, sagte er, »du meinst es ja gewiss gut, und dennoch, – dennoch –.«

»Mein Vater tut es gern«, drängte Moritz. »Sag ja, Benno!«

»Nein, nein, es ist besser, ich gehe dem Unvermeidlichen ganz allein entgegen. Gute Nacht, jetzt!«

Sie drückten ihm alle die Hand, und dann schlüpfte er in den bewussten dunklen Gang, wo Harms schon nach ihm ausspähte. Heute schien sogar dieser langmütige Freund etwas ungeduldig.

»Junge, Junge«, sagte er halb lächelnd, halb ärgerlich, »du darfst aber auch nicht allzu sehr über die Schnur hauen. Es ist gleich elf Uhr.«

»Wurde nach mir gefragt, Harms?«

Der Alte seufzte.

»Wer sollte denn nach dir fragen, du armer Schelm? Es kümmert sich ja von den beiden alten Leuten da oben keines um dich, die Frau Großmama, weil sie es nicht darf, der Herr Senator Gestrengen, weil er nicht will. Er muss ja wissen, wie er das dereinst vor seinem Herrgott verantworten soll, der Mann.«

Und dann griff die Hand des gutmütigen Dieners nach einer kleinen Lampe, die er dem Knaben reichte.

»Zieh nur gleich hier unten die Stiefel aus und tritt ganz leise auf.«

Bei diesen Worten sah er zufällig seinem Schutzbefohlenen genauer ins Auge.

»Wie blass du bist. Junge!«, sagte er mit unterdrückter Stimme. »Fehlt dir etwas? Hast du Schmerzen?«

»Durchaus nicht, Harms. Das scheint dir nur.«

»Hm, ich weiß doch nicht recht. Hast du dich geängstigt, was? Na, komm nur erst einmal her und trink einen Schluck Wein. Da! Da! Es ist kein gestohlenes Gut, du brauchst nichts zu fürchten.«

Nachdem Benno das dargebotene Glas geleert hatte, schlich er durch das öde Haus in sein eigenes Zimmer. Spielende Schatten huschten an den Wänden dahin, an den hohen Bogenwölbungen, die immer kleiner und kleiner werdend, hinausführten zu den an das Wohngebäude stoßenden Speichern, zu weiten Kellerräumen und Hinterhöfen, wo Hunderttausende in Fässern und Kisten lagen, Vorräte aller Art, der ungeheure Reichtum des Hauses Söhne.

Und Söhne? – War nicht einer derselben von den Seinigen verstoßen worden, nur weil er sich dem uralten Herkommen der Familie nicht fügen, sondern seine eigenen Wege gehen wollte?

Benno wusste es, empfand es im innersten Herzen, dass ihm ein gleiches Schicksal bevorstehen werde. Onkel Johannes entledigte sich seiner ohne Zweifel lieber heute als morgen. Er kroch tief unter die Decke. Trotz der herrschenden Wärme fror es ihn, dass seine Zähne aufeinander schlugen. Was mochte nun der nächste Tag bringen? Stunden vergingen, ehe er einschlief, um dann verworrenes Zeug zu träumen, bald von dem Esel und bald von dem Torwächter, der ihm nicht glauben wollte.

Am anderen Morgen schmerzte sein Kopf auf das Heftigste, er war blass und fieberte stark, aber trotzdem ging er zur Schule. So im Haus ganz allein und stumm dazusitzen, das hätte er nicht ertragen.

Ein langer, banger Tag! – Bald flüsterte ihm dieser seine Kameraden ein Trostwort zu, bald jener; mittlerweile aber vergingen die Stunden und endlich musste der Heimweg angetreten werden, dem Sturm entgegen. Was geschehen war, das konnte in dem nun folgenden Verhör doch unter keinen Umständen verborgen bleiben.

Unser Freund entsann sich an diesem Tag unwillkürlich der kleinen Sünden, die wohl alle Knaben in ihren Schuljahren hier und da begangen haben, der zertrümmerten Fensterscheiben, der verlorenen Taschentücher und was dergleichen mehr war; – das hatte jedes Mal eine Predigt eingebracht, als sei um dieses zerstörten Wertes willen das Heil der ganzen Zukunft infrage gestellt. Onkel Johannes verzieh keinen Fehler, er konnte so harte Worte sprechen, ach so unversöhnlich hart.

Vor der Tür stand Harms; das gute alte Gesicht schien heute sehr unruhig zu sein.

»Du«, raunte er, »der Herr Senator hat nach dir gefragt, du sollst gleich zu ihm kommen. Was bedeutet denn das, Junge? Hoffentlich hat es doch in der Schule keine Strafe gegeben?«

Benno konnte unmöglich erschrecken, denn er hatte mit Sicherheit vorausgesehen, was folgen werde, aber dennoch schlug sein Herz und der Ton seiner Stimme klang verändert.

»Es ist in der Schule durchaus nichts Verdrießliches geschehen, Harms«, antwortete er. »Sei darüber ganz ruhig. Ich will gleich meinen Onkel aufsuchen.«

Der Diener seufzte.

»Seine Gestrengen waren fuchswild«, raunte er. »Ist ihm gewiss von irgendeinem Zuträger ein Floh ins Ohr gesetzt worden. Na, Junge, wenn dir wirklich ein Unrecht geschähe, dann bin ich schlimmsten Falles auch noch da. Denke nur fest an mich, du, ich verlasse dich nicht.«

»Das weiß ich, Harms, du bist ein treuer Freund.«

Und Benno legte die Schulbücher auf einen Tisch, um sogleich in das Wohnzimmer zu gehen. Je früher der Sturm losbrach, desto eher musste ja auch die Entscheidung kommen. Als unser Freund die Tür öffnete, sah er seinen Onkel mitten in dem großen, altväterisch ausgestatteten Raume langsam auf und ab gehen, während die Großmutter im Lehnstuhl am Fenster saß und mit unruhigem Blick ihren Enkel erwartete.

Der linke Arm der mehr als achtzigjährigen alten Dame war gelähmt, er lag auf der breiten Kante des Stuhles, wo die durchsichtig weiße Hand den Strickstrumpf mit Hilfe einer künstlichen Vorrichtung festhielt, während die Rechte den Faden langsam um die blitzenden Nadeln schlang und Masche nach Masche dem Gewebe hinzufügte.

Bei Bennos Eintritt hielt die Greisin mit ihrer Arbeit inne.

»Johannes«, sagte sie kaum hörbar, »Johannes, sprich freundlich mit dem armen Jungen.«

Der Senator zuckte die Achseln.

»Ich werde gerecht urteilen, Mama«, versetzte er. »Das ist mehr als alle Freundlichkeit.«

»Komm einmal hierher«, wandte er sich dann gelassenen Tones zu dem Knaben. »Ich möchte von dir eine Aufklärung haben.«

Benno gehorchte. Er war blass wie ein Schatten, aber fest entschlossen, nichts zu leugnen.

»Was befiehlst du, lieber Onkel?«, fragte er.

Des Senators Blicke ruhten beobachtend auf seiner Stirn.

»Mählmann sagt mir, er habe dich gestern Abend gegen halb elf Uhr vor dem Millerntor getroffen«, fuhr ärgerlich der alte Herr in seiner Rede fort.

»Verhält sich das so?«

»Ja, Onkel.«

»Ah! – Und wo warst du zu dieser späten Stunde gewesen?«

»Johannes! Um Gottes willen, du sprichst, als habe das Kind ein Verbrechen begangen, was soll dieser Ton, diese Haltung?«

»Lassen Sie mich, Mama, ich werde schon wissen, was ich zu tun habe! – Nun, Benno, wo warst du?«

Unser Freund raffte für den Moment der verhängnisvollen Antwort all seinen Mut zusammen.

»In – einem Zirkus auf dem Heiligengeistfeld, Onkel!«

Der Senator horchte plötzlich auf.

»Was ist das? Bei Kunstreitern oder dergleichen? Natürlich gab dir Harms das dafür notwendige Geld?«

»Harms weiß bis zu dieser Stunde von der ganzen Sache nichts.«

»Nun gut! Ich kann durchaus keine Winkelzüge leiden, das solltest du wissen. Also heraus damit, wer gab dir das Geld?«

»Niemand, – ich habe kein Eintrittsgeld bezahlt. Der Direktor, oder vielmehr – ich kam zufällig in den Zirkus, Onkel.«

»Ach, dann zählen vielleicht diese Vagabunden, denen man mit der Hetzpeitsche den Weg zeigen sollte, zu deinen persönlichen Be-kanntschaften? Der Sohn des Hauses Zurheiden ist in das Seitenpfört-chen geschlüpft, steht mit den Gauklern von der Landstraße auf in-timstem Fuße, macht ihnen freundschaftliche Besuche, wie?«

»Ich bin im Ganzen zweimal dagewesen, Onkel.«

»Und wozu, wenn man fragen darf? Gedenkst du dich zum Kunstreiter ausbilden zu lassen?«

Wieder unterbrach ein halberstickter Schrei von den Lippen der alten Dame die Rede des Senators.

»O Johannes, wie kannst du dich so versündigen! Welche Meinung soll sich das Kind von dir bilden?«

Zurheiden deutete plötzlich mit ausgestreckter Hand auf seinen Neffen.

»Sehen Sie, wie rot er wird. Mama? Sehen Sie, wie ihm die Scham das Gesicht färbt? Fragen Sie ihn doch selbst, ob er da unter dem fahrenden Gesindel allerlei Übungen angestellt hat oder nicht? Er sagt ja, wie Sie kürzlich behaupteten, nie eine Lüge, also möge er Ihnen seine Erlebnisse doch schildern!«

Die Greisin hob zitternd am ganzen Körper ihren gesunden Arm.

»Komm zu mir, Benno, mein armer Junge«, rief sie, »komm zu mir! Und wenn du denn wirklich ein paarmal auf einem Kunstreiterpferde gesessen hättest, welcher vernünftige Mensch würde dir das als etwas Verbrecherisches anrechnen?«

Benno sah festen Blickes von einem der beiden alten Leute zum anderen.

»Großmama«, sagte er dann, »ich will Ihnen alles gestehen. Einmal, ein einziges Mal habe ich auf dem Esel geritten, mehr nicht. Es war natürlich nie meine Absicht, aber die Leute baten mich so inständig, sie hofften auf eine erhöhte Einnahme – für ein todkrankes Kind – und da – ließ ich mich bereden, aber –.«

»Herr des Himmels!«

Jetzt war es der Senator, welcher einen Schreckensschrei hervorstieß, er trat seinem Neffen näher, er legte schwer wie Blei die Rechte auf dessen Schulter.

»Du hast in der Vorstellung mitgewirkt. Unseliger? Du hast, o nein, nein, es ist unmöglich!«

»Vergib es mir, lieber Onkel! Ich sagte ja schon, dass –.«

Aber der Senator unterbrach ihn.

»Genug, genug, jetzt ist meine Geduld vollständig erschöpft. Nur noch eins will ich wissen, ob du nämlich –.«

»Höre mich doch an, Onkel! Es war –.«

Eine herrische Bewegung schnitt ihm das Wort ab.

»Erspare mir diese schimpflichen Einzelheiten, Bursche! Du hörst, dass ich nur eins noch erfahren will, das aber auch unbedingt. Wurdest du für deine Leistungen als Hanswurst bezahlt? Hast du Geld erhalten?«

»Aber. Onkel, ich –.«

»Antworte mir! Hast du Geld erhalten? Ja oder nein?«

»Natürlich nicht. Die ganze Sache dauerte zehn Minuten. Ich ritt auf –.«

»Beleidige mein Ohr nicht!«, donnerte der Senator. »Ich habe jetzt genug gehört, du kannst das Zimmer verlassen.«

Benno näherte sich dem erbosten Manne.

»Willst du mir nicht diesmal noch verzeihen, Onkel?«, sagte er mit bebender Stimme. »Ich verspreche dir, von jetzt an mit mehr Überlegung zu handeln.«

Zurheiden schüttelte den Kopf.

»Nein!«, antwortete er mit hartem, kaltem Ton. »Nein, denn du hast meinen Namen, mein ganzes Haus auf das Tödlichste beschimpft. Nein! – Denn solche Versprechungen sind keinen Pfifferling wert. Dein Vater gab sie zehnmal, zwanzigmal – und fiel in den Leichtsinn, in Schuld und Schande doch ebenso häufig wieder zurück.«

Benno hätte trotz aller Furcht, aller Aufregung des Augenblickes doch bei diesen Worten fast gelächelt.

»Onkel«, sagte er, »glaubst du, ich habe die Absicht, ein Kunstreiter zu werden?«

»Warum nicht?«, war die gehässige Antwort. »Dein Vater tat Schlimmeres.«

Benno fuhr plötzlich auf, sein Gesicht war von dunkler Röte bedeckt.

»Schmähe mich, Onkel!«, sagte er etwas hastig. »Schmähe mich, aber nicht meinen toten Vater! Und vor allen Dingen sage mir, was es ist, das du ihm so bitter vorwirfst. Ich bin wohl jetzt alt genug, um darüber Näheres zu erfahren.«

»Schweig!«, gebot mit ausgestreckter Hand der Senator.

»Du hast zu gehorchen, weiter nichts. Dein Vater war ein Unwürdiger, über dessen Andenken man aus Großmut schweigt, das mag dir genügen.«

Bennos Augen blitzten, er richtete sich höher auf.

»Das ist eine Unwahrheit, Onkel Johannes«, rief er mit energischem Ton. »Andere Leute sprechen von meinem armen Vater mit der größten Achtung, ja mit Liebe sogar.«

Der Senator nickte; in seinen tiefliegenden Augen glühte ein maßloser Zorn.

»Andere Leute«, wiederholte er. »Fremde, Fernstehende, das ist sehr wohl möglich, denn im Haus Zurheiden galt es bisher als Gesetz, dritten Personen gegenüber von Familienangelegenheiten durchaus zu schweigen. Es weiß daher auch nur ein sehr kleiner Kreis von Eingeweihten, was dein Vater seinem Charakter nach war, besonders aber auch, bis zu welchen Übertretungen – um mich gelinde auszudrücken! – er versunken ist. Alle diese Dinge sollst du heute erfahren, denn du hast mich herausgefordert, du hast –.«

»Johannes!«, rief vom Fenster her die alte Dame. »Johannes, um Gottes willen, was sagst du da? Nichts soll das unglückliche Kind erfahren. Nichts, ich verbiete es.«

Ihr Sohn zuckte die Achseln.

»Es muss sein«, antwortete er in hartem Ton. »Ich bin kein Knabe, um mir Befehle geben zu lassen, – selbst wenn es meine eigene Mutter betrifft!«

»Sieh hin, Benno«, wandte er sich dann zu seinem Neffen, »der linke Arm deiner Großmutter ist gelähmt, nicht wahr?«

Die Greisin hatte sich von ihrem Sitz erhoben und ging jetzt zu dem Knaben, der mit pochendem Herzen ängstlich und totenblass dastand. Die Ahnung von etwas Entsetzlichem lag schwer auf seiner Seele, er vermochte kaum zu atmen. Die alte Dame ergriff seine Hand und wollte ihn mit sich fortziehen.

»Komm, Benno, komm, – dein Onkel ist außer sich, er weiß nicht, was er spricht.«

Der Senator vertrat ihr den Weg. »Siehst du den herabhängenden Arm deiner Großmutter, Benno? Nun wohl, es war das Messer deines –.«

»Du sollst schweigen, hörst du, du sollst es! Hast du das vierte Gebot vergessen, Johannes? Deine Mutter befiehlt dir, zu schweigen.«

»Aber ich will nicht gehorchen, ich kann es nicht! Noch in seinem Kind möchten Sie Ihren Lieblingssohn mir vorziehen und seiner schonen, obwohl doch die Tat zum Himmel schreit. Oder war es etwa nicht Theodors Messer, von dem Sie getroffen wurden? War es nicht Ihr Jüngster, den Sie verzogen und vergöttert haben, der –.«

Mit einem erstickten Laut unterbrach der Senator die eigene Rede.

»Es ist genug, übergenug«, setzte er nach Atem ringend, hinzu, »Selbst die Wände sollten von der tiefen Schmach des Hauses Zurheiden nichts hören. Du weißt nun das Ärgste, Bursche, ich brauche kein Wort mehr hinzuzufügen. Geh hinaus und überlege, wer wohl im Rechte ist, ich, der ich deinen Vater einen Verlorenen nenne, oder jene, die mit größter Achtung, ja mit Liebe von ihm sprechen.«

Benno hörte kaum die bösen, hasserfüllten Worte, ihm schwindelte, er hatte ein Gefühl, als drehe sich unter seinen Füßen der Boden.

»Großmama«, fragte er die bitterlich weinende alte Dame, »Groß-mama, ist das wirklich wahr?«

Sie küsste ihn, sie streichelte mit ihrer einzigen Hand sein kaltes weißes Gesicht.

»Es ist wahr, mein armer Junge, es ist wahr, aber nie und nimmer solange ich atme, werde ich glauben, dass mein Kind mit Absicht die Waffe gegen mich erhoben habe. Der Stoß traf unglücklicherweise meine Schulter.«

Bennos Augen schienen größer geworden, selbst seine Lippen waren blass.

»Und auf wen zielte mein armer Vater?«, fragte er kaum verständlich.

»Auf seine Mutter«, betonte Zurheiden. »Ich sagte es dir ja schon.«

»Das ist nicht wahr, Johannes. O Gott im Himmel, es ist nicht wahr!«

Und die Greisin taumelte, eine Ohnmacht hielt ihre Sinne gefangen, sie würde hart zu Boden gefallen sein, wenn nicht Bennos kräftige Arme ihr zur Stütze geworden wären. Er trug die leichte Last der Achtzigjährigen zum Sofa und schob voll heimlicher Angst unter ihren Kopf ein Kissen.

»Sie wird doch nicht gestorben sein, Onkel«, sagte er ganz verwirrt. »Sieh um, wie blass sie ist!«

Der Senator zog die Klingel, und als ein Dienstmädchen erschien, befahl er ihr, der alten Dame beizustehen.

»Hilf deine Großmutter in ihr Zimmer tragen«, fügte er bei, »und dann komm wieder hierher.«

Benno tat, wie ihm gesagt worden war.

»Ängstigen Sie sich nicht, junger Herr!«, flüsterte ihm draußen das mitleidige Dienstmädchen zu. »Es hat nichts zu bedeuten, der Atem stellt sich schon wieder ein.«

»Ach, gottlob, gottlob!« – Und Benno eilte zurück in das Wohnzim-mer, wo sein Onkel am Fenster stand und auf die Straße hinabsah. Was konnte ihm der harte, unbeugsame Mann jetzt noch mitteilen wollen? Etwas in seiner Seele empörte sich gegen diese Tyrannei. Er gab kein gutes Wort mehr, sondern wartete stumm, bis er angeredet werden würde. Endlich wandte der Senator den Kopf.

»Du wiederholst also ausdrücklich dein früheres Eingeständnis, Benno? Du gibst zu, dich an der Schaustellung im Zirkus beteiligt zu haben?«

»Ja. Ich mag nicht lügen.«

»Das würde dir auch wenig helfen, denn ich hätte den Vagabunden, der die Truppe anführt, sogleich auf das Polizeiamt arretieren und vernehmen lassen – jetzt ist das unnötig geworden. Was dich selbst betrifft, so erfährst du demnächst meine weiteren Entschlüsse. Vorläufig genüge dir, dass du das Haus nicht mehr verlassen darfst, selbst nicht, um zur Schule zu gehen.«

Benno erschrak heftig.

»Du willst mich doch nicht aus der Klasse nehmen, Onkel?«, fragte er ganz bestürzt.

»Geh! Wir haben kein Wort mehr miteinander zu sprechen.«

Der Knabe verließ geräuschlos das Zimmer, nun erst ängstlich, von unabweisbarem Grauen erfasst. Ob ihn der Onkel zu irgendeinem Handwerker in die Lehre geben würde? – Wer konnte wissen, wozu ihn der maßlose Zorn hinriss. Dann aber – und das war den Schulkameraden gegenüber doch wenigstens ein Trost – dann konnte es nimmer in Hamburg sein.

Das hätte ja der Patrizierstolz des Senators nicht zugegeben. Und wenn er einen fremden Ort vorzog, – welchen? Wohin würde er den Sünder verbannen? Lauter Fragen, auf die es keine Antwort zu geben schien. Benno stützte den Kopf in die Hände; ihm war es, als lägen Bergeslasten auf seiner Brust. So still, so totenstill das Haus, – er glaubte erliegen zu müssen.

Ob man ihn auch bei den täglichen, unter finsterem Schweigen verzehrten Mahlzeiten ferner nicht mehr dulden würde? Fast schien es so. Die Stunde des Abendessens kam heran, ohne dass man ihn rief. Dann ging der Senator aus, ein Dienstmädchen brachte dem Knaben das bescheidene Nachtmahl, und nach und nach verstummte im Haus wie gewöhnlich jedes Geräusch.

Es war nach zehn, als Zurheiden zurückkehrte, Harms schloss hinter ihm die Seitentür, und dann ertönte weiter kein Schritt, keine Stimme mehr. Benno legte sich in das Bett, halb betäubt, kaum fähig zu denken. Das konnte nicht lange so fortgehen, oder er würde krank werden; in seinem Gehirn klopfte und hämmerte es schon jetzt auf die unheimlichste Weise. Als der Senator die Tür seines Schlafzimmers von innen verschlossen hatte, kam ein leiser Schritt die Treppen herauf; mit den Schuhen in der Hand schlich sich Harms geräuschlos herbei.

»Wachst du noch, Benno?«, flüsterte er. Unser Freund streckte ihm die Hand entgegen. »Ach, wie gut, dass du kommst, Alter! Wie dankbar ich dir bin! Wahrhaftig, wenn du nicht wärst –.«

Er stockte, seine Worte gingen über in Schluchzen.

»Harms – wie unglücklich bin ich doch, wie verlassen!«

Der Mann, mit dem ehrlichen Gesicht und dem Herzen voll warmer Liebe ließ den Knaben weinen, ohne ihn gewaltsam ablenken zu wollen; erst nachdem der heftigste Ausbruch des Schmerzes vorüber war, setzte er sich an das Bett und sagte gutmütig lächelnd:

»Nun werden wir noch ein Stündchen schwatzen, was, du?«

Und Benno nickte.

»Erzähle mir von meinem Vater, Harms!«

»Später, mein Junge, später. Zuerst bist du an der Reihe, junger Kunstreiter. Schöne Geschichte, die du da angestellt hast!«

Und er entzündete eine Lampe, die er hinter das Kopfende des Bettes setzte; dann kamen verlockend aussehende Birnen zum Vorschein.

»So, jetzt beiße hinein. Junge. In deinem Alter kann man immer essen, – ich weiß es noch von meiner eigenen Jugend her.«

Und Benno fühlte, wie ihm das Herz allmählich leichter wurde. Er war doch nicht ganz verlassen, ein wahrhaft treuer Freund stand ihm zur Seite; dieses Bewusstsein ließ ihn freier atmen.

»Was weißt du von Kunstreitern?«, fragte er den Alten.

»Ha, ja«, nickte dieser, »das ist es eben. Welches entsetzliche Ereignis ist denn eigentlich da draußen auf St. Pauli vor sich gegangen? War es irgendein dummer Streich, den du ausführtest?«

»Weißt du denn schon von der Sache, Harms?«

Der Alte wiegte den Kopf.

»Ja, siehst du, Junge, die Wände haben Ohren, sagt man – und dass die Margarete, das Hausmädchen, ganz besonders scharfe Wahrnehmungsorgane hat, das kann ich mit gutem Gewissen behaupten. Na, was ist es denn gewesen, du hast den Kunstreiter gespielt, nicht wahr?«

Und nun erzählte Benno dem aufhorchenden Alten die ganze Geschichte.

»War es denn wirklich etwas so sehr Schlimmes«, setzte er hinzu. Harms wiegte den Kopf, halb lächelte er, halb seufzte er.

»Jeder vernünftige Mensch würde darüber hinwegsehen. Du! Es ist ein Knabenstreich, eine Dummheit, aber hier in diesem verrückten Haus wird es aufgebauscht zum Verbrechen, zu einer unerhörten Schandtat, – man kennt das ja nicht erst seit gestern. Na, was sagte denn der gestrenge Herr Senator dazu? War er wild?«

Benno schauderte.

»O Harms, welche entsetzlichen Dinge habe ich da hören müssen! – Nicht mit Bezug auf mich, das ließe sich schon ertragen, aber –.«

Der Alte unterbrach ihn.

»Ha, ja«, sagte er, »ich weiß das alles. Gerade aus diesem Grund kam ich hierher.«

Benno fuhr auf.

»Harms«, flüsterte er, »warst du denn damals schon im Hause? Hast du das alles miterlebt?«

»Ja, alles, mein Junge. Ich kam hierher als ich meine Zeit bei den Hanseaten abgedient hatte, war aber schon soweit meine Erinnerung zurückreicht mit dem Haus Zurheiden bekannt gewesen und hier aus- und eingegangen. Bei dem verstorbenen alten Herrn, deinem Großvater selig, hatte das alles ein anderes Aussehen, da lebte man noch wirklich und freute sich seiner Tage. Die Herrschaften hielten Equipage, im Sommer wohnten sie zu Blankenese oder Eppendorf, es wurden Gesellschaften gegeben und man ging auch selbst in andere Häuser. Na, derzeit war mein Vater hier Kutscher und dadurch ist es gekommen, dass ich mich all meiner Lebtage als halb und halb zum Haus gehörig betrachtet habe. Solange wir drei kleine Buben waren, der Herr Senator, dein armer Vater und ich, haben wir vergnügt miteinander gespielt.«

Benno seufzte.

»Erzähle mir von meinem Vater, Harms!«, sagte er in beinahe ängstlichem Ton. »Hat er wirklich, – wirklich –.«

»Psst! Nur keine Überstürzung. Nachdem der Herr Senator für gut gefunden hat, dir das Letzte zuerst zu sagen, soll ich dir nun den ganzen Hergang der Unglücksgeschichte genau auseinandersetzen, du! Deine Großmutter hat es so befohlen.«

»Sie schickt dich also zu mir?«

»Ja. Die arme alte Dame ist vor Schreck und Kummer ganz krank, sie kann daher nicht selbst mit dir sprechen und schickt mich an ihrer Stelle.«

»Erzähle!«, drängte Benno. »Erzähle! Natürlich ist mein Vater kein Mörder, der Messerstich galt nicht seiner Mutter?«

Harms schüttelte den Kopf.

»Denke doch nicht daran, mein Junge! Aber nun lasse dir alles berichten. Ganz ohne Schuld ist die Frau Großmama nicht, daher muss sie auch jetzt so schwer büßen. Ihr jüngster Sohn galt ihr von jeher bedeutend mehr als der ältere; was Theodor erreichen wollte, das gelang ihm, was er Tolles und Leichtsinniges anzettelte, das entschuldigte sie, und so viel Geld er auch verschleuderte, – von ihr konnte er heimlich immer neuen Vorrat erhalten. Sie hat ihm Tausende und Abertausende hingegeben, obgleich sie wusste, dass er alles in den Wind werfen würde. Aber da half kein Bitten, kein Zureden; Theodor war als Kind kränklich gewesen, mehr als einmal hatten ihn die Ärzte schon ganz aufgegeben, während Johannes von jeher eine kräftige Gesundheit besaß. Daher kam es denn wohl, dass dieser letztere ihr weniger am Herzen lag, als der, um dessen Erhaltung sie sozusagen fortwährend kämpfen musste. Für ihren Jüngsten hätte die arme Frau zu jeder Frist das Leben dahin gegeben.«

Benno seufzte.

»Und wie vergalt er ihr diese innige Liebe, Harms? – Indem er immer mehr Geld forderte und alles – alles –.«

Der Alte war sehr ernsthaft geworden.

»Er hatte eine böse Leidenschaft, dein Vater«, sagte er nach längerer Pause »eine, die Unsummen verschlang und der er nicht entrinnen zu können schien. So viele Versprechungen er auch gab, so sehr ihn die Reue auch quälte, es war alles vergeblich.«

Bennos Blicke suchten die des alten Dieners.

»Waren es die Karten, Harms? Spielte mein Vater?«

Ein Kopfnicken antwortete ihm.

»Du hast es erraten. Junge. Keinen schlimmen Gedanken hegte Theodor Zurheiden, kein böses, hartes Wort kam jemals über seine Lippen, er war fleißig und gütig und so klug wie nur einer, aber den Karten konnte er nicht widerstehen, – sie wurden denn auch schließlich sein Unglück.«

»Verschweige mir nichts. Harms, ich bitte dich darum.«

»Nein, nein, du sollst alles erfahren. Sieh, du weißt ja aus manchen Erzählungen anderer, wie sehr in Hamburg die Erwerbsverhältnisse durch den Krieg gelitten und dass die Franzosen uns bis aufs letzte geplündert hatten. Nun, auch das Haus Zurheiden war in wirtschaftlichen Schwierigkeiten geraten, Herr Johannes arbeitete Tag und Nacht, nur um sich über Wasser zu halten und die Ehre der Firma aus diesen Wirrnissen unbeschadet hervorgehen zu sehen. Er war von jeher ein ganz anderer Mensch als sein jüngerer Bruder. Er dachte nur an das Geldverdienen, an den Glanz nach außen. Beständig erwog er, ob auch jede seiner Bewegungen, seiner Handlungen der Würde des Hauses Zurheiden genügend angemessen sei, beständig fragte er: ›Was werden die Leute dazu sagen?‹. Theodor nahm dergleichen Dinge durchaus auf die leichte Schulter, ja, er lachte seinen Bruder geradezu aus, so dass eigentlich die beiden auf gespanntem Fuß miteinander lebten. Die Arbeit des älteren Sohnes musste das Haus erhalten, während der jüngere müßig umherging und weder an ein Universitätsexamen, noch an eine Berufswahl dachte. So konnte es denn nicht fehlen, dass der langgehegte Groll nach und nach in offenen Hass überging, bis eines Tages die beiden Männer dermaßen hart aneinander gerieten, dass es im Wohnzimmer sogar zu Tätlichkeiten kam. Johannes hatte die schwere eiserne Feuerzange ergriffen und schlug nach dem Kopf seines Bruders, der in eine Ecke geflüchtet war und ein auf dem Tische liegendes Messer ergriffen hatte, um sich mit Erfolg gegen den Rasenden zu wehren.«

»Einen Augenblick!«, unterbrach, heiser vor Aufregung, der Knabe. »Einen Augenblick, Harms, – hast du alle diese Vorgänge mit angesehen?«

Der Alte schüttelte den Kopf.

»Ich nicht, aber statt meiner die Frau Großmama. Sie befand sich im Nebenzimmer und konnte durch die Glastür den Kampfplatz überblicken. Da hat sie sich denn natürlich im entscheidenden Augenblick zwischen ihre beiden Söhne geworfen und so ist ihr das Messer in die Achselhöhle gefahren. Alle Sehnen waren zerschnitten, es ging damals auf Tod und Leben, – der Arm aber blieb bis zu dieser Stunde vollkommen gelähmt.«

»So hat Großmama dir die Sache erzählt, Harms?«

»Ha. Und so ist sie auch der Wahrheit gemäß. Dein Vater, so leichtsinnig er gewesen sein mag, hätte doch gegen seine alte Mutter niemals die Hand erhoben, darauf wollte ich wohl zu jeder Stunde einen Eid schwören.«

Benno schauderte.

»Was geschah denn weiter?«, fragte er.

Harms zuckte die Achseln.

»Man holte den Hausarzt und zog ihn in das Vertrauen, um dadurch seine Diskretion zu erlangen. Die Pflege der todkranken Frau übernahm eine alte Magd, die viele Jahre lang hier im Haus gedient hatte und die bald darauf starb, – so ist das Geheimnis bewahrt geblieben.«

»Und mein Vater? Wie wurde es mit ihm?«

»Er verließ gleich nach der unseligen Tat das Haus. Auf dem vorderen Flur sind die beiden Brüder einander zum letzten Mal begegnet und haben da einige wenige Worte zusammen gesprochen; welche, das weiß natürlich kein Mensch, dann ist Theodor zur vorderen Tür hinausgegangen und nie wieder gekommen.«

»Aber man hat später Nachrichten von ihm erhalten?«

Harms schüttelte den Kopf.

»Kein Wort, keine Zeile. Er war und blieb verschollen bis auf diesen Tag, – ohne Zweifel ist er längst gestorben.«

»Das weiß man also nicht mit Sicherheit?«, rief ungestüm der Knabe. »Man kennt keinen Ort, an dem er später gelebt hat?«

»Nichts, gar nichts. Aber gestorben muss er sein, das ist nicht anders möglich, denn ich habe im Auftrag der alten Dame, wie man zu sagen pflegt, Himmel und Erde in Bewegung gesetzt um Nachrichten zu erlangen, aber immer vergebens. Hamburgs Schiffe kommen in jeden Hafen der Erde, seine Söhne an jeden bewohnten Ort, – es ist nirgends eine Spur zu finden gewesen.«

»Aber nun Gute Nacht!«, setzte der. Alte, sich erhebend, hinzu. »Es ist spät geworden und du musst schlafen. Schlage dir die Sache aus dem Sinn, Junge, vergiss die alten Geschichten und grübele nicht über Dinge, die kein Mensch erforschen kann. So, nun esse deine Birnen.«

Benno hielt den treuen Freund an der Hand fest.

»Wenn man wüsste, was Onkel Johannes und mein Vater auf dem Flur miteinander gesprochen haben!«, raunte er.

Der Alte beugte sich tief über das Bett, als fürchte er den Klang seiner eigenen Stimme.

»Gutes ist es gewiss nicht gewesen, du! Der Herr Senator geht seitdem nie mehr über den Hausflur, er hat die Seitentür anlegen lassen, um einen anderen Eingang zu erhalten. Das deutet auf ein böses Gewissen, – was?«

Benno antwortete nicht, er konnte vor Aufregung keinen Ton hervorbringen, seine Lippen bebten wie im Fieber.

»Gute Nacht!«, flüsterte Harms, löschte das Licht aus und schlich so leise, wie er gekommen war, die Treppen wieder hinab.

Benno lag regungslos. Die Birnen waren vergessen; unser Freund grübelte unablässig und sann und sann, er zermarterte sich das Gehirn, um Licht in das Dunkel der Vergangenheit zu bringen.

Was hatten die Brüder zuletzt miteinander gesprochen?

3.

Ein trauriger Abschied – Nach Brasilien – Das Wiedersehen an Bord – Neue Freundschaft – Die Diamanten der Frascuelo

Zwei endlos lange Tage gingen dahin, ohne dem gefangenen Knaben eine Änderung seiner Lage zu bringen. Er wurde nicht aufgefordert, im Familienzimmer zu erscheinen, er durfte nicht hinausgehen, es sprach keine Seele mit ihm, außer dem alten Diener, der ihn in den Stunden, welche der Senator außerhalb des Hauses verbrachte, regelmäßig zwang, wenigstens im Hof auf und ab zu gehen.

»Du bist mir schon ganz mager geworden«, sagte er, »ich muss dich nur etwas wieder aufpäppeln.«

Und dann gab es gute Bissen aller Art.

»Esse ruhig, was ich dir bringe, mein Lamm! Es ist alles ehrlich erworben.«

Harms hatte auch berichtet, dass die Großmutter krank liege, und dass der Herr Senator auffallend viel mit Schiffskapitänen verkehre. Sein gutes Gesicht wurde unruhiger und immer unruhiger.

»Mir ahnt Böses!«, platzte er einmal heraus.

Benno erschrak unwillkürlich.

»Was sollte denn der Onkel gegen mich beschlossen haben können?«, fragte er.

»Ja, was? Das ist es eben. Ob ich einmal mit ihm spreche?«

»Noch nicht, Harms. Es könnte ihn nur noch mehr verbittern.«

Der Alte murmelte etwas, das nicht sehr freundlich klang, aber er verschob doch einstweilen seine Pläne.

Als jedoch am nächsten Morgen der Knabe plötzlich zu dem strengen Gebieter des Hauses beschieden wurde, da nickte er sehr energisch.

»Nun muss der Fuchs zum Loch heraus, du! Wir werden wenigstens wissen, woran wir sind.«

Benno sah in den Spiegel; auf seinem Gesicht war alle Farbe entflohen. Auch er wusste es, fühlte es, dass das Verhängnis nahe sei. Vielleicht höchstens fünf Minuten blieb er im Arbeitszimmer des Senators mit diesem allein, dann sah ihn der spähende Harms wieder auf den Flur hinaustreten, – aber wie hatte sich Bennos Gesicht während dieser kurzen Frist verändert! Es war fahl geworden, aschgrau. Der Diener konnte noch gerade schnell genug hinzuspringen, um einen Ohnmächtigen in seinen Armen aufzufangen. Benno war bewusstlos.

»Da haben wir es«, grollte der Alte. »O man möchte dazwischenschlagen, dass alles in Trümmer fiele! Solch ein harmloser Junge, gut und klug wie einer, – der wird behandelt, als wäre er ein Verbrecher!«

Seine treuen Hände bemühten sich um den ohnmächtigen Knaben so liebevoll, dass sich die geschlossenen Augen bald wieder öffneten und Sprache und Bewusstsein zurückkehrten. Benno sah unruhig umher.

»Sind wir allein, Harms?«

»Ganz allein, mein Bursche. Es hört uns keiner.«

»Nun, dann kann ich dir ja alles sagen. Mein Onkel hat mich nicht allein aus seinem Haus, sondern ganz aus Hamburg verbannt.«

»Was sagst du da, Junge?«

Und das Wasserglas, welches der Alte in der Hand hielt, fiel klirrend auf den Fußboden.

»Was sagst du da?«, wiederholte er.

»Dass ich aus Hamburg fort muss. Onkel Johannes schickt mich nach Rio an einen Geschäftsfreund, bei dem ich in die Lehre treten soll. O Harms, das ist schrecklich! Ich darf nicht studieren, ich muss nun Kaffeebohnen sortieren, Tüten kleben –.«

»Alle Wetter, ist denn der sogenannte Geschäftsfreund ein Krämer?«

»Ja. Ihm werde ich überliefert.«

Harms stand völlig ratlos.

»Es ist doch zu schrecklich«, ächzte er, »unerhört! Und ganz allein solltest du die Reise machen, mein armer Junge?«

»Nein, das nicht. In einigen Tagen geht ein Schiff mit deutschen Kolonisten nach Rio; unter diesen Leuten befindet sich auch ein Mann, den Onkel Johannes persönlich kennt, – ihm will er mich anvertrauen.«

Harms konnte sich von seinem ersten Erschrecken immer noch nicht wieder erholen.

»Solche Sünde!«, rief er. »Solche Grausamkeit! Hast du denn gar nicht versucht, den – nun, ich meine – den Herrn Senator umzustimmen, Junge?«

»Doch, ich bat ihn, nicht meine ganze Laufbahn zerstören zu wollen. Ich habe gute Worte gegeben, aber es war umsonst. ›Am Freitag geht das Schiff unter Segel!‹ – mehr antwortete er nicht.«

Harms fuchtelte mit beiden Händen in der Luft herum.

»Nun soll ich dich also verlieren. Junge, soll dich vielleicht nie im Leben wiedersehen! O wie will der harte Mann verantworten, was er tut!«

Dann schien plötzlich ein anderer Gedankengang ihn zu beherrschen.

»Benno, ob ich dich nach Brasilien begleite? Ob ich mitgehe und da – unter Wilden – dem, der dir ein Leid täte, alle Knochen im Leib zerschlage? Was meinst du?«

Unser Freund musste trotz seines Kummers lächeln.

»Unsinn, Harms«, antwortete er, »Unsinn, was solltest du denn drüben? Hast all deine Lebtage vor dem Wasser einen argen Respekt gehabt!«

»Das schadet nicht. Junge, schadet gar nicht. Ich überwinde es. Sollst sehen, ich überwinde es.«

Benno reichte ihm gerührten Herzens die Hand.

»Na, Harms, und wer würde denn mittlerweile hier deine Schätze verwalten? Die Häuser und all das Geld, welches du mir vermacht hast?«

Der Alte sank ganz in sich zusammen.

»Das ist wahr«, seufzte er, »das ist wahr. Aber dein Leben, Junge, dein Leben! Was hilft dir mein bisschen Armut, wenn sie dich da unter den Heiden umbringen?«

»Das geschieht nicht. Alter. Du glaubst, dass jenseits des Meeres nur Wilde leben, aber das ist ein –.«

»Mach mir nur keine Wippchen vor, Junge. Die Kerle sind alle schwarz, sage ich dir. Hab sie ja oft genug hier herumlaufen sehen. Aber wenn sie auch weiß wären wie du und ich, – willst du denn ein Heringsbändiger werden, ein Korinthenkacker? – Ach Gott, ach Gott, das Unglück!«

Benno stand auf.

»Es hilft nichts, Harms«, sagte er. »Und wer weiß denn, ob die Sache nicht vielleicht für mich ganz gut ausfällt? Nach solchen Worten, wie sie hier in den letzten Tagen gesprochen worden sind, hätte ich mich in dem Haus meines Onkels doch nie wohl fühlen können.«

Harms nickte.

»Das ist wahr«, gestand er, »das ist wahr. Hab es selbst schon gedacht. Also alles verloren, alles!«

Und er drückte das Gesicht in beide Hände, er war wie gebrochen. Benno ging in sein Zimmer zurück, er konnte nicht zusammenhängend denken, keine Pläne schmieden, keine Schlüsse ziehen. Fort auf immer, völlig herausgerissen aus den bisherigen Verhältnissen, – darüber hinaus gelangte er zu keiner Vorstellung. Und das alles so bald schon, in einigen Tagen! Er warf sich auf sein Bett und schloss die Augen; ein Gefühl körperlicher Schwäche überwältigte ihn fast.

Harms hatte unterdessen die Mütze in den Nacken geschoben und beide Hände tief in die Taschen versenkt. Groll und Trauer kämpften in seiner Seele um die Oberherrschaft, aber nicht gar lange, dann hatte der Groll den Sieg behalten. Harms legte die Pfeife beiseite, fuhr mit dem Kamm durch sein Haar und zog einen Rock an; so ausgerüstet erschien er in dem Zimmer des Senators, wo er an der Tür stehen blieb und eine Anrede erwartete.

Heute sollte er die Wahrheit hören, der Mann ohne Herz und Gewissen. Zurheiden sah auf, ihm mochte wohl bekannt sein, was den alten Diener seines Hauses gerade jetzt zu ihm führte.

»Nun, Harms«, fragte er in ruhigem Ton, »was gibt es?«

»Ich bitte um die Erlaubnis, mit dem Herrn Senator einige Worte sprechen zu dürfen.«

Der alte Herr nickte.

»So reden Sie denn, Harms.«

Er verschmähte es offenbar, irgendeine Unkenntnis des beabsichtigten Zweckes dieser Unterhaltung zu heucheln, er wusste, was folgen werde und gab sich nicht erst den Anschein, als sei er ganz in Unkenntnis der Sachlage.

Harms nickte, er trat seinem Gebieter näher, ganz nahe sogar.

»Ich möchte von früheren Tagen sprechen. Herr Senator, von den Zeiten, in denen wir als Knaben auf dem Hof dieses Hauses miteinander spielten, Sie und ich und noch ein Dritter.«

Zurheiden hob gebieterisch die Hand.

»Diesen Dritten lassen Sie ganz beiseite, Harms, ich befehle es Ihnen.«

»Aber ich kann darin nicht gehorchen, Herr! Ich kann es nicht. Ihr Bruder ist aus dem Vaterhaus vertrieben worden, Gott weiß, wohin, Gott weiß, in welchen frühen, qualvollen Tod. Er –.«

»Harms, Sie sollen schweigen!«

»Noch nicht, Herr, noch nicht. Der arme Theodor war in Schuld und Sünde geraten, das weiß ich ja, aber Sie hätten doch Geduld mit ihm haben, hätten seinem ehrenhaften Sinn vertrauen müssen. Stattdessen haben Sie ihn nur immer tiefer hinabgestoßen, bis er in den Abgrund gestürzt war. Ja, ja, das taten Sie, Herr! Und jetzt wollen Sie das gleiche Schicksal auch seinem Kind bereiten. Benno soll aus dem Haus, ja sogar aus Europa verbannt werden, – ist das recht, ist das christlich gehandelt?«

Zurheiden lächelte spöttisch.

»Ich wusste, worauf Sie hinauswollten, Harms!«, sagte er im Ton äußerster Kälte. »Aber das kann an der Sache selbst nichts ändern, kann mich in keiner Weise bestimmen; sie sollten sich daher alle weiteren Worte ersparen.«

Der Diener erhaschte und fixierte den Blick seines Gebieters, Auge in Auge standen sich die Spielkameraden von einst mit blassen Gesichtern und voll innerer Aufregung gegenüber.

»Zuvörderst wollte ich den Herrn Senator bitten«, sagte in den tiefsten Tönen seiner Stimme der alte Harms, »bitten, recht aus Herzensgrund bitten. Nehmen Sie den harten Ausspruch zurück, verzeihen Sie den Knabenstreich, der doch wahrhaftig ohne alle ernstere Bedeutung ist.«

Zurheiden schüttelte den Kopf.

»Niemals!«, behaupte er.

Harms wurde so rot wie ein gekochter Krebs.

»Niemals?«, wiederholte er gedehnt. »So, niemals? – Auch dann nicht, wenn ich dem Herrn Senator unverhohlen erkläre, dass meines Bleibens in diesem Haus nach Bennos Abreise nicht mehr ist? Geht er, so gehe ich auch.«

Zurheiden erschrak sichtlich; über sein aschfahles Gesicht flog ein böser, rachsüchtiger Ausdruck.

»Ich verstehe«, rief er, »Sie wollen mir drohen, Sie sagen mir rund heraus, es sei Ihre Absicht, die traurigen und schimpflichen Geheimnisse meines Hauses nunmehr aller Welt preiszugeben und mich dadurch zu schrecken, weil es mir nicht beliebt, Ihren unvernünftigen

Forderungen nachzugeben. Tun Sie es, erzählen Sie, was Sie wissen – meine persönliche Ehre bleibt dabei unbefleckt, und das muss mir auf alle Fälle genügen.«

Harms hatte die Augen weit geöffnet, ein Ausdruck des Erstaunens erschien auf seinen ehrlichen Zügen.

»Nein, Herr Senator«, sagte er sehr energisch, »nein, da seien Sie ruhig. Zum Schuft vor unserem Herrgott und mir selbst denke ich wahrhaftig nicht zu werden. Wahrhaftig nicht! Von mir erfährt kein Mensch über die Angelegenheiten dieses Hauses auch nur ein Sterbenswörtchen. Dagegen aber –.«

Zurheiden unterbrach ihn.

»Es bedarf keiner weiteren Worte«, versetzte er in abweisendem Ton. »Sie können tun oder lassen, was Ihnen beliebt.«

Harms nickte, seine Augen funkelten vor Zorn.

»Eine Frage hab ich noch auf dem Herzen, Herr Senator. Eine Frage nur, aber – schwer wiegt sie wie Blei.«

»Das wäre?«

»Ich will es Ihnen sagen. Vorhin bemerkten Sie, dass Ihre persönliche Ehre ganz unbeschadet dastehe – aber ich glaube das nicht so recht. Nein, nein, ich glaube es nicht!«

»Harms!«

Und der Kaufmann war aufgesprungen, als wolle er sich dem Sprecher entgegenstürzen und ihn erdrosseln.

»Was unterstehen Sie sich?«, zischte er.

Der Diener blieb vollkommen gelassen.

»Herr Senator«, fragte er in halblautem, bedeutsamen Ton, »Herr Senator, welche Worte waren es, die Sie und der Verstoßene an jenem Morgen, von dem wir beide wissen, draußen auf der Flur miteinander wechselten? Was haben Sie Ihrem Bruder gesagt, ehe er die Tür öffnete, um hinauszugehen und nie wieder hereinzukommen?«

Zurheiden taumelte wie von einem Schlage getroffen.

»Sie sind wahnsinnig«, rang es sich über seine aschbleichen Lippen.

Harms antwortete nicht gleich, er sah fest und unverwandt in das verstörte Antlitz seines Gebieters.

»Nie mehr haben Sie es seitdem gewagt, die Stätte dieses Abschiedes wieder zu betreten«, fügte er dann hinzu. »Nie mehr! – Lieber ließen Sie eine neue Tür durch die Wand brechen, als dass Sie sich entschlossen hätten auf dem geraden Wege von der Straße her in Ihr Haus zu kommen. Kain! – Kain! – Das ist das Wort, welches ich Ihnen sagen wollte, Herr Senator Zurheiden.«

Und ohne sich weiter um den stumm, mit bebenden Gliedern dastehenden Mann zu bekümmern, verließ er das Zimmer. Aber oben in Bennos einsamer Kammer schwand ihm die mühsam behauptete Fassung, er weinte wie ein kleines Kind.

»Es ist umsonst. Junge, es ist umsonst. Du musst fort, und ich kann nichts, gar nichts dagegen machen!«

Ein Arzt kam zweimal täglich in das Haus, eine Wärterin war angenommen worden, und alle Bewohner gingen auf leisen Sohlen; die alte Frau Zurheiden lag schwerkrank, weder ihr Sohn noch ihr Enkel durften sie sehen, es war unheimlich still in dem Haus des reichen Mannes.

Einmal hatte der Tischler eine Seekiste gebracht, dann kam die Ausrüstung an Kleidungsstücken und endlich der Befehl, sich für den nächsten Morgen zur Abreise bereit zu halten. Unser Freund erschrak nicht, aber es durchrieselte ihn doch ein seltsames, sehr wehmütiges Gefühl.

»Onkel«, bat er mit leiser Stimme, »Onkel, erlaube mir, meinen Freunden, ehe ich an Bord gehe, ein Lebewohl zu sagen.«

Zurheiden schüttelte den Kopf.

»Das hätte keinen Zweck«, versetzte er. »Wozu Klatschereien, die müßigen Bemerkungen unberufener Personen? Herr Winkelmann, dein Begleiter, holt dich morgen gegen sieben Uhr früh von hier ab, und bis dahin bleibst du ohne auszugehen in deinem Zimmer wie bisher.«

Damit war die Unterredung beendet, und Benno verbrachte in dem Haus seiner Väter einen letzten langen Tag, an welchem nur Harms dann und wann zu ihm herauf schlich, um irgendein zärtliches Wort zu sprechen oder einen guten Bissen auf den Tisch zu legen.

»Ich habe meine Siebensachen gepackt«, sagte er einmal, »mit dir zugleich schüttele ich den Staub dieses Hauses von meinen Füßen, du.«

Benno drückte ihm die Hand.

»Was willst du denn aber fernerhin beginnen, Harms? Es wäre doch besser, du würdest ruhig in den gewohnten Verhältnissen bleiben.«

Der Alte schüttelte den Kopf.

»Das geht nicht«, erklärte er, »Das geht nun und nimmer. Ich würde in jedem Augenblick fürchten, dass mich die Wände hier ersticken müssten, ich würde mich auch vielleicht – Gott verhüte Böses! – eines Tages an dem Herrn Senator vergreifen und Seine Gestrengen, wenn mir der Zorn gerade zu Kopf gestiegen wäre, tüchtig durchprügeln. Nein, nein, du, hier bleiben kann ich nicht. Der Mensch muss vor allen Dingen sich selbst kennen und wissen, was er aushält. Aber einen Plan, um die langen Tage hinzubringen, habe ich schon fertig.«

»Welcher ist denn das, Harms?«

Der Alte seufzte.

»Vormittags gehe ich in den Hafen«, versetzte er, »da sind immer Seeleute, die schon in Brasilien waren und die mir erzählen können, wie es in dem Land aussieht. Das ist eins; nun kommt noch der Nachmittag und der Abend, da mache ich mich an die Bücher. Zum Lernen ist es immer noch früh genug, ich will das Kauderwelsch, welches sie da in Rio sprechen, gehörig lernen und die Landkarte studieren, alle diese bunten, krummen Striche mit den Punkten und Namen dabei, dann weiß ich immer, wo du zu suchen bist; denn einen genauen, ausführlichen Brief schreibst du mir doch gleich nach deiner Ankunft, nicht wahr. Junge?«

Benno nickte voll tiefer Rührung.

»Gewiss tue ich das, Harms. Du bist der Einzige, welcher meine Briefe erhalten wird.«

Die Augen des alten Dieners strahlten vor Freude.

»Das ist gut«, rief er, »das ist gut. Da muss ich mich denn ganz gehörig im Schreiben üben, damit du dich auch nicht vor den Leuten zu schämen brauchst, wenn meine Briefe bei dir eintreffen. Behalte nur Mut, mein armer Junge, der alte Gott lebt noch, er verlässt auch uns beide nicht.«

Das war mit großer Zuversicht gesprochen, aber als es zum Abschied ging, da sah doch der Alte so blass aus wie ein Schwerkranker; seine Stimme bebte, seine Hände glühten fieberhaft.

»Da hast du meine neue Adresse, Benno«, sagte er, dem Knaben ein Blatt Papier reichend. »Verliere sie nicht, denn meine ganze Freude, meine einzige Hoffnung sind nur noch deine künftigen Briefe.«

»Adieu! Adieu!«, brachte Benno mit Mühe hervor. »Alter, du solltest doch wahrhaftig hier im Haus bleiben, anstatt allein und ohne Behaglichkeit dahinzuleben.«

Aber Harms schüttelte den Kopf.

»Musst du als ein Verbannter mit Sack und Pack die Heimat verlassen, dann muss ich es auch. Möchte nicht im warmen Nest zurückbleiben, während du auf dem gräulichen Wasser umherschwimmst. Hab dich zu lieb dazu, Junge.«

Er hielt immer noch Bennos Hand, während im Nebenzimmer der Senator mit Herrn Winkelmann noch einige letzte Worte sprach; dann öffnete sich die Tür, und nun war der Augenblick des Scheidens gekommen.

»Gehen wir, Benno«, sagte der Vertrauensmann des Senators.

Unser Freund näherte sich dem strengen Gebieter des Hauses.

»Adieu, Onkel! Darf ich nicht auch der Großmama ein Lebewohl sagen?«

Zurheiden schüttelte den Kopf.

»Das ist unmöglich, aber ich werde deine Bestellung bei ihr ausrichten. Adieu jetzt.«

Und kalt wie immer reichte er dem Sohn seines Bruders die Fingerspitzen.

»Betrage dich gut, dann wirst du vielleicht nach Jahr und Tag wieder von mir hören«, sagte er. »Vielleicht, ich verspreche dir nichts. Wird dagegen deine Führung der Grund irgendeiner Klage, dann siehe zu, wie du durch die Welt kommst, ich bekümmere mich um dich in diesem Falle mit keinem Worte und keinem Gedanken.«

Benno antwortete keine Silbe, er ging schweigend zur Tür, wohin ihm Herr Winkelmann folgte. Hinter den beiden kam Harms, der den Senator fest ansah und zum Gruß den Kopf nur ein klein wenig neigte.

»Adieu, Herr. Ich gehe jetzt.«

»Es ist gut, Harms.« Die Tür fiel ins Schloss, und Benno stand draußen.

»Kommen Sie nur«, drängte Herr Winkelmann, »es ist die höchste Zeit.«

Benno sah sich um, er streckte voll tiefen Wehens die Hand aus.

»Geh nicht mit bis zum Hafen, Harms, – die Leute würden später darüber sprechen.«

Der Alte nickte.

»Ich kann es auch nicht, du, mir bricht so schon beinahe das Herz.«

»Adieu, adieu, behüten dich Gott und alle guten Engel, du armes Kind!«

»Von England schicke ich dir schon einen Brief, Alter.«

»Gott segne dich tausendmal!«

Noch ein letzter Händedruck, ein tränennasser Blick, dann gingen die beiden auseinander, Benno und sein Begleiter zum Hafen, Harms zur inneren Stadt, ganz ziellos, zwecklos, wie er dachte, ein unglücklicher Mann, für den das Leben keinen Wert, keine Rechte und Pflichten mehr besaß. Weshalb sollte er eigentlich morgen in der Frühe wieder aufstehen? Weshalb alle folgenden Tage? Er wusste es nicht. Benno ging stumm an der Seite seines neuen Gefährten, der nicht eben gutmütig, aber auch keineswegs unangenehm aussah.

»Sie wollen bei Niederberger und Compagnie in Rio die Handlung erlernen?«, fragte er. »Treibt es Sie so sehr in die Weite?«

Er wusste also offenbar von dem Gang der Dinge nicht das Allermindeste; der Senator hatte seinen Neffen für die Dauer der Reise ihm empfohlen, wie man so junge Leute immer dem Schutz älterer Personen überantwortet, das war alles. Benno wünschte sich zu dieser Entdeckung im stillen Glück; je weniger es den Herrn Winkelmann gelüsten würde, ihm gegenüber den Herrn zu spielen, desto weniger Veranlassung zu irgendwelchen Meinungsverschiedenheiten würde es ja geben.

Er antwortete vorläufig ausweichend und war froh, als ihn das Schiff endlich aufgenommen hatte. Die letzten Reisenden kamen noch an Bord, es herrschte jenes unerfreuliche Durcheinander, welches dem Ankerlichten vorauszugehen pflegt, zahlreiche Stimmen sprachen zugleich, Frauen weinten, Kinder sprangen überall umher, Männer stritten sich mit Kofferträgern und Karrenführern um die Taxe. Dann hob sich der Anker und das Schiff zitterte in allen seinen Fugen.

»Adieu, Hamburg, – wer mag wissen, ob wir dich jemals wiedersehen?«

Ein Orgelspieler war unter den Zurückgebliebenen auf der Brücke, die dem langsam hinaus gleitenden Schiff nachsahen. Eine bekannte Melodie sandte ihre Klänge bis in das Innere des Schiffes, wo Benno mit gestütztem Kopf am Tisch saß.

Er sang in Gedanken alle diese Töne mit, das Herz war ihm unendlich schwer. Nichts als nur das vertraute Gesicht des alten Dieners ließ er in Hamburg zurück, aber dennoch tat ihm der Abschied weh,

– es war eben die Heimat, die Stätte seiner Kindheit, von der er scheiden musste.

Herr Winkelmann packte unterdessen den Inhalt eines stattlich gerundeten Korbes in einen Wandschrank und lud seinen jungen Schutzbefohlenen ein, tapfer zuzulangen. Da kamen ein paar tüchtige Schinken zum Vorschein, Käse, Rauchfleisch und allerlei Eingemachtes in Büchsen.

»Ich verstehe mich auf das Reisen«, sagte der Eigentümer aller dieser Herrlichkeiten. »Es ist schon zum dritten Mal, dass ich über das Wasser gehe.«

»Weshalb sind Sie denn jedes Mal wieder nach Hamburg zurückgekehrt?«, forschte Benno. »Gefällt es Ihnen drüben nicht?«

»Oh, das wohl«, war die Antwort, »aber es ist so mein Beruf, hin und her zu fahren, ich bringe als Agent der brasilianischen Regierung Leute zur Gründung einer Kolonie in Deutschland zusammen. Auch mit diesem Schiff gehen über fünfhundert Personen aus allen Ständen nach Rio, um von dort aus ins Innere zu ziehen. Sie werden, wenn erst die Seekrankheit überstanden ist, an Deck ein buntes Treiben beobachten können.«

Benno blieb die Antwort schuldig, er legte sich auf das enge, unbequeme Bett der Koje und versuchte zu schlafen, aber ohne Erfolg; sein Kopf schmerzte und das Herz war ihm entsetzlich schwer.

»Wie lange dauert die Fahrt?«, fragte er einmal, nachdem Stunden vergangen waren, seinen Begleiter.

»O das können leicht drei Monate werden«, hieß es. »Wenn Stürme kommen, wohl auch vier oder noch mehr.«

»Du allmächtiger Himmel!«

»Fürchten Sie sich denn vor der See, junger Herr?«

Benno schüttelte den Kopf.

»Das nicht, aber man stirbt ja bis dahin vor Langeweile. Es gibt keine Beschäftigung, keine Zerstreuung.«

»Wenn Sie auf dem Bett liegen bleiben wollen, dann allerdings nicht. Gehen Sie an Deck, machen Sie Bekanntschaften, junger Herr! Es war ja doch Ihr freier Wille, nach Brasilien auszuwandern, nicht wahr?«

»Hat Ihnen das mein Onkel gesagt, Herr Winkelmann?«

»Er hat mir kein Wort gesagt, sondern ich erhielt einen Brief an die Herren Niederberger und Compagnie, sowie die Weisung, Sie drüben in das Haus dieser Leute zu bringen; das ist alles, was ich erfahren habe.«

Benno schwieg wieder, er blieb diesen und auch den ganzen folgenden Tag krank an Leib und Seele im Bett liegen, erst am dritten Nachmittag wagte er es, an Deck zu erscheinen.

Wenn irgendein Bekannter an Bord war, so musste doch früher oder später der niederdrückende Augenblick einer Begegnung einmal stattfinden, man konnte nicht monatelang in der Kajüte versteckt sitzen, – also warum zögern? Das Schiff befand sich jetzt in der Nordsee und ein frischer, kühler Wind wehte unserem Freunde, als er das Verdeck betrat, wie eine wahre Wohltat entgegen. Ringsumher war nur Wasser zu sehen, nichts als Wasser und höchstens einmal in weiter Ferne ein weißes, kaum erkennbares Segel.

Wie ein Vogel zog der Dreimaster über die hüpfenden Wellen seine Bahn; es war heute Sonntag und am Morgen hatte ein Gottesdienst stattgefunden, alle Arbeit ruhte; die Matrosen saßen in frisch gewaschenen Kleidern vor der offenen Tür des Logis, rauchend, lesend oder schreibend, während die von der Seekrankheit genesenen oder verschont gebliebenen Auswanderer in dem ihnen angewiesenen Raum auf dem Verdeck plaudernd zusammen saßen; hier sah man Damen und Herren aus der ersten Kajüte, dort eine bunte Gesellschaft bäuerlicher und großstädtischer Erscheinungen in jeder Art des Anzuges, von dem derben Dorfbewohner mit blauer Leinenjacke und Holzpantoffeln bis zu dem blassen, verkommen aussehenden Mann in halb eleganter, halb schäbiger Kleidung, einem jener vielen, die, nachdem sie sich auf dem Boden der Heimat unmöglich gemacht haben, nun über das Weltmeer gehen, um an anderer Stelle ihr lichtscheues Treiben neu zu beginnen.

Auch Frauen waren anwesend und Scharen von Kindern. Benno musterte verstohlen alle diese untereinander so verschiedenen Personen, er sah nach rechts und links, aber gottlob, kein bekanntes Gesicht fand sich vor.

Er blieb unbeachtet, selbst als er sich in die Mitte der Anwesenden hineinwagte; es kannte ihn offenbar niemand. Das gab seiner Seele neuen Mut, er nahm aus der Tasche ein Buch, das ihm Herr Winkelmann geliehen hatte und fing an zu lesen, bis die Schatten der Dämmerung über das Verdeck dahin huschten und die Buchstaben unmerklich ineinander zerfließen ließen.

Tief im Westen versank der rote Sonnenball und spiegelte sich in den Meereswellen, so dass es aussah, als ob aus dem Schoß der Fluten ein zweites Tagesgestirn hinausreiche zu dem ersten; Benno ließ die Hand mit dem Buche sinken und blickte hinüber zu dem fernen Punkt, an welchem sich das wundervolle Schauspiel entspann. Tausend rote und goldige Flecke schienen auf dem Wasser zu tanzen, eine Ruhe, wie sie das hastende friedlose Leben der Großstadt überhaupt nicht kennt, eine tiefe, wohltuende Ruhe lag über der ganzen sonntäglich stillen Umgebung, kühl und kräftigend wehte der Wind, in großen Flügen schossen Möwen und Kampfhähne über das Schiff dahin, – es war so recht eine Stunde, um allen Hader des Lebens zu vergessen und sich ganz der friedlichsten, zuversichtlichsten Stimmung hinzugeben.

Jemand fing an zu singen: »Steh ich in stiller Mitternacht« – und sogleich fielen andere Stimmen ein; drinnen im Zwischendeck begleitete eine Ziehharmonika die volkstümliche Weise, es entstand ein voller brausender Chor, dessen Klänge über das Verdeck dahin schallten und aus vielen, vielen Augen heimlich die Tränen hervorlockten.

Wohl jeder einzelne dieser Auswanderer hatte daheim in Deutschland seine Lieben, oder doch wenigstens ein teures Wesen zurücklassen müssen; jetzt brach die Erinnerung an das verlorene Glück mächtig aus tiefstem Herzen hervor. Man hörte leises Weinen, man sah bebende Hände, die sich fest auf blasse, zuckende Gesichter legten. An wen dachte in diesem Augenblick unser Freund?

Ein banges Gefühl durchflutete sein Herz. Ihn liebte niemand mit so rechter, wahrer Innigkeit, ihn vermisste niemand. Aber ja doch, Harms, der alte, ehrliche, – gewiss saß er jetzt und lernte, dass ihm der Kopf rauchte, um später einen anständigen, so recht gelungenen Brief in die Welt schicken zu können. Benno lächelte, er stand auf, um die Hängelampe in der Kajüte anzuzünden und seinerseits das versprochene Schreiben aus England jetzt schon zu beginnen, da legte sich plötzlich von hinten her eine Männerhand auf seine Schulter.

»Guten Abend, junger Herr!«

Wie von einem Messerstich getroffen, fuhr unser Freund herum. Diese Stimme! Ob er sie nicht unter allen auf der Erde wiedererkannt hätte?

»Señor Ramiro!«, stammelte er.

Es war wirklich der Kunstreiter, welcher da hinter ihm stand. Heute trug er nicht die Flitter und bunten Lappen seines Gewerbes, sondern einen schäbigen grauen Anzug und einen Schlapphut von gleicher Farbe, dazu im Munde die unvermeidliche kurze Pfeife und um den Leib einen Ledergürtel.

»Sie hier, junger Herr?«, sagte er. »Wer hätte das gedacht?«

»Und Sie wollen in Rio Ihren Zirkus aufschlagen?«

»Hm, – in Rio nicht gerade. Aber wir unterhalten uns sicherlich besser da drüben.«

Er deutete mit der Pfeifenspitze auf ein leeres Plätzchen in der Nähe des Mastes, und mechanisch, noch ganz unter dem Eindruck der ersten Überraschung, folgte ihm Benno dorthin.

»Sind Sie mit Ihrer ganzen Gesellschaft an Bord?«, fragte er den Gaukler.

Dieser schüttelte den Kopf.

»Meine Frau führt das Geschäft vorläufig in Deutschland weiter«, versetzte er. »Bei mir sind nur Michael und Pedrillo – auch der Esel ist zu Haus geblieben.«

Das sagte er mit einem tiefen Seufzer. Und dann fuhr die braune Hand energisch über die Stirn.

»Nicht rückwärts sehen!«, fügte er hinzu. »Das lähmt alle Kräfte. Erzählen Sie mir von sich, junger Herr. Wandern Sie aus, um Kolonist zu werden?«

Benno antwortete sehr vorsichtig und war natürlich zartfühlend genug, über den eigentlichen Grund seiner Reise ganz zu schweigen; aber Ramiro durchschaute, wie es schien, den Sachverhalt vollständig und um seine Lippen spielte ein leichtes Lächeln.

»Ich sehe Sie schon Tüten kleben«, sagte er, »und Pakete schleppen, oder was dergleichen angenehme Dinge mehr sind. Haben Sie Neigung für das brave kleinbürgerliche Gewerbe?«

Benno schwieg, aber er fühlte, wie heiß sich das Blut in sein Gesicht ergoss. Am liebsten hätte er den Kunstreiter verlassen und nie wieder mit ihm gesprochen. Ramiro kam auf seine frühere Frage nicht zurück.

»Ich bin ein geborener Südamerikaner«, sagte er, »aus Peru. Dahin reise ich auch jetzt.«

»Aber unser Schiff geht, denke ich, nach Rio de Janeiro!«

Der Kunstreiter nickte.

»Von dort schlagen wir uns quer durch das Land bis in meine Heimat. Nur über das Weltmeer musste mich die gute Gelegenheit bringen; für alles Weitere sorge ich schon selbst.«

»Das wird ein ganz ansehnlicher Marsch«, lächelte Benno. »Aber Sie kaufen wahrscheinlich in Rio neue Pferde, Herr Direktor?«

Ramiro stützte den Kopf in die Hand.

»Pferde?«, wiederholte er schmerzlich. »Ach, junger Herr, wie froh werde ich sein, wenn es mir an jedem Tag möglich ist, Brot zu kaufen. Es ist mit den Schaustellungen und ganz besonders mit den Reiterkunststücken drüben nicht wie in Europa. Allerlei Halbwilde treiben sich auf den Gassen herum und locken den Leuten durch ihre Spiegelfechtereien die Münzen aus den Taschen; ein wirklicher Fachmann hofft von Brasilien in dieser Beziehung nichts.«

Benno erstickte mit einiger Mühe das Lächeln, welches sich auf seine Lippen drängen wollte.

»Weshalb sind Sie dann aber aus Europa fortgegangen, Señor Ramiro?«, fragte er.

Ein Blitz sprühte aus den schwarzen Augen des Peruaners, es war, als schwebe auf seinen Lippen eine hastige Antwort, gleichwohl aber blieb er stumm, oder brach doch wenigstens das eingeschlagene Thema plötzlich ab.

»Ich bin nicht immer ein Kunstreiter gewesen, junger Herr«, sagte er nach einer Pause, »nicht immer einer, der mit dem Hut in der Hand die Spenden des Publikums einsammelt. Zu meiner Zeit trug ich in Lima die Schülermütze wie Sie, gehörte zu einer reichen, angesehenen Familie, hegte für meine Zukunft die hochfliegendsten Hoffnungen – und da – da –.«

»Wurden Sie aus der Bahn geworfen?«, rief mit plötzlich erwachendem Interesse unser Freund. »War es nicht so?«

Ramiro nickte, sein Auge rollte, seine Faust war geballt, er zerbiss zwischen seinen weißen Zähnen die Pfeifenspitze, dass Blutstropfen unter den Lippen hervorquollen.

»Mein bester Freund, mein liebster, einziger, war es, der mich verriet, Alfredo, er, auf dessen Treue ich Welten gebaut hätte. O junger Herr, wenn Sie wüssten, wenn Sie ahnen könnten, was ich damals litt!«

Benno seufzte.

»Vielleicht kann ich es, Señor! Nicht Sie allein sind es, dem ein Unrecht geschah.«

»Ja, ja, ich weiß, aber – so hart wie mich traf es doch wohl nicht häufig einen Menschen. Ich war ein junger Bursche von sechzehn Jahren, lebensfroh und zu allen Tollheiten aufgelegt, ich warf das Geld mit vollen Händen zum Fenster hinaus, aber auch nicht dem geringsten verachteten Wesen hätte ich ein Leides zufügen können, da – o es war fürchterlich! – da geriet ich in den Verdacht, einen Schmuck von großem Wert gestohlen zu haben; alle Umstände sprachen gegen mich, man musste an meine Schuld glauben, obwohl mir die Steine überhaupt nicht zu Gesicht gekommen waren, ja, obwohl ich wusste, dass kein anderer als Alfredo der Täter sei –.«

»Ich dachte es mir«, warf Benno ein.

»Und es ist auch so; in jedem Augenblick würde ich darauf schwören. O junger Herr, in meiner Verzweiflung bin ich ihm zu Füßen gefallen, habe seine Knie umklammert und ihn vom Himmel zur Erde gebeten, mich nicht in das Unglück zu stürzen, aber er zuckte nur die Achseln und nannte mich einen Tollhäusler; – ihn hielt der Geiz in Banden, er wollte schuldlos erscheinen, um das reiche Gut behalten zu können. Da hab ich denn alle Rücksicht beiseite gesetzt und den Behörden meinen Verdacht offen mitgeteilt, hab sonnenklar bewiesen, dass nur Alfredo der Täter sein könne und gerade dadurch meine Sache noch verschlechtert. ›Den Schuldlosen, den Jugendfreund, wollte ich ins Verderben ziehen, nur um mich selbst reinzuwaschen, – welch ein abscheulicher Charakter musste ich doch im Grunde sein!‹, so meinte man. Und so verurteilte mich das Gesetz zu entehrender Kerkerstrafe. Wenige Wochen waren es nur, die ich erhielt, meiner Jugend und bisherigen Unbescholtenheit wegen; aber doch eine Bestrafung. O junger Herr, wie ein wildes Tier rüttelte ich an den Eisenstäben meiner Zelle, wie unsinnig warf ich mich auf den Fußboden und glaubte, dass wohl der Himmel einfallen müsse, um an denen, die mich ins Unglück gestürzt hatten, den entsetzlichen Frevel zu rächen, – bis dann ein hitziges Fieber kam und alle meine Sinne gefesselt hielt. Das war die elendste, entsetzlichste Zeit meines Lebens!«

»Und später?«, fragte Benno, als der Kunstreiter schwieg. »Später, Señor?«

Ramiro befestigte an seiner Pfeife eine neue Spitze und tat, bevor er antwortete, einige tiefe Züge.

»Das Unglück kommt nie allein, junger Herr«, fuhr er dann etwas ruhiger fort, »es hat sich, ehe es über unsere Schwelle tritt, schon nach Gesellschaft umgesehen und zieht seinesgleichen hinter sich her. Ach! – Als ich in das Gefängnis geschleppt wurde, da lebte meine alte Mutter noch und da war ich der Erbe eines großen Vermögens; dann aber, nach wenigen Monaten, hatten sich die Dinge auf das Furchtbarste verändert. Die alte Frau lag tot in ihrem Grabe und das Vermögen war der Kirche zugeschrieben, – als Opfer für das Heil meiner sündigen Seele. Als ein Bettler, halb genesen, das Herz voll Verzweiflung, so stand ich da, ärmer denn je, um alles betrogen.«

»Das war entsetzlich«, flüsterte schaudernd unser Freund. »Damals wurden Sie natürlich Kunstreiter?«

Der Peruaner nickte.

»Vorher aber bin ich noch einmal unter Alfredos Dach getreten«, antwortete er mit tiefer, verschleierter Stimme, »ich habe ihn gezwungen, mich anzuhören, und ihm ein paar Worte gesagt, wenige nur, aber sie sind unvergessen geblieben bis heute.«

Benno sah auf.

»Doch kein Fluch, Señor?«, fragte er halblaut. »Nein, nein, das konnten Sie nicht tun.«

»Das habe ich allerdings gekonnt, mein Junge! – Sei verdammt und verflucht in Ewigkeit«, habe ich ihm gesagt. »Wenn das Jüngste Gericht gekommen ist, dann fordere ich dich vor den Thron Gottes und du sollst mir Rede stehen, du sollst für deine Untat die Hölle erwerben!«

»Und das waren zwischen ihm und Ihnen die letzten Worte, Señor Ramiro?«

»Die letzten, ja, wenigstens bis heute. Der Hass, welchen ich gegen den Verräter empfinde, der bittere Hass glüht immer noch mit alter Kraft in meiner Seele, ich könnte den, der mir alles geraubt hat, kaltblütig erdrosseln.«

»Und zu dem Zwecke wollen Sie ihn jetzt aufsuchen, Herr Direktor?«

Ein Lächeln zuckte über das braune Antlitz.

»Nicht so ganz«, versetzte er. »Das ist wieder eine Geschichte für sich, aber eine gute, herrliche. Ob ich sie Ihnen mitteilen werde, das hängt von einer unerlässlichen Bedingung ab.«

Benno wehrte mit der Hand.

»Ich bitte«, rief er. »Es gibt für mich keinerlei Recht auf die Kenntnis Ihrer Angelegenheiten.«

»Aber ich wünsche Ihnen gerade diese Geschichte recht eingehend zu erzählen. Sie müssen mir nur vorher eine Frage aufrichtig beantworten.«

Unser Freund errötete unwillkürlich, denn die Ahnung dessen, was nun folgen werde, hatte ihn schon bei den ersten Worten des Kunstreiters ergriffen.

»Was ist es, das Sie zu wissen wünschen, Señor Ramiro?«, fragte er so gelassen wie möglich.

»Hm! Einige Tage, nachdem Sie damals im Zirkus den Esel geritten hatten, sprach ich zufällig mit mehreren Ihrer jungen Gefährten, ich fragte nach Ihnen, – um Sie zu einer zweiten Vorstellung zu überreden; weshalb sollte ich das leugnen? – da hieß es: ›Benno ist heute nicht zur Schule gekommen!‹ – und weiter: ›Er hat Hausarrest. Sein Onkel hat die Zirkusgeschichte erfahren, er ist furchtbar böse!‹ Dann machte ich mich hinter den prächtigen alten Kerl, der in Ihrem Haus lebt, – wie heißt er gleich?«

»Harms!«, schaltete mit überquellendem Herzen der Knabe ein.

»Richtig, Harms. Der sagte mir, dass es sehr sündhaft gewesen sei, einen so jungen Menschen zu Torheiten wie diese zu verlocken, er schoss ordentlich grimmige Blicke und dann ließ er mich stehen, ohne mir weiter ein Wort zu schenken; aber meine Ahnung war seitdem eine böse, ich hatte das unbestimmte Gefühl eines geschehenen Unglückes, bis ich Ihnen heute Abend so ganz unerwartet hier an Bord dieses Schiffes wieder begegnete, – sagen Sie es mir, Benno, sind Sie in aller Form aus Hamburg verbannt worden?«

»Da Sie mich fragen, Señor Ramiro, – ja!«

»Und zwar um meinetwillen?«

»Jener Vorstellung wegen, ja!«

»Ich dachte es mir. Das soll Ihr Schaden nicht gewesen sein, Benno.«

Unser Freund sah zu dem mit lebhaftem Interesse sprechenden Mann hinüber.

»Was verstehen Sie unter diesen Worten, Herr Direktor? Sollte ich etwa –.«

»Kunstreiter werden, meinen Sie?«, lächelte Ramiro. »Nein, nein, es ist Besseres, was ich Ihnen zu bieten habe. Wunderbares, Märchenhaftes sogar. Ja, sehen Sie mich nur an, ich, der Straßengaukler, dem Hunger und Elend in Fülle beschieden, – ich biete Ihnen fürstliche Reichtümer.«

»Aber Señor Ramiro!«

»Kommen Sie!«, sagte er tief atmend. »Ich wollte Ihnen ja meine Geschichte erzählen.«

Und dann – seine Augen glänzten wie Edelsteine durch das Dunkel – dann begann er halb flüsternd seinen Bericht.

»Ich sagte Ihnen ja schon, dass meine Familie sehr reich war, aber das bezog sich doch nur auf ein gewöhnliches Vermögen, wie es viele Leute besitzen, große Ländereien, Häuser und Herden, – mehr nicht. Der eigentliche Schatz der Frascuelo, denn das ist mein Name, ihr unermessliches Eigentum bildete schon seit Generationen den Stoff geheimnisvoller Erzählungen am abendlichen Herdfeuer, den Gegenstand aller Wünsche und verlangenden Seufzer. Manuel Frascuelo, einer meiner Ahnherren, hatte auf seinen Gütern Diamanten entdeckt und binnen kurzer Zeit einen Wert von vielen Millionen zusammengerafft, aber – während einer höchst unglücklichen, gefahrdrohenden Zeit. Der Krieg zerfleischte das Land, die öffentliche Sicherheit war dahin, jeden Augenblick wurde der Feind erwartet; zudem gab es auch in der Umgebung Leute, die da wussten, dass mein Vorfahr seinen Schatz bei sich im Haus versteckt hielt und die darauf lauerten, womöglich den Alten beiseite zu bringen und das ungeheure Vermögen zu rauben. Manuel Frascuelo entschloss sich kurz, er gedachte das Land in dunkler Nacht zu verlassen, um an einem minder bedrohten Punkt der Erde ruhig zu leben; alle Vorbereitungen zur heimlichen Abreise waren getroffen, da ertönte plötzlich der Lärm eines Gefechtes, das Haus wurde umstellt, Soldaten erschienen in den Zimmern, der erregte Pöbel drängte nach und Hunderte von Stimmen riefen den Namen des erschreckten Mannes. Er sollte seine Schätze herausgeben. ›Die Diamanten!‹, hieß es, ›Die Diamanten! – Manuel Frascuelo, wo bist du?‹«

»Und jede Tür wurde geöffnet, jedes Schloss gesprengt. Vergebens warf sich die Frau des Abwesenden den Soldaten entgegen, vergebens schwor sie, dass im Haus kein Stein zu finden sei, man glaubte ihr nicht, sondern durchforschte plündernd und zerstörend alle Räume, bis endlich der Hausherr erschien, blass wie ein Sterbender, mit geballter Faust und verbissenen Zähnen. Voll Empörung trat er den Soldaten und besonders den Pöbelrotten entgegen. ›Was wollt ihr, Leute? Dieses hier ist mein Haus und ich verlange, dass Ihr es augenblicklich räumt. Fort!‹ Ein Zischen und Pfeifen gellte ihm von allen Seiten in die Ohren. ›Du hast Millionen über Millionen hier versteckt, Manuel Frascuelo! Gib einen Teil davon heraus, oder es geht dir schlecht. Andere Leute wollen auch leben!‹ – ›Es ist kein Stein im Hause‹, versetzte kalten Tones der unerschrockene Mann. ›Ich habe mein Vermögen längst in Sicherheit gebracht.‹ – ›Das lügst du; es war gestern noch hier. Hamda, die Negerin, hat es gesehen.‹ – ›Hamda weiß nicht, was sie spricht. Und übrigens, wenn es hier wäre, so gehörte es mir, aber nicht euch.‹ – ›Du sollst teilen! – Teilen!‹ Und als er erbittert die Pistole aus dem Gürtel riss, um in den Pöbelhaufen hineinzuschießen, da sind sie über ihn hergefallen, alle über einen, und haben ihn buchstäblich in Stücke zerrissen, während sein Weib und seine Kinder mit gebundenen Händen im Winkel lagen und nichts tun konnten, um dem Bedrohten beizustehen. Die Steine hatte er vorher sicher verborgen, aber er ist in den Tod getrieben worden, ohne von dem erwählten Versteck irgendeinem Menschen Kenntnis gegeben zu haben. Als die Ruhe wiederhergestellt worden war, hatten die Seinigen alles verloren.«

»Und der Schatz wurde wirklich nicht wieder aufgefunden?«

»Niemals, obgleich man natürlich das Unterste zu oberst kehrte und überall die Erde fußtief ausgrub, ja, obgleich man das Bett eines nahegelegenen Sees genau untersuchte und in allen Spalten des Felszuges nachforschte. Die Steine waren und blieben verschollen.«

Benno fuhr langsam mit der Hand über die Augen.

»Sie wollen offenbar jetzt die Nachforschungen neu beginnen, nicht wahr, Herr Direktor?«

Ramiro nickte.

»Das will ich, ja, denn meine Mitteilungen sind noch nicht zu Ende, sie spielen vielmehr an diesem Punkt wieder auf meine Jugenderlebnisse hinüber.«

»Wie ist das möglich?«, rief Benno.

»Ich will es Ihnen sagen. Hier und da in Gottes weiter Welt hab ich mich herumgetrieben, in aller Herren Länder hineingesehen und mein Brot sauer genug verdient; aber das Herz hing doch im Stillen immer an der Heimat, und sooft es mir nur möglich war, suchte ich von dort Nachrichten zu erlangen. So kam es, dass mein Name nicht ganz in Vergessenheit geriet, dass dieser oder jener unter den früheren Freunden wusste, wo ich mich gerade befand, ja, dass ich zuweilen Briefe oder Grüße erhielt, die mich jedes Mal so sehr beglückten. Eines Tages aber – damals hatte ich meinen Zirkus tief in Ungarn – kam zu mir jemand, dessen Erscheinen ich am allerwenigsten erwartet hatte.«

Benno sah auf.

»Es war jener Alfredo!«, rief er.

Der Peruaner schüttelte den Kopf.

»Nicht er, aber ein Bote von ihm an mich. Alfredo hatte schon vor langen Jahren das Leben in der Welt mit dem des Klosters vertauscht, er wohnte in der unmittelbaren Umgebung jener Stätte, die einst das Eigentum der Familie Frascuelo gewesen war, und jetzt ließ er mir sagen: ›Komm nach Haus und beginn das Dasein neu an jenem Punkt, wo es vor langen Jahren Schiffbruch litt, denn der Schatz deines Ahnherrn ist gefunden.‹«

»Ach! – Unmöglich!«

Der Kunstreiter war aufgesprungen, er hatte die Pfeife aus dem Mund genommen und die rechte Hand an den Schiffsmast geklammert, als wolle er sie in das Holz hinein graben.

»Es ist so«, wiederholte er in heimlich frohlockendem Ton, »es ist so. Ich bin meiner Sache ganz sicher, denn der Bote brachte mir einen schriftlichen Ausweis von Alfredos Hand – ich kannte ihn auch seit meiner Jugend.«

»Sie wissen also nun auf das Genaueste, wo sich die Steine befinden?«

Ramiro schüttelte wieder den Kopf.

»Nur, dass dieselben entdeckt sind. Den Ort will mir Alfredo selbst nennen, von seinen eigenen Lippen soll ich die Botschaft des Glückes empfangen, offenbar als Sühne für das mir damals zugefügte Unrecht.«

»Das glaube ich auch«, nickte Benno. »Sie müssen dem reuigen Mann so recht von Herzen verzeihen, Herr Direktor.«

Ein finsterer Blick des Kunstreiters flog über das Meer hinaus.

»Ob ich es können werde?«, sagte er zweifelnd. »Verzeihen? Voll und ganz verzeihen, nachdem er mir meine Jugend gestohlen hat? – Ach, Benno, lässt sich dergleichen jemals vergüten? Kann man auch wohl einem Menschen das Messer ins Herz bohren und hinterher sagen: ›Nimm es mir nicht übel?‹«

Unser Freund schwieg und auch der Peruaner sah stumm vor sich hin, erst nach längerer Pause fragte Benno:

»Und der Bote, wo ist er geblieben? Hier bei Ihnen?«

Ramiro wandte den Kopf.

»Der starb kurz nach seiner Ankunft«, versetzte er, wie es schien, nur mit Mühe sprechend. »Aber ich habe meinen Brief.«

»Und Sie gedenken quer durch ganz Brasilien zu wandern? Sie wollen zu Fuß die ungeheure Strecke zurücklegen?«

»Ja – mit Ihnen, wie ich hoffe.«

»Ach, das ist unmöglich.«

»Überlegen Sie sich es noch, junger Herr! Meinetwegen sind Sie ins Unglück geraten, ich möchte Ihnen also gern wieder heraushelfen und werde dazu ausreichende Mittel besitzen. Jener Schatz enthält viele Millionen.«

Benno seufzte unwillkürlich.

»Wie lange ist es, seit Sie die Botschaft erhielten?«, fragte er.

»Reichlich zwei Jahre. Alfredo besitzt als Klosterbruder kein Geld, um es mir zu schicken, selbst sein Abgesandter hatte Schiffsdienste leisten müssen, um nach Europa zu gelangen, – da war es mir also ganz unmöglich, gleich an die Reise zu denken. Ich musste zunächst Hamburg erreichen und dann weiter sehen, was sich machen ließ. Ach, die Armut ist ja wie ein Bleigewicht, sie hindert alles, vernichtet jeden Plan, schiebt sich als Hindernis zwischen uns und die Erfüllung der sehnlichsten Wünsche. Ich hoffte so innig, die Meinigen mit mir nehmen zu können, aber es ging nicht, – kleine Kinder und Frauen sind bei solchen Wanderungen, wie sie mir bevorstehen, nur eben so viele Hemmnisse, das heißt, wenn man kein Geld besitzt, und woher sollte ein armer Teufel wie ich, es nehmen? Als der Agent sich bereit erklärte, uns drei Männer umsonst über den Ozean zu schaffen, da war ich schon seelenfroh. Es wäre überflüssig. Ihnen erst zu bemerken, dass er natürlich von meinem Vorhaben kein Wort erfahren darf.«

Benno nickte.

»Er soll in Ihnen einen Ansiedler sehen, nicht wahr?«

»Natürlich. Man lässt sich seine Strecke Landes vermessen und geht dann eines Tages so schnell wie möglich auf und davon.«

In diesem Augenblick ertönte eine Glocke, das Zeichen für die Passagiere, jetzt ihre Schlafräume aufzusuchen. Der Kunstreiter streckte die Hand aus.

»Gute Nacht!«, flüsterte er. »Auf Wiedersehen!«

»Gute Nacht, Señor Ramiro!«

Das Verdeck leerte sich schnell, die vielen Leute gingen ab und zu, lachend und plaudernd, teils in Gruppen, teil einsam, – aus dem Schatten löste sich eine schlanke Gestalt und ein blasses Antlitz sah in das unseres Freundes.

»Das viele Wasser!«, flüsterte eine unterdrückte Stimme. »Wie fürchte ich mich vor den Schleiern, die darüber liegen.«

Es war Michael, der arme Halbirre, und Benno bot ihm gutmütig die Hand.

»Sie sollten sich doch nicht selbst beunruhigen«, tröstete er. »Was hat Ihnen denn der harmlose Nebel zuleide getan.«

»Ach – in ihm wohnen die bösen Geheimnisse. Wissen Sie, was ich mir wünsche und welches Gebet ich an jedem Abend spreche?«

»Nun?«

Michael faltete die Hände.

»Lieber Gott«, sagte er wie ein kleines Kind, »lieber Gott, lass alles Wasser in die Erde hinein verschwinden, dass man es nicht mehr zu sehen braucht!«

»Michael, komm hierher!«

»Ja, Herr, ja!«

Der Bursche verschwand und auch unser Freund begab sich in seine Koje (Schlafstelle). So wenig ihn freilich die Eindrücke des Abends sogleich den erwünschten Schlaf finden ließen, eins schien doch gewiss, aus der stumpfen Verzweiflung der letzten Tage war er mit Erfolg herausgerissen worden.

4.

Auf hoher See – Stürmische Fahrt – Das Totenschiff – Gierige Ratten – Ein Briefgeheimnis – Im Ozean begraben – Das Windspiel des rätselhaften Boten

Tag reihte sich an Tag und das Seeleben war allmählich unserem Freund zur Gewohnheit geworden. Längst lag England hinter dem schwimmenden Bau, längst Madeira und jetzt auch die erste Hälfte der ganzen Reise.

Benno sah ruhigen Blickes der Zukunft entgegen; er war sogar mit seinem Schicksal ausgesöhnt. Unter den Passagieren fanden sich mehrere, die den schlanken liebenswürdigen Knaben gern in ihre Gesellschaft zogen, auch der erste Steuermann hielt viel von ihm. So dass es Anregung und Unterhaltung für ihn gab, wohin er sich nur wenden mochte. Der Steuermann war ein geborener Deutscher, er verkehrte seit Jahren mit Rio und kannte die Firma Niederberger ganz genau. Um seine Lippen spielte ein Lächeln, er schüttelte ungläubig den Kopf.

»Das ist nichts für Sie, Herr Zurheiden, – ein kleines, unbedeutendes Geschäft, dasselbe, was man in Hamburg eine Krämerei nennt.«

Benno unterdrückte einen Seufzer. Wohin sollte er sich mit ganz leerer Hand wenden? – Seines Onkels Wille reichte doch selbst bis über das Weltmeer, um ihn zum Gehorsam zu zwingen!

»Sie gehen ja mit mir!«, raunte dann wohl der Kunstreiter. »Denken Sie doch an den Schatz, der unser harrt, – Diamanten. Edelsteine ohne Zahl. Sie sollen es nie bereuen, damals den armen Rigolo im Zirkus geritten zu haben.«

Benno fing an, die Sache zu überlegen.

»Ich würde nur so viel nehmen, um davon studieren zu können«, versetzte er. »Später zahle ich dann alles zurück.«

Ramiro lachte.

»Sie wollten keine Pferde kaufen, keine Hazienda auf eigenem Grund und Boden erbauen, junger Herr? Sie wollten nicht mit dem Wind um die Wette durch ihre Felder stiegen und Hunderte von Sklaven besitzen?«

»Letzteres gewiss nicht!«

»Bah, das sind deutsche Grillen. Sehen Sie nur erst einmal mein schönes Vaterland, dann werden Sie schon anders reden. Ist es nicht ein behaglicher Gedanke, der an den Schatz meiner Altvorderen?«

»Ein gefährlicher, recht gefährlicher Traum scheint mir das Ganze.«

»Wieso denn? In dem großen, an mein Elternhaus grenzenden Park ist von dem Erbteil, welches meine Mutter der Kirche hinterließ, ein Kloster erbaut worden, – darin lebt Alfredo, er hat glückliche, ruhige Tage genau an der Stätte, von der seine Schuld mich, den berechtigten Eigentümer, vertrieb, – das ließ ihn natürlich niemals ruhen, es bohrte und bohrte in sein Gewissen und machte ihn erfinderisch. Zwischen verborgenen Felsklippen, in Abgründen und Schluchten, in hohlen Bäumen und auf dem Grund der Gewässer hat er nachge-forscht, Stunde um Stunde, Jahr um Jahr, bis der versteckte Schatz offen vor ihm dalag. Dann sandte er mir seinen Vertrauten, den Sohn seines Bruders, und ließ mich zu sich bescheiden. Alfredo behütet den verzauberten Schatz, dessen bin ich sicher; zu stiller Stunde geht er an jedem Tag hin und blickt in das Nest, in dem die funkelnden Steine liegen, – bis ich komme und meinen Fluch von ihm nehme. Ist es nicht ein herrlicher Gedanke, Benno, dass vielleicht Hunderte zu jeder Frist auf Schrittweite an dem unermesslichen Reichtum vor-übergehen, ja, die Stelle, wo er liegt, mit ihren Kleidern streifen, ohne zu ahnen, wie nahe der begehrlichen Hand das Glück des Lebens er-reichbar wäre? – Mir, allein mir soll der Besitz zuteil werden, aber auch Ihnen will ich mit vollen Händen geben, denn der Gedanke, dass Sie durch mich ins Unglück gestürzt sind, ist mir unerträglich. Ich weiß, welche Gefühle solches Unglück erregt und möchte es wahrlich keinem Menschen wissentlich zufügen.«

Benno dankte durch einen herzlichen Blick.

»Sie sollten nur nicht mit so großer Zuversicht an den guten Aus-gang der Sache denken, Señor Ramiro«, sagte er, »die Enttäuschung könnte Ihnen den Verstand kosten.«

»Das ist sehr wohl möglich, aber woher sollte denn eine solche kommen? Sie selbst lasen den Brief, in welchem Alfredo schreibt: ›Ich habe den Schatz der Frascuelo gefunden, ich habe alle diese Steine, diesen Glanz durch meine Finger gleiten lassen. Mache dich auf zur Heimat, Ramiro, nimm dein Erbe in Besitz.‹«

Benno nickte.

»Freilich«, sagte er, »aber seit dieser Brief geschrieben wurde, sind drei Jahre vergangen.«

»Was macht das aus? Der Klostergarten liegt in abgeschiedener Stille und Alfredo überwacht ihn.«

Benno sah auf.

»Gott gebe, dass Ihnen ein volles Gelingen beschieden sei, Señor Ramiro, aber – rechnen Sie doch auch mit der entgegengesetzten Möglichkeit, das ist jedenfalls besser.«

Der Kunstreiter beugte sich näher zu ihm.

»Wie meinen Sie das?«, fragte er voll Unruhe. »Sollte mir Alfredo einen Hinterhalt gelegt haben? Sollte er –.«

»Nein, nein, Señor, aber drei Jahre sind eine lange Zeit. Jener geistliche Herr kann gestorben sein.«

Der Kunstreiter schüttelte tief atmend den Kopf.

»Das glaube ich nicht«, rief er. »Alfredo ist ein Mann wie ich, angehender Vierziger, er war immer gesund und kräftig, – nein, er kann nicht gestorben sein. Daran nur zu denken, wäre schrecklich. Kommen Sie, junger Herr, kommen Sie, wir wollen lieber ein wenig spanisch studieren.«

Und bald darauf saßen die drei unter dem Sonnensegel, Benno und die beiden Kunstreiter, während Michael träumend neben ihnen auf dem Verdeck lag. Seit der arme Knabe die einzige ihm obliegende Beschäftigung, die Pflege des gelehrten Esels eingebüßt hatte, war er immer stiller und stiller geworden.

Zuweilen antwortete er nicht einmal, wenn jemand mit ihm sprach, und als eines Tages der Wind mit verstärkter Heftigkeit wehte, so dass von den Seeleuten alle Vorbereitungen für böses Wetter auf das Schleunigste betrieben wurden, da verkroch er sich in seine Koje und zog trotz der schwülen Luft die Decke über beide Ohren.

»Die weißen Schleier liegen auf dem Wasser«, sagte er einmal. »Wenn nun auch noch ein Hund bellen würde, dann müssten wir vielleicht sämtlich sterben.«

»Aber es ist ja gar kein Hund an Bord, Michael.«

Der Irre lächelte geheimnisvoll.

»Ich weiß, was ich weiß«, murmelte er. »Und ich höre auch das Bellen bei Tag und Nacht zu jeder Stunde.«

»Welche Bewandtnis hat es eigentlich mit dem armen Schelm?«, erkundigte sich Benno bei dem Direktor. »Ist er einmal ins Wasser gefallen und hat gefürchtet, darin zu ertrinken, oder weshalb ängstigt er sich so sehr?«

Ramiro zog die Stirn in tiefe Falten.

»Michael fiel vom Pferd«, antwortete er. »Vor Jahren schon. Seitdem faselt er und fürchtet sich vor einem rauschenden Blatt.«

»Der arme Kerl! Hat er keine Eltern mehr?«

»Gar keine Verwandte. Ich erhielt ihn aus dem Waisenhaus und hoffte den Burschen zum Künstler ersten Ranges auszubilden, – da kam der Unfall und seitdem ist jede Hoffnung auf immer geschwunden.«

Benno hatte ein Gefühl, als werde ihm hier etwas verschwiegen, ja, als gebe es zwischen Michael und dem Direktor ein Geheimnis, von dem letzterer nicht sprechen wolle, aber es blieb ihm keine Zeit, darüber Betrachtungen anzustellen; denn der Wind wurde immer stärker und ging endlich über in einen vollkommenen Sturm, der das Schiff wie eine Seifenblase auf den empörten Wogen schweben und bald ganz in den gähnenden Abgrund tauchen, bald zwischen den Schaumkronen der Wasserberge dahin schießen ließ.

»Hat es Gefahr?«, fragte Benno, der auf Deck verbleiben durfte, während die übrigen Passagiere in den Innenraum verwiesen wurden, den ersten Steuermann.

Der zuckte die Achseln.

»Solange das Schiff widersteht, nicht, aber wer kann wissen, was noch nachkommt?«

»Hören Sie wohl das Geschrei der Passagiere, Herr Holm?«

Der Steuermann nickte.

»Aber trotz aller dieser Bitten werden die Luken doch unter keiner Bedingung geöffnet«, versetzte er. »Die Leute nehmen keine Vernunft an, sie fallen uns zu Füßen und umklammern unsere Knie, als könnten wir dem Sturm gebieten. Hören Sie, da verspricht einer fünfhundert Taler, vielleicht seine ganze irdische Habe, wenn wir ihn nur an Deck lassen wollten!«

Die Stimme von unten klang erschütternd genug.

»Licht! Licht!«, rief der Mann. »Sollen wir im Dunkeln sterben?«

Es prasselte und stürzte, wahrscheinlich waren zerbrechliche Gegenstände ins Rollen gekommen. Frauen weinten, Kinder schrien jämmerlich, unablässig wurde gegen die Decke geklopft.

»So macht doch auf! Macht doch auf!«

»Wir sind hier wie lebendig begraben!«

Benno schauderte. Auch seine Bekannten, Ramiro und die beiden anderen lagen da unten in der luft- und lichtlosen Finsternis, ohne sich bewegen zu können, – das Elend unter den unglücklichen Auswanderern mochte entsetzlich sein. Zwei Tage und zwei Nächte vergingen während dieses heftigen Sturmes, bei dem die gesamte Mannschaft ohne Ruhepausen arbeiten und Sorgfalt und Anstrengung verdoppeln musste.

Wenn eine Abteilung Matrosen in das Zwischendeck hinabstieg, um eine der täglichen Mahlzeiten zu verteilen, oder die nötigen Räucherungen mit Essig und Wacholder vorzunehmen, dann mussten alle verfügbaren übrigen Kräfte oben an der Luke versammelt werden und teils durch Überredung, teils durch Zwang die unglücklichen eingesperrten Menschen da unten in dem furchtbaren Gefängnis zurückhalten. Einander drängend, stoßend, zum Knäuel geballt, suchten sie die Treppe zu erklettern, einer bat noch beweglicher, drohte noch wilder als der andere.

»Sehen Sie nur meine arme Mutter«, rief ein junges, todblasses Mädchen, jeden Matrosen bereitwilligst mit »Herr Kapitän« anredend, »sehen Sie doch nur ihr Gesicht, ihre Hände, – ist das eine natürliche Farbe? Meine Mutter erstickt, sie leidet an den Lungen und braucht notwendig frische Luft!«

Eine Frau mit zwei Kindern, auf jedem Arme eins, suchte gewaltsam das weinende Mädchen zu verdrängen.

»Mein Gott«, rief sie, »mein Gott, was verschlägt es denn viel, wenn so eine kranke alte Frau stirbt? Ihre Tage sind ohnehin gezählt, aber diese armen Kinder, darauf kommt es an. Darf man denn auch so kleine unschuldige Wesen in ein Gefängnis sperren?«

»Man darf es nicht!«, bestätigte grollend im tiefsten Bass eine Männerstimme. »Kommt, ihr Leute, wir wollen uns Gerechtigkeit verschaffen.«

Dergleichen Reden waren dann allemal das Signal, nunmehr gewaltsam die Zugänge zu verschließen. Eine Zeit lang schrien und drohten die eingesperrten Menschen, allmählich aber ergaben sie sich in ihr Schicksal und wieder verging die genau bemessene Frist bis zur nächsten Mahlzeit, bei der sich das gleiche Schauspiel wiederholte.

Erst gegen Ende des dritten Tages änderte sich das stürmische Wetter; es begann aus dunklen Wolken zu regnen. Die Luft erfüllte ein Meer von ganz kleinen Tropfen, alles war mit Feuchtigkeit über-zogen und selbst am Mittag die Sonne von Schleiern umhüllt. Trotz-dem aber wurde es den Passagieren gestattet, nach der langen Entbeh-rung den ihnen zugewiesenen Raume im Schiffsinneren zu verlassen und an Deck einmal wieder frische Luft zu schöpfen.

Unter Regenschirmen und alten Lappen jeder Art saßen sie trübselig da, die meisten krank, alle aber traurig und mutlos.

»So heiß wie hier, ist es in Brasilien das ganze Jahr«, hatte jemand gesagt.

»Ihr sollt noch euer Wunder erleben.«

Und nun wurden die Seeleute mit Fragen bestürmt.

»Ist das wirklich wahr?«

»Es sind doch fertige Häuser zu unserer Aufnahme bereit?«

»Man gibt uns doch Saatkorn und bare Vorschüsse?«

Die Matrosen verwiesen alle Missvergnügten an den Agenten, aber Herr Winkelmann hatte sagen lassen, er sei krank und könne keinen Menschen empfangen. Die allgemeine Sorge äußerte sich daher nur in gegenseitigen Seufzern und geflüsterten Befürchtungen, während der laue Regen an den Kleidern der Leute herablief und zu ihren Fü-ßen kleine Rinnen bildete.

Es waren unter den Auswanderern nicht wenige, die in diesen trüben Stunden den Rest ihrer Habe mit tausend Freuden dahingege-ben hätten, wenn es ihnen für einen solchen Preis vergönnt gewesen wäre, mit einem Schlage wieder in die verlassenen und vielleicht früher unerträglich gefundenen heimatlichen Verhältnisse zurückzukehren.

Während der Sturmtage waren im Zwischendeck drei kleine Kinder gestorben, arme Wesen, deren Leichen die Mütter um keinen Preis von sich lassen oder gar dem Meere überliefern wollten. Trostlose Szenen ereigneten sich, tief schmerzliche Pflichten waren zu erfüllen, – das Schiff widerhallte von Jammern und Wehklagen.

Auch Ramiro und seine beiden Gefährten saßen mit blassen Gesich-tern in einem Winkel.

»Das waren böse Tage«, schüttelte sich voll Grauen der Direktor. »Tausendmal habe ich meinen Entschluss, Madame Juanita nicht mitzunehmen, im Stillen gesegnet! Wie hätte die Arme das ausgehal-ten?«

Benno lächelte unwillkürlich. Vor seinen Blicken schwebte die Er-scheinung der gutmütigen Riesendame mit dem purpurnen Seidenkleid und dem Grützlöffel. Es war unmöglich, sich die Gefährtin des Gauklers in den engen, etwas halsbrecherischen Verhältnissen des Zwischendecks zu denken.

»Sie soll, wenn sie einzieht in die alte Heimat der Frascuelo, ihre eigene Kajüte haben«, nickte Ramiro, »und ein breites Schlafsofa. Vielleicht kaufe ich mir übrigens für eigene Rechnung ein Schiff und nehme von Europa alle meine Pferde und die Reisewagen zum Andenken mit hinüber. Mir gehört ja die Zukunft, meine Kinder können es leichthin noch einmal zu Fürstentiteln bringen.«

»Señor, Señor, es wäre doch besser, Sie –.«

»Still! Sehen Sie da den Burschen, den Pedrillo, er unterhält zum Spaß die Leute mit seiner Kunstfertigkeit.«

Benno trat näher und stimmte mit ein in den Beifall, welchen der Schlangenmensch erhielt. Die redlichen Bäuerlein entsetzten sich schier, es wurde manch ein Kreuz geschlagen und manch ein Kalenderheiliger angerufen. Pedrillo ging auf den Händen, kämmte sich, gleichsam in einen Knoten verschlungen, mit den Füßen das Haar und hielt unter seinem eigenen Arme hervor Umschau, ja, er verzehrte einen Apfel, indem er ihn mit den Füßen über die Schulter hinweg zum Munde führte. Auch Ramiro gab allerlei Schnurren zum Besten, und nur Michael saß mit seinem blassen Gesicht stumm und unbeweglich da.

»Ich war schon tot«, raunte er, als ihn Benno anredete, »ich lag tief unten auf dem Grund und über mir rauschte das Wasser, – nun ist aber der Tag doch wieder zurückgekehrt, ich sehe, höre, fühle. Welch ein Unglück!«

Und er stützte seufzend den Kopf in beide Hände. Die Luft war schwül und völlig windstill; an dem schwarz verhangenen Himmel leuchtete weder Mond noch Stern; das Schiff kam nur wenig vorwärts, beinahe träge schlugen die Wellen gegen den Kiel.

Am Abend wurden der Hitze wegen alle Luken offen gelassen; überall in der dichten Finsternis brannten farbige Laternen, die durch den wallenden Nebel ihr ungewisses Licht hinaus sandten in die nächste Umgebung. Es schien, als umfliege eine Anzahl ruheloser Geister in flatternden Gewändern das Schiff von den Mastspitzen bis zur Wasserlinie und als kämpften und rängen alle diese schattenhaften Wesen unablässig miteinander um die Oberherrschaft.

Bald zog, auf fabelhaften Tiergestalten reitend, das wilde Heer blitzschnell vorüber, bald zeigten sich Felskuppen und hohe Burgen, rötlich angehaucht vom Lichte der Schiffslaternen, bis plötzlich die Luftsäulen aneinander rückten und alles schwarz erschien, ganz schwarz wie das Grab. Es gab unter den Passagieren furchtsame, die den Vorgang beobachtet hatten und die nun aus der Finsternis und der völligen Windstille allerlei Böses prophezeiten.

»Wenn uns nur kein Gespenst begegnet«, hieß es.

»Ach, Torheit, wer wird denn an übernatürliche Wesen glauben!«

»Ja, ja, es gibt dergleichen Erscheinungen. Meine Mutter hörte, ehe noch jemand im Dorf gestorben war, den ganzen Leichenzug über die Brücke rasseln.«

»Und meine Base konnte, ehe noch jemand an ein Feuer dachte, das betreffende Haus lichterloh brennen sehen.«

So ging es fort in allen möglichen Tonarten, man stritt für und wider, ohne sich einigen zu können, jedenfalls aber waren die Gemüter im höchsten Maße aufgeregt, und wenn an diesem dunklen Abend der gespenstische Admiral van der Deeken vorüber gesegelt wäre, das Schiff mit dem Kiel hoch oben in der Luft und mit den Mastspitzen im Meer, – niemand würde an der Wahrhaftigkeit der Erscheinung gezweifelt haben.

In der Kajüte bei offener Tür und brennender Lampe saßen Benno und Herr Winkelmann mit einigen anderen, unter denen sich auch der erste Steuermann befand, plaudernd zusammen. Sie sprachen von Brasilien, von der neuen Kolonie, die tief im Inneren ihren Anfang nehmen sollte und von der Schwierigkeit, alle diese verschiedenartigen Menschen durch die Wildnis dem neuen Bestimmungsort zuzuführen.

Da erklang plötzlich ein Laut, der alle aufhorchen ließ, ein ganz unerwarteter, seltsamer Laut, den die Männer sehr wohl kannten, der aber doch ihr Erstaunen gerade hier im höchsten Maße erregte.

»Es bellt ein Hund!«, rief Benno. »Das glaube ich auch. Aber im ganzen Schiff befindet sich kein einziger.«

»Nein, nein, der Ton kam von draußen her.«

»So müsste schon ein Fahrzeug in nächster Nähe sein!«

»Still! Da war es wieder.«

Sie horchten sämtlich, sie hielten den Atem an, um keinen Ton zu verlieren. Ja, ja, es war ein Hund, der da draußen auf dem Meere bellte.

»Ganz nahe bei uns«, raunte der Agent. »Das ist sonderbar.«

Der Steuermann sprang vom Sitz auf und rief mit lauter Stimme den wachhabenden Matrosen an.

»Aus Steuerbord nichts Besonderes zu sehen, Lorenz?«

»Nichts, Sir.«

»Halte gut Umschau, hörst du!«

»Jawohl, Sir.«

Der Steuermann holte schleunigst das Nachtglas hervor und spähte in der Richtung des fortdauernden Gebelles auf das Meer hinaus, aber ohne in dem dichten, ziehenden Nebel das Allergeringste entdecken zu können. Unruhig wandte er sich zur Tür der Kapitänskajüte und klopfte ziemlich hastig.

»Auf ein Wort, Herr Kapitän!«

Zwei Minuten später erschien der Gerufene an Deck.

»Nun, was ist los? Der Wind versagt ja wohl gänzlich, wie?«

Der Steuermann erklärte ihm in kurzen Worten den Sachverhalt, und die Stirn des Kapitäns legte sich in sehr ernste Falten.

»Das Nebelhorn«, gebot der Führer des Schiffes. »Aber um Gottes willen rasch!«

Ein Matrose flog mehr als er ging; schon nach Sekunden war ein großes Messinghorn zur Stelle, und nun ergossen sich über die Umgebung Töne, welche wohl auch den geduldigsten Sterblichen zur Verzweiflung bringen konnten. Das langgezogene »Tut! Tut!« klang schauerlich genug, um unten im Zwischendeck auch die letzten Schläfer zu wecken und Verwirrung und Entsetzen in jedes Herz zu tragen.

»Feuer!«, rief eine Stimme. »Unsinn, Unsinn, das ist ein Nebelhorn!«

»Bei uns im Dorf wurde so geblasen, wenn es brannte!«

»Ruhig, Frau, was schreit sie denn so? Himmel Element, sind das aber ohrenzerreißende Töne.«

Und alles drängte die Treppen hinauf. Allen voraus flog Michael, halb bekleidet, mit gesträubtem Haar und rollenden Augen.

»Wo ist der Hund?«, rief er. »Wo ist der Hund? Ich habe sein Bellen gehört.«

»Wir auch! Wir auch!«

»Still!«, gebot mit lauter Stimme der Kapitän. »Still! Man kann ja in dem Lärm kein Wort verstehen.«

Sekundenlang schwiegen alle. Die Leute erkannten, dass sich etwas Außerordentliches, Bedeutsames ereignet hatte, sie fühlten ihre Herzen von einer geheimnisvollen Furcht erfasst und klammerten sich unwillkürlich an den Stärkeren, indem sie dem Befehl des Kapitäns lautlos und ohne Zögern gehorchten.

Das Nebelhorn schwieg, kein Hauch bewegte die Luft, voll Spannung hingen die Blicke aller an den weißen wolkigen Schleiern, die das Schiff umwogten und das seltsame Rätsel da draußen wie mit einem undurchdringlichen Geheimnis verhüllten. Ganz klar ertönte wieder – und diesmal noch näher – das Bellen eines Hundes.

»Hört ihr es! Hört ihr es! Das ist der Tod!«

Und Michael stürzte mit gerungenen Händen über das Verdeck dahin, sinnlos vor Furcht. Ihm nach eilte ebenso schnell der Kunstreiter und ergriff den unglücklichen Knaben gerade früh genug, um ihn vor dem Sprung über die Schanzenverkleidung zu bewahren. Michael schrie, als er in das Gesicht des Peruaners sah, vor Schreck laut auf.

»Lass mich! Lass mich! – Wo ist das Ruder? Du willst mich ermorden!«

»Michael!«, herrschte der Kunstreiter. »Michael, komm zu dir!«

»Ich will nicht, ich will nicht – o wie der Hund bellt! Armes Tier, er möchte seinen Herrn retten!«

Der Peruaner wandte sich zu den übrigen Passagieren.

»Ein Wahnsinniger!«, sagte er achselzuckend. »Sie hören es.«

»Ich bin nicht wahnsinnig! Ich – Joseffo! – Joseffo!«

Mit einem plötzlichen Ruck verschloss ihm Ramiro den Mund. Die kräftigen Arme des Kunstreiters ergriffen den schmächtigen Burschen und trugen ihn, ehe viele Sekunden vergingen, die Treppe zum Zwischendeck hinab. Da unten gab es Schläge; Michaels klägliches Geschrei, bewies zur Genüge, wie schwer die Hand seines Gebieters ihm auf den Rücken fiel.

Alles das vollzog sich in wenigen Minuten. Wieder stieß das Nebelhorn seine langgezogenen unheimlichen Töne mehrere Male nacheinander laut und gellend hervor, aber es erfolgte auf das Signal keine Antwort, es kam kein Licht zum Vorschein und geschah kein Zeichen, welches die Nähe lebender Wesen bekundet hätte. Nur der Hund bellte immerfort, nahe am Steuerbord des Schiffes, ganz nahe.

Der Kapitän schüttelte den Kopf.

»Das ist unerklärlich!«, flüsterte er. »Um nicht zu sagen, unheimlich!«

»Soll ich Ihnen das Sprachrohr bringen, Sir?«

Der Führer des Schiffes zuckte die Achseln.

»Immerhin, Steuermann, immerhin. Die menschliche Stimme hat aber schwerlich besseren Erfolg, als das Horn.«

Man brachte ihm das Sprachrohr. Jemand schoss in der Richtung des Gebelles einige Male mit losem Pulver über das Wasser hin, es wurden auch Raketen in die Luft geworfen, aber nur der wundervolle Anblick des roten Lichtes inmitten der Nebelmassen belohnte die Seeleute für ihre Mühe, – es kam keinerlei Antwort zurück.

»Herr Holm«, fragte Benno in einem gelegenen Augenblick den Steuermann, »Herr Holm, weshalb nehmen Sie von diesem geheimnisvollen Hund so besonders eifrig Notiz? Er kann uns doch in keinem Falle Schaden zufügen.«

Der Mann schüttelte den Kopf.

»Er nicht, junger Herr, aber das Schiff, auf dem er sich befindet. Wenn es einen Zusammenstoß auf offener See gäbe, – wie entsetzlich!«

Benno horchte.

»Jetzt klingt der Ton etwas entfernter«, meinte er.

»Lassen Sie beidrehen, Steuermann«, gebot in diesem Augenblick der Kapitän.

»Vorwärts kommen wir ja ohnehin fast gar nicht.«

Das Segelmanöver wurde ausgeführt und bald danach lag das Schiff in träger Ruhe auf der unbeweglichen Flut. Durch die Stille ringsum tönte nur das anhaltende Gebell des Hundes, Töne, die nicht selten in ein angstvolles Heulen übergingen und dann wieder in ein Winseln, das von bitterem Weh zu zeugen schien, – woher sie kamen, wer mochte es wissen?

An Bord des hamburgischen Schiffes legte sich während dieser Nacht kein Mensch nieder; selbst der Kajütenjunge saß mit blassem Gesicht in einer Ecke, – sie wachten ja alle, die übrigen, und es war doch auch so schaurig, dieses Gebell von einem Hunde, den man nicht sah, diese Nähe eines Schiffes, dessen Besatzung kein Lebenszeichen gab. Das Nebelhorn wurde nicht mehr geblasen, keine Anrede mehr in das Sprachrohr hineingerufen.

»Es ist ein Wrack, auf dem sich der Hund befindet«, meinte der Kapitän. »Wenn Menschen zugegen wären, auch selbst kranke oder vielleicht Seeräuber, dann hätten wir ein Zeichen erhalten. Es will niemand gern einen Zusammenstoß erleben.«

Der Agent wiegte den Kopf.

»Aber wie kommt es, dass wir mit dem unbekannten Fahrzeuge immer in gleicher Entfernung bleiben, Sir?«

»Hm, das ist sehr einfach. Die da drüben treiben vor Topp und Takel, weil niemand das Segelwerk bedient, – wir selbst treiben mit der Strömung ein wenig ab, weil unsere Segel backgelegt sind. So kann immer noch ein Zusammenstoß erfolgen, aber ein sehr schwacher, unschädlicher.«

Es wurde dann noch ein Mann mehr in den Ausguck geschickt, während sämtliche Schiffsoffiziere durch ihre Nachtgläser unausgesetzt die Steuerbordseite beobachteten. In wenigen Stunden mussten ja die ersten Strahlen des jungen Tages im Osten aus dem Gewölk hervorbrechen und die Nebel verscheuchen, – dann musste das Geheimnis dieser rätselvollen Nacht eine Erklärung finden.

Eng zusammengedrängt saßen auf dem ihnen zugewiesenen Raum an Deck die Passagiere. Man hatte sie nicht verjagt, weil ihr Flüstern, ihr leises Weinen und Seufzen die Arbeiten der Mannschaft nicht stören konnte. Schaudernd horchten und schaudernd erzählten die Leute; von Mund zu Mund gingen Erlebnisse, die sie vordem gehabt, unsinnige Vermutungen, abergläubische Gedanken an Hexen und Kobolde, an den bösen Blick und an Personen, die heimlich dem »Gott sei bei uns« ihre Seele verschrieben hatten, um von ihm einen Teil seiner höllischen Kunst zu erlernen.

Da saßen Mütter, die in diesen bangen Stunden um keinen Preis ihre Kinder aus den Armen freigelassen hätten, da waren Kranke, die sich fürchteten, allein im Dunkel des Zwischendeckes zu bleiben und die nun ächzend auf den harten Planken lagen. Leichtsinnige, die selbst jetzt ihre billigen Witze zum Besten gaben, Geizige, die ihre ganze Habe zusammengeschnürt hatten und entschlossen schienen, eintretenden Falles nur mit dem geliebten Bündel gerettet zu werden oder gar nicht.

Die Blicke aller dieser Leute kehrten sich gegen Osten, um womöglich den ersten Strahl des jungen Tages zu erhaschen und endlich, endlich zu erfahren, wo sich das geheimnisvolle Schiff befand. Zwei Uhr, nun drei, – jetzt nur noch eine halbe Stunde, dann muss die Morgendämmerung eintreten. Immerfort bellte und heulte und winselte der Hund. Vielleicht war er auf dem Schiff das einzige lebende Wesen.

»Der Nebel verschwindet, er fällt«, sagte Herr Winkelmann. »Nun werden wir bald besser sehen können.«

»Da im Osten schimmert ein hellerer Streif.«

Alles folgte der angedeuteten Richtung. Wie ein gelber Hauch zog sich es über den Rand des Horizontes, etwas Bewegung kam in die Luft, eine leichte erfrischende Kühle; der Nebel war wie weggeblasen.

»Nichts zu sehen, Lorenz?«

Der Wachhabende im Ausguck antwortete nicht sogleich, dann rief er hinunter, dass man ihm ein Glas bringen möge, und als ein Schiffsjunge behände wie eine Katze den Mast erklettert hatte, da nickte er mehrere Male.

»Ich sehe in geringer Entfernung auf dem Wasser einen dunklen Körper, Sir. Die Stelle ist es auch, wo der Hund bellt.«

»Setzt ein Boot aus«, befahl der Kapitän. »Ich will mich von dieser sonderbaren Angelegenheit persönlich überzeugen.«

Dem erlassenen Gebot wurde schleunigst Folge gegeben, und während von Minute zu Minute die Sonne strahlender am östlichen Himmel emporstieg, brachten kräftige Arme das Boot zu Wasser. Dann aber schien es, als fürchte sich jeder einzelne Mann, zur Mitfahrt kommandiert zu werden, wenigstens verschwanden alle so rasch sie konnten, um aus möglichst entfernten Schlupfwinkeln den weiteren Verlauf der Dinge zu beobachten.

»Jetzt sieht man schon die Umrisse des Schiffes«, sagte eine Stimme. »Es liegt ganz ordnungsmäßig mit dem Kiel auf dem Wasser.«

»Der fliegende Holländer ist es also nicht.«

»Ein Wrack!«, sagte, das Glas beiseite legend, der Kapitän. »Ich dachte es mir gleich.«

»Da steht auch der Hund!«

»Wo? Wo?«

Und nun fuhr alles auf. Kranke und Gesunde, Mutige und Verzagte.

»Wo ist der Hund? – Wo?«

»Ein großes Tier. Er steht mit den Vorderpfoten auf der Schanzenverkleidung.«

»Und nun läuft er fort. Er heult wieder.«

»Jedenfalls liegt sein Herr tot oder sterbend auf dem Verdeck.«

»Tot, das ist ganz sicher. Er hätte sonst irgendein Signal gegeben, und wäre es nur ein Klopfen gewesen, ein noch so schwacher Schrei.«

»Sechs Matrosen vor!«, gebot der Kapitän. »Bringt einige Enterhaken und eine Strickleiter mit, Leute.«

Niemand rührte sich. Jeder dieser Männer war dem Sturm mit kalter Todesverachtung entgegengetreten, jeder hätte gegen einen Feind aus Fleisch und Blut den tollkühnsten Angriff gewagt, aber hier handelte es sich um etwas Spukhaftes, um Dinge, die mit ihren geheimnisvollen Eigenschaften in das Gebiet des Übersinnlichen, Geisterhaften hineinzuragen schienen, – da war es doch besser, man hielt sich klüglich fern.

»Steuermann«, sagte ärgerlich der Kapitän, »schaffen Sie mir Leute zur Stelle.«

Benno trat rasch vor.

»Ich kann rudern«, bat er. »Das Meer ist vollkommen still. Darf ich mitfahren, Herr Kapitän?«

»Und ich?«, näherte sich der Kunstreiter.

»Meinetwegen«, war die Antwort. »Nur gebe ich Ihnen zu bedenken, dass auf dem Schiff höchstwahrscheinlich eine ansteckende Krankheit geherrscht haben wird. Vielleicht war es sogar das gelbe Fieber.«

»Ich mache mir nichts daraus«, rief Benno.

Der Peruaner lächelte nur; und so begab sich denn die kleine Expedition in das Boot hinab, der Kapitän, der Steuermann, Benno, Ramiro und vier Matrosen, die mit finsteren Mienen auf den Ruderbänken Platz nahmen. Sie waren einfach kommandiert worden und hatten sich nicht sträuben können.

Jetzt stand der Hund, ein großes mausgraues Windspiel wieder mit den Vorderpfoten auf der Schanzenverkleidung und bellte laut und freudig. Offenbar hoffte er von den Ankommenden Hilfe in irgendeiner Verlegenheit.

Das fremde Schiff hieß »Concordia« und war durchaus ein Wrack.

An den Masten hingen nur noch Fetzen von Tauen und Segeln, die Kombüse war über Bord gefegt und das Ruder zerbrochen. Während der letzten Stürme musste schon keine Bedienungsmannschaft mehr vorhanden gewesen sein. Jetzt trieb der Rumpf mit dem Strome leise ab und um den Kiel kräuselten weiße kurze Wellen. Es schien nicht leicht, ohne Beistand vom Verdeck aus an Bord zu gelangen.

»Wir müssen es mit den Enterhaken versuchen«, meinte der Kapitän.

»Ich komme hinauf«, erklärte Ramiro.

Das Boot, von sechs Ruderern getrieben, näherte sich dem leise schaukelnden Schiff und lag nun hart unter der Steuerbordseite desselben. Jemand schlug mit voller Kraft den Haken in das Holz und dann prüfte Ramiro die Festigkeit dieser schwebenden Brücke.

»Gebt mir den zweiten Haken, Kinder.«

Binnen Sekunden war er an dem Stiel emporgeklettert und schlug, auf dem Eisen stehend, den zweiten Haken ein; von da aus schwang er sich auf das Verdeck und sandte einen forschenden Blick umher.

»Ein Toter, meine Herrschaften! – Brr! Ratten zu Hunderten, zu Tausenden.«

Während er das sprach, warf ihm der Steuermann mit geschicktem Schwung die zum Knäuel geballte Strickleiter in die Hände. Nachdem der Kunstreiter dieselbe an den dazu bestimmten Pflöcken gewandt befestigt hatte, ließ er sie wieder in das Boot zurückfallen, und nun erstiegen alle, auch die Matrosen, den schwankenden, aufwärts führenden Steg.

Ein trostloses Bild bot sich ihren Blicken. Mitten auf dem Verdeck lag ausgestreckt die Leiche eines jungen Mannes, neben welcher der Hund Wache hielt. Sonst zeigte sich kein lebendes Wesen, wenigstens kein menschliches, wohl aber sahen aus allen Ecken, hinter allen Gegenständen die glänzenden, perlenartig schimmernden Augen zahlloser Ratten hervor.

Ohne Scheu, wie ihres Rechtes bewusst, liefen die großen Tiere hin und her über das Deck, sprangen von den Trümmern zerschlagener Raaen und Stangen herab, schlüpften in tiefe, durch die Luken gefressene Löcher und kamen scharenweise aus denselben wieder hervor.

Überall lagen Reiskörner und Stückchen von Rohzucker, die widerwärtigen Tiere hatten jedenfalls den Weg zur Ladung gefunden und sich über den willkommenen Raub sogleich hergemacht. Es mussten Tausende dieser gefräßigen Nager im Inneren des Schiffes ihr Wesen treiben.

Ramiro beugte sich über den Gestorbenen.

»Höchstens seit zwei Tagen ist der Mann tot!«, sagte er.

»Und jedenfalls am Fieber gestorben«, fügte der Kapitän hinzu. »Skorbut oder Blattern können es nicht gewesen sein.«

»Da am Hauptmast hängt ein Zettel!«, rief Benno.

Der Kapitän hatte das Schriftstück schon gesehen.

»In spanischer Sprache abgefasst!«, sagte er. »Können Sie die Worte verstehen, mein Herr?«

Der Kunstreiter nahm das Blatt und sah hinein.

»Um Jesu willen«, las er, »befördert den Brief, welcher in meiner Brusttasche steckt, an seine Adresse. Es gilt, eine arme Seele von Todesnot zu erlösen.«

Nachdem er mit lauter Stimme die Worte gelesen, blickte Ramiro auf.

»Soll ich den Brief suchen, ihr Herren?«

»Ja, ja, – das ist ein unangenehmer Auftrag.«

Ramiro kniete schon neben dem Toten auf den Decksplanken, er griff unter die blaue Seemannsjacke in die bezeichnete Tasche; aber es waren nur gänzlich zernagte und zerfaserte Papierstückchen, welche er hervorzog, fast Staub, unkenntliche Überreste, aus denen keine menschliche Macht jemals hätte herausfinden können, was sie einst im Zusammenhang Bedeutsames enthalten haben mochten.

»Die Ratten!«

Das war alles, was Ramiro sagte. Benno fing in seiner Hand einen Teil der umherwirbelnden Flocken auf.

»Wie schade!«, rief er. »O wie schade!«

Der große graue Hund hob den Kopf und sah ihn an, dann näherte er sich ihm und leckte wie zum Gruß die Hand des Knaben, während Benno den schönen Kopf liebkosend streichelte, mit seinen Gedanken aber immer noch bei dem in Stücke zerrissenen Schreiben verweilend.

»Ob man den Inhalt unter der Lupe erkennen könnte?«, sagte er wie zu sich. »Wenn die Fetzen geordnet nebeneinander lägen, dann vielleicht, aber wer möchte es unternehmen, das wieder zusammenzusetzen?«

»Nein, nein, – es ist undenkbar.«

Und seufzend, als sei ein erhofftes Glück ohne Einkehr an seiner Tür vorübergegangen, heimlich seufzend ließ Benno die Papierflocken auf das Verdeck fallen. Dann wandte er sich zu dem immer noch neben ihm stehenden Hund und nahm dessen Kopf liebkosend zwischen seine beiden Hände.

Eine plötzliche Erinnerung an die Heimat, an das finstere Gesicht des Onkels durchzuckte seine Seele. Für diese großen schlanken

Windhunde hatte der Senator immer ein lebhaftes Interesse empfunden; der Mann ohne Herz, ohne das Bedürfnis des Geliebtwerdens konnte ein solches Tier streicheln und ihm nachblicken, so lange wie möglich.

Benno entsann sich sogar an dem Tag, an dem einmal ein Geschäftsfreund einen Windhund mit in das alte Haus am Wandrahmen gebracht hatte und Onkel Johannes das schöne Tier nicht wieder von sich lassen zu können schien.

»Kaufe uns doch einen solchen Hund. Onkel Johannes«, hatte er selbst damals gesagt, aber ein ärgerlicher Blick des Senators war die Antwort gewesen.

»Nicht wahr, ein Tier wie ein großes Kalb, das den ganzen Tag fressen will und einen Höllenlärm vollführt, sobald nur die Türglocke gezogen wird. Das könnte mir fehlen.«

Die kleine Szene fiel unserem Freund gerade in diesem Augenblick wieder ein. Er zog das schöne zutrauliche Tier näher an sich heran, während die übrigen Männer das Schiff durchsuchten und der Kapitän die Schlüssel zum Wandschrank in der Kajüte seines verstorbenen Kollegen an sich nahm.

Bis vor acht Tagen war das Journal ordnungsmäßig geführt worden, dann brachen sämtliche Aufzeichnungen mit einem Mal ab. Die Concordia, Kapitän Gennaro, sollte von Rio de Janeiro mit Reis und Zucker nach Hamburg gehen, unterwegs aber war an Bord das gelbe Fieber ausgebrochen und hatte unter der Mannschaft gleich in den ersten Tagen furchtbar aufgeräumt.

»Drei Leute gestorben«, schrieb der Kapitän, »sechs erkrankt. Ich bin mit den wenigen noch gesunden kaum imstand, mich der zahllosen Ratten zu erwehren. Über das Verdeck eines anderen Schiffes sind sie im Hafen eingewandert. Gott schütze uns vor bösem Wetter, – käme es, so wären wir rettungslos verloren.«

Dann weiter:

»Nun sind die sechs erkrankten Männer gestorben und die übrigen, bis jetzt gesunden von der Seuche befallen worden. Ich bin ganz allein auf dem Posten; nur der Leichtmatrose ist noch gesund.« Einen Tag später: »Es zieht ein Sturm herauf. Die Leute sind tot. Herr, in deine Hände befehle ich meinen Geist!«

Damit schloss das Journal. Auf einem Blatt Papier, das in dem Buch lag, standen noch von derselben Hand, die draußen den am Mast hängenden Zettel beschrieben, folgende Worte:

»Alle tot, auch der Kapitän. Habe im Sturm die Leichen ohne Feierlichkeit über Bord setzen müssen, habe aber für jede arme Seele ein Ave Maria gesprochen. Das Schiff ist ein Wrack; es treibt vor Topp und Takel.«

Einen Tag später:

»Nun hat das Fieber auch mich. Alles Wasser verschüttet, die Fässer über Bord, – nur Pluto ist noch bei mir. O wie ich leide!«

Pluto, das war das mausgraue Windspiel.

Armes Tier, es umbellte und beschnupperte zum tausendsten Mal seinen geliebten Herren, als wolle es fragen: »Warum bist du denn so stumm und so kalt? Warum streichelst du mich nicht wie sonst?«

Der Kapitän nahm das Schiffsjournal und die beiden beschriebenen Blätter zu sich. Dann durchsuchte er in Gegenwart aller Anwesenden die Fächer des Wandschrankes. Was den Gestorbenen an Wertsachen und Dokumenten gehört hatte, das war hier zusammengetragen worden, Uhren. Geld, Schmucksachen und Papiere, auch die Porträts geliebter Angehöriger und einzelne Bücher, von der Bibel bis zur billigen Sammlung neuer Lieder, »gedruckt in diesem Jahre.«

Es wurde dann an Ort und Stelle ein Protokoll aufgenommen; schweigend umstanden die Männer den Kapitän, während dessen Feder über das Papier glitt und der Steuermann aus den gefundenen Sachen ein Bündel zusammenschnürte. Es war ganz still ringsumher, nur in den Ecken und Winkeln der Kajüte, unter Schränken und hinter dem Holzwerk knisterte es leise, rauschte und knusperte es, glänzende Augen sahen hervor, wie Kobolde huschten die Ratten hier und da zwischen den Füßen der Männer hindurch. Ratten, – Tausende von Ratten bevölkerten das ganze Schiff.

»Selbst der Hund jagt die Bestien nicht mehr«, sagte Ramiro. »Er hat ihre Übermacht wahrscheinlich längst anerkennen müssen.«

Als das Protokoll unterzeichnet war, sah der Kapitän mit forschendem Blick umher.

»Wo mag sich der Schlüssel zur Proviantkammer befinden? – Wir haben die vielen Frauen und Kinder an Bord, – vielleicht gibt es da einige Sachen, die besser für diese verwendet werden, als dass sie auf dem treibenden Wrack zugrunde gehen.«

»Wollen wir denn das Schiff nicht mitnehmen, Herr Kapitän?«

»Es ist unmöglich, junger Herr, vollständig unmöglich, – ich würde mein eigenes Fahrzeug dadurch der größten Gefahr aussetzen und, wenn die Concordia wirklich glücklich in den Hafen bugsiert wäre, höchstwahrscheinlich von den Eigentümern keinen Pfennig Zahlung erhalten. Wir müssen das Wrack seinem Schicksal überlassen, es geht nicht anders.«

»Aber den armen Pluto nehmen wir doch mit?«

Der Kapitän lächelte.

»Immerhin«, versetzte er. »Sein Herr ist tot, also betrachten Sie das Tier, wenn es Ihnen Vergnügen macht, in Gottes Namen als Ihr Eigentum. Dagegen wird niemand etwas einzuwenden haben.«

Benno seufzte unwillkürlich; er dachte an die Worte des Steuermannes und etwas wie eine plötzliche Beklemmung erfasste sein Herz. Ein kleiner, niederer Laden war es, der ihn erwartete, ein Raum, bis unter die Decke vollgestopft mit allen erdenklichen Handelsartikeln, vom Tran bis zum billigen Rotwein, von den Holzpantoffeln bis zur grellfarbenen Krawatte, ob es ihm gestattet werden würde, dahin den großen Hund mitzubringen? – Ach, sicherlich nicht, das konnte er sich selbst sagen. Ramiro las ihm die Gedanken von der Stirn.

»Ihre Fantasie beschäftigt sich mit dem Dachkämmerchen, das höchstwahrscheinlich die Herren Niederberger ihrem jüngsten Lehrling einräumen werden, nicht wahr?«, flüsterte er.

Und dabei spielte um die bärtigen Lippen ein Schelmenlächeln.

»Benno, Sie ziehen ja mit Pedrillo und mir nach Peru, das ist längst eine beschlossene, ausgemachte Sache, – also lassen Sie doch die ehrenwerten Herren Niederberger mit allem ihrem Sirup und ihrer Stiefelwichse ganz aus dem Spiel. Ist es nicht so, Pluto?«

Das war in spanischer Sprache beigefügt und der Hund bellte hellauf.

Ramiro lachte, »Sehen Sie wohl, Benno?«

Unser Freund schüttelte den Kopf.

»Wie leicht Sie das nehmen, Señor!«

»Weil es auch wirklich sehr leicht ist. Aber da beginnt die Forschungsreise durch das Schiff; gehen wir also mit.«

»Nicht in das Logis und nicht in die Schlafräume der Offiziere«, befahl Kapitän Schultes, »die Betten enthalten zu viele Ansteckungsstoffe.«

Man ließ die betreffenden Türen ungeöffnet und ging zur Proviantkammer, um nach den vorhandenen Vorräten zu sehen; aber nur ein Bild der schrecklichsten Verwüstung begegnete den Blicken der Männer. Umgestürzt von der Gewalt des Sturmes waren Säcke und Fässer, aus ihren Lagern gefallen die ungesicherten Schubfächer, zerschellt und zerschlagen die Flaschen.

Essig und Öl, Wein, Sirup und Gott weiß, welche andere Flüssigkeiten hatten sich im Durcheinander auf den Fußboden ergossen und bildeten zusammen mit Kaffeebohnen, Mehl, Brot und Pökelfleisch eine Art von Sumpf, durch den die Ratten lange Gänge gegraben hatten, in dem sie wohnten und ihre Nachkommenschaft erzogen, der bei jeder Berührung einen unerträglichen Geruch verbreitete und fest anklebend an den Sohlen der Schuhe haftete.

Nach allen Seiten flohen die aufgeschreckten Nager, ein Pfeifen und Quieken erfüllte den Raum; eine Luft, gegen welche sich die atmenden Lungen sträubten, umwehte die ernsten Gesichter der Männer. Nur einen langen forschenden Blick warf der Kapitän auf das entsetzliche Chaos, dann befahl er schaudernd, die Tür zu schließen.

»Da gibt es keinen Gegenstand, den man etwa noch verwenden konnte!«

»Und nun, Steuermann, schaffen Sie so schnell wie möglich ein Brett und eine Kanonenkugel herbei, – wir müssen den armen Schelm da draußen christlich bestatten, ehe wir das Wrack verlassen.«

Auf ein gegebenes Signal brachte ein zweites Boot des hamburgischen Schiffes noch zehn weitere Matrosen an Bord der Concordia, dann wurde die Leiche in ein Stück Segeltuch gewickelt und mit der zehnpfündigen Kugel auf ein bereitgehaltenes Brett gebunden.

Unter den Strahlen der jungen Morgensonne, bei leise fächelnder, stiller Luft begann die ergreifende Feier, welcher sich nur der Hund widersetzen zu wollen schien. Er winselte und zerrte an der Schnur, die Benno um sein Halsband gelegt hatte, er machte Miene, der Leiche nach über Bord zu springen.

Sie hatten alle die Köpfe entblößt, alle die Hände gefaltet, durch ihre Herzen ging ein gar ernstes Fühlen, ernster wohl, als je im Leben. So nahe, so nahe stand ja bei jedem unter ihnen der mit Stundenglas und Hippe, so leicht konnte das trügerische Meer neue Opfer heischen und den, der jetzt noch die Vollkraft der Gesundheit wohlig empfand, hinabziehen in sein Schattenreich. Kapitän Schultes hielt eine kurze Ansprache.

»Wir wissen nicht, wer er im Leben war, der, dessen sterbliche Überreste wir hier in das letzte Bett legen«, sagte er; »wir kennen weder seinen Namen noch seine Heimat, aber er war ein Christ gleich uns, er hat an denselben Erlöser geglaubt und an denselben Altären gebetet. Lassen Sie uns also für ihn den allmächtigen und allgegenwärtigen Gott bitten, dass er die Seele des Heimgegangenen aufnehmen möge in sein Friedensreich und dass er ihr um der letzten schweren Stunden willen die Sünden und Irrtümer des Erdendaseins gnädig vergebe. Amen.«

Und dann sangen sie noch ein paar kurze Strophen, ein frommes Kirchenlied, – Benno hatte zuerst angefangen und die übrigen waren mit eingefallen. Während der feierlichen Klänge glitt das Brett hinab in die unergründete Tiefe, die dem jungen Toten zwischen Korallen und Seerosen das letzte Bett bereiten sollte. Der Hund schrie auf, laut und jammervoll, – dann war alles vorüber.

»Eilen wir, Steuermann«, ermahnte der Kapitän. »Eilen wir, die Luft hier herum ist vergiftet.«

Fast mit Gewalt musste der Hund vom Bord gebracht werden. Wäre Ramiro nicht gewesen, der Mann mit Schlangengewandtheit und Löwenkräften, vielleicht hätte kein anderer das schwere Werk vollendet. Aber der Peruaner brauchte für den armen Pluto nur die linke Hand, mit der rechten hielt er sich selbst, und als sogar die Seeleute bei all ihrer Kletterfertigkeit dieses Kraftstück bewunderten, da lächelte der Kunstreiter, als wolle er sagen:

»Das war ja nur ein Spiel!«

Vom Schiff aus sahen Hunderte neugieriger Augen den Ankommenden entgegen. Die Bestattung der Leiche hatte man aus der Ferne beobachtet, den Gesang mit angehört. Das alles war so einfach, so natürlich, es wirkte beruhigend auf die erhitzte Einbildungskraft der Leute.

»Sieht sie wohl, Frau«, sagte ein Spötter zu der geängstigten Bäuerin, deren Arme immer noch ihre Kinder krampfhaft umschlungen hielten, »sieht sie wohl, es ist nichts Übernatürliches passiert. Sämtliche Großmütter und Basen, die Leichenwagen in der Nacht über Brücken rasseln hörten oder fremde Häuser brennen sahen, sind gründlich blamiert.«

Ein gehässiger Blick antwortete ihm.

»Da im Boot haben die Leute den Hund«, klang es von bebenden Lippen. »Sie bringen ihn hierher, – dass Gott erbarme!«

»Ein schönes Tier! – Ein ganz gewöhnlicher Hund wie alle anderen.«

»Aber er hat geheult und das bedeutet allemal ein Unglück. Irgendetwas Böses steht uns noch bevor, dabei bleibe ich.«

Zaghaft aus dem Hintergrund der Versammelten auftauchend, erschien auch Michael und sah den Booten entgegen.

»Pedrillo«, raunte er, »das ist der Hund, welcher in dieser Nacht bellte, nicht wahr?«

Der Schlangenmensch nickte.

»Ich glaube wohl!«, bestätigte er.

Über Michaels blasses Gesicht verbreitete sich ein Freudenschimmer.

»Dann habe ich mich umsonst geängstigt«, seufzte er, »der Tod ist nicht unter uns erschienen. O nein, nein, jener Hund war ganz klein, ein weißes, seidenlockiges Tierchen.«

Pedrillo wandte sich näher zu ihm.

»Wo sahen Sie den?«, fragte er in vertraulichem Ton. »Erzählen Sie mir doch einmal die Geschichte.«

Aber Michael wich kopfschüttelnd zurück.

»Der Direktor kommt«, flüsterte er. »O ich weiß nicht das Mindeste, ich habe kein Wort verraten. Mein Kopf ist zuweilen so schwer, dann kommen diese entsetzlichen Bilder, – ich weiß nicht, woher, Pedrillo, gewiss, ich –.«

»Psst! Die Boote legen an.«

Ramiro schaffte den Hund über die Strickleiter an Bord, ohne Kommando flog eine Anzahl Matrosen in die Wanten (Taue) und brachte, während andere die Boote heraufwanden, das Schiff vor den Wind.

Überall herrschte reges Leben und ebenso rege Neugier; jeder wollte Plutos weiches Fell streicheln, jeder wollte erfahren, wie es auf dem Wrack ausgesehen habe. Ein Toter also und zahlreiche Ratten! – Hu! Hu! Nicht um den Preis einer ganzen Welt wären diese furchtsamen Bauernfrauen an Bord gegangen.

»Und Schaben gab es noch mehr als Ratten«, fügte ein Matrose hinzu.

»Tiere von der Größe einer jungen Maus.«

»Millionen, Legionen, – wohin man trat, da krachte es.«

Schaudernd sahen die Auswanderer dem langsam treibenden Fahrzeuge nach. Es lag ein wenig auf der Seite und bewegte sich kaum vom Fleck, – hell im Sonnengold glänzte an dem Galion (Vorderteil des Schiffes) der Name »Concordia«. Nur Ratten und Schaben an Bord, – eine trostlose Fracht. Mit umsorgten Augen wandte der Kapitän zögernd den Blick.

»Eins fürchte ich«, sagte er, »und es tut mir im Herzen weh. Sobald wir den Hafen von Rio erreicht haben, ist das Schicksal aller dieser armen Menschen erfüllt, ohne jeden Zweifel herrscht in der Stadt das gelbe Fieber.«

Holm nickte.

»Sicherlich, die Mannschaft der ›Concordia‹ war angesteckt, ehe sie an Bord kam.«

»Ja, ja, natürlich. Aber sprechen Sie lieber davon mit den Auswanderern nicht, Steuermann. Die Aufregung und durch sie die Gefahr werden immer größer, je mehr man den Gegenstand des Schreckens erörtert.«

Der Steuermann winkte mit der Hand.

»Es ist ohnehin der Glaube an ein bevorstehendes Unglück allgemein verbreitet«, antwortete er. »Des heulenden Hundes wegen, ich weiß es wohl. Dergleichen scheint unausrottbar zu sein.«

Während dieses kurzen Gespräches hatte der zweite Steuermann dem verwaisten Windspiel in einer umgestürzten großen Kiste eine Heimat angewiesen und ihm Futter gereicht, das er begierig verzehrte. Die übernächtigten Passagiere waren einer nach dem anderen in ihre Betten gekrochen, ebenso diejenigen Matrosen, welche nicht vom Dienst auf dem Verdeck zurückgehalten wurden.

Tiefe Ruhe beherrschte das ganze Schiff, und nur einer von allen lag auf seinem Lager, ohne die Augen schließen zu können. – Benno. Er dachte an den von Ratten zernagten Brief, an die tausend Atome, die durch seine Finger rieselten wie feiner Sand. Jetzt fegte wohl der frische Morgenwind alle diese kleinen und kleinsten Teile einzeln hinab in das Meer, diesen hierhin, jenen dorthin – sie wurden vernichtet, gänzlich zerstört und vom Wasser aufgelöst.

Deutlich vor den geistigen Blicken des Knaben standen jene, in spanischer Sprache geschriebenen Worte, deutlich und erschütternd, als gingen sie ihn, vor allen anderen Menschen gerade ihn am meisten an.

»Es gilt, eine arme Seele von Todesnot zu erlösen.«

Wem mochte er bestimmt gewesen sein, dieser zerstörte Brief? Wessen Herz verzehrte sich in heißer Sehnsucht nach einer Antwort oder Mitteilungen, die nun kein Auge mehr erblicken sollte? Lauter Rätsel, für die eine Lösung nicht zu finden war.

5.

Rio de Janeiro – Der Chef der Firma Niederberger – Eine brasilianische Señora – Schwarze Stephansboten – Das ungemütliche Logierzimmer – Die Befreiung einer Unglücklichen – Die Flucht wird beschlossen – Kirchenprozession und Capoeiras

Die wundervolle Bai von Rio de Janeiro lag vor den Blicken der Auswanderer. Zu beiden Seiten emporragende Felsen, die Stadt selbst teilweise auf Hügeln erbaut, zwischen den Häusern ein üppiges, prachtvolles Baumgrün; so zeigte sich die neue Heimat den Ankömmlingen im besten Lichte, und wäre nur die drückende Hitze nicht gewesen, dann hätten wohl alle ihre Sorgen und Befürchtungen vergessen, um laut heraus zu jubeln.

So freilich dämpfte die glühende, unbewegliche Luft das allgemeine Freudengefühl; auf jeder Stirn stand in großen Tropfen der Schweiß, jedes Empfindungsvermögen war halb gelähmt. Man fühlte das Bedürfnis, die Augen zu schließen und nichts zu denken. Als das Schiff in den inneren Hafen einfuhr, kamen mehrere kleine Boote, jedes nur von einem einzelnen Mann und einem rudernden Neger besetzt, über das Wasser gerudert.

Es schien, als sei diese große Eile auf einen Wettkampf der schlankgebauten kleinen Fahrzeuge zurückzuführen, ja, als sähen die in denselben stehenden Männer einander mit feindseligen, eifersüchtigen Blicken an, so etwa, als fürchte jeder, dass ihm der andere ein sehr begehrtes Gut gerade vor der Nase wegschnappen könne.

Die Neger wurden durch fortwährende lebhafte Zurufe zur Eile angetrieben. Benno stand neben dem ersten Steuermann vorn auf Deck.

»Was bedeutet diese sonderbare Jagd?«, fragte er. »Man sieht ja in den Booten keinerlei Handelsartikel, – was wollen die Leute also bei uns erlangen?«

Holm lächelte.

»Menschen!«, versetzte er. »Es gilt Lehrlinge und noch lieber Handlungsgehilfen wegzufangen.«

Benno war sehr erstaunt.

»Und man wartet nicht einmal, bis die Passagiere ausgeschifft sind? Das ist doch seltsam. Ob es denn in der Stadt oder in der Umgebung keine Lehrlinge gibt?«

»Doch, – in Fülle sogar, aber die weißen Brasilianer sind erzfaul, sie hassen nichts so sehr, als die eigentliche körperliche Arbeit; daher sucht jeder Kaufmann seine jungen Leute aus den Reihen der europäischen Einwanderer zu beziehen. Wenn ein Schiff signalisiert ist, so kommen die Herren an Bord, um ihren Bedarf zu decken.«

»Und einer sucht dabei den anderen zu verdrängen?«

»Natürlich!«

»Sehen Sie dorthin«, fügte er dann lächelnd hinzu. »Der im dritten Boot, der kleine schiefe Mann ist Herr Niederberger!«

»Ach!«

Es war fast ein Schrei, den Benno kaum noch zu ersticken vermochte. Dieser Mann im schäbigen Rock, kränklich, unsauber, immer keifend bemüht, den rudernden Neger durch Schläge und Stöße anzutreiben – Dieser sein künftiger Prinzipal? Eine tödliche Furcht ergriff das Herz des Knaben. Hinter ihm tauchte Ramiros verschmitztes Gesicht aus der Menge der Auswanderer hervor.

»Drei Tage bleiben wir in der Stadt«, raunte er. »Ich finde heraus, wohin man Sie schleppt, junger Herr, und ich bin immer in Ihrer Nähe, vergessen Sie das nicht.«

Benno nickte.

»Und der Hund, Señor?«

»Den nehme ich zu mir. Diesem Herrn Niederberger sieht der Geizkragen aus allen Rockfalten heraus. Der duldet ja kein Tier im Haus.«

»Ich glaube es auch nicht, Señor. Ein Lehrling im Geschäft!«

»Ach, ach, das werden Sie ja niemals. Hier erscheint übrigens der sehr ehrenwerte Herr Niederberger in höchst eigener Person an Bord, – seinen Neger hat er ganz lahm gehetzt. Der arme Schelm wischt sich das Blut von den Schultern.«

In diesem Augenblick hatten der Kaufmann und der Agent einander bemerkt. Herr Winkelmann suchte in seiner Brieftasche und dann hielt er das Schreiben des hamburgischen Senators hoch empor.

»Ich grüße Sie, Herr Niederberger! Hier ist ein Brief an Ihre werte Adresse.«

Der kleine alte Herr verzog das spitze Gesicht zu einem Lächeln.

»Ach, von dem guten Senator Zurheiden«, rief er nach dem ersten Blick auf die Schriftzüge der Adresse.

»Schön, schön! Vorläufig ist mir aber doch anderes wichtiger; ich muss notwendig einen jungen Menschen als Lehrling in mein Haus nehmen, Herr Winkelmann! Sollte sich unter Ihren Schutzbefohlenen niemand finden, der für diese Stellung passt?«

Der Agent nickte.

»Lesen Sie nur erst einmal den Brief, Herr Niederberger. Vielleicht behandelt derselbe gerade diese Angelegenheit.«

Der Kaufmann wurde plötzlich aufmerksam.

»Das wäre!«, murmelte er. »Das wäre!«

Und dann, nachdem er gelesen hatte:

»Wo ist der junge Mann, he? Doch hoffentlich kein Muttersöhnchen, keiner, der an freie Stunden und Tabakrauchen denkt? Bei mir muss tüchtig zugegriffen werden, in der Nacht und am Tage, wie es gerade fällt. Nun, wo steckt das Bürschchen?«

Der Agent deutete mit seiner Hand auf den Knaben.

»Das ist Benno Zurheiden, Herr Niederberger! Ich habe ihn jetzt versprochenermaßen an Sie abgeliefert und bin meiner Verpflichtung ledig. Empfehle mich Ihnen! Adieu, Benno, leben Sie wohl!«

Unser Freund schlug mechanisch in die gebotene Hand, dann wandte sich der Agent zu den Auswanderern, die jetzt an Land geschafft werden mussten und unter denen sich auch Ramiro mit den Seinigen befand.

»Denken Sie an das, was ich Ihnen sagte«, flüsterte der Direktor noch in Bennos Ohr. »Es bleibt dabei.«

Und ohne einen Blick oder eine Handbewegung verschwand er. Der Kaufmann hatte nichts gesehen oder gehört.

»Wie heißt du. Junge?«, fragte er unseren Freund.

»Mein Name ist Benno Zurheiden.«

»Nicht so großspurig. Hast du Gepäck bei dir?«

»In der Kajüte nur wenig, aber im Raum eine Kiste.«

»Nun gut, das alles behalte ich als Pfand, damit du mir nicht entläufst. Jetzt komm nur mit, mein Boot wartet.«

Benno war wie betäubt, er folgte, nachdem er flüchtig dem Steuermann ein Lebewohl gesagt hatte, seinem neuen Gebieter in das Boot, wo der Schwarze zusammengekauert saß und als er die Stimme des Kaufmanns nur von Weitem hörte, schon erschreckt aufsprang, um zu den Riemen zu greifen. Benno sah, dass die Schultern des Burschen lauter kleine Wunden zeigten, Stellen, die von dem Druck scharfer Fingernägel herrührten. Herr Niederberger hatte jedenfalls die Gewohnheit, zur Ermunterung seinen Sklaven dann und wann tüchtig zu kneifen.

»Vorwärts. Twilus!«, rief er jetzt mit seiner schrillen, ärgerlichen Stimme dem Schwarzen zu.

»Vorwärts, oder du schmeckst die Peitsche.«

»Ja, Señor, ja!«

Und das Boot flog wieder zum Land zurück. Herr Niederberger war der einzige, welcher bei dieser Treibjagd einen Lehrling erwischt hatte. Am Land stand Ramiro mit den Händen in den Taschen. Kein Blick, keine Bewegung verriet, dass er und Benno einander je zuvor gesehen, aber als der Weg durch die Stadt seinen Anfang nahm, da wusste der Kunstreiter so geschickt zu manövrieren, dass er immer dicht hinter den beiden blieb. Wenn sich seine und Bennos Blicke begegneten, dann lächelte der Peruaner ganz vergnüglich.

»Das wird sich schon alles machen«, sagten die listigen Augen.

Es ging durch schöne breite Straßen und dann in die sogenannte alte Stadt, wo wahrhaft schauerliche Zustände zu herrschen schienen. Ganz eng standen die Häuser einander gegenüber, während im tieferen Mittelgrund dieser von Schmutz überzogenen, mit Schmutz durchtränkten Gassen ein Rinnstein seine grauen Fluten träge dahin wälzte. Hühner, Ziegen und Schweine wühlten in großen Erdlöchern herum, nackte Negerkinder sahen aus den engen Höfen hervor, unzählige Moskitos schwirrten durch die Luft und brachten als ersten Gruß der neuen Heimat ihre schmerzhaften, wie Feuer brennenden Stiche. Benno atmete kaum, die Luft zwischen den engen Wänden drohte ihn zu ersticken.

Welch eine entsetzliche, lähmende Hitze! – Endlich war das Ziel erreicht; wie schon der Steuermann vorausgesagt hatte, ein kleiner, unansehnlicher Laden mit trüben Fensterscheiben und einem wüsten Durcheinander von Verkaufsartikeln. Branntwein und Sirup bildeten die Hauptsachen, daneben lagen ungeheure Vorräte von ganz frischen, kaum einigermaßen gehärteten Käsen, dann Farina, das landesübliche Mehl, und Kaffee, außerdem Tausende von anderweitigen Gegenständen, die sämtlich alle Ecken und Winkel des niederen Raumes ausfüllten.

In der offenen Tür sah Benno nochmals zurück. Der Kunstreiter hatte sich das Haus gemerkt, er winkte leicht mit der Rechten und schritt davon, um schon nach Sekunden den Blicken des Knaben zu entschwinden. Benno war es, als müsste er aus der halbdunklen, von unbeschreiblichen Düften durchwogten Höhle entfliehen, um dem einzigen Freund nachzueilen. Hätte dieser den Kopf gewendet und eine herbeiwinkende Geste vollführt, – dann wäre wohl Bennos Festigkeit dahin gewesen.

Herr Niederberger hob hier einen gefallenen Gegenstand vom Boden auf, dort rückte er Kisten aus dem Weg oder scheuchte ein naseweises Huhn von einer halbgeöffneten Schublade mit irgendetwas Genießbarem, und dann rief er mit seiner gellenden Stimme einige Worte auf Spanisch in das Haus hinein. Benno konnte dieselben allerdings nicht verstehen, aber doch dem Klang nach erfassen, es hieß etwa:

»Nun, ist niemand im Laden? Wird wieder wie gewöhnlich, sobald ich nur den Rücken gekehrt habe, alles vernachlässigt?«

Drinnen lachte eine weibliche Stimme.

»Es ist zu heiß – die Moskitos stechen so sehr!«, hörte Benno sagen.

»Tausend Donnerwetter!«, schrie Herr Niederberger. »Ich –.«

»Tralla! Lala! – Trallalala!«

Und ein ganzes Trotzlied wurde in den finsteren, von Käseduft erfüllten Raum gesungen. Die Töne klangen gar nicht so übel, allein sie erbitterten offenbar den Eigentümer des Ladens auf das Heftigste, er öffnete mit schnellem Ruck eine nur angelehnt gewesene Tür und nun konnte Benno in ein Zimmer sehen, von dessen Balkendecke eine aus Bast geflochtene Hängematte herabhing.

In dieser lag bequem ausgestreckt die Dame des Hauses, Donna Paolina, eine Brasilianerin, die zwar sehr hübsch zu singen und mit vielem Anstand eine Zigarette zu rauchen verstand, sich im Übrigen aber um die gemeine Plage des Daseins nicht gern bekümmerte und es vor allen Dingen durchaus verabscheute, kleinen Negerjungen Sirup zu verkaufen oder sich mit Speck und Mehl zu befassen.

Zwei Sklavinnen standen zur persönlichen Bedienung der Dame mitten im Zimmer; die eine erhielt das schwebende Bett in langsam schaukelnder Bewegung, die andere wehrte mittels eines riesigen Fächers den Moskitos, das Antlitz oder die Hände der Donna als Tummelplatz ihrer Stechgelüste zu verwenden. Die beiden alten, erschreckend hässlichen Negerinnen krochen vor den Blicken des

Hausherrn förmlich in sich zusammen, als wüssten sie, dass nun ein Gewitter zum Ausbruch kommen werde.

Der Kaufmann stampfte vor Zorn mit den Füßen.

»Schreckliche Zustände!«, rief er, im Übermaß der Erbitterung deutsch sprechend. »Schreckliche Zustände! Sobald ich nicht zugegen bin, regiert der Unverstand das Haus. Solltest du nicht im Laden achtgeben auf das Geschäft, Paolina, und sollten nicht diese beiden schwarzen Scheusale tüchtig arbeiten, anstatt hier Mücken zu verscheuchen, he?«

Er war vor Zorn dunkelrot geworden, der kleine Herr, er ballte gegen das Innere des Zimmers sogar die Faust, aber ohne damit auf die Dame irgendeinen Eindruck hervorzubringen. Donna Paolina legte sich in ihrer Matte bequem zurecht, schob die aus Rücksicht für den zum Besten gegebenen Vortrag entfernte Zigarette wieder in den Mund und sah vergnüglich lächelnd auf den ergrimmten Mann herab, als wolle sie sagen:

»Es gefällt mir so sehr gut, – störe mich nicht!«

Ein Ächzen rang sich schwer auf der Brust des Hausherrn, er schlug plötzlich die Tür ins Schloss, dass es krachte, und während Donna Paolina laut lachte, setzte er sich, den Kopf in beide Hände gestützt, auf eine Kiste und sah brütend vor sich hin. Benno trocknete fortwährend mit dem Taschentuch seine Stirn und verscheuchte nach Möglichkeit die Moskitos, welche ihn zu Hunderten und Tausenden angriffen.

Die Frage, ob es ihm möglich werden würde, unter Verhältnissen wie diese fortzuleben, die Frage:

»Kann ich das aushalten?«

Dies war in seinem Innern jetzt schon fast verneint.

Und an noch etwas anderes musste er unwillkürlich denken.

»Wusste Onkel Johannes, wie es in diesem Haus aussah?«

Doch wohl kaum. Benno glaubte es nicht. Der Kaufmann strich sich das Haar aus der Stirn.

»Mein Bruder ist auf Reisen«, sagte er. »Da habe ich denn die ganze Mühe allein. – Allen Ärger und alle Schererei. Das muss anders werden, du sollst mir helfen, mein guter Junge, ach Gott ja, du sollst mir helfen. Ich gebe dir auch tüchtig zu essen, ich –.«

»Sieh, da kommt wieder so ein Moleque (schwarzer Hausdiener), es ist Quintilian, ein abgefeimter Spitzbube, schlimmer und gehässiger, als alle übrigen. Ehe er seine paar Pfennige auf den Tisch legt, muss ich ihm meinen Sirup um sein schwarzes Maul schmieren.«

Nach diesem ingrimmigen Selbstgespräch näherte sich der kleine Herr dem eintretenden Negerburschen und sagte ihm einige Worte, die sehr zahm klangen, dann schnitt er von einem der Käse ein Stückchen ab, tauchte es zum Entsetzen Bennos in ein Gefäß mit Sirup und schob diese landesübliche Leckerei in den weit geöffneten Mund des Schwarzen, der grinsend vor Vergnügen den Bissen in Empfang nahm. Noch einige andere Kunden wurden bedient; dann näherte sich der Kaufmann unserem ziemlich ratlos dastehenden Freund und legte ihm die Hand auf die Schulter.

»Höre, mein Junge«, sagte er, »du musst jetzt einen Auftrag für mich erledigen. Ich kann nicht fort, es würde mir unterdessen alles gestohlen werden, daher schicke ich dich. Es gilt, die mir bestimmten Brief vom Postboten zu erlangen, denn der Schuft will heute einmal wieder nicht durch diese Straße reiten, das sehe ich schon an der späten Stunde.«

Benno horchte auf.

»Der Postbote will nicht durch diese Straße reiten?«, wiederholte er voll Erstaunen.

»Nein, es ist ihm zwischen den Häusern zu heiß. Das geht oft so.«

»Nein, Himmel, wo bleiben denn aber die Briefe?«

»O – er wirft sie weg. Das ist ganz einfach, daher musst du ihn aufsuchen und ihm ein tüchtiges Stück Käse bringen. Dann lässt er dich in seiner Tasche nachsehen.«

Jetzt lachte Benno.

»Welche Zustände!«, rief er.

Niederberger zuckte die Achseln.

»Wir sind nicht in Deutschland«, seufzte er, abermals von dem zu Opferzwecken bestimmten Käse ein großes Stück abzuschneiden und es in das wenig einladende Sirupfass tauchend. »So, so, mein Junge, jetzt will ich dir das Nähere mitteilen. Solltest du wohl das Campo de Santa Anna ausfindig machen können? – Jedes Kind zeigt dir die Richtung.«

»Dann werde ich schon hingelangen. Über diesen Platz reitet wohl der famose Briefträger?«

»Ja. Er ist ein halbbetrunkener alter Mulatte auf einem ziemlich lahmen Maultier. Quer über dem Sattel hängen zwei offene Taschen voll von Briefen, daran wirst du ihn leicht erkennen können.«

»Schön. Und dieses Stück Käse macht den guten Mann so zahm, dass er mich in seinen Schätzen wühlen lässt?«

»Das denke ich. Jedenfalls musst du ihm meinen Namen nennen.«

»Ich werde nicht ermangeln. Aber wie soll ich den klebrigen Käse transportieren?«

»O – das machen wir ganz leicht. Der alte Nuno ist nicht eigen.«

Eine Tüte aus grauem Löschpapier nahm die Spende für den Postboten in Empfang, und Benno wanderte fort, begleitet von ganzen Wolken verschiedener Insekten, die immer das Paket umkreisten und aus alle mögliche Weise versuchten, sich des Inhaltes zu bemächtigen. Er atmete auf wie erlöst, als der halbdunkle schreckliche Laden hinter ihm lag – die Luft in demselben war erstickend.

Tiefer und tiefer führte ihn der Weg in die innere Stadt, als deren Mittelpunkt ihm das Campo de Santa Anna bezeichnet wurde. Benno ging langsam, er besah rechts und links die Häuser, die fremden, in einzelnen Gärten wachsenden Bäume, das ganze Treiben auf den Straßen. Wohin sich der Blick auch richten mochte, da begegneten ihm Leichenzüge und Prozessionen.

Hier trug man bei brennenden Fackeln unter Begleitung von Geistlichen einen kostbar verzierten Sarg hinaus, dort wurde ein Armer, vielleicht ein Sklave oder ein brauner Eingeborener in platter weißer Kiste ohne Sang und Klang eilends fortgeschleppt; überall waren die Fenster verhüllt, überall standen Gruppen weinender Frauen und beklagten händeringend ihre Verluste.

Eine Prozession von Mönchen zog vorüber; lange wallende Gewänder bekundeten die geistlichen Herren, man trug ein großes Kreuz dem Zuge voran, Weihrauch kräuselte in Wolken zum Himmel empor, auf offenem Markt wurde ein Gebet gesprochen, dem Gesang folgte. Wunderbar ergreifend klangen die Töne eines Kirchenliedes über die Umgebung dahin, – rings im weiten Kreis lag alles Volk auf den Knien und betete mit gesenkten Köpfen.

Durch die Stadt schritt der Würgeengel und klopfte an jede Tür und heischte seine Opfer an jedem Herd. Das Fieber zerriss hier die engen, herzbeglückenden Bande der Familie, dort den Wohlstand des reichen Mannes. Wer heute noch Hunderte von Sklaven besaß, der hatte vielleicht nach einer einzigen Woche schon keinen mehr, – sein lebendes Kapital war mit Erde bedeckt, dahin für immer.

Benno wurde unwillkürlich ernster, er dachte an Hamburg, an den alten Harms und die treue Sorgfalt, womit ihn dieser seit seinen Kinderjahren behütet und bewacht hatte. Wenn Harms zu dieser Stunde wüsste, welche Gefahren, welche Verhältnisse ihn umgaben!

Gut, dass es nicht der Fall war. Harms dachte sich ein Kontor nach hamburgischem Muster, ein sauberes geräumiges Patrizierhaus und darin ein stattliches Personal, einen Chef mit weißer Krawatte und neben diesem seine Gehilfen, sämtlich wie aus dem Ei geschält, bis herab zum Hausknecht in blankem schwarzem Leinenanzug. Schon dieser Gedanke war ihm höchst anstößig gewesen, denn sein Liebling sollte ja studieren, ein gelehrter Herr werden, – ach Gott, wenn er erst die Wirklichkeit gekannt hätte, den mit zappelnden Insekten reichlich durchsetzten Sirup gesehen, den Käseduft und alle die anderen unaussprechlichen Schrecken geahnt hätte.

Benno wollte ihm davon kein Wort erzählen, nichts, gar nichts. Wozu dem Alten das Herz schwer machen? Jetzt war das Campo de Santa Anna erreicht, ein großer Platz, von einigen hervorragenden Gebäuden umgeben, aber wüste und verwahrlost im höchsten Maße. Kein eigentlicher Weg führte über das ausgedehnte Rund; hier war der Boden fußtief eingesunken und in der dadurch entstandenen Pfütze wälzten sich Schweine, an anderer Stelle waren alle möglichen Abfälle aus den angrenzenden Häusern zu Bergen angehäuft, alte Lumpen, ausgedientes Blechgeschirr, Fruchtschalen, Asche und Gott weiß welche andere Stoffe noch.

Auf diesen Anhöhen stolzierten Hähne mit ihren gackernden Familien, magere Hunde scharrten die Abfälle auseinander; hier und da lag im Sonnenschein eine zusammen geringelte Schlange, oder eine glänzende Eidechse schlüpfte vorüber, während Legionen von Insekten jeder Art diese Wildnis nach allen Richtungen durchkrochen und durchflogen, nicht selten in solcher Anzahl, dass die Gegenstände, welche sie bedeckten, unter ihren Körpern verschwanden. Hier und da war auch zerlumpte Wäsche zum Trocknen aufgehängt, hier und da weideten magere, verkümmerte Pferde das von der Sonne verdorrte Gras oder lagen krank und sterbend zwischen den Kehrichthaufen.

Ja, es gab auf diesem, der heiligen Anna geweihten Platz inmitten der ersten Stadt des Landes sogar die Kadaver gefallener Tiere, an denen Ratten und Geier ungestört nagten. Man konnte einem solchen Punkt nicht nahe kommen, die Luft war vergiftet. Benno fiel von einem Erstaunen in das andere. Welch ein Land, welche unerhörten Zustände!

Zwischen den Schmutzbergen erschien ein Reiter, langsam zottelnd, grau und schäbig von der Krempe des breitrandigen Hutes bis zu den Füßen des hinkenden Maultieres, auf dem er saß. Nur einige wenige Leinwandfetzen umgaben den Körper des Mulatten, dessen gerötete Nase und verschwommene Blicke deutlich den Gewohnheitstrinker verrieten; mit nickendem Haupt saß er auf dem struppig aussehenden Tier, von dessen Weichen die bewussten Ledertaschen herabhingen.

»Der Postbote!«, dachte Benno. »Jetzt ist es an der Zeit, die Macht eines in Sirup getauchten Stückes Käse zu probieren.«

Er schritt dem Mulatten entgegen und zeigte ihm schon aus einiger Entfernung in hocherhobener Hand das Paket. Wahrscheinlich kannte der alte Nuno die Art und Weise, wie man sich bei ihm einzuführen pflegte, wenigstens hielt er sogleich sein Reittier an und streckte beide Arme auf.

»Gib her!«, hieß die Bewegung.

Benno trat an das Maultier heran, hielt aber jetzt klüglich die Hand mit dem kostbaren Schatz auf den Rücken.

»Gebrüder Niederberger!«, sagte er, auf die Ledertaschen deutend.

Ein Wortschwall, mit ehrerbietigen Anreden durchsetzt, rauschte herab auf das Haupt unseres Freundes. Jemand war von dem Mulatten als Exzellenz, General und Visconte bezeichnet worden, ob der Kaufmann oder gar Benno selbst, das blieb dahingestellt, jedenfalls aber hatte Nuno die Taschen mit vielsagender Handbewegung nach vorn geschoben und dadurch nun sein Stück Käse redlich verdient.

Während Benno die Briefschaften durchforschte, biss er mit vollen Backen in die ersehnte Leckerei hinein, dabei einzelne Fetzen Papier, die durch den Sirup fest geleimt waren, einzelne zappelnde Moskitos und andere solche Kleinigkeiten achtlos mit verzehrend. Seine grunzenden, urgemütlichen Töne bewiesen, wie sehr er sich gütlich tat.

Mittlerweile waren noch andere Bittsteller herbeigekommen, meistens junge Kaufmannslehrlinge, auch Mulattinnen und Negerinnen oder solche Prinzipale, die durchaus keinen Gehilfen erlangen konnten; alles drängte an das Maultier heran, alles gab, ehe es erhielt, entweder bares Geld, Früchte, Fleisch, Speck oder wieder Käse mit und ohne Sirup.

Der Mulatte hielt eine reiche Ernte; was sein leistungsfähiger Magen schließlich durchaus nicht mehr zu fassen vermochte, das stopfte er in die halbgeleerten Taschen. Als sich keine Kunden mehr blicken ließen, trieb er das müde Tier an, ihn bis zu einem anderen ähnlichen Ort weiterzutragen.

Benno hatte fünf Briefe erwischt, die trug er jetzt langsam gehend nach Hause. Der Tag begann sich zu neigen; durch die Seele des Knaben schlich ein unabweisliches Grauen. Wie würde das Nachtquartier beschaffen sein? Ob er im Laden schlafen musste? – Wieder trug man Särge an ihm vorüber; der Tod schien in jedem Haus seine Opfer zu fordern, Geheul und Wehklagen drang aus den Türen hervor.

Benno fühlte trotz aller Aufregung, aller Beklemmung doch jetzt auch, dass er hungrig geworden war. Herr Niederberger hatte es nicht nötig gefunden, ihm in dieser Beziehung eine Frage zu stellen. Ob es denn nirgends einen Bäckerladen gab? – Etwas Geld besaß er ja noch, der alte Harms wollte damals seinen Liebling nicht ohne alle baren Mittel in die Welt hinausziehen lassen.

Aber der gewünschte Laden kam ihm nicht zu Gesicht; die Sache musste hier anders eingerichtet sein, als zu Haus in Hamburg. Die enge schmutzige Straße mit den hohen Häusern und der erstickenden Luft war bald wieder erreicht; in dem Verkaufslokal der Herren Niederberger brannte eine qualmende Öllampe und vor dem Ladentisch drängten sich die Kunden; Benno musste alle möglichen Handlangerdienste leisten und erst am späten Abend erinnerte sich sein Prinzipal, dass auch Lehrlinge zuweilen hungrig werden und der Ernährung bedürfen.

Allerlei Abfälle und Brocken aus der Speckschüssel nebst Käseüberreste wurden unserem Freund vorgesetzt, dazu ein steifer, harter Brei aus Farina (Mehl) und Wasser, – Kleister, wie Benno bei sich dachte.

»Wird hier gar kein Brot gegessen?«, fragte er mit einem unterdrückten Seufzer seinen Prinzipal.

»Brot?«, wiederholte stirnrunzelnd der Kaufmann. »Das da ist unser Brot.«

Und er deutete auf den Brei aus Mehl und Wasser.

»Es gibt also nichts Gebackenes, keine –.«

»Hamburger Rundstücke, meinst du? O doch, aber nur für reiche Leute. Wir essen Farina, gebrannt und gekocht.«

Damit verließ er den Laden und Benno war allein. Er konnte sich auf eine Kiste oder einen umgestürzten Korb setzen; es gab hier weder Stuhl noch Tisch, selbst nicht einmal einen Teller oder ein Handtuch, kurz, auch nicht eine jener kleinen Bequemlichkeiten, die das Leben leichter machen und die wenigstens der Europäer nicht entbehren mag. Benno aß den fade schmeckenden Käse, während der Speck und das Mehlgericht unberührt blieben; er stützte den Kopf in beide Hände und schloss die Augen. Konnte dieser Zustand Dauer haben?

Vom Wohnzimmer her erklangen die Laute eines in spanischer Sprache geführten Streits. Donna Paolina kreischte, ihr Gemahl schlug mit der Faust auf den Tisch, dann klatschte es sehr bedenklich und einen Augenblick später floh eine Negerin heulend in die Küche. Unser Freund glaubte jetzt zu erkennen, weshalb ihn der Kaufmann nicht in das Familienzimmer geführt hatte.

Donna Paolina eilte der geflüchteten Negerin auf dem Fuße nach; die eine Frauenstimme sprudelte Worte voll Zorn und Groll, die andere bat flehentlich, dann verschwanden beide nach dem Hof des Hauses zu, und erst nach etwa zehn Minuten kehrte die Dame in das Wohnzimmer zurück. Was mochte da hinten zwischen den halbverfallenen alten Scheunen und Schuppen unterdessen geschehen sein? Es war alles still, kein Laut drang herüber. Einzelne Kunden kamen noch und gingen, dann, gegen elf Uhr wurde die Ladentür geschlossen und die Lampe ausgelöscht.

»Jetzt komm nur mit mir, Junge«, gebot der Kaufmann, »ich werde dir deine Schlafstelle zeigen.«

Er nahm eine Laterne und ging voraus, Benno folgte ihm sehr zaghaft. Das Wort Schlafstelle klang wenig verheißend.

»Hier ist eine Grube!«, warnte der Kaufmann, eine Schlammpfütze mit der Laterne beleuchtend.

»Falle nicht hinein, du!«

Einige Schweine grunzten im Halbschlaf, ein magerer Hund erschien minutenlang im Bereich des Lichtes, dann war er wieder verschwunden. Der Kaufmann öffnete jetzt die Tür eines halbverfallenen, alten Schuppens und warf zugleich auf die Laterne in seiner Hand einen prüfenden Blick. Das Lichtstümpfchen war sehr klein, auch ein sparsamer Hausvater konnte es ohne Bedenken seinem Burschen überlassen.

»So, Benno, da drinnen sollst du schlafen.«

Unser Freund wich unwillkürlich zurück.

»Aber ich sehe kein Bett, Herr Niederberger. Es ist kein Fenster vorhanden.«

Der Kaufmann schüttelte den Kopf. »Fenster?«, wiederholte er. »Bett? – Da oben ist die Luftklappe und was nun deine zweite Frage betrifft, so denkst du doch wohl nicht, dass man in einem heißen Klima unter Federn schläft?«

»Auf Matratzen also?«

»Wenn du einmal ein reicher Mann geworden bist, dann vielleicht. In der Ecke hängt eine Ochsenhaut, darauf schläft sich es einstweilen gut genug.«

Und mit einem kurzen Gruß ging er davon, um bald darauf noch einmal stehen zu bleiben.

»Halte die Tür verschlossen, Benno, sonst kommen die Schweine zu dir.«

Und fort war er. Halb betäubt, vor Entrüstung weinend beleuchtete der Knabe zunächst das Innere des unheimlichen Raumes. In der Ecke lag Zimmermannsgerät, es stapelten sich alte Säcke, Kisten mit Waren, ein Haufen halbverdorbener Früchte und sonstiges Gerümpel, – von eigentlichen Einrichtungsstücken war auch hier keine Spur zu entdecken.

Die als Bett dienende Ochsenhaut hing an einem aufgespannten Seil in der Luft und sandte bei jeder Berührung ganze Wolken herabfallender Haare aus dem aus Lehm gestampften Fußboden. Sobald sich die Tür geschlossen hatte, füllte eine erstickende Luft den engen Raum. Hoch oben, der Hand unerreichbar, befand sich die einzige Luke, unverschlossen natürlich, aber viel zu eng, um dem vorhandenen Bedürfnis wirklich zu genügen. Benno ließ die Laterne brennen und zog das stäubende Fell von der Leine, um dasselbe auszubreiten und wenigstens nach dem anstrengenden Tage mit den Armen unter dem Kopf liegen zu können.

»Morgen wird Ramiro unter irgendeinem Vorwand in den Laden kommen«, dachte er. »Und dann –.«

Sein Herz schlug schneller. Der Kaufmann hatte ohne Weiteres sein ganzes Gepäck zu sich genommen, ihm nichts, auch nicht das geringste Stück überlassen, keinen Kamm, keine Bürste, kein Taschentuch. War es möglich, ohne alle diese Dinge auf und davon zu gehen?

Aber freilich, quer durch ganz Amerika, vom Atlantischen bis zum Stillen Ozean, – konnte man auf solcher Wanderung über Berg und Tal noch viel Gepäck mit sich führen? – Es schien undenkbar. Benno warf sich ruhelos von einer Seite zur anderen. Wollte er denn so ganz gewiss mit dem fahrenden Künstler auf gutes Glück hin die Reise antreten?

Wollte er mit dem einst Gewesenen, mit seiner Heimat, seiner Familie ganz und für immer brechen, sich von ihnen vollständig lossagen? Eine Stimme in seinem Herzen nannte den Gedanken töricht und unrecht, eine andere, eine, die sich gar nicht abweisen ließ, fragte spöttisch immer wieder und wieder:

»Hast du denn wirklich eine Heimat, eine Familie? Hast du Rücksichten zu nehmen? Gegen wen denn eigentlich?«

An den guten alten Harms konnte er von jedem Punkt der Erde schreiben, ihm alles anvertrauen, alles klagen. Harms würde immer auf seiner Seite stehen, gegen wen es auch sei.

»O – die furchtbare Hitze!«

Der ganze Körper unseres Freundes war mit Schweißtropfen bedeckt, ein lähmendes Gefühl der Schwere hatte sich seiner bemächtigt. Schlafen konnte er in solcher Luft nicht, aber fast wünschte er, sterben zu dürfen. Das war kein Aufenthalt für Menschen, kein Raum, in dem sich atmen ließ. Ein halb erstickter Laut klang zu ihm herüber; er horchte auf. Kam das Geräusch von den Schweinen? Die Tiere schliefen jedenfalls, denn sie regten sich in ihrer Schlammpfütze nicht. Benno horchte wieder. Es klang wie ein Wimmern, Ächzen; irgendein lebendes Wesen musste sich in dem anstoßenden Raume befinden.

»Wer ist da?«, rief mit unterdrückter Stimme unser Freund.

Keine Antwort. Aber neben ihm raschelte es, es kroch, pfiff und stob nach allen Richtungen auseinander. Unzählige Mäuse waren in voller Arbeit, ihm buchstäblich unter dem Körper das Bett wegzufressen. Er sprang auf und verscheuchte die Unholde, dabei fiel die Laterne um, das Licht erlosch und nun beherrschte völlige Finsternis den Raum; es gab kein Mittel, zu einem neuen Flämmchen zu gelangen.

Benno stieß die Tür auf, er wollte wenigstens atmen können. Hier draußen hörte er den Ton von vorhin viel deutlicher, – es war ein Mensch, der da wimmerte und ächzte. Eine plötzliche Erinnerung durchflutete Bennos Seele. Die Sklavin der Donna Paolina, – nur sie konnte es sein. Völlige Finsternis beherrschte den öden, unheimlichen Hof, am Himmel hingen dichte schwarze Wetterwolken, auf denen dann und wann ein Blitz aufleuchtete; wahrscheinlich würde schon nach ganz kurzer Frist ein schweres Gewitter losbrechen.

Der magere Hund schlich sich in Bennos Nähe und sah ihn mit traurigen, flehenden Blicken an; das Tier litt wahrscheinlich quälenden Hunger, aber unser Freund hatte keinen Bissen, um ihn zu verschenken; er streichelte noch den Kopf des Hundes, als wieder das jammervolle Winseln und Ächzen zu ihm herüberklang, diesmal laut genug, um ihn die Gegend, aus der es kam, deutlich erkennen zu lassen.

Seine Blicke hatten sich einigermaßen an die Dunkelheit gewöhnt, er sah eine zweite, in das Innere des Schuppens führende Tür und ging hin, um dieselbe zu öffnen.

»Wer ist hier?«, fragte er mit leiser Stimme.

Ein unerklärlicher Ton antwortete ihm, kein Weinen, kein Sprechen, auch kein Seufzen, aber doch etwas von alledem, – tastend ging er dem Schalle nach, plötzlich blieb er in der Mitte des Raumes wie geblendet stehen. Ein gewaltiger Blitz war herabgefahren, krachend folgte der Donner, begleitet von einem Regenschauer, wie ihn unser Freund in Europa niemals erlebt hatte; das Wasser fiel stromweise vom Himmel, es überflutete binnen Sekunden den ganzen Hof, die grunzenden Schweine, den Hund, der sich vergebens nach einem schützenden Obdach umsah, das Innere des Schuppens, wo die Mäuse eilends in ihre Löcher schlüpften und nicht am wenigsten den Knaben selbst. Kein Faden seiner Kleidung blieb trocken, das Wasser rann ihm über die Stirn herab, füllte seine Taschen und Stiefel, klebte ihm die Haare an den Kopf und blendete momentan seinen Blick.

Es war, als stehe er unter einer Traufe, so überschütteten ihn von allen Seiten die nassen Sturzwellen. Am Himmel zuckte es wie feurige Schlangen; kaum sekundenlang setzten diese furchtbaren, nur den heißen Ländern eigenen Blitze aus, um mit verstärkter Gewalt zurückzukehren; dabei folgte Schlag auf Schlag, es knatterte und rollte in den Lüsten wie Kanonendonner, – das betäubende Geräusch verschlang jeden Laut.

Benno beobachtete, so gut es die Regenfluten zuließen, das Wohnhaus seines Prinzipals. Ob sich dieser nicht erinnern würde, dass der neue, mit den Verhältnissen des Landes völlig unbekannte Lehrling dem Unwetter schutzlos preisgegeben sei? Ob er nicht kommen und ihn unter das sichere Dach führen würde? Nichts regte sich, der Kaufmann und seine streitbare Gemahlin zankten vielleicht unverdrossen weiter, oder sie schliefen, ohne sich durch das Gewitter stören zu lassen, wenigstens blieben sämtliche Fenster dunkel und niemand kam in den Hof hinaus, um sich unseres Freundes anzunehmen.

Er dachte auch bei dem spähenden Blick auf das Vorderhaus nicht an sich selbst, sondern an das menschliche Wesen, welches er im Hintergrund des Schuppens gesehen hatte und bei dem Schein der hastig folgenden Blitze noch fortwährend sah. Auf dem Lehmboden lag zusammengekrümmt, an Händen und Füßen durch schmale, einschneidende Baststreifen zusammengeschnürt die alte Negerin, welche vorhin aus dem Wohnzimmer entflohen war.

Zur Kugel geballt kauerte die Unglückliche, ohne sich vom Fleck bewegen, ohne das strömende Wasser aus den Augen reiben, oder sich irgendwie rühren zu können. Als die schrecklichste, abscheulichste Misshandlung erschien jedoch nicht diese Folter, sondern eine andere, weit ärgere, welche die menschliche Bestialität über das wehrlose Weib verhängt hatte.

In ihrem Mund war ein Tuch gestopft worden; die Sklavin konnte weder sprechen, noch mit dem Munde atmen, nur ein dumpfes Stöhnen rang sich zuweilen auf ihrer Brust hervor. Benno näherte sich voll Mitleid der armen Alten, er berührte ihre Schulter und deutete auf das Tuch.

»Soll ich den Knebel herausziehen?«

Sie nickte heftig. Er entfernte das Tuch, und nun begann die Negerin zu sprechen. Als müsse sie alles inzwischen Versäumte nachholen, so eilfertig strömten von ihren Lippen die Worte, die unverstanden vorüber rauschten an den Ohren unseres Freundes, der bis jetzt vom Spanischen wenig gelernt hatte. Er nahm wieder zu der stummen Frage seine Zuflucht, indem er auf die gefesselten Hände hindeutete und dann auf sein Taschenmesser. Das hieß:

»Soll ich den Bast zerschneiden?«

Die Alte schüttelte heftig den Kopf, sie vollführte mit den Fingerspitzen die Pantomime des Zupfens, Zerrens, und Benno verstand sofort ihre Absicht. Er sollte die Knoten auflösen, wohl damit sie später wieder zusammengeknüpft werden könnten. Wahrscheinlich fürchtete sich die Alte vor Schlägen oder wollte ihren Beschützer nicht dem Zorn der Donna Paolina überliefern. Sobald sie den Gebrauch ihrer Glieder erlangt hatte, streichelte sie dankbar Bennos Hände und sah ihn, immerfort plappernd, vergnüglich an. Ihre weißen Zähne bissen wie zum Zeichen, dass sie etwas Essbares herbeischaffen werde, klappernd aufeinander; dann humpelte sie mit ihren blutenden Füßen zu einer großen Kiste und entfernte Matte nach Matte, bis ein sehr angenehmer Anblick zutage trat, – große blutrote Apfelsinen in reicher Fülle.

»Hier! Hier!«, klang es von den Lippen der Negerin, spanisch zwar, aber verständlich durch den Ausdruck.

»Nun iss, mein Söhnchen!«

Und Benno ließ sich es nicht zweimal sagen, er vertilgte in Anbetracht des überstandenen Fastentages eine so große Anzahl Früchte, dass selbst die Negerin mit einiger Besorgnis der Arbeit seiner Zähne zusah. Sie sammelte in ihre durchnässte Schürze sorgfältig alle Schalen und Kerne, um dieselben dann den Schweinen vorzuwerfen.

Wenn die bitteren Bissen wahrscheinlich auch nicht verzehrt wurden, so stampften sie doch zwanzig oder mehr Füße hinunter in den zähen Schlamm, und das war genug, um eine Entdeckung zu verhindern. Stundenlang tobte das Gewitter, erst gegen Morgen ließ die Heftigkeit der Erscheinungen etwas nach, es wurde heller und heller, auf der Straße entstand das Geräusch des beginnenden Tages, und aus den benachbarten Höfen erklangen die Stimmen einzelner Negersklaven.

Unser Freund hatte längst der Alten die Fesseln wieder angelegt und sich in seinen Teil des Schuppens zurückgezogen, als gegen sechs Uhr der Kaufmann in der Tür erschien und ihn rief.

»Hallo, Benno, es ist Zeit, aufzustehen!«

Der Knabe trat ruhigen Blickes, aber voll fester Entschlossenheit seinem Prinzipal entgegen.

»Wo sind meine Sachen, Herr Niederberger?«, fragte er. »Ist die Kiste schon vom Bord des Schiffes geholt worden?«

»Weshalb erkundigst du dich danach?«

»Weil ich mich umzukleiden wünsche. Sie scheinen offenbar nicht gewusst zu haben, dass das Dach Ihres Schuppens den Regen durchlässt.«

Der Kaufmann schüttelte den Kopf.

»Solche Kleinigkeit!«, versetzte er. »Als ob sich ein junger Mann deines Alters auf ein paar Wassertropfen überhaupt etwas machen dürfte! – Komm nur rasch, es gibt einen Weg zur Küche eines sehr reichen, vornehmen Kunden, dabei wird die Sonne deine Kleider schon trocknen.«

Aber Benno machte keine Miene, zu gehorchen; die Empörung in seiner Seele war so groß, dass er unmöglich nachgeben konnte.

»Ist meine Kiste gekommen?«, fragte er zum zweiten Mal.

»Ja doch. Was willst du denn jetzt damit? Erst muss der Weg zu dem Kunden besorgt werden, dann gilt es, dem Briefträger aufzulauern und –.«

»Ich gehe in den nassen Kleidern keinen Schritt, Herr Niederberger, ich arbeite weder, noch besorge ich sonst irgendeine Angelegenheit, bis Sie mir meine Sachen ausgeliefert und mir einen trockenen Raum zum Umkleiden angewiesen haben.«

Der Kaufmann stampfte mit dem Fuß.

»Das ist offenbare Widersetzlichkeit!«, rief er. »Ich habe deinem Onkel gegenüber die Verpflichtung, dich während deiner drei Lehrjahre zu ernähren und zu kleiden, wie kann ich also gestatten, dass du unnötige Ausgaben verursachst? Deine Kleider sind schon fast trocken.«

Benno antwortete nicht, und wohl oder übel musste sein Gebieter, von dem Bewusstsein des eigenen Unrechtes heimlich gezwungen, schimpfend und polternd auf den Hausboden steigen, um dort Bennos Kiste herauszugeben. Er hatte das Schloss schon längst eigenmächtig geöffnet und alle Gegenstände durchwühlt, aber es fehlte doch wenigstens nichts, davon überzeugte sich unser Freund sehr bald.

Er setzte es auch durch, seine Toilette in der Bodenkammer vervollständigen zu können. Nachdem er alsdann einen dünnen, schlechten Kaffee getrunken hatte, brachte er einen großen Korb voll Waren in ein Haus der eleganteren Stadtgegend. Ach, wenn ihn seine Schulkameraden gesehen hätten, wenn Harms gewusst hätte, wie er hier behandelt wurde!

Auch die Post für das Haus Niederberger holte er wieder bei dem Mulatten ab, und dann gab es im Laden allerlei untergeordnete Dienste zu verrichten. Bennos Kopf schmerzte, er schloss in einem Augenblick des Alleinseins die Augen und dachte schaudernd an die Möglichkeit, in diesem Haus krank zu werden.

Das hieß so viel, als dem sicheren Tod verfallen sein. Ein elastischer Schritt näherte sich von der Straße her und eine Hand berührte Bennos Schulter, – er fuhr plötzlich auf.

»Señor Ramiro!«

Das klang wie ein unterdrückter Jubellaut. Alles Blut strömte zum Herzen des Knaben; das Leben schien plötzlich ein anderes Aussehen, eine andere Gestalt zu gewinnen. Sprachlos sah Benno in das Gesicht des Peruaners.

»Nun, junger Herr«, lächelte dieser. »Wie geht es Ihnen?«

»Ach – fragen Sie mich nicht!«

Ramiro nickte.

»Das ist richtig«, sagte er, »denn ich sehe selbst, wie die Dinge stehen. Haben Sie an der Ausmündung dieser Straße eine Kirche bemerkt, Benno?«

»Ja, schon mehrere Male.«

»Gut. Mit dem Eintritt der Dämmerung bin ich dort, um Sie zu erwarten.«

»Wollen Sie denn schon heute Ihre Reise fortsetzen?«, fragte erschreckend unser Freund.

»Nein, das nicht, aber ich will Sie aus dieser Pesthölle erretten. Benno, wenn Sie noch vierundzwanzig Stunden hier bleiben, ist Ihnen das Fieber gewiss.«

Der Knabe nickte.

»Ich glaube es auch. Mein Kopf schmerzt zum Zerspringen.«

»Sehen Sie wohl. Also bei Beginn der Dämmerung.«

In diesem Augenblick kamen andere Kunden, auch der Kaufmann trat in den Laden, und so konnten Benno und der Kunstreiter nicht mehr unter vier Augen miteinander sprechen, Ramiro kaufte einige Zigarren und empfahl sich mit einem bedeutsamen Blick, Bennos Seele in der größten Aufregung zurücklassend.

Was sollte er tun? Was war für ihn in dieser schlimmen Lage das Beste? Wie quälend ist es doch, vor einer Entscheidung zu stehen, wie doppelt schwer, wenn man alles in sich allein erwägen und zum Auftrag bringen muss. Benno ging umher und tat mechanisch, was ihm aufgetragen wurde, lauter Arbeiten, zu denen kein Nachdenken gehörte, die aber dem an eine geistige Tätigkeit gewöhnten Knaben wie eine Strafe erschienen.

Er musste von verschiedenen Speckseiten den Schimmel abputzen, einen eingedrungenen Ameisenzug aus der Zuckerschublade entfernen und verfaulte Zitronen von den gesunden absondern. Zuweilen schlief er dabei ein und dann weckte ihn seines Prinzipals scharfe, ärgerliche Stimme.

»Du bist faul. Junge, ein Muttersöhnchen, wie es scheint. Dein Herr Onkel hat dich höchstwahrscheinlich in strenge Zucht geben wollen, – damit ist mir aber verzweifelt wenig gedient.«

Benno ließ diese Strafpredigt ohne Antwort; sein Entschluss war jetzt gefasst. Schlimmer als in dem Haus des Deutsch-Brasilianers konnten die Verhältnisse für ihn an keinem anderen Ort mehr werden. Als sich der Tag neigte, ergriff er seinen Strohhut und ging in einem unbewachten Augenblick aus dem Laden.

Die ganze Schwere dieses Schrittes sehr wohl fühlend, war er in einer Aufregung, die ihn förmlich fiebern ließ, aber doch unbeirrt, fest entschlossen, alle Folgen dieser Stunde auf sich zu nehmen und wie ein Mann zu ertragen. Es musste sein; auch der Senator, so hart und herzlos er war, würde wohl auf keinen Fall wissentlich seinen Neffen in eine so niedere, auf den täglichen Verkehr mit der schwarzen Rasse hinausgehende Laufbahn gedrängt haben.

Er dachte gewiss, als die Sache zur Entscheidung kam, an ein größeres, wohlhabendes Detailgeschäft, aber er war dabei ohne Kenntnis der brasilianischen Verhältnisse, – ein Leben wie dieses konnte er dem Sohn seines Bruders unmöglich bereiten wollen. Mochte also das geknüpfte Band heute schon wieder reißen, mochte die Kiste mit ihrem ganzen Inhalt verloren gehen, – das ließ sich nicht ändern.

Benno beschleunigte je weiter er kam desto mehr seine Schritte. Es verlangte ihn mächtig, den Kunstreiter wiederzusehen, den einen unter allen, der es wahrhaft gut mit ihm meinte, dem er bedingungslos vertrauen durfte. Aus dem Schatten des Säulenganges vor der Kirche löste sich eine schlanke Gestalt und Ramiro trat mit ausgestreckten Händen unserem Freund entgegen.

»Habe ich Sie endlich besiegt, Benno!«, rief er.

»Endlich! Es war auch die höchste Zeit.«

»Für mich, Señor?«

»Ja, für Sie, für Sie, Benno! Sie sehen ganz schlecht aus, ich bemerkte es schon heute Morgen. Hat man Ihnen denn kein ordentliches Nachtlager, kein anständiges Mittagsessen gegeben?«

Benno schüttelte sich.

»Von der wachend, im Platzregen verbrachten Nacht erzähle ich Ihnen später, Señor, – was das Mittagsessen anbelangt, so erhielt ich verschimmelten Speck und schwarze Bohnen, die aber nur halb gar gekocht waren. An allem Tischgerät klebte der Schmutz, – ich habe keinen Bissen genossen.«

Der Peruaner lächelte. »Sie sollen die schwarzen Bohnen erst kennenlernen«, versetzte er.

»Eine Delikatesse, sage ich Ihnen, sobald sie nur richtig zubereitet sind. Aber jetzt wollen wir gehen, es ist heute Abend in den Straßen nicht geheuer.«

»Weshalb nicht, Señor?«

»Später! Später! Sehen Sie einmal empor zu der Christusgestalt über dem Torbogen, Benno! – Bei dieser Dornenkrone, diesen durchgrabenen Händen schwöre ich Ihnen, ich will für Sie sorgen, Sie behüten und beschützen, soweit es in eines Menschen Kraft steht, ich will, wenn mir das Erbe meiner Väter zuteil geworden ist, Sie mit Reichtum und Glanz in Fülle überschütten, alles nur, weil ich unglücklicherweise und ohne es zu beabsichtigen, die Ursache Ihres Missgeschickes wurde. Glauben Sie mir jetzt, Benno, können Sie zu mir Vertrauen hegen?«

Unser Freund drückte kräftig die dargebotene Hand. »Ich danke Ihnen, Señor«, antwortete er.

»Von Augenblick zu Augenblick werde ich ruhiger. Es ist so am besten für mich, dessen bin ich ganz sicher.«

Der Kunstreiter atmete tief.

»So lassen Sie uns eilen, Benno, – wir müssen in Sicherheit kommen, ich sagte es schon einmal.«

Benno ging schnellen Schrittes an seiner Seite dahin.

»In Sicherheit vor den Verfolgungen meines Prinzipals, nicht wahr?« Ramiro lachte hellauf.

»Das Männchen mit dem Ziegenbart und dem galligen Gesicht? – Lieber Gott, wenn es sonst keine Gefahren gäbe!«

»Ja, aber was fürchten Sie denn, Señor?«

»Die Kopffechter, die schwarzen Kopffechter. Haben Sie von dieser heillosen Geschichte noch nie gehört?«

»Nie!«, bestätigte Benno.

Sie waren jetzt auf einen größeren freien Platz gekommen und der Kunstreiter deutete mit seiner brennenden Zigarre hinüber zu einem hellerleuchteten Haus, dessen Vorhalle, von stattlicher Säulenreihe getragen, eine größere Anzahl Bänke und Tische aufwies. Junge Männer in bunt zusammengewürfelter Kleidung, meist mit Federn an den Hüten und Degen oder Dolchen im Gürtel saßen beieinander und unterhielten sich auf die verschiedenartigste Weise. Karten und Würfel machten die Runde, alle Tische waren mit Flaschen und Gläsern bedeckt, lautes fröhliches Lachen oder die Weise eines Schelmenliedes klangen hier und da aus der Mitte der einzelnen Gruppen hervor.

»Dort wohnen wir!«, sagte Ramiro.

»Ganz gut, Señor. Sie wollten mir aber von den Kopffechtern erzählen.«

»Nun das sind Neger, Sklaven natürlich. In ihrer afrikanischen Heimat haben die Vorfahren dieser Leute Götzendienst und Menschenopfer getrieben, – einige der betreffenden Gebräuche ließen sich von den Weißen bis jetzt durch kein Mittel unterdrücken, so das gegenseitige Stoßen mit den Stirnen und das darauffolgende wahnsinnige Laufen durch die Stadt, wobei immer mehrere Personen erstochen werden. Dieses letztere geschieht, weil sich offenbare Menschenopfer nicht mehr ins Werk setzen lassen.«

»Aber das ist doch entsetzlich!«, rief Benno. »Und heute Abend sollen wieder derartige Szenen stattfinden?«

»Es wird gesagt, ja. Die Geistlichkeit veranstaltet eine gemeinsame Prozession allerorten, eine umfassende Feierlichkeit zu Gebetszwecken, damit die Stadt vom Fieber erlöst werde, – daran wollen sich die Schwarzen in ihrer heidnischen Weise beteiligen, indem sie einige Opfer töten.«

Benno fiel von einem Erstaunen in das andere.

»Und dergleichen duldet die Polizei?«, rief er.

Der Kunstreiter lächelte.

»Solch ein Delegado versteckt sich, wenn die Capoeiras kommen«, antwortete er.

In diesem Augenblick ertönte ein lautes, freudiges Gebell. Von der Veranda her sprang das graue Windspiel den beiden Ankommenden entgegen und umkreise sie in weiten, lustigen Sprüngen; auch Pedrillo und Michael erhoben sich zur Begrüßung ihres Reisegefährten.

Es gab ein Fragen und Händeschütteln, eine Begrüßung, dass Benno fühlte, wie von Augenblick zu Augenblick sein Herz wieder freier und leichter schlug. Gottlob, der enge Laden mit seiner vergifteten Luft und seinem ranzigen Speck lag jetzt für immer hinter ihm, er hatte das Leben in unerträglich beklemmenden Schranken vertauscht mit dem in der Wildnis, und er bereute diesen Entschluss keinen Augenblick.

»Jetzt muss ich Ihnen unsere Reisegefährten vorstellen«, sagte Ramiro, »zwar nicht jeden einzelnen dem Namen nach, denn das würde zu weit führen, aber doch die Gesamtheit. Diese Herren sind ohne Ausnahme Peruaner, alles Landsleute, welche im Begriff stehen, dem Vaterland ihre Dienste anzubieten. Peru führt Krieg, wie Sie wissen; seine Söhne halten sich daher verpflichtet, dem Vaterland gegen die Spanier beizustehen – wir ziehen quer durch die Wildnis und kommen unter Führung mehrerer Eingeborener ebenso schnell ans Ziel, als wenn wir wochenlang auf eine Schiffsgelegenheit nach Lima warten und dann die beschwerliche Segelfahrt um Kap Horn antreten wollten.«

Einer der Anwesenden, ein schöner stattlicher Mann in mittleren Lebensjahren berührte lächelnd zum Gruß den Hut mit der schwankenden Feder.

»Mich müssen Sie schon aufnehmen, verehrter Freund«, sagte er. »Ich bin weder ein Peruaner, noch beabsichtige ich gegen die Spanier zu kämpfen. Mein Zweck ist es, Insekten zu sammeln.«

»Oder Tierbälge, Pflanzen, Steine, Vogeleier, alles, was der liebe Herrgott dem wandernden Naturforscher etwa beschert.«

Es war eine andere Stimme, die das gesagt hatte; ein zweites weißes Antlitz sah unserem Freund entgegen.

»Wir beide sind deutsche Reisende«, fuhr der Herr fort, »mein Gefährte heißt Doktor Schomburg und ich selbst, sein Famulus und Leibsklave, nenne mich Ernst Halling. Jetzt kennen Sie unsere Personalien.«

»Prosit!«, setzte der Doktor hinzu, indem er das Glas erhob und es, ihm zutrinkend, dem Knaben reichte. »Gehen Sie auch auf die Käferjagd?«

Benno gab Auskunft über sich und wurde nun in den fröhlichen Kreis mit hineingezogen, als habe er dessen Teilnehmer seit Jahren gekannt. Wenigstens achtzig junge Leute waren versammelt, um miteinander den Zug durch die Wildnis zu wagen, eine stattliche Vereinigung von Männern, die wohl geeignet schien, allen Beschwerden und Gefahren die Stirn zu bieten, alle Hindernisse spielend zu überwinden.

Die jungen Augen leuchteten und die Herzen schlugen verlangend der geheimnisvollen Urwaldwildnis entgegen, froh, dem Schacher und dem Staube der Großstadt einmal gänzlich zu entrinnen und in freier Natur ein anderer, gesünderer Mensch werden zu dürfen.

»Es ist ein besonderer Glücksfall, dass ich in diese Herberge geriet«, raunte Ramiro.

»Einzelne der Leute sind reich, auch die beiden Naturforscher haben, wie es scheint, Geld in Hülle und Fülle. Es ist ein ganzer Zug von Reit- und Lasttieren, den wir mit uns führen werden. Zehn Indianer sind angeworben worden, um –.«

»Indianer?«, rief mit plötzlich erwachendem Interesse der Knabe. »Indianer? Wo sind sie?«

Ramiro lächelte.

»Denken Sie sich keine romantischen Gestalten, Benno, kein ›Adlerflügel‹, kein ›Grauer Bär‹ oder wie die nordamerikanischen Helden sonst heißen mögen. Dieses sind hier lungernde Bettler, weiter nichts.«

Er sprach noch mit leiser Stimme, als plötzlich ein Flüstern die Reihen der Anwesenden durchlief; man deutete auf eine, an der entgegengesetzten Seite der Straße sich versammelnde Gruppe von Negern, deren Zahl fortwährend zunahm.

»Da sind die Capoeiras!«

»Die Kopffechter?«, fragte Benno.

»Ja. Jedenfalls ist nun auch die Prozession in der Nähe.«

»Ich höre Musik!«, rief Doktor Schomburg.

»Und da fliegen wahrhaftig Raketen in die Luft.«

»Feuerwerk darf in Brasilien bei keiner festlichen Gelegenheit fehlen. Wissen Sie das noch nicht?«

»Prachtvoll! Sehen Sie diese Feuergarben!«

»Da kommt schon die Gassenjungen als Vorhut!«

»Ganz wie bei uns, nur dass das Geklapper der Holzpantoffeln fehlt!«

»Ich beobachte eigentlich nur die Kopffechter!«, flüsterte Benno. »Sie fangen an sich wie spielend bei den Händen zu fassen.«

»Ach – da reiben ein paar die Stirnen gegeneinander!«

»Nun beginnt der Kampf!«

Ein dumpfer, gewaltiger Stoß dröhnte bis zur Veranda hinüber. Die Neger hatten sich paarweise angeordnet, immer zwei und zwei fuhren mit den Köpfen gegeneinander, wie sich erboste Stiere im Anprall zu bekämpfen suchen. Laut aufkreischend, die Arme in die Seiten gestemmt, sprangen sie, rasenden Teufeln gleich, im Lichte der goldigen, funkensprühenden Raketen umher, teilweise mit dem Sklavenkittel bekleidet, teilweise gänzlich nackt.

Arme und Füße in die Luft werfend, schlangenhaft sich windend und biegend, bald Sieger, bald in den Sand gestreckt, so dass es aussah, als wirbelten die schwarzen Glieder regellos durcheinander, Dämonen angehörend, die einen unheimlichen, lästerlichen Tanz vollführten. Während die Europäer mit dem lebhaftesten Interesse diese Vorgänge beobachteten, hatte der Wirt unter Beihilfe mehrerer Sklaven die ganze Veranda durch Fackeln tageshell beleuchtet.

Überall wehte und flammte eine züngelnde purpurrote Glut, überall wogten hohe schwarze Rauchsäulen, kerzengerade aufsteigend, zum Himmel empor. In jeder Hand blitzte herausfordernd die blanke Waffe, in jedem Gürtel steckten Pistolen – so gerüstet, sah man dem etwaigen Erscheinen eines jenen halbtollen, sich mehr und mehr erhitzenden Neger ohne Furcht entgegen. Mochte der Mörder kommen, er würde einen sehr warmen Empfang finden.

In Rauchwolken und lodernde Glut gehüllt, mit den vielen jugendfrischen, hier und da abenteuerlich ausstaffierten Erscheinungen bot das Wirtshaus einen Anblick, der vielleicht anziehender und fesselnder wirkte, als derjenige der jetzt vorüber gleitenden, alle erdenklichen Farben aufweisenden Prozession. Voran hüpften kleine, etwa acht- bis zehnjährige Mädchen in weißen Kleidern und mit goldumsäumten weißen Engelsflügeln an den Schultern. Die Kinder hielten sich abwechselnd an den Händen gefasst oder tanzten in anmutigen Bewegungen allein, während aus allen Fenstern, von allen Balkonen und flachen Dächern eine wahre Flut üppiger Rosen auf sie herabgeschüttet wurde.

Die Straße bedeckte sich mit weißen und roten Blüten, während die Luft von dem Lichte zahlloser Feuergarben, Raketen und bunten Kugeln wie mit einem Funkenregen erfüllt schien. Immer neues flammendes Spiel wirbelte durch die Luft, schmetternd ertönte, von mehreren Banden zugleich vollführt, eine rauschende Musik in dieses

Knattern und Zischen, diesen Jubel und dieses Stimmengewirr hinein. Das Ganze glich weit mehr einem Maskeradenumzug als einer religiösen Feier, wenigstens sahen die Europäer einander kopfschüttelnd an; ihnen war es unmöglich, auch nur das geringste Gefühl der Andacht dabei zu hegen.

Es folgten jetzt etwa zwanzig, reich mit bunten Decken, Blumen und Quasten geschmückte Pferde, deren jedes eine hölzerne Heiligenfigur auf dem Rücken trug, dann flatternde Fahnen, wieder Musik und nun im langen Zuge die Mönche und Geistlichen der ganzen Stadt in ihren Ordensgewändern, zwischen sich, unter goldblitzendem Baldachin hocherhoben die Monstranz, das Allerheiligste, vor dem die Zuschauer auf ihre Knie fielen und sich andächtig bekreuzigten.

Den Schluss machte wieder eine Anzahl Neger mit Raketen und Leuchtkugeln, dann war der glänzende Zug vorüber gerauscht, und wie auf eine allgemeine Verabredung schlossen sich binnen Sekunden ringsumher sämtliche Haustüren. Kein Mensch war in den zu den Höfen führenden Gängen oder auf der Straße mehr zu entdecken, – alles hatte sich in das schützende Innere der Häuser geflüchtet.

»Wahrscheinlich werden jetzt die Neger ausschwärmen!«, sagte jemand.

»Sie brüllen schon wie die Tobsüchtigen!«

»Und keine Polizei, keine gesetzliche Macht, um ein solches Treiben zu verhindern. Es ist doch wahrhaft ungeheuerlich!«

»Da! Da! Jetzt fliegen sie auseinander!«

»Und jeder von ihnen hält in der Hand einen kurzen Dolch. Die Waffen müssen also schon vorher an den Versammlungsort gebracht worden sein.«

»Natürlich. Diese –.«

»Es kommt einer geradeswegs hierher!«

»Zwei! Drei!«

»Achtung! – Nicht schießen!«

Sämtliche Anwesende bildeten eine dichte, ununterbrochene Reihe; jeder Arm mit der blanken Waffe war ausgestreckt, jedes Auge beobachtete auf das Schärfste die springenden, kreischenden, wie schwarze Teufel in wildem Wirbel daher rasenden Neger, – auch Benno stand mitten unter den Versammelten, auch er würde den Stoß parieren müssen, wenn zufällig gerade vor ihm die Mörderfaust sich erheben sollte. An seiner Seite blieb der Kunstreiter.

»Sehen Sie den langen Gesellen, Benno? – Er möchte gar zu gern seinen heidnischen Götzen ein weißes Opfer schlachten!«

»Das gilt mehr als ein schwarzes?«

»Viel mehr. Achtung – jetzt kommt er.«

Der riesenhafte Neger kroch in Schlangenwindungen herbei, sein Auge glühte, seine Brust arbeitete heftig, der Atem ging pfeifend, er schwang den Dolch in weiten Kreisen über dem Kopf, unablässig suchend, wo es ihm möglich werden würde, die dicht geschlossene Reihe zu durchbrechen und tief in eine Menschenbrust das kalte Eisen hineinzustoßen.

»Nicht schießen!«, ermahnte wieder der Wirt. »Dieser Bursche hat einen Wert von vielen Hunderten.«

Noch eine Minute währte der stumme erbitterte Kampf. Der Schwarze sah, dass sein Vorhaben unausführbar sei, – laut aufkreischend schleuderte er mit voller Wucht den Dolch in die Reihe der Männer hinein und blitzschnell waren er und die anderen Neger im Dunkel verschwunden.

»Niemand getroffen?«, rief unruhig der Wirt. »Gottlob nicht! – Die Waffe steckt im Türrahmen.«

Aus geringer Entfernung tönte ein plötzlicher, gellender Aufschrei, dann wurde alles still. Die Capoeiras mochten ihr Opfer gefunden und es erstochen oder erwürgt haben.

»Scheußlich!«, rief Benno. »Und so sucht nun jeder einzelne dieser Unsinnigen einen fremden, beliebigen Menschen, den er mordet?«

»Um seine Götter zu versöhnen, ja.«

Benno schauderte. Da erschien ihm die Wildnis mit ihren reißenden Tieren, mit allen ihren tausend bekannten und unbekannten Gefahren doch viel begehrenswerter als ein Zustand, welcher Zivilisation genannt wurde, ohne so grauenhafte Ausbreitungen verhindern zu können.

Er zog sich bald nach dem aufregenden Vorgang in den mit frischem Stroh bedeckten Schlafraum zurück, um, wenn etwa nach ihm gefahndet werden sollte, den Nachstellungen seines Prinzipals zu entgehen. Ramiro und der Schlangenmensch blieben bis tief in die Nacht bei der Flasche sitzen, nur Michael schlich sich an Bennos Seite und sah mit seinen halbverwirrt blickenden Augen wie fragend in diejenigen unseres Freundes.

»Wohin gehen wir, Herr?«, forschte er mit unterdrückter Stimme.

»Nach Peru!«, antwortete Benno.

»Ist es wirklich wahr? Wirklich? Ich glaube. Ramiro will mich täuschen.«

»Weshalb, Michael? Die Reise geht in der Tat nach Peru.«

»Das ist gut. Und noch eins, Herr! – Joseffo wird in seiner Heimat geblieben sein, denke ich. Er kam nie nach Ungarn.«

Benno schüttelte den Kopf.

»Wer ist denn Joseffo?«, fragte er.

Michael schien zu erschrecken, er schauderte.

»Wenn uns Joseffo entgegenkäme!«, seufzte er. »Wenn das Ganze ein Traum gewesen wäre!«

»Welches Ganze? Wovon sprechen Sie, Michael?«

Der Halbirre presste beide Hände gegen die Stirn.

»Ich weiß es nicht mehr. Ein Hund bellte dabei und die Wassernixen sahen mich an, sie drohten mir, griffen nach mir – und ich war doch schuldlos.«

Benno schwieg. Es schien ihm, als dürfe er das Vertrauen des Unglücklichen auf keinen Fall stehlen.

»Besser, so schlimme Geheimnisse gar nicht erst kennenlernen«, dachte er, »die Zukunft, bringt ohnehin Sorgen genug.«

An seiner Seite raunte Michael weiter verworrenes Zeug von dem bellenden Hund und von der schwarzen Kunst, die er besitzen möchte; unten im Haus sangen die Zecher ihre lustigen Lieder und dazwischen prasselte wieder, wie in der letzten Nacht, ein starkes Gewitter vom Himmel herab. Benno dehnte sich behaglich auf dem trockenen, mit Wolldecken belegten Stroh, – wenigstens der Regen konnte ihm diesmal nichts anhaben.

6.

Unter Abenteurern – Quer durch Südamerika – Enttäuschung der Auswanderer – Die Harpyie – Der Schlangenmensch im Adlernest – Die Abgottschlange – Eine Gespenstergeschichte ohne Gespenst – Der Schreiber Beelzebub – Das erste Nachtlager im Freien und Aufbruch zum Weitermarsch

Früh am anderen Morgen ordnete sich vor der Herberge ein stattlicher Reiterzug. Jeder Mann hatte sein an das Klettern über Gebirgspässe gewöhntes Maultier, es waren eingeborene Führer vorhanden und außerdem Lebensmittel auf Monate hinaus, Farina, trockenes Fleisch, Speck, Salz, Kaffee und einige Medikamente, ebenso überzählige Wolldecken, Hängematten und Beile, um sich im höchsten Notfall, wenn es an Wildpfaden und an natürlichen freien Durchgängen fehlen sollte, im Urwald den Weg zu bahnen, Endlich trug noch ein Lasttier etwa sechs oder zehn steinhart getrocknete und ausgebreitete Ochsenhäute.

»Wozu dieses?«, fragte Halling, indem er gegen das seltsame Bündel klopfte.

»Das sind unsere Boote. Je ein Weißer setzt sich auf eine Haut und zwei Eingeborene ziehen ihn schwimmend hinüber!«

Halling lachte.

»Weshalb schwimmt der Weiße nicht selbst?«, fragte er.

»Es steht Ihnen frei, das zu tun, mein Lieber. Sie können dann auf der Ochsenhaut Ihr Eigentum transportieren lassen.«

Benno dachte an seine Kiste, er seufzte heimlich. So manches wäre jetzt von großem Wert gewesen. Er kaufte noch in aller Eile einige Kleinigkeiten. Bald darauf wurde die für drei oder vier Monate berechnete Reise angetreten. Es war keine sehr achtbare, bürgerliche Gesellschaft, die sich da zusammengefunden hatte; mancher unter diesen Leuten mochte den Urwald aufsuchen, um nicht in den Straßen der Großstadt gesehen zu werden, mancher liebte die gefährlichen Abenteuer mehr als die profane Alltagsarbeit, alle aber waren sie frohen Mutes und nicht geneigt, um das Mein und Dein lange zu streiten.

Für den Kunstreiter und dessen drei Genossen hatte sich, nachdem ein einziger lustiger Abend die Bekanntschaft angebahnt hatte, sogleich eine Gruppe von Peruanern eingefunden, die willig bereit waren, um den Landsmännern auszuhelfen und ihnen den nötigen Reisebedarf zu sichern, – Leute, deren Handwerk das Glücksspiel war, die einmal für eine Zeit lang aus Rio verschwinden wollten, nachdem in ihren Taschen die Goldfüchse in Mengen klapperten. Sie kannten die Sage vom verlorenen Schatz der Frascuelo, sie kannten das böse Geschick des Kunstreiters, und einer unter ihnen war auch vor Jahresfrist in ihrem gemeinsamen Geburtsort gewesen.

»Ein herrliches Kloster steht in dem Garten deines Elternhauses«, hatte er gesagt, »ein hohes, stolzes Bauwerk mit Säulengängen und zahllosen lauschigen Erkern. Im See füttern die Brüder vom heiligen Franziskus ihre Goldfische; in dem Haus, darin du geboren bist, beherbergt das Kloster seine Gäste, Pilger und Hilfesuchende, wie sie kommen.«

»Und wer ist der Prior?«, hatte Ramiro gefragt, während ihm vor Unruhe der Herzschlag stockte.

»Das ist Bruder Alfredo, dein Feind. Aber das Glück hat ihm nicht wohlgetan, wie es scheint, er geht gesenkten Hauptes, ist gar blass und legt sich täglich freiwillige Bußübungen auf, – bald verbringt er viele Stunden in geschlossener einsamer Zelle, bald fastet er tagelang. Bruder Alfredo ist beinahe tiefsinnig, aber ein Freund aller Armen und Elenden, denen er hilft, wo immer sein Blick ihrer Not begegnet.«

»Am liebsten sitzt er ganz allein im Gebirge«, sagte ein anderer.

Ramiro horchte auf. »Im Gebirge?«

»Ja, du weißt doch, dass eine beinahe unzugängliche Schlucht voller Klippen und zerrissener Abgründe hineinragt in den Garten deines Elternhauses?«

Der Kunstreiter nickte.

»Freilich!«, antwortete er. »Und dorthin begibt sich, wie du sagst, Bruder Alfredo?«

»Ja, er steigt in das Geklüft und verschwindet vor aller Blicken, es darf ihm niemand dahin folgen. Als es einmal ein dienender Bruder wagte, da hat er schwere Strafe über den Neugierigen verhängt; seitdem betritt keiner der Mönche mehr den Teil des Gartens, in welchem die Felspartie liegt.«

Ramiro wandte den Kopf; seine und Bennos Blicke begegneten sich.

»Er bewacht meinen Schatz«, dachte mit glänzenden Augen der Peruaner.

»Er sieht in das Versteck der Edelsteine und zählt die Tage, bis ich komme, damit endlich der Fluch von ihm genommen wird!«

Aber laut antwortete er Gleichgültiges, Unbedeutendes. Keiner dieser Leute sollte erfahren, welch ein Glück ihm bevorstand; sie hätten sich ja sonst alle an seine Fersen gehängt, hätten alle ihren Anteil begehrt, das durfte nicht sein. Dies und das erzählten sie dem aufhorchenden Mann, Neues aus der Heimat, Dinge, die ihn interessieren mussten, während der lange Reiterzug im Schritt die herrliche Umgebung der Stadt passierte und langsam zwischen Palmen und Pisanggebüschen der eigentlichen Wildnis entgegenging. Pluto, das graue Windspiel, trabte neben den Maultieren in lustigen Sprüngen dahin.

Am dritten Tag blieb er plötzlich bellend stillstehen. Irgendetwas musste seine Aufmerksamkeit erregt haben. Zugleich hörten die vordersten Reiter das Kreischen einer Frauenstimme.

»Da ist wahrhaftig wieder der gespenstische graue Hund!«, schrie sie. »Schlagt die Bestie nieder!«

»Hierher, Pluto!«, rief unser Freund.

Der Hund gehorchte und blieb an seiner Seite, auch als der ganze Reiterzug hielt. Es waren die Auswanderer des hamburgischen Schiffes, welche hier in der Wildnis lagerten und zum Teil laut murrend, zum Teil in stiller Verzweiflung auf ihren Gepäckstücken saßen. Kisten und hölzerne Koffer, Wiegen, Spinnräder, Kochgeschirr, Bettstücke und Ackergerät, alles trieb gleichsam herrenlos umher, eine Beute der Legionen von Insekten, welche die Luft erfüllten, der kriechenden und fliegenden Geschöpfe, von denen jede Fuge, jede Falte förmlich wimmelte.

»Der Hund!«, riefen die Leute. »Der Hund! Da ist er!«

»Ach, solches Tier sieht das Unglück voraus. Sagt, was ihr wollt, aber wenn ein Hund heult, so geschieht Böses.«

»Sehen Sie doch, Herr«, jammerten einige der Männer, sich zu dem ihnen bekannten Kunstreiter wendend, »sehen Sie doch nur, das hier ist unser Grund und Boden, noch nicht einmal vermessen, ohne Gebäude oder ordentliche Wege, fast lauter Gestein und Wald, da drüben sogar Sumpf, – was sollen wir beginnen, um hier zu leben?«

»Und nun sehen Sie diese Ameisenjagd! Meine Betten, mein Kochgerät, alles ist voll. Und da – Gott im Himmel! – da sind die Tiere auch schon bei den Lebensmitteln!«

»Ich habe Tausendfüßler, – ist das etwa besser?«

»Sie kommen aus der Stadt«, sagte ein Mann, »hörten Sie nichts von den Regierungstruppen, die uns geschickt werden sollten, um den Landmesser und eine Anzahl Zimmerleute zu bringen?«

Ramiro schüttelte den Kopf.

»Gar nichts, Leute. Ihr müsst selbst Hand anlegen, müsst Zelte aufschlagen. Bäume fällen, Wasser hierher leiten und Pflanzungen anlegen. In sechs Wochen reift die erste Ernte.«

Aber seine Worte fanden keinen Anklang. Die Frauen weinten und die Männer ballten die Faust, – schon jetzt in den ersten Tagen ihres Hierseins gaben die getäuschten Menschen alle Hoffnung verloren.

»Wäre der Agent hier«, hieß es, »Gott möchte ihm gnädig sein.«

»Er sprach daheim in Deutschland von einem Boden, der bei oberflächlicher Bearbeitung doppelte Ernten trüge, von zahllosen Bäumen, auf denen die herrlichsten Früchte wild wüchsen, von Hasen, Hirschen und Rehen, die nur so überall herumliefen, jedem, der sie fangen oder schießen wolle, als Braten, ja, um Gottes willen, was ist denn davon wirklich wahr geworden? Wir sitzen zwischen Steinen und Millionen von Ameisen, wir haben bei der Gefräßigkeit aller dieser Insekten vielleicht schon morgen nichts mehr zu essen, das ist unser wirkliches Los.«

Die vordersten Reiter setzten sich wieder in Bewegung, langsam folgte die Nachhut, und so sahen sich unsere Freunde genötigt, den unglücklichen Kolonisten Lebewohl zu sagen. Schluchzende Stimmen antworteten ihnen; man deutete auf eine, von einem Zeltdach beschützte Stelle und weinte bitterlich.

»Da liegen die Fieberkranken ohne Arzt oder Pflege. Ein Kind ist schon gestorben.«

»Und ihrer zehn blieben im Spital der Hauptstadt zurück.«

»Adieu, Leute, adieu, Gott möge euch beistehen.«

»Das ist ein schreckliches Schicksal!«, flüsterte Benno.

Der Kunstreiter zuckte die Achseln.

»Millionen von Kolonisten haben in allen Weltteilen Ähnliches durchlitten«, sagte er. »Denken Sie nicht daran, Benno, es lähmt den Mut, welchen wir doch so notwendig brauchen. Auch uns steht der Kampf mit den Insekten noch bevor, – er ist unerträglicher und aufreibender als der gegen die reißenden Tiere, denen wir etwa begegnen könnten.«

Benno lockte den Hund zu sich.

»Dir geben die unvernünftigen Menschen alle Schuld, Pluto«, sagte er, das Tier liebkosend. »Welch eine Torheit!«

»Glauben Sie gar nicht an Vorzeichen oder Ahnungen?«, fragte einer der Reiter.

»An keine übersinnlichen Warnungen?«

»Nein, wirklich nicht.«

»Ich auch nicht«, warf Doktor Schomburg ein.

»Gut. Heute Abend im Lager will ich Ihnen eine Geschichte erzählen. Dann werden wir ja sehen, wer recht behält.«

Ramiro zog die Uhr hervor.

»In zwei Stunden müssen wir haltmachen, – es wäre nett, wenn uns noch ein gutschmeckendes Tier vor den Schuss käme.«

»Vielleicht, wenn erst die Maultiere ausgeschirrt sind. Wir drei, Pedrillo, Sie und ich könnten dann noch eine kleine Streife unternehmen; man wird vom beständigen Sitzen ganz steif.«

Die Sonne stand schon tief am Horizont und die Treiber begannen den Platz zum Nachtquartier aufzusuchen. Vor den Wanderern lagen die Höhenzüge, welche sie überschreiten mussten, ringsumher bedeckte ein dichter grüner Teppich den Boden, hier und da von grauem Gestein unterbrochen; ein kühlender Wind rauschte durch die Wipfel der Buritipalmen, deren hohe schlanke Stämme wie Silber glänzten.

Gleich flatternden Schleifen, vielgestaltig und vielfarbig hingen lange Blütenranken auf die Köpfe der Reiter herab, grüne Büsche streiften ihre Stirnen, der Wohlgeruch von tausend Blumen erfüllte weithin die Luft.

Ramiro deutete zum Abendhimmel empor.

»Sehen Sie da den großen Vogel, Benno? – Er lauert auf Beute.«

»Ein Adler, nicht wahr?«

»Eine Harpyie, der größte und gefährlichste Greifvogel. Gleich werden Sie ihn sich plötzlich auf sein Opfer stürzen sehen.«

»Da ist das Nest«, rief Pedrillo, auf einen ziemlich kahlen alten Baum deutend. »Hoch oben in der Krone.«

»Wie ein doppelt großes Storchennest.«

»Da! Da! Der Vogel hat seine Beute entdeckt.«

Die Harpyie schoss in diesem Augenblick mit lautem gellenden Kampfgeschrei plötzlich herab. Sekundenlang sahen aller Blicke das große, über drei Fuß messende Tier mit den gewaltigen Flügeln und

dem schwarzweißen Gefieder ganz in der Nähe; die Holle am Hinter-
kopf stand aufrecht, die Augen funkelten vor Begier, die Krallen
zuckten, wie in unbändigem Verlangen zuzugreifen und das Opfer
mit sich fortzuschleppen.

Dann verschwand auf Augenblicke der königliche Vogel zwischen
dem dichten Blätterwerk einer Gebüschpartie, nur auf Augenblicke,
kaum lange genug für ein leise geflüstertes: »Was mag er haben?«,
ein Jammerlaut durchdrang die Luft, es rauschte und krachte unter
den Blättern, und nun erschien die Harpyie, in dem krummen
Schnabel ein junges Reh tragend, mit leicht schlagenden Flügeln unter
dem Laubdach des Baumes, dessen obere Äste ihr riesiges Nest zwischen sich festhielten. Der Vogel trug die Beute, als habe er etwa das
Gewicht einer Blume im Schnabel; schon nach wenigen Sekunden
war er in seinem Nest angelangt. Eine allgemeine Jagdlust hatte sich
der Reisenden bemächtigt.

»Ich kann mit Leichtigkeit den Baum erklettern«, meinte Pedrillo.

»Ich auch, – aber ob die Begegnung mit der Harpyie eine angenehme sein würde? Man könnte seine Augen einbüßen!«

»Die Harpyie schlägt dir mit ihrem Schnabel mit einem Hieb den
Schädel ein, Señor!«, warnte einer der eingeborenen Treiber.

»Komm ihr nicht zu nahe, oder du bist ein Kind des Todes.«

»Die Harpyie hat auch den ›bösen Blick‹!«, meinte ein anderer.
»Du fällst hin, wenn sie dich ansieht und bist tot.«

Pedrillo lachte.

»Ich steige hinauf«, sagte er. »Es ist ein Kinderspiel, – man kann
von Ast zu Ast springen.«

»Und was wollen Sie da oben?«

»Die Harpyie mit der Pistole totschießen.«

»Herr, Herr, sie saugt dir das Blut aus, sie bringt dich um!«

»Das wird sich finden. Ist ein sicherer Schütze in Ihrer Mitte,
meine Herrschaften? Einer, der das Herz-As aus der Karte schießt?«

»Ich kann es«, nickte der junge Halling. »Gut, dann halten Sie sich
bereit, sobald ich rufe.«

Und Pedrillo erreichte springend den untersten Ast des Baumes.
Mit der rechten Hand hielt er sich von Zweig zu Zweig kletternd fest,
die linke brauchte er, um Ranken und Gestrüpp zu entfernen. Es sah
aus, als schwinge sich eine geschmeidige Katze durch das Gezweig.

Von oben herab beugte die Harpyie über den Rand das aus trockenen Reisern geflochtenen Nestes heraus ihren Kopf mit den brillenartig umsäumten Augen und dem furchtbaren Schnabel; ein lautes Zischen bekundete den Zorn, in welchem sich das Tier befand. Der Schlangenmensch brachte langsam die freie Hand zur Brusttasche und zog die Pistole hervor. So aus nächster Nähe schien es unmöglich, das Herz des Vogels zu fehlen.

»Soll ich schießen?«, rief Halling. »Nein, nein, noch droht mir keine Gefahr.«

Er hing an einem Arm und zielte jetzt auf die Harpyie, deren Füße den Rand des Nestes umkrallten. In dem Augenblick, als der Stoß erfolgen sollte, blitzte es zwischen den Ästen, und sich heftig überschlagend, stürzte der schöne große Vogel auf den Erdboden herab, noch nicht getötet, aber sterbend, mit durchschossener, blutender Brust, sich vor Wut und Schmerz krümmend.

Die indianischen Treiber stürzten sich von allen Seiten auf die willkommene Beute. Mit lautem Geschrei wurde der Vogel getötet, und nachdem sich Doktor Schomburg gegen Geld und gute Worte den Federbalg gesichert, sogleich aufgeschnitten, um zur Abendmahlzeit verwendet zu werden.

»Das Tier frisst nur lebend erjagtes Fleisch«, behaupteten sie, »es ist fett und wohlgenährt. Weshalb sollte man es also nicht essen?«

Während die Leute Feuer anlegten und die Hängematten aufbauten, hatte sich Pedrillo bis in das Nest geschwungen.

»Zwei ganz junge Vögel!«, rief er herab.

»Das Rehkitz ist fast verzehrt.«

Die Indianer sprangen um den Stamm des Baumes wie Besessene.

»Wirf es uns zu, Señor, wirf es uns zu!«

»Aber es ist zerhackt und zerstückelt, an den Fleischteilen kleben Blut und Haare. Ihr könnt es nicht mehr essen!«

»Doch, Herr, doch! Wirf es herab!«

Pedrillo legte die beiden schon erfassten Jungen der Harpyie wieder ins Nest zurück und nahm die Überreste des Rehkitzes, um diese den Indianern zuzuwerfen; plötzlich aber stieß er einen Schrei aus, halb erstickt, wohl unwillkürlich; er wich zurück und ließ das Tier fallen, – seine Hand griff nach einem Stützpunkt, den sie im Augenblick nicht gleich erreichen zu können schien.

Das alles vollzog sich gedankenschnell, aber es hatte doch die Aufmerksamkeit der Untenstehenden erregt; jeder einzelne der Männer sah in das Gezweig des Baumes hinauf, einige erschreckend, andere ohne sogleich zu begreifen, was vorging.

»Ein starker Ast versperrt ihm den Rückweg!«, rief Ramiro.

»Das ist kein Ast, – es bewegt sich ja.«

»Pedrillo, so sprich doch, – was ist denn los?«

Und ehe eine Antwort kommen konnte, hatten die eingeborenen Führer den Sachverhalt durchschaut.

»Eine Abgottschlange!«, riefen sie. »Eine große Abgottschlange!«

»Sie folgt jeder Bewegung Pedrillos! – Ich will lieber hinaufklettern und ihr mit dem Kolben den Garaus machen.«

»Lassen Sie das!«, warnte Halling. »Ich sehe deutlich den Kopf des Ungeheuers! Pedrillo, soll ich schießen?«

»Wenn Sie Ihrer Sache sicher sind, ja. Ich kann weder nach unten noch nach oben flüchten; die Schlange versperrt mir den Weg.«

Der junge Deutsche hob die Kugelbüchse.

»Achtung!«, rief er. »Biegen Sie sich rückwärts, Herr, dann geschieht Ihnen kein Leid.«

Die Männer da unten am Stamme des Baumes wagten kaum zu atmen, sie sahen unverwandt zu dem züngelnden Schlangenhaupt empor, Doktor Schomburg seufzte, indem er unruhig mit der Hand über die Stirn strich.

»Ich bitte Sie, Ernst«, sagte er, »nehmen Sie alle Ihre Kaltblütigkeit zusammen. Der Kopf der Bestie ist von dem des jungen Mannes kaum zehn Zoll entfernt.«

Der Naturforscher antwortete nicht, wohl aber krachte sein Schuss, und die Wirkung desselben war eine gewaltige. Blätter und Blumen, mit Ranken umflochtene Zweige, selbst größere Äste, alles flog und prasselte wie ein Hagelschauer auf den Boden herab, die Bewegungen der in den Hals getroffenen Schlange ließen den ganzen Baum erzittern, bis endlich das zähe Leben erloschen oder doch wenigstens betäubt war.

Blut träufelte herab, schwer sank der schön gezeichnete Kopf gegen die Erde nieder, und nur noch die Schwanzmuskeln hielten krampfhaft den Körper oben in den Baumzweigen fest. Ein lautes freudiges Hurra der Reisegenossen erfüllte die Luft.

»Das war ein Meisterschuss!«, rief Doktor Schomburg. »Wahrhaftig, es erfordert Mut, die Kugel so dicht an dem Kopf eines Menschen vorbeizuschicken.«

Halling lud kaltblütig die Büchse.

»Ich kann es!«, sagte er mit dem Stolz des Siegers. »Ich bin meiner Sache gewiss.«

Ramiro war indessen beschäftigt, aus dem starken Bast der Buriti-palme eine Schlinge zu drehen; dann kletterte er an dem Stamm empor nach dem Ast, welcher die Schlange trug, und legte vorsichtig das Geflecht um den Hals des Ungeheuers. Sogleich zuckte der Körper, die Schwanzspitze bewegte sich heftig wägend und die gespaltene Zunge kam zum Vorschein. Das zähe Schlangenleben hatte durchaus noch nicht aufgehört.

Ramiro schnürte den Hals so fest gegen den Baumstamm, dass wenigstens keine Fluchtversuche mehr möglich waren, dann löste er weiter oben vorsichtig das Schwanzende und ließ es auf den Boden herabfallen. Es zog Kreise im Gras und ringelte und wand sich selbst dann noch, als die Indianer mit Beilen den Kopf des völlig herabge-zogenen Tieres abgetrennt hatten.

»Zwanzig Fuß Länge!«, rief der Doktor. »Welch ein Tier!«

Pedrillo stieg langsamer und vorsichtiger vom Baum herab, als er vorhin die Krone desselben erklettert hatte.

»Wie ein Philister, der auf einer Landpartie zeigen will, was er leisten kann«, sagte Ramiro.

»Bumm! Bumm! – Schwerfällig von Ast zu Ast!«

Sie lachten beide.

»Da sind die kleinen Harpyien«, sagte Pedrillo, zwei federlose Junge aus den Taschen ziehend. »Kann ich Ihnen dienen, Herr Doktor?«

»Vielleicht unseren Führern«, entgegnete dieser. »Es ist jammerscha-de, aber in welchem Behälter sollte ich die nackten Geschöpfe während der Reise verwahren?«

Die Tierchen wanderten also mit in den alles verschlingenden Kochkessel der Eingeborenen, deren loderndes Feuer die Moskitos einigermaßen in Schach hielt. Überall hingen jetzt die Matten in den Bäumen, Fleisch und Speck brodelten in den Töpfen. Die Treiber verzehrten mit Wohlbehagen große Stücke Schlangenfleisch, und je-dermann suchte nach des Tages Hitze die ersehnte Ruhe, – da rauschte es über den Köpfen der Männer hoch oben im Blau, und emporblickend sahen sie eine zweite, noch größere Harpyie, jedenfalls das Männchen des getöteten Weibchens, welches seine Jungen geätzt hatte.

Das Tier stieß einen scharfen, gellenden Schrei hervor, es schlug mit den Flügeln und neigte den Kopf suchend von einer Seite zur anderen. Ein paar Büchsenkugeln wurden ihm entgegen gesandt, aber ohne zu treffen, die Finsternis täuschte den Blick. Mit einem weithin tönenden Schrei verschwand das Tier zwischen den Baumkronen. Nachdem der Platz von Insekten möglichst gesäubert worden war, wurden die Wolldecken ausgebreitet. Jeder saß und lag, wie ihn seine Neigung führte.

Die kurzen Pfeifen dampften behaglich; man wollte vor dem Schlafengehen noch ein Plauderstündchen halten. Zu Bennos Füßen lag der graue Hund, die Schnauze zwischen den Vorderpfoten verbergend. Für diesen Abend hatte der Kunstreiter seinen Jagdeifer aufgegeben; die Büchsenschüsse mochten zudem jedes Wild aus der Nähe verscheucht haben; man war auch müde und nicht zum wenigsten des Blutgeruchs überdrüssig. Morgen konnte die Absicht, Wild zu schießen, vielleicht besser ausgeführt werden.

»Nun, Señor«, sagte während dieser behaglichen Ruhepause eine Stimme, »wie wird es denn mit der Gespenstergeschichte, welche Sie uns versprochen haben?«

Der Peruaner schüttelte den Kopf.

»Ein Gespenst kommt darin nicht vor, Señores«, versetzte er.

»Nun gut, dann doch jedenfalls etwas Schauriges, Übernatürliches?«

»Hm, – mindestens etwas Geheimnisvolles. Aber ich hätte davon freilich lieber nicht sprechen sollen.«

»Weshalb nicht?«

Der Mann fuhr mit der Hand über das Gesicht.

»Weil es eine meiner liebsten Erinnerungen betrifft«, sagte er dann nach einer Pause, »weil mich die Geschichte immer noch erschüttert, wenn ich nur daran denke. Und Sie glauben vielleicht kein Wort davon.«

»Erzähle! Erzähle!«, bat Ramiro. »Wenn es nur einen Menschen gäbe, der an die Einwirkung übersinnlicher Kräfte glaubt, dann bin ich es.«

»Wir auch!«, tönte es rings im Kreis. »Wir auch.«

Michaels blasses, träumerisches Gesicht sah neben dem des Kunst-reiters aus dem Halbdunkel hervor.

»Geister?«, flüsterte der Knabe. »Auch Wassernixen?«

»Sei jetzt ganz ruhig, Señor Castillo will erzählen.«

»Nur nicht von einem Hund«, raunte der Halbirre, »nicht von ei-nem Hund. Sonst kommen wieder die schlimmen Gedanken.«

»Still, oder –.«

Und Michael duckte sich voller Furcht.

»Ich habe schon einmal für die Unabhängigkeit meines Vaterlandes gefochten«, begann Castillo, »es ist lange her, ich zählte zwanzig Jahre und war ein junger lebensfroher Mann, ein Feuerkopf voll Freiheits-gedanken und weittragender Pläne, wie sie wohl mancher schon gehegt hat, der später, als er alt wurde, von den Menschen nur noch das Böseste glaubte. Solche Zeit der flammenden Begeisterung für die Freiheit ist schön, wunderbar schön, aber gefährlich. Was einem sonst noch angehört, was man heilig gehalten und geliebt hat, Pflicht und Beruf, – das reißt sie alles in ihren Wirbeltanz mit hinein. Man hat nur Raum für den einen Gedanken, und wer ihn nicht fassen, wer ihn nicht mit gleicher Begeisterung teilen kann, der ist unser Feind, er sei wer er wolle.«

»Wahr, wahr«, murmelte es im Kreis. »So erging es auch mir! Und mir! – Ach, es sind tiefe Wunden, die der Bürgerkrieg schlägt.«

»Furchtbar tief, – ich habe mit ansehen müssen, wie die Soldaten meines Regimentes das Haus meiner Eltern in Brand setzten, wie die alten Leute flüchteten, und wie ihr bescheidenes Eigentum, das auch mir lieb und teuer war, dem rohen Übermut von Frevlern zur Beute fiel.«

»Das war schrecklich«, rief Castillo, »schrecklich, aber noch nicht das Äußerste. Du hast niemals gegen deinen Vater gekämpft, ihm nicht als Soldat, als Feind in offener Schlacht gegenübergestanden.«

Der Peruaner bekreuzigte sich.

»Nein«, antwortete er. »Das nicht.«

»Aber ich musste ein solches Schicksal über mich ergehen lassen, ich war der Unglückliche, den das Verhängnis für seine Sünden so schwer heimsuchte!«

Castillo nahm die Pfeife aus dem Mund, er war blass geworden, seine Lippen bebten.

»Ich habe meinem Vater in offener Feldschlacht gegenübergestanden«, fügte er hinzu, »er kämpfte in der einen Partei, ich in der anderen.«

»Und du hast ihn erschossen?«, rief eine Stimme. »Du hast –.«

Castillo winkte.

»Nein, nein, das nicht, Kameraden. Hätte mich das Geschick so furchtbar heimgesucht, dann – Gott vergebe mir es! – wäre die zweite Kugel für mich selbst bestimmt gewesen.«

»Ich habe meinen Vater in jener Schlacht nicht einmal gesehen«, fuhr er nach einer Pause fort, »aber meine Gedanken beschäftigten sich damals nur mit ihm. Er war unter der Zahl derjenigen, gegen welche wir fochten, das wusste ich; in jedem Augenblick konnte mir aus dem Pulverdampf sein Gesicht entgegensehen, in jedem Augenblick konnte mein erhobener Arm unter allen Gegnern gerade ihn treffen. Diese Vorstellung verließ mich nicht mehr; ich suchte gewaltsam, ihre Schrecken zu betäuben. Wir beide waren Soldaten, mein Vater und ich; über allen anderen Rücksichten stand der Fahneneid, – er konnte mir nur als der Feind gelten, nicht als der Mensch, den ich liebte, aber dennoch brachte mich die Aufregung fast von Sinnen. Er hielt treu zu seinem Königshaus; als geborener Spanier sah er in den Peruanern nur offenbare Rebellen, die eine harte Züchtigung verdienten, während ich selbst gerade das Gegenteil empfand, während ich am liebsten ganz Spanien mit allen seinen Ansprüchen auf mein unglückliches Vaterland unter die Füße getreten hätte. Wir verloren die Schlacht, wurden in einen Wald zurückgeworfen und mussten erst Verstärkung erwarten, bevor es uns möglich war, die Feinde mit erneuten Kräften wieder anzugreifen. Am Abend jenes Tages lag eine bittere Stimmung auf den Seelen aller, – es ist eben für den Soldaten sehr schmerzlich, sehr beschämend, ohne Fahne und führerlos in wilder Flucht das Schlachtfeld zu verlassen, aber die sechsfache Übermacht hatte uns dazu gezwungen. Grollend, voll glühenden Rachedurstes lagerten wir zwischen den Bäumen.«

»Und dann geschah ein Überfall, nicht wahr?«

Castillo schüttelte den Kopf.

»Nein. Was ich von dieser Nacht erzählen will, betrifft nur einen Traum.«

»Den Sie hatten?«, rief Benno.

»Ja. Ich lag in meine Decke gehüllt und marschierte im Traum mit den Kameraden gegen den Feind. Plötzlich war es aber, als hörte ich auf zu gehen, ich saß in einem Wagen und wurde wie auf Flügeln vorwärts getrieben. Die Gegend ringsumher schien mir fremd, ich sah einzelne Farmen, Wiesen und Felder, dann einen breiten hellen Strom. Das Wasser glänzte im Sonnenschein, große Vögel flogen darüber hin, hohes Schilf nickte im Winde, – da plötzlich geschah ein Krachen und Stürzen, ich schwebte einen Augenblick in leerer Luft, ich fiel gleichsam ins Bodenlose. Ihr kennt wohl alle diesen Zustand, nicht wahr?«

»Gewiss, gewiss, es ist eine Art von Schwindel, denke ich!«

»Man erwacht meist dabei.«

»Nur weiter, Castillo. Du fielst in das Wasser?«

»Nein, – aber zwei ausgestreckte Arme fingen mich auf.«

»Die Ihres Vaters?«, rief Benno.

Der Peruaner nickte, um seinen Mund spielte ein halb wehmütiges, halb glückliches Lächeln.

»Die meines Vaters«, bestätigte er. »Im selben Augenblick erwachte ich natürlich und war in Schweiß vom Kopf bis zu den Füßen gebadet, mein Herz klopfte heftig und in der rechten Seite fühlte ich einen stechenden Schmerz. Es dauerte geraume Zeit, bevor sich meine Nerven völlig wieder beruhigt hatten; unwillkürlich aber weilten alle meine Gedanken und Gefühle bei meinem alten Vater. Vor mir leuchtete sein Blick, ich sah sein liebevolles, trauriges Lächeln, ich empfand noch den Druck seiner Arme, hörte ihn sagen: ›Mein Junge, mein Herzenskind, du solltest doch nicht fallen!‹ Es wurde mir sonderbar weich und warm zu Sinn, fast als müsste ich weinen, – die übergroße Aufregung mochte wohl schuld daran sein. War es denn möglich, dass ich heute stundenlang geschossen hatte, da doch jede Kugel das Herz meines Vaters treffen konnte? Ein Grauen schlich durch alle meine Adern, ich fühlte, wie mir die Zähne unaufhaltsam gegeneinander schlugen. ›Vater‹, dachte ich in überquellendem Empfinden, ›Vater, wenn ich fallen sollte, – sei bei mir, halte mich!‹ Und als der Gedanke so recht meine ganze Seele erfüllt hatte, da wurde ich ruhiger. Meine Seite schmerzte noch immer sehr heftig, vielleicht infolge zu starker Anstrengung, vielleicht auch durch das Liegen im regennassen Walde; ich konnte nicht gehen, sondern musste bis zur nächsten Ansiedlung transportiert werden, wo außer mir noch mehrere Kranke und Verwundete lagen. Genau eine Woche habe ich da verbracht; meine Schmerzen besserten sich wenigstens so weit, dass ich, als für mein Regiment der Marschbefehl eintraf, nicht im Lazarett zu bleiben brauchte, wenn auch die Kräfte noch nicht wieder zurückgekehrt waren. Man packte uns auf einige Wagen und fort ging es mit Windeseile, denn unsere Spione hatten uns hinterbracht, dass die Spanier einen Überfall beabsichtigten und dass wahrscheinlich ein Hinterhalt gelegt werden würde. Meinen Traum von jener Nacht hatte ich damals völlig vergessen. Es gab so viel Neues, Gefährliches zu erwägen, so viele verschiedene Eindrücke in sich aufzunehmen, dass für ferner liegende Betrachtungen gar keine Zeit übrig blieb; aber ich wurde, als wir so dahinfuhren, ganz unerwartet an jene Vision wieder erinnert.

›Eine prachtvolle Gegend‹, sagte einer meiner Kameraden. ›Sieh diese Farm am Saum des Palmenwaldes, – wie schön!‹ – Ich blickte auf. Sonderbar, – das alles musste ich ja schon einmal gesehen haben. Ob nicht zur Linken jetzt eine Windmühle kam, eine eigentümlich geformte alte Mühle, die ihrer Bauart wegen mein Erstaunen erregt hatte? »Und da war sie ja schon. Da glänzte auch zur Rechten der breite Strom, ich sah das Schilf und die Wasservögel, – wie ein Blitz durchzuckte mich die Erinnerung an meinen Traum. Es war die Gegend, welche ich in jener Fiebernacht gesehen. Einen Augenblick stockte mir der Atem. Kam jetzt auch ein Sturz? Ich konnte nicht weiter denken. Der Wagen fuhr als erster in der Reihe über eine Brücke, – es krachte und knarrte und schaukelte, dann bäumten die Pferde, wir wurden mit den Köpfen gegeneinander geschleudert, und schon nach Sekunden kam der jähe Sturz. Ich fiel, wie ich glaubte, mitten hinein in das Wasser.

Und dann fassten mich kräftige Arme, ich wurde sanft in das Ufergras gelegt und eine liebe, vertraute Stimme sagte: ›Mein Herzensjunge, du solltest doch nicht fallen!‹ Ich war wie betäubt, wie der Wirklichkeit entrückt. ›Vater!‹, stammelte ich verwirrt, ›lieber Vater, woher wusstest du –.‹

Da beugte er sich tief auf mich herab und sagte mit dem traurigzärtlichen Lächeln, dass ich im Traum gesehen: ›Du hast mich ja gerufen, mein Junge, damals in der Nacht nach dem letzten Schlachttag.‹«

Eine eigentümliche, der seelischen Erregung entspringende Blässe lag rings auf den Gesichtern der Peruaner; mehr als nur eine Hand hob sich geräuschlos und malte auf Stirn und Herz das heilige Kreuzzeichen. Es war still, ganz still im weiten Rund; man hörte das Flüstern der Blätter und zuweilen das leise Gurren halb schlummernder Wildtauben, aber die Menschen schwiegen tief erschüttert.

Vor dem lodernden Feuer hockten stumpfsinnig die eingeborenen Führer; im Zickzack schossen, wie Juwelen glänzend, große Leuchtkäfer durch das Halbdunkel der Tropennacht, – erst nach Minuten wurde die Unterhaltung wieder fortgesetzt.

»Erzähle uns das Nähere, Castillo!«, sagte jemand.

Der Peruaner nickte.

»Die Holzbrücke war angesägt worden«, fuhr er fort. »Im Krieg ist ja jedes Mittel erlaubt. Es folgte ein Überfall, der fast alle Soldaten meines Regimentes zu Gefangenen machte, – auch mich selbst.«

»Und dein Vater hatte auch im Traum gehört, wie du ihn riefest?«

»Nicht im Traum. Er hatte plötzlich Ähnliches mehr gefühlt, als gerade vernommen, es war ihm gewesen, als wenn sein Sohn neben ihm stände und ihn bäte. Da trieb es ihn denn, bei dem beabsichtigten Überfall unter der Brücke Posto zu fassen, – sie versteckten sich ja sämtlich, seine Genossen – so konnte er es ohne Aussehen ausführen.«

»Und alle, die sonst noch im Wagen saßen, ertranken bei dem Sturz von der durchsägten Brücke?«

»Alle. Sie wurden zerschmettert oder fanden im Wasser ihren Tod; ebenso die Insassen des zweiten Wagens, der nicht schnell genug anhalten konnte. Tüchtige Schrammen und Quetschungen trug ich selbst auch davon, aber weil zwei kräftige Arme zur rechten Zeit zugriffen, blieb ich vor dem Ärgsten bewahrt. Mein Vater wusste, dass ich mich in einem der Krankenwagen befinden müsse; danach hatte er seine Maßregeln getroffen.«

»Und nun sage noch jemand, dass es keine übersinnlichen Warnungen gibt!«

»Ich habe auch einmal einen Vorfall erlebt, der freilich ganz natürlich zuging, aber doch in gewisser Weise dieses Gebiet streift.«

»Erzähle, erzähle, Alfeo!«

»Das will ich, nur müsst ihr keine lange Geschichte und auch nichts Besonderes erwarten. Es betrifft lediglich eine Gerichtsverhandlung.«

»Bei der du der Angeklagte warst?«

»Macht keine schlechten Witze; es ist eine sehr ernste Geschichte.«

»Dann gib sie zum Besten.«

»Es war einmal ein Mann, der sollte einen Eid schwören«, fuhr Alfeo fort. »Damit mag es nun wohl etwas bedenklich ausgesehen haben, wenigstens wusste man allgemein, dass die Sache mehr als zweifelhaft sei; aber der Betreffende wollte den Reinigungseid leisten, und so musste man ihn, da kein Gegenbeweis vorlag, gewähren lassen. Er stand bereits vor dem Richtertisch und hatte die rechte Hand zum Schwur erhoben, da –.«

»Erlaube, Alfeo, warst du bei der Sache zugegen?«

»Ja, ich sah alles mit an. Als der gute Mann eben den Mund öffnete, um die Eidesformel nachzusprechen, da erhob sich hinter ihm ganz zufällig die Gestalt eines mageren alten Gerichtsschreibers, der auf dem erhöhten Wandregal irgendeinen Gegenstand suchen mochte. An beiden Seiten des Kopfes hatte der alte Herr vereinsamte Haarbüschel, die er gewohnheitsmäßig von Zeit zu Zeit emporzustreichen pflegte; spindeldürre war er von Natur, und so konnte sein Schatten, als sich derselbe gerade vor den Blicken des Angeklagten auf der hellen Wand abzeichnete, wohl im ersten Moment etwas Erschreckendes besitzen, aber den Eindruck, den er tatsächlich hervorbrachte, den hatte doch niemand vermutet. Der Angeklagte taumelte, er schlug beide Hände vor das Gesicht, seine Knie drohten zusammenzubrechen. ›Der Teufel!‹, rief er. ›Der Teufel! Er will mich holen! – Aber ich gestehe ja alles, – Erbarmen, Erbarmen, ich gestehe alles! – Der Eid wäre falsch gewesen, ich will ihn nun und nimmer mehr leisten!‹ Dann sah er zagend, voll Grauen hinüber zu der hellen Wand. Der Gerichtsschreiber, ein vertrockneter Büromensch ohne Neugier oder Fantasie, hatte inzwischen das gesuchte Aktenstück gefunden und seinen Platz wieder eingenommen, die Teufelserscheinung war also verschwunden und der falsche Eid blieb dem Unbesonnenen erspart. ›Gottlob!‹, seufzte er, ›Gottlob, der böse Feind ist gewichen.‹«

»Also auch hier geschah eine Warnung!«, rief Ramiro.

Niemand wagte es in diesem Augenblick zu lachen.

»Die von niemand beabsichtigt war«, bestätigte der Erzähler, »seitdem aber wurde der Schreiber nur noch Beelzebub genannt.«

»Wer weiß mehr derartige Geschichten?«, rief jemand.

Aber andere sprachen dazwischen.

»Es ist spät geworden, wir müssen dringend schlafen, meine Herr-schaften. Morgen ist auch noch ein Tag.«

»Solche Sachen könnte ich immerfort hören«, seufzte Michael. »Ich denke dann und hoffe doch noch einmal die schwarze Kunst zu erler-nen. Eins besonders möchte ich erfahren, das vor allem, – vielleicht könnten Sie es mir sagen, junger Herr!«

»Nun?«, fragte mitleidig unser Freund. »Nun, Michael, was meinen Sie denn? Wenn ich selbst es weiß, so soll Ihnen sicherlich eine Ant-wort zuteil werden.«

Der blasse junge Mensch rückte ihm näher, seine Züge verrieten die innere heftige Aufregung, seine Augen glänzten wie Edelsteine durch das Dunkel.

»Ich möchte wissen«, raunte er, »ob wohl der liebe Gott einmal – ja, wie soll ich sagen? – ob er wohl, wenn man ihn sehr bäte, einmal etwas geschehen lassen würde, das sonst nicht geschieht?«

Benno schüttelte den Kopf. »Das verstehe ich nicht, Michael. Um welche Angelegenheit handelt es sich denn überhaupt?«

»Der liebe Gott sollte mir einen Tag aus der Reihe der gewesenen herausbringen. Was sind für ihn die kurzen zwölf Stunden? Wenn es durchaus sein muss, genügt mir auch eine Stunde, eine halbe sogar. Der liebe Gott braucht doch nur mit dem Finger über die Zahlenreihe zu wischen, und der Tag ist verschwunden. Könnte er das nicht tun, wenn man ihn sehr inständig bittet?«

Benno sah voll Mitleid in das blasse, abgezehrte Gesicht des ande-ren.

»Sie müssen nicht so viel grübeln. Michael, nicht immerfort an die Vergangenheit denken. Geschehen ist geschehen, daran lässt sich nichts mehr ändern; aber welches auch das Geheimnis jener schlimmen Stunde sein möge, – Gott vergibt Ihnen alle Schuld, sobald Sie nur ernstlich und wirklich das begangene Böse mit aufrichtigem Sinne bereuen.«

Michael fuhr plötzlich zurück, er streckte wie abwehrend beide Hände aus.

»Ich sollte schuldig sein?«, stammelte er. »Ich? Das wagt man zu behaupten? Ach, nun weiß ich alles, man führt mich zum Tode, man –.«

»Michael, wohin geraten Sie?«

Er nickte immer heftig mit dem Kopf.

»Ich bin auf meiner Hut, junger Herr, ich sorge für mich selbst. Sehen Sie da den Mann mit dem grauen Schlapphut? Philippo heißt er. Der kann mehr als andere Leute. Er ist in der Karfreitagsnacht geboren.«

»Und darum steht er nach seiner Meinung der Geisterwelt näher?«

»Er weiß einen Zauberspruch, aber erst muss die Alraunwurzel gefunden sein, vorher lässt sich nichts machen. Haben Sie eine Idee, wo diese Wurzel wächst?«

»Nein, – und wenn Ihnen Philippo solche Sachen vorschwatzt, so ist er ein Betrüger. Kümmern Sie sich doch nicht um dergleichen Torheiten, Michael!«

Ein Händeklatschen unterbrach das Gespräch der beiden jungen Leute.

»Zu Bett! Zu Bett!«, riefen mehrere Stimmen.

»Es ist Mitternacht vorüber.«

Benno und Michael gehorchten zugleich mit den übrigen Angehörigen der Reisegesellschaft diesem Befehle. Unser Freund hatte seine Matte zwischen den Ästen eines blätterreichen alten Baumes aufgehängt, jetzt schwang er sich hinein, um aber ebenso schnell an der entgegengesetzten Seite wieder hinauszuspringen.

»Was ist das?«, rief er. »Lauter kleine kalte Tiere bewohnen meine Decke!«

»Baumfrösche!«, sagten gelassen die Treiber.

»Harmlose Tiere, die sicherlich kein Wesen bedrohen.«

Der Naturforscher war schon mit seiner kleinen Blechlaterne zur Stelle. Ein sonderbarer Anblick bot sich den Reisenden, überall wo ein Frosch ein von eines schwachen Zolles Länge Platz finden konnte, da saß solch ein dicker, stumpfsinniger Geselle und hielt entweder träge Ruhe, oder knapperte an den Hanffäden der Matte, als wolle er sehen, ob sich diese ganz neue fremdartige Baumfrucht genießen lasse oder nicht. Hunderte von Tieren hingen an der Wolldecke, den Zweigen und den Blättern.

»Auch hier ist alles voll«, tönte es von anderer Seite. »Und hier! Und hier!«

»Das ist der Laubkleber«, sagten die Eingeborenen. »Millionen leben auf den Bäumen und in den Gebüschen.«

»Ein hübsches kleines Tier!«, rief Benno. »Rotbraun mit einem silberglänzenden Streifen um den ganzen Körper.«

»Aber doch kein angenehmer Bettgenosse. Ich werde meine Matte zwischen zwei Buritipalmen hängen, – an diesen sehe ich keine Frösche.«

»Ich auch, wahrhaftig, – die Tiere hüpfen einem ganz dreist ins Gesicht.«

Der Umzug wurde bewerkstelligt, und zahllose Frösche kamen dabei ums Leben; ihrer zwei wanderten in die Spiritusflasche des Doktors; und bald darauf herrschte nächtliche Stille im ganzen Lager.

Neben dem Feuer hockten stumpfsinnig die Eingeborenen, abwechselnd wachend und schlafend, so dass immer einer der Indianer die Glut mit dürrem Reisig aufrecht hielt, während die anderen drei zusammengerollt, Hunden gleich, in der Asche ihre Schlummerstätte nahmen. Die Wachhabenden sangen zuweilen eintönig vor sich hin, und wer ihre Sprache verstanden hätte, der würde aus diesen Worten eine bittere Klage herausgehört haben.

»Weißt du es, Wind, wohin der rote Mann sein Haupt betten soll? Wisst ihr es, Wolken am Himmel, und ihr Sterne da oben?«

»Alles hat der weiße Mann genommen, den Wald und den Strand und die jungen Kinder der roten Stämme. Er hetzt sie mit seinen Hunden, er gibt den Doggen ihr Fleisch und lehrt die Tiere den Hass gegen das farbige Volk.«

»Weißt du es, Wind, wohin der rote Mann sein Haupt betten soll?«

Gegen Morgen, als die ersten Sonnenstrahlen übel den Himmel zuckten, kurz nach vier Uhr richtete sich Ramiro in seiner Hängematte auf und sah verstohlen umher; das braune Gesicht war blass und die Augen trugen einen sorgenvollen Ausdruck.

»Schlafen Sie, junger Herr?«, fragte er flüsternd.

Benno wandte den Kopf.

»Die Frösche fallen aus den Baumwipfeln herab«, antwortete er. »Ich habe kaum ein Auge schließen können.«

»Ich auch nicht. Solche Geschichten wie die von gestern Abend tun nicht gut, – ich bin ganz unruhig geworden. Ach Benno, wenn wir erst in meiner Heimat wären, wenn mir Alfredo den Schatz in die Hand gelegt hätte!«

»Vorher müssen wir Hunderte von Meilen zurücklegen, müssen voraussichtlich einen Teil des Feldzuges mitmachen.«

Ramiro seufzte.

»Wie viele ›Wenn und Aber‹ liegen noch auf diesem Wege, wie oft wird der Tod neben unserem Lager stehen, ehe das Ziel erreicht ist.«

»Kommen Sie, Señor, wir wollen irgendein Tier schießen!«

»Das dachte ich auch. Um die ersten Morgenstunden versammelt sich die ganze Waldbewohnerschaft am Ufer. Wir müssen den nächsten Fluss aufsuchen.«

»Wenigstens einen Teich oder dergleichen. Man hört schon allerlei Stimmen, wie mir scheinen will.«

»Da ist die Harpyie von gestern Abend«, raunte der Kunstreiter. »Das Tier umkreist immer wieder seine verödete Heimstätte, es sucht und sucht, aber vergeblich, – gerade wie der Mensch, der auch fortwährend einem Zukunftsplane nachhängt, meist ohne ihn jemals verwirklichen zu können. Soll ich das Tier von seiner Pein erlösen?«

»Würden nicht die Schläfer sehr erschrecken, Señor?«

Der Kunstreiter setzte das schon erhobene Gewehr wieder ab.

»Sie haben recht«, sagte er. »Weshalb sollte auch eine Harpyie so viel Mitleid erregen? – Ob mein armes Weib, meine Kinder noch leben, ob sie das tägliche Brot zum Sattessen besitzen, ich weiß es nicht. Was kümmert mich wohl der Raubvogel?«

Aber er sah doch immer empor zu dem riesigen Adler.

»Wie er flügelschlagend in der Luft zu stehen scheint, wie er den Kopf von einer Seite zur anderen dreht! – Es war doch gestern noch unbeschadet, das Nest, die nackten Jungen lagen darin und das Weibchen saß auf dem nächsten Zweig, seiner harrend, ihn begrüßend mit vertrautem Blick. Und nun ist alles dahin!«

»Kommen Sie, Benno, kommen Sie, ich kann den Vogel nicht sehen.«

Die beiden Männer schlichen durch den Wald bis zum Flussufer und legten sich hier in den Hinterhalt. Selten mochten Menschen des Weges kommen, die Tiere waren so dreist, dass sie sich beinahe mit den Händen ergreifen ließen; Enten und Tauben badeten sorglos am Ufer, große graue Gänse huschten durch das Schilf.

Wilde Kaninchen, weiß und bläulich angehaucht, mit aufstehenden Ohren und großen Augen kamen scharenweise herbei, Papageien, Aras, Kakadus und kleinere grüne Vögel zankten in den Gebüschen, – bis plötzlich eine spitze Schnauze langsam und leise aus dem Ufergrün hervor sah, rot, brennend rot, bis ein jäher Sprung in das Schilf, ein Flattern und Kreischen die ganze Gesellschaft aus ihrer behaglichen Ruhe aufschreckte.

Mit der grauen Gans im Maul trabte Reineke Fuchs davon, um sein Malepartus zu erreichen und den gelehrigen Jungen zu zeigen, wie man den geraubten Vogel abtut und kunstgerecht in Stücke zerreißt.

Am Ufer stoben die Papageien laut schreiend auseinander, geräuschlos wie Schneeflocken die Kaninchen; zwischen den Schilfsmassen dehnten sich lange Gänge ins Wasser hinaus, wo zwischen Wurzelflechten, umspült vom Nass, die Entennester lagen, sicher beschützt gegen den kecken Räuber, voll von grünlichen Eiern oder halbflüggen Jungen.

Nirgends aber mehr ein Laut, nirgends ein Lebenszeichen – Reineke Fuchs schien alle atmenden Wesen in die entlegensten Verstecke gescheucht zu haben. Der Kunstreiter deutete verstohlen auf einige geknickte Zweige und welk gewordene Blätter am Rand des Flüsschens.

»Das da ist ein Wildpfad«, flüsterte er. »Wir werden noch größere Tiere sehen.«

»Aber welche?«

»Wahrscheinlich Hirsche oder Rehe. Nur ein Geweih kann in solcher Höhe die Ranken zerreißen.«

»Dann hätten wir ja unser Frühstück gefunden!«

Ein Zeichen des Peruaners ließ unseren Freund verstummen. Weiterhin knickten und brachen dürre Zweige unter den Füßen größerer Tiere, es schien, als gingen ihrer mehrere hintereinander, als bemühten sie sich nicht einmal, Geräusch zu vermeiden. Es war ihr gewohnter Weg, sie fürchteten keine Gefahr. Die Vögel auf den Uferbäumen blieben ungestört bei ihrem Frühstück. Hier und dort fielen Fruchtschalen herab, – kein Tier flog davon.

»Hirsche!«, raunte Ramiro. »Wären es Geschöpfe, von denen die kleinen Tiere eine Gefahr zu fürchten hätten, so würden sie längst geflüchtet sein.«

Noch einige Minuten vergingen, dann teilten sich am Uferrand die Zweige und der schöne schlanke Kopf einer Pampashirschkuh sah umher. Neben dem Tiere erschien ein Junges, noch ganz klein und unbeholfen, kaum fähig, aufrecht zu gehen, aber hübsch gezeichnet und von lebendigem Wesen. Es spielte mit den Grashalmen, ohne sie zu fressen.

»Ein niedliches Geschöpf«, flüsterte Benno. »Sollen wir es schießen?«

So leise die Worte auch gesprochen waren, das Ohr der Hirschkuh hatten sie doch erreicht. Das Tier gab einen kurzen, zirpenden Laut von sich und dann verschwanden, beide, die Mutter und das Junge, wie in den Boden hinein. Ramiro sprang auf.

»Kommen Sie, Benno, – jetzt haben wir das Kleine.«

»Wo denn? Ich sehe nichts.«

»Sie hörten aber doch das Zirpen der Kuh? Damit gab sie ihrem Jungen die Anweisung, sich in das Gras zu ducken und ganz still zu liegen.«

Er eilte voraus und schon nach wenigen Augenblicken hob er mit beiden Armen das zappelnde Kälbchen aus dem Gras.

»Nun geben Sie Acht, Benno, gleich werden wir auch die Mutter wieder sehen.«

Das Hirschkalb stieß einen klagenden Ton hervor, es strampelte und wehrte sich, aber Ramiro hielt die kleinen Glieder fest; in geringer Entfernung antwortete eine Art Wimmern oder Ächzen dem Geschrei des Tierchens. Beide, Benno und der Kunstreiter sahen die Hirschkuh, wie sie ungedeckt mitten auf dem Weg stand und vor Furcht am ganzen Körper zitterte.

Bald hob sich wie in unwillkürlichem Zucken der eine, bald der andere Fuß empor. Auch als die beiden Jäger das geängstigte Tier ansahen, blieb es nicht nur stehen, sondern näherte sich sogar bis auf weniger als fünfzig Schritt Entfernung. Aus seinem ganzen Wesen sprach die äußerste Seelenqual; von Zeit zu Zeit wimmerte das arme Geschöpf, als wolle es für sein bedrohtes Kind um Gnade bitten, die großen Augen sahen flehend hinüber zu den Jägern.

»Señor«, flüsterte Benno, »Señor, – geben Sie das Tier frei.«

»Weil sich die Mutter so sehr ängstigt?«

Unser Freund wandte sich ab.

»Ich kann das nicht ansehen«, gestand er.

Der Kunstreiter legte das kleine Kalb ins Gras.

»Uns hungert nicht«, sagte er, »wir können daher barmherzig sein. Sehen Sie, wie das Muttertier herankommt?«

Er und Benno versteckten sich im Gebüsch, um die Hirschkuh beobachten zu können. Der Natur des scheuen Wildes völlig entgegen, kam das hübsche schlanke Tier halb zagend, halb freudig heran, bis ein letzter schneller Sprung es mit dem Jungen vereinigte. Der rechte

Vorderfuß drehte hastig den kleinen Körper nach allen Seiten, die Mutter beroch ihn, besah ihn und tastete mit der Schnauze auf ihm herum, dann, als sie sah, dass ihr Kind unversehrt sei, legte sie sich hin, um es zu säugen und zugleich mit sanftem Lecken zu liebkosen.

»Könnten Sie auf die Tiere schießen, Señor?«, fragte Benno.

Der Peruaner schüttelte den Kopf.

»So in aller Ruhe und um einiger guten Bissen willen? Nein, wahrhaftig nicht.«

»Ich auch nicht«, gestand unser Freund.

Ramiro horchte plötzlich auf.

»Möglicherweise bekommen wir doch noch unser Frühstück«, flüsterte er. »Hören Sie nichts?«

»Ein Trampeln und Laufen, nicht wahr? Aber von der entgegengesetzten Seite des Flusses, wie mir scheint.«

Ramiro nickte.

»Das ist die Herde«, sagte er, »der große Trupp ohne Mütter, meist junge Tiere. Wir werden uns einen tüchtigen, noch nicht zu alten Bock aussuchen. Halten Sie sich fertig, Benno!«

Die Jagdlust war mächtig erwacht, noch einen Augenblick dauerte drüben das geräuschvolle Springen und Stampfen, dann rauschten die Gebüsche, und nacheinander traten wohl zwölf bis zwanzig jüngere und ältere Tiere aus dem Wald hervor, um in den Fluten des Gebirgsbaches ihren Durst zu löschen.

Die Kuh mit ihrem Kalb blieb ungestört im hohen Gras liegen; sie nahm von dem Trupp der Ihrigen keinerlei Notiz, vielleicht, weil die Zeit, sich der Herde wieder zuzugesellen, für sie noch nicht herangekommen war. Ramiro hob das Gewehr.

»Benno, sehen Sie das schlanke Böckchen da drüben, das mit den Vorderfüßen auf dem Stein steht?«

»Gewiss. Soll ich es aufs Korn nehmen?«

»Ja. Ich behalte für mich das große aschgraue Tier mit dem mächtigen Geweih.«

Die Schüsse krachten beide zu gleicher Zeit, und drüben am anderen Ufer entstand eine Bewegung des äußersten Erschreckens. Die getroffenen Tiere wälzten sich im Todeskampf, die übrigen rannten in voller Verwirrung planlos nach allen Seiten. Es krachte und knickte in den Gebüschen, Blätter und Ranken wurden zerrissen, die Vögel flogen davon; auch das Muttertier mit seinem Jungen machte sich schleunigst aus dem Staub. Binnen Sekunden war der Platz leer. Benno hatte sein erstes Wild erlegt; voll Stolz suchte sein Blick den des Peruaners.

»Das Tier ist tot!«, rief er. »Aber wie wollen wir es ins Lager bringen?«

»Das werden Sie gleich sehen, junger Herr. Geben Sie nur acht, ich rufe unsere Führer herbei.«

Und er legte beide Hände an den Mund, um einen langgezogenen, wenig angenehm klingenden Ton hervorzubringen. Dreimal nacheinander wurde das Signal wiederholt, dann kam aus dem Lager die Antwort.

»Hu-hu-hu! – Hu-hu!«

Und zugleich ertönten einige Pistolenschüsse.

»Wir werden euch sofort aufsuchen«, hieß das.

Bennos Blicke bewachten fortwährend die beiden erlegten Hirsche.

»Ob ich einmal hinüberschwimme?«, fragte er den Kunstreiter.

»Das können Sie ohne Gefahr riskieren, aber es bringt uns keinen Gewinn. Ohne ein Kanu lassen sich die Tiere nicht herüberschaffen.«

Benno schüttelte voll Erstaunen den Kopf.

»Aber woher sollten wir denn in der Wildnis plötzlich ein Kanu nehmen?«, fragte er.

»Sie vergessen die Ochsenhäute, junger Herr!«

In diesem Augenblick kamen schon vier der eingeborenen Treiber mit großen Schritten herbei. Als sie nahe genug waren, um einzelne Worte verstehen zu können, rief ihnen der Kunstreiter in spanischer Sprache zu, sie möchten ein paar Ochsenhäute bringen.

»Es gibt Fleisch!«, setzte er hinzu. »Hirschfleisch!«

Ein Jubellaut, ein tolles Springen und Händeklatschen antwortete ihm. Wie der Wind rannten die Halbwilden davon, um aus dem Lager das Transportmittel herbeizuholen. Fleisch! – Für die Ohren der Eingeborenen hat das Wort einen Zauberklang. Inzwischen kamen auch mehrere aus der Reisegesellschaft herbei. Doktor Schomburg versäumte nicht, die großen, wie Blumen leuchtenden Schmetterlinge zu fangen, die Goldkäfer und gewaltigen Spinnentiere, er jagte in den Blütenkelchen den Kolibris nach und durchstöberte die Gebüsche, um Vogelnester aufzuspüren, während der junge Halling die Gegend abzeichnete.

»Wie heißt der Fluss?«, fragte er die Peruaner.

Man lachte ihn aus.

»Vielleicht sind noch nicht zehn weiße Menschen dieses Weges gekommen, Señor. Es ist die Wildnis, in der wir uns befinden.«

Der Naturforscher nickte. »Auch gut, dann taufe ich das Gewässer. Es soll der Hirschbach heißen.«

»Oder der Purpurbach. Sehen Sie meine Hand, meine Stirn, – alles ist mit roten Punkten übersät.«

»Das kommt nicht vom Wasser«, rief Ramiro. »Diese Punkte sind Insekten.«

»Die doch nicht etwa beabsichtigen, sich in meine Haut hinein zu graben?«

»Die schon mehr als halb darin sitzen, – ja. Sie müssen sich hüten, an den Punkten zu kratzen, Herr!«

»Aber das brennt wie Feuer, man kann es auf die Dauer nicht ertragen.«

»Dann halten Sie die Hände ins Wasser. Diese Tiere sitzen an der Unterseite der Blätter und lassen sich, sobald ein lebendes Wesen naht, herabfallen, um Blut zu saugen.«

»Da habe ich auch meinen Anteil erhalten«, rief Benno. »Bei mir sind es größere graue Punkte.«

»Zecken!«, erklärte Ramiro. »Sie schwellen bis zur Größe einer halben Haselnuss und darüber. Ich entferne Ihnen die Bestien später!«

Jetzt kamen auch die Eingeborenen mit den rasselnden Ochsenhäuten herbei. Die vier Seiten der Häute wurden aufwärts gebogen, etwa handhoch standen die Ränder empor, dann stürzten sich die braunen Gestalten in das Wasser und zogen eilig die leichten Kähne nach sich. Mehrere der jungen Leute schwammen mit hinüber.

Als erfrischendes Bad vor dem Frühstück war die Sache sehr angenehm, besonders auch um den Stichen der Moskitos wenigstens für den Augenblick zu entgehen. Hier in den feuchten Niederungen am Ufer fand sich eine Moskitoart, deren Stachel gleich einer glühenden Nadel durch alle Kleidungsstücke die Haut empfindlich traf und ein schmerzvolles Brennen erregte. Je höher die Sonne stieg, desto mehr Unholde mit Flügeln und Beißwerkzeugen weckte ihr warmer Strahl, es war Zeit, sich auf die freie Höhe zurückzubegeben.

Den vereinten Anstrengungen mehrerer Männer gelang es, die erlegten Hirsche auf die Ochsenhäute zu bringen und dann schwammen je zwei Indianer neben diesen seltsamen Fahrzeugen her, um dieselben mit Armen, Schultern und Köpfen vor sich durch das Wasser zu treiben. Trotz dieser Anstrengung sangen sie in ihrer eintönigen Weise ein Loblied auf die glücklichen Jäger.

»Der weiße Mann hat zwei Hirsche geschossen, große, fette, gute Hirsche, davon sollen die roten Männer mit ihm essen. Essen, Fleisch, Fleisch!«

Dann luden sie am Ufer die Jagdbeute auf ihre Schultern und trabten davon, als wiege die Last einige Pfunde. Die Weißen folgten langsamer nach. Im Lager brannten schon helle Feuer, der große Kaffeekessel verbreitete seine lockenden Düfte, und in mehr als zehn Pfannen brodelten und zischten die Speckscheiben. Grüne Zweige wurden auf das vordere Feuer geworfen, um durch den beißenden Holzrauch die Moskitos in die Flucht zu schlagen.

Man weidete die erlegten Tiere aus und briet das Fleisch für alle, die hungrig waren. Ein köstliches Mahl im Freien, unter Gottes blauem Himmel, eine friedvolle lustige Stunde für jeden Teilnehmer.

»Geben Sie Ihre Hände her, Benno!«, sagte der Kunstreiter. »Sie haben doch an den Zecken nicht etwa gezupft oder gezogen?«

»Ich habe, um Ihre Warnung zu beherzigen, vielmehr das Unglaubliche ertragen, Señor! Meine Hände sind zu Klumpen angeschwollen.«

»Zeigen Sie her, – die wollen wir bald kurieren.«

Die Zecken hatten sich inzwischen um das Zehnfache ihrer natürlichen Größe vollgesogen, nun aber sollte auch ihre gerechte Bestrafung erfolgen.

»Geben Sie acht, junger Herr«, sagte Ramiro, »so wird es gemacht.«

Er putzte die Asche von der Zigarre und hielt vorsichtig das brennende Ende derselben ein wenig an den Körper einer Zecke – sogleich ließen die Saugwerkzeuge des Tieres los, der Kopf kam aus der Grube, worin er steckte, zum Vorschein, und das ganze widerwärtige Geschöpf konnte ohne Mühe getötet werden.

Zecke nach Zecke verschwand in dieser Weise, bis beide Hände frei waren, und kalte Umschläge taten dann das Übrige.

»Reißen Sie nie an dem Körper eines solchen Tieres«, ermahnte der Kunstreiter, »Sie können immer nur den Leib, aber nie den Kopf entfernen, dieser bleibt in der Wunde und verursacht eine bösartige Entzündung; das Feuer dagegen vertreibt den ganzen Schmarotzer.«

Doktor Schomburg hielt dem Peruaner das Gesicht und die Hände hin.

»Alles rot, mein Herr Generalarzt und Zeckenoperateur, alles rot, alles geschwollen, – kommen Sie mit der rettenden Zigarre!«

Aber hier zuckte Ramiro die Achseln.

»Nichts zu machen, Herr, nichts zu machen! Halten Sie sich künftig den Gebüschen fern, das ist der beste Rat, den ich Ihnen geben kann.«

Nachdem das Mahl vorüber war, erfolgte der Aufbruch. Ramiro berührte Bennos Schulter.

»Sehen Sie da oben die Harpyie, junger Herr?«

Unser Freund blickte auf.

»Wahrhaftig, das Tier sucht noch immer seine Jungen, sein Nest. Es hofft beharrlich, die Verschwundenen wiederzufinden.«

Statt aller weiteren Worte hob der Kunstreiter die Kugelbüchse und nach wenigen Sekunden krachte der Schuss. In eine Wolke von Federn gehüllt, stürzte das große Tier, mitten durchs Herz getroffen, tot zu Boden. Noch ein Zucken, ein letztes Aufbäumen und alles war vorüber.

»Nun ist der arme Kerl erlöst«, sagte mit bebenden Lippen der Peruaner. »Einmal kommt doch der Tod zu allen, die da leben, und es ist gut so.«

7.

**Der schwarze Fluss – Verdächtige Spuren – Der Sturz in den
Abgrund – Das Rettungswerk – Ein Indianerdorf im Herzen
Südamerikas – Der mutige Maultiertreiber – Friedlicher
Empfang – Ein geächteter König**

Mehr als hundert deutsche Meilen waren jetzt schon zurückgelegt
worden, bergauf und bergab ging die Reise, durch dichte Wälder und
offene Strecken, über schmale Flüsse hinweg und zwischen dichten
Grasfeldern hindurch, deren hohe Halme den Reitern bis an die Hüte
reichten, – immer noch hatte sich von Indianern keine Spur gezeigt.

Zuweilen mussten an sumpfigen Stellen die Packtiere gezogen
werden, zuweilen war es notwendig, ihnen die Lasten abzunehmen
und sie an schroffen Abhängen auf gutes Glück hin dem eigenen Instinkt zu überlassen; da verging vielleicht der ganze Tag, ehe eine
einzige Meile zurückgelegt werden konnte, und auf steiler Höhe begann die bitterkalte Nacht, und Wind und Regen pfiffen den Reisenden
um die Köpfe. Dreißig Grad Wärme am Tage, drei in der Nacht, so
stark bemerkbar zeigte sich der Wechsel, besonders in den höher gelegenen Gegenden. Kirschen wuchsen in reicher Fülle überall, Pflaumen, Trauben und kleinere Beeren; es gab mehr Früchte, als die
Wanderer zu verzehren imstande waren.

Nur der Kompass diente jetzt noch als Wegweiser. Keiner der
Treiber war jemals bis in diese entlegene Gegend vorgedrungen, nichts
verriet die Gegenwart von Menschen. Vögel und Affen ließen den
Reiterzug hart an sich herankommen; sie empfanden keine Furcht,
da ihnen die Erfahrung fehlte. In einer tiefen, von Bäumen umsäumten
und halbverdeckten Schlucht plätscherte, über große Steine dahinschie-
ßend, ein Bach oder kleiner Gebirgsfluss, an dem die Karawane Halt
machte.

Die bunte Schar lagerte zwischen den Wollbäumen. Nusstragende
Palmen streckten die schlanken, grünlichen Stämme gen Himmel,
Gebüsche mit ganz weißen Blättern, von Glockenblumen durchzogen,
wucherten im Schmuck der üppigen Orchideen und Tausender von
roten, violetten und goldgelben Blumen, die überall von den Zweigen

hingen, hier natürliche Kränze bildend, da lange Schleifen oder flatternde Bänder.

Dunkelrote Fuchsien blühten an belaubten Stämmen, mit weißem Kelche, groß und üppig wie die hundertblättrige Rose. Mehrere Männer stiegen vorsichtig durch die Farnen in die dunkle Tiefe des Flussbettes hinab. Schlangen rollten sich vor ihnen aus und glitten träge zur Seite, Schildkröten ließen sich in das Wasser fallen, hier und da rauschten die Blätter, wenn ein kleineres vierfüßiges Tier hindurchschlüpfte.

Die Peruaner füllten, sich mühsam an dem Gestrüpp anklammernd, mehrere große Kochgefäße mit dem ersehnten kühlen Nass. Von Hand zu Hand wurden die Blechtöpfe weitergegeben, bis die am Rand der Schlucht stehenden Kameraden sie erfasst hatten; – als aber auf diese Weise der erste Krug an das helle Tageslicht kam, da ertönte ein Ausruf des Erstaunens.

»Was ist das?«

Es war Benno, der den Blechtopf in der Hand hielt.

»Mein Gott!«, rief er nochmals. »Was ist das?«

Doktor Schomburg näherte sich ihm.

»Nun, Benno, ist irgendein Tier darin?«

»Nein, – aber das Wasser ist vollkommen schwarz.«

»Nicht möglich! Lassen Sie sehen.«

Jetzt kam auch schon das zweite Kochgefäß nach oben.

»Schwarz wie Tinte!«, rief Halling, der es in der Hand hielt. »Schlamm natürlich.«

Die Peruaner widersprachen.

»Der Fluss hat Steingrund«, behaupteten sie, »und das Wasser kommt rauschend aus bedeutender Höhe herab. Es ist kein Ansatz von Schlamm oder Sumpf denkbar.«

Der Doktor hielt immer noch das Gefäß in beiden Händen.

»Soll ich einmal die Flüssigkeit ausgießen, damit wir den Bodensatz sehen?«, fragte er.

»Gewiss! Hier ist Ersatz genug.«

Das Wasser wurde vorsichtig ausgeschüttet, aber der Grund des Gefäßes zeigte nicht die mindeste Unsauberkeit; es war kein Staub, kein noch so geringer Niederschlag zu entdecken.

»Schwarz!«, sagte ganz ratlos der Doktor. »Schwarz!«

»Wir wollen sehen, ob Pluto das Wasser trinkt?«, rief unser Freund. »Der steht schon längst am Ufer und schluckt in vollen Zügen.«

»Aber wir Menschen können doch das unheimliche Nass nicht genießen!«

»Lasst uns weiter bergan steigen und einmal aus freier Höhe schöpfen, – vielleicht ist da die Sache anders.«

Der Vorschlag wurde angenommen, und etwa zehn der jüngeren Reisegenossen machten sich mit Kesseln und Flaschen auf den Weg um zwischen Wald und Fels den Lauf des Flusses zu verfolgen und da, wo er aus dem Inneren des Gebirges hervorsprudelte, das Wasser zu untersuchen.

»Dieser lärmende Bach liegt quer vor unserem Wege«, meinte Ramiro. »Gott weiß, wie wir hinübergelangen sollen.«

»Daran dachte ich auch schon. Aber prachtvoll ist die Gegend! – Sehen Sie diese Wollbäume, die Palmen und da das Bambusgebüsch!«

Benno deutete auf das deutlicher hervortretende Bett des Flüsschens.

»Die wilden Tauben trinken das Wasser!«, sagte er. »Obgleich es auch hier dieselbe Schwärze zeigt!«

»Und da die Papageien. Das Wasser enthält nichts Schädliches!«

»Ara! Ara!«, tönte es von den Bäumen.

Große weiße und blaue Aras mit den prächtigen lang herabwallenden Schwanzfedern und Kronen auf den Köpfen sahen neugierig hinüber zu den unbekannten Erscheinungen der Menschen; Kakadus, purpurn und goldig glänzend im Sonnenschimmer, flogen von einem der fruchtbeladenen Zweige zum anderen, während ganze Familien bunter, farbenprächtiger Tauben kopfnickend durch das Gras wanderten, hier und da Samenkörner aufpickend oder zarte grüne Keime mit dem Schnabel abpflückend.

Alle diese Tiere tranken das schwarze Wasser; die ganze üppige Umgebung mit ihrem, nur den Tropen eigentümlichen Formenreichtum speiste sich aus dem seltsamen Quell, der da über die Steine herabrauschte und tief im Herzen des Gebirges seinen Anfang nahm. Höher, immer höher hinauf. Jetzt rann das Wasser im hellen Tageslicht dahin; etwas weiter nach rechts sprang es sogar schäumend, in gewaltigem Bogen von einem Felsplateau herab.

Da oben zeigte das Gestein keine Vegetation mehr, Block schob sich an Block, es glitzerte rötlich im Sonnenlicht, zuweilen hell wie Silber; hier war es von breiten schwarzen Adern durchzogen, dort im

Schatten tief purpurn gefärbt. Große Adler mochten in dieser Höhe einsam horsten, – man sah ihre scharfumrissenen Gestalten sich gegen die helle Luft abzeichnen.

Pedrillo kletterte über alle Hindernisse hinweg und schöpfte das Wasser direkt aus dem Fall. Es war auch hier schwarz.

»Ich probiere es!«, rief der Schlangenmensch. »Man wird matt vom Durst.«

Und dann, ohne ein Wort zu erwarten, trank er.

»Schmeckt prächtig, sage ich euch! – Eiskalt! – Ach, das tut wohl!«

»Ganz wie anderes Wasser?«, fragte Halling. »Wahrhaftig, man hält es nicht länger aus, das Rauschen zu hören.«

»Trinken Sie ruhig, Herr! Mit geschlossenen Augen finden Sie keine Veränderung.«

Und nun fielen alle über das ersehnte Labsal her.

»Ein schönes, wohlschmeckendes Quellwasser!«, hieß es. »Dann lasst uns nur gleich den Freunden Nachricht geben.«

»Wollen wir nicht erst nachsehen, ob sich in der Nähe ein Übergang findet? Da zwischen den Blöcken verschwindet der Fluss.«

»Aber unsere Kameraden sind durstig, Kinder.«

»Dann mögen einige von uns zum Lager zurückkehren.«

Benno hatte sich während dieser Auseinandersetzungen zufällig und ohne eigentliche Absicht ein wenig von den Genossen entfernt; er kletterte auf die nächsten Felsblöcke und hielt Umschau. Jetzt hob er plötzlich einen kleinen Gegenstand vom Boden empor und sprang in großen Sätzen zu den anderen zurück.

»Ein Fund!«, rief er. »Ein bedeutsamer Fund!«

Sie umringten ihn sogleich.

»Was ist es denn?«

»Eingeborene in nächster Nähe! Seht nur!«

Und er zeigte einen jener schmalen, mit Federn und Muscheln besetzten Lederriemen, wie sie von den Wilden am Oberarm getragen werden. Das Band war zerrissen, vielleicht im Kampf mit einem Tier, vielleicht beim Erklettern der Felsblöcke, jedenfalls aber zeigte es, dass sich erst ganz kürzlich Menschen in dieser Umgebung befunden haben mussten. Die Reisegefährten sahen einander an.

»Wilde! – Indianer, die vielleicht noch keinen Weißen kennengelernt haben!«

Der Gedanke erfüllte die Herzen aller.

»Lasst uns nur in das Lager zurückkehren«, ermahnte Benno. »Wenn wir hier überfallen werden, so ist unser Schicksal besiegelt.«

Der Vorschlag fand allgemeinen Beifall; man suchte so schnell wie möglich die Genossen wieder auf. Nachdem im Lager Wachtposten aufgestellt waren, hielt man zunächst eine Beratung.

»Durfte unter diesen Umständen ein Feuer entzündet werden?«

»Lieber nicht«, rieten die Vorsichtigen.

»Aber man muss doch essen, muss die Moskitos verscheuchen. Wir sind achtzig Bewaffnete gegen eine Horde nackter Wilder.«

»Die aber mit vergifteten Pfeilen schießen, das ist zu bedenken!«

»Lasst uns weiter gehen und vielleicht einen Punkt erreichen, an dem wir einen guten Rundblick haben und nicht überfallen werden können. Hier schleichen sich die Wilden, wenn sie Feindseligkeiten im Schilde führen sollten, hinter Bäumen und Felsbrocken bis nahe an uns heran.«

»Das ist richtig«, nickte der Doktor. »Gehen wir also.«

Das schwarze Wasser war vergessen, man hatte es achtlos getrunken und dachte jetzt nur an die unvermeidlich scheinende Begegnung mit den Eingeborenen. Von Hand zu Hand ging der gefundene Lederriemen, auch die Führer sahen den Gegenstand aufmerksam an. Derartige Arbeit war ihnen vollständig unbekannt, sie schüttelten alle die Köpfe.

Niemand hatte in Rio de Janeiro jemals Leute gesehen, die aus dieser entlegenen Wildnis stammten, niemand kannte derartige Armringe. Man brach auf und ließ die Maultiere langsamen Schrittes am Rand der Schlucht emporklettern.

»Hier fand ich das Band«, sagte Benno, die Stelle bezeichnend, »vielleicht gibt es noch weitere Spuren.«

Er und einige andere stiegen von den Tieren, die ohnehin nur langsam vorwärts gelangten. In vollem, von der Mittagssonne hell beleuchtetem Schwall stürzte das schwarze Wasser aus dem Geklüft hervor und fiel schäumend in die Tiefe. Man sah es in der Tiefe als breiten Gebirgsbach seinen Lauf nehmen; rechts von der jäh abfallenden Wand dehnte sich zwischen Felskuppen von nacktem, grauem Aussehen der Hochwald in dunklem Grün. Die dichten Baumkronen ließen kaum den Himmel hindurchscheinen.

»Hier sind die deutlichen Spuren eines Fußweges«, sagte jemand.

Es zeigten sich geknickte Zweige, hier und da durch ein scharfes Instrument gefällte Stämme und sogar an Stellen, die schwer zu passieren waren, rohe, in das Gestein gehauene Treppenstufen. Jedenfalls führte über den Kamm der Anhöhe ein oft betretener Pfad. Niemand sprach ein Wort. Es war doch ein sehr beunruhigendes Gefühl, vielleicht im nächsten Augenblick auf Menschen, auf ahnungslose Wilde schießen zu müssen.

Höher und immer höher, mit der stärksten Anspannung aller ihrer Kräfte kletterten die am Berg erfahrenen Maultiere, längst schon gingen die Männer nebenher und spähten bei jedem Schritt nach rechts und links. Konnten nicht von Augenblick zu Augenblick vergiftete Pfeile durch die Luft fliegen und in ihre Reihen einschlagen? Schmaler und schmaler wurde der Weg, immer steiniger und unebener. Mit heiserem Geschrei hoben sich die Adler von den Klippen und stiegen höher hinauf in das golddurchflutete Blau.

Vorsichtig gingen Ramiro und der Schlangenmensch voran, um zu kundschaften! Mehr und mehr umwölkte sich die Stirn des Kunstreiters.

»Ob über den Abgrund eine Brücke führt, Pedrillo? – Ich glaube es kaum.«

»Aber wie wären denn die Eingeborenen von einer Seite zur anderen gelangt? Es muss ein Pfad vorhanden sein.«

Der Peruaner nickte.

»Für die Menschen vielleicht«, antwortete er. »Sieh dahin, Pedrillo – eine Steinwüste, ein Geklüft, das kein Fuß überschreiten kann.«

Der Schlangenmensch schüttelte den Kopf.

»Wo ist das Wasser geblieben?«

»Es bildet vielleicht im innersten Bau des Felsgeschiebes einen See, es kommt vielleicht hier aus der Erde hervor.«

»So viel steht fest«, mischte sich ein anderer in das Gespräch, »gerade an diesem Punkt müssen wir hinüber.«

»Und da ist auch schon die Brücke.«

Sie standen jetzt auf der Höhe. In Schlangenwindungen kroch der lange Zug von Menschen und Tieren bergan; aller Blicke hingen fragend an den Gesichtern der beiden Männer, die in natürlichem Dankbarkeitsgefühl vorausgingen, um denen den Weg zu bahnen, durch deren Beihilfe ihnen die Reise überhaupt ermöglicht worden war, die aber auch von allen am ehesten geeignet schienen, äußere

Schwierigkeiten zu überwinden und durch ihre Gewandtheit einen Ausweg da noch zu finden, wo vielleicht andere hilflos stecken geblieben wären.

»Was sehen Sie da oben?«, fragte der Doktor. »Menschen, Häuser?«

Ramiro schüttelte den Kopf.

»Rechts und links Abgründe, – in der Mitte eine schmale natürliche Brücke.«

»Können wir hinüber?«

»Einzeln, – Mann nach Mann. Pedrillo und ich werden die Tiere an das andere Ufer bringen.«

Doktor Schomburg schloss die Augen.

»Mich fasst der Schwindel schon jetzt«, seufzte er. »Himmel, wie soll das werden?«

»Schöneres gibt es nicht!«, sagte fast andächtig der junge Halling. »Das ist ein Paradies, ein Garten Eden!«

»Und von den Eingeborenen bemerkt man keine Spur.«

»Vielleicht hat der Armring schon längere Zeit hier gelegen.«

»Das ist nicht denkbar, denn sonst würden sich die Insekten mit ihm zu schaffen gemacht haben. Es war kein Fleck, keine Spur einer Berührung daran zu entdecken.«

»Jedenfalls müssen wir jetzt diese schreckliche Brücke passieren«, sagte mit unverhohlenem Grauen der Doktor. »Sie spazieren ja immer wie zum Vergnügen hinüber und herüber, Señor Pedrillo, – schwankt denn die Geschichte wenigstens nicht?«

Der Schlangenmensch lachte.

»Seit dem ersten Schöpfungstag mögen diese Steine hier gelegen haben«, antwortete er, »aber – in der Mitte ist ein Spalt.«

»Hilf, Himmel, da muss man also auch noch springen?«

»Nur hinübertreten, Señor Doktor. Es ist ein weiter Schritt, mehr nicht.«

»Dass Gott erbarme dich, ich kann also die Augen nicht geschlossen halten?«

»An der betreffenden Stelle unmöglich.«

»Wir helfen Ihnen, Señor«, tröstete der Kunstreiter. »Denken Sie nicht an den Schwindel, dann bleibt er vielleicht ganz aus; vor allen Dingen aber lassen Sie andere Leute zuerst hinübergehen, das schafft Ihnen Mut.«

»Hallo, Pedrillo«, fuhr er dann fort, »beginnen wir mit den Maultieren. Ihre Last muss ihnen abgenommen werden.«

Jeder Mann löste die Riemen und Seile seines Tieres, die Treiber schnallten Decken und Lebensmittel ab, dann führte man das erste Tier mit ermunternden Worten zur Brücke. Drüben lockte Pedrillo; am diesseitigen Ufer trieb und schob Ramiro, – nur einen Augenblick stutzte der Graue und schien unschlüssig, dann trabte er mit sicherem Schritt hinüber.

Ihm nach folgten seine sämtlichen Genossen, darauf wurde vorsichtig das schwere Gepäck von den Kunstreitern an das jenseitige Ufer gebracht und zuletzt galt es, auch die Menschen zu befördern. Einige gingen schwindelfrei mit offenen Augen, andere krochen auf Händen und Füßen, um von der ganzen Umgebung möglichst wenig zu sehen. Steil abwärts ging es zur Rechten und Linken hinab, die Klippen und schroffen Felskegel drohten auf einer, das schwarze Wasser auf der anderen Seite. Von der schmalen Brücke aus, vor einem klaffenden Spalte, konnte der Anblick wohl Entsetzen erregen.

Benno ging aufrechten Schrittes hinüber, ebenso Michael und der junge Halling, dessen lebhaftester Wunsch es war, von einer Anhöhe aus die Brücke und das zerklüftete Felsgebiet ihr zur Rechten abzuzeichnen. Nun kam der Doktor an die Reihe.

»Ich betrage mich wie ein altes Weib, nicht wahr?«, sagte er mit bleichen Lippen lächelnd.

»Aber wenn Sie erfahren, dass mich schon der Schwindel ergreift, sobald ich nur den Fuß in die Hängematte setze! – Da hinabzusehen stehenden Fußes ist mir ganz unmöglich!«

»Kriechen Sie!«, ermahnte Ramiro. »Ich werde Ihnen ein Seil um den Leib binden.«

»Und ich gehe vor Ihnen, damit Sie mich in jedem Augenblick anfassen können.«

Der Doktor schüttelte den Kopf.

»Nein, nein, nicht so viele Vorbereitungen«, sagte er, »das macht mich nur immer nervöser. Wollen Sie vor mir gehen, Señor Pedrillo, dann lege ich die Hände auf Ihre Schultern und halte in Gottes Namen beide Augen geschlossen.«

»Mit dem größten Vergnügen, Señor Doktor! Vertrauen Sie mir vollständig.«

»Soll ich hinter Ihnen gehen?«, fragte Ramiro.

»Nein, nein, – es ist am besten so wie ich sage!«

Der Schlangenmensch ging Schritt für Schritt auf dem schwindelnden, gleich einem Regenbogen den Abgrund überspannenden Pfade dahin und ebenso langsam und sicher folgte ihm der Doktor. Es schien alles glücklich zu verlaufen; nun aber kam der Spalt und vor diesem stand Pedrillo still. Einen Fuß auf jeder Seite der unterbrochenen Brücke, das Gesicht dem brausenden Wasserfall zugekehrt, so fasste er des Doktors beide Hände.

»Nun, Señor – treten Sie hinüber. Ich mache jede Bewegung mit Ihnen.«

Der Naturforscher öffnete die Augen, über sein Gesicht gingen Röte und Blässe, er bemühte sich, der plötzlichen Schwäche Herr zu werden; als er aber unmittelbar vor seinen Füßen den Abgrund so erschreckend sich auftun sah, ergriff ihn jählings ein heftiger Schwindel, – und, den Schlangenmenschen mit sich hinabreißend, stürzte er in das schäumende schwarze Wasser, dessen Strudel über den beiden Körpern hoch zusammenschlugen.

Ein Schreckensschrei zerriss die Luft, von allen ausgestoßen. – Alle standen wie erstarrt. Waren die beiden Männer auf spitze Klippen gefallen und zerschmettert worden, oder hatte ein tieferes Wasser die Körper vor dem Verderben bewahrt? Bange, bange Sekunden. Als könne ein Hauch die Schicksalsmächte herausfordern, so wagte es keiner der Männer, auch nur zu atmen.

Aus dem Strudel hervor hob sich eine Hand und tastete nach dem nächsten Stützpunkt. Es war schrecklich, in den schwarzen unheimlichen Fluten diese Hand ohne Körper so gleichsam bittend fragen zu sehen. Wie elektrisiert sprang Ramiro auf die Brücke.

»Seile!«, rief er mit fliegendem Atem. »Seile her! – Wer unternimmt es, sie sicher zu halten?«

Das konnten die indianischen Führer. Gewandt warfen sie drei Schlingen um den Körper des Kunstreiters und kauerten sich auf die Brücke, die Enden der Seile in ihren Händen haltend, alles binnen Sekunden.

»Jetzt, Señor, jetzt!«

Und Ramiro sprang hinab, ohne sich zu besinnen, der Hund bellte laut und von Michaels Lippen bebte ein herzerschütternder Schrei, dann wieder die alte, furchtbare Stille. Immer noch tastete Pedrillos

Hand, aber unsicherer, wie es schien, schwächer. Vielleicht verließen ihn die Kräfte.

Benno lehnte an einem Baumstamm. Er dachte nicht, er betete nicht; das Entsetzliche raubte ihm fast die Besinnung. Ramiro tauchte aus den Fluten empor. Die Stelle musste sehr tief sein, denn der geschmeidige Künstler hatte Sekunden gebraucht, um wieder an die Oberfläche zu kommen.

Jetzt schwamm er in kräftigen Zügen bis zu dem Punkt, an welchem man Pedrillos Hand sah, – hier tauchte er unter. Feuer schien vor den Blicken der Obenstehenden aufzublitzen; mehr als einen fasste der Schwindel. Ob die drei Männer das Licht des Tages wiedersehen würden? Ganz in der Nähe der Stelle, wo die Seile das Wasser berührten, etwas weiter zur Rechten sprang ein Felsblock aus den Fluten hervor, – dahin zeigte die Bewegung der schäumenden Wellen.

Ramiro mochte in dem schaurigen Dunkel der Tiefe die beiden Körper erfasst und dorthin dirigiert haben. Minuten vergehen, ehe solche Einzelheiten niedergeschrieben sind, kaum ebenso viele Sekunden, während sie sich vollziehen. Das Wasser rauschte auf, und Ramiro und der Schlangenmensch kamen zum Vorschein.

Mit einem schnellen Sprung stand der Peruaner auf dem Felsen, Pedrillo reichte ihm den Körper des Doktors, und mit vereinten Kräften brachten beide Kunstreiter denselben auf das Trockene. Zuletzt folgte der Schlangenmensch nach, etwas matt, wie es schien. Stirn und Hände bluteten.

Noch wagte keiner der atemlos Zuschauenden einen Freudenruf. Die beiden wackeren Retter lebten, aber wie war es mit dem Doktor? Michael legte beide Hände vor die Augen.

»Da ist der Tote!«, ächzte er. »Da ist der Tote! – O wie das arme Tier bellt!«

Pedrillo wandte sich zu den Genossen.

»Alles gut!«, rief er. »Der deutsche Herr hat durch den Sturz keinen Schaden erlitten.«

»Gott sei gelobt! Und ihr beide? Wie steht es mit euch?«

»Nur ein paar Schrammen. Aber jetzt müssen wir den Doktor um jeden Preis von hier fortbringen«, setzte er hinzu.

»Hallo, Chiko, Trente! Könnt ihr eine tüchtige Strickleiter flechten?«

Die indianischen Führer klatschten in die Hände.

»Wohl! Wohl! Das können wir. Aber wo soll sie hängen?«

»Ihr müsst diesen Felsvorsprung von oben her erreichen, dort befestigt ihr die Leiter oder haltet sie mit vereinten Kräften fest.«

Chiko legte beide Hände auf die Knie, beugte sich vornüber und schüttelte den Kopf.

»Ihr kommt nicht hinauf!«, antwortete er. »Das lasse nur unsere Sorge sein! Schnell, schnell, knüpft die Leiter.«

Auch Ramiro nickte Beifall.

»Es ist, wie Pedrillo sagt, durch das niederstürzende Wasser können wir nicht bis an die Brücke gelangen.«

Und nun teilten sich oben alle Hände in die Arbeit. Der Scharfsinn der Weißen und der natürliche Instinkt der Halbwilden vereinigten sich, das Rettungswerk zu fördern. Aus den festesten Seilen flochten die Führer eine Leiter, deren unterste Sprosse, ein armdicker Baumast, die Seile weit auseinanderhielt und einen bequemen Stützpunkt für die Füße des Kletternden darbot.

Chiko erreichte durch einen gewagten Sprung den ihm bezeichneten Felsblock und fing die ihm zugeworfene Leiter auf, die er von Klippe zu Klippe vorsichtig hinabließ. Ramiro hatte unterdessen die Seile, an denen man ihn bei seinem gewagten Sprung festgehalten, langsam gelöst und den auf der Brücke Stehenden zugeworfen. Jetzt sah er prüfend zu den beiden Führern empor.

»Haltet ihr fest, Trente und Chiko?«

»Ja, Señor, ja. Auch Costa ist hier und Antonio!«

»Nun, – dann in Gottes Namen.«

Ramiro hob mit dem linken Arm den Körper des Bewusstlosen so zu sich empor, dass der Kopf desselben an seiner Schulter lag, – mit der rechten Hand fasste er die schwankende Leiter und begann Sprosse nach Sprosse zu ersteigen. Ihm nach folgte ganz in derselben Weise der Schlangenmensch, mit seinen Schultern den Ohnmächtigen stützend. So trugen die beiden Zirkuskünstler den Doktor langsam, Schritt um Schritt, in freier Luft schwebend, empor bis an die Stelle, wo die Männer mit vereinten Kräften die Seile hielten und durch lebhafte Zurufe den Mut der tapferen Retter anzufeuern suchten.

Auch Benno und Halling waren mit auf den Felsblock gesprungen, um die Last tragen zu helfen; Zoll um Zoll, ganz langsam klommen Ramiro und Pedrillo an der Leiter empor, zuweilen hart vorüber an Klippen, die den Weg zu versperren drohten, an spitzen Zacken, die sich zwischen den Seilen vorschoben. Aber kaltblütig hielt sich Ramiro an solchen Stellen mit den Zähnen im Gleichgewicht und brauchte die rechte Hand, um den Weg frei zu machen. Sie wandten sich ab, die es sahen, manche Herzen hörten im Augenblick auf zu schlagen. Ein einziger Fehlgriff, eine unvorsichtige Bewegung, – und drei Leben waren vernichtet.

Pedrillos Stirn blutete immerfort, sein Gesicht hatte alle Farbe verloren, er atmete erleichtert auf, als endlich über dem Rand des Felsblockes nackte braune Arme sichtbar wurden. Noch ein letzter, starker Schwung, eine Riesenanstrengung – dann war das Werk vollendet. Über Klippen und Kegel, auf schwindelndem Wege hatten die Wackeren den Bewusstlosen dem sicheren Tod entrissen. Und nun brach lauter Jubel los, donnernd, unaufhaltsam, dass es von den Bergen ringsumher zehnfach widerhallte.

»Hurra! Hurra! Das war eine tapfere, mannhafte Tat.«

Kein Gedanke an den gefundenen Armring, an die Eingeborenen und etwa bevorstehende Kämpfe mit denselben erfüllte in diesem Augenblick die Herzen, – es war alles verdrängt von Freude und Bewunderung, von dem lebhaften Verlangen, den beiden Kunstreitern die Hände zu drücken und ihnen für ihre hochherzige Tat zu danken.

Jetzt lag Doktor Schomburg auf dem sicheren Erdboden und Halling wusch ihm die Stirn mit Branntwein, während andere Hände die durchnässten Kleider durch trockene ersetzten. Ein belebendes Mittel ward ihm eingeflößt. Auch Ramiro und der Schlangenmensch erhielten eine Herzstärkung; Bewegung ging durch die Reihen aller Anwesenden, als der Doktor die Augen öffnete und bei der ersten Rückkehr des Bewusstseins erschreckend mit beiden Händen um sich griff.

»Die Brücke!«, stammelte er. »Die Brücke!«

»Seien Sie ganz ruhig, Doktor, wir sind hinüber.«

Man hatte ihn so gelegt, dass seine Blicke den Abgrund nicht treffen konnten; verwirrt sah er um sich.

»Fiel ich denn nicht in das Wasser?« Und als sie ihm alles erzählt hatten, da reichte er seinen beiden Rettern die Hände. »Pedrillo, Sie bluten, ich habe Sie im jähen Sturz mit von der Brücke gerissen! – Ist die Wunde sehr schmerzhaft?«

Der Schlangenmensch lächelte.

»Nichts! Nichts! Wir alle sind glücklich davongekommen, Señor Doktor!«

In diesem Augenblick erhob plötzlich der Hund ein lautes Gebell. Benno sah nach der Richtung, in welcher das Tier vorwärts schoss, und über seine Lippen brach ein unwillkürlicher Schreckensschrei.

»Indianer!«

Alle Blicke folgten der angedeuteten Richtung. Vor einem Gebüsch großblätteriger Pflanzen standen in einiger Entfernung etwa sechs oder acht, mit bunten Farben von Kopf bis zu den Füßen bemalte Indianer, die in wortlosem Erstaunen zu den Weißen hinübersahen, aber blitzschnell verschwanden, sobald sie die allgemeine Aufmerksamkeit gewahr wurden, die sie erregt hatten.

Pluto bellte noch aus Leibeskräften, nachdem von den Eingeborenen längst nichts mehr zu entdecken war; er würde die Fährte sogleich aufgenommen haben, wenn nicht Bennos Faust ihn am Halsband gehalten und dadurch gehindert hätte. Der Wind fuhr durch das Gebüsch und schüttelte einen wahren Regen purpurner und weißer Blütenblätter herab, – die Indianer blieben verschwunden.

»Sie haben uns gesehen«, raunte jemand. »Und sie werden auf alle Fälle mit bedeutender Verstärkung zurückkommen.«

»Aber man weiß nicht, ob in feindlicher Absicht.«

Ramiro ermannte sich zuerst.

»Fassen wir den Stier bei den Hörnern«, sagte er, »marschieren wir schnurstracks in das Dorf der Wilden.«

»Und wenn uns ein Hagel vergifteter Pfeile entgegen schwirrt, was dann?«

Der Kunstreiter zuckte die Achseln.

»Vorbeischleichen können wir uns jetzt nicht mehr«, versetzte er.

»Also je eher daran, desto eher davon.«

Sie erkannten alle, dass dieser Rat der beste sei, und ehe noch der Entschluss äußerlich bekundet worden war, formte sich auch schon der Zug, um talabwärts den Weg durch den dichten Wald zu verfolgen.

Der Doktor konnte seinen Platz auf dem Rücken des Maultiers wieder einnehmen; langsam über Baumwurzeln und Gestein schritten die Tiere dahin. Vier Späher, zwei Peruaner und zwei Führer schlüpften voraus, um zu kundschaften. Rechts vom Wege erschien nach stundenlanger Wanderung eine Art von Waldwiese mit einzelnen Palmengruppen und prachtvollen Feigenbäumen.

Ein Wasserstreif schlängelte sich hindurch, Ziegen weideten am Ufer, und hinter dichtem Bananengebüsch kräuselten sich leichte Rauchwolken zum Himmel empor. Die Späher kamen laufend zum Zuge zurück.

»Das Dorf!«, flüsterten sie. »Es liegt gerade vor uns.«

»So dass wir nicht daran vorübergehen können?«

»Unmöglich!«

»Da sind wir schon bemerkt worden!«, rief Benno.

Ein Mann lief in großen Sprüngen über den Weg und verschwand hinter einer Gruppe von Palmenbäumen, ihm nach folgten wie fliehend, in voller Eile andere rot bemalte Gestalten, auch Frauen und Kinder; dann wurde alles still bis auf die Stimmen mehrerer Hunde, welche mit Bennos grauem Windspiel um die Wette bellten, sich zuweilen zeigten und ebenso schnell wieder versteckten, ganz wie ihre Gebieter es machten.

In den Zug der Weißen war eine Stockung gekommen; die Führer berieten flüsternd und nicht ohne Herzklopfen miteinander. Es war ungewiss, was die nächsten Minuten bringen würden. Plötzlich erschienen drei Männer in dunkelroter Färbung mit weißen Querstreifen. In den Ohren steckten aufrechtstehende gelbe Federn, der Kopf war mit einer aus demselben Material hergestellten Binde umgeben, und um die Gelenke trugen diese großen, vollständig unbekleideten Burschen Reihen durchlöcherter Steine, zwischen denen Schweinepfoten, Hühnerkrallen und Büschel von Pflanzenwurzeln in bunter Reihe eingefügt waren. Von Waffen war keine Spur zu entdecken.

»Eine Gesandtschaft!«, raunte Halling. »Vielleicht der Häuptling selbst.«

»Der mit den seltsamen Ohrläppchen scheint der vornehmste Mann zu sein. Ein sonderbares Gewächs, dieses Ohr!«

»Da rollt etwas vom Kopf auf die Schulter herab.«

»Ach, – nun erkenne ich den Zusammenhang. Das Ohr ist bis zur Schulter herab gezogen worden und in der Mitte zerrissen, – der Eigentümer wickelt die langen Fleischlappen auf, und wenn er sich bewegt, rollen sie wieder herunter.«

Chiko, der Führer, drängte sich, vor Furcht mit den Zähnen klappernd, an die Weißen heran.

»Señores, wisst ihr, was Trente sagt?«

»Nun?«

»Diese Wilden essen Menschenfleisch. Er weiß es von seiner Großmutter, – die hat auch in ihrer Jugend noch gefallene Feinde mit verzehrt.«

»O Himmel, welch eine blutdürstige Ahnfrau! – Vielleicht werden unter solchen Umständen die Kessel schon geheizt, in denen wir schmoren sollen.«

»O Gott, Señor, – und darüber kannst du lachen?«

»Warum nicht? Ich denke mein Leben teuer zu verkaufen.«

»Wahrhaftig, wir auch. Unsere achtzig Mann werden es ja wohl mit einer Handvoll Wilder aufnehmen können.«

»Lasst uns doch unseren Weg weiter fortsetzen. Die Leute müssen ja glauben, dass wir uns fürchten.«

»Vorwärts! Vorwärts! Auch die schlimmste Entscheidung ist der Ungewissheit durchaus vorzuziehen.«

»Was meinen Sie, Señores«, fragte der Kunstreiter, indem er sich zu den Reisegenossen wandte, »sollen wir einfach in das Dorf eindringen?«

Der Doktor war vom Maultier gestiegen und hatte sich, mit dem Rücken gegen einen Baum, in das Gras gesetzt.

»Mich lasst hier auf alle Fälle ein wenig ruhen«, sagte er. »Ich glaube, ich habe ein tüchtiges Fieber davongetragen.«

»Dann müssen wir uns umso eher nach einem sicheren Halteplatz umsehen. Kommen Sie, meine Herrschaften, wir gehen in das Dorf.«

Mehrere andere schlossen sich ihm an; aber kaum hatte der kleine Trupp einige Schritte nach vorwärts gewagt, als auch die Eingeborenen den Weißen entgegengingen und die Köpfe schüttelten. Eine Handbewegung sagte deutlich:

»Bis hierher und nicht weiter.«

Die Männer wichen zurück.

»Was nun?« – Das war schwer zu entscheiden.

»Trente«, rief Ramiro, »kannst du nicht mit den Leuten sprechen? Weißt du nicht wenigstens von deiner Frau Großmutter her noch einige Brocken, mit denen sich eine Unterhaltung anknüpfen ließe?«

Aber Trente kroch hinter die Maultiere; er dachte an alle Arme und Köpfe, die von seinen Vorfahren abgenagt worden waren und zitterte am ganzen Körper. Die langen Kerle mit ihrer schauderhaften Malerei sahen zu schrecklich aus. Doktor Schomburg schlief, er war sehr blass und sein Atem ging schneller; unruhig sahen Benno und der Peruaner einander an.

»Wenn hier im Urwald, unter Wilden und in dieser beängstigenden Lage auch noch eine Krankheit ausbräche, das wäre schrecklich!«

»Trente!«, rief ärgerlich der Kunstreiter. »Trente, komm her, Bursche! Du sollst mit den Leuten sprechen, hörst du! Schäme dich doch, wie eine Memme zu zittern und ins Mauseloch zu kriechen.«

Aber Trente hatte das Ende dieser geharnischten Rede gar nicht erst abgewartet, er war verschwunden wie Tau vor der Sonne. Weit davon schien ihm offenbar in Anbetracht der Braten, welche die braunen Gesellen zu verspeisen liebten, die wünschenswerteste Entschließung zu sein. Im gleichen Augenblick nahte indessen für den ungeduldigen Peruaner von anderer Seite die ersehnte Aufklärung.

Über die Wiese kamen vollen Laufes, atemlos, als gelte es eine eilige Flucht, mehr denn hundert Eingeborene dem Halteplatz des Zuges entgegengelaufen, alle kreischend, schreiend, gestikulierend, alle in einem Aufzug, der an ein Maskenfest erinnerte. Die Männer waren sämtlich nackt wie jene, welche bisher Wache gehalten hatten, die Frauen trugen einen Gürtel aus Bast, alle aber hatten einen Kopfputz, der mehr als sonderbar aussah.

Hier in der Maske eines Fuchses, da einer Schlange, dort einer Taube, einer Katze, eines Hundes oder eines Fisches, so präsentierten sich die schreienden, tanzenden Leutchen den Weißen. Riesenhafte, aus Stroh. Bast und Fellen oder Federn gearbeitete Köpfe der genannten Tierarten waren vollständig über die der Menschen gezogen, so dass hier ein Mann als verkleideter Fuchs, dort eine Frau als Taube oder Kakadu umherlief.

Lange Bänder und Fransen von Stroh hingen auf die nackten Schultern herab, bunte Steine dienten als Augen, Fuchsschwänze und Papageienflügel als Zierraten, wobei es nicht darauf ankam, etwa eine Schlange mit dem purpurnen Fittich des Kakadu herauszuputzen, oder einem schwarzen Jaguar einen Taubenschwanz ausgebreitet wie ein Rad hinter die Ohren zu stecken.

Das eigentlich gemeinte Tier war immer erkennbar, aber die hinzugefügten Ausschmückungen zeigten eine Willkür ohne Schranken. Am Halse und an den Hand- und Fußgelenken trugen die Wilden rasselnden Stein- und Kernschmuck, Muscheln. Zähne, Klauen,

Holzstücke und Knochensplitter, mit denen sie einen taktmäßigen, ohrenzerreißenden Lärm vollführten.

Jeder Fuß sprang, jeder Arm fuchtelte durch die Luft, jede Stimme schrie. So tobten über hundert Personen, Männer und Frauen, wie eine Schar von Irrsinnigen vor den Blicken der Weißen, dazu kreischten die Kinder, bellten die Hunde und meckerten aufgeschreckt die bunten, friedlich weidenden Ziegen. Ein allgemeiner Aufruhr schien die Bewohnerschaft des Indianerdorfes ergriffen zu haben.

Dennoch aber trug der Spektakel, so entsetzlich er auch war, nicht den Stempel einer Kriegserklärung; denn man hatte keine Waffen mitgebracht, und in den Gebärden lag keinerlei Drohung, Unfähig, den Sinn des Vorganges zu begreifen, sahen die Weißen einander an.

»Wüsste man nur, was uns die Leute zurufen!«, sagte Halling. »Trente, Trente, wo steckst du denn?«

Auf allen Vieren kroch der Edle unter einem Maultier hervor; sein Gesicht zeigte einen vergnüglichen Ausdruck, er nickte und fuhr mit der Zunge um die Lippen, dann öffnete sich der breite Mund zum Grinsen.

»Die Indianer sagen, dass sie unsere Freunde und Brüder sind, – sie wollen uns einen großen Topf voll Mingau bringen!«

»Du verstehst also ihre Sprache?«

»Ja! Ja!«

»Und Mingau, – was ist das?«

»Schmeckt herrlich«, lächelte Trente. »Branntwein ist es.«

»Ach, – das klingt sehr verheißend. Aber wann wird denn dieses fürchterliche Geschrei ein Ende nehmen, du?«

»Wenn ihr geantwortet habt, Señores! Ihr müsst den Leuten die gleichen Versicherungen geben.«

»So diene uns als Dolmetscher, Trente! Rasch, rasch, damit dieser Höllenspektakel aufhört. Was sollen wir sagen?«

Der Indianer schüttelte den Kopf.

»Sprecht nur eure eigene Sprache, Señores. Es kommt darauf nicht so genau an.«

»Gut also. Sie, Benno, und Sie, Herr Halling, geben die gewünschte Versicherung auf Deutsch, wir anderen auf Spanisch. Vorwärts in Gottes Namen!«

»Pluto«, rief unser Freund, »wie bellst du?«

»Wau! Wau! Wau! Wau! Wau!«

Und »Wau! Wau!« kläfften mit verstärkter Macht die Hunde der Eingeborenen.

Es war ein Konzert, um selbst die Geduld der Engel zu erschöpfen. Und nun begannen sämtliche Peruaner ihre mit reichlichen »gu« und »ei« versehenen Rufe, während die beiden Deutschen nicht ermangelten, voll ausgelassener Heiterkeit mit einzustimmen und allen möglichen Unsinn den Eingeborenen zuzurufen.

»Wir lieben euch inniglich, ihr langen Vogelscheuchen! Färbt ihr auch ab, rot angestrichene Hanswürste?«

»Wie die Tollhäusler lärmen diese Kerle!«

Dazwischen klangen das Stimmengewirr der Indianer und der Spanier, das wütende Gebell von wenigstens zwanzig Hunden und das Geschrei der mit in die allgemeine Aufregung hineingezogenen Maultiere.

Alle Vögel verließen flüchtend die Umgebung, eiligen Laufes suchten Ziegen und Schweine ihr Heil in der Ferne. Nur Doktor Schomburg schrie nicht mit, er hielt sich den Kopf fest und schloss die Augen vor Ermattung. Allmählich, nach einer Dauer von etwa zehn Minuten verstummte endlich das fürchterliche Geschrei, vielleicht weil selbst den kräftigsten Männern der Atem ausging. Ebenso schnellen Laufes, wie sie vorhin gekommen waren, eilten die maskierten Wilden wieder in das Dorf zurück, ihre Hunde mit sich führend, lautlos und ohne sich umzusehen. In wenigen Augenblicken waren sie verschwunden. Der Kunstreiter trocknete sich den Schweiß von der Stirn.

»O Himmel, an diesen Willkommensgruß werde ich Zeit meines Lebens denken! – Puh! Ob man denn nun endlich seinen Einzug halten darf?«

Trente schüttelte den Kopf.

»Ich glaube es nicht«, sagte er. »Zuerst muss eine förmliche Einladung erfolgen.«

»Da kommt ein hinkendes altes Weib herbei gestolpert.«

»Nein – diese Hässlichkeit! Sie ist fast kahl.«

»Und hat Triefaugen, – keine Zähne mehr.«

»Der ganze Körper ist gelb angestrichen, mit schwarzer Nase und schwarzen Händen. Samiels Großmutter, wenn ich meinen Vermutungen Ausdruck geben darf.«

»Psst! Madame will reden.«

»Heppsi!«, nieste kräftig die Alte. »Heppsi!«

»Prosit, Mutter! Zum Wohle!«

Ein unterdrücktes Lachen ging durch die Reihen der Männer, nur ein unterdrücktes, denn man sah sehr wohl, dass die Hexe den Vorgang als außerordentlich bedeutsam und feierlich auffasste und dass sie in dieser Beziehung keinen Widerspruch dulden würde. Jetzt hob sie die Hand und deutete nach Süden, während ihre zahnlosen Kiefer breit auseinander klappten und die Lippen einige Worte stammelten. Die zweite Bewegung kehrte sich nach Norden und so fort, bis alle Himmelsgegenden bezeichnet waren, – zuletzt legte die Alte ihre Hand auf die eigene Brust.

»Wohl gesprochen!«, nickte der Peruaner. »Diese Rede hieß ohne Zweifel: ›Uns, mir und meinem Volk, gehört die Welt. Alles, was ihr seht, ist unser Eigentum.‹«

»Und zum Schluss der Vermerk: ›Ich bin die Hexe des Stammes!‹«

Trente lachte heimlich.

»Ganz genau so«, flüsterte er. »Gebt Acht, Señores, jetzt kommt die Einladung.«

»Das wolle Gott«, seufzte Ramiro.

Die Alte sprach wieder, nur wenige Worte freilich, aber voll komischer Wichtigkeit.

»Ihr dürft unsere Aldea betreten, Fremdlinge. Seid willkommen!«

Trente übersetzte jetzt bereitwilligst und auch den Dank der Weißen brachte er schleunigst zum Ausdruck. Dann konnten Menschen und Tiere in das Dorf einziehen, dessen bienenkorbartige Hütten inmitten bepflanzten Gartenlandes lagen. Der ganze Anblick war ein so friedlicher, so anheimelnder, dass die Reisegesellschaft unwillkürlich den wohltuendsten Eindruck empfing. Zwar wucherte auf allen Wegen und zwischen den Nutzpflanzen das Unkraut in üppiger Fülle, aber es trug prachtvolle Blumen; zwar war die Anordnung erstaunlich weitläufig, aber sie hatte etwas Malerisches, an sich durchaus nichts Unangenehmes.

Überall sah man aus den Anlagen und Einrichtungen die Liebe für Putzgegenstände deutlich hervor; das gewandlose Völkchen schmückte seine Bäume und die Außenwände seiner Hütten auf ganz eigentümliche Weise, ebenso eigentümlich und auffallend, wie es die eigenen Gesichter zu schmücken pflegte.

An den Enden der über dem Dach sich kreuzenden Stützbalken war ein Diadem von buntfarbigen Papageienflügeln angebracht, an den Wänden hingen Kränze aus buntem Strohgeflecht und Bast, gefällige Figuren bildend, in deren Innerem die federgeschmückten Pfeile des Besitzers gruppenweise steckten.

»Was sind das für seltsame Gestalten an den Eingängen der Hütten?«, fragte Benno. »Und auch innerhalb derselben, – sehen Sie nur, Señor!«

»Menschliche Figuren aus Stroh, denke ich.«

»Nein, nein, riesenhafte Vogelgestalten sind es.«

»Da kommt ein ganz schwarz bemalter Bursche. Quer über seinen stattlichen Bauch hat er grasgrüne Streifen gezogen.«

»Ohne Zweifel ein Herr vom Hofe. Er heißt uns willkommen im Namen des Königs.«

Der Eingeborene lächelte huldvoll, er deutete auf eine große, besonders reich verzierte Hütte und machte dabei eine Handbewegung, die deutlich sagte:

»Hier sollt ihr wohnen.«

»Trente, komm her, du musst übersetzen!«

Und dann hielt der Peruaner eine Rede, in welcher er den Dank der Reisegesellschaft zum Ausdruck brachte.

»Wir haben einige kleine Geschenke für euch«, schloss er. »Bist du etwa der Häuptling des Stammes, so dass wir dir dieselben anbieten dürfen?«

Der Mann mit den grünen Bauchstreifen schüttelte seufzend den Kopf.

»Nein«, antwortete er, »nein, Fremdlinge, ich bin nicht der Anführer meines Volkes. Dieser, der edle Tenzileh, sitzt in seiner Hütte und trauert tief.«

Ramiro nahm als gewandter Schauspieler sofort eine Leidensmiene an.

»O«, sagte er, während Trente übersetzte, »das zu hören verursacht mir großen Kummer. Ist mein Gönner, der tapfere Tenzileh etwa krank?«

Ein Kopfschütteln gab die Antwort.

»Nein, Fremdling.«

»Oder ist eine ihm sehr teure Person gestorben?«

»Auch nicht.«

»Darf man denn nicht fragen, worin der Grund seines Schmerzes besteht?«

»Nein, denn die Sache ist ein schreckliches Geheimnis, durch das vielleicht die ganze Welt mit allen Menschen und Tieren in Flammen aufgehen wird.«

»Gott stehe uns bei!«, rief Ramiro. »Das wäre ja furchtbar, guter Freund. Hoffentlich bleibt uns das Ärgste noch erspart. Aber sage mir, dürfen wir den edlen Tenzileh in seiner Hütte aufsuchen?«

Neues Kopfschütteln.

»Ihr müsst warten, bis euch der Häuptling zu sich entbieten lässt. Aber eins dürft ihr schon heute, nämlich Obijah ein Geschenk machen.«

»Das bist du selbst, nicht wahr?«

»Ja, – und das Ding da möchte ich haben.«

»Meine Uhr? – Ja, leider ist das ganz unmöglich. Aber dieser Blechlöffel ist auch nicht zu verachten, wie, Freund Obijah?«

Der Indianer nahm mit sichtlichem Behagen den glänzenden Gegenstand an sich und ehe viele Minuten vergingen, hatte er ihn so in seine Frisur hineingesteckt, dass der bescheidene Küchenlöffel, aufrecht über der schwarzen Stirn stehend, mit dem breiten Ende gen Himmel ragte.

Selig lächelnd sah Obijah nach allen Seiten, als wolle er fragen:

»Wer ist gleich mir geschmückt so schön und herrlich?«

Dann rannte er plötzlich ohne Weiteres davon. Die Last seines Glückes war offenbar so groß, dass er sie nicht allein zu tragen vermochte. Ramiro und die übrigen lachten heimlich. Mehrere unter ihnen waren bereits auf allen Vieren in die Hütte hineingekrochen und kamen jetzt wieder heraus.

»Eine erstickende Hitze herrscht drinnen«, berichtete Benno, »auch findet sich verschiedenes Getier. Das Licht fällt durch etliche schadhafte Stellen im Dach.«

Michaels schwarze Augen glänzten unheimlich.

»Große Zaubervögel hängen unter der Decke«, flüsterte er.

»Ja, das wollte ich erzählen!«, rief Benno. »Es ist eine sonderbare Gesellschaft in der Hütte, lauter lebensgroße Puppen, die alle unter dem Dach an langen Fäden herabhängen, Menschen- und Tiergestalten aus Blättern oder Stroh.«

»Mit schwarzen Augen«, fügte Michael hinzu. »Und Eidechsen aus Gras mit zierlichen Füßen, hübsche grüne Dinger.«

»Wir wollen uns jetzt zunächst nach dem Doktor umsehen«, meinte Ramiro. »Hoffentlich ist er nicht ernstlich erkrankt.«

Während die Frauen der Eingeborenen, jetzt ohne Masken, diensteifrig und freundlich von allen Seiten herbeikamen, um ein schäumendes heißes Getränk und eine Art von Gebäck aus dem Fleisch der Maniokfrucht zu bringen, während sie Fruta de Lobo, eine apfelartige, überall wachsende Frucht, reichlich verteilten, begab sich Ramiro zu dem Kranken, für den schon im Schatten zweier Bäume eine Hängematte befestigt worden war.

Der Doktor sah sehr matt und verfallen aus, er schlief und atmete wie ein Fieberkranker. Der Kunstreiter schüttelte den Kopf; auf den Zehenspitzen schlich er davon. Wenn eine Krankheit mitten im Urwald ausbrechen sollte, das konnte schrecklich genug werden. Drüben saßen schon die Genossen beim Mahl.

Der Mingau, jener Branntwein, von dem Trente gesprochen hatte, kreiste in hübschen hölzernen Schalen von Mund zu Mund; ein gebratenes Reh wurde zerlegt, und eine Art Ragout aus Fischen, daneben das weiße, brotartige Gebäck, standen für die hungrigen Magen bereit. Ziemlich schweren Herzens setzte sich Ramiro mit in die Reihe, Welch ein langer, unerwünschter Aufenthalt konnte jetzt entstehen.

»Die Eingeborenen scheinen keineswegs arm zu sein«, sagte Pedrillo. »Sie haben Lebensmittel in Hülle und Fülle.«

»Aber es liegt offenbar auf den Gemütern ein Druck, es herrscht eine Verstimmung, eine Furcht. Ist euch das nicht ebenso vorgekommen?«

»Ja! Ja!«, hieß es von allen Seiten. »Die Hexe schleppte auch eine Portion Speise, von allem etwas, irgendwohin in einen Winkel. Als ihr zufällig Michael nachging, drohte sie ihm mit erhobener Faust.«

Der Halbirre nickte.

»Ich bin aber doch hingekommen«, sagte er.

»Was sahst du denn?«, fragten zehn Stimmen zugleich.

»Ein Gestell aus Weidenstäben, nach oben flach wie eine Tischplatte. Darauf lagen alle möglichen Speisereste, auch die Dinge, welche die Hexe soeben hingebracht hatte.«

Ramiro nickte.

»Ein Opferaltar«, sagte er. »Das dachte ich mir schon.«

»Hättet ihr die Tiere gesehen, welche sich da gütlich taten! Riesenhafte Ameisen, wahre Ungeheuer an Größe, dann ein Geschöpf mit einem schillernden Panzer und spitzer Schnauze, – es stellte wieder den Ameisen nach. Während diese über die Speisen herfielen, fraß es sie. Ich glaube, das war ein Tier, vor dem man sich hüten muss, es verschwand, als ich näher trat, in den Boden hinein.«

»Ein Gürteltier!«, rief Halling. »Dann sind wahrscheinlich in der Nähe Termitenbauten. Was meinen Sie, Benno, machen wir einen Jagdzug?«

»Erst lassen Sie uns das Dorf und das Innere der Hütten besehen.«

»Diese ›Fruta de Lobo‹ sind eine wahre Gottesgabe«, sagte jemand. »Ich esse nun die zehnte und habe eigentlich gerade jetzt erst Appetit bekommen.«

»So wie ich auf Pflaumen und Mispeln. Die Natur gibt hier, wie es scheint, alles freiwillig her. Der Mensch braucht nur zu pflücken und zu essen.«

Sie gingen in langer Reihe durch das Dorf und beobachteten die friedlichen Beschäftigungen der Eingeborenen. Überall spielten nackte braune Kinder, Scharen von größeren Knaben verübten einen Lärm, welcher demjenigen der europäischen Jugend nichts nachgab. Jüngere und ältere Frauen waren emsig bemüht, ihre kleinen Anpflanzungen von Taro, Mais, Maniok und Bohnen, ihre Fruchtgebüsche und Beeren vor den Angriffen lauernder Feinde zu beschützen.

In jedem Garten saß solch eine braune Frau, die entweder aus Töpferton ein Kochgeschirr formte oder aus dem Bast der Buritipalme eine Matte oder dergleichen flocht; neben der eifrig arbeitenden Hand lag eine große hölzerne Klapper, die rasch in Bewegung gesetzt wurde, wenn von den nächsten Bäumen eine Gesellschaft dreister Schmarotzer sich plötzlich herabließ und Miene machte, die kleine Anpflanzung zu plündern.

Es waren Papageien in Unzahl vorhanden, die da mit geneigten Köpfen den günstigen Augenblick erwarteten, grüne und graue, kleine und große, auch stattliche weiße Kakadus mit gelber Haube und scharfem, krummgebogenem Schnabel, rote Aras und wie sie alle heißen mögen die schnellen, energischen, kampflustigen Vögel mit dem schrillen, heftigen Aufschrei und den seiltänzerartigen Bewegungen.

Jeder Blick der schlauen Augen spähte nach der Gelegenheit zum Raube. Und über den schönen bunten Papageien, neben ihnen, zwischen ihnen kletterten die kleinen behänden Schwarzaffen, immer mit den gefiederten Nachbarn im Streite begriffen, immer quiekend, schreiend, sich ohrfeigend und in langer Kette von Ast zu Ast schwingend. Auch sie wollten die »Fruta de Lobo« pflücken, die Maiskolben aushülsen und die jungen Bohnen stehlen, auch sie ergriffen schleunigst die Flucht, wenn die braune Indianerin kreischend ihre Klapper schwenkte und in vollem Lauf durch den Garten daher kam.

Unsere Freunde besahen die halbfertigen Töpfe, auf denen mit einem platten, scharfen Stein allerlei hübsche Muster eingraviert waren, Ketten und Kränze, Figuren und Blumen in regelloser Zusammenstellung; Farben in kleinen Strohkörben lagen daneben, kunstlose Pinsel aus Bast, hölzerne Stifte und ein scharfes, steinernes Messer. Nach allem Anschein hatten die Wilden bis jetzt weder mit Weißen verkehrt, noch jemals eiserne Werkzeuge gesehen.

Ein freundliches Lächeln ermutigte überall die jungen Leute, ihre Beobachtungen fortzusetzen, es wurde ihnen alles gezeigt, auch das Schaben der Maniokwurzeln, das Brotbacken und der Topf mit dem kochenden schäumenden Getränk. Die Hexe saß dabei, immer noch mit schwarzer Nase und schwarzen Händen, mit einem Stück Bambusschale schöpfte sie sorgfältig den Schaum des siedenden Mingau ab.

»Gib uns zu trinken, Mutter«, bat der immer durstige Trente. »Dein Mingau duftet gar zu prächtig.«

Die Hexe wiegte den Kopf.

»Noch ist er giftig«, war ihre Antwort. »Bis sich der Schaum aufgelöst hat, musst du warten.«

Trente schüttelte den Kopf.

»Giftig?«, wiederholte er.

»Ja, ja, du musst warten. Beiße nicht in die rohe Maniokfrucht, mein Sohn, oder du würdest auf der Stelle sterben.«

Und sie wiegte sich wieder von einer Seite zur anderen.

»Nicht da hinauf, weiße Männer«, setzte sie hastig hinzu, als die jungen Leute seitwärts zwischen den Häusern einen schmalen Weg verfolgen wollten.

»Nicht da hinauf!«

»Warum nicht, Mutter?«

»Weil dort die Wohnung des Häuptlings liegt. Nur seine Diener dürfen ihr nahen, sonst aber kein Mensch.«

»Was hat denn der Häuptling?«, fragte Benno mit Hilfe Trentes. »Weshalb sperrt er sich ein?«

Die Alte schöpfte wieder von der kochenden Masse den Schaum.

»Ein Unglück!«, murmelte sie. »Ein Unglück! – Böses steht bevor, Feuer wird die Hütten verzehren und die Männer und kleinen Kinder.«

»Die zweite Weltuntergangsprophezeiung«, sagte kopfschüttelnd unser Freund. »Was in des Himmels Namen mag das bedeuten?«

Halling schenkte der Alten eine Silbermünze, die er aus seinem Geldtäschchen nahm.

»Nun, Mütterchen«, sagte er, »du erregst uns ja förmliche Furcht. Woher sollte denn das viele Feuer kommen?«

Die Hexe hob wie beschwörend beide schwarz bemalte Hände und deutete erst nach oben und dann nach unten.

»Aus den Wolken wird es fallen«, versetzte sie, »und aus dem Boden hervorbrechen.«

»Ob dabei an ein Erdbeben gedacht ist?«, forschte Benno. »Eher an irgendeine Zauberei, denn für das Erdbeben gibt es keine Vorzeichen, wenigstens keine, die von diesen Wilden wahrgenommen werden könnten.«

»Wann kommt denn das große Feuer?«, fragte Trente, dem es bei diesem Gedanken schon jetzt ein wenig schwül zu werden schien. »Bald?«

»Das weiß man nicht«, lautete die Antwort, »fragt den Mond! Wenn er sich tief unter seine Wolkendecke verkriecht, dann ist die Gefahr nahe.«

»Und das alles geschieht Tenzilehs wegen?«

»Ja. Alles seinetwegen. Er hat noch einige gute Freunde, aber nicht viele, vielleicht – vielleicht – doch das steht dahin. Tenzileh bleibt in seiner Hütte, er kommt nicht mehr heraus und niemand geht zu ihm. Tenzileh ist so gut wie tot.«

Halling sandte den übrigen einen bedeutsamen Blick.

»Eine Frage noch, Mutter«, wandte er sich mit Trente zu der Alten, »ist euer Häuptling in jener Hütte gefangen? Habt ihr ihn aus dem Dorf verbannt?«

Die braune Hexe schöpfte den letzten Schaum vom Topf.

»Ja!«, nickte sie. »Ja, gefangen! Aber man kann ihn nicht töten, denn Obijah, Naporra und Barrudo sind seine Freunde, – Naporra ist ein mächtiger Zauberer, er brächte das schrecklichste Elend über den ganzen Stamm. So lebt denn Tenzileh noch immer, – leider! Leider!«

Dann stand sie auf und hinkte zu einer Hütte, um mehrere der hübschen Bambusschalen herbeizuholen.

»Trinkt, Fremde, der Mingau war für euch bestimmt. Es wächst Maniok in Hülle und Fülle auf unseren Feldern, auch der Saft des Ahornbaumes fließt reichlich, also nehmt das Getränk hin und seid versichert, dass wir es gern gegeben haben.«

Trente nahm sich kaum Zeit, die Worte zu übersetzen, er trank in langen Zügen, während die Weißen dem starken wohlschmeckenden Branntwein nur sehr mäßig zusprachen. Ein weiterer Versuch, über den entthronten Häuptling und seine Geschichte Näheres zu erfahren, schlug vollkommen fehl; unsere Freunde mussten sich daher darauf beschränken, die einsam stehende Hütte aus der Ferne zu betrachten und über Tenzileh alle möglichen Vermutungen aufzustellen.

»Der Zauberer begünstigt ihn«, sagte lächelnd Ramiro, »daher ist er wenigstens seines Lebens sicher. Eine Palastverschwörung im Urwald.«

»Durch die Drohung mit dem Weltuntergang. Das sind gute Aussichten.«

Ramiro hatte aus einigen verwelkten Tabakblättern eine Zigarre gedreht, die fast einer kleinen Keule glich. Dieses Monstrum rauchte er nun unter einigen Grimassen und Hustenanfällen tapfer zu Ende. Die ganze Gesellschaft begab sich hinaus auf die große Wiese, wo Maultiere und Ziegen jetzt friedlich nebeneinander lagerten.

Die Peruaner hatten ein großes Biwakfeuer entzündet und am Waldrand ihre Hängematten aufgespannt. Sämtliche Dorfhütten wären zusammen nicht geräumig genug gewesen, um dem ganzen Zuge Quartier zu geben; es schien auch unberechtigt, die Versorgung so vieler Personen von den Indianern zu erwarten, man musste die eigenen Vorräte verzehren, und wie bisher durch Jagden frisches Fleisch herbeischaffen.

Jetzt sah der Kunstreiter nach den Maultieren, die alle lang ausgestreckt im Gras lagen; ein Ausruf des Erstaunens brach über seine Lippen.

»Seht doch dieses Schauspiel, Kinder!«

Aus allen Hühnerhöfen des Dorfes waren die Insassen zusammen-gekommen, um ihren Anteil an den festlichen Schmäusen des Tages zu beanspruchen. Auf jedem Maultier saßen die gefiederten Familien und zerrten mit wuchtigen Schnabelhieben aus dem behaarten Fell die walnussgroßen, mit Blut angefüllten Zecken hervor, das erbeutete Ungeziefer begierig verschlingend.

Hier krähte, froh des reichen Fundes, ein buntfarbiger Hahn aus voller Kehle und rief zum Gastmahl seine gackernden Damen herbei, dort versammelte die Glucke ihre Kleinen, denen sie die herausgeris-senen Zecken vorwarf, während die Maultiere behaglich ruhend all dieses Scharren und Laufen auf ihrer brennenden Haut gern duldeten, das ihnen Befreiung von den furchtbaren Quälgeistern brachte.

Etliche hundert Hühner versahen diesen Samariterdienst, dessen auch die Ziegen teilhaftig wurden; es krähte und gackerte, dass der Lärm weithin durch das Dorf klang.

»So geht es hier an jedem Abend zu«, sagten die Eingeborenen. »Aber heute finden unsere Hühner auf den Rücken eurer Tiere eine besonders reiche Beute, das ist der Unterschied.«

Die Sonne begann zu sinken, die Schatten der Waldbäume wurden länger und länger. Unsere Freunde brachten sämtliches Reisegepäck in die ihnen angewiesene, im Inneren jetzt schon vollständig dunkle Hütte, wobei mehrere Eingeborene dienstfertig Hand anlegten.

Einer unter ihnen sprach mit einem Knaben einige kurze Worte, worauf der Kleine davon sprang und bald mit einem paar seltsam geformter dicker Bündel zurückkehrte. Eine Bastschnur verband die beiden Hälften, etwas Weißliches sah aus dem oberen Ende hervor und das Ganze war umwickelt mit Pflanzenfasern.

»Kalebassen?«, fragte jemand. »Oder irgendein Kuchen aus Mais-mehl?«

»Ich glaube doch nicht. Vielleicht sind es Kerzen.«

Der kleine Junge erschien jetzt zum zweiten Mal und brachte dem Mann einen langen Stock aus hartem Holz nebst einem Stück Baumrinde und etwas flockigem Bast. Der Indianer legte die Borke auf den Fußboden, stellte den Stock hinein und begann denselben zwischen den beiden, flach aneinander liegenden Händen emsig zu drehen.

»Ein Feuerzeug!«, sagte Halling. »Das ist interessant.«

Sie beobachteten sämtlich das Verfahren des Wilden, der innerhalb weniger Sekunden einen glimmenden Funken geschickt mit dem Bast auffing, dann einen trockenen Span in Brand setzte und nun das seltsame Bündel zur Hand nahm. Einige Schnüre wurden abgestreift, es kam schwarzes, von wilden Bienen gewonnenes Wachs zum Vorschein und gleich darauf brannten in schwachem, aber angenehm ruhigem Lichte zwei Kerzen, die der Eingeborene nebeneinander an den Stützbalken des Gebäudes hing. Jetzt konnte das geheimnisvolle Innere der Hütte mit Muße in Augenschein genommen werden.

»Wie wunderhübsch!«, rief Benno. »Eine ganze kleine Ausstellung, wahrhaftig!«

Der Indianer beobachtete diese Zeichen des Wohlgefallens; er berührte leise, mit bittendem Blick den Arm des Kunstreiters und als ihn dieser ansah, deutete er voll Erwartung, immer vor sich hin sprechend, auf seine Frisur.

»Ach«, lächelte Ramiro, »nun verstehe ich den Burschen. Er möchte auch einen Blechlöffel haben, deshalb ist er uns gefällig gewesen.«

Halling öffnete seine Reisetasche und nahm den gewünschten Gegenstand heraus.

»Dieses Stück ehrlicher deutscher Klempnerarbeit erlangt offenbar im Urwald ein bedeutungsvolles Ansehen«, sagte er. »Könnt ihr nicht vermuten, weshalb der Mann es erlangen möchte, Señores?«

»Nun, um sich damit herauszuputzen.«

»Keineswegs. Wohl aber hat Obijah, der Angehörige der Hofpartei, einen Löffel erhalten und der Volksmann will hinter ihm nicht zurückstehen.«

»Hier, mein Freund«, setzte er unter dem Lachen der übrigen hinzu, »nun schleiche an der Verbannungshütte vorüber und zeige, wer du bist. Der Löffelorden ist dir in aller Form verliehen worden.«

Mit einem Freudenschrei stürzte sich der Eingeborene auf den glänzenden Gegenstand, dann, den Löffel in beiden Händen haltend, sah er selig lächelnd von einem der Weißen zum anderen, stieß unartikulierte Laute hervor und schoss plötzlich zur Tür hinaus, so schnell es der enge Eingang nur gestatten wollte. Ramiro sah ihm nach.

»Seht den Burschen!«, rief er laut lachend. »Wahrhaftig, er tanzt, anstatt zu gehen!«

Auch die übrigen bückten sich und beobachteten den Indianer, wie er tanzend zwischen den Hütten dahinflog, immer seinen Blechlöffel hoch über dem Kopf schwingend, glückselig, als sei ihm ein Schatz von unermesslichem Wert zuteil geworden.

»Geben Sie acht«, warnte Halling, »wir müssen den ganzen Stamm mit Löffeln versorgen, und wenn unser Vorrat erschöpft ist, so –.«

»Versuchen wir es einmal mit anderen Dingen. Prophezeien Sie nicht außer dem drohenden Weltuntergang auch noch Verrat und sonstiges Böses, Señor, – das wäre für einen Tag der Aufregung zu viel.«

Sie lachten und nahmen jetzt das Innere der Hütte in Augenschein. Von dem höchsten Punkt des gewölbten Daches bis herab zum festgestampften, mit Matten bedeckten Fußboden waren überall kleine zierliche Schmuckgegenstände an den Wänden aufgehängt, Arbeiten aus Bambus, Gras, Pflanzenfasern und Baumrinde, auch wohl aus hartem Holz und aus Ton; diese letzteren Materialien waren jedoch mehr für Gebrauchsgegenstände verwendet worden als für Schmucksachen.

Da hingen schwere Streitkeulen, Feueranzünder, Opferstöcke und Bratspieße, flache tönerne Pfannen und Trinkschalen, dann Körbe in allen Größen, Teller und Köcher, Armringe und Mützen oder Hüte, außerdem eine hölzerne, mit weichem hellgrauem Pelz überzogene und vielem hübschem Schnitzwerk versehene Wiege, welche die braune Mutter auf dem Rücken trägt und in der ihr festgeschnürtes Kind gleichsam steht.

Die Lücken zwischen diesen größeren oder kleineren Kunstwerken waren auf eigentümliche Art aufgefüllt, nämlich mit ganzen, unversehrten, noch von der vertrockneten Blätterhülle umgebenen Maiskolben, die, an längeren oder kürzeren Stielen hängend, jeden freien Raum der Wände bedeckten.

»Sehr hübsch!«, hieß es von Mund zu Mund. »Wirklich sehr hübsch!«

»Und wie Licht und Schatten zwischen den Dingern eigentümlich wechseln, wie der Wind in den Maiskolben spielt! – Eine ganz eigenartige Tapete hat dieses Haus.«

»Sehen Sie hier die Stühle, Señor!«

Und Halling hob einen Schemel von etwa sechs Zentimeter Höhe empor. Es war aus Bambus gefertigt und mit Schnitzwerk umgeben.

Nur schade, ein Tisch dazu fehlte allerdings. Benno ließ eine der unter dem Dach hängenden Matten in dazu angebrachten einfachen Holzrollen bis zum Fußboden herab und legte sich probeweise hinein.

Das Gewebe war nicht geflochten, sondern geknotet und für den Kopf des Schläfers befand sich in der Matte ein Stück Bambusrinde, das der Biegung des Halses sorgfältig angepasst schien. Jede dieser Arbeiten zeugte von Schönheitssinn und einem wahren Bienenfleiß.

»Aber aushalten könnte ich es hier doch keine Nacht«, meinte Benno.

»Die Hitze ist vollkommen unerträglich.«

»Das finde ich auch. Lassen Sie uns auf die Gürteltierjagd gehen, meine Herrschaften! Das Wild ist in dieser Stunde am besten zu beschleichen.«

»Auf denn! Für morgen brauchen wir ohnehin frisches Fleisch, denn der Kranke muss notwendig seine Suppe haben.«

Etliche aus der Gesellschaft ergriffen ihre Waffen, Munition und einige Flaschen Wasser; dann brach die kleine Gesellschaft auf, um zu jagen und womöglich ein Wild zu erlegen, – Halling, Benno, die drei Kunstreiter und Trente, der Dolmetscher, außerdem mehrere Peruaner.

8.

Das Opfer des Zauberers – ›Dios te de!‹ – Am Schwanz erwischt – Der Lahmfuß – Die Eierernte – Wie man Zauberer wird

Der Mond schien hell vom Himmel herab; in der Hütte bei den Gepäckstücken war ein Wächter zurückgeblieben; auch der Kranke befand sich in sicherer Obhut. So konnten die Jäger ohne Sorgen dem Vergnügen nachgehen, umso mehr, als der ganze Sinn der Eingeborenen ehrlich und friedlich zugleich erschien, als die Leutchen harmlos wie Kinder den nie gesehenen Weißen entgegenkamen und wohl gesonnen waren, alles was sie selbst besaßen, mit den Fremdlingen zu teilen.

»Michael«, sagte Ramiro, »du musst als Führer dienen. Wo befindet sich der Opferaltar?«

»Weiter nach rechts hinaus, ganz hinter dem Dorf.«

»Also in der Nähe der Verbannungshütte. Vielleicht gelingt es uns, den Häuptling zu sehen.«

»Was er nur verbrochen haben mag?«, sagte Benno. »Was kann überhaupt diesen Wilden Unrechtes zugefügt werden? Sie haben weder Tempel noch Gesetze!«

»Vielleicht ist es eine persönliche Angelegenheit, ein Mord!«

»Dann müsste ein Nebenbuhler vorhanden gewesen sein. Es scheint, dass aller Widerstreit der Zivilisation auch im Urwald seine Fäden spinnt.«

Sie gingen quer durch die Dorfgassen und kamen in hellem Mondlicht zu einem Weg, aus dem dichtes, weiches Gras, üppig von Blumen durchzogen, jeden Schritt dämpfte. Alle Papageien und Affen hatten jetzt ihre Schlupfwinkel aufgesucht, nur die großen Nachtschmetterlinge flogen noch lautlos von Blüte zu Blüte und durch die Luft schossen Leuchtkäfer wie Funken. Es war Nacht ringsumher, auch in den Hütten, wo alles schlief.

»Da unten scheint ein Bauwerk zwischen den Gebüschen zu stehen«, raunte Benno. »Wenn es die Wohnung des Königs wäre!«

»Das könnte uns den Kopf kosten. Trente, was meinst du?«

»Hast du über das Geheimnis des Verbannten nichts erfahren können?«

Der Führer schüttelte den Kopf.

»Ich weiß nur, dass es keine Rang- oder Erbstreitigkeit ist. Einen anderen Mann, der hier Häuptling werden möchte, gibt es nicht.«

»Dann bleibt die Sache unbegreiflich. Wollen wir uns übrigens noch näher heranwagen?«

»Ich denke, ja. Tenzileh hat nur drei Anhänger, auf die er sich ganz verlassen kann, – und von diesen ist Obijah unser Freund. Vielleicht gewinnen wir durch das erneute Opfer zweier Blechlöffel auch die beiden anderen.«

Der Weg, auf dem unsere Freunde gingen, wurde immer schmäler, dafür aber von Schritt zu Schritt auch immer schöner. Hohe Bäume standen zur Rechten und Linken, eine Abart der Korkeiche, Wollbäume, Palmen, Zitrusstämme, beladen mit köstlichen Früchten, dann Kakao- und Kaffeebäume, die hellen Bananen, die wundervollen weißen und purpurnen Fuchsien, – tausend verschiedene Schattierungen und Formen, tausend wechselnde Lichter und Farben entzückten den Blick. Große längliche Blätter schienen wie mit einem blutrot schimmernden Lack überzogen, andere glänzten weiß oder stahlfarben, wieder andere trugen ganz kleine zarte Daunen, die bei jedem Hauche des Windes leise schaukelten und wie Silber und Diamanten erglühten.

Dazwischen helles und tiefdunkles Grün, ganz kleine krause Blätter und lange spitze Halme, beinahe weißes und beinahe schwarzes Laub, alles durchflochten von Blumen und Knospen, von Ranken und lebenden Kränzen, in denen die Leuchtkäfer ihr Wesen trieben. Über diese stille und doch so gewaltig wirkende Naturschönheit sandte der Mond sein weißes Licht. In schimmernden Strahlen stoß es über die purpurne und goldige Herrlichkeit dahin, wie mit Silber umsäumte es Blätter und Blütenkelche. Über dem Dach der Hütte des Häuptlings schlangen sich die Zweige ineinander. Dunkel herrschte unter dem Balkengefüge, – vielleicht schlief Tenzileh und träumte von den früheren, unwiederbringlich verlorenen Tagen seines Glanzes.

»Wir wollen uns hier links vorbei schleichen«, raunte Ramiro. »Finden Sie die Sache so gefährlich, Señor?«

Der Kunstreiter nickte.

»Sehr gefährlich, – diese Eingeborenen sind alle auf ihre vermeintlichen Würden äußerst eifersüchtig; ich weiß das aus mancher Erfahrung.«

Er hatte kaum ausgesprochen, als in der Hütte ein leichtes Geräusch erklang. Wie auf Verabredung versteckten sich die Weißen seitwärts in den Gebüschen, von wo sie, ohne gesehen zu werden, selbst alles überblicken konnten. Aus der Hütte trat ein Mann, dessen äußere Erscheinung die Aufmerksamkeit der Beschauer im höchsten Maß fesseln musste, vor dem sie sich aber doch instinktmäßig so weit als nur möglich in das Dickicht zurückzogen.

Es war Naporra, der Zauberer, ein unwiderlegliches Etwas verriet es den heimlichen Zuschauern. Dieser Mann sah in der Tat aus wie ein böser Geist, ein Teufel. Sein vollständig unbekleideter Körper war vom Kopf bis zu den Füßen blutrot angestrichen; auf dem mit gleicher Farbe bemalten Haar trug er einen überaus kunstvoll zusammengesetzten Bau aus Fuchsschwänzen, dessen Enden, über den Rücken herabfallend, eine lange, am Boden dahinfegende Schleppe bildeten. Zu diesem einzigen Kleiderstück kam ein Stock, an dem es von oben bis unten rasselte und rauschte.

Lauter Skelette hingen daran, kleine und große, von allen Tierarten, die leicht einzufangen sind, von Mäusen, Vögeln, Fischen und Fröschen, von Schlangen und Eidechsen. In der Hand hielt Naporra außerdem ein Körbchen mit einem schwärzlichen Inhalt und eine Hängematte. Seine Blicke schienen das Halbdunkel der Mondnacht durchdringen zu wollen, – er sah forschend nach allen Seiten, dann sprach er einige Worte.

»Trente«, flüsterte Benno, »was hieß das eben?«

»Er fragte, ob irgendein Mensch zugegen sei.«

Alles blieb vollkommen still; natürlich hüteten sich unsere Freunde, ihre Anwesenheit zu verraten. Wieder sprach Naporra; sein Ton klang drohend, wie beschwörend. Trente begann zu zittern, seine Zähne schlugen gegeneinander.

»Er sagt, dass der Dämon denjenigen auf der Stelle töten wird, der es vielleicht wagt, sich hier herum versteckt zu halten.«

Benno schüttelte den Kopf.

»Trente«, flüsterte er, »bist du wirklich ein getaufter Christ, oder ein armer, unwissender Heide?«

Der Führer verwandte keinen Blick von der Gestalt des Zauberers.

»Ich weiß«, murmelte er. »Ich weiß. Die Heiligen mögen mir vergeben, aber – es ist doch zu schrecklich, zu schrecklich.«

»O Gott«, ächzte er dann, »Naporra kommt hierher!«

Ramiro zeigte dem ganz Fassungslosen mit bedeutsamem Blick die Pistole.

»Noch ein Laut, Trente, und du bist des Todes!«

Der Zauberer hatte das Geschmeide aus Fuchsschwänzen aufgerafft und über seinen Arm gehängt. Jetzt begab er sich, hart an den Verstecken vorübergehend, in den Wald und suchte zwei Baumstämme, zwischen denen er die Hängematte befestigte, dann kehrte er auf demselben Weg wieder in die Hütte des verbannten Königs zurück.

»Jetzt kommt es«, raunte der Führer. »Jetzt kommt es. Heilige Jungfrau, bitte für mich! Sankt Peter und Sankt Markus – ich will euch auch eine Wachskerze opfern, eine –.«

»Sei ruhig!«, zischte der Kunstreiter. »Sei ruhig, oder –.«

Er vollendete nicht, aber Trente duckte sich wie ein geschlagener Hund. Aller Augen beobachteten jetzt den Ausgang der Hütte. Nach einigen Minuten erschien in demselben der Kopf eines Mannes. Dunkle Augen hielten schnelle Umschau, dann folgte fast zögernd der ganze Körper nach, – Tenzileh stand draußen und sah empor in den hellen Mondglanz, als wolle er sich überzeugen, dass die Umgebung genügend beleuchtet sei, dass nicht aus dem Walddunkel hervor eine Hand sich ausstrecken und ihn jählings fassen und würgen könne.

Er war ein hochgewachsener Mann, noch jung und von kräftiger anmutiger Erscheinung; sein schlanker Körper zeigte keine Spur jener Malerei, die alle übrigen so sehr entstellte, das Gesicht war ernst und trug einen Ausdruck verzehrender Unruhe. Als wolle er sich nicht hinauswagen, ehe ein anderer an seiner Seite stand, so wartete er, bis hinter ihm Naporra aus der Tür trat; dann begaben sich beide in den Wald.

»Jetzt beginnt der Zauber«, flüsterte Benno, dessen Augen vor Vergnügen leuchteten. »Das ist interessant!«

»Können Sie den Platz mit der Hängematte überblicken, junger Herr?«

»Ja! Ja! Und Sie?«

»Wir auch. Komm zu mir, Trente, du Hasenfuß. Wenn jetzt der Hokuspokus losgeht, möchtest du vor Angst den Kopf verlieren.«

Und Ramiro zog den zitternden Burschen in seine Nähe, um ihm eintretenden Falles mit der flachen Hand den Mund zuhalten zu können. Es war totenstill ringsumher, eine schwüle Luft trieb den

Schweiß aus allen Poren, kaum ein Hauch säuselte durch die Blattspitzen. Tenzileh nahm Platz in der Hängematte; er lag regungslos, während Naporra für den beabsichtigten Zauber seine Vorbereitungen traf.

Ein kleiner Opferaltar aus Weidengeflecht wurde aufgestellt, dann holte der Gaukler aus der Hütte eine Schüssel herbei, in der anscheinend rohes Fleisch lag, einzelne kleine Stücke, die er auf alle vier Ecken des Altares legte.

»Herzen!«, flüsterte Benno. »Herzen von Tieren!«

»Still! – Um Gottes willen still!«

Jetzt warf Naporra die Schüssel in das Gras und fing an, etliche halberblühte Blumen zu pflücken, drei Myrten, drei Rosen und drei blaue Glocken. Als alles beisammen war, entzündete er mit Baumrinde und Bast ein Feuer, das sogleich den Opfertisch ergriff, um diesen und alles, was darauf lag, zu verzehren.

Während die Flammen aufwirbelten, begann der Zauberer seinen mystischen Tanz. Er drehte sich langsam um die Hängematte mit dem darin liegenden König und stieß bei dieser Bewegung einzelne halbblaute Töne hervor, etwa wie das Locken der Turteltaube oder die Stimme eines anderen Vogels, dann, als das Feuer weiter um sich griff, erhöhte er die Eile seiner Bewegungen und ging über in tiefere, weniger angenehm klingende Laute.

Jetzt pfiff es von den Lippen des tanzenden Gauklers, es klang wie das Hämmern des Spechtes gegen die hohle Baumrinde, wie verhaltenes Bellen und Wimmern, wie Schmerzensschrei aus menschlicher gequälter Brust. Schneller und schneller wurden die Kreise um das Lager des ruhenden Königs. Der rote Schweif aus Fuchspelz schlang sich in rasendem Wirbel bald um Naporras Glieder, bald flog er wie ein glänzender Streifen durch die Luft, oder peitschte den Boden und zerschlug, wohin er traf. Blätter und Blüten, dass es aussah, als sei ein Hagelwetter durch die Blumenhecken gefahren.

Plötzlich streckte Naporra die Hand aus; er hatte von dem Inhalt des Körbchens etwas auf die Flammen geworfen. Ein Zischen und Prasseln erschütterte weithin die Luft, Dampf wallte auf, ein betäubender Wohlgeruch verbreitete sich über die Umgebung.

»Zauberpulver!«, raunte Trente. »Meine Großmutter verstand sich auf die Bereitung desselben, sie hat einmal –.«

»Still, jetzt knurrt der Betrüger wie eine gereizte Katze.«

Naporra bog den Kopf bald nach dieser, bald nach jener Seite, er hob den rechten und dann den linken Fuß, stemmte beide Arme in die Hüften und verschlang die Hände über dem Kopf, dabei krächzend, bellend und miauend, schreiend wie der Falke, wenn er sich auf seine Beute stürzt, brüllend wie der Affe, wenn er mit seinen verwandten zankt und hadert; langgezogenen Tönen folgten kurze, gleichsam rufende, und dabei sprang er in Bogensätzen über die Erde oder kroch auf allen Vieren.

Eine ganze Handvoll Pulver flog in die Glut, blaue Wolken stiegen empor und wie ein Feuerwerk prasselten die Flammengarben. Gerade über dem Opferaltar stand am nächtlichen Himmel der Mond und sah still herab auf das tolle Treiben da unten zwischen den blütengeschmückten Büschen.

»Einen unheimlichen Eindruck macht die Sache doch«, raunte Benno. »Sicherlich. Man begreift vollkommen, dass sich die Wilden von derartigen Zeremonien ins Bockshorn jagen lassen.«

»Sehen Sie doch den Burschen, Señor! Ich glaube, dass jetzt der letzte Akt des Gaukelspieles aufgeführt wird.«

Ramiro nickte.

»Die Stimme klingt bereits heiser, die Füße versagen den Dienst.«

Der Zauberer setzte in diesem Augenblick die Vollkraft seiner Muskeln und Lungen nochmals ein, – er begann zu heulen. Bis dahin hatte er gebrüllt, gezischt, geknurrt und gefaucht, hatte von dem leisen Locken des Taubenweibchens bis zum heiseren Schrei des Tigers alle Tierstimmen wiedergegeben, – jetzt heulte er:

»Huuh! – Huuh!«

Und schneller und schneller, immer rasender:

»Huuh! – Huuh!«

Als krümme sich ein lebendes Wesen in unerträglichem Schmerz, als müsse ein betrogener, in seinen heiligsten Empfindungen verratener, getäuschter Mensch das bittere Weh laut anklagend hinausschreien in die Welt, so klang dieser Ton.

Als seien die geheimsten Pforten des Irrenhauses erschlossen und dem entsetzten Blick das Treiben der Tobsüchtigen enthüllt, so wirkte dieser rasende Tanz, dieses Peitschen und Schlagen des Fuchsschwanzes, dieses Zucken und Bäumen in allen Gliedern des Zauberers auf die Zuschauer.

»Grauenhaft!«, flüsterte Halling.

Die Peruaner bekreuzigten sich stumm, während Trente in das Gras hinabgeglitten war und Augen und Ohren mit den Händen verhüllte.

»Auf den Lippen des Zauberers bildet sich Schaum«, flüsterte Benno. »Ich glaube, wir könnten jetzt laut sprechen; der Bursche ist nicht mehr fähig, zu hören oder zu denken.«

»Und der König, – wie eine braune Statue liegt er da.«

»Vielleicht von der Furcht, wie von einer Bleidecke niedergehalten.«

»Jetzt wirft Naporra wieder Pulver in die Flammen.«

Der letzte Vorrat, matt geschleudert, flog mit dem Körbchen in die sterbende Glut, deren Gewalt nicht mehr stark genug war, um hohe Feuersäulen und Rauchwolken aufzuwerfen. Es knatterte wie ein Pelotonfeuer, aber es erschütterte nicht mehr die Luft gleich einem Kanonenschuss. Naporra warf die Arme empor, ein letzter gurgelnder Laut klang von seinen Lippen, dann stürzte er schwer, wie tot zu Boden.

Ein Funkengeriesel lief über die Opferstätte, ein letztes halbverlorenes Leuchten, dann wurde alles dunkel.

»Und Tenzileh?«, raunte der Peruaner. »Ob er gestorben ist?«

»Wir müssen jedenfalls abwarten, was mit ihm und dem Zauberer geschieht, – erst dann können wir uns davonschleichen.«

»Zur Jagd, nicht wahr? Man braucht notwendig Luft und Bewegung, um diese Eindrücke abzuschütteln.«

»Sicherlich. Das Gürteltier ist ohnehin zu stumpfsinnig, um sich durch das Lärmen und Kreischen des Zauberers verscheuchen zu lassen. Wir können es zweifellos bei seinem Ameisenschmaus überraschen.«

Halling zog die Uhr hervor.

»Es ist nach Mitternacht«, sagte er.

In diesem Augenblick ertönte von der Hütte her ein leichtes Geräusch. Erschreckt wandten unsere Freunde den Blick.

»Wer kam da?«

Es war Obijah, der Mann mit dem Blechlöffel, und außer ihm noch ein anderer, jedenfalls Barrudo, der dritte Getreue des entthronten Monarchen. Diese beiden gingen mit vorsichtigen Schritten, lauernd und spähend den Weg hinab bis zu den Bäumen, an welchen des Königs Hängematte befestigt war; sie sahen um sich und hinter sich, sie schlichen auf den Zehenspitzen, als gelte es, an einem schlummernden Drachen vorüber zu gleiten, ohne ihn zu wecken. Jede Bewegung zeigte die größte Herzensangst. Unsere versteckten Freunde lächelten.

»Die beiden Helden fürchten sich vor der Schattenhand, welche sie unvermutet aus dem Dunkel angriff und ihnen den Hals umdrehen könnte.«

»Wer weiß?«, murmelte Michael. »Wer weiß? – Es ist aber kein Wasser hier und es bellt kein Hund. Woher käme also der Mord?«

Niemand beachtete seine Worte. Als Tenzileh bemerkte, dass die beiden, so gewaltig zitternden Schildknappen rechts und links von ihm Posto gefasst hatten, da kam plötzlich Leben in seine erstarrten Glieder. Er sprang auf und klammerte sich an Obijahs Arm, eine hastige Frage wurde von dem anderen verneinend beantwortet und dann gingen alle drei mit schnellen Schritten zur Hütte. Naporra lag noch unbeweglich auf derselben Stelle.

»Sollten wir uns jetzt nicht davonschleichen?«, raunte Halling. »Warten Sie noch kurze Zeit, – ich glaube, der listige Bursche wird nicht lange da im Dunkeln ausharren.«

Ein Rascheln in den Laubmassen bekundete, dass der Zauberer sich erhob. Schwerfällig aufstehend, vielleicht todesmatt von der gewaltigen Anstrengung der letzten Stunde, schwankte Naporra in entgegengesetzter Richtung davon. Es schien, als dürfe er nach der schauerlichen Zeremonie dieser Nacht den Häuptling nicht mehr wiedersehen, wenigstens hatten die beiden Männer kein Wort, keinen Blick miteinander ausgetauscht.

Der Zauberer ging in das Dorf hinab, sicher genug, hier keinem Menschen zu begegnen. Die erschreckten Leute hatten ohne Zweifel das grauenhafte Brüllen und Heulen aus der Ferne mit angehört und waren voll Entsetzen in die innersten Tiefen ihrer Hütten geflüchtet. Um keinen Preis hätte sich solch ein zitternder Eingeborener hinausgewagt auf die Dorfstraße, – da gingen ja die Dämonen um, und man wusste wohl, wie diese gegen die Menschen zu verfahren pflegten.

Sie verrenkten ihnen alle Glieder, drehten das Gesicht der Opfer auf den Rücken und ließen dann die Unglücklichen sterbend am Wege liegen. Dass man nie einen derartig Verstümmelten gesehen hatte, das kam weiter nicht in Betracht. Vater und Großvater hatten an diese Überlieferung schon geglaubt und so blieb man, ohne darüber nachzugrübeln, bei der gleichen Annahme stehen. Benno trat aus dem Gebüsch hervor.

»Jetzt lasst uns aber unsere Jagd beginnen«, sagte er. »Wir kommen sonst zu spät, um noch das eine oder andere Tier zu beschleichen.«

Ramiro schüttelte sich.

»Mir läuft es immer noch kalt über den Rücken herab«, gestand er. »Das Heulen war grässlich.«

»Kommen Sie nur, Señor, kommen Sie nur. Man möchte wieder laut sprechen, den Wind auf seiner Stirn fühlen, man muss wieder Bewegung in das stockende Blut bringen. Solch ein Verstecken, ein heimliches Horchen macht mich ganz krank.«

»Seht da die Tür der Hütte«, flüsterte Halling. »Eine Matte ist davor gehängt, vielleicht auch von innen eine Barrikade errichtet worden. Der Dämon könnte auf leisen Sohlen geschlichen kommen.«

Sie schmunzelten alle; aber schweigend gingen sie hintereinander her, bis etwa hundert Schritte sie von der Stätte des letzten Abenteuers trennten. Dann erst wurde laut gesprochen, dann erst war der Bann, welcher auf den Gemütern lag, vollständig abgeschüttelt.

»Michael«, sagte Ramiro, »ist hier in der Nähe der Tisch, auf welchen die Hexe das Opfer legte?«

»Ja, – etwas weiter hin am Fluss.«

Uralte, dicke Bäume standen hier, in ziemlicher Entfernung vom Dorf, vielleicht seit Jahrhunderten unbelästigt durch Menschen, von keiner Hand berührt, dicht gedrängt beieinander, mit wild verschlungenen Ranken von oben bis unten umwickelt, tausend Pflanzen- und Tierleben in dem reichen Geäst bergend, eine Heimstätte für üppiges Blattgewinde, für lange wehende Mooshalme und Wucherpflanzen aller Art, ebenso aber auch für die große buntschillernde Schlange, für Stechmücken und viele andere Insekten, für die fleckige wilde Katze und den Marder.

Ineinander schlangen sich die Gebilde der üppigen Vegetation; wo nur ein grüner Keim Platz fand, sich anzusiedeln, da sprossen Knospen und Blätter empor an das Licht der südlichen Sonne, da hatte er sich fest eingewurzelt und war seinerseits umwunden und umrankt worden, so dass das Ganze einem großen Strauße glich, einem bunten Flechtwerk, in dessen innerster Tiefe kleine goldige Kolibris wohnten, Leuchtkäfer und Grillen, blau schimmernde Fliegen und Libellen. So drängte sich Baum an Baum, Gebüsch an Gebüsch.

Hohe Farnen wiegten wie zarte hellgrüne Federblätter im Mondstrahl. Ganze Flächen am Ufer glänzten blau durch die wie ein dichter

Teppich sich ausbreitenden Blüten des Vergissmeinnichts, jede einzelne so groß wie etwa die deutsche Kornblume. Unter einem Baum fand sich denn auch der Opferaltar, jetzt ganz leer. Scharen von Termiten wanderten hin und her, die vergeblich noch Reste von den Opfern zu erlangen suchten.

Auch große schwarze Ameisen hatten sich eingefunden, Käfer mit goldenen Rückenschildern, Ringelwürmer und Blindschleichen. Es kroch und flog, es hastete und krabbelte durcheinander mit Tausenden von Füßen; der Kampf um das liebe Brot war auch hier auf das Heftigste entbrannt.

»Seht doch diesen Baum«, sagte Benno, »was klebt daran?«

Halling schlug mit einem kleinen stählernen Hammer gegen mehrere braunschwarze, kugelförmige Auswüchse, welche den Stamm eines gänzlich abgestorbenen Baumes von oben bis unten bedeckten.

»Termitenbauten!«, sagte er. »Uralte sogar, man könnte sie nur mit wuchtigen Beilschlägen zersprengen.«

Dann winkte er den anderen.

»Sehen Sie, hier draußen läuft der verdeckte, überdachte Weg in Schlangenwindungen um den Baum, er führt zu jedem einzelnen Nest und unter der Erde weiter zu anderen Bäumen. Innerlich ist der ganze Stamm in lauter einzelne feine Röhrengänge zerschnitten worden; stände er allein, so hätte ihn der Sturm schon längst hinweggefegt.«

»Da ist noch einer und da ein dritter – alle mit Nestern bedeckt.«

»Und da kommt, glaube ich, ein Gürteltier.«

In geringer Entfernung tönte ein Pfeifen, leise und wenig vernehmbar, ein Laut, wie ihn etwa ein ganz junger Hund hervorstößt; ein glänzendes Tier huschte im Mondlicht über das Gras, blieb schnuppernd stehen und sah umher, als wolle es sich überzeugen, ob ein Feind in der Nähe sei oder nicht.

Die Jäger suchten Verstecke hinter den nächsten Bäumen. Ehe noch ein Sprung ausgeführt, ein Gewehr zum Schuss erhoben und abgedrückt werden konnte, war das Gürteltier unter dem langen Gras verborgen und hatte sich eingegraben, das wussten sie aus Erfahrung. Langsam trottend kam der Panzerträger näher heran, ein nicht zu großes, hübsch gezeichnetes Tier mit zahlreichen Rückenschildern und spitzer Schnauze, aus der die Zunge mitunter lüstern hervorkam, als wolle sie den erhofften Schmaus jetzt schon genießen.

Eine Wolke von Moskitos umschwebte das Tier, dessen nackte Unterseite ihren Stichen keinen Widerstand zu leisten vermochte. Halling war der Nächste zum Schuss. Etwas voreilig legte er an und gab Feuer, vielleicht in der Hoffnung, den Panzer des Gürteltieres für seine Sammlungen zu gewinnen, aber – der Versuch schlug vollständig fehl. Die Kugel hatte den Panzer des Ameisenfressers getroffen und war unschädlich abgeprallt.

»Wie schade!«, rief ärgerlich der junge Deutsche.

»Wir wollen die Sache anders anfangen«, meinte Ramiro. »Sehen Sie, jetzt ist der Tatu bereits verschwunden.«

Sie drängten sich sämtlich um die Stelle, an der das hohe Gras noch wie vom Wind bewegt schwankte. Die Halme waren teils verschoben, teils geknickt, ein ganz unbedeutendes, frisch gegrabenes Loch führte in die Erde hinein, aber von dem Tatu sah auch keine Schwanzspitze mehr hervor. Ramiro stampfte mit dem Gewehrkolben auf den Erdboden.

»Es klingt hohl«, sagte er. »Hier herum sind zahllose Höhlen des Gürteltieres, geben Sie nur acht, meine Herrschaften, es dauert nicht lange, bis wieder solch ein stumpfsinniger Geselle vorbeikommt. Der Tisch ist in dieser Umgebung zu reichlich gedeckt, das führt die hungrigen Gäste hierher.«

Dann verteilte er die Jäger so, dass sie fast im Kreis hinter den dicken Baumstämmen im tiefsten Schatten ihre Ausstellung erhielten.

»Es wird nicht geschossen«, warnte er. »Unter keiner Bedingung, Señores! Wenn das Gürteltier im besten Schmausen begriffen ist, brechen wir alle zugleich hervor, und der, welcher ihm am nächsten steht, packt es am Schwanz. So wird das Tier von den Eingeborenen gejagt.«

»Und dann erschlagen?«, fragte Halling.

»Ja. Wo Tatus wohnen, da läuft man Gefahr, die Beine zu brechen, eben der vielen unter dem Gras versteckten offenen Höhlen wegen; daher werden die Tiere auf jede nur mögliche Weise vertilgt und totgeschlagen, wie man Ratten oder Wiesel totschlägt.«

»Aber jetzt lassen Sie uns schweigen«, fügte er hinzu. »So dumm der Tatu auch ist, ein feines Gehör hat er trotzdem.«

Es wurde still in dem Kreis der Jäger. Weißes Mondlicht schimmerte zwischen den Zweigen, hier und da fiel die reife Frucht einer Palme oder Zitrusart auf den Boden in das lange Gras, ein Schmetterling taumelte vorüber oder eine graue Eule, eine Fledermaus huschte lautlos durch das Unterholz.

Drüben am Wasserrand gingen große weiße Reiher fischend auf und ab, – eine Schildkröte kletterte an das Ufer und scharrte im Sand. Die beiden Peruaner sahen einander an.

»Morgen werden wir zum Frühstück Eier essen«, mochten sie denken.

Wieder eine Pause tiefster Ruhe. Ganz von fern nur klang durch den Wald eine helle Vogelstimme, beinahe schmetternd wie ein Zuruf, ein Glückauf, das einer dem anderen darbringt. Nach Sekunden folgte dem ersten Sänger der zweite, dann der dritte, vierte und so fort bis zur unzählbaren Menge. Jeder stieß denselben helltönenden, kräftigen Ruf hervor, aber einer mit tieferer, der andere mit höherer Stimme, so dass sich ein gewisser Einklang entwickelte, ein Konzert von den Baumkronen der Wildnis. Die Weißen lauschten sämtlich, am eifrigsten aber Ramiro und Pedrillo; wieder trafen sich ihre Blicke.

»Dios te de!«, flüsterte kaum verständlich der Kunstreiter. »Dios te de!«

Und der Schlangenmensch nickte.

»Heimatliche Klänge!«, kam es über seine Lippen. »Wie lange hat man den Vogel nicht gehört.«

»Wahrhaftig«, raunte Benno, »es klingt wie: ›Dios te de!‹«

Die Vögel flogen offenbar hin und her, aber sie näherten sich nicht. Hell und schmetternd tönte ihr Konzert durch den Wald dahin. Tiefere und hellere Stimmen mischten sich, stärkere und schwächere, – ein ganzer Flug schien da sein Wesen zu treiben, vielleicht in den Wipfeln der Fruchtbäume, von allem Überfluss des Lebens umgeben, auf Zweigen, an denen die mannigfaltigsten Früchte in Fülle sich darboten.

»Tukane!«, flüsterte auf Bennos leise Frage der Kunstreiter. »Pfefferfresser, von den Eingeborenen auch wilde Pfauen genannt. Sie werden uns noch zum Schuss kommen, denn ihr Flug führt sie an das Ufer.«

»Psst! – Etwas Glänzendes.«

Und Michael deutete auf ein herbeischleichendes Tier.

»Da ist wieder solch ein Geschöpf, das in den Boden verschwinden kann.«

»Still! – Und keinen Schuss, Señores.«

Ein Zeichen des Einverständnisses ging von Mann zu Mann, jeder Laut verstummte, jeder Blick beobachtete gespannt das Armadillo, wie es sich dem Zug der Termiten näherte und die lange, geschmeidige Zunge herausschob, um seine Beute einzusaugen. Die Ameisen, weiße und schwarze, stürzten sich mit gefräßiger Gier auf diese vermeintliche neue Beute, blieben sogleich an dem klebrigen Überzuge der Zunge hängen und suchten vergebens den Rückweg. Wenn sich der Bissen für den kecken Räuber als genügend fett erwies, dann wurde das ganze lebende und krabbelnde Gewimmel mit einem schnellen Ruck verschlungen und die lange Zunge wieder neuen Opfern entgegengestreckt.

»Schauderhaft!«, dachte Benno, aber er sprach kein Wort, denn Ramiro gab gerade jetzt den Genossen ein Zeichen.

Mit dem umgekehrten Gewehr drangen alle zugleich in beinahe geschlossenem Kreise auf das ahnungslose Tier ein. Der Panzerträger flüchtete gedankenschnell in das hohe Gras und begann zu scharren, so schnell es äußerste Kraftanspannung erlaubte. Noch ehe Ramiros gewandte Faust zugreifen konnte, war der Körper des Tieres zu drei Vierteilen in der Erde verschwunden und nur noch an dem starken Schwanz zu erfassen.

»Ziehen Sie, Señor!«, rief Halling. »Ziehen Sie!«

Der Kunstreiter schüttelte den Kopf.

»Auch zwei oder vier kräftige Männer würden das Tier nicht herausbringen«, antwortete er, »das ist ein Ding der Unmöglichkeit. Man muss den Tatu vorsichtig aus der Erde graben.«

Die Taschenmesser der jungen Leute wurden schon in Bewegung gesetzt, als sich Trente in die Sache hineinmischte und bewaffnet mit einem Strohhalm auf der Bildfläche erschien.

»Nun lassen Sie mich machen, Señores!«

Ramiro sah ihn an.

»Willst du uns hänseln, Bursche?«

»Keineswegs, Señor, das werden Sie gleich erkennen. Sind Sie fähig, das Tier festzuhalten, auch wenn es um sich schlägt?«

»Gewiss!«

»Nun, dann geben Sie Acht!«

Und Trente kitzelte mit seinem Strohhalm den unglücklichen Tatu so leise und so geschickt, dass sich das Tier wand wie ein Schraubenzieher. In der nächsten Sekunde hatten unter dem Boden die Krallen losgelassen und der Körper schwebte strampelnd und mächtig arbeitend frei in der Luft. Trente lachte.

»Tatu ist ein Narr«, sagte er, »lässt sich mit einem Strohhalm in die Flucht schlagen.«

Dann zog er aus dem Gürtel das scharfe Messer hervor und schlitzte dem gefangenen Tiere mit einem einzigen geschickten Schnitt den Leib auf.

Der Tatu war tot, ohne mehr als nur einige Sekunden lang gelitten zu haben.

»Eine Jagd, die mir nicht gefällt«, sagte Benno. »Das ist beinahe ein Abschlachten, aber kein Fangen, Überlisten. Ich möchte mich nicht weiter beteiligen.«

»Ich auch nicht«, erklärte Halling. »Das Fleisch gibt für unseren Kranken eine gute Suppe, – wir anderen haben ja noch Speck und Bohnen in Fülle.«

Ramiro überließ das getötete Tier dem Führer, der sogleich die Eingeweide für sich in Sicherheit brachte, und horchte in den Wald hinaus.

»Die Tukanfamilie kommt näher«, sagte er, »da werden wir noch einen Braten erwischen.«

»Aber durch einen ehrlichen Schrotschuss, nicht wahr?«

»Sicherlich, Señor. Der Tukan ist von Natur neugierig, er schleicht sich, wo er ein Geräusch hört, herbei und schlägt Lärm. Sie sollen einmal sehen, welchen Aufruhr er erregen wird.«

»Unter den übrigen Tieren des Waldes?«

»Ja. Geben Sie nur acht, die schweren Vögel fliegen schon herbei.«

Aller Blicke richteten sich gegen die höchsten Spitzen der Baumkronen. Es war fast tageshell, die trockene Luft vollkommen durchsichtig; man konnte jeden kleinen und kleinsten Gegenstand deutlich erkennen.

»Dios te de!«, tönte es, aber diesmal mit anderer Färbung, mit einem warnenden, scharfen Klang. »Dios te de!«

Und alle übrigen Stimmen fielen mit klirrendem Schall ein in das Signal, wenigstens zwanzig bis dreißig große Vögel erhoben sich zugleich bis in die dichtesten Verstecke unter Lianen und anderen Geranke; man sah aus dem Augenblick die ungeheuren Schnäbel, die schönen purpurnen und blauen Federn, den glänzend schwarzen Rücken, dann waren die fremdartigen Erscheinungen vorüber gehuscht und nur oben in den Zweigen zeigte die zitternde Bewegung des Laubes, wo sie Schutz gesucht hatten.

Ebenso schnell aber fielen auch fünf oder sechs Schüsse und mit schwerem Aufschlagen stürzten von Ast zu Ast zwei der großen Vögel getroffen auf den Erdboden herab. Ein Regen von Blumen, Früchten und Blättern rauschte nieder, ein lautes angstvolles Leben war ringsumher in allen Adern der Wildnis wie durch einen Zauberschlag erweckt worden. Papageien und Spechte, Tauben, bunte farbenschillernde Sperlinge, Kolibris und wilde Hühner flogen kreischend von ihren Sitzen auf, eine Familie der Titis, ganz kleine Springaffen, schwang sich angstvoll durch das Geäst, höhlenbewohnende Tiere knurrten und winselten, die Reiher krächzten.

Hasen und Kaninchen glitten blitzschnell durch das hohe Gras, von fern heulte ein Silberlöwe und dichte Scharen grauer Fledermäuse umflogen gespenstisch die Jäger, die Köpfe derselben mit ihren federlosen Flügeln streifend, widerliche, hässliche Geschöpfe, nicht Maus, nicht Vogel, von beiden etwas und etwas vom Raubtier dazu. Fast mit den Händen hätten sie gegriffen werden können, die Blutsauger, so zahlreich war ihre Sippe vertreten. Es zischte und girrte, es schrie und quiekte überall; aus dem Gras hob sich die züngelnde Schlange, in Bogensätzen sprang der Fuchs davon, hoch oben im sternhellen Blau segelten raschen Fluges Scharen größerer und kleinerer Vögel.

Es rauschte in den Zweigen, im Dickicht, im Gras; jedes Fleckchen Erde, jedes Versteck zwischen Sträuchern und Blattgewirr hatte seine Insassen herausgegeben; die Luft war erfüllt von Flattern und Fliegen, von Schwirren und Klirren, von einem Gemisch aller möglichen Töne. Und nochmals fielen Schüsse, ein Rehbock wurde erlegt, ein armer Kerl, der sich mit seinem stattlichen Geweih in den Lianen und Orchideen gefangen hatte, ohne wieder loskommen zu können, mehrere wilde Gänse, die aus dem Uferschilf aufgestiegen und den Jägern gerade in die Schusslinie geflogen waren.

Ferner und ferner tönte das Konzert der Tukanfamilie, allmählich beruhigten sich hüben und drüben die aufgeschreckten Tiere und unsere Freunde konnten an den Heimweg denken. Der Rehbock war eine prächtige Beute, zwei Männer trugen kaum die schwere Last über die Baumwurzeln und durch das hohe Gras dahin; voll einer fröhlichen, so recht vergnügten Stimmung eilten alle den Dorfhütten zu. Ramiro schüttelte einigermaßen erstaunt den Kopf.

»Ein heller Feuerschein zwischen den Wohnungen«, sagte er. »Was mag das bedeuten?«

»Vielleicht wollen sich unsere Kameraden gegen die Stechmücken schützen.«

»Aber ihr Lager ist ganz an der entgegengesetzten Seite. Und da sieht man ja auch schon den Rauch ihres Feuers, – es ist weit kleiner als jenes andere.«

Sie blieben unwillkürlich stehen, um zu horchen und zu beraten.

»Man hört nicht das leiseste Geräusch«, flüsterte Benno. »Und es brennt auch keine der Wohnungen. Das Feuer befindet sich mitten auf dem freien Dorfplatz zwischen den Palmen.«

»Vorwärts!«, drängte Halling. »Was es auch bedeuten möge – wir müssen hingehen und uns unseren Kameraden anschließen.«

Niemand widersprach, nur Michael drängte sich ängstlich an Bennos Seite.

»Wenn da unten Gespenster wären«, flüsterte er. »In den Mondnächten tanzen sie zuweilen, sagt Philippo. Er hat immer noch die Alraunwurzel nicht gefunden, – leider nicht.«

Unser Freund beruhigte den Zitternden.

»Wir werden gleich sehen, wie die Sache zusammenhängt«, sagte er. »Philippo ist ein Narr, Michael, Sie sollten ihm kein Gehör geben.«

»Das Feuer bildet einen Kreis«, berichtete Ramiro. »Und innerhalb desselben hocken am Boden die Eingeborenen.«

»In der innersten Mitte Frauen und Kinder. Die Mütter halten ihre Kleinen mit beiden Armen an sich gepresst.«

»Dann hat sich wahrscheinlich in der Nähe ein Jaguar gezeigt!«

Mehrere Stimmen widersprachen zugleich.

»Nein, nein, das ist undenkbar. In diesem Fall würden die Männer doch wenigstens bewaffnet sein, wenn sie auch nicht an Verfolgung dächten. Die Unze springt federleicht über den Feuergürtel hinweg, das wissen die Eingeborenen ganz genau.«

»Da ist Naporra!«, flüsterte Benno. »Er allein steht außerhalb des Feuerkreises.«

»Aber er bebt vor Furcht; seine Haltung ist die eines Verurteilten.«

»Und die eines Menschen, der sich bereit hält, um in jedem Augenblick Fersengeld zu geben. Er steht ganz krumm.«

»Bemerken Sie eins, Señores?«, fragte Benno. »Alle diese Leute halten die Blicke gesenkt, – sie wagen es nicht, aufzusehen.«

»Und da ist Obijah, – sein Löffel hat schon das Gleichgewicht verloren.«

»Das will ich doch näher untersuchen«, rief entschlossen der Kunstreiter. »Heda, Obijah, komm einmal her, mein Junge, du bekommst auch ein hübsches Geschenk.«

Es ging ein Zucken durch den Körper des Mannes, er bewegte die Arme, als seien sie Flügel, aber dann sank er wieder mutlos in sich zusammen. Ein Kopfschütteln sagte:

»Nein, ich wage es nicht!«

Ramiro schleuderte mit kräftigen Fußtritten die nächsten brennenden Holzstücke auf dem Weg und betrat nun den vom Feuer umschlossenen Kreis.

»Trente!«, rief er. »Komm zu mir, ich brauche dich als Dolmetscher!«

Der Führer zitterte.

»Señor«, bat er, »Señor –!«

»Komm hierher, ich befehle es dir!«

Der Schlangenmensch ergriff lachend den zaghaften Burschen und wirbelte ihn mit unwiderstehlicher Gewalt hinein in den mystischen Kreis.

»So, Trente, nun sei vernünftig, oder du bekommst keinen Bissen Rehfleisch.«

Diese Drohung wirkte; zagend schlich sich Trente an Ramiros Seite.

»Was befiehlst du, Señor?«, fragte er kaum hörbar.

»Du sollst übersetzen, sollst laut sprechen.«

»Ja! Ja!«

»Obijah«, fragte der Kunstreiter, »was geht hier vor? Weshalb seht ihr alle so beharrlich zu Boden?«

»Sprich nicht so laut!«, war die ängstlich gegebene Antwort. »Wagst du es denn, aufzublicken, Fremder?«

»Natürlich. Weshalb auch nicht?«

»Siehst du nichts Böses? Steht hinter mir niemand?«

»Nichts, nichts, du darfst es mir unbedingt glauben.«

Langsam hob sich der Löffel und schwankte wie ein Rohr im Wind von einer Seite zur anderen.

»Hast du auch vorhin nichts gesehen, Fremder?«, forschte Obijah. »Durchaus nichts Beunruhigendes. Was ist es denn, das du so sehr fürchtest? Ein Mensch? – Ein Raubtier?«

Obijah seufzte.

»Der Lahmfuß!«, sagte er schaudernd.

Die Weißen sahen einander an.

»Erzähle uns von ihm«, bat der Kunstreiter. »Ich gebe dir mein Wort, das nichts Übernatürliches oder Erschreckendes in der Nähe ist. Was verstehst du unter dem Lahmfuß?«

»Er ist ein Dämon«, berichtete Obijah, während ringsumher die Köpfe sich hoben und in die erstarrten Glieder neues Leben zu kommen schien, »sein Kopf ist der eines Skeletts, aus den Augenhöhlen flimmert ein gespenstischer Lichtschein, sein weiter Mantel aus Luft und sonderbarem Glanz ist vollständig weiß, – wenn er geht, so zieht er den rechten Fuß nach sich.«

Ein Laut des Grauens, des tiefsten Entsetzens durchlief die Reihen der Eingeborenen. Viele Frauen schluchzten und selbst Männer erbebten sichtlich. Die Erinnerung an den Lahmfuß hatte alle Seelen bis in den Tod erschreckt und erschüttert. Ramiro suchte durch seine eigene vollkommene Ruhe auch die der armen abergläubischen Heiden zu befestigen und zu stärken.

»Nun«, sagte er, »und wenn es einen solchen Lahmfuß wirklich gäbe, was fürchtet ihr denn von ihm?«

Mehrere Stimmen antworteten zugleich.

»Das Allerschlimmste, Fremder, das Allerschlimmste. Wen der Lahmfuß ansieht, der muss ein verruchtes Wesen werden, wie er selbst eins ist und den nimmt er mit sich in sein Flammenreich, wo die Flüsse von Feuer sind und wo ewiges Verderben herrscht. Sieht ihn aber niemand an, dann ist bei Sonnenaufgang seine Macht gebrochen.«

»Was ihr nicht sagt!«, lächelte Ramiro. »Über ein brennendes Feuer kann er wahrscheinlich nicht hinwegspringen, euer Lahmfuß?«

»Nein, nein, das ist unmöglich. Wer sich in den flammenden Kreis begibt, den muss er unbehelligt lassen.«

Ramiro schüttelte den Kopf.

»Welch unsinnige Vorstellungen«, sagte er zu seinen Gefährten und fügte dann gegen die Wilden gewendet hinzu: »Es ist keinerlei fremdartiges Geschöpf hier gewesen, ihr Leute. Weshalb glaubtet ihr denn, dass der Lahmfuß unbedingt in dieser Nacht umgehen müsse?«

»Weil wir drüben am Flussufer seine Feueraugen blitzen sahen. Sein Atem war wie der rollende Donner.«

Ramiro und die übrigen sahen einander plötzlich an.

»Unsere Schüsse!«, rief Benno. »Weiter nichts als unsere harmlosen Schüsse!«

Wie elektrisiert sprang Trente wie er ging und starrte in die Luft empor. Offenbar hatte ihn die Furcht vor dem geheimnisvollen Lahmfuß nicht wenig gequält, er überlegte vielleicht schon im Stillen, ob es denn überhaupt ratsam sei. Wälder und Felder mit einem so gefährlichen Bewohner noch weiter zu durch pilgern, da kam die erlösende Aufklärung und der Enkel der menschenfressenden Großmama jubelte laut auf.

»Kein Lahmfuß!«, schrie er. »Nichts von einem Lahmfuß! Auch kein Feuerauge, kein Donneratem. – Seht her! Seht her!«

Er schoss das Gewehr ab, einmal, zweimal, dann deutete er triumphierend hinaus in die Luft. Ein großer Adler segelte über die Baumwipfel dahin, langsam genug, dass Trente mit plötzlichem Griff die geladene Kugelbüchse des Schlangenmenschen erfassen und abdrücken konnte.

»Haha!«, rief er vor Vergnügen springend. »Haha! Da haben wir den Burschen! Nichts von einem Lahmfuß, wie? Nichts! Gar nichts!«

Der Adler fiel, durch die Brust geschossen, tot herab und mitten in den Kreis der Eingeborenen hinein. Alles wich zurück, die Frauen kreischten, die Männer riefen mit weit vorgestreckten Händen:

»Ala! Ala! (Es ist genug!)«

Dann aber legte sich doch der Aufruhr. Trente redete, dass er schwitzte, endlich nahm er aus dem Ledergürtel die Munition und lud vor aller Augen sein Gewehr, dann deutete er auf eine halbreife Palmfrucht, die an einem sehr sichtbaren Punkt in freier Luft hing.

»Passt auf!«, rief er. »Gleich fällt das Ding!«

Und als der Erfolg seine Bemühungen gekrönt hatte, sah er voll Stolz umher.

»Ja! Ja! So etwas verstehen wir Leute, die in den großen Städten leben, wir Gebildeten! – Jawohl!«

Dass sich seine weißen Reisegefährten vor Lachen ausschütten wollten, nahm er keineswegs übel, sondern er grinste so tapfer mit, dass alle zweiunddreißig Zähne in vollem Glanz zutage traten. Auch die Wilden hatten jetzt Mut gefasst, sie eilten freiwillig aus dem Flammenkreis hervor und ebenso schnell, wie sie vorhin zitternd zusammengekrochen waren, löste sich jetzt ihre Todesangst in Wohlgefallen auf.

Also diese schweren Stöcke waren gar herrliche Waffen, man konnte mit dem Feuer in ihnen die entferntesten Feinde erlegen. – Und braune Hände betasteten die geheimnisvollen Instrumente, deuteten immer wieder aufs Neue Früchte oder Zweige, die getroffen werden sollten und die nach ihrem Falle unter den Zeichen lebhaftester Bewunderung von einer Hand zur anderen gingen.

Das harmlose Völkchen war aufgelöst in Erstaunen und Freude. Dann liefen die Frauen davon und kamen sehr bald wieder zurück. Stumm drückte die erste der braunen Hausmütter dem schmunzelnden Trente ein Ei in die Finger, ein weißes, warmes, soeben aus dem Nest genommenes Hühnerei, das er mit einem gurgelnden Laut des Vergnügens sofort austrank; dann kam die zweite, dritte der freigebigen Frauen, bis endlich der leistungsfähige Magen des vortrefflichen Maultiertreibers zehn Eier in sich aufgenommen hatte und jedwede weitere Leistung verweigerte.

»Gebt auch meinen Kameraden ein wenig ab!«, rief Trente. »All ihr Heiligen, wohin soll ich mit den vielen Eiern?«

Die Frauen nahmen ihm den Strohhut vom Kopf und packten ihre Gaben hinein, sie füllten seine Hände, seine Taschen und stapelten endlich vor ihm in den Sand die Eier zu einem Haufen auf. Der Führer sah in komischer Verzweiflung um sich.

»Helfen Sie mir doch, Señores!«, rief er. »Wohin soll ich denn mit all den Dingern? – Heiliger Stephan, mein Schutzpatron, da kommt wieder solch eine Hexe, die bringt gleich ein Dutzend Eier mit. Ich glaube, die Weiber sind toll geworden!«

»Genug! Genug!«, schrie er dann. »Weshalb schenkt ihr denn nur mir die Sachen?«

»Weil du es bist, der den Adler erlegt hast, den Räuber, vor dessen Fängen wir unsere Küken nicht verbergen konnten.«

»Das belohnt ihr mit Geschenken?«

»Natürlich. Oder wäre das etwa bei deinem Stamme nicht Sitte?«

Der biedere Maultiertreiber richtete sich mit solchem Selbstbewusstsein auf, dass bei dieser Entfaltung seiner persönlichen Würde ein Ei nach dem anderen in den Sand purzelte.

»Stamm?«, wiederholte er voll Verachtung. »Stamm? Was ist das? Ich bin gebürtig aus Rio de Janeiro und wenn ich wirklich einen Stamm haben sollte, so ist es ganz gewiss derjenige der weißen Leute.«

Und nachdem er diesen Ausspruch getan hatte, ging Trente mit stolzen Schritten davon, um am Lagerfeuer den Rest der Nacht zu verträumen. Auch die übrigen dachten an ihre Hängematten; vorher aber wurden die geschossenen Tiere vor etwaigen Angriffen dadurch in Sicherheit gebracht, dass man sie zwischen die Zweige eines Baumes hing. Weder Hunde noch größere Raubtiere konnten jetzt dort hingelangen.

Halling und Benno beobachteten schon längst den Zauberer, dessen Putz vollständig verschwunden war. Er stand ebenso nackt und schlotternd im kühlen Nachtwind da, wie alle seine Genossen, ebenso voll versteckter Furcht und Neugier; – aber, nachdem sich die übrigen entfernt hatten, schlich er näher herbei.

»Naporra ist ein sehr bedeutender Zauberer«, begann er seine Anrede. »Naporra versteht es, die Dämonen zu bannen.«

»Nebenbei aber nimmt er Geschenke«, fügte Ramiro bei, wenn auch nur in spanischer Sprache. »Ich kann es mir denken.«

»Naporra möchte euch einen Vorschlag machen«, fuhr der Gaukler fort. »Der auf einen Blechlöffel hinausläuft, nicht wahr?«

Trente übersetzte schlaftrunken, mit geschlossenen Augen in der heißen Asche liegend; die übrigen saßen noch beieinander und schmausten, oder schaukelten sich in den Hängematten. Ein leises Lachen ging durch ihre Reihen.

»Nun?«, fragte Ramiro. »Was gibt es denn?«

»Naporra will euren Häuptling die Kunst, welche er versteht, lehren, wenn ihr ihm eins eurer Schießhölzer dafür gebt. Er braucht es notwendig.«

»So! So! – Aber das ist leider ganz unmöglich, denn wir haben vor uns noch eine weite Reise und können daher die Waffen nicht entbehren. Wähle etwas anderes, Naporra.«

Der Zauberer schüttelte den Kopf.

»Wenn der Vollmond viermal am Himmel gestanden hat, bist du eingeweiht«, fuhr er fort. »Ist das nicht eine kurze Frist?«

»Alle Wetter, vier Monate? – Für eine Hochschule im Urwald ist das etwas lang. Was müsste man übrigens tun, um deine Kunst zu lernen, Naporra?«

Der Zauberer nahm eine wichtige Miene an, er legte das Kinn in die linke Hand und zog mit der rechten allerlei Kreise durch die Luft.

»Du musst ohne Feuer oder Matte allein im Wald schlafen, jede Nacht an einer anderen Stelle«, sagte er, »du darfst nichts Gekochtes essen, sondern musst von Wasser und Früchten leben, schließlich musst du während des ganzen Tages auf jedem Schritt hinter mir hergehen und bleibst so lange völlig stumm, bis ich dir erlaube, wieder zu sprechen.«

Ramiro sah lächelnd hinüber zu der Stelle, wo Michael längst schon fest schlief.

»Gut, dass der arme Kerl den Vorschlag nicht mit angehört hat«, sagte er, »sonst würde man ihn von hier kaum fortbringen können. Von Ihnen will vermutlich keiner die schwarze Kunst studieren, Señores?«

Und als die übrigen lachten, erklärte er dem Zauberer, dass sich das Geschäft nicht machen lasse.

»Wir schenken dir aber irgendeine Kleinigkeit, wenn du uns eine Auskunft gibst, die wir sehr gern erlangen möchten«, setzte er mit bedeutsamem Blick hinzu.

»Welche«, rief Naporra.

»Die über das Geheimnis des Königs. Was ist mit ihm geschehen?«

Ein böser, feindseliger Blick war die Antwort. Naporra verschwand, ohne noch eine Silbe verlautbart zu haben.

»Gott sei Dank!«, rief Trente, indem er seine Cobija (Decke) über den Kopf zog.

»Nun spreche ich kein Wort mehr.«

Ramiro und die anderen sahen sich an.

»Was ist es mit dem gefangenen Häuptling?«

Der eine Gedanke beschäftigte alle.

»Jedenfalls ist Tenzileh ein herzhafter Mann«, sagte Benno. »Von seinen Stammesgenossen war er der einzige, welcher sich nicht in den Feuerkreis geflüchtet hatte.«

»Ob wir morgen einmal zu ihm gehen? Was könnte er uns schaden?«

»Ich will die Hexe auszuforschen suchen; sie weiß offenbar alles.«

Und dann ward ein Gesicht nach dem anderen unter den Armen verborgen, zum Schutz gegen die Moskitos. Bei dem Fleisch wachten mehrere Leute, andere bei dem Gepäck und der Hängematte des Kranken; alle übrigen schliefen fest.

9

Zum Bleiben gezwungen – Sonderbare Särge – Die Festhalle
im Urwald – Zur Audienz befohlen – Eines Königs Schuld –
Der weiße und der rote Geier und der hundertjährige Tapir

Am anderen Morgen befand sich Doktor Schomburg so schlecht, dass
er gar nicht aufstand; der Sturz von der Brücke musste ihm innerliche
Verletzungen zugefügt haben, er fieberte und klagte über heftige
Schmerzen in der Brust.

»Auf einige Tage wird es ja nicht ankommen?«, sagte er mit mattem
Lächeln.

Ramiro tröstete ihn freundlich, ohne merken zu lassen, dass er im
Geheimen seufzte. Ein Aufschub der Reise war ja zugleich auch eine
Verzögerung der langersehnten Ankunft im Kloster, jenes Augenblickes, in dem unermessliche Schätze sein Eigentum werden sollten,
in dem er wieder Besitz ergreifen würde von langverjährten Rechten
und Ehren.

Ihm wurde das Herz so bang, er konnte kaum atmen. Sein Weib,
seine Kinder rangen vielleicht mit der bittersten Not, – musste nicht
jede verlorene Minute mit Zentnerlast auf seine Seele fallen? Er sah
in den dämmernden Morgen hinaus und ein schwerer Seufzer
drängte sich gewaltsam aus der Tiefe des Herzens hervor; ein bitterer
trauriger Gedanke mochte ihn mehr und mehr beherrschen und erfüllen. Ramiro sah hinüber zu den Bergen, deren höchste Spitzen
ätherische Kreise umspielten, auf Wald und Wasser und die kleinen
kunstlosen Gärten der Eingeborenen.

Überall tiefster Friede, die Ruhe der ersten kirchenstillen Morgenstunde, ob der ringenden Seele des Mannes dieser Anblick nicht
wohltat, ob er nicht beruhigend wirkte auf den Gedankenaufruhr des
Einsamen?

Ramiro fuhr mit dem Rücken der Hand über die Augen.

Tränen? – Er und Tränen?

Und hastig, wie bei etwas Unrechtem ertappt, suchte er die Spuren
zu tilgen. Noch schliefen die jüngeren Genossen sämtlich fest und
süß, keiner hatte ihn beobachtet, keiner konnte später fragen, forschen.
Gewaltsam gebot der Wille dem Empfinden; Ramiro wandte den Blick

und beobachtete die Dorfhütten, vor denen leichte, blaue Rauchsäulen in die Morgenluft emporstiegen.

Die Eingeborenen waren schon wach. Trotz seiner ernsten Stimmung musste Ramiro lächeln, als er die Männer bei ihrer Toilette entdeckte. Zu Paaren standen sie beieinander und einer pinselte den Rücken des Kameraden, während dieser seine eigene Vorderseite in das übliche Farbgewand hüllte. Selbst das Gesicht bekam Kleckse und Streifen, zuweilen wurde es förmlich punktiert, nachdem vorher mit großer Sorgfalt der Überzug des vorigen Tages abgekratzt war.

Während dieser Vorgänge bereiteten die Frauen das Frühstück, eine Art Kleister aus Mehl und Wasser mit etwas Fruchtsaft und Ahornzucker, aber auch Fleisch und Fische, sowie das unvermeidliche Gebäck aus dem Mehl der Mandioca. Kinder jeden Alters spielten im Gras, tobten und lärmten, zogen ihre kleinen von den Vätern gefertigten Spielsachen durch den Sand, der ihnen als Bauplatz oder Schanze diente und vergnügten sich ganz so wie ihre Altersgenossen in allen Teilen der bewohnten Erde. Die Wiegen der Säuglinge hingen in den Bäumen und Mütter und Schwestern schabten Früchte, fegten die Hütten oder sahen in den Hühnerställen zum Rechten.

Eine Frau flocht auch wohl einer anderen das lange schwarze Haar, und wer sonst nichts zu tun hatte, formte Töpfergeschirr oder knotete Matten aus Palmbast. Nach und nach wurde es auch im Lager der Weißen lebendig. Nach einem Bad im Fluss brieten die einen einen Teil des erlegten Fleisches und andere sammelten Früchte; Trente verteilte gutmütig den gestern erworbenen Eiersegen an alle Kameraden.

Auf bloßer Erde ward der Tisch mit grünen Blättern gedeckt, und das Frühstück konnte beginnen. Verschiedene Sorten Fleisch, Obst, weiche Eier und Kaffee, dazu das Backwerk der braunen Frauen, – mehr durfte auch ein verwöhnter Magen nicht beanspruchen.

»Sehen Sie einmal da hinüber«, sagte Halling, indem er auf den Dorfplatz deutete. »Sämtliche Männer scheinen unter den Palmen eine Zusammenkunft zu veranstalten.«

Die Übrigen blickten auf.

»Jedenfalls eine Beratung«, meinte Ramiro. »Der wir uns aus Anstandsgefühl fernhalten müssen.«

»Natürlich. Aber auch andere Leute sind ausgeschlossen, – sehen Sie nur trüben den Zauberer, er scheint zu horchen, zu spähen, aber er tritt nicht näher.«

»Und da schleichen Obijah und Barrudo – auch sie meiden die Versammlung.«

»Weil alle drei zur Hofpartei gehören. Ich sterbe noch vor Neugier, diesem Geheimnis gegenüber.«

»Die Hexe fragte ich heute Morgen schon, ich opferte ihr sogar einige Münzen und Knöpfe, aber sie blieb hartnäckig stumm und deutete nur abermals an, dass wir wohl nächstens, wenn der Mond nicht mehr scheint, alles erfahren würden.«

»Da gehen die Männer auseinander.«

»Und einige kommen schnurstracks hierher.«

Nach wenigen Sekunden erschienen mehrere Eingeborene, die unter Trentes Beistand mitteilten, dass der Stamm die weißen Männer bitten lasse, noch etwa sechs oder acht Tage im Dorf zu bleiben.

»Wir wollen euch gern mit Lebensmitteln versorgen«, lautete der Schlusssatz, »unsere Frauen sollen euch Mandiocabrot backen und außerdem werden wir heute Abend ein großes Fest veranstalten.«

»Der Tausend!«, rief Halling. »Das sind verlockende Bedingungen. Wie mag wohl ein Fest im Urwald aussehen?«

»Jedenfalls müssen wir es mitmachen.«

»Aber acht Tage!«, seufzte Ramiro. »Ganze acht Tage!«

»Glauben Sie, dass der Doktor viel früher genesen sein wird, Señor?«

»Wir könnten ihn vielleicht abwechselnd tragen«, murmelte der Kunstreiter. »Man baut eine Sänfte oder Bahre.«

»Die aber doch, wenn z. B. ein Fluss passiert werden muss, nicht ausreichen würde. Das geht unmöglich, Señor.«

Der Peruaner senkte den Kopf.

»Bleiben wir also«, sagte er mit leiser Stimme. »Ich gebe nach.«

Der Schlangenmensch trat zu ihm und legte seine Hand auf die Schulter des langjährigen Freundes.

»Fehlt Ihnen etwas, Señor? Sind Sie krank oder traurig?«

»Nein! Nein! Trente soll antworten, dass wir bleiben. Kommen Sie nur, wir wollen in das Dorf hinabgehen und fischen oder irgendeinen Ausflug unternehmen. Man muss nicht so tatenlos stillsitzen, das macht ganz melancholisch.«

»Ich will zusehen, wie die Frauen Töpfergeschirr herstellen«, warf Benno ein. »Gestern baute eine von ihnen einen Behälter, größer als ein Wagenrad. Gehen Sie mit mir, Herr Halling?«

Der junge Naturforscher nickte.

»Aber wir haben keinen Dolmetscher«, fügte er bei. »Trente sieht nach den Maultieren.«

»Dann versuchen wir es mit der Gebärdensprache. Kommen Sie nur, Señor.«

Die beiden jungen Leute steckten sich nach der Sitte der Eingeborenen Blumen an die Hüte und wanderten zum Dorf, wo eben zwei Frauen mit großen, von zappelnden Fischen gefüllten Körben des Weges kamen. Mehrere Männer waren noch beschäftigt, immer neue Beute einzuheimsen; unsere Freunde näherten sich, um zu sehen, wie der Fang bewerkstelligt wurde.

An einer Stelle, bei der die Fluten ziemlich hoch von einem Felsen herabstürzten, war im Wasser ein oben offener großer Kasten Weidengeflecht befestigt, dahinein fielen mit den stäubenden Wogen die Fische und konnten sich nicht wieder herfinden. Während die kleineren und also wertlosen freigelassen wurden, spießten die Eingeborenen alle größeren mit ihren langen Pfeilen auf und hoben sie so ohne Anstrengung dem Wasser.

Überhaupt zeigte sich heute ein sehr reges Leben. Mehrere Männer schlugen Pfähle in die Erde und flochten ein Mattendach darüber hin; grüne Kränze wurden um die Pfeiler gewunden, Blumen und all der seltsame Putz dunklem trockenen Stroh dazwischen gefügt, – Puppen, Tiere, Körbe und hundert andere Kleinigkeiten.

Die Frauen brachten Körbe voll Früchte herbei und setzten sie zum Schutz gegen die Heereszüge der Ameisen in große Gefäße, die mit Wasser angefüllt waren. Auf vier Stützpfeilern Holz oder Steinen stand solch ein Korb mit Obst vom Wasser unberührt; um den Rand schmiegte sich ein leuchtender Kranz von Blumen, deren Stängel bis in das Wasser hinunterreichten.

»Eine förmliche Festhalle«, lächelte Benno. »Kommen Sie mit mir, Señor, hinter jener Hütte sitzt die Alte, welche den ungeheuren Topf baut. Ich glaube, es könnte eine Kompanie Soldaten damit gespeist werden.«

Sie gingen durch einige Gärten, in denen auch heute Papageien und Affen mit den klappernden Wächterinnen um den Besitz stritten, dann standen sie vor der Stelle, an welcher Benno gestern den Riesentopf gesehen. Ein uraltes Mütterchen saß dabei, ein lebendes Skelett, das mit zitternden Händen sonderbare Figuren hinein zeichnete in die feuchte Tonerde, einen Vogel mit unerhört großen Augen, der wahrscheinlich eine Eule vorstellen sollte, einen Wurm und eine menschliche Gestalt, die ganz so sah wie jene Bildwerke, welche unsere liebe Jugend auf ihre Schiefertafeln malt, deren Haare gleich Borsten einzeln zu Berge stehen und deren Hände aus fünf gespreizten Strichen zusammengesetzt sind. Die Figur auf dem Riesentopf lag steif ausgestreckt und hielt ihre Arme an den Leib gepresst.

Das Mütterchen nahm von den beiden jungen Leuten keinerlei Notiz; sie strich mit der bebenden Hand das eisgraue Haar aus der Stirn und arbeitete ruhig weiter. Der ungeheure Topf musste auch noch einen Rand haben und zwei Henkel; die setzte die Alte gerade jetzt an und seufzte dabei tief. Benno berührte ihre Schultern, und als sie ihn ansah, machte er die Gebärde des Schöpfens und Essens.

Das Mütterchen schüttelte den Kopf, »Nein!«

»Trinken also? Mingau?«

»Auch nicht!«

Die Alte schloss ihre Augen und senkte den Kopf, dann deutete sie auf das Gefäß und auf den Erdboden. Benno zuckte die Achseln.

»Das verstehe ein anderer«, sagte er.

Da stand das Mütterchen auf, humpelte in die Hütte und kam mit einer Art Schaufel aus hartem Holz wieder zurück. Die dürren braunen Hände warfen etwas Erde aus einer kleinen Grube empor, dann deuteten sie auf die eingefallene Brust und den großen Topf. Wieder schloss die Alte ihre Augen.

»Ich habe es!«, rief Halling. »Ich habe es! Stirbt jemand, so wird er in ein derartiges Gefäß gepackt und darin begraben. Der Topf ist ein Sarg.«

Benno trat unwillkürlich einen Schritt zurück.

»Nicht möglich!«, rief er. »Was ich Ihnen sage! – Da unten bei den Tieren wirtschaftet übrigens Trente, – wollen wir ihn einmal herbeirufen?«

Benno legte die Hände an den Mund und pfiff, so laut es ihm möglich war. Der Maultiertreiber hob den Kopf, er sah suchend umher und als sich die Blicke der beiden begegneten, da winkte Benno mit erhobener Hand.

»Komm!«, hieß die Gebärde. »Komm!«

Mit langen Sätzen eilte der Halbwilde herbei.

»Was gibt es?«, rief er.

»Du sollst diese Alte fragen, was sie mit dem großen Topf macht?«

Der Führer gehorchte sogleich, aber als er den erbetenen Bescheid bekommen hatte, schlug er ein Kreuz.

»Heiliger Stephan, das ist ja entsetzlich!«

»Nun, – was hat die Alte gesagt?«

Der Treiber deutete voll Grauen auf den Topf mit den Figuren.

»Das Ding ist ein Sarg«, stammelte er ganz bestürzt. »Sie pressen den Toten rund hinein, so dass die Fußsohlen den Kopf berühren!«

»Und wo begraben sie ihn?«

»Jeder in seiner eigenen Hütte. Das ist abscheulich.«

»Was sagte ich Ihnen?«, lächelte Halling.

Trente sprach schon wieder mit der Alten.

»Jedes Mal, wenn ein solcher Topf mit einem Gestorbenen begraben worden ist, fertige ich einen neuen«, sagte kopfnickend das verwelkte Mütterchen. »Dafür bringen mir die Männer Fleisch und Holz und Wasser, die Frauen Gemüse und Früchte in meine Hütte.«

Und wie liebkosend glitten die Finger der seltsamen Künstlerin um den Rand des riesigen Gefäßes herum.

»Die alte Tamunda kann Figuren zeichnen«, sagte sie voll Stolz, »und bunte Verzierungen malen, – das haben nicht alle Leute gelernt. Nein, nein, nicht alle Leute.«

Die Weißen beeilten sich, ihr ein Kompliment zu sagen.

»Wie steht es denn aber, wenn ein Häuptling stirbt?«, fragte Benno. »Bekommt auch er einen solchen tönernen Sarg?«

In den Augen der Alten blitzte es plötzlich auf; sie winkte den Besuchern, ihr zu folgen und humpelte so schnell wie möglich voran in die Hütte, wo sie eilfertig einen Haufen von Matten auseinander schob. Es kam ein ganz schwarzer Topf zum Vorschein, überall mit weißen Arabesken, Zacken und Rädern geschmückt, ein hässliches Ungeheuer, dessen Herstellung jedenfalls Wochen in Anspruch genommen haben musste. Schlangen ringelten sich um das weite Rund, Palmbäume mit Früchten von unheimlicher Größe standen neben den Reptilien, Adler und Papageien schwebten in den Lüften. Die Alte hob ihre bebende, knochendürre Rechte.

»Tenzileh!«, sagte sie, auf das Gefäß deutend, während eine rachsüchtige Freude ihren Blick belebte. »Tenzileh!«

»Der lebt aber noch lange«, warf Benno ein. »Er ist jung und kräftig.«

»Der Lahmfuß ist kräftiger als er!«

Das war wie unwillkürlich, ohne Überlegung hervorgestoßen; als unsere Freunde weiter fragten, schüttelte die Alte beharrlich den Kopf.

»Tamunda weiß nichts, gar nichts. Ihr könnt nun gehen, Fremde.«

»Das war deutlich«, lachte Halling, während beide kehrt machten, um zum Lager zurückzukehren. »Aber ich ruhe nicht, bevor das Geheimnis des Verbannten mir enthüllt worden ist. Ich will es wissen und müsste ich ein ganzes Jahr hier zubringen. Denken Sie nicht auch so, Benno?«

»Um Gottes willen, – ein Jahr hier, hier? Da hätte ich ja schon durch die Unterprima kommen können!«

Und ein tiefer Seufzer begleitete diese Worte. Halling klopfte ihm lächelnd die Schulter.

»Sie gelangen noch dahin und – weiter, Benno. Wenn wir einmal in Lima sind, wird ein geharnischtes Schreiben nach Hamburg expediert. Der Herr Senator erfährt dann durch unzweideutige Beweise, wie die Verhältnisse hier in Wirklichkeit waren.«

Benno wechselte die Farbe.

»Wir wollen jetzt nicht daran denken«, sagte er nach einer Pause. »Sehen Sie, da schlachtet man Hühner und Ziegen, als wäre mindestens ein verlorener Sohn nach Haus zurückgekehrt.«

Halling zog das Skizzenbuch hervor und zeichnete eifrig. Im Lager hielten die meisten während der heißesten Stunden im Schatten eine behagliche Mittagsruhe.

Mit Einbruch des Abends nahm das Fest der Eingeborenen seinen Anfang. Zwischen Blumengewinden und Strohpuppen hingen die sonderbaren Wachsbündel, deren kleine Flammen ein angenehmes, gedämpftes Licht verbreiteten.

Der heiße Mingau dampfte in dichten Wolken, es waren Berge von Fleisch, gebratenen Fischen und anderen guten Dingen zusammengetragen worden; die Stimmung schien allgemein eine sehr gehobene. Vor dem Eingang der Festhalle qualmte ein ungeheurer Reisighaufen, dessen Rauch die Moskitos verscheuchte. Allerlei Balken und Baumstämme waren herbeigeschafft worden, den Weißen als Sitz zu dienen; die Eingeborenen kauerten ringsumher auf dem Fußboden. Wie hatten sich die Leutchen herausgeputzt, welche Verschwendung war mit allen Regenbogenfarben getrieben worden!

Die Frauen trugen Überwürfe aus Palmenbast und an Hals und Gelenken Schnüre von Fruchtkernen und Schweinsfüssen; die Männer waren vom Kopf bis zu den Füßen mit bunten Mustern übermalt, sie glichen wandernden Tapeten oder Farbenmustern, so vollständig mit Rot. Blau und Gelb war die ursprüngliche Färbung vermischt. Um den Leib hatten sie breite Reihen platter, durchlöcherter Steine und auf den Köpfen hohe Diademe aus Fellen oder Vogelbälgen; beide Geschlechter trugen Fächer aus Palmblättern, mit kleinen weißen oder farbigen Brustfedern überklebt, die Männer außerdem aufrechtstehende Federn in den Ohrläppchen.

Als Festordner glänzte der glückliche Löffelbesitzer. Er trug eine hohe prachtvolle Mütze aus dem Fell der schwarzen Unze und auf der höchsten Spitze derselben den blankpolierten Löffel. Jetzt füllte er den dampfenden Mingau in die Bambusschalen; als er allen Anwesenden mit vornehmer Handbewegung das Getränk angeboten hatte, sagte er gewichtig ein Wort, das von den Weißen natürlich kein einziger verstand.

»Totodidlté!!«

»Trente, wo bist du? Hilfe! Hilfe!«

Das Wort wurde wiederholt, aber der Maultiertreiber schüttelte den Kopf.

»Noch einmal«, bat er.

»Totodidlté!«

Trente grinste wohlgefällig.

»Ein fideles Wort«, sagte er, »aber verstehen kann ich es ganz und gar nicht.«

Das schien Obijah zu bemerken, er klatschte in die Hände und rief: »Menis!«

Worauf etwa zwölf oder sechzehn Eingeborene in die Festhalle sprangen, sämtlich mit Tiermasken vor den Gesichtern und mit Rasseln in den Händen. Von der anderen Seite kamen Männer mit meterlangen Flöten aus Bambus, und nun nahm auf ein Zeichen Obijahs der »Totodidlté« seinen Anfang, ein Lärm, ein Durcheinander, ein

Leben, dass Pluto als guterzogener Hund in ein Schmerzensgeheul ausbrach.

Männlich tanzte die Schar schnell und schneller, mit so rasenden Umdrehungen, wie es die vorhandenen Kräfte nur irgend erlaubten; dazu rasselten die zahllosen Arm- und Halsbänder, die an langen Stangen getragenen, ausgehöhlten und mit Steinen gestillten Kürbisse, die Klappern und Schmuckgegenstände der Frauen.

Den entsetzlichsten Lärm aber verursachten die nachgeahmten Tierstimmen. Hier meckerte eine Ziege, dort kreischte ein Papagei und paarweise zischten an anderen Stellen die Schlangen oder brüllten Jaguare. Zwischendurch tönten zehn oder zwölf Menis, die langen Bambusflöten mit einem immer wiederholten gedehnten »Huh! Huh!«.

Das war »Totodidlté«, die Festlichkeit, zu welcher man die weißen Gäste geladen hatte, um ihnen das Beste und Kostbarste darzubieten, sie auf das höchstmögliche zu ehren. Ein brausendes Gelächter ging durch die Reihen der Weißen. Weiter brüllten, meckerten, zischten und pfiffen die Wilden, Bewegungen und Eigenarten der betreffenden Tiere nachahmend und kennzeichnend.

Der Papagei schlug mit den Flügeln, die Ziege stieß mit den Hörnern, der Jaguar sprang in hohen Bogensätzen, der Affe kletterte, die Kaninchen ohrfeigten einander, dass es klaschte. Zu dem Kreischen der Flöten gesellte sich das Heulen von etwa zwanzig oder dreißig indianischen Hunden, welche in die Jammerlaute des grauen Windspiels einstimmten.

»Das ist zum Davonlaufen!«, seufzte Ramiro. »Ich halte es nicht aus.«

»Im Gegenteil, Señor! Ihre und Pedrillos Kunst muss erst recht Leben in die Bude bringen. Sie sollten beim ›Totodidlté‹ mitwirken.«

»Um Gottes willen!«

»Gewiss! Gewiss!«, schallte es von allen Seiten. »Pedrillo, wo stecken Sie?«

Und alle diese, an ein abenteuerliches Leben gewöhnten Männer, diese bärtigen Gestalten im roten Wollhemd, mit Dolch und Pistole im Gürtel, scharten sich lachend um die indianischen Tänzer. Keckheit und Lebenslust blitzte aus den Augen aller; die gebräunten Gesichter leuchteten vor Vergnügen.

»Pedrillo, Sie sollen tanzen! Hören Sie denn nicht, Schlangenmensch? Sie sollen Ihre Kunststücke vorführen.«

Und der schlanke Bursche lächelte, dann warf er die schweren Stiefel, Rock und Hut von sich und drückte die Pfeife dem Nächststehenden in die Hand.

»Nun geben Sie Acht, meine Herrschaften!«

In eine zufällig entstehende Lücke springend, schlug er plötzlich ein Rad und wanderte auf den Händen in der Festhalle herum, wickelte die Glieder zum Klumpen zusammen und schnellte wieder auseinander, um mit den Füßen einem Indianer die Trinkschale aus den Händen zu nehmen und behaglich den Mingau zu schlürfen, indem er sein Gesicht mit den Füßen in Berührung brachte.

Wie versteinert mitten im Tanze, wie plötzlich erstarrt, entseelt, standen die Eingeborenen. Alle Tierstimmen, alle Flötenklänge verstummten, – es wurde ganz still in der Festhalle. Ramiro hatte von Baum zu Baum ein Seil gespannt – jetzt hing er daran mit den Zähnen und bald danach mit den Füßen.

Während er schwebend mit einer Hand das Seil gefasst hielt, saß Pedrillo mit einem Sprung rittlings auf seinen Schultern. Und dann ging der schlanke Pedrillo auf dem straff gespannten Seil von einer Seite der Halle zur anderen; scheinbar achtlos sprang er dabei in die Tiefe, hielt sich aber doch zur rechten Zeit mit beiden Händen am Seile fest und lief nun, immer vorwärts greifend, dieselbe Strecke zurück.

Ein lauter Beifallsjubel brach los, erst unter den Peruanern, dann endlich auch unter den Eingeborenen. Sie legten ihre langen Flöten beiseite, einer nach dem anderen probierte die Leistungen der beiden Kunstreiter und plumpste kopfüber in den Sand; alle lachten, die Heiterkeit stieg von Viertelstunde zu Viertelstunde und selbst zu dem Kranken in der Hängematte drang der Jubel.

Auf dem Festplatz wurde sehr viel Mingau getrunken, aber die Indianer bewahrten trotz ihrer Neigung für den Branntwein doch eine anständige Mäßigung; sie lachten wie die Kinder über jedes Wort, jede Bewegung, und von den kleinen Taschenspielerkunststücken, die ihnen einer oder der andere der Weißen vormachte, konnten sie nicht genug bekommen.

»Lasst uns einmal singen!«, schlug jemand vor. »Es scheint, dass sich bei den harmlosen Menschen alle musikalische Fertigkeit auf das ›Huh! Huh!‹ der abscheulichen Menis beschränkt.«

»Ja, lasst uns singen.«

»Etwas recht Lebhaftes! Kräftiges!«

Alfeo probierte die Melodie eines Kriegsliedes und sogleich fielen alle übrigen ein. Von mehr als siebzig kräftigen Männerstimmen gesungen, klangen brausend und gewaltig die Tonwellen durch den stillen, nächtlichen Wald dahin. Wieder horchten die Indianer, wieder verstummten sie, – nur ihre glänzenden Blicke verrieten das Entzücken, welches sie empfanden.

Noch ein zweites Lied mussten die Peruaner zugeben, dann ein drittes, eine ernste, getragene Weise. Es war, als lausche die ganze Natur ringsumher, als finstere leiser der Wind in den Blättern, als wolle selbst der weiße Mond, der gerade über der Festhalle stand, zwischen den Palmenkronen hindurchspähen, um zu erfahren, was denn so Absonderliches, Ungewohntes da in dem friedlichen Dorf sich zutrage.

Drüben bei den Hütten krähten schon einzelne Hähne. Es war Zeit, für den Rest der Nacht an etwas Schlaf zu denken; die Weißen wenigstens sehnten sich nach ihren Hängematten, aber sooft sich einer von ihnen fortstehlen wollte, hielten ihn die Eingeborenen auch schon fest.

»Schlafen kann man immer«, hieß es, »aber die Freude versteckt sich so oft, sie ist nicht zu finden, ob auch einer suchen möge, wie und wo er will. Bleibt noch hier, Fremde. Singt weiter!«

Da half kein Sträuben. Schließlich baten die harmlosen Menschen, man möge morgen wieder singen.

»Ihr bleibt ja noch acht Tage bei uns«, hieß es dann wohl. »Wir haben euer Versprechen.«

Ramiro schüttelte zweifelnd den Kopf.

»Weshalb wünscht ihr das so lebhaft?«, fragte er. »Was kann es euch nützen, uns noch hierzubehalten?«

Die Eingeborenen sahen einander an.

»Ihr werdet es später erfahren«, antworteten einige. »In ganz kurzer Zeit schon.«

»Wenn sich der Mond unter seine Decke verkrochen hat.«

»Er macht sich bereits auf den Weg«, sagte jemand. »Ein Streifen ist verschwunden.«

»Und in der ersten dunklen Nacht sollen wir alles erfahren?«

»Ja! Ja!«

»Sonderbare Geschichte!«

Sie wandten sich, um ihr Lager aufzusuchen, da entstand unter den Eingeborenen ein Flüstern und Fragen, ja sogar etwas wie eine unruhige, drohende Haltung. Durch die Reihen der braunen Gesellen lief ein Wort, das alle wiederholten.

»Oménto!« (Der Zauberer!)

Ramiro wandte den Kopf zum anderen Eingang der Festhalle; seine und Naporras Blicke begegneten einander aus ziemlicher Nähe. Der Zauberer war plötzlich inmitten des versammelten Volkes erschienen, niemand wusste, was ihn hergeführt hatte, aber gerade aus diesem Grund erschraken alle. Im Moment herrschte drückendes Schweigen. Naporra wandte sich zu den Weißen.

»Welcher unter euch ist der Häuptling des Stammes?«, fragte er.

Trente übersetzte, aber es meldete sich keiner aus der ganzen Schar zur Antwort.

»Was könnte man da sagen?«, bemerkte achselzuckend der Kunstreiter. »Dass Sie selbst unser Anführer sind, Sie und Herr Halling. Vorwärts doch! Man erfährt vielleicht dadurch das Geheimnis des Verbannten.«

»Ja, ja, das wäre möglich. Ich bin also der Häuptling. Trente, hörst du, und Herr Halling, Benno und Pedrillo sind die Unterhäuptlinge. Wenn das etwa nicht genügen sollte, dann nenne immerhin noch einige weitere Namen.«

»Den meinigen!«, rief Alfeo. »Den meinigen, Trente!«

Und der Maultiertreiber richtete gehorsam aus, was ihm befohlen worden war.

»Diese da sind die Häuptlinge«, berichtete er.

Naporra zählte.

»Fünf! – Ihr alle sollt mir sogleich folgen, um in der Hütte des Königs zu erscheinen. Tenzileh befiehlt es.«

Ein Sturm der Empörung und des Widerspruchs erhob sich rings in den Reihen der Eingeborenen.

»Das darf nicht geschehen!«, riefen einige. »Tenzileh hat keine Befehle zu geben.«

»Das hat er doch; er ist immer noch König seines Stammes!«

Blitzende Augen sahen einander an, drohend erhobene Fäuste zeigten die herrschende Gereiztheit.

»Tenzileh soll schweigen!«, rief jemand. »Tötet ihn, schießt ihm den vergifteten Pfeil durch das Herz.«

Ramiro hob die Hand.

»Wir werden den König in seiner Hütte besuchen«, erklärte er. »Kann euch das schaden, meine Freunde?«

Die Indianer bedrängten ihn so dicht, dass er sich kaum frei zu bewegen vermochte. Überall sprachen Zorn und Erbitterung aus den braunen Gesichtern; die wilde Leidenschaftlichkeit war mit einem Schlage zum Leben erwacht und sprühte aus jedem Blick, jeder Bewegung hervor.

»Es kann uns schaden!«, riefen die Leute. »Tenzileh begehrt von euch ein Versprechen, das ihr nicht geben dürft.«

»Das ihr uns schon gegeben habt. Der ehrliche Mann kann nur auf einer Seite stehen, nicht auf beiden.«

Ramiro nickte.

»Sicherlich!«, versetzte er im Ton der Überzeugung. »Aber seid ihr denn Gegner, Tenzileh und sein Volk?«

»Ja, ja. Vielleicht vergeht die ganze Welt, – der Lahmfuß kommt, – Feuer bricht aus dem Boden hervor und wir alle müssen sterben. Das hat Tenzileh verschuldet.«

»Wodurch?«, forschte Ramiro.

Ein Achselzucken war die Antwort, ein scheuer Blick auf den in voller Amtstracht dastehenden Zauberer.

»Ihr dürft nicht hingehen«, hieß es wieder.

»Ramiro«, rief Halling, »wenn Sie jetzt nachgeben, bin ich von Stunde an ihr geschworener Feind.«

Der Kunstreiter lächelte.

»Unbesorgt«, sagte er in deutscher Sprache. »Denken Sie, ich werde mir einen so guten Spaß entgehen lassen?«

Das verstand Trente nicht und konnte es daher auch nicht weitergeben.

Laut setzte Ramiro hinzu:

»Wir gehen hin, um als anständige Leute dem Häuptling einen Besuch zu machen, aber wir versprechen euch, nichts zu unternehmen und in nichts zu willigen, was euch einen Schaden verursachen könnte. Keiner von uns beabsichtigt, sich irgendwie in eure Angelegenheiten hineinzumischen. Und nun gebt Raum, Freunde.«

»Das wollen wir nicht, – es ist unmöglich.«

Und die langen Lanzen wurden aus den Mattenwänden hervorgezogen, die Pfeile und Bogen, die schweren Steinbeile kamen zum

Vorschein. In wenigen Minuten schien der Ort, an dem so kurz vorher noch Musik und lauter Jubel geherrscht hatten, beinahe in den Schauplatz eines Gefechtes verwandelt. Naporra sah das alles; langsam hob er den Zauberstab und schüttelte ihn. Die Gerippe schlugen gegeneinander, es gab einen trockenen, rasselnden Ton. Wie plötzlicher Schreck durchrieselte es die harmlosen Naturkinder; etliche warfen ihre Waffen von sich und legten ihre Hände bittend zusammen.

»Gnade! Gnade!«, übersetzte Trente das Wort, welches sie flüsterten.

Andere schienen entschlossen, noch nicht so schnell nachzugeben; es entstand ein wirres Durcheinander von Stimmen und Bewegungen, bei dem doch vielleicht die Oppositionspartei den Sieg behalten hätte, ja, bei dem Ramiro wahrscheinlich angegriffen worden wäre, wenn nicht Naporra gerade im entscheidenden Augenblick die Trumpfkarte ausgespielt hätte.

Er begann mit dem Zauberstab allerlei zackige Kreise in den Sand zu zeichnen, er murmelte Worte, die niemand verstand. Wenige Sekunden später warfen auch die Tapfersten ihre Waffen von sich und gaben Fersengeld; die Halle wurde leer, kein braunes Gesicht war mehr zu entdecken. In alle vier Windrichtungen zerstoben die bemalten, maskierten Gesellen und suchten Schutz gegen jene drohenden Zauberkreise in den Tiefen ihrer Strohhütten. Naporra sah mit Feldherrenmiene ringsumher; im Vollgefühl seiner Macht richtete er sich auf und streckte die Hand aus.

»Jetzt folgt mir, Fremde!«, gebot er. Halling gönnte sich einen Seufzer, der jedenfalls Felsenlasten von seiner Brust wälzte.

»Endlich!«, sagte er frohlockend. »Endlich!«

Auch Obijah gesellte sich zu den für die Audienz erwählten fünf Männern, welche jetzt, angeführt von dem mit den nachschleppenden Fuchsschwänzen geschmückten Zauberer zwischen den Dorfhütten dahingingen, um Tenzilehs Antlitz zu sehen und seine Stimme zu hören. Trente als Dolmetscher trabte hinterher; ihm allein war bei der Sache nicht so ganz wohl, er hätte im Stillen lieber gesehen, dass ihm der rasselnde, mit den Skeletten behangene Zauberstab weniger nahe gewesen wäre.

Der Vorhang an Tenzilehs Hütte wurde entfernt, – man sah schon von draußen den in Ungnade gefallenen Herrscher, wie er sich erregt von der Hängematte erhob. Ruhelos hin und hergehend empfing er die Fremden mit verschränkten Armen und beinahe düsterem bösem

Gesichtsausdruck. Auch heute war der schlanke muskulöse Körper vollständig unbemalt und ohne jeden Putz. Die Weißen begrüßten ihren fürstlichen Gastgeber, indem sie ihm die Hand reichten.

»Wir sind hierhergekommen, um durch dein Land weiter nach Westen zu ziehen, großer Häuptling«, sagte Ramiro, »Hoffentlich erlaubst du uns das.«

Ein Seufzer gab die Antwort. Des Königs dunkle Augen sandten Blicke von einem zum anderen, dann deutete der Herrscher ohne Thron auf die eigene Brust.

»Dies ist Tenzileh!«, sagte er mit umschleierter, aber angenehm klingender Stimme.

Ramiro beeilte sich, die Namen seiner Genossen und den eigenen als Gegenhöflichkeit zu nennen und nun konnte die Unterhaltung ihren Anfang nehmen.

»Tenzileh ist sehr unglücklich«, sagte der Häuptling.

Ramiro bedauerte.

»Können wir dir in irgendeiner Weise nützen, dann gebiete über uns, großer Häuptling«, sagte er in verbindlichem Ton.

Ein Blitz sprang aus den dunklen Augen.

»Das ist gut! Das ist gut!«

Dann warf sich Tenzileh in die Hängematte, er knirschte mit den Zähnen vor innerlich kochendem Groll.

»Seht meine Muskeln«, sagte er plötzlich, »fühlt sie, betrachtet sie. Habt ihr häufig einen so starken Mann kennengelernt?«

Und er bog den Arm, um die Muskeln und Sehnen desselben hervortreten zu lassen.

»Seht! Seht!«, wiederholte er. Ramiro nickte. »Wir bewundern deinen Arm, Tenzileh! Gewiss bist du fähig, den stärksten Gegner in den Sand zu strecken.«

Der Häuptling nickte.

»Ich war es lange, lange«, bestätigte er. »Die Regenzeit kam und ging viele Male, aber niemand konnte sich rühmen, mich besiegt zu haben. Damals bewohnte mein Stamm eine unfruchtbare, felsige Gegend; wir mussten von wenigen schlechten Wurzeln leben, hatten keine Früchte und konnten keine Fische fangen; es war in den Nächten so kalt, dass die kleinen Kinder starben und am Tag erspähten wir selten ein essbares Tier, – so beschloss ich denn, die unwirtliche Heimat zu verlassen und eine bessere Stätte aufzusuchen, eben diese, an der wir stehen. Meine Kundschafter hatten ausgespäht, dass hier Wild und Fische in reicher Fülle zu haben wären, dass gelbe und rote Früchte an den Bäumen hingen und dass der Boden Mandioca und Mais für meinen Stamm hervorbringen könne. Aber es gab ein Hindernis, – ich konnte den Platz nicht sogleich in Besitz nehmen.«

»Ein feindlicher Stamm hatte hier seine Hütten, nicht wahr?«

»Woher weißt du das?«, fragte argwöhnisch der Häuptling.

»O – es war nicht eben schwer zu erraten. Aber fahre fort, Tenzileh.«

Der Indianer sah starr in die Flamme einer Wachskerze.

»Ich schickte abermals Kundschafter aus«, sagte er im Ton eines Mannes, der das Geschehene bitter bereut. »Ich erfuhr, dass die meisten Krieger des Stammes, der hier lebte, auf einem Beutezug begriffen waren und überfiel eines Nachts unvermutet das Dorf. Mit mir konnte es kein Gegner aufnehmen, ich war stark wie die große blauschimmernde Schlange, die alles Lebendige zwischen ihren Ringen erdrückt, – der Sieg wurde den Meinigen leicht, wir vertrieben den fremden Stamm und nahmen seine Hütten in Besitz.«

»Nicht sehr edel gehandelt«, schaltete Benno ein. »Aber sehr indianisch. Weiter Häuptling!«

»Mein Volk ist zahlreicher als jenes«, fuhr Tenzileh fort. »Wir konnten aus diesem Dorf nicht verjagt werden, aber wir fanden auch keine Ruhe. Gingen die Männer auf Beutezüge, so lauerten die Feinde ihren Schritten nach und erschlugen, wen sie erreichen konnten; wagten sich Frauen und Kinder in den Wald, um Beeren zu pflücken, so wurden sie verschleppt. Unsere Felder zertraten jene Elenden, unsere Fischkästen zerstörten sie, die Früchte warfen sie unreif von den Bäumen.«

»Ja, ja, Häuptling. Wie du mir, so ich dir.«

»Was sagt der weiße Knabe?«, fragte Tenzileh. »Er meinte, du hättest dir solche Dinge nicht gefallen lassen, sondern deinen Feinden den Krieg erklären müssen, großer Häuptling.«

»Das tat ich auch«, rief Tenzileh. »Ich habe die Hälfte aller Männer getötet und die Frauen zu Sklavinnen gemacht, aber –.«

»Nun, Häuptling?«

»Damit waren die Feindseligkeiten doch noch nicht zu Ende. Ja – im Grunde haben sie erst angefangen.«

»Und du willst uns diese Dinge erzählen, Tenzileh?«

Er nickte; wieder knirschte er mit den Zähnen, seine Augen waren blutunterlaufen, seine Fäuste geballt. In ihm kochte eine furchtbare, nicht zu unterdrückende Wut.

»Ich bin beleidigt worden«, stieß er hervor, »beleidigt und beschimpft, das Gespött der Knaben überliefert. Ich, der stärkste Mann des ganzen Stammes, der Unbesiegten. – Ich wurde eines frühen Morgens an Händen und Füßen gefesselt auf der Dorfstraße gefunden. Wie einen Ballen hatten sie mich mit Bast umwickelt und umschnürt, – sechs Männer, feige Schurken, die mich auf der Jagd meuchlings überfielen und nicht etwa zu töten versuchten, denn das wäre eine zu gelinde Strafe gewesen, sondern die mich gebunden, völlig wehrlos zwischen die Hütten schleppten. Einen dieser Leute sah ich und erkannte ihn auf dem Fleck; es war der junge König des Stammes, dessen Vater und Brüder von meiner eigenen Hand fielen. Alle anderen trugen Masken, – nur er allein ließ mich sein Gesicht offen und unverhüllt sehen, er lächelte spöttisch, voll grausamer Freude. Dann verschwanden alle in den Wald, ohne mein Leben anzutasten. Nie, so lange ich lebe, wird das Andenken jener Marterstunden in meiner Seele erbleichen. Die Frauen kamen, um Wasser aus dem Fluss zu holen, die Kinder liefen hinter den Müttern her, – alles schrie und lärmte, alles blieb um mich herum stehen und schlug die Hände zusammen. Wie sah ich aus! Auf meinen Kopf hatte jener Elende einen Kranz von Stroh gesetzt und mit Stroh waren auch alle Glieder umhüllt, so dass ich einer großen Puppe glich. Die Weiber und Kinder lachten, selbst die Männer blieben nur mit Mühe ernsthaft. O ich sage euch, Fremde, seit jenem Morgen stach es in meinem Gehirn und hämmerte und brannte, ich konnte zuweilen nicht denken, nicht sprechen, so quälte mich der ungeheure Groll. Zehnmal wollte ich gegen meine Feinde einen Kriegszug unternehmen und sie vernichten, aber immer hatten die Teufel ihren Wohnsitz geändert. Suchte ich sie hier, so waren sie dort, ging ich einen Weg, so gingen sie den anderen.«

Tenzileh verbarg das Gesicht in den Händen.

»So stand es um den äußeren Feind«, setzte er knirschend hinzu, »nun kam aber auch noch der innere. Mein Stamm war es müde, immer von einem unsichtbaren Gegner aus dem Hinterhalt hervor getroffen zu werden; die Leute murrten, sie wollten um jeden Preis Frieden schließen, sie ließen mich merken, dass es so nicht länger fortgehen könne. In einer Versammlung wurde beschlossen, Kundschafter auszuschicken und mit den Angehörigen jenes fremden Stammes Verbindung zu suchen. Wenn diese in die Versöhnung willigten, dann wollte man sich friedlich über ein Zusammenleben in der fruchtbaren Talniederung einigen. Fische und Wild waren ja genug vorhanden und der Wald war groß. ›Weshalb also die stete Fehde?‹, sagten meine Widersacher. Das verbitterte mich noch mehr, ich verbot jeden Umgang, jede Rücksprache, aber die Leute gehorchten mir nicht, oder wenigstens doch nicht alle. Einige hielten sich auf meine Seite, andere rieten, mich fortzujagen, wenn nicht Naporra treu zu mir gestanden hätte, dann wäre ich vielleicht ermordet worden. Aber auch im Verein mit ihm konnte ich doch meinen Willen nicht zur Geltung bringen. Es kam ein Tag – o ein Tag, Fremde, – kennt ihr bei eurem Volk die Sitte, weiße Tauben auffliegen zu lassen, wenn einer mit dem Feinde sprechen möchte? Unbeschadet? Unverletzlich? – Die weiße Taube sichert ihm Frieden, bis die Unterredung vorüber ist?«

Ramiro nickte.

»Gewiss, Häuptling«, versetzte er. »Gewiss, das gilt auch bei uns. Aber«, setzte er dann halblaut hinzu, »jetzt ahnt mir Schlimmes. Du hast dich von deinem Zorn hinreißen lassen, Tenzileh.«

Der Indianer seufzte:

»Die Krieger meines Volkes erschienen in voller Rüstung«, fuhr er, ohne den Einwurf zu beachten, fort, »sie verlangten Gehör und erklärten, dass der bisherige Zustand ein Ende nehmen müsse. Wir haben unseren Nachbarn den Frieden angeboten, hieß es, und diese wollen ihn annehmen. Ihr junger König kommt mit der weißen Taube und du wirst ihm den Mingau vorsetzen, wirst ihn gut empfangen und endlich deinem Volk den Frieden zurückgeben. Ich schrie laut auf vor Zorn, vor Schmerz, ich hätte den, der es wagte, so zu mir zu sprechen, wohl am liebsten gleich auf der Stelle erdrosselt. ›Ich kann es nicht!‹, war meine Antwort. ›Ich will es nicht! Nein und tausendmal nein!‹ Aber die Leute ließen nicht ab. ›Du musst!‹, hieß es. ›Wir verlangen, dass du den jungen Braga gut empfängst oder wir handeln über deinen Kopf hinweg für uns selbst. Morgen kommt er und bringt in seiner Hand die weiße Taube.‹ Ihre Speere klirrten gegeneinander, – sie hatten mir ihre Meinung kundgegeben und gingen davon, mich in voller Verzweiflung zurücklassend. Ich sollte nun dem Mann gegenüberstehen, der mich so tödlich beschimpft, so vor den Augen des ganzen Stammes verhöhnt hatte. War das überhaupt möglich? Ich glaubte es nicht ertragen zu können. Wenn ich nur seiner gedachte, dann stieg mir schon alles Blut zu Kopf, dann wollte mich der Zorn schier ersticken. Während einer ganzen Nacht wälzte ich mich schlaflos in der Hängematte umher. Dem so bestimmt ausgesprochenen Willen meiner Krieger mich zu widersetzen, war ganz unmöglich, – aber Bragas Hand zu berühren, mit ihm Frieden zu schließen, – wer konnte auch nur daran denken? Dann sah ich im Geiste wieder die weißen Tauben. Der Väter Brauch war heilig, man durfte ihn auf keinen Fall verletzen, aber – aber –. O die qualvolle, fürchterliche Nacht, die Pein dieses Morgens! Ja, Fremdlinge, ja, mögt ihr nun von mir denken, was ihr wollt, ich habe es getan. Ich habe Bragas Herz mit dem vergifteten Pfeil durchschossen. Die Sonne schien hell vom Himmel herab, sie waren alle versammelt, die Krieger und Frauen, jedes Auge sah auf mich, und Braga trat aus dem Wald hervor, in jeder Hand eine weiße Taube – er trug eine Krone von roten Arafedern, sein Gesicht glänzte vor Stolz, in versteckter Siegesfreude, – da hielt ich mich nicht länger. Als die weißen Tauben in den Sonnenschein aufflogen, da hat mein Pfeil seine Brust durchbohrt. Braga war tot.«

Eine tiefe Stille folgte diesen Worten. Der Zwiespalt zwischen dem Herrscher und seinem Volk lag nun offen vor aller Augen, – nur Schlimmes konnte noch dem Gesagten hinzugefügt werden, nur ganz Schlimmes. Tenzileh beobachtete seine Gäste.

»Nicht wahr?«, flüsterte er unruhig. »Die Dämonen haben das sehr übelgenommen, – sie werden sich rächen?«

Ramiro suchte auszuweichen.

»Erzähle weiter, Häuptling«, bat er.

Tenzileh schauderte.

»Der Lärm war furchtbar«, fuhr er fort, »ich musste flüchten und ich wäre ohne Zweifel ermordet worden, wenn mich Naporra nicht beschützt hätte. Seit jenem Tag hält man mich in dieser Hütte gefangen.«

»Zu welchem Zweck aber wohl?«

»Ich soll nachgeben, mich der Rache jenes Stammes freiwillig ausliefern – und das will ich nicht. Hundert gegen einen, – ist das billig?«

Die Weißen sahen einander an. Der Schlüssel des Geheimnisses fehlte noch immer; es gab etwas, das Tenzileh bisher nicht erzählt hatte.

»Sie wollten Gewalt anwenden«, fuhr dieser fort, »wollten von hier fortziehen und mich als Feind betrachten, aber Naporra hat das alles verhindert. Er drohte, den ganzen Stamm den Dämonen zu überliefern.«

»Ei! Ei!«, raunte Halling. »Eine Bannbulle im Urwald!«

»Still! Lassen Sie um des Himmels willen den erbitterten Mann nicht sehen, dass Sie lachen.«

»Fällt mir nicht ein. Ich bin ganz Ohr, um endlich zu erfahren, weshalb wir durchaus bis zur ersten dunklen Nacht hier ausharren sollen und besonders, zu welchem Zweck uns Seine Majestät hierher befohlen hat.«

Tenzileh war inzwischen bemüht gewesen, aus einer an der Hüttenwand hängenden strohgeflochtenen Mappe mehrere ziemlich kleine Gegenstände hervorzusuchen.

»Es sind seit jenen Ereignissen viele Sonnen hinter den Bergen versunken und wieder aufgegangen«, fuhr er fort; »das Verhältnis zu den Kriegern meines Stammes blieb dasselbe, auch von den Untertanen Bragas hörte ich seitdem nicht das Geringste mehr, – sie scheinen sogar spurlos aus der Nachbarschaft verschwunden zu sein, aber dafür sind mir aus dem Reich der Dämonen drei Botschaften zugekommen.«

»Drei?«

Und Trente sprang, als er die Worte wiedergab, voll Entsetzen auf; er zitterte am ganzen Körper.

»Lasst uns fliehen, Señores, lasst uns fliehen!«

»Das Blut verleugnet sich doch niemals!«, lächelte Ramiro. »Sei ganz ruhig, Trente, wir wollen uns die Dämonenbotschaft bei Tageslicht besehen und vor allen Dingen feststellen, ob nicht etwa Menschen von Fleisch und Blut dahinter stecken.«

»Was ist denn das?«, wandte er sich an den Häuptling, als ihm dieser ein flaches, glattpoliertes Stück Baumrinde entgegenhielt.

»Etwa die Bestellung aus dem Geisterreich?«

Tenzileh nickte. »Sieh es nur an«, sagte er schaudernd.

Der gefürchtete Gegenstand fiel in des Kunstreiters Hände; er selbst und alle seine Gefährten betrachteten mit gespannter Aufmerksamkeit das kleine Stück indianischer Arbeit, – Trente seinerseits, indem er heimlich ein Kreuz nach dem anderen schlug und den heiligen Stephan, seinen Schutzpatron, um Beistand in diesem bedenklichen Augenblick anflehte. Ramiro hielt zwischen den Fingern das kleine Kunstwerk.

Es war ein Bild, eine Zeichnung vom Wert jener Malereien, welche unten im Dorf die alte Tamunda für ihre Totentöpfe zu verwenden pflegte. So schlecht aber auch die Ausführung erschien, so vollkommen deutlich ging der beabsichtigte Sinn derselben aus der Gruppierung der Figuren hervor. Der Grund der Platte war tiefschwarz angestrichen. In der Mitte glänzte als ockergelbes Kreisrund der Mond mit breitem, durch ein leichtes Grau angedeuteten Grinsen, dann standen rechts und links zwei Figuren, die eine König Tenzileh in voller Ähnlichkeit der Person, die andere jenes gespenstische Wesen, dessen bloßer Name schon hinreichte, auch den stärksten, rothäutigen Krieger erbeben zu lassen und in eilige Flucht zu schlagen, – der Lahmfuß.

»Hei!«, rief Trente, vor Entsetzen laut aufkreischend. »Hei! Da ist der Erzfeind. Gebenedeite Jungfrau, all ihr sieben heiligen Nothelfer!«

»Verjagt doch den Urwaldpopanz!«, ergänzte Benno. »Er will uns etwas tun, der Lahmfuß, er kommt schon angehinkt, nicht wahr, Trente?«

Der Maultiertreiber jammerte, er presste die Hände vor das Gesicht.

»Ach Gott, ach Gott«, murmelte er, »wenn ich doch niemals mitgegangen wäre!«

Tenzileh beobachtete ihn und nickte immer vor sich hin, als wolle er sagen:

»Der versteht mich, der kennt die Gefahr, welche mir droht.«

Ramiro wandte sich ärgerlich zu dem heulenden Burschen.

»Schweig!«, gebot er in strengem Ton. »Du bist ein Narr, Trente.«

Dann wandte er sich dem Bild wieder zu. Der Kopf des Gespenstes erschien als Skelett, das Licht in den leeren Augenhöhlen war durch zwei verwegene weiße Striche gekennzeichnet und der weite Mantel völlig weiß. Jener Fuß, der dem höllischen Wesen seinen Namen verschafft hatte, der lahme Fuß erschien gegen den gesunden bedeutend verkürzt.

»Die Botschaft dieses Gemäldes ist folgende«, sagte Ramiro. »Der –.«

Aber Tenzileh unterbrach ihn, indem er ihm ein zweites Bild überreichte. Hier glänzte der Mond nur noch als Halbkreis oder Sichel, während der Lahmfuß dem Häuptling um ein Bedeutendes näher gerückt war. Unwillkürlich blickten die Weißen mit gespanntem Interesse auf Tenzilehs Hände. Gab es noch ein drittes Bild? – Und da reichte er ihnen dasselbe ja auch schon herüber.

Völlig schwarz die Platte, ausgelöscht der ockergelbe Mond, ganz nahe nebeneinander die beiden immer wiederkehrenden Gestalten der Bilderschrift. Tenzileh lag jetzt auf den Knien und über ihn beugte sich, eine Knochenhand ausstreckend, der Lahmfuß. Es war alles dunkel, – er hatte seine Beute gepackt.

»Aha«, rief Halling, »nun wird mir klar, aus welchem Grund uns die Eingeborenen unter allen Umständen bis über die erste mondlose Nacht hinaus hier festhalten wollen.«

»Natürlich, damit wir ihnen im Kampf gegen das Geisterreich beistehen.«

»Durch den vermeintlichen Feuerzauber, – unsere Gewehre.«

»Das also war es. Weiter nichts als das.«

Tenzilehs braune Hand streckte sich aus und drehte das dritte Bild um, so dass die Rückseite sichtbar wurde.

»Habt ihr auch das gesehen, Fremde?«

Trente übersetzte und wagte zugleich einen scheuen Blick auf den gefahrdrohenden Baststreifen.

»Zwei Geier«, sagte er, »und ein Tapir. Das sind ganz natürliche Geschöpfe.«

Ramiro lächelte.

»Was bedeutet dieses Bild?«, fragte er den Häuptling.

Tenzileh schauderte.

»Ehe die Welt stand, gab es zwei Geier, einen weißen und einen roten, – das ist dir doch bekannt, Fremder?«

»Hm, – ich glaube nicht. Aber erzähle weiter, Häuptling.«

»Im Haus des roten Geiers befand sich ein großer Topf«, fuhr Tenzileh fort, »ein Topf mit einem dichtschließenden Deckel, darin verwahrte er die Sonne, welche durch ihren Schein das ganze Gebäude erhellte. Abends setzte er den Deckel auf den Topf, dann wurde es Nacht.«

»Sehr praktisch!«, lächelte Benno. »Und der weiße Geier, wie vertrieb sich dieser die Zeit? Besaß er etwa den Mond?«

Tenzileh schüttelte den Kopf.

»Er lebte im ewigen Dunkel«, sagte er seufzend. »Ihn hungerte, ihn fror, bei ihm war nur einer – der Lahmfuß.«

»Ah! – Und was tat dieser?«

»Das weiß man nicht; es gab ja damals noch keine Menschen. Aber der weiße Geier wollte durchaus die Sonne in seinen Besitz bringen, er sann und sann, wie er es anfangen solle, den roten zu überlisten und endlich verfiel er auf einen glücklichen Gedanken. Aus ganz weichem Holz machte er den Tapir und versteckte sich im rechten Vorderfuß desselben, dann wartete er, bis der rote Geier vorüberfliegen und die Beute entdecken würde. So hoffte er in das Haus seines Bruders und in die Nähe der Sonne zu kommen, um diese aus dem Topf zu stehlen.«

»Aber hoffentlich mit dem Deckel«, schaltete Benno ein.

»Still, die Geschichte fängt an, sich zuzuspitzen.«

»Der Plan des weißen Geiers misslang«, fuhr Tenzileh fort; »der rote hatte durch die kleinen Stechfliegen erfahren, wer in dem Tapir verborgen sei, deshalb hütete er sich, diesen anzugreifen. Bis heute irrt das Tier in den Wäldern herum und kann nicht sterben, denn der weiße Geier lebt in ihm und treibt ihn unaufhaltsam vorwärts, um doch vielleicht noch eines Tages in das Haus des roten und zur Sonne zu gelangen.«

Tenzileh presste beide Hände vor das Gesicht.

»Der Lahmfuß blieb allein«, fügte er schaudernd hinzu, »aber nicht lange. Zwischen Sonnenuntergang und Morgen sucht er seitdem im Wald den Tapir und wo ihn ein Mensch ansieht, da tötet er diesen sogleich. Wenn er den weißen Geier befreit hat, will er Feuer vom Himmel regnen und Feuer aus der Erde hervorbrechen lassen, dann soll die ganze Welt verbrennen, damit auch der rote Geier in den Flammen umkommt und endlich für seine List bestraft wird.«

»Nun glaubst du, dieser Zeitpunkt sei gekommen, Häuptling? Du denkst, der Lahmfuß und jener vieltausendjährige Tapir sind einander begegnet?«

»Ja. Wenn sich der Mond hinter den Wolken versteckt, wird der Lahmfuß erscheinen, – zuerst bei mir, Bragas wegen, denn die weißen Tauben haben mich verklagt, haben ihm meinen Namen genannt, der Hinkende mit dem Totenschädel umschleicht schon jetzt meine Hütte, er ist es, der diese Bilder gebracht hat.«

»Aber, Tenzileh!«

»Wer denn sonst wohl? Sie sind durch die Spalten des Daches gefallen.«

»Und daraus schließt du, dass ein überirdisches Wesen die Baststücke hierher befördert haben müsse? Kann nicht irgendein Mensch in die Zweige der alten Bäume geklettert sein? Denkst du bei der Sache gar nicht an Bragas Krieger? – Es ist doch klar, dass man dich erschrecken, dir ein Leben voll Sorge bereiten möchte.«

Der Häuptling schüttelte schmerzvoll den Kopf.

»Große Flammen werden aus dem Boden schlagen«, seufzte er, »und ebenso große aus den Wolken fallen. Die roten Zungen verderben und verbrennen alles, der Feuerdämon verschlingt die ganze Welt.«

»Wer sagt dir das, Tenzileh? Wie kommst du auf diese Vermutung?«

Die braune Hand bezeichnete den Zauberer und dieser richtete sich höher, stolzer auf.

»Es steht geschrieben in den Tautropfen«, sagte er, zum ersten Mal das Wort nehmend, »in dem Fluge der Eule und in den Spuren der Maus. Es ist zu hören aus dem Rascheln des weißblätterigen Baumes und dem Rufe der Totentaube. Flammen fahren über die Erde und der Wind trägt sie, Blitze zucken durch die Luft und der Erdboden kann ihnen nicht widerstehen. Was lebt, das muss sterben.«

Trente krümmte sich buchstäblich.

»Ich glaube, bei mir fängt es schon an«, jammerte er, »alle meine Gedärme schmerzen, als wollten sie auseinanderreißen.«

»Du hast wahrscheinlich zu viel Mingau getrunken, mein Sohn; nebenbei sah ich dich auch eine ganze Ente allein verzehren, davon kommt dein Bauchgrimmen. Nun gib acht, ich will dem Häuptling eine Frage stellen.«

»Tenzileh«, wandte er sich dann zu diesem letzteren, »sage mir bitte, was wir bei dem Erscheinen des Lahmfußes für dich tun könnten?«

Der von seinem unruhigen Gewissen so sehr gefolterte Mann schien bei diesen Worten etwas freier zu atmen.

»In euren Schießstöcken wohnt der Feuerdämon!«, rief er. »Wollt ihr den Lahmfuß, wenn er kommt, auf der Stelle töten, wollt ihr in die Flammen hineinschießen, dass sie zerbersten und vergehen, ehe meine Hütte von ihnen ergriffen worden ist?«

Ramiro nickte sehr ernsthaft.

»Der Lahmfuß soll nur kommen«, sagte er, »wir wollen ihm wahrhaftig einen heißen Empfang bereiten. Und was nun das Feuer anbelangt, so löscht man es aus, verlasse dich darauf. Wir sind unser achtzig, du sollst sehen, wie schnell die Flammen erstickt werden.«

Tenzileh sprang auf.

»Nun noch eins«, rief er, »das Letzte, das Böseste. Mit dem Lahmfuß kommen natürlich die weißen Tauben, um mich anzuklagen, sie steigen auf meine Schultern und rufen: ›Dieser ist es! Fasse ihn, er ist es!‹«

»Fremde, wollt ihr auch die weißen Tauben erschießen?«

»Sicherlich, Häuptling!«

»Und das alles schwört ihr mir?«

»Wir versprechen es dir mit voller Gewissheit.«

Über das dunkle Gesicht glitt ein Freudenschimmer.

»Bringt die Farben her«, gebot der König seinen Dienern, »malt mich an. Obijah und Barrudo bringt meine Armbänder und meine Ohrfedern.«

Er richtete sich höher auf, wie neu belebt, verjüngt. Nur noch einmal wandte er sich zu den Weißen; seine Hand deutete auf die Stelle des Herzens.

»Es ist mir immer, als säßen da die Tauben und sprächen von dem Schuss durch Bragas Brust«, flüsterte er. »Naporra kann die leisen Stimmen nicht zum Schweigen bringen.«

Ramiro erbleichte, sein Gesicht schien im Augenblick fahl, er wandte sich ab, ohne zu antworten.

Tenzileh erstickte einen Seufzer.

»Ich wusste es«, sagte er. »Dagegen hilft keine Macht, kein Zauber.«

Und Ramiro wiederholte tief erschüttert: »Keine Macht, kein Zauber.«

Aber nur im Herzen, die Übrigen hörten es nicht. Er fuhr mit der Hand über die Stirn und erhob sich, um zu gehen, während Barrudo und Obijah emsig bemüht waren, den Körper des Häuptlings mit seiner Lieblingsfarbe, einer dicken weißen Schminke, überall anzupinseln. Kleine goldgelbe Punkte wurden daraufgesetzt, gelbe Federn in die Ohren gesteckt und ein ähnlicher Kopfputz bereit gelegt. Tenzileh gab offenbar jetzt nicht mehr alles verloren, er hoffte wieder und wollte den früheren Rang inmitten seiner Stammesgenossen zurückerobern.

»Tut mir einen Gefallen, Fremde«, sagte er zum Abschied. »Lasst mich euren Feuerzauber einmal sehen.«

Und Halling lud das Gewehr.

»Dort die große rote Blume, Häuptling. Soll ich sie treffen?«

»Ja! Ja!«

Und Tenzileh drückte sich fest gegen die knisternde Wand der Hütte. Ihm graute doch heimlich, er presste die Hände auf das wild schlagende Herz. Dann zerstäubten die Blätter der roten Blume; ein angstvoll Fliegen und Flattern, ein Schreckensschrei aus kleiner, gefiederter Brust zitterte für Augenblicke durch den Wald, – der Blütenstängel ragte frei und leer in die Luft empor. Tenzilehs Augen staunten.

»Ein mächtiger Zauber«, sagte er. »Oh, ein gewaltiger Zauber. Ihm werden weder der Lahmfuß noch der uralte weiße Geier widerstehen können.«

Unsere Freunde reichten ihm einzeln die Hand.

»Gute Nacht. Häuptling, schlafe wohl und lasse dir etwas Angenehmes träumen. Wenn deine Feinde hierherkommen sollten, dann werden wir sie besiegen und verjagen, dessen sei ganz sicher.«

Sie warfen die Gewehre über die Schultern und wandten sich zum Heimwege; einer suchte den Blick des anderen.

»Welch interessanter Tag war das!«

»Ich möchte nur eins wissen«, meinte Benno. »Ist Naporra ein Betrüger, oder glaubt er selbst an seinen Hokuspokus?«

Halling sah rückwärts.

»Da steht er auf dem Abhang neben der Hütte, – sehen Sie diese Haltung, diesen Ausdruck des ganzen Gedankenlebens, – sicherlich ist Naporra durchdrungen von dem festesten Glauben an die eigene übersinnliche Kraft.«

Benno und die übrigen suchten mit den Augen jene Anhöhe, auf welcher der Zauberer stand. Naporra hatte die Arme verschränkt; leise spielte der Nachtwind mit den langen roten Haaren seines Kopfputzes, so dass es im hellen Mondlicht aussah, als huschten züngelnde Flammen um ihn herum, leise rauschend fuhr er durch die Skelette an dem Zauberstab.

Naporra sah auf das Dorf und die friedlichen Strohhütten herab, – es waren vielleicht Gefühle voller Stolz und Freude, die ihm das Herz schwellten. Was hier lebte und atmete, das fürchtete sich, sobald er erschien. Ramiros Hand deutete auf einen Schatten, der langsam zwischen zwei Bäumen dahinglitt.

»Es scheint, dass man uns erwartet«, flüsterte er. »Die Leute fürchten ein Bündnis zwischen uns und dem Häuptling. Sie denken vielleicht nichts Geringeres, als dass wir mit jenem vorsintflutlichen Tapir und seinem Genossen, dem Lahmfuß, in nahen Beziehungen stehen.«

»Und als dessen Vorläufer hier erschienen sind?«

»Alles möglich, Señor!«

Sie lachten und gingen den Eingeborenen, die nun aus allen Schattenwinkeln hervorkamen, unbefangen entgegen. Dunkle Augen blitzten; die Haltung der Leute war eine sehr entschiedene.

»Was Tenzileh gewollt habe«, fragten sie.

Und Ramiro erläuterte alles, gab Erklärungen und Versprechungen.

»Tenzileh wünscht mit euch in Übereinstimmung zu handeln«, sagte er. »Seid ohne Sorgen, wenn Feinde erscheinen, so stehen und fallen wir alle miteinander.«

Die Eingeborenen atmeten offenbar freier.

»Ihr wollt also euren Feuerzauber auf keinen Fall für den Häuptling und gegen uns verwenden, Fremde? Ihr wollt uns nicht an den Lahmfuß ausliefern, damit Tenzileh verschont bleibt?«

»Durchaus nicht, darauf dürft ihr euch verlassen. Seite an Seite kämpfen wir mit euch, welcher Feind auch nahen möge.«

Das beruhigte die Leute so ziemlich und unsere Freunde konnten ungestört ihre Hängematten aufsuchen. Die Nacht ging schon über in den Morgen, – es war Zeit an die Ruhe zu denken.

»Die drei Bilder muss mir Tenzileh schenken«, sagte lebhaft der Kranke, nachdem man ihm alles erzählt hatte. »Ich gebe nicht nach, bis ich sie habe.«

Benno schlief schon halb.

»Der Lahmfuß ist das böse Gewissen«, flüsterte er, behaglich die Augen schließend, während von den Baumzweigen weiße Blütenblätter auf ihn herabrieselten. »Tenzileh denkt an den begangenen Mord und fürchtet die gerechte Wiedervergeltung des Schicksals.«

Ramiro antwortete nicht. Stumm, wie geistesabwesend sah er ins Leere.

10.

**Die Jagd auf den Jaguar – Das Leben im Urwald – Alligator
und Unze – Der gestörte Kampf – Das Jaguarlager – Die
Honigernte in der Wildnis**

Am folgenden Morgen lagen noch alle in den Hängematten, als schon
die Sonnenstrahlen das grüne Dach überall durchbrachen und unten
in den Dorfhütten der Tag längst begonnen hatte. Es war so angenehm, sich in lustiger Höhe zu schaukeln und den kühlen Wind über
die Stirn dahinfahren zu lassen. Einer oder der andere öffnete blinzelnd
die Augen und schloss sie wieder, um weiter zu träumen.

In den Dorfgassen bellten unterdessen die Hunde. Ein Geräusch
wie Feilen oder Schleifen tönte zu den Weißen herauf, die Bewohner
liefen hin und her. Ob irgendetwas Besonderes geschehen war?
Trente und seine Genossen hatten bei den Maultieren geschlafen; jetzt
schlängelte sich der würdige Dolmetscher mit den Händen in den
Taschen heran und sagte, es gebe eine böse Botschaft.

»Der Jaguar ist hier gewesen, Señores. Die Unze mit dem gräulichen
Gebiss.«

»Und hat einen Menschen getötet? – Etwa den Häuptling oder –?«

»Behüte! Das wagt die Bestie niemals. Aber es ist ein Maultier zerrissen worden und ein anderes schwer verwundet. Auch mehrere
Ziegen haben die Unholde geraubt.«

»Ziegen!«, rief Benno. »Im halben Schlafe hörte ich sie meckern.«

»Und mir war es, als hätten die Maultiere geschrien.«

»Das taten sie auch wirklich, aber erst dann, als es zu spät war.
Nun wollen die Eingeborenen am Abend aufbrechen und die Räuber
erlegen.«

Mit einem Satz sprang Benno aus der Hängematte.

»Da sind wir natürlich von der Partie!«, rief er hüpfend vor Freude.
»Hören Sie denn nicht, Señores, es gibt eine Jaguarjagd!«

Und nun erwachten alle.

»Was treiben denn die Eingeborenen?«, rief Pedrillo. »Das schabt
und raschelt ja wie eine Feile.«

»Sie schärfen ihre Steinbeile«, berichtete Trente. »Vielleicht dauert
der Beutezug länger als zwei Tage; man will Wachs und Nüsse ein-

sammeln und womöglich auch einige Tapire erlegen, um Fett und Fleisch zu erlangen.«

»Da müssen wir ja unsere Hängematten mitnehmen, Munition und Proviant. Hurra, mit echten Indianern auf die Jagd zu gehen, wer hätte sich das wohl träumen lassen! – Wann brechen wir auf, Trente?«

»Wenn die Sonne sinkt, junger Herr!«

»Früher nicht? Aber weshalb bellen denn die Hunde schon jetzt so heftig?«

»Sie müssen die Fährten aufnehmen. Diese Heiden haben geschulte Jagdhunde, sollten Sie sich das wohl denken, Señores? Sogar solche, welche die Schildkröten umwenden und ihnen den Hals durchbeißen.«

»Das will ich mir ansehen«, rief Benno. »Koche einstweilen den Kaffee, Trente, und weiche Eier, wenn du sie erlangen kannst.«

Er eilte fort, um zunächst an einer geschützten Stelle im Fluss zu baden und dann die Indianer zu beobachten, wie sie mit den von den Jaguaren zerrissenen Ziegenfellen die Schnauzen ihrer Hunde einrieben, um diese dadurch auf die Fährten der Raubtiere zu bringen. Es waren große, stark gebaute, aber doch schlanke Hunde mit breiter Brust und klugem Blick, Tiere, die schon jetzt vor Ungeduld an ihren Seilen rissen und von Zeit zu Zeit laut bellten, als wollten sie fragen: »Wann wird die Geschichte denn endlich losgehen?«

Benno zählte im Ganzen sechs Personen, welche zur Jagd mitgenommen werden sollten; besonders von einem versprachen sich die Eingeborenen Wunderdinge.

»Er greift die Unze an«, sagten sie, »den größten Tapir und sogar den Alligator.«

»Habt ihr hier herum welche?«

Ein ausgestreckter Arm deutete nach Norden.

»Im Fluss unter Schilf und Gebüsch. Da wohnt auch die Unze.«

»Wir müssen also sehr weit gehen?«

»Sehr weit. Wenn der Tukan ruft, sind wir an Ort und Stelle.«

»Also morgen etwa um vier Uhr früh. Und reiten können wir auf keinen Fall? Es gibt keinen gebahnten Weg?«

Die Indianer deuteten auf ihre Steinbeile.

»Man muss die Zweige und Ranken durchschlagen«, antworteten sie. »Mit den Händen geht das nicht.«

Halling und Benno sahen einander an.

»Also der Urwald, der unbetretene, unerforschte Urwald, das war herrlich.«

Fast alle Stunden dieses Tages wurden durch die Vorbereitungen für den beabsichtigten Beutezug vollständig in Anspruch genommen. Trente und zwei andere Führer sollten die Hängematten, die Wolldecken und den Proviant tragen; im Ganzen beteiligten sich zwölf Weiße, die geübtesten Schützen der Reisegesellschaft, an dieser Expedition durch den Urwald. Michael blieb bei denen, welche das Gepäck und die Tiere bewachten, auch der kranke Doktor Schomburg erhielt einen Pfleger.

So konnten denn am späten Nachmittag etwa fünfundzwanzig Männer, für eine zweitägige Abwesenheit wohlversorgt, das Dorf verlassen, um der Fährte des Unzenpaares zu folgen. Pluto war unter Michaels Schutz bei den übrigen Peruanern geblieben; Benno konnte sich nicht entschließen, das schöne zutrauliche Tier den Gefahren einer Begegnung mit Raubtieren und Alligatoren auszusetzen, er hatte es an einen Baum gebunden und alles Bellen und Winseln geflissentlich überhört.

Der Halbirre würde den Hund mit allem Nötigen versorgen, das wusste er. Sooft unser Freund das Windspiel ansah, dachte er auch unwillkürlich an seinen finsteren, unnahbaren Onkel in Hamburg und an den guten alten Harms. Von diesem letzteren lag jetzt sicherlich ein Brief an ihn als unzustellbar auf dem Postamt in Rio. Der Himmel mochte wissen, ob er, Benno, den Alten jemals wiedersehen, je von ihm hören würde. Wie ungewiss war die Zukunft, wie dunkel der Blick auf das Kommende. Wenn Ramiros Märchenschatz nimmer gefunden wurde, – was dann?

»Woran denken Sie?«, fragte Halling. »An den Lahmfuß?«

Und Benno lächelte.

»Wahrhaftig«, antwortete er, »der Mond nimmt schon ab. Noch einige Nächte und es wird vollständig dunkel sein.«

»Dann kommen die Gespenster, das heißt: Ein Überfall des feindlichen Stammes. Denken Sie nicht auch, dass hinter dem ganzen Mummenschanz doch nur dieses und durchaus nichts anderes steckt? Die Bilder sollen Angst und Unschlüssigkeit hervorrufen, – der rechtmäßige Herrscher will für sein Volk das Dorf zurückgewinnen und trachtet daher, den an Zahl überlegenen Gegner einzuschüchtern; das ist der Zweck des ganzen Unternehmens.«

»So meinen Sie, dass wir noch an einem Kampf teilnehmen müssten?«

»Vielleicht an einem solchen auf Tod und Leben. Jene anderen können Bundesgenossen geworben haben, sie umzingeln möglicherweise in der Anzahl vieler Hunderte das Dorf und zwingen uns zur Verteidigung!«

»Aber lassen Sie uns daran vorläufig noch nicht denken«, setzte er dann hinzu. »Kommt Zeit, kommt Rat. Sehen Sie den braunen Hund, wie emsig er spürt!«

Das Tier wurde von seinem Eigentümer noch an der Leine geführt; als es sich aber zeigte, dass die Fährte gefunden war, da ließ man den Hund frei und folgte ihm nach, so schnell die Verhältnisse das Vordringen gestatteten. Hier und dort hatten die schlanken Körper der Unzen Blumen geknickt oder eine von Zweig zu Zweig gesponnene Ranke zerrissen, hier und da war ein Vogel, ein Höhlentier oder eine Schlange ihrer alles vernichtenden Fressgier zum Opfer gefallen; die geübten Sinne der Wilden erkannten solche Stellen auf den ersten Blick, sie fanden die einzelnen Federn, Haare oder Schuppen, welche bei den jeweiligen Kämpfen verloren worden waren.

Über eine halbe Stunde lang führte der Weg durch den dichten Wald, dann ging es bei sinkender Tageshelle am Flussufer dahin. Die rote Sonnenscheibe stand jetzt so tief, dass das Auge ungeblendet hineinsehen konnte. Auf Wald und Fluss, auf dem grünen Erdboden und den fernen Gebirgszügen lag es wie diamantartiger Schimmer, verschwunden war der wolkige Flor, dessen Hauch während der glühenden Tagesstunden alles umschleiert hielt, verschwunden die Schatten, von denen alle Umrisse verwischt wurden. Tiefer und tiefer färbte sich das reine Blau des Himmels; bewegliche Strahlen schienen von der Mitte des sinkenden purpurnen Sonnenballes aus dahinzulodern über den ganzen Horizont, – hier weiß, hier violett, hier gelb, in buntester Mannigfaltigkeit alle Regenbogenfarben in sich vereinigend und wieder ausbreitend nach jeder Richtung, jeder Höhe und Tiefe.

Der Himmel schien zu brennen, schien hier in Blut getaucht und dort in ein helles grünes funkensprühendes Licht; Farbe zerstoß in Farbe; der Sonnenball verwandelte sich zum rosenroten glänzenden Punkt, er fiel fast sichtbar unter den Rand des Horizontes herab und war dann ganz verschwunden. Nur noch ein heller Schein, wie sommerliches Wetterleuchten, lag über der Stelle, wo die Königin des Tages versunken war. Während weniger Minuten hatte sich der tropische Tag in die Nacht verwandelt.

»Die ›hora trista‹«, flüsterte Ramiro. »Jetzt müssen wir rasten und ein Feuer anlegen, bis der Mond erscheint.«

Die Eingeborenen drehten schon ihre Holzstäbe. Diese Kinder der heißen Zone fröstelten, sobald nur das Sonnenglühen aufhörte; sie hielten ihre nackten Füße behaglich gegen das Reisigfeuer und schwatzten mit gesenkten Blicken. Die »hora trista« (traurige Stunde) war im Wald nicht geheuer; allerlei Dämonen und Schattenwesen gingen um, Gespenster, die sich, wenn der Mond am Himmel erschien, sogleich in das Dunkel zurück flüchten mussten.

Im Kreis um das Feuer lagerten Menschen und Hunde. Stiller um sie herum und immer stiller wurde das weite Reich der Natur. Eine Vogelstimme nach der anderen verstummte, das Spiel der Kolibris und der Tagschmetterlinge begann einzuhalten, die Papageien flogen in ihre Wipfelnester, die schmetternden oder sich balgenden Affen zogen sich unter das dichteste Geäste zurück und das Summen der Bienen verhallte. Aus der Ferne klangen durch den Wald die Hammerschläge des arbeitenden Spechtes; dann kam ein Ton wie das Miauen einer Katze oder das klagende Weinen eines kleinen Kindes. Benno sah auf.

»Was war das?«, fragte er.

»Ein Faultier. Es hängt irgendwo an einem Ast und weidet die Blätter desselben ab. Sein Wimmern bekundet eine angenehme, zufriedene Stimmung.«

»Können wir denn das Tier nicht sehen?«, rief Halling.

»Auf dem Rückwege, Señor. Diese hässlichen, immer halb schlafenden Geschöpfe hängen wie graue Klumpen an den Bäumen. Da erscheint übrigens der Mond«, setzte er hinzu. »Wir können nun aufbrechen.«

Das metallische, pfeifende, die Nerven im höchsten Maße angreifende Geräusch umher schwirrender Moskitos erhob sich ringsumher, Vampire flatterten in weiten Kreisen um die Köpfe der Männer, am Flussufer wandelten Reiher und Störche, tellergroße Kröten sprangen durch das Gras, die ersten Nachtschmetterlinge, grau und schwärzlich gezeichnet, begannen ihren Flug.

»Eben klang es wie Klirren oder Rasseln«, sagte Halling. »Horch, da erhebt sich wieder der Ton.«

»Das sind plündernde Ameisen – sehen Sie nur den Baum dort, Señor. Bis zum Sonnenaufgang hat er kein Blatt mehr.«

»Und da im Wasser das Knarren und Schelten? Das Schnauben, als puste ein Blasebalg?«

»Unken sind es und Laubfrösche und die unförmlichen Riesenlurche. Unter jedem der breiten Lilienblätter wohnt eine solche Familie, zwischen allen Schilfhalmen klettern und kriechen die Wassertiere, – eins jagt und frisst das andere, das eine stellt den Larven seines Genossen nach, das andere beißt dem lebenden Füße oder Flügel ab, bis ein größeres kommt und beide zugleich verschlingt. Es gibt in der Natur keinen Frieden, junger Herr – sehen Sie in die Höhlen der Erde, unter Baumwurzeln und Blätter, in das Wasser und in die Luft, ja selbst nur in das teppichartige Rankengeflecht von Blumen und Moosen, – überall tobt der Kampf um das Dasein, um Luft und Licht, um den Tropfen Tau oder das Würmchen, dessen wehrlosen Körper alles fressen will, vom kleinsten Fisch bis zum Reiher oder dem Fuchs.«

»Den wieder Katze und Unze und Puma jagen, nicht wahr?«

»Sicherlich. Und alle diese hetzt und geißelt die Giftschlange – und hinter ihr drein ist mit Pulver und Blei, mit Knüppeln und Messern der Mensch. Soll ich Ihnen nun auch noch sagen, wer diesen letzten, obersten aller Räuber verfolgt?«

Benno erstickte einen Seufzer.

»Ich weiß es, Señor! – Hass und Groll und Neid, der Mangel an Liebe.«

Ramiro schüttelte den Kopf.

»Noch einen schlimmeren Teufel gibt es.«

»Und der hieße?«

»Ich will es Ihnen sagen, Benno! – Er heißt ›Geld‹! Sein verruchter Name ist es, der tödlichere Wunden schlägt, als selbst Tiger und Giftschlange; sein Zahn ist es, der immer in das Herz des Opfers beißt und es nie, nie wieder freilässt.«

Unser Freund sah voll Mitleid in das blasse Gesicht mit den tiefliegenden Augen.

»Sie sind verstimmt, Señor? Sie haben Kummer?«

»Ach, Kind, Gott schütze Sie vor Erfahrungen wie die meinigen.«

»Ha! Ha! Ha!«, lachte es plötzlich in gellenden Tönen aus dem Dickicht hervor, so erschütternd, so schauerlich, dass die Herzen erstarrten und jeder andere Laut ringsumher jählings verstummte. »Ha! Ha! Ha!«

Die Peruaner bekreuzigten sich, die Eingeborenen traten leise zueinander, so leise, dass auch nicht das geringste Geräusch entstand; es schien, dass sie zitterten und irgendwelche Worte vor sich hinmurmelten; Schulter an Schulter verharrten sie lautlos wie Eingeschüchterte, die eine drohende Gefahr vorübergehen lassen wollen, ehe sie freier atmen.

»Trente! – Weißt du, was das bedeutet?«

»Heilige Jungfrau stehe uns bei, – ein Gespenst!«

»Jetzt ächzt es; das klingt noch entsetzlicher, als jenes Gelächter von vorhin.«

Ein Ton, wie ein Verzweiflungsschrei gellte aus dem Gebüsch hervor, ausgepresst durch das Ringen und Gurgeln eines Wesens, dessen Kehle gewaltsam zusammengeschnürt wird. Es klang, als liege da drinnen ein Sterbender in den letzten qualvollen Minuten des Lebens. Ramiro glitt mit der Hand über die Augen; er schüttelte sich vor Grauen.

»Ein kleiner Vogel«, sagte er halblaut. »Nicht viel größer als ein Sperling.«

»Das Tier, welches diese grässlichen Töne hervorbringt?«

»Ja. Werfen Sie nur einen Stein in das Gebüsch, dann werden Sie ihn schon fortfliegen hören.«

»Jetzt lacht er wieder!«, rief Halling.

Benno schleuderte einen dürren Ast in der Richtung jener schauerlichen Klänge durch das Gebüsch und sogleich schwirrte ein Vogel eilends davon. Aus einiger Entfernung ließ er nochmals seine Stimme erschallen, dann war alles vorüber. Die Leute atmeten auf, Weiße wie Eingeborene.

»Ein Unsinn ist es«, sagten die Peruaner, »wahre Torheit, aber man kann sich des Grauens doch nicht erwehren, denn der Vogel singt nur in der Nacht sein entsetzliches Lied. Nie sieht man ihn, nie fliegt er am Tag umher, – das alles ist so geheimnisvoll, so unheimlich.«

»Habt ihr denn niemals ein solches Tier geschossen oder gefangen?«, fragte Benno die Indianer.

»Wisst ihr nicht, wie es aussieht?«

Die Eingeborenen schüttelten voll Entsetzen ihre Köpfe.

»O nein, nein, Fremde. Salrâje, der riesige Walddämon hat sie entsendet und würde uns sogleich töten, wenn wir den schwarzen Vögeln ein Leid geschehen ließen.«

»Schwarz?«, rief Benno. »Schwarz? – Dann habt ihr sie also doch gesehen.«

»Nein, Fremder, sicherlich nicht. Aber schwarz ist jedes Wesen, das nur in der Nacht umhergeht und das die Dämonen schicken.«

Ramiro warf das Gewehr über die Schulter.

»Ein Vogel aus der Verwandtschaft der Ziegenmelker ist es«, sagte er. »Ein kleiner farbloser Vogel, der gern leise herbeifliegt und dann seine schrecklichen Töne hervorstößt.«

»Aber jetzt lassen Sie uns weiter gehen«, setzte er hinzu. »Es wird weit und breit hell.«

Das herabgebrannte Feuer wurde sich selbst überlassen, und die Hunde nahmen, nachdem ihre Schnauzen aufs Neue eingerieben waren, abermals die Jaguarfährte auf. Vor dem Zuge der Jäger schossen im Zickzack, in Bogenwindungen und allen möglichen anmutigen Bewegungen die grüngoldigen Leuchtkäfer zu Tausenden durch die Luft, wie lebendige Edelsteine, wie kleine bunte Feuerkugeln glänzend.

Taumelnd zerstreute sich die geflügelte Schar überallhin, auf Blume und Laub, auf den Boden und in die höchsten Zweige. Wo so ein glänzendes Wesen über den Fluss dahinsegelte, wo es an den hohen Blütenrispen des Schilfes einen Augenblick rastend innehielt, da spiegelten die Wellen das goldige Pünktchen, so dass es aussah, als steige vom Boden der nassen Tiefe ein zweites leuchtendes Geschöpf empor und vereinige mit dem ersten seinen blitzenden Schimmer.

Sobald eine Hand sich ausstreckte, um die lebende Laterne der Wildnis einzufangen, – husch! – war sie davon geschwirrt und gaukelte hoch über den Köpfen in Blüten und Zweigen. Immer breiter wurde der Fluss, immer unwegsamer seine Ufer. Die Eingeborenen waren lange nicht auf Beutezüge ausgegangen und auch seit Langem nicht von ihren Feinden überfallen worden, das grüne Geflecht hatte daher Zeit behalten, sich üppig auszudehnen und von Baum zu Baum seine vielgestaltigen Maschen zu weben.

Lianen von Armdicke sperrten den Durchgang und mussten mit Beilhieben entfernt werden; Tausende von Blüten lagen zerknickt im Gras, Tausende kriechender und fliegender Insekten fielen über die

Männer her. Da hing, vom Mondlicht magisch beleuchtet, ein vom Blitz gefällter abgestorbener Baumriese mit seinen schwarzen, blattlosen Ästen hundertfältig verwickelt in den Massen der umgebenden Stämme.

Die Wurzeln waren in jähem Sturz aus dem Boden gehoben, aber nicht ganz freigelegt, wie ein riesiger Halbkreis starrten sie empor in die Luft, während der Baum selbst sich auf die benachbarten Zweige stützte und schwebend zwischen dem lebenden Grün lag.

Auf ihm und unter ihm sprossen üppige Ranken; in das verwesende, zerfaserte Holz waren Samenkörner gefallen und lustig aufgegangen; schlanke junge Stämmchen erhoben sich von dem Körper ihres älteren toten Genossen, Bartmoos hing in langen grauen Flechten herab, Glockenblumen und weiße Malven schwankten an hohen Stängeln. Im Fluss tauchten Inseln auf, silbern glänzte die breite Wasserfläche.

»Da hinüber müssen wir in wenigen Tagen ziehen«, sagte Halling und wandte sich dann zu den Eingeborenen. »Gibt es hier herum Alligatoren?«

»Weiter hinaus!«, war die Antwort.

»Seid ihr denn schon gelegentlich über das Wasser gefahren? Wisst ihr, ob man im Rindenkanu die Reise machen kann?«

Ein allgemeines Ja war die Antwort.

»Viele, unzählig viele Inseln sind in dem Strome«, hieß es. »Überall wächst der Pisang und die Palme; es gibt auch große Fische, die sich leicht fangen lassen und zahllose Enten und Schwäne.«

»Nun, dann werden wir ja hoffentlich ohne Schaden an das jenseitige Ufer gelangen. Ihr helft uns doch gewiss, die nötigen Kanus zu bauen?«

Die Wilden sahen einander an; sie seufzten heimlich.

»Wenn nicht bis dahin der Lahmfuß gekommen ist, Fremde.«

»Den wollen wir schon zu Paaren treiben. Am liebsten wäre es mir, er erschiene gleich jetzt in diesem Augenblick.«

»O Fremde, Fremde, sagt doch nicht solche Worte! Tausend Ohren können sie auffangen und dem verruchten Wesen hinterbringen. Vielleicht ist der Schmetterling neben dir auf den Blumenknospen sein Bote, vielleicht die Maus zu deinen Füßen oder die Unke im Fluss, – du weißt es nicht.«

Und Trente setzte, nachdem er die Worte wiedergegeben, noch für sich selbst in kläglichem Ton hinzu:

»Du weißt es nicht.«

Sie lachten ihn aus, und dann wollte Halling ein Lied singen, aber auch das war gefährlich, irgendwelche bösen Geister könnten es als Beleidigung ansehen. So wurde denn der Marsch durch die wundervolle Tropennacht stundenlang ohne viele Worte fortgesetzt, bis dicht vor dem Ziele ein Lagerfeuer entzündet wurde, das die ermüdeten Glieder zu kurzem Rasten einlud. Wachen umgaben den Schlafplatz am Ufer der wellenumrauschten Bucht, über deren Mitte der Mond hoch oben am Himmel stand und alle kleinen und kleinsten Einzelheiten hell beleuchtete.

In gleichmäßigen Pausen warf die Flut ihre Schaumperlen auf den grünen Strand, langsam und lautlos ruderten große Schwäne über das Wasser, kreisten gewaltige Raubvögel so lange und so beharrlich um einen, gerade ins Auge gefassten Punkt, bis sie den Moment nutzten, die zappelnde Beute zu haschen und sich schnellen Fluges mit ihr in die Luft zu schwingen, dem fernen Horste und den hungrigen Jungen entgegen.

Die Hunde winselten; sie machten Miene, auf eigene Faust einen Jagdzug zu veranstalten. Vielleicht waren Schildkröten in der Nähe, lockende Berge von Eiern im losen Sande. Aber die Eingeborenen legten sie wieder an die Hanfseile; ihr Machtwort genügte, um ihre Gelüste des Ungehorsams oder des Eigenwillens im Keime zu ersticken.

Es durfte ja kein Jagdlärm entstehen, die Unze sollte nicht vor der Zeit aufgeschreckt und vielleicht in die Flucht geschlagen werden, denn man musste sie entweder jetzt töten oder ihren Besuch in jeder folgenden Nacht erwarten. Das Maultierfleisch würde die hungrige Bestie unwiderstehlich anlocken.

Etwas nach Mitternacht war es. Noch lag die scheckige Raubkatze tief versteckt unter dem Gewirr der holzigen Luftwurzeln in ihrem Lager, noch schlief sie, aber schon im Beginn der zweiten Morgenstunde würden sich die tückisch blinzelnden Augen allmählich öffnen und der schlanke Leib sich aufrichten, – dann war es Zeit, die Hunde loszulassen.

Stumm im weißen flutenden Mondlicht gingen die braunen Gestalten der Indianer von einem ihrer Rüden zum anderen. Ein erhobener Finger, ein leise geflüstertes Wort, und das Tier duckte sich gehorsam zu Füßen seines Gebieters, dessen Hand es liebkosend zu streicheln, aber auch unerbittlich zu züchtigen verstand. Die Stunde der Jagdfreiheit würde ja nun bald schlagen.

Ein Wachtposten löste den anderen ab; es hatte jetzt jeder Mann eine Stunde ungestört geschlafen und die Weiterreise wurde begonnen. Schleichend, so viel wie möglich geräuschlos über das Gras des Bodens gleitend, drangen die Jäger vor.

»Sehen Sie doch nur die Hunde, Señor«, flüsterte Halling. »Ganz wie ihre Gebieter selbst, – sie schnuppern und verursachen nicht den geringsten Laut. Aha, das vordere Tier steht!«

Sein Besitzer, ein älterer hochgewachsener Indianer, drehte sich um und gab den nachfolgenden Weißen ein Zeichen zu schweigen; dann beobachteten alle die übrigen, nach rechts und links vorgedrungenen Tiere. Noch Sekunden und auch diese standen wie auf Kommando.

»Der Jaguar ist hier«, berichteten leise die Indianer. »Er schläft noch.«

»So müssen wir uns in den Gebüschen verstecken, denn sein erster Weg führt ihn, ehe er auf Raub ausgeht, doch jedenfalls an das Wasser.«

Die Indianer nickten.

»Hier leben viele Alligatoren«, antworteten sie.

Die Jäger suchten immer zwei und zwei hinter starken Baumstämmen Deckung. Jeder unter ihnen konnte den Strand und die nächste Umgebung desselben überblicken, ebenso eine Strecke, wo hohes Schilf im Morgenwind rauschte. Von dorther schien zuweilen ein leises quiekendes Geräusch zu ertönen, so leise, dass nur ein ganz geübtes Ohr den Klang überhaupt aufzufangen vermochte.

»Ist das die Unze?«, raunte Benno.

Der Indianer schüttelte den Kopf.

»Pekaris«, gab er ebenso vorsichtig zurück. »Kleine schwarze Nabelschweine.«

»Da erscheint eins! – Und da das zweite.«

Der Indianer hob warnend die Hand.

»Nicht schießen! Die Tiere locken den Jaguar aus seinem Versteck hervor.«

Mit fieberhafter Spannung beobachteten jetzt alle die grunzenden, den Uferrand nach Schnecken und Würmern durchwühlenden Schweine. Keiner der indianischen Hunde gab ein Lebenszeichen, nichts deutete an, dass tief in dem dichten, von stacheligen Bromelien umgebenen Gebüsch der Würger sich verborgen hielt.

»Das Tier hat seinen Schlupfwinkel gewechselt«, berichteten die Indianer. »Es ist zum ersten Mal in dieser Gegend, sonst könnten die Schweine nicht so dreist hervortreten.«

»Wenn die Unze nur wirklich im Gebüsch steckt!«, meinte Ramiro. »Ob man sich da auf die Hunde so fest verlassen darf?«

Der Eingeborene lächelte.

»Ganz fest, Fremder. Du wirst sehr bald die bunte Katze heranschleichen sehen.«

»Da erscheinen auch Affen«, flüsterte jemand. »Sie spielen, werfen sich mit Früchten und trinken aus dem Fluss. Sehen Sie nur, eine ganze Herde.«

»Und da die großen bunten Hühner. Es scheint, als gebe sich die benachbarte Tierwelt hier am Ufer ein Stelldichein.«

»Das ist so«, nickte der Peruaner. »Für jedes Geschöpf geht am Morgen der erste Weg zur Tränke und zum Bade.«

Benno berührte plötzlich den Arm des nächst stehenden Eingeborenen.

»Was schiebt sich da Graues, Unförmliches aus dem Uferschlamm hervor?«, raunte er.

Der Indianer blickte auf.

»Ein Alligator, Fremder! – Jetzt werden wir einen Kampf erleben. Das Tier möchte sich eins der Pekaris als Frühstück erobern.«

»Da! Da! – Der Jaguar!«

Beinahe glatt auf dem Bauch kriechend, in Schlangenwindungen näherte sich geräuschlos durch das hohe Gras die Unze. Der Schweif fegte ungeduldig die Halme, das Auge glühte und die rote Zunge hing lechzend aus dem Maul hervor. In verworrenem Durcheinander, kreischend und sich überstürzend entflohen die Affen. Wie der Wind waren diese behändesten aller Vierfüßler auf den nächsten Bäumen und von den untersten Zweigen auf die höchsten Äste geklettert.

Nur Sekunden brauchte die hässliche Schar, um dem Blick vollständig zu entschwinden. Ihnen nach flogen die Hühner, krähend, gackernd und flügelschlagend. Losgerissene Federn wirbelten herab, die Zweige rauschten auf und alles wurde still. Auch das zuerst gekommene Pekari hatte noch Zeit gefunden, sich in die verworrenen

Schilfmassen zu flüchten, – das Schicksal des zweiten dagegen schien besiegelt zu sein.

Mit einem gewaltigen Stoß das Ufer erklimmend, stürzte sich der Alligator auf das wehrlose kleine Tier und schlug die furchtbaren Fangzähne in den Rücken desselben. Ein ohrenzerreißendes Geschrei gellte über die Umgebung dahin. Durch das Schilf drängte sich in eiliger Flucht die Herde der Pekaris, ihren bedrohten Genossen im Stiche lassend; wie auf Windflügeln war alles Lebendige davongestoben.

Näher und näher schlängelte sich die Unze heran. Jetzt nur noch ein gewagter Sprung und sie musste den Ort, an welchem das Schwein so furchtbar schrie, erreicht haben, – aber sie ahnte nicht die Nähe des Stärkeren. Hohes Schilf und die riesigen Blätter der Pisangpflanzen versperrten ihr den Blick – noch kroch die gefährliche Bestie, anstatt zu springen; noch lauerte sie, anstatt zu triumphieren.

»Und die Hunde?«, flüsterte Benno. »Sie geben kein Lebenszeichen.«

»Bis ich das Kommandowort spreche. Aha! – Jetzt, Fremde!«

Die Unze duckte sich, setzte an zum Sprung und flog fünf bis sechs Meter weit über das Gebüsch hinweg auf den Kampfplatz, unmittelbar neben den Alligator, der sogleich das halb zerrissene Pekari fahren ließ und sich der größeren Beute zuwandte.

Im nächsten Augenblick lag die Raubkatze auf dem Rücken und der gräuliche Rachen der Panzerechse schwebte geöffnet unmittelbar über ihrem Kopf.

»Los!«, riefen die Indianer ihren gehorsamen Hunden zu. »Los!«

Wie ein Wirbelwind brachen die großen Tiere durch das Gebüsch, bellend und winselnd zugleich; wie der Pfeil vom Bogen schnellt, so stürzten sie sich auf das kämpfende, seiner Natur nach so grundverschiedene Paar. An das bunte Fell des Jaguars klammerten sich ihre Zähne, rasselnd flogen die Nackenschilder des Alligators, von denselben unerbittlichen Waffen gepackt, nach allen Seiten. Wie ein Knäuel voll wildester Bewegung wälzten sich die Tiere über dem zerrissenen Pekari kämpfend durch den Uferrand.

»Nicht schießen!«, warnten wieder die Indianer.

Keiner der Weißen sprach. Die Wildnis hatte ihre gefährlichsten Bewohner entsendet, um hier auf Tod und Leben miteinander zu ringen, – das Schauspiel war bei allem Abschreckenden, Grässlichen doch unleugbar großartig. Die Männer schwiegen, wie man immer da schweigt, wo sich bedeutende Entscheidungen zwischen gleich erbitterten, gewaltigen Gegnern vollziehen.

Hier und da sah aus dem Wasser die braungraue hässliche Schnauze eines Alligators hervor, hier und da wagte sich eine der großen Echsen bis zu den Vorderfüßen an das Ufer, aber doch nur, um bald darauf wieder zu verschwinden. Es waren offenbar in dem Strom zahllose größere und kleinere Alligatoren vorhanden.

Der Jaguar hatte sich allen Anstrengungen seiner Widersacher zum Trotz doch vom Boden erhoben, einer der Hunde flog kopfüber in das Wasser, die Pranken der Katze schlugen in die unbewehrten, ihrer Deckschilder beraubten Schultern des Alligators und rissen ganze Stücke Fleisch heraus, während andererseits die Echse ihre furchtbaren Zähne tief in den Körper des Feindes hineinbohrte. Es war alles mit Blut bedeckt, die kämpfenden Tiere und der zertretene, aufgewühlte Sand ringsumher, alles von Haaren, Hautfetzen und Panzerschildern überschüttet.

»Wer mag in dem furchtbaren Streit endlich der Sieger bleiben?«, fragte Benno aus beklommener Brust den neben ihm stehenden Indianer.

»Die Unze. Wenn man sie tötet, findet sich in ihrem Magen immer ein Klumpen, der aus Panzerschildern besteht. Sie hat den Alligator gefressen, aus Gier, aber vorher nicht alle Platten abgerissen.«

»Jetzt gebt acht, Fremde!«, sagte, sich hoch aufrichtend Utiti, der große schlanke Indianer. »Gebt acht, ich will die Echse erlegen. Ihr Fell hilft gegen Gliederschmerzen.«

»Mit dem Pfeil?«, fragte ungläubig der junge Naturforscher. »Nein, nein, schießen kann man das Tier nicht.«

Er nahm den langen, mit geschärfter Steinspitze versehenen Speer in die erhobene Hand und näherte sich in einer Art Tanzschritt, seitwärts gehend der kämpfenden Gruppe. Aller Augen verfolgten den kühnen Sohn der Wildnis auf diesem gefährlichen Wege, mehr als nur eine Hand lag an dem Drücker der Waffe, um in jeder Sekunde die etwa notwendig werdende Hilfe sogleich leisten zu können.

Weder der Jaguar, noch der Alligator bemerkten die Annäherung des Menschen; sie waren dergestalt ineinander verbissen, dass ihnen die Kampfbegier keine Zeit ließ, ihre Aufmerksamkeit irgendetwas anderem als nur dem verhassten und zugleich gefürchteten Gegner zuzuwenden.

Ab und zu krachte es von zermalmten Knochen, ein Fauchen durchbebte die Luft, aber keines der beiden Tiere dachte an Flucht, an Nachgeben. Jetzt stand der Indianer dicht vor dem zuckenden, heftig ringenden Knäuel, er holte aus und warf den Speer der Panzerechse aus nächster Nähe mit voller Wucht in das Auge. Zitternd blieb der lange Holzschaft stecken, hoch auf spritzte das Blut.

Jetzt war das Tier zu Tode getroffen. Seine Kraft mochte nachlassen, denn der Jaguar schnellte wie neu belebt empor, er schleuderte plötzlich die Hunde von sich und biss mit voller Macht in den Nacken des Alligators, der nicht mehr die Kraft fand, sich umzudrehen und in das Wasser zu entschlüpfen. Diesen Augenblick benutzte der Indianer, um den Weißen ein Zeichen zu geben.

»Jetzt könnt ihr schießen!«, hieß die Bewegung.

Zugleich brachte ein lockender Laut die Hunde an seine Seite. Blutend und hinkend näherten sich ihm drei Hunde, – der vierte, der in das Wasser geschleudert worden war, war nicht wieder zum Vorschein gekommen. Vier Kugeln wurden zugleich entsandt; der Jaguar, dessen Fell in Fetzen herabhing, sprang hoch empor, ein gurgelnder Laut drang aus seiner Brust, er stürzte zurück und streckte krampfhaft die Füße von sich, – er war tot.

Die Echse lebte noch, aber auch sie wand sich in den letzten Zuckungen. Es war ein schrecklicher Anblick, den Kopf mit der langen, im Gehirn steckenden Lanze zu sehen. Die Indianer machten ihrer Qual ein schnelles Ende, sie schlugen mit den Steinbeilen so kräftig auf das wehrlos gewordene Tier, dass dieses buchstäblich mit zerschmettertem Kopf dalag. Jetzt war der Kampf beendet, die Walstatt dampfte von Blut, nah und fern ließ sich kein lebendes Wesen mehr erblicken; aber der Jaguar lag unschädlich in einem roten zerstampften Sumpf, man hatte den Zweck des Tages erreicht.

»Wo mag der vierte Hund geblieben sein?«, fragte Benno. »Der schöne braune Garreto!«

Utiti deutete auf den Strom hinaus.

»Eine Echse hat ihn ergriffen«, sagte er traurig. »Sobald es hier ganz still wird, schleppt sie den Körper ans Ufer.«

»Weshalb verschlingt sie denn die Beute nicht im Wasser?«

Der Eingeborene schüttelte den Kopf.

»Das weiß ich nicht, Fremder, aber sie trägt alles, was sie fressen will, und wenn es auch nur ein kleiner Fisch wäre, vorher auf das trockene Ufer und zerreißt es erst da.«

Ramiro nickte.

»Es ist so«, sagte er, »aber uns kümmert es wenig, denn der Hund ist jedenfalls tot, – ich denke vielmehr an etwas ganz anderes.«

»Und das wäre?«

»An das Weibchen des Jaguars. Zwei Katzen haben im Lager die Maultiere zerrissen, so viel steht ganz fest. Wir müssten also auch den anderen Räuber erlegen.«

»Aber ich glaube, dass sämtliche Hunde verwundet sind.«

Die Indianer hatten während dieser kurzen Frist ihre tapferen Tiere schon untersucht und waren von dem Stand der Dinge ziemlich befriedigt. Ein Hund hatte eine leichte Wunde am Bein, der zweite eine solche am Rücken, der dritte nur eine Schramme, die gar nichts bedeutete. Aus einer kleinen Bambusbüchse kam eine Salbe zum Vorschein, damit wurden die Tiere eingerieben.

Darauf wurde von den Indianern als willkommene Beute Fleisch und Fett des Alligators herausgeschnitten. Obwohl die Hunde schon wieder freiwillig spürten, sah man nur zu gut, dass sie keine Spur fanden.

»Vielleicht machen wir noch eine zweite Streife nach entgegengesetzter Richtung«, sagte Benno. »Das Jaguarweibchen muss doch für seine Untaten büßen.«

»Hier herum hat es sich nicht versteckt, so viel steht fest.«

»Da kommen schon die dreisten Affen wieder zurück; es muss also keine Gefahr mehr vorhanden sein.«

Schnatternd und geräuschvoll näherte sich die vorhin vertriebene Schar, gefolgt von Vögeln verschiedener Art; die Hunde legten sich in das Gras, um ihre Wunden zu lecken. Es wurde beschlossen, zunächst im höher gelegenen Wald eine etwas längere Rast zu halten; Benno und der junge Halling gingen voraus, um einen geeigneten Platz zu suchen.

»Das war eine entsetzliche Schlächterei«, sagte schaudernd unser Freund. »Essen möchte ich jetzt keinen Bissen.«

»Ich auch nicht, aber desto lieber wäre es mir, ein paar Stunden in der Hängematte zu liegen und mich schaukeln zu lassen.«

»Das können wir ja haben. Es sind doch überall Bäume in Hülle und Fülle vorhanden.«

Sie banden die lustigen Betten an einige starke Zweige und legten sich hinein. Später kamen die Genossen nach. Es wurde ein Feuer entzündet und Alligatorenfleisch gebraten; auch die zerfetzten Stücke des Schweines hatte Trente sorgfältig gesammelt, die er nun mit Wohlbehagen verzehrte.

Der Tukan ließ seinen Ruf erschallen, die wilden Bienen summten und die Mimosen öffneten ihre während der Nacht geschlossenen Kelche. Brennend rote Passifloren blühten gleich Flammen zwischen dem Grün, ein kühler erfrischender Wind wehte vom Strome herüber. Die Weißen lagen sämtlich in ihren Hängematten, die Indianer hockten neben dem Feuer und die Hunde hielten Wache. Es war alles ringsumher, bis auf Vogel- und Affenstimmen ganz still.

»Vor einem Jahre brach ich im Herzen von Ungarn auf nach Hamburg«, sagte Ramiro. »Weißt du es noch, Pedrillo? Unsere Zigeunerkapelle gab uns das Geleit bis vor das Dorf.«

Der Schlangenmensch nickte.

»Und was wird übers Jahr geschehen sein?«, fragte er mit halb geflossenen Augen. »Wer es wüsste!«

»Es ist gut, dass wir nicht in die Zukunft sehen können«, fiel Halling ein. »Gerade heute vor einem Jahre habe ich den entsetzlichsten Tag meines Lebens durchlitten, – hätte ich die Schrecken desselben vorhersehen können, so wäre eine ganze, in ihrer Ausbeute sehr reich gewordene Reise niemals unternommen worden.«

»Erzählen Sie uns das!«, rief Benno. »Wo waren Sie denn zu jener Zeit, Herr Halling? Schon mit dem Doktor zusammen?«

Der Naturforscher nickte.

»Ja, wir durchstreiften damals den Norden der Vereinigten Staaten und befanden uns in einer neu angelegten sogenannten Stadt unter deutschen und irischen Kolonisten. Nur wenige dieser armen Betrogenen, denen von gewissenlosen Agenten eine fruchtbare waldreiche Gegend versprochen worden war, hatten die Mittel gehabt, sich in der baumlosen Wüste ein hölzernes Haus zu erbauen; die meisten saßen in Erdhütten ohne Licht und Luft, aber an jenem schrecklichen Tag sollte sich zeigen, dass gerade diese die Glücklicheren gewesen waren. Haben Sie je den Namen ›Blizzard‹ gehört, meine Herrschaften?«

»Nie!«, versicherten einstimmig die Weißen.

»Auch ich lernte ihn erst damals kennen«, fuhr Halling fort, »erst als ich ihn sah und fühlte und durch seine Gewalt fast ums Leben gebracht wurde. Ein paar deutsche Landsleute, arme Bauern aus Hannover, haben uns unter eigener Gefahr vom Tod errettet.«

»Was ist denn ein Blizzard?«, fragte Benno. »Ein Wirbelsturm?«

»Ein solcher, der lange spitze Eisstücke durch die Luft treibt. Für die Beschreibung eines derartigen Unwetters fehlen alle Worte. Wir hatten vielleicht eine halbe Stunde lang eine ganz schwarze tiefstehende Wolke beobachtet, niemand im Dorf kannte aus Erfahrung das Naturereignis und so wurden denn alle urplötzlich durch den Wirbelsturm überrascht. Er kam nicht mit den gewöhnlichen Vorboten eines Unwetters, nicht unter ungewöhnlichen Wärmeverhältnissen, sondern wie die Kugel aus dem Rohr fährt, so brach er los und mit seinem Erscheinen verwandelte sich die Luft buchstäblich in Eis. Wie brennende glühende Pfeile berührten die spitzen Nadeln das Fleisch, alles Blut erstarrte, die Augen tränten, man konnte nicht mehr atmen, Hände und Füße hatten kein Gefühl. So ist die Sache denen gewesen, welche sich zu ihrem Glück in den Erdhütten befanden, – ich dagegen war zufällig etwa fünfzig Schritte vom Haus entfernt, als das Wetter losbrach und mich, als ich nach meiner Hütte flüchtete, zu Boden warf. So blieb ich liegen, unfähig, ein Glied zu rühren, bei vollem Bewusstsein, allmählich erstarrend. Ich lag auf Eis, atmete Eis, ich wurde von oben mit einem Hagel spitzer Eisstücke überschüttet. Vor meinen Ohren klang und klirrte es, – so entsetzliche Minuten wie diese habe ich weder früher noch später durchlebt. Ich konnte berechnen, wann der letzte Atemzug kommen würde, musste fühlen wie sich das Denkvermögen abnahm. Vor meine Lippen legte sich eine Eisschicht, ich wollte mich bewegen, wollte schreien und konnte doch keinen Ton hervorbringen; eine ungeheure Angst schnürte mir die Brust zusammen, – noch ein qualvolles Ringen gegen die Übermacht und mein Bewusstsein schwand.«

Eine Pause folgte diesen Worten.

»Das muss grässlich gewesen sein«, sagte nach mehreren Minuten mit halber Stimme der Peruaner.

Halling nickte.

»Grässlich!«, wiederholte er. »Ja, das war es. Ich bin erst viele Stunden später wieder erwacht, am ganzen Körper mit Rissen und

Schrammen bedeckt, so krank, dass es mir unmöglich war, mich vom Lager zu erheben. Und doch war mir das Glück günstig gewesen, denn ich stürzte vor der Tür meiner Erdhütte zu Boden und die mitleidigen Menschen trugen mich noch rechtzeitig an den Herd, dessen Asche die Glut bewahrt hatte. Keine Flamme, kein Licht konnte sich in der eisigen Atmosphäre erhalten, in den hölzernen Häusern sind die Leute neben ihren Feuerstellen erfroren, auf dem Wege vom Schuppen zur Küche durch die niedersausenden Eissplitter erschlagen worden. Einige Tage später begrub man gegen vierzig Personen, welche eine Stunde vor dem Ausbruch des Wirbelsturmes noch vollkommen gesund waren.«

»Das geschah gerade heute vor einem Jahre«, setzte er hinzu. »Damals Eis und weite baumlose Einöde, jetzt Urwald und tropische Hitze, Jaguare und Alligatoren.«

Benno schaukelte sich.

»Dies ist doch behaglicher«, meinte er. »Wenn wir nur erst das Weibchen der Unze aufgespürt hätten, – der Gegenstand macht mir Sorge. Irgendwo hier herum muss die Bestie doch lauern.«

»Wir haben ja die Hunde«, warf Pedrillo ein. »Solange diese ruhig bleiben, droht uns keinerlei Gefahr.«

Er hatte kaum ausgesprochen, als eines der Tiere den Kopf erhob und sich halb aufrichtete. Sogleich ergriffen sämtliche Eingeborene die Waffen; während sie jeweils einen Pfeil mit schwarzen Todesfedern, auf die Sehnen ihrer Bögen legten, sagten sie leise dem Hund ein Flüsterwort. Er stand jetzt aufrecht, seine beiden Kameraden schlossen sich ihm an und spürend, mit gesenkten Köpfen drangen alle drei in das Dickicht. Einer der Indianer hob den Kopf.

»Horch!«, raunte er.

Die Weißen waren aus den Hängematten gesprungen und hatten ihre Gewehre ergriffen, – jetzt blieben alle unwillkürlich stehen, um zu lauschen.

»Klang es nicht wie ein leises Knurren oder Winseln aus dem Gebüsch hervor?«

»Junge Tiere!«, raunte Benno. »Katzen!«

»Wenn das Nest des Jaguarweibchens in der Nähe wäre!«

»Such, Hocko! – Such, Lulli!«

Die Hunde schnupperten und wühlten mit den Nasen im Gras, ohne etwas zu entdecken. Sie rannten wie ratlos hin und her, gaben aber doch offenbar die Sache nicht auf, – dort waldeinwärts im Dickicht musste sich ein Tier befinden, das die Aufmerksamkeit der Hunde erregt hatte.

»Lasst uns einmal hineinschießen«, schlug Benno vor.

Trente schlich sich auf den Zehenspitzen herbei.

»Und wenn es nun der tausendjährige Tapir wäre?«, raunte er. »Wenn der weiße Geier frei würde?«

»Dann sollst du sie alle beide ganz allein verspeisen, Bursche. Jetzt gib acht, ob ein Tier erscheint.«

Die Schüsse krachten, aber es regte sich nichts, nur das Knurren und Winseln wurde stärker. Unsere Freunde sahen einander an.

»Was war das?«

»Ich habe es!«, rief Pedrillo. »Von dem verzweigten Baumgewirr da oben kann man in das Dickicht hinuntersehen.«

Ramiro maß mit den Augen die Entfernung.

»Soll ich dich begleiten?«, fragte er. »Das ist unnötig. Haltet euch nur bereit, zu schießen, wenn ich Hilfe brauche.«

Und der schlanke Bursche sprang an dem nächsten Baum empor, um sich von Ast zu Ast zu schwingen und endlich über die letzten Ausläufer der Bromelienhecke hinweg in einen dichten versteckten Schlupfwinkel zu sehen. Was er hier erblickte, das musste nicht eben fürchterlich erscheinen, denn Pedrillo lächelte und rief den Untenstehenden zu:

»Geht doch einmal um den Pomeranzenbaum (Bitterorange) herum und schlagt von den Dornen einige ab. Der Zugang ist dort.«

»Zu einer Höhle?«, rief Benno. »Wenigstens zu einem Lager.«

Die Indianer waren bereits an Ort und Stelle, ihre Beile bahnten den Weg durch Ranken und Gestrüpp; bald darauf sahen alle die beiden lebenden Wesen, von denen das halbblaue Knurren ausgegangen war, – zwei kleine Jaguare, Tierchen wie Hauskatzen, die eng zusammengedrängt nebeneinander saßen und sehr trübselige Mienen machten. Wahrscheinlich hatten sie seit dem vorigen Tag kein Futter bekommen; allerlei umherliegende Knochen schienen erst kürzlich von ihnen wieder benagt oder doch beleckt worden zu sein, denn ob sie schon Zähne besaßen, schien sehr zweifelhaft.

»Geht nur dreist vorwärts«, rief vom Baum herab der Schlangenmensch, »die Alte ist nicht in der Nähe, ich kann den ganzen Lagerplatz überblicken.«

»Auch die entgegengesetzte Seite?«

»Ja! Ja!«

Zu aller Sicherheit wurden die Hunde vorangeschickt und erst als diese keine Zeichen einer Entdeckung von sich gaben, folgten ihnen die Jäger nach. Eine Art Schlucht oder Höhle, rings von undurchdringlichem Stachelgebüsch umflochten und innen mit Moos weich ausgepolstert, bildete das Lager, auf welches die Jaguarmutter ihre Jungen gebettet hatte. Die mannsdicken, fest verflochtenen Luftwurzeln der Bäume gaben ein Dach zum Schutz gegen Regen und Sonnenschein. Instinktmäßig flüchteten jetzt die kleinen Jaguare in den äußersten Winkel; doch ohne ihre Rettung bewerkstelligen zu können. Die Eingeborenen zogen sie hervor und schlugen sie tot.

»Das gibt hübsche Zierraten«, sagte Utiti, eines der Tierchen über seine Stirn haltend. »Die Felle sind weich und zart gefärbt, – solcher Fund ist selten.«

Und wohlgefällig streifte er die bunten Pelze ab.

»Jetzt haben wir aber große Eile, Fremde! Die Alte kann in jedem Augenblick zurückkommen.«

Voran liefen spürend und schnuppernd die Hunde, ihnen nach folgte die ganze Jagdgesellschaft, jedoch ohne von dem Jaguarweibchen das Mindeste zu entdecken.

»Wir müssen jetzt unsere Wachsbäume aufsuchen«, sagten die Indianer. »Gegen Mittag sind wir dann zu Hause.«

»Wisst ihr denn schon, wo die Bienen nisten?«, fragte Benno.

»Jawohl. Es sind ungeheure alte, ganz ausgehöhlte Gemeleires (eine Ficusart) in denen haben wir unsere Vorrichtungen, Aber es ist schwer, heranzukommen, denn die Wurzeln bilden förmliche Wälle.«

»Und wie wollt ihr den Honig ohne Schüsseln und Krüge fortbringen?«

Sie lachten.

»Das ist leicht, Fremde. Der Baum, aus dem wir unsere Kanus zimmern, wächst hier überall. Man spaltet ihn und hat eine große Holzmulde, die fast nichts wiegt.«

Es war jetzt etwa sechs Uhr morgens und die Sonne stand hoch am Himmel. Kleine zierliche Affen sprangen durch die Zweige, bunte Vögel sangen und Blätter und Blumen dufteten stärker unter dem Hauche der erfrischenden Morgenkühle. Von den wachsamen Hunden geleitet, ohne den Gedanken an eine Gefahr durchstreiften unsere

Freunde den Wald, bis die Indianer bei mehreren, nebeneinander stehenden Bäumen Halt machten.

Die ungeheuren Stämme maßen vielleicht sechzehn Meter im Durchschnitt, sie sahen aus wie uralte, mit Moos bewachsene Häuser und waren umgeben von Wurzeln, die, aus dem Erdboden hervorragend, einer versteinerten Meeresflut glichen, so hoben und senkten sich um den gewaltigen Stamm die scharfkantigen Ausläufer. Zwischen und auf diesen letzteren hatte sich jüngerer Nachwuchs jeder Art angesiedelt.

Wie ein bunter Vorhang wehte es von den Zweigen herab, wie bunte Arme griff es von den Wurzeln hinauf. Langhalmiges Gras hatte sich auf den Höckern der Baumrinde genistet, Blumen blühten in den Vertiefungen, eine Unzahl von Schmarotzerpflanzen zog aus dem vielhundertjährigen Riesen des Urwaldes die Nahrung für ihr eigenes Dasein. Hoch oben in den Lüften wiegte sich die Blätterkrone, mit Tausenden von scharlachroten Blüten bedeckt, hier unten im Schatten trat das vielgestaltige und vielfarbige Leben der verschiedenen Parasiten in den Vordergrund. Utiti deutete zu den Zweigen hinauf.

»Hört ihr die Bienen, Fremde?«

Ein Summen und Surren klang aus dem Blattgewirr herab, aber man sah keines der fleißigen kleinen Tiere, sie schwebten vielmehr alle hoch oben im freien Sonnenschein, da, wo die herrlichsten Blüten ihre Kelche entfalteten, sie flogen um die zartesten Knospen, ohne das Schattenreich am Boden ihrer Beachtung zu würdigen.

»Aber wo ist denn das Flugloch?«, forschte Benno. »Wie wollt ihr es überhaupt erreichen, ohne zu Tode gestochen zu werden?«

Utiti lächelte.

»Das Flugloch ist oben in der Krone, Fremder, es kümmert uns gar nicht, – du sollst sehen, wie wir die Sache anfangen.«

Mit Hilfe ihrer Steinbeile zerrissen jetzt die Indianer das ganze Gewebe von Schlingpflanzen, unbarmherzig die schönsten Blumen zerstörend und zahllose Insektenfamilien aus den verschiedensten Schlupfwinkeln verjagend. Eine schillernde, grün und goldig glänzende Schlange floh in das Gebüsch, Fledermäuse schwirrten aus dem Versteck hervor, große, mehr als einen Zoll lange Baumwanzen schossen in eiliger Flucht nach allen Seiten, Käfer und Würmer fielen hierbei zu Hunderten mit den holzigen Ranken, in denen sie ihre Heimstätten gehabt hatten. Eine Wolke von Moos flog herab und nun zeigte sich, dass breite Baststreifen den ungeheuren Baumstamm umgaben.

Als sie zerschnitten waren, ließ sich ein Stück der Rinde mit leichter Mühe herausnehmen, – ein Weg, groß genug, um einen schlanken Mann durchzulassen, führte in das Innere des Baumes. Die Weißen sahen voll Erstaunen diesen Vorgang.

»Da in den Stamm kriecht ihr doch nicht etwa hinein, Utiti?«

»Gewiss, – bis oben hinauf. Es ist drinnen eine Leiter aus Bast.«

Und er zeigte das herabhängende untere Ende dieser verborgenen Treppe.

»Ganz oben hängen unsere Wachskörbe«, setzte er wohlgefällig hinzu.

»Wachskörbe?«, wiederholte Benno.

»Gewiss. Lasst ihr weißen Leute in euren Wäldern den Wachsvorrat mitsamt dem Honig ohne Körbe verloren gehen?«

Benno und Halling lachten.

»Das nun allerdings nicht, Utiti. Aber wie sind denn eure Fangnetze da oben befestigt?«

»Oh, die hängen an Schnüren und wir lassen sie ganz bequem herab. Du sollst es gleich sehen, Fremder. Etwas später geht dann ein Maskierter in den Baum und hängt die Körbe wieder an ihre früheren Stellen.«

»So dass ihr jedes Jahr euren Honig ohne alle Mühe erntet?«

»Ja. Ist das in euren Wäldern anders?«

»O Gott!«, seufzte statt aller Antwort der Kunstreiter, worüber die sämtlichen Weißen in ein schallendes Gelächter ausbrachen.

»O Gott! – Unsere Wälder – das Straßenpflaster – unsere Ernten – der wandernde Blechteller mit kleiner Münze.«

Und er wandte sich ab, vielleicht in diesem Augenblick von der Erinnerung an seine fernen Lieben zu sehr in Anspruch genommen, um sich für irgendetwas anderes zu interessieren. Utiti bestieg jetzt den Baum, – ein umgekehrter Taucher, wie Benno sagte, – er kletterte an der schwankenden, bastgeflochtenen Leiter empor, verursachte aber in der Mitte des ungeheuren Kolosses keinerlei Geräusch, das den Außenstehenden Erfolg oder Misslingen verraten hätte.

Das Unternehmen war sicherlich ein gewagtes, obgleich die Indianer behaupteten, dass jeder unter ihnen es schon verschiedene Male glücklich vollendet habe. Minuten vergingen, dann fiel ein zu diesem

Zweck mitgenommener Stein in die Tiefe. Utiti würde nun mit dem gewonnenen süßen Schatz gleich selbst nachfolgen. Oben bei den Bienen entstand in diesem Augenblick eine gewaltige Unruhe, ihr Summen ging über in zorniges, angstvolles Geschrei, ihre Anzahl wuchs von Minute zu Minute. Ganze Schwärme erschienen in der Umgebung, flogen hin und her und verschwanden wieder, als treibe die Sorge um ihren Besitz sie schleunigst von Stelle zu Stelle. Jetzt sah man die Füße Utitis und nach und nach seinen ganzen Körper, – aber welch einen Anblick bot der tapfere Bursche!

Honig tropfte von ihm herab, Honig träufelte aus dem schwarzen Haar, Honig verkleisterte ihm die Augen. Hier und da saß auch eine Biene, selbst gelähmt von dem klebrigen Stoß, wohl vergeblich versuchend, ihm ihren Stachel in die Haut zu bohren; er war ein wenig zerschunden und mit dem gelbgrauen Puder des zermürbten Bauminneren überdeckt, aber trotz aller dieser größeren und kleineren Schäden lachte er doch vor Vergnügen.

»Ein reicher Vorrat!«, rief er. »Wie sich die Kinder freuen werden!«

Und dann zogen zehn Arme den Schatz hervor an das Tageslicht. Völlig schwarz zeigten sich die dichtgedrängten Waben, aber angefüllt mit goldigem, hellem Honig, über den sogleich zahllose Insekten von allen Seiten herfielen.

»Vorwärts!«, ging es es von Mund zu Mund. »Vorwärts! Hier dürfen wir unter keinen Umständen länger bleiben.«

»Aber wie wollt ihr den Honig fortbringen?«

»In den Hängematten, auf Stangen, – schnell, ehe sich ein Bienenschwarm herablässt. Es wird höchste Zeit zu verschwinden.«

Das Netz von Bast, in welchem an ausgespannten Fäden die Waben hingen, der ganze große, vielfach brüchig gewordene Wachsklumpen ward in eine Matte geknotet, durch die ein paar tüchtige Baumzweige hindurch gesteckt wurden und fort ging es, dem freieren Ufer zu. Utiti sah aus wie der Knecht Ruprecht; ein Bad war ihm das Notwendigste.

11.

Die Heldentat des Schwermütigen – Eine unheimliche Nacht – Der entlarvte Lahmfuß – Ein Überfall – Gefangen – Eines Königs Sühne – Sklavenarbeit

»Können denn auf dieser Streife noch Faultiere oder Tapire gejagt werden?«, fragte Benno.

»Ich denke, wir haben gerade genug Lasten zu schleppen. Man geht ein anderes Mal den Schweinen nach, Fremder.«

»Hm, so sehr lange werden wir ja doch nicht mehr in eurem Dorf wohnen, Utiti. Vielleicht drei Tage, dann –.«

Die Indianer erschraken sehr.

»Sprecht nicht so, Fremde, sprecht nicht so«, baten sie in ihrer zutraulichen Weise. »Wenn euer Feuerzauber fehlt, dann bringt uns ja der Lahmfuß sämtlich ums Leben.«

»Nun, nun«, beschwichtigte Ramiro, »das findet sich schon alles. Fürs Erste sucht ihr jetzt einen besonderen Baum, um Holzmulden anzufertigen, nicht wahr?«

»Den Jatobá. Da steht schon die Gruppe, an welche wir dachten.«

Eine Reihe hoher, stattlicher, den deutschen Ulmen einigermaßen gleichender Stämme neigte ihren reichen Blätterschmuck über den Uferrand des Flusses. Hellgrünes, wehendes Laub flatterte im Wind, weiße und purpurne Blüten zogen sich wie lange Girlanden hindurch. Die schönen alten Bäume beherbergten unzählige Vogelnester; es sang und pfiff von allen Zweigen, es huschte durch die grüne Wildnis mit bunten Schwingen und stob, als der Zug der Jäger Halt machte, flüchtend nach allen Himmelsrichtungen auseinander.

Jetzt begann ein geschäftiges Treiben. Einer der Eingeborenen rieb Feuer, einige andere holten dürres Holz herbei und der Rest zimmerte mit den Steinbeilen aus abgehauenen Zweigen und Bastfäden ohne Nägel oder Stemmeisen ganz flott ein Gerüst, das vor dem Stamme eines Jatobá aufgestellt wurde. Die Weißen halfen dabei so viel wie möglich und beobachteten voll Interesse den Vorgang, bei welchem die Eingeborenen eine so lebhafte Tätigkeit entwickelten.

Ebenso schnell wie deutsche Handwerker mit allem Arbeitsgerät hatten die Söhne der Wildnis ihre kunstlose Stellage vollendet. Dann stieg Utiti hinauf und trennte durch Beilhiebe in beträchtlicher Höhe ein großes Stück Rinde vom Stamm des Baumes. Als erst einmal die Querfasern durchschnitten waren, ließ sich das Ganze mittels eingetriebener Keile leicht lösen und wurde nun vorsichtig auf den Erdboden herabbefördert.

»So«, rief der Indianer, »da hätten wir unsere Mulde.«

»Aber das Stück Holz ist ja ganz flach«, wandte Ramiro ein. »Du wirst schon sehen, wie es sich krümmt, Fremder.«

Jetzt wurde die Rinde in das Wasser getaucht und dann über die inzwischen herab gebrannte Glut gehalten, aber so vorsichtig, dass das Feuer nirgends den Brennstoff erfassen, sondern denselben nur erhitzen konnte.

Beide Längsränder bogen sich langsam wie ausgerolltes Papier nach der Innenseite. Die Indianer steckten in die Mitte der Mulde einen Stock, der beide Wände auseinanderhielt, die Enden dagegen legten sie unter stetem Begießen in feste Falten, die dann mit Bast umwickelt und umflochten wurden. Nun war das Gefäß fertig.

»Sollte das leichte Ding den Honig tragen können?«, fragte Halling. »Es mag kaum acht oder zehn Pfund wiegen.«

»Das ist ein Fischerkanu für zwei Männer; wir haben nie andere.«

»O Himmel, in diesen Eierschalen segelt ihr auf die großen Ströme hinaus?«

»Nicht im Krieg, da brennen wir ganze Baumstämme aus, aber zum Fischen dienen die leichten Rindenkanus.«

Die letzte Falte war jetzt befestigt und bald darauf alles aufgeladen. Wieder ging es vorwärts durch den Wald, durch grüne, dicht verschlungene Massen aller möglichen Formen und Gestaltungen. Hier die Pisanggewächse mit ihren Blättern vom Umfange eines mäßigen Tischtuches, dort die Mimosen mit solchen, auf denen kaum ein Pfennig Platz gefunden hätte und zwischen beiden jede nur erdenkliche Abweichung, jede Größe und Gestalt, jede Schattierung.

Das alles war regellos, in überquellender Fülle zusammengewürfelt, es konnte nur durch Beilhiebe gelöst, nur durch Reißen und Zerren auseinandergebracht werden, es gewährte dem betrachtenden Blick keinen Ruhepunkt und trotz aller Schönheit noch viel weniger der Seele ein Gefühl des Friedens, der Erhebung, jener zwingenden Gewalt, die nordische Wälder so mächtig ausüben.

Kein Baumstamm ragte markig und kraftvoll zum Himmel empor, sondern Legionen von Schmarotzerpflanzen hielten ihn umrankt, keine Gattung hatte sich das Recht auf den Besitz gewisser Strecken im allgemeinen Kampf um Licht und Luft erobern können, – neben dem Riesen stand der Zwerg, neben dem Breiten der Schlanke und auf und über und zwischen ihnen tausend andere Gewächse, die sämtlich zum Knäuel verwachsen waren und mit ihren jungen Schösslingen, ihren Zweigen und Dornen unlöslich aneinander hingen. Benno stand still und deutete auf das grüne Gewirr, in welches wieder einmal die Beile der Eingeborenen schonungslos hinein hieben.

»Nichts gegen den schönen deutschen Wald!«, rief er. »Nichts gegen die Erhabenheit unserer Eichen- und Buchenforsten. Denken Sie nicht auch so, Herr Halling? Waren Sie jemals in Ostholstein? Haben Sie den Uklei (See bei Eutin) gesehen und das Bergenholz (Waldgebiet bei Malente)?«

Der junge Naturforscher schüttelte den Kopf, aber Ramiro bejahte die Frage.

»Wo wäre ich wohl nicht gewesen?«, sagte er tief seufzend. »Ja! Ja! Der nordische Wald ist tausendmal schöner als derjenige der Tropen, tausendmal schöner in seinem Grün und Braun als die leuchtendste Farbenpracht des Südens!«

Benno hob die Hand; es war, als sähe sein Auge weit hinaus über das Land und den unermesslichen Ozean in liebe vertraute heimatliche Gegend; leise und langsam sprachen seine Lippen die Worte:

»Über allen Gipfeln ist Ruh, in allen Wipfeln spürst du kaum einen Hauch. Die Vöglein schweigen im Wald. Warte nur, bald ruhst du auch.«

Ramiros braunes Gesicht hatte alle Farbe verloren, es war fahl geworden, seine Lippen zuckten.

»Mir darf das nicht gelten«, sagte er mit erstickter Stimme. »Nein, mir nicht, junger Herr.«

»Das gilt uns allen, Señor, Ihnen, mir, – uns allen.«

Ramiro legte die Hände vor das Gesicht, er war sonderbar erschüttert.

»Ich wollte, ich hätte die Verse nicht gehört, junger Herr«, flüsterte er. »Bald ruhen sollte ich? Bald! – O nein, nein, nur keine Ruhe, keine Untätigkeit, wo es in meiner Brust wie Feuer brennt. Ich will, ich muss erst an das Ziel gelangen. Benno, glauben Sie, dass Alfredo noch lebt, dass alles gut gehen wird?«

Es lief sonderbar heiß durch die Adern unseres Freundes.

»Wenigstens wünsche ich es uns beiden, besonders aber Ihnen recht von Herzen«, versetzte er.

Der Kunstreiter wandte sich ab.

»Auch für Sie, Benno, auch für Sie. Ströme Goldes sollen über Ihr Haupt dahinfließen. Wir wollen den Herrn Senator drüben in Hamburg schon zum Schweigen bringen. Was kostet denn das spukhafte alte Haus am Wandrahmen samt Speicher und Lager, he? Man bezahlt es aus der Westentasche.«

Er suchte offenbar seiner trüben Stimmung gewaltsam Herr zu werden; jetzt deutete er auf die Eingeborenen, welche den Weg durch das Dickicht gebahnt hatten.

»So, da wäre gesorgt, nun lasst uns nur weiter gehen, weiter, weiter!«

Und tief atmend schritt er allen voraus. Gegen Sonnenuntergang langten die Jäger im Dorf wieder an, und das Erste, was sie sahen, war ein auf Bambusstäbe gespanntes Jaguarfell, dessen bunte Ecken trocknend im Winde flatterten. Das Tier konnte erst vor wenigen Stunden erlegt sein.

»Ich bitte euch!«, rief Benno. »Das Unzenweibchen, dem wir nachstellten, ist unterdessen hier getötet worden.«

Mehrere Peruaner kamen den Heimkehrenden entgegen.

»Was glaubt ihr«, lachten sie nach den ersten Begrüßungen. »Was glaubt ihr, wer die Unze erschlagen hat?«

»Doch nicht Michael? Das wäre unmöglich.«

»Gerade er! Gerade er! Und mit dem Beil hat er die Bestie niedergestreckt.«

Selbst Ramiro lachte.

»Mein zaghafter Michael«, sagte er. »Aber sicherlich hat er es nicht gewagt, sich dem Raubtier freiwillig entgegenzuwerfen?«

Die Peruaner geleiteten ihre Freunde zum Lagerplatz und während sich im Dorf die Frauen und Kinder voll Jubel über den Honig hermachten, wurde hier die Geschichte des erlegten Jaguars zum Besten gegeben.

»Michael und Philippo hatten zusammen im Wald herumgesucht«, hieß es, »sie kamen erst in der Nacht zurück und Michael ging eben an der Seite des Maultierlagers vorüber, als die Unze ganz in seiner

Nähe aufsprang, um eines der Tiere zu packen. Der Versuch misslang, die Katze senkte in ihrer bekannten Weise voll Scham oder Ärger den Kopf und wollte schleunigen Rückzug nehmen, da trat ihr Michael gerade entgegen und schlug in seinem Erschrecken wie toll und blind mit dem Beil auf sie los. Es musste wohl einer dieser wütenden Hiebe gerade zwischen die Augen getroffen haben, denn das Tier stürzte zu Boden, obgleich es natürlich nicht tot war; aber nun konnten ihm mehrere Schüsse mit Leichtigkeit den Garaus machen. Jedenfalls hat Michael die Unze erlegt.«

Der Halbirre, bei dieser Lobrede gegenwärtig, schüttelte seufzend den Kopf.

»Nur eine Katze«, stammelte er, »die darf man töten.«

Ramiro legte zur Begrüßung die Hand auf den Kopf seines Schützlings.

»Gewiss, mein armer Junge«, sagte er in freundlichem Ton. »Gäbe es hier in der Wildnis einen Gouverneur, einen Magistrat oder dergleichen, so würdest du noch eine Belohnung dazu erhalten. So wie die Verhältnisse einmal sind, musst du dir an dem Bewusstsein der guten Tat genügen lassen.«

Der Halbirre schüttelte sich.

»Das Tier stieß einen seltsamen Schrei aus«, murmelte er, »es klang so menschlich, so – ich weiß nicht –.«

Und mit einem scheuen Blick auf den Kunstreiter glitt Michael davon. Am anderen Ende des Lagers saß Philippo und neben ihn kauerte sich der bleiche Knabe in den Sand. Die beiden sprachen heimlich von der Alraunwurzel und von all den Herrlichkeiten, die der sehen könne, dessen Augen mit dem schwer zu findenden Gewächs berührt werden.

»Die Wurzel hat ganz die Gestalt des Heilands am Kreuz«, flüsterte der Alte, »alle Nägelmale kannst du unterscheiden, die Dornenkrone und die gebrochenen Augen. Wer solch ein Ding besitzt, der blickt mitten durch die Erde hinweg, er macht das Tote lebendig und gebietet den Geistern, die ihm Gold und Edelsteine zutragen müssen.«

Michaels Augen glänzten.

»Glaubst du, dass wir die Wurzel finden werden?«, raunte er bebend vor Aufregung.

Und der Alte schürte im Feuer herum, bis eine knisternde Funkengarbe ihn und den bleichen Knaben umlohte.

»Wir müssen suchen«, murmelte er, »suchen, suchen. Vielleicht ist das Glück uns günstig.«

Während dieser Unterredung begrüßten die zurückgekehrten Jäger den Doktor und fanden ihn bedeutend besser.

»Noch zwei Tage«, hatte er gemeint, »dann kann die Reise weiter gehen.«

Ramiro richtete sich straffer auf.

»Am Sonnabend also«, sagte er, »dabei bleibt es denn nun, nicht wahr, meine Herren? Die Wilden mögen bitten und betteln, so viel sie wollen, – wir reisen ab.«

Die übrigen stimmten bei.

»Namentlich, da übermorgen keinerlei Mondschein mehr zu erwarten ist«, bestätigte Halling. »Ich schlage vor, die beiden letzten Tage zum Ausruhen zu verwenden und dann in aller Frühe mit einigen Eingeborenen auf die Tapirjagd zu gehen. Später kehren jene nach Haus zurück, während wir unsere Reise fortsetzen.«

»Ja, ja, das wird das Beste sein.«

»Und Tenzileh?«, sagte eine Stimme. »Und der Lahmfuß?«

»Der muss ja nach Verabredung übermorgen Abend erscheinen, wir können ihm also vorher in aller Gemütsruhe den Garaus machen.«

Die Kameraden lachten, der Abend wurde sehr heiter beschlossen, der ganze darauf folgende Tag aber müßig schaukelnd oder in sorgloser Unterhaltung verbracht. Am Abend desselben stand nur noch ein schmaler Silberstreif der Mondsichel zwischen den Wolken, – der Mond nahm Abschied, um fürs nächste zu verschwinden.

Ein drückend heißer Tag zog herauf; unerträglich, in dunkelroten Gluten brannte die Sonne. Gegen Mittag war jede Tierstimme verhallt, die Insekten hatten sich unter den Schutz der breitesten Blätter geflüchtet, die Affen und Vögel in das undurchdringliche Dickicht, die kleineren Vierfüßler in ihre Höhlen.

Zuweilen huschte ein einzelner Windstoß durch die Luft, dann wurde wieder alles still, selbst die Moskitos hielten sich verborgen, ihr klirrendes, metallisches Geräusch blieb während des ganzen Tages ungehört.

»Wir bekommen ein starkes Gewitter«, sagte der Doktor, »das ist gut für morgen.«

»Aber es verstärkt die Angst der Indianer. Sehen Sie nur, da baut das törichte Völkchen schon wieder seinen Feuerkreis.«

»Um hineinzuschlüpfen, wenn sich die bösen Geister zeigen sollten. Geben Sie Acht, für heute Abend ist ein Überfall geplant.«

Ramiro ballte die Faust.

»Ein neues Hindernis?«, knirschte er. »Das wäre, um den Verstand zu verlieren.«

Es war ein böser Tag für alle. Die Hitze gestattete keine Bewegung und keinen Schlaf, man konnte es der sengenden Sonnenstrahlen wegen nicht riskieren, auf den Fluss hinaus zu rudern, konnte nicht baden und auch keine Insekten sammeln, ja, es war sogar unmöglich, zu schreiben oder zu zeichnen, denn die Hand klebte auf dem Papier und durchfeuchtete dasselbe. Verdrießliche Gesichter sahen einander an.

»Wenn doch der erste Blitz kommen wollte!«

Aber vorläufig war noch alles in Grau gehüllt. Die fernen Gebirgskuppen begannen wie im Nebel zu verschwinden, der Himmel glich einem ausgespannten, tief auf die Erde herabhängenden einfarbigen Tuch, dessen Schwere es fast bis auf die Baumwipfel niederzog, – jeder Aufschlag der Augen kostete Mühe, jeder Atemzug war eine erneute Anspannung der schwindenden Lebenskräfte.

Wie betäubt, sprachlos vor Grauen schlichen die Eingeborenen umher. Angstvolle Blicke suchten bald den Himmel, bald die Weißen; von Mund zu Mund ging der Name des gefangenen Häuptlings. An dem Unglück, das da kommen würde, trug er die Schuld. Überall huschte, angetan mit seinem Zauberornat, Naporra durch die Menge. Man machte ihm, wo er erschien, eilends Platz; niemand redete ihn an, niemand antwortete, sobald er fragte.

»Oben in den Wolken ist das Feuer schon bereit«, flüsterten die Eingeborenen. »Heute kommt der Lahmfuß mit dem weißen Geier.«

Benno tat, als lege er ein Gewehr an.

»Wir schießen die beiden Unholde über den Haufen«, antwortete er.

Aber der Trost verfehlte seine Wirkung. Die Leute schüttelten die Köpfe, sie sahen in den Wolkenmassen am Himmel eine Verurteilung, gegen die es keinen Einspruch gab. Gegen Abend schickte Tenzileh den Weißen einen Boten und ließ fragen, ob sie bei Einbruch der Nacht in seine Hütte kommen könnten.

Obijah, der Löffelmann, klapperte vor Furcht mit den Zähnen, als er die Einladung überbrachte. Die Antwort lautete natürlich zustimmend.

»Sämtliche Häuptlinge und der Dolmetscher würden pünktlich erscheinen.«

Trente rang die Hände.

»Ich gehe nicht mit«, heulte er. »Das ist Selbstmord und dazu habe ich mich nicht verpflichtet.«

Der Doktor sah ihn ganz ernsthaft an.

»So bleib draußen, Bursche«, sagte er kalten Tones, »du musst dann den Kampf mit dem Geisterreich allein aufnehmen.«

»Glauben Sie, dass der Lahmfuß einem armen Maultiertreiber ein Leid zufügen werde, Señor Doktor?«

»Solch einem Lahmfuß ist alles Mögliche zuzutrauen, mein Junge. Ich bin auch ganz überzeugt, dass er nicht allein kommt, sondern mit mehreren Hundert Kameraden. Wen diese auf ihrem Wege treffen, den bringen sie natürlich um.«

Trente zitterte am ganzen Körper.

»Da gehe ich doch lieber mit Ihnen«, ächzte er. »Sie sind so tapfer, – ich glaube, der junge Herr Benno ist gerade der Mann, um den Gespenstern entgegen zu laufen.«

»Und du bist der, welcher am liebsten in den Winkel kriecht. Teilen wir uns also die Aufgabe, mein würdiger Trente.«

»Die Leute im Dorf entzünden schon ihre Feuer«, sagte eine Stimme. »Ungeheure Holzvorräte haben sie herbeigeschleppt.«

»Und Frauen und Kinder hocken trübselig im Kreis, – sie sind sämtlich vom Kopf bis zu den Füßen schwarz angestrichen.«

»Nur die Hexe ragt im gelben Überzug heraus; sie sitzt ganz vorn am Eingang des Feuerkreises!«

»Das ist sehr vernünftig; ihr Anblick soll den Lahmfuß in die Flucht schlagen. Wenn er einen einigermaßen gebildeten Geschmack besitzt, so verlässt er das Lager auf Nimmerwiedersehen.«

Sie lachten vergnügt, wobei Trente heimlich alle Kalenderheiligen zum Beistand aufrief. Dann gingen Ramiro. Pedrillo und Alfeo mit den drei Deutschen fort, um in Trentes Begleitung die Hütte des Verbannten auszusuchen.

Alle Vorbereitungen für den Ausbruch des Gewitters waren getroffen, die fahrende Habe der Reisenden durch Berge von Zweigen und

Matten gegen den erwarteten Platzregen geschützt und die Maultiere an Bäume gebunden. Jetzt mochte das Unvermeidliche geschehen; die Menschen mussten es hinnehmen wie Gott wollte.

»Horch!«, raunte Benno. »Die Eingeborenen singen.«

»Trente, steh einmal still, mein Junge. Übersetze uns diese Jammerlaute.«

Wie eine wahre Wehklage tönte der Gesang herüber zu den Weißen, dumpf und schmerzlich, oft von Schluchzen unterbrochen, oft mit einem »Hu! Hu! Hu!« der großen Bambusflöten begleitet. Die Hunde heulten dazu und die Kinder schrien – es war unter dem lähmenden Einfluss der sich vorbereitenden Naturereignisse eine schauerlich wirkende Musik, dieser Schmerzensgesang der Eingeborenen, welche sich für unwiderruflich verurteilt hielten und alle Angst ihrer Seelen durch das entsetzliche Geheul zu bekunden versuchten. Trente stand da mit gesenktem Kopf, er hielt aus lauter Furcht die Hände gefaltet wie in der Kirche.

»Es gab einmal eine Stätte des Friedens«, übersetzte er, »die Kinder der roten Männer lebten ohne Furcht vor den bösen Geistern unter dem Schutz des guten Geiers und wussten nichts von dem Lahmfuß, dem Feinde der Menschen. Aber jetzt ist das anders geworden; im Wald geht der Tapir, der uralte, und sucht, sucht, bis er den weißen Geier gefunden hat, – er wird hierher kommen und wir müssen sterben, sterben.«

»Hu! Hu! Hu!« erklangen die Flöten.

Von ihrem Sitz erhob sich die Stammeshexe; mit geballten Fäusten drohte sie in das Dämmergrau ringsumher hinaus, gellend und erschütternd klang ihre Stimme.

»Tenzileh, wo bist du? – Dein ist die Schuld, komm und trage die Strafe für dich allein! – Tenzileh, wo bist du?«

Die Weißen sahen einander an.

»Und alles dieses sollte mit Lachen, – ohne eine furchtbare Katastrophe enden? Ich glaube es nicht.«

»Ich auch nicht. Bragas Tod wird an diesem Abend gesühnt; das liegt so im Gefühl, es ist, wenn ihr wollt, zu einer Art von Notwendigkeit geworden.«

»Aber es brauchte doch nicht gerade jetzt zu geschehen«, sagte voll Bitterkeit der Kunstreiter.

»Nur noch vierundzwanzig Stunden später, – was hätte das ausgemacht?«

»Still, mein werter Señor, still – die Ungeduld verschlimmert jedes Übel. Hören Sie doch, wie sonderbar es im Wald rumort!«

Durch die Stämme ging ein Rauschen und Knarren; allerlei seltsame, früher nicht wahrgenommene Laute erfüllten die Luft. Zuweilen neigten sich die höchsten Kronen, wie von schwerer Hand gebeugt, plötzlich herab, reife Früchte fielen von den Zweigen, in ganzen Wolken fluteten dürre Blätter zu Boden.

Um Tenzilehs Hütte inmitten der blühenden Hecken war alles grabesstill. Jeder Vogel hatte sein Nest gesucht, die Termiten kamen an diesem Abend nicht zum Vorschein, das Armadillo lag metertief unter dem Boden in sicherer Höhle. Auch die Menschen schwiegen wie in banger Furcht der kommenden Ereignisse; an den Wänden kauerten Obijah und Barrudo, mitten im Raume lehnte an dem Stützbalken der Zauberer, während Tenzileh selbst in der Hängematte lag. Er war noch magerer geworden; seine Augen lagen tief in den Höhlen.

»Guten Tag, Fremde«, sagte er halb seufzend, »es freut mich, dass ihr euer Versprechen haltet. Während dieser Nacht bleibt ihr bei mir, nicht wahr?«

»Vorläufig wenigstens. Wie geht es dir denn, Häuptling?«

»Schlecht!«, war die mit unverkennbarem Grauen gegebene Antwort. »Schlecht! Ich hatte einen so bösen Traum. Braga war bei mir.«

»Das kommt von der Aufregung«, tröstete Halling. »Wenn nur erst diese Nacht vorüber ist, so wird schon alles besser werden.«

In diesem Augenblick erschien am Himmel der erste Blitz, begleitet von prasselndem Donner. Eine einzige ungeheure Flammenmasse schien sich unmittelbar darauf zwischen der Erde und den Wolken fortwährend auf und nieder zu bewegen, nach allen Seiten auseinander zu gehen und wieder zum festen schimmernden Feuerkern zusammenzuschmelzen.

Rote Schlangen fuhren über den Horizont, spiegelten sich im Fluss, warfen ihren sprühenden Glanz über die Umgebung und huschten wieder in die nächste, wie flüssiges Gold leuchtende elektrische Glutmasse hinein, bis plötzlich dichte Finsternis sekundenlang die Erde bedeckte und zwischen einem dieser furchtbaren Ausbrüche und seinem nächsten Nachfolger eine kurze Ruhepause eintrat.

Der Donner krachte und rollte, der Sturm setzte mit voller Gewalt ein, pfeifend und brüllend fuhr er durch den Wald, wie Orgelklänge brausten seine gewaltigen Melodien. Und dann lohte und flammte aufs Neue das elektrische Feuer vom Himmel herab. Noch war in den schwarzen Wolken der Regen gebunden, noch fiel kein Tropfen Wasser auf die dürstende Erde, – nur Sturm und Blitz und Donner rangen miteinander um die Oberherrschaft und unwillkürlich erbebten bei diesem Schauspiel die wehrlosen, den gewaltigen Naturkräften ohne Widerstand überlieferten Menschen.

Sooft einer der furchtbaren, eine blendende Helle ausströmenden Blitze die Hütte sekundenlang mit rotem Licht erfüllte, schrak Tenzileh in seiner Hängematte heftig zusammen; er deutete auf den freien mittleren Raum und schauderte vom Kopf bis zu den Füßen.

»Da stand Braga!«, sagte er einmal. »Seine Hand winkte mir.«

Trentes Augen vergrößerten sich auf unheimliche Weise.

»Stand das Gespenst hier?«, fragte er beinahe weinend. »Gerade hier?«

»Genau wo du jetzt stehst, Fremder!«

»Alle guten Geister loben Gott den Herrn!«

Und der Maultiertreiber kroch wie ein Wiesel zwischen die Füße der Peruaner. Auch der hochselige König Braga sollte noch aus seinem Grab auferstehen, um ihn in Schreck zu versetzen, – das war doch unerhört!

Tenzileh warf sich in seiner Hängematte wie ein Fieberkranker von einer Seite zur anderen.

»Braga hat sich auch über mich herabgebeugt«, ächzte er, »ich sah die tiefe Wunde in seiner Brust, ich fühlte, wie das warme Blut in Tropfen auf meine Stirn fiel, immer ›Tik! – Tik! – Tik!‹, und ich konnte kein Glied bewegen, um zu flüchten, konnte nicht schreien, ihn nicht von mir abschütteln.«

Ramiro trat plötzlich in die offene Tür der Hütte, er ließ sich den Sturm gerade in das Gesicht wehen.

»Tolle Träume!«, sagte er abgewandten Blickes. »Fantasien ohne Halt und Gewähr!«

»Aber grässlich!«, jammerte Trente. »Heiliger Stephan, es ist grässlich!«

In diesem Augenblick ertönte vom Dorf herüber ein Schrei, so laut, so erschütternd und anhaltend, dass man unwillkürlich fühlte, ein

Schreck ohnegleichen, ein nicht zu bannendes Entsetzen müsse ihn hervorgerufen haben. So heftig auch der Donner brüllte und krachte, – mitten hinein klang der gellende, langgezogene Schrei und machte sich geltend neben ihm.

»Was ist das?«, riefen die Weißen.

»Ob der Blitz eingeschlagen hat?«

»Daraus würden sich, glaube ich, die Leute nicht besonders viel machen.«

»Horch! – Wieder ein Schrei.«

In diesem Augenblick flog unmittelbar an der offenen Tür der Hütte ein großer, ganz weißer Vogel vorüber. Die Flügel schlugen klatschend die Luft, das Tier stieß einen kurzen, kreischenden Ton hervor, dann war es verschwunden.

»Der Geier! Der Geier!«

Tenzileh sah mit weit offenen Augen zu der Stelle, an welcher sich sekundenlang die Erscheinung gezeigt hatte. Es mochte ihn kaum noch stärker, noch gewaltiger erschrecken können, als jetzt ohne das mindeste Geräusch eine seltsame Gestalt die Schwelle überschritt. Höher als selbst der größte Mann, trug das Gespenst ein lang herab wallendes, weißes Gewand und anstatt des Kopfes einen Totenschädel, aus dessen leeren Augenhöhlen zwei Flammen unheimlich hervorleuchteten.

Aus geradem Wege näherte sich der gespenstische Besuch dem Lager des Königs, von niemand aufgehalten oder verhindert, lautlos wie die Luft, das Nichts.

»Der Lahmfuß!«

Mehr als nur dieser eine Ruf des Grauens war nicht gehört worden. Naporra hatte ihn ausgestoßen, Naporra hatte mit zitternder Hand seinen Stab erhoben, um dieses geheiligte Instrument dem verruchten Eindringling entgegenzuhalten, aber ein Arm ohne Fleisch und Blut, der eines Skelettes schlug nach ihm und so wich er zurück, hastig, im ungekünstelten Entsetzen.

Was Trente betraf, so war er ohnmächtig geworden; die Todesangst hatte ihn jählings umgeworfen. Etwas hinkend, ganz im Geiste seiner Rolle trat der Lahmfuß an die Hängematte des Königs und jetzt wäre es um das Leben desselben vielleicht geschehen gewesen, wenn nicht die Weißen, bisher im Hintergrund der Hütte versteckt, nun entschlossen gewesen wären, dem Gaukelspiel ein Ende zu machen.

»Heda, Lahmfuß«, rief Benno, »lass dich doch einmal beim Lichte besehen.«

Und zugleich packte er mit energischem Griff die weiße Gestalt von hinten, während Halling und Doktor Schomburg den Ausgang zu sperren versuchten. Aber der Lahmfuß war schneller als sie alle, er setzte mit gewaltigem Sprung an den beiden Männern vorüber und gewann das Freie, ehe diese ihn halten konnten.

Benno lachte laut.

»Das waren unter allen Umständen Muskeln von Fleisch und Blut!«, rief er. »Wie der Bursche sprang!«

»Aber was fiel da so klappernd auf den Boden?«

»Wir wollen einmal nachsehen.«

Und als der nächste Blitz die Hütte in eine Lichtflut tauchte, da hob Benno den Gegenstand empor.

»Ein wirklicher Totenschädel!«, rief er. »In den Augenhöhlen brennen ganz gemütlich ein paar kleine Wachskerzen.«

»Und was liegt hier?«, rief Halling. »Beim Himmel, das Gespenst hat seine ganze Ausrüstung verloren – seht den gefürchteten weißen Mantel; er ist ganz und gar aus Blättern angefertigt und mit Dornen zusammengesteckt.«

Benno hing das Kleidungsstück sogleich um seine Schultern.

»Gebt mir den Schädel«, bat er. »Ich will als Lahmfuß in das Dorf hinabhumpeln.«

Aber die übrigen wehrten ihm.

»Morgen, wenn die Sonne hell vom Himmel scheint, können Sie sich den Spaß gestatten, junger Herr, jetzt nicht. Die –.«

Ein ganz unerwarteter Laut schnitt die Rede mitten ab. Es waren aus Rio bei der Abreise mehrere Hörner mitgenommen und für alle Fälle eine Reihe kurzer bestimmter Signale verabredet worden, – eines derselben, das zum Sammeln erklang in diesem Augenblick vom Dorf herauf und ließ die Weißen heimlich erschrecken.

Was mochte inzwischen geschehen sein? Noch einmal rief das Horn, – lauter, dringender.

»Ein Überfall«, nickte Halling. »Ich wusste es immer.«

Ramiro verbarg das Gesicht in den Händen, er schluchzte vor Verzweiflung. Pedrillo weckte mehr energisch als schonend den bewusstlosen Trente, dann rüttelte er Tenzilehs Schulter.

»Steh auf, König, steh auf, deine Feinde sind da. Du musst kämpfen, musst mit deinem Volk streiten!«

»Wie die niedergemähten Halme liegen diese Kerle da«, setzte er dann lachend hinzu. »Der große Naporra ist sogar unter einen Haufen Blätter gekrochen.«

Trente rieb sich die Stirn.

»Wo ist das Gespenst?«, fragte er in kläglichem Ton. »Ich sah es – ach Gott, ich sah es!«

»Hier, mein Junge, es hat seinen Mantel als Putzgegenstand für dich zurückgelassen – nimm hin das Geschenk!«

Und Benno warf das Blättergewand über den Kopf des Maultiertreibers, aber Trente schüttelte sich flink wie eine Eidechse wieder heraus; er war mit einem Sprung, der dem des Lahmfußes an Geschicklichkeit gleichkam, draußen im Freien, ehe ihn einer zu hindern vermochte. Sie folgten ihm alle, obwohl jetzt der Regen in Strömen herab rauschte und der Sturm hüben und drüben die höchsten alten Bäume wie dürres Stroh zerknickte.

Es brauste hohl durch den Wald, es schoss flutend wie aus plötzlich entstandenen Rinnsalen über den aufgeweichten Boden, – Legionen von Blättern flogen umher, zerrissene Ranken schlugen den Männern in das Gesicht, ganze riesige Äste wurden ihnen vor die Füße geschleudert und versperrten nicht selten den Weg. Aus dem Dorf heraus erklang jetzt schon das Getümmel eines erbitterten Kampfes. Menschenstimmen schrien durcheinander, Hunde bellten, und Ziegen und Maultiere, Enten und Hühner lärmten aus allen Kräften dazwischen.

Zuweilen, wenn ein Blitz herabfuhr, sah man das Getümmel in dem ein fremdes, jählings eingedrungenes Heer die Oberherrschaft erlangt zu haben schien. Der Feuerkreis war zerrissen, mehrere Hütten brannten, andere hatte der Sturm hinweggefegt – das ganze, sonst so friedliche Dorf glich einem Bild der äußersten Verwüstung.

»Man hört keinen Schuss«, sagte kopfschüttelnd der Kunstreiter. »Können Sie das begreifen, Señor Doktor?«

»Vielleicht haben unsere Kameraden die Gewehre des Regens wegen unter Blättern oder Matten versteckt.«

»Und können nun nicht dazu gelangen, das ist möglich.«

Sie hatten jetzt den Kampfplatz erreicht. Schwarz und rot angestrichene Wilde mit bis auf den Gürtel herabhängenden Haaren schwangen ihre Steinbeile gegen wehrlose Frauen und Kinder oder stachen und schossen sie nieder, wo ihnen die Unglücklichen in den Weg kamen.

Während die Männer beider Stämme Brust an Brust in erbittertem Kampf miteinander rangen, wurden die Frauen, ja selbst die Säuglinge meuchlerisch ermordet und ihre Leichen unter die Füße getreten. Der Hass eines beraubten Volkes gegen die, welche ihm Haus und Herd genommen, der lang genährte Hass einer rachsüchtigen Menge brach sich hier umso rücksichtsloser Bahn, je sorgfältiger er bisher verborgen gehalten werden musste.

Wild um sich schlagend und beißend rannten die Maultiere durch das Getümmel. Die Steinbeile der Feinde hatten ihre Fesseln gelöst, aber es war den Söhnen des Urwaldes doch nicht gelungen, die eigensinnigen Tiere festzuhalten oder auch nur zum Mitgehen zu bewegen, sie mussten ihnen ihre Freiheit wiedergeben und sie laufen lassen, wohin es der Zufall wollte. Hierhin und dorthin stürmte, ängstlich schreiend, die führerlose Herde der Grauen, bald durch eine Gruppe des kämpfenden Volkes, bald zwischen den Hütten oder durch die Gärten, überall beleuchtet von spielenden roten und gelben Gluten, umtost von Sturm und Regen, umbrüllt vom Donner, dessen gewaltige Stimme sie immer noch mehr erschreckte und zu noch tollerer Flucht antrieb.

Überall wichen die sanftmütigen, so wenig kriegerischen Gastgeber der Weißen Fuß für Fuß dem gewaltigen Andrängen ihrer Gegner. Mitten unter ihnen kämpften auch die Peruaner, aber nur mit bloßer Faust oder höchstens dem Messer, das Tag und Nacht im Ledergürtel steckte. Keiner der Leute hatte ein Gewehr, keiner war imstande, sich mit wirklichem Erfolg gegen den bewaffneten Widersacher zu verteidigen.

Wie Kolbenschläge sausten die wuchtigen Hiebe der Steinbeile auf ihre unbeschützten Köpfe herab. Der Kunstreiter blieb stehen, er hielt auch seine Genossen zurück.

»Unsere Freunde wollen die Vorratshütte wiedergewinnen«, flüsterte er, »jedenfalls liegen darin sämtliche Feuerwaffen versteckt.«

»Welch ein Glück, wenn es gelänge!« Ramiro schüttelte den Kopf.

»Ich glaube nicht«, seufzte er. »Sehen Sie, da liegt Antonio mit gespaltenem Kopf auf dem Gras, da Gomez, da Diaz. O welch ein Schreckenstag ist dies.«

Eine starke Schar von Feinden hielt die Vorratshütte besetzt. Sooft die Peruaner vordrangen, um mit geeinten Kräften ihre Gegner zu vertreiben, ebenso oft färbte ihr Blut den Boden und sie wurden nur immer weiter zurückgeworfen.

Drüben hatte sich der Kampf jetzt entschieden. Das friedliche Völkchen war vernichtet, aufgerieben und in seinen letzten Überresten zu Gefangenen gemacht. Wilde Schmerzensschreie klangen durch die Nacht, Verwünschungen und Flüche.

»Tenzileh, wo bist du! – Soll dich die Erde verschlingen, du Mörder und Lügner! Tenzileh, Tenzileh, gib uns unsere Frauen und Kinder zurück!«

Schauerlich mischten sich diese wilden Rufe in das Heulen des Sturmes und das hallende, gewaltige Toben des Donners, gleich einem Echo pflanzten sie sich fort von Knäuel zu Knäuel, von Gruppe zu Gruppe.

»Tenzileh! Tenzileh!«

Unsere Freunde hatten sich ohne lange Überlegung den kämpfenden Peruanern angeschlossen. Wo ihre Brüder standen, dahin gehörten auch sie; wo diese fielen, da mussten sie die Gefahr mit ihnen teilen. Selbst Michael befand sich unter den Streitenden; er hatte einen gewaltigen Knüppel erobert und schlug um sich mit der ganzen Keckheit dessen, der die Situation nicht wirklich zu durchschauen vermag. Die Wilden schienen noch immer Zuzug zu erhalten. Ihre Scharen hatten jetzt die Peruaner gänzlich von der Vorratshütte verdrängt und während nun über diese die Schrecken der Gefangenschaft hereinbrachen, wühlten die begierigen Hände der Sieger in den aufgestapelten Blätterhaufen, um womöglich zutage zu fördern, was die Weißen versteckt hielten.

Irgendein Zauber musste es ja sein, – aber welcher? Dann kamen die Kugelbüchsen zum Vorschein, wurden erst sehr zaghaft mit zwei Fingern angefasst, dann ausgehoben, besehen und befühlt. Was mochte das sein? Eine Hiebwaffe? Allgemeines Kopfschütteln.

»Viel zu lang!«, hießen offenbar die Worte, welche einer der Männer sprach.

Oder eine Schleuder? – Man hatte jetzt einen Kugelbeutel hervorgezogen und das rundliche Stück Blei passte in den Lauf, – es kam doch auf den Versuch an. Irgendeinen Zweck mussten die Dinger haben. An Händen und Füßen mit Bastseilen gefesselt, sahen die

Weißen diesen eifrigen Bemühungen mit zu. Auch als Schleuder ließ sich das Gewehr nicht brauchen, – die Eingeborenen wurden immer hitziger, sie wollten um jeden Preis das Geheimnis herausfinden.

»Lasst sie nur forschen und fragen«, raunte der Doktor. »Es ist besser, diese Enthüllungen für später aufzuheben, denke ich.«

»Die Kerle wären fähig, uns, wenn sie es könnten, mit unseren eigenen Waffen zu erschießen. Beanspruchen sie eine Erklärung, so sind die Gewehre nur verlängerte Keulen, weiter nichts.«

»Ich habe noch die geladene Pistole bei mir«, meinte Ramiro. »Einen Widersacher könnten wir uns mit dieser Kugel vom Halse schaffen.«

»Um des Himmels willen nicht. Sie wissen niemals, wie sich die Dinge gestalten werden und wie notwendig wir den Schuss noch brauchen.«

Die Wilden hatten jetzt sämtliche Gewehre hervorgezogen, auch mehrere Kugelbeutel und Säcke voll Bohnen, die sie verächtlich beiseite warfen; der Pulvervorrat war ihrer Aufmerksamkeit glücklich entgangen, sonst wäre sicher der kostbare Stoff rücksichtslos verschüttet worden, nur um die buntfarbenen Hörner als Schmuckgegenstände zu verwenden. Speck, Salz, Kaffee und Mehl blieben unbeachtet, auch um die Maultiere kümmerte sich niemand, nur die Gewehre wurden mitgenommen und dann gab ein Kommandowort das Zeichen zum Aufbruch. Mehrere hundert Gefangene sollten fortgeschleppt werden.

»Auch meine Instrumente stecken unter den Blättern«, flüsterte Doktor Schomburg. »Der Regen ist uns zum wahren Gottesgeschenk geworden.«

Wie mit einem Schimmer neu erwachender Zuversicht sah ihn der Kunstreiter an.

»Denken Sie denn, dass wir unsere Freiheit wiedererlangen werden, Señor Doktor? Hegen Sie für die Zukunft irgendeine Hoffnung?«

Der Deutsche lächelte.

»Die gebe ich niemals auf«, versetzte er mit ernstem Ton. »Überdies ist auch unsere Lage bei diesem kindischen Völkchen nicht so bedenklich. Man wird früher oder später einmal entfliehen können.«

Ramiro ächzte.

»Später!«, wiederholte er. »Später!«

»Das ist besser als niemals. Sehen Sie übrigens dorthin, Señor! Mir scheint, der Lahmfuß sei jetzt wirklich hier gewesen, – oder die Nemesis, wie Sie wollen.«

Ramiro blickte auf.

»Wo?«, fragte er hastig. »Da drüben. Ein schauerlicher Anblick.«

Mitten im Wege lag die Leiche eines Mannes, dessen Brust durch einen Querschnitt geöffnet worden war. Eine Hand hatte das Herz herausgerissen und es dem Toten vor die Füße geworfen – als sich der Zug der Gefangenen näherte, huschte eine große Ratte, beim Schmaus gestört, in das Dickicht. Ramiro blieb unwillkürlich stehen.

»Es ist Tenzileh!«, sagte er im Ton heftigster Erschütterung. »Die Unholde haben ihm das Herz aus der Brust gerissen.«

»Nachdem er vorher die Brust eines Schuldlosen meuchlings durchbohrt hatte, – ja.«

Ramiro versuchte zu lachen, aber es gelang ihm nicht. Der Ton glich eher einem verhaltenen Schluchzen.

»Meuchlings durchbohrt!«, wiederholte er. »Ob der liebe Herrgott die Sache gleich mit diesem schlimmen Namen notiert hat? – Es ist vielleicht im Zorn, in plötzlicher Aufwallung geschehen, – das kann man keinen Mord nennen.«

Und als der Doktor schwieg, wandte er langsam weiter gehend, den Blick von des Königs entstelltem Antlitz. Er dachte an die Ratte. Wenn nun ringsumher das letzte Getöse verhallt war, dann würde sie wiederkommen und das Herz zernagen und Stücke davon ihren Jungen ins Nest schleppen. Es war schrecklich, sich das Bild weiter auszumalen. Bei dem Schein der Blitze schwankte über das bluttriefende Totenfeld die gekrümmte Gestalt eines uralten Weibes. Wirr und durchnässt hing eisgraues Haar um die Schultern, wirr und zerzaust war das Bastgespinst, in das sie sich gehüllt hatte.

»Wo ist Tenzileh?«, rief die Alte. »Ich suche ihn, hab den schön verzierten Topf, darin er begraben werden soll, schon lange fertig. Wo ist Tenzileh?«

Und als ihr niemand antwortete, schlich sie weiter, immer vor sich hin murmelnd, immer drohend mit geballter Faust. Der verhasste Mann durfte, wo so viele schuldlose Menschen starben, nicht mit dem Leben davongekommen sein; die Alte wollte ihn begraben, mit ihren eigenen Nägeln in die Erde scharren.

Sie lachte zuweilen, wenn ihre Gedanken bei diesem Bild verweilten, hell und lustig auf, dass es die Gefangenen im Herzen erschütterte. Ramiro dachte an die Ratte und dass das widerwärtige Geschöpf verjagt werden würde, das beruhigte ihn einigermaßen.

»Wo ist Trente?«, fragte Benno. »Ich vermisse ihn schon längst.«

»Und Alfeo, Costa, Philippo, selbst der arme Michael. Ob sie alle erschlagen sind?«

»Das wäre zu schrecklich. Wir wollen hoffen, dass der tapfere Trente sich und die übrigen bei Beginn der Feindseligkeiten in Sicherheit gebracht hat.«

»Und dass er unser Schießpulver, unsere Maultiere und –.«

»Und Pluto, meinen armen Hund!«, ergänzte Benno. »Wo mag er sein?«

»Trente wird, wenn er lebt, für alles, auch für ihn sorgen. Abgesehen von seiner Hasennatur war er ja immer ein guter, brauchbarer Kerl.«

Benno seufzte. »Und wir sind nun die Kriegsgefangenen eines wilden Volkes«, sagte er. »Ob man uns als Braten oder Ragout auf den Tisch bringen wird?«

»Torheit! Vor hundert Jahren mögen diese Leute Kannibalen gewesen sein, jetzt schon lange nicht mehr.«

»Denken Sie doch nur an Trentes Großmutter, Señor!«

»Nun, die muss auch ihre siebzig oder achtzig Jahre auf dem Rücken gehabt haben, – das alles kümmert mich nicht. Aber wohin bringt man uns?«

»Es scheint eine Bootsfahrt werden zu sollen. Da liegen die Einbäume, jene ersten Fahrzeuge, deren sich auch die alten Germanen bedienten.«

»Du lieber Gott, dann kommen wir ja ganz vom Wege ab.«

»Gegen vierzig dieser plumpen Kähne, – eine ganze Flotte.«

»Die wir rudern müssen, geben Sie nur acht!«

»Die nackten roten Kerle mit ihren Steinbeilen und unbedeckten Köpfen sehen wahrhaftig aus wie ein Stück lebendig gewordener Vorzeit. Das Abenteuer könnte sehr interessant sein, wenn es nicht so ausnehmend gefährlich wäre.«

Der Doktor schüttelte den Kopf.

»Ich glaube an keine Gefahr. Ja, wenn wir in Nordamerika wären, dann hätte die Sache eine andere Bedeutung, aber diese harmlosen Menschen kennen keinen Marterpfahl, keinen Rauch, in dem sie ihre Gefangenen zu Tode rösten. Wir werden Arbeitssklaven, weiter nichts.«

»Bis wir entfliehen, nicht wahr, Señor Doktor?«

»Gewiss, mein Junge, so denke ich auch.«

Die Indianer befahlen nun ihren Gefangenen, in die Kähne zu steigen. Über den beiden Sitzbrettern befand sich ein Sonnendach aus Pisangblättern; in jedem der plumpen Boote lag ein großer Hund und auf Stangen und Wänden hockten verschiedene andere Tiere, die den Indianern gehörten und ihnen überall hinfolgten, Papageien, Tauben, kleine Affen oder Schuppentiere, selbst große weiße Aras, die gelegentlich auf einen Obstbaum flogen und irgendeine Beute wegschnappten, dann aber mit sicherem Blick das Schiff ihres Gebieters aus der Reihe der übrigen herausfanden und den früheren Platz wieder einnahmen.

Langsam setzten sich die Einbäume in Bewegung, jeder einzelne eine Menagerie beherbergend, wie Benno sagte. Es ging flussaufwärts und als der Morgen anbrach, war man schon weit von den verwüsteten Hütten des letzten Abends entfernt. Zur rechten und linken Seite zeigten sich Felsen, die oft den Weg so einengten, dass die Indianer in das seichte Gewässer springen und ihre plumpen Fahrzeuge hindurch ziehen mussten.

Es waren hohe, schlanke Gestalten mit frauenhaft langem Haar und seltsamen, im hellen Lichte des Sonnenaufganges erst völlig erkennbaren Zierraten. Auf dem Kopf trugen sie orangefarbene Federkronen, in den Ohren aufrecht stehende einzelne Federn von gleicher Farbe und außerdem runde, rotlackierte Rollen aus einer sehr leichten Holzart, als das Allerseltsamste aber flache Holzscheiben von etwa fünf Zentimetern Durchmesser in den Unterlippen.

Wie kleine Teller lagen diese roten Brettchen vor dem Munde, umgeben von der unnatürlich ausgedehnten Lippe, bei jedem Worte nach auswärts klappend; sie verunstalteten stark das Gesicht und mussten jedenfalls beim Essen und Sprechen sehr hinderlich sein. Die Leute trugen Bogen und Pfeile, lange Lanzen und Steinbeile; als das Geschwader Halt machte, kochten sie ein Frühstück und gaben ihren Gefangenen reichliche Portionen, aber sie selbst berührten kein Ruder und trugen auch kein Brennholz herbei, das alles mussten die Weißen besorgen.

Bei Gelegenheit der täglichen Mahlzeiten ergab es sich, dass auch Utiti und Obijah zu den Gefangenen gehörten, aber sprechen konnten unsere Freunde mit ihren Leidensgefährten nicht, denn Trente fehlte und mit ihm der Vermittler gegenseitigen Verständnisses. Nur eins wusste Obijah den Weißen deutlich zu bezeichnen, seine Trauermiene diente als Wörterbuch. Der Löffel, der kostbare Löffel fehlte, – jedenfalls hatte ihn einer der Sieger an sich gerissen und schmückte jetzt die eigene Stirn mit dem geliebten Kleinod.

»Und Naporra?«, fragte Benno. »Wie erging es ihm?«

Die Eingeborenen sagten durch Zeichen, dass sie es nicht wüssten. Jedenfalls hatte sich der schlaue Zauberer zur rechten Zeit in Sicherheit gebracht. Durch hohe, natürliche Felsentore ging es dahin, über Stromschnellen, bei denen die Weißen mehr als einmal glaubten, dass der tosende Strom sowohl Fahrzeuge als Menschen zerschmettern würde; immer steiniger erschienen die Ufer, immer mehr und mehr verlor die Pflanzenwelt ihre üppige Mannigfaltigkeit; es wuchsen auf den Bäumen anstatt der Früchte nur holzige Samenknollen und wo sonst purpurne und goldgelbe Blüten das Auge entzückt hatten, da fand sich jetzt auf dem kümmerlichen, zerklüfteten Boden nur selten ein Blümchen, selten ein bunter Schmetterling.

Am dritten Tag wurden die Boote verlassen und es ging bergan in das Dorf der Sieger. Ein lauter Jubel begrüßte die Ankömmlinge, zugleich aber auch das lebhafteste Erstaunen, welches die Weißen einflößten. Frauen und Kinder kamen aus den Hütten hervor; man fragte, drängte und wollte tausend Einzelheiten erfahren; die allgemeine Freude stieg von Augenblick zu Augenblick.

»Jetzt geben wir wieder unsere große Vorstellung«, sagte Halling. »Mit der Schere und mit dem Taschenmesser schneiden, bürsten, kämmen, in den Spiegel sehen lassen. Wer sehr artig ist, der darf auch die Uhr ticken hören.«

Frauen und Kinder jubelten; die jungen Struwwelpeter streckten ihre Köpfe vor, um von den Händen der seltsamen Gäste geglättet zu werden, selbst die älteste Hexe wollte ihr liebes Ich im Spiegel bewundern.

»Da naht ein Zwerg«, sagte Benno, »ein wahres Ungeheuer. Er hat vorn und hinten einen Buckel.«

»Und eine furchtbare Glatze; dabei nur ein Auge.«

»Aber Arme wie ein Polyp. Ich glaube, es ist der Zauberer des Stammes.«

»Jetzt redet er. Ja, verehrter Herr, von Ihrem Kauderwelsch verstehen wir leider keine einzige Silbe.«

Der kleine Mann warf sich in die Brust, er nahm eine äußerst gebieterische Miene an und deutete mit der Rechten auf den Spiegel, dann auf den Boden zu seinen Füßen.

»Dahin sollt ihr das Ding legen«, hieß diese Bewegung.

Ein Kopfschütteln war die Antwort.

»Tun wir nicht, Verehrtester. Tun es absolut nicht, du musst dir das Gelüste vergehen lassen.«

»Ich bin neugierig, was er jetzt beginnen wird!«, lachte Halling. »Sehen Sie nur, Señores, er läuft spornstreichs in die nächste Hütte hinein.«

»Wie komisch das verhutzelte Kerlchen rennt!«

Sie lachten noch alle, als Gonn-Korr, der Zauberer, zurückkam und nun im großen Ornat erschien. Hatte bei den armen Besiegten unten im Tal der hochgewachsene, schlanke Naporra mit seinem Schmuck aus roten Fuchsschwänzen immerhin den Eindruck des Bedeutenden, ja Imposanten hervorrufen können, so erzielte dagegen Gonn-Korr einen unbeabsichtigten Lacherfolg. Sein einäugiges Haupt schmückte eine Art Turm von ausgestopften Mäusebälgen.

Anstatt der Augen waren kleine Stücke Bergkristall sehr künstlich eingesetzt und von allen Tieren die Schwänze miteinander verknotet worden. Vom Kopf herab hing der Schmuck über beide Höcker bis zum Gürtel, so dass es aussah, als habe eine Armee von Mäusen den Körper des Zwerges zu ihrem Tummelplatz ersehen und krieche und krabbele jetzt überall umher, auf der Glatze, der Nase, den Höckern und den Schultern des kleinen Mannes, der bei jeder Bewegung alle diese grauen Geschöpfe ins Schwanken brachte.

»Alle Wetter«, lachte Halling, »wer nun nicht ins Bockshorn gejagt wird, der muss ein hartgesottener Sünder sein.«

Ramiro schlug die Hände vor das Gesicht.

»O Gott«, murmelte er, »Sie können jetzt noch lachen.«

»Na, wäre es denn etwa besser, den Kopf hängen zu lassen und seine Sache verloren zu geben? Was sollten wir wohl im Augenblick zu unserer Rettung beginnen?«

»Davonlaufen!«, murmelte der Kunstreiter. »Alles daran zu setzen, wieder frei zu sein; aber nicht so geduldig nachgeben, nicht in die Zögerung einwilligen.«

»Señor«, warf der Doktor ein, »haben Sie vorhin die Bewegung gesehen, mit welcher der Häuptling auf den zu Tal führenden Weg deutete, dann auf uns und schließlich auf die Pfeile mit den schwarzen Federn? – Das heißt so viel wie: ›Macht ihr einen Fluchtversuch, dann sitzt euch der Tod im Nacken! – Denn die Pfeile mit den schwarzen Federn sind die mit Gift.‹«

Ramiro senkte den Kopf, er antwortete nicht; seine Verzweiflung ließ ihn weder denken noch überlegen. Gonn-Korr, der Zauberer, hatte mittlerweile auch den Herrscherstab aufgepflanzt, ein Bambusrohr, höher als er selbst, behangen mit Fledermausflügeln und Nussschalen; dann trug er noch eine große Kalebasse herbei, mit welcher er durch einen Stock, der darin befestigt war, einen abscheulichen tutenden Laut hervorbrachte.

Wieder deutete er auf den Spiegel und auf den Platz zu seinen Füßen, dazu ließ er die Mausversammlung tanzen, als wären alle diese kleinen geschwinden Nager plötzlich verrückt geworden, er ließ die Fledermausflügel im Wind rauschen und brummte furchtbar mit der Kalebasse.

Doktor Schomburg hatte inzwischen einen kleinen glänzenden Gegenstand aus seiner Tasche hervorgeholt.

»Ich will diesen anmaßenden Zwerg einmal ein wenig bestrafen«, sagte er mit vergnügtem Lächeln. »Gleich sollen seine begehrlichen Finger ein Geschenk erhalten – aber etwas anderes, als er wohl denkt.«

Das Brennglas wurde sorgfältig in die Richtung der Sonne gebracht, und plötzlich, als Gonn-Korr die Kalebasse in rasende Drehungen versetzte, entluden sich die gesammelten Strahlen auf seinem Handrücken, Mit einem unterdrückten Schrei ließ der Zwerg seinen Stab und das tutende Instrument zugleich auf den Boden fallen. Er sah umher, – was war das? Und heimlich begann er zu zittern.

Das Glas in des Doktors Hand sandte ihm eben den zweiten Strahl, jetzt auf die nackte Schulter. Hei, das mochte ertragen, wer wollte, nur er nicht. Und wie ein Hase rannte er davon, dass die Mäuse auf seinem Kopf alle möglichen Purzelbäume schossen. Vor dem Eingang einer nahestehenden Hütte ließ er sich geschwind auf alle Vieren nieder und tauchte in den lichtlosen Schlund, so schnell es sein kleiner verkrümmter Körper gestattete. Als er den sicheren Hafen erreicht hatte, fiel ein Stück Leder, schleunigst herabgelassen, vor den Eingang und Gonn-Korr war verschwunden, als hätte es nie solch einen kleinen herrschsüchtigen Zwerg in Gottes schöner Welt gegeben.

Jetzt saß er ohne Zweifel im innersten Winkel der Hütte und grübelte nach über die Vergänglichkeit alles Irdischen. Sein Stab und seine Kalebasse lagen verwaist auf der Straße, niemand bekümmerte sich um sie. Der Doktor steckte lachend das Glas wieder ein.

»Jetzt wird Ihr Spiegel Ruhe haben, Halling«, sagte er. »Der Bursche glaubt jedenfalls, dass dieser es war, der ihm eine so fatale Überraschung bereitete.«

»Das denke ich auch, Señor! – Wie lange wir hier wohl noch so müßig wartend im Sonnenschein stehen sollen?«

»Da kommt der Häuptling; er hat wieder einen schwarzen Pfeil in der Hand.«

Ein hochgewachsener Indianer mit Ohrrollen und Lippenscheibe näherte sich den Weißen, die er zu einer geräumigen Hütte führte. Etliche Körbe mit Nüssen und Kastanien standen davor, auch ein Herd aus Steinen und einige Bambusgefäße zum Wasserschöpfen.

»Da sollt ihr wohnen und das hier sind eure Lebensmittel«, hießen die herrischen Bewegungen. »Jetzt kommt, damit ich euch Arbeit anweise.«

»Wir sind Sklaven«, nickte Halling. »Ich dachte es wohl. Vielleicht müssen wir die Habseligkeiten der Wilden in das Tal hinuntertragen und dann die Einbäume zurückrudern bis zu dem Dorf unserer armen erschlagenen Freunde.«

»Malen Sie doch nicht so schwarz«, ermahnte der Doktor. »Ein Blick in die Zukunft ist keinem von uns vergönnt, – es kann auch alles ganz anders kommen.«

»Wenigstens atmet man hier vorläufig eine wahrhaft erfrischende Luft!«, meinte Benno. »Es ist, als sei man plötzlich aus den Hundstagen in den Frühling versetzt.«

Der Doktor nickte.

»Das verhält sich wirklich so«, sagte er.

»Unten in den Niederungen die sogenannte ›Tierra caliente‹, das heiße Klima; an den meilenweiten Berghängen der Kordilleren die ›Tierra templada‹, das gemäßigte Klima und ganz oben im ewigen Schnee die ›Tierra fria‹ oder kalte Zone. Ich finde die Luft hier paradiesisch.«

»Aber der Acker soll uns Disteln und Dornen tragen«, seufzte Pedrillo. »Sehen Sie nur, Señores, alle Kinder und alten Weiber ziehen hinterher, um die neuen Sklaven zu beobachten. Die Menge schnattert durcheinander wie eine Herde Gänse.«

»Aha«, rief Halling, »jetzt sind wir am Ziel. Sehen Sie doch diesen Wald von prachtvollen alten Nussbäumen. O welche Stämme, welche Schönheit!«

Sie waren alle in Bewunderung versunken. Eine sonderbare Gattung von Nussbäumen zeigte sich ihren Blicken, ganz anders und viel stattlicher, als selbst der älteste blätterreichste Walnussbaum daheim in Deutschland. Sie gehörten zur Familie der Myrtaceen Bäume und Sträucher mit immergrünen Blättern), dessen Stämme mindestens hundert Fuß Höhe besaßen; ihre Äste standen waagerecht wie die Arme eines Kreuzes in die Luft hinaus und von jedem einzelnen derselben hing ein grünes, blätterreiches Geschlinge, dünn wie eine Peitschenschnur verlaufend, bis auf den Boden herab.

Aus diesem reichen Geäst erhoben sich wie riesenhafte Weizenähren die Blütenrispen des Baumes, alle gefüllt mit den reifen dreieckigen Früchten, welche in Europa als Öl- oder Paranüsse auf den Markt kommen. Die Erde unter den Bäumen war schon mit herabgefallenen Nüssen bedeckt, es schienen ungeheure Vorräte der bergenden Hand zu harren, ebenso an einer seitwärts gelegenen Stelle eine reiche Fülle essbarer Kastanien. Dazwischen wuchs die schwarze Brombeere und eine verkümmerte Apfelart, von der immer vier kleine holzige Früchte an einem Stiel zusammensaßen. Die Indianer deuteten zu den Bäumen hinauf.

»Da sollt ihr pflücken! – Und nun macht euch an die Arbeit.«

Decken und Körbe wurden von den Frauen zur Aufnahme der Früchte bereit gehalten, man zankte und schlug sich um die Beute, bis der Häuptling durch einen gebieterischen Befehl den ganzen Schwarm zu den Hütten trieb.

Pedrillo und Ramiro kletterten durch das Gezweig und schüttelten die riesenhaften Ähren, bis diese ihren Inhalt herausgaben; unzählige Mengen von Nüssen wurden abgeerntet, während der Häuptling und ein anderer Wächter unter den Bäumen ein Holzfeuer entzündeten und sich dann, sobald dasselbe herabgebrannt war, behaglich in der heißen Asche bequem machten.

Einen großen ledernen Mantel trugen die Leute immer; es war den Kindern des glühenden Unterlandes hier in der luftigen sonnigen Höhe viel zu kalt, sie klapperten schon mit den Zähnen, sobald die Sonne zu sinken begann; um diese Zeit musste auch alle Arbeit aufhören, die Hütten wurden mit ledernen Türen rings verschlossen und aus allen wirbelte oben zwischen den Stangen eine blaue Rauchwolke empor.

Die Wilden hatten sich Feuer angemacht, an das sie so nahe wie möglich herankrochen. Während der Nachtstunden blieben die Weißen ohne Bewachung, aber sie konnten trotzdem den engsten Umkreis der Hütten nicht verlassen, denn mehrere große Hunde begannen zu knurren, sobald nur einer der Gefangenen sich einige Schritte weit entfernte.

Die kupferfarbenen Gesichter sahen auf ein derartiges Signal hin sogleich aus den Türen hervor, während eine Hand bedeutsam den Pfeil mit der schwarzen Feder erhob. Es war unmöglich, an Flucht zu denken.

»Ohne unsere Gewehre könnten wir es überhaupt nicht wagen«, sagte der Doktor. »Ohne Lebensmittel, Instrumente, Hängematten. Führer, – es wäre ja offenbarer Wahnsinn. Das wissen auch die braunen Kerle ganz genau.«

»Und rechnen aus diesem Grund mit vergnügter Sicherheit auf den dauerhaften Besitz einiger fünfzig Arbeitssklaven. Nette Aussichten sind das!«

Ramiro sprach kein Wort. Er hatte die Arme über das Gesicht gelegt und weinte bitterlich.

12.

**Die Rache des Zwerges – Ein Opfer des Aberglaubens –
Vergiftet – Ein Friedhof in den Baumwipfeln – Strafe nach
dem Tod – Ein Gottesgericht – In höchster Gefahr – Der Retter
in der Not**

Wo immer der Mensch mit dem Menschen in Verkehr tritt, sei es
auf diese oder jene Weise, da bilden sich gegenseitige Beziehungen,
freundliche oder gehässige, angenehme oder lästige, je nachdem, aber
es bilden sich doch Beziehungen, und so erging es auch unseren
Freunden. Sie ernteten ganze Berge von Paranüssen und Maronen,
sie pflückten Brombeeren und Äpfel, lernten Körbe und Netze flechten
und mussten große Haufen von Bast einsammeln.

Bei diesen Arbeiten waren es namentlich zwei Personen aus dem
Kreis der Wilden, die alle ihre Schritte beobachteten und sich überhaupt näher mit ihnen beschäftigten: Gonn-Korr, der Zauberer, und
ein Knabe von vielleicht fünfzehn Jahren, Alito, der Sohn des
Häuptlings.

Während der erwachsene Zauberer in gemessener Entfernung die
Weißen lauernd und voll rachsüchtiger Bosheit umschlich, hatte sich
Alito denselben mit offener Herzlichkeit angeschlossen. Zuerst bewunderte er die Kletterkunststücke der beiden Akrobaten; als er dieselben
nachzuahmen versuchte, plumpste er ins Gras und lachte vergnügt
mit, wenn die anderen lachten. So ergab sich die Bekanntschaft, aus
welcher sehr bald ein belustigendes gegenseitiges Radebrechen hervor-
ging.

Alito konnte bald die nächstliegenden Dinge in spanischer Sprache
bezeichnen und Benno und Halling tauschten dafür von ihm seine
eigenen Worte ein. Der Bursche begriff spielend. Er zeigte den jungen
Leuten zwischen Felsen einen tiefliegenden blauen Bergsee, in dem
sie ohne Furcht vor irgendwelchen lebenden Geschöpfen an jedem
Morgen baden konnten, er brachte ihnen hier und da einige Hühnerei-
er oder eine Schale voll Ziegenmilch. Für alle seine Dienstleistungen
erhielt er endlich ein Geschenk, nach dem er längst sehnsuchtsvoll
ausgespäht hatte, nämlich einen der kleinen Taschenspiegel, wie sie
von den Weißen getragen wurden.

Der Junge stand vor Freude fast auf dem Kopf. Das war sein Gesicht, welches ihm da auf der blanken Fläche entgegensah, seine Augen und seine Nase. Er schnitt heimlich Grimassen, um die Sache auszuprobieren, er zeigte dem Spiegel diesen oder jenen Gegenstand, und richtig, das Bild erschien auf dem Glas. Hüpfend vor Vergnügen zeigte er allen Leuten das Prachtstück und ließ sogar seine vertrauteren Freunde hineinsehen; dann flocht er sich eine hübsche Bastschnur und hängte den Spiegel vor die Brust.

Am nächsten Abend stahl er für seine Gönner sämtliche Hühnernester des Dorfes und melkte alle Ziegen, so dass die Weißen ein luxuriöses Mahl hielten. In sechs oder acht Tagen sollte nun die Fahrt in das Unterland angetreten werden, wie er berichtete. Sein Vater und mehrere andere zimmerten schon eifrig eine Anzahl neuer Einbäume; man wollte darin Frauen, Kinder und Tiere mitnehmen, auch die gesammelten Vorräte an Nüssen und Maronen.

Benno erschrak. »In acht Tagen schon!«

Aber er behielt die traurigen Gedanken für sich. Was half es, davon zu sprechen. An jedem neuen Morgen hoffte er, die fehlenden Kameraden und ganz besonders den lebhaften Trente erscheinen zu sehen, aber immer vergingen die Stunden im gleichmäßigen Einerlei, immer wurde aus dem Tag wieder der Abend, ohne dass die Ersehnten gekommen wären.

Wie ein Luchs, der nach Beute späht, umschlich Gonn-Korr die Hütte der Weißen; sie sahen sich von ihm fortwährend beobachtet, fortwährend angefeindet; aber der Bucklige wagte es doch trotz aller Rachsucht nicht, sie offen anzugreifen, er wagte es auch nicht, den Spiegel zu verlangen, aber er redete den glücklichen Besitzer desselben mehrfach an und sprach in dunklen halbverständlichen Worten von einem nahen Missgeschick, das er nur abwenden könne, wenn die Dämonen durch ihn ein recht wertvolles Opfer erhalten würden.

Doch hütete sich Alito weislich, ihn zu verstehen, er lachte vielmehr nach Knabenart, neckte den erbosten Zauberer, indem er ihm von Weitem den Spiegel zeigte, und wenn Gonn-Korr, von unbezähmbarem Verlangen getrieben, näher trat, mit Hasensprüngen davoneilte. So standen die Dinge, als eines Tages ein anderer Knabe, der Sohn eines Unterhäuptlings und Alitos Spielkamerad, heftig erkrankte.

Der Schaum stand ihm vor den Lippen, er wand sich in den entsetzlichsten Krämpfen und erkannte selbst seine nächsten Angehörigen nicht. Schreiend lief die Mutter davon, um den Zauberer zu holen, und dieser erschien auch gleich, aber er erklärte, dass der Fall sehr bedenklich sei.

»Dein Sohn ist vergiftet«, sagte er der weinenden Frau. »Bringe ihn sofort hinaus auf die Dorfstraße, damit womöglich die Dämonen noch ausgetrieben werden.«

Das geschah auch sogleich. Eine Matte wurde an Seilen quer über den Weg spannt und das sterbende Kind hineingelegt. Dann sprang Gonn-Korr von rechts nach links und von links nach rechts über den Körper und als das geschehen war, horchte er mit der Miene eines Menschen, dem Dinge von höchster Wichtigkeit erzählt werden, in den Wind hinaus. Ein bedeutsames Achselzucken und Kopfschütteln war das endliche Ergebnis aller dieser Vorbereitungen.

»Euer Sohn muss sterben«, entschied der Gaukler. »Die Dämonen wollen es.«

Als er die Worte aussprach, war das unglückliche Kind vielleicht schon tot, oder es starb unter den entsetzlichsten Qualen kurz danach. Das Gesicht wurde schwarz, der ganze Körper war geschwollen; man sah, wie Gonn-Korr es sagte, dass hier die Dämonen ihr Wesen getrieben hatten.

»Bringt schnell einen Kessel«, gebot er den heulenden Weibern, »macht an der Stelle, wo das Kind gestorben ist, ein Feuer und holt Wasser herbei, ich will unterdessen die Zauberkräuter pflücken.«

Seine Augen funkelten vor Bosheit und Schadenfreude. So schnell es ihm der krüppelhafte Körper gestattete, eilte er in den Wald und kam nach einer halben Stunde mit verschiedenen grünen Blättern zurück.

»Ruft die Männer des Stammes herbei«, gebot er, »ich werde verkünden, wer den Knaben ums Leben gebracht hat.«

Dann warf er seine Kräuter in den auf dem brennenden Holz stehenden Topf, und während die wehklagenden Weiber aus allen Hütten ihre Männer herbeiholten, spähte er immer nach der Seite, von welcher die Weißen und mit ihnen Alito aus dem Wald in das Dorf zurückkehren mussten. Allmählich sammelten sich alle Angehörigen des Stammes. Wie Statuen aus Bronze standen die hohen ernsten Gestalten der Indianer, jeder einzelne auf den langen Speer gelehnt, – hinter ihnen, den Herren und Gebietern, die Frauen mit verhülltem Antlitz, heftig schluchzend, händeringend und voll bitteren Leides.

Am Mittag war ja der gestorbene Knabe noch frisch und munter gewesen, jetzt dagegen lag er tot und furchtbar entstellt. Wer mochte nur das unglückliche Kind vergiftet haben? Gonn-Korr rührte bald in dem Topf, bald fachte er das Feuer an.

Der schlaue Betrüger hütete sich sorgfältig, auf seinem hässlichen Gesicht den Triumph, welchen er empfand, offen erkennen zu lassen, er behielt vielmehr eine ernste Miene und setzte ruhig auseinander, was er beabsichtigte.

»Ihr wisst, meine Freunde, dass Wasser, sobald es zu kochen anfängt, über den Rand des Gefäßes hinausläuft, nicht wahr? – Nun gut, von der Seite, woher der Schuldige nahen wird, spritzen die ersten Tropfen. Nun gebt Acht, wer des Weges kommt.«

Ein Murmeln durchlief die Reihen.

»Wenn es einer der Weißen wäre!«

»Dann sollen alle sterben«, rief, indem er seinen Speer in das Gras bohrte, der Häuptling.

»Wir werden ihnen die Herzen durchstechen.«

»Ja, ja, sie sollen alle sterben.«

Gonn-Korr senkte die Stirn, er hielt den Blick beharrlich verborgen. Wer ihn aber genau beobachtet hätte, der würde gesehen haben, dass seine Hand unmerklich den Topf mit dem dampfenden Gemisch ein wenig nach der Seite des Waldes hinüber neigte. Von dorther mussten ja die Gefangenen kommen.

Es wollte Abend werden, die Sonne versank bereits und der Wind wehte kühler; schaudernd vor Frost und Erwartung zogen die Eingeborenen ihre Mäntel fester um die Schultern. Jetzt nahte der Augenblick der Entscheidung. Vom Wald her tönten Stimmen. Alito sah das Feuer auf offener Straße, sah die Männer um dasselbe versammelt und das Treiben der Weiber.

»Irgendetwas ist geschehen!«, rief er ganz bestürzt.

»Kann es etwas sein, das uns betrifft, Alito?«

»Ich will nachsehen!«

Und er flog den übrigen voraus, der Feuerstelle zu. Auf diesen Augenblick mochte Gonn-Korr spekuliert haben, seine Hand schürte plötzlich die Flammen zu höherer Glut, das Wasser wallte auf und schäumte über, dem ahnungslosen Knaben gerade entgegen. Der Zauberer machte eine kurze, bezeichnende Handbewegung.

»Dieser ist der Mörder des armen Jungen«, sagte er.

Ein furchtbares Geschrei der Weiber folgte dem eben gehörten Ausspruch. Wie Furien stürzten sie dem ganz erstaunten Sohn des Häuptlings entgegen, ihre Hände waren erhoben, um ihn zu misshandeln, ihre Stimmen gellten im Chor durcheinander.

»Was hatte dir der arme Borro getan, du Unhold, du Vampir, weshalb musstest du den Unschuldigen töten?«

»Gib mir mein Kind wieder!«, schrie die beraubte Mutter. »Gib es mir wieder, oder die Dämonen sollen dich fassen, dass deine Seele stirbt.«

Alito sah von einem zum anderen.

»Was wollt ihr denn eigentlich?«, rief er. »Ich verstehe euch nicht. Was ist geschehen?«

»Borro ist tot, und du bist es, der ihm das Gift gab.«

Alito erschrak.

»Borro wäre gestorben?«, rief er. »Unmöglich!«

»Doch! Doch! Du weißt es sehr wohl. O du Schändlicher, du Mörder! War nicht der arme Borro dein Spielkamerad, dein Freund? Was hatte er dir zuleide getan?«

Jetzt weinte Alito.

»Nichts!«, schluchzte er. »Nichts! Wer wagt es, mich einer solchen Tat für schuldig zu halten?«

Aller Hände deuteten auf den Zauberer, auf das Wasser, welches im Topf immer noch kochte.

»Gonn-Korr hat es gesagt«, war die Antwort. »Er hat deine Schuld durch die Zauberkräuter herausgebracht.«

Alito richtete sich höher auf; seine Augen flammten, sein hübsches Gesicht war erfüllt von dem ganzen Ernst einer redlichen, offenen Überzeugung.

»Gonn-Korr hasst mich«, rief er mit lauter Stimme, »er ist mein Feind und lügt, um mich in das Verderben zu stürzen. Es ist mir nicht eingefallen, den armen Borro zu vergiften, ich habe nur freundliche Gedanken für ihn gehabt, wir sprachen noch heute Morgen zusammen.«

Der Zauberer rührte keine Hand, er blieb vollkommen gelassen.

»Du bist der Mörder«, wiederholte er mit lauter Stimme.

»Es ist nicht wahr! Es ist nicht wahr!«

Und Alito wandte sich mit erhobenen Armen zu seinen Eltern.

»Vater«, rief er in herzzerreißendem Ton, »Vater, willst du mir nicht beistehen? Glaubst du, dass dein Sohn eine Untat begangen hat?«

Finsteren Blickes wandte sich der Häuptling.

»Die Zauberkräuter haben das Urteil gesprochen«, versetzte er, »Geh, ich kenne dich nicht!«

»Vater! Ich bitte dich, Vater!«

»Geh, ich habe keinen Sohn!«

An der hohen Gestalt des Indianers vorüber wollte sich ein Weib in den Vordergrund drängen, ein schluchzendes, von Todesangst erfülltes Weib, die Mutter des beschuldigten Knaben.

»Alito!«, rief sie. »Alito, mein Kind, komm zu mir. Gonn-Korr lügt, sein Zauberkraut ist ein schlechtes Gras. Er –.«

»Zurück!«, gebot der Häuptling.

»Nein, nein, ich will meinen armen Jungen retten. Ich will –.«

Eine Armbewegung des finster blickenden Mannes schnitt jedes weitere Wort kurz ab. Er winkte einigen seiner Untergebenen und die wimmernde Frau wurde gewaltsam entfernt, ohne sich gegen diese Zwangsmaßregel verteidigen zu können. Der Knabe schluchzte noch immer.

»Vater«, sagte er bittend, »Vater, darf ich denn nicht mit dir nach Haus gehen?«

Der Häuptling schüttelte den Kopf.

»Ich habe auch kein Haus mehr«, antwortete er in grollendem Ton.

»Du kennst das Gesetz, Unglücklicher. Die Hütte, in welcher ein Mörder gelebt hat, und die, welche der Ermordete bewohnte, – sie dürfen beide keinem Menschen mehr ein Obdach gewähren. Borros Vater und ich, wir müssen unsere Häuser niederreißen.«

Da hob der Knabe voll Verzweiflung seine Arme zum Himmel empor.

»Ich bin schuldlos!«, rief er. »Ich bin gewiss und wahrhaftig schuldlos! Alle Dämonen sollen mich hören und sollen mir ihre härtesten Strafen schicken, wenn ich lüge.«

Wieder hob der Zauberer gelassen die Hand, deutete auf den Knaben und sagte mit lauter Stimme:

»Dieser da ist der Mörder!«

»Du lügst! Du lügst!«

Ein Wink des Häuptlings veranlasste jetzt zwei Krieger, sich des Knaben zu bemächtigen und ihn fortzuführen. Mehr als nur einer der Peruaner versuchte es, sich ihm zu nähern, mehr als einer wollte ihn in die gemeinschaftliche Schlafhütte ziehen, aber die Indianer wussten jede derartige Absicht zu vereiteln.

Alito wurde in den Wald gebracht, ohne dass ihm irgendjemand folgen konnte. Gonn-Korr sah das und stand auf, um schlendernden Schrittes den Platz zu verlassen; sein teuflisches Vorhaben war gelungen. Die Weißen sahen einander an.

»Welche Zustände!«, rief Benno. »Das Überkochen eines Topfes gilt als rechtliche Entscheidung.«

»Ich kann mir nicht denken, dass Alito das Verbrechen begangen hätte!«

»Wie sollte er wohl, der arme Junge? Ich möchte in den Wald gehen und ihn trösten.«

»Das dürfen Sie nicht, Señor, es könnte ihm nichts nützen, uns allen aber den Kopf kosten. Er wird wahrscheinlich in der Nacht bei uns anklopfen.«

»Hoffentlich«, seufzte Benno. »Dieser Schurke von Gonn-Korr! Hätte ihm Alito den Spiegel gutwillig gegeben, dann wäre das ganze Unglück nicht geschehen.«

»Vielleicht ist der Bösewicht jetzt in den Wald geschlichen, um den armen Jungen dort zu überfallen und zu töten.«

Nur widerstrebend entschlossen sich alle, an diesem Abend ihre Hütte aufzusuchen. Es wurde kein Bissen gegessen und nur von Alitos traurigem Schicksal gesprochen.

»Hoffentlich lässt sich der Häuptling doch bereden, seinen Sohn von hier mit in das Unterland zu nehmen«, meinte der Doktor. »Ich will ihm morgen zu diesem Zweck meine Taschenuhr anbieten. Ein Zauber, der sich selbsttätig bewegt und ›Tick! Tick!‹, sagt, der ist doch wohl eines Opfers wert.«

Benno seufzte.

»Morgen!«, wiederholte er. »Morgen! Dazwischen liegt die ganze unheimliche Nacht.«

Halling sah auf den Dorfplatz hinaus.

»Alles dunkel und still«, sagte er. »Das Feuer ist ausgegangen, die Leute sind fort.«

»Horch!«, rief Benno. »Was für Töne sind das?«

Sie traten vor die Tür und hörten nun alle ein Krachen und Brechen, das aus den Reihen der Strohhütten herüberklang. Lichtpunkte bewegten sich hin und her, an zwei verschiedenen Stellen arbeiteten dunkle Gestalten an der Zerstörung der Hütten. Die Dächer wurden herab gerissen, die Wände niedergeworfen, die Steine des Herdes zerstreut und die ledernen Türen zerschnitten. Jammervolles Weinen von Frauen und Kindern tönte dazwischen. Dem uralten Gesetz der Väter musste Folge geleistet werden, ob dabei auch die Herzen des lebenden Geschlechtes brachen.

»Und Borros Leiche?«, fragte jemand. »Wo ist sie geblieben?«

Ramiro deutete auf die Matte, welche immer noch quer über den Weg gespannt, an zwei Bäumen hing.

»Der Tote liegt darin!«, sagte er. »Dann gibt es morgen eine Doppelbestattung. Ihr sollt sehen, der arme Alito wird umgebracht.«

Die Hütten da unten waren jetzt dem Boden gleich gemacht und das Material derselben in alle vier Winde zerstreut; die Lichter erloschen und das bitterliche Weinen verstummte; wahrscheinlich hatten die beiden betroffenen Familien bei Freunden ein Unterkommen gefunden, oder sie waren in den Wald gegangen, um dort mit ihrem Jammer, ihrer Verzweiflung allein zu sein. Benno lag auf seinem Blätterlager, ohne die Augen schließen zu können.

Das Halbdunkel der Tropennacht ließ ihn alle Gegenstände ringsumher deutlich erkennen, die klare Luft erlaubte es dem Gehör, jeden noch so unbedeutenden Schall aus der Ferne aufzufangen, – unser Freund horchte unwillkürlich. Musste nicht Alito kommen und bei seinen Kameraden Schutz suchen? Die Taschenuhr des Doktors zeigte etwas über Mitternacht, als Bennos scharfes Ohr ein Geräusch draußen vor der Tür zu hören glaubte. Es fasste jemand den Ledervorhang, als wolle er denselben zurückschieben, – ein Wimmern, ein leises Klagen tönte durch die Nacht.

Wie der Blitz sprang Benno vom Lager auf und öffnete die Tür. Wenn es doch der arme Verbannte wirklich wäre! Wenn Alito käme! Jetzt stand der Ankömmling vor ihm, zitternd am ganzen Körper, unverständliche Laute murmelnd, ein Bild des Jammers, mit erloschenen Augen und geschwollenem Gesicht, Alito und doch nicht Alito, ein anderer im Aussehen und doch der arme Knabe, den der Hass eines Betrügers in das äußerste Elend gestoßen hatte. Benno erschrak furchtbar.

»Wer hat dir etwas getan, Alito?«, rief er. »Was ist geschehen, dass du so zitterst, so verändert bist?«

Der Unglückliche deutete auf seinen Mund, er konnte offenbar nicht sprechen; wie in tödlicher Ermattung lehnte er sich gegen den Pfeiler der Hütte.

»Herr Halling«, rief Benno, »Herr Doktor, helfen Sie mir! Alito ist hier, ihm muss etwas Entsetzliches geschehen sein!«

In der Hütte wurde es lebendig. So recht fest geschlafen hatte wohl keiner der Männer, selbst die mit den Weißen gefangenen Indianer nicht ausgenommen – jetzt wachten alle. Das geheime Grauen ließ sie auffahren und horchen, wie immer der horcht, dessen Schicksal an einem seidenen Faden hängt und in jeder Sekunde über ihn hereinbrechen kann.

Mehrere Wachskerzen wurden in Brand gesetzt und unterdes der unglückliche Knabe sorgfältig auf das Blätterlager gebettet. Doktor Schomburg sah seinen geschwollenen Mund und fragte ihn, ob er etwas Schädliches genossen habe?

»Bist du verletzt, mein armer Junge? Hat dich ein Insekt gestochen?«

Alito schüttelte mit Mühe den Kopf und zog seinen Körper krampfhaft zusammen.

»Hat dir Gonn-Korr ein Leid getan, mein Junge?«

Lebhaftes Nicken. Alito deutete wieder auf den Mund.

»Lass einmal deine Zunge sehen, armer Kerl.«

Der Knabe gehorchte unter den stärksten Schmerzen, er schloss die Augen wie in beginnender Ohnmacht, – seine Zunge war schwarz. Der Doktor erschrak sehr.

»Hast du einen Stich gefühlt, Alito?«, fragte er. »Ist Blut aus einer Wunde geflossen?«

Wieder ein Kopfnicken, dann schien das Bewusstsein des Knaben mehr und mehr zu schwinden, er atmete schwer, die Glieder verzogen sich in Krämpfen, die allgemeine Geschwulst nahm in schreckenerregender Weise zu. Man sah es, der Tod würde sehr bald eintreten. Doktor Schomburg wandte sich tief erschüttert zu den übrigen.

»Gonn-Korr hat die Zunge des armen Burschen mit dem Zahn einer Klapperschlange durchbohrt.«

»Allmächtiger Himmel, das wäre doch entsetzlich!«

»O Herr Doktor, Herr Doktor, wenn wir nur Ihre Apotheke zur Stelle hätten!«

Der Gelehrte schüttelte den Kopf.

»Das könnte dem armen Jungen nichts mehr nützen«, antwortete er. »Alito muss ersticken.«

»Still, Señor, still!«

»Er hört nichts mehr!«, versicherte der Doktor.

Benno hatte Tränen in den Augen.

»Könnte ich den elenden Gonn-Korr zwischen meinen Fäusten erwürgen«, murmelte er.

Auch Ramiro war sehr erschüttert. Utiti und Obijah schlichen sich an den Sterbenden heran, um ihm das geschwollene Gesicht mit Wasser zu kühlen oder seinen Kopf weicher zu betten. Diese Leute gedachten ihrer eigenen Kinder und des Geschickes, dem sie unter Fremden, schutzlos und einsam verfallen würden.

Es war eine lange, traurige Nacht, die da in der Hütte so viele heftig schlagende Herzen vereinte, die in ihrem Schoße ein schweres, schreckliches Sterben barg, einen Todeskampf, der alle diese abgehärteten Männer auf das Tiefste erschütterte.

Gegen Morgen hatten Alitos Qualen geendet; der Körper des Unglücklichen war schwarz und bis zur Unkenntlichkeit entstellt. Auf seiner Brust fehlte der Spiegel, den er mit so großem Stolze getragen hatte. Bleiche Gesichter sahen einander an.

»Was beginnen wir mit der Leiche?«, fragte Ramiro. »Soll ich den Vater des Knaben aufsuchen?«

»Denken Sie sich ihm verständlich machen zu können, Señor?«

»Ich will es wenigstens probieren.«

Und der Kunstreiter ging fort, um bald danach in Begleitung des Häuptlings zurückzukehren. Auch Gonn-Korr hatte sich den beiden angeschlossen und als ihn der Doktor mit erhobener Hand zur Hütte hinaus wies, da lächelte er trotzig.

»Du bist ein Sklave, ein Hund, – ich bin herrschender Gebieter. Frage den Häuptling, ob es so ist.«

»Ein elender Meuchelmörder bist du!«, brach Benno los. »Du hast des armen Alito Zunge mit dem Giftzahn einer Klapperschlange durchstochen.«

Gonn-Korr zuckte die Achseln.

»Wer behauptet das?«, rief er. »Alito selbst sagte es.«

»Ach – und seine Zunge zeigte wirklich einen Schlangenbiss?«

»Gewiss!« Der Zwerg lächelte und wiegte den hässlichen Kopf von einer Seite zur anderen.

»Die Dämonen«, sagte er, den Häuptling unverwandt ansehend, »die Dämonen! Dein Sohn vermaß sich, ihre Strafe herauszufordern, weißt du es noch? – Und nun hat die gerechte Vergeltung gerade seine Zunge getroffen. Gerade seine Zunge, das ist ein gewaltiges Zeugnis. Er log dreist und der Mund schwoll ihm an, dass er sterben musste.«

»Du Schuft, du Betrüger!«, rief ganz außer sich unser Freund. »Ich bitte Gott, der deine Lästerungen hört, dich nach Gebühr zu bestrafen.«

Halling und Ramiro suchten ihn zu beruhigen. Heute dachte niemand an die Arbeit in den Nusswäldern; es wurde vielmehr von einem Teile der Männer mit verdoppelter Hast an den Einbäumen gezimmert, während die übrigen hin und her liefen und die Vorbereitungen für das Begräbnis der beiden Knaben emsig betrieben, allerdings auf sehr verschiedene Weise.

Alitos Leiche lag ohne irgendeine Verhüllung, ohne Bahre oder Tuch mitten auf dem Dorfplatz, diejenige Borros dagegen wurde in ein großes Stück Leder vom Kopf bis zu den Füßen hinein genäht und das Ganze mit Bastseilen hundertfältig umwickelt und umschnürt, so dass es etwa aussah wie ein riesenhaftes Paket. Dann errichteten mehrere Männer in bedeutender Höhe zwischen zwei Baumstämmen ein schwebendes Gerüst, und nun konnte die ernste Feier ihren Anfang nehmen.

Die Weißen wurden an diesem Tag mit offenbar grollenden Blicken betrachtet; man hatte sie, als sie am Morgen den Arbeitsplatz aufsuchen wollten, herrisch zurückgewiesen und gab ihnen, wenn irgendeine Frage erfolgte, keinerlei Antwort.

»Der Zauberer hat das allgemeine Misstrauen gegen uns wachgerufen«, sagte Ramiro. »Es war nicht weise, sich mit diesem Gewaltigen zu entzweien.«

Halling seufzte.

»Ich sehe nicht ein, wie das alles enden wird«, meinte er. »Wir sind die Sklaven der Wilden und wenn nicht ein Wunder geschieht, so müssen wir es bis zu unserem Lebensende bleiben.«

Etwa gegen zehn Uhr vormittags sammelten sich die Weiber des Stammes auf dem Dorfplatz neben Borros Leiche und begannen das bei allen wilden Völkern übliche Trauergeheul. Die Bahre wurde mit Blumen bekränzt und als alle Männer sich eingefunden hatten, von Vieren derselben auf die Schultern genommen. Langsamen Schrittes bewegte sich der Zug dem Wald zu. Benno schüttelte den Kopf.

»Und Alito?«, fragte er. »Will man ihn unbestattet lassen?«

Zwei Männer nahmen in diesem Augenblick den Körper des unglücklichen Knaben vom Boden auf, aber sie trugen ihn in den herabhängenden Händen wie man eine Last trägt, ohne allen Respekt vor dem Tode, ohne jene Rücksicht, die der fühlende Mensch unwillkürlich einer Leiche erweist. Als die Letzten im Zuge schlossen sie sich den Vorausgegangenen an.

»Jetzt kommen wir«, rief Benno. »Die Gelegenheit, nur dem armen Alito zu folgen, ist für uns besonders günstig.«

»Aber auch gefährlich. Der Zauberer und der Häuptling stecken fortwährend die Köpfe zusammen, – der elende Zwerg wiegelt den verblendeten Mann gegen uns auf.«

»Vielleicht, um uns allen das Leben zu nehmen«, sagte Pedrillo. »Gonn-Korr möchte die Erbschaft antreten.«

»Er hat schon vorhin meine Pistole verlangt«, schaltete Ramiro ein. »Es war eine Teufelsfratze, mit der er mich verließ, als ich, ohne ihn zu beachten, die Waffe in unsere Hütte brachte.«

Während dieses Gespräches hatten sich die Weißen sämtlich dem Zuge angeschlossen und nun ging es zu jenem Teile des Waldes, der die Begräbnisstätte, oder doch wenigstens den Ort für Leichenbestattungen barg. An hohen Bäumen schaukelten hier in freier Luft die länglichen, bastumschnürten Pakete, da ein großes, da ein kleines, bis herab zu dem winzigen Bündel, das die irdischen Überreste eines Neugeborenen einschloss.

Viele, viele Tote hatten hier unter den rauschenden Kastanienzweigen ihre letzte Ruhestätte gefunden, oft ein Paket neben oder unter dem anderen, oft drei oder vier eng zusammen wie in einer Familiengruft. Es fehlte sogar nicht an sinnigem Schmuck dieser ernsten Stätte. Das Lieblingstier des Verstorbenen war offenbar bei seinem Tod geschlachtet worden, um, in kunstloser Weise ausgestopft, mit dem heimgegangenen Gebieter zusammen an demselben Baumstamm zu hängen.

Der Wind spielte hier mit den letzten zerzausten Überresten von Affen, Tauben, Papageien und Panzertieren, jungen Rehen, Pekaris und zahlreichen Hunden. Hell schien die Sonne herab auf den seltsamen Ort, auf das neue Paket, welches die Männer trugen und auf die heulenden Weiber. Für den Körper Alitos war kein Gerüst vorgerichtet, keine Stätte bestimmt.

»Wie das werden mag!«, sagte in fieberhafter Spannung unser Freund.

»Wenn Blicke töten könnten«, flüsterte Halling, »dann lebte keiner von uns. Die Wilden sind im höchsten Maße erbittert.«

»Jetzt wird Borros Leiche auf die Hängematte gebracht.«

Unter dem verstärkten Geheul der Weiber kletterten mehrere Eingeborene in die höchsten Zweige und befestigten da oben das Paket mit der Hülle des toten Knaben. Die zweite Leiche lag unterdessen unbeachtet auf dem Gras, dann aber, als der Sohn des Unterhäuptlings bestattet war, dachte man auch an das Opfer eines finsteren, unmenschlichen Aberglaubens.

Die Steinbeile scharrten ein Loch in den Boden, gerade lang und tief genug, um die Leiche Alitos aufzunehmen und noch einen Fuß hoch mit Erde zu bedecken. Er, der vermeintliche Mörder, sollte nicht mit den gestorbenen Angehörigen des Stammes eine und dieselbe Ruhestätte teilen, sondern in die Erde vergraben werden, um noch nach dem Tod eine schreckliche, grauenhafte Strafe zu erleiden.

Die flache Gruft war schnell gegraben und ebenso rasch und ohne Feier der tote Körper hineingelegt. Jetzt machte seitwärts vom Grabe der Zauberer ein Zeichen genau in der Richtung, in der das Herz des Knaben sich befand. Wer von dieser, in die Rinde eines Baumes geschnittenen Kerbe einen geraden Strich nach dem Grabe gezogen hätte, der würde Alitos tote Brust getroffen haben.

»Was bedeutet das?«, flüsterte Benno. »Irgendeine Abscheulichkeit auf jeden Fall.«

Und so war es. Man trat und stampfte die Erde auf dem Grabe überall fest, dann wurde ringsumher alles Gras und Unkraut sorgfältig entfernt und zuletzt ging der Häuptling allein, mit langsamen feierlichen Schritten an die Gruft. In der Hand trug er die lange, scharf geschliffene Kriegslanze und mit dieser zeichnete er von der Kerbe in dem Baum bis zur Mitte des Grabes einen leichten Strich. Unter der Spitze der Waffe befand sich Alitos Herz. Benno schauderte.

»Ob ich es nicht gedacht habe!«, flüsterte er.

»Schweigen Sie nur um Gottes willen, junger Herr, ich glaube ohnehin schon, dass es uns allen an den Kragen geht. Wir sind zum Tod verurteilt, – man wird uns sämtlich vergiften.«

Der Indianer stieß jetzt die Lanze mit aller Kraft in den Boden, immer tiefer und tiefer, bis die Leiche seines unglücklichen Kindes durchbohrt und in dieser Weise aufgespießt war. Mehrere Schläge mit dem Steinbeil trieben das harte Holz so fest in die Erde, dass es jetzt den Elementen und den etwaigen Angriffen der wilden Tiere vollkommen widerstehen konnte. Nach diesem letzten, mit der größten Kaltblütigkeit ausgeführten Strafgericht entfernten sich die Eingeborenen, ohne dass an dem Grabe Alitos ein einziger Klagelaut gehört worden wäre, ohne dass man dem armen Jungen auch nur eine Blume gespendet hätte. Die Gefangenen sahen einander an.

»Solcher im Boden steckender Lanzen gibt es hier herum viele«, sagte Ramiro. »Ich habe sie oft gesehen, aber ihre abscheuliche Bedeutung natürlich nicht erraten können. Sehen Sie nur da, und da weiter hin, Señores. Alles die letzten Ruhestätten Verurteilter, durch deren Herzen die Lanzenspitze ging.«

»Lauter Opfer des Zauberers natürlich.«

Im Boden dieses seltsamen Friedhofes steckten die Lanzen, hoch oben unter den Baumkronen schaukelten die Toten im Winde. Ein Rabe krächzte weithin hörbar seine unheimliche Weise; es war, als würden die Herzen der Gefangenen von kalter Hand berührt, die Ahnung des nahenden Verhängnisses lastete auf allen.

»Wenn Trente käme«, seufzte Benno. »Wenn wir nur unsere Tiere und unsere Waffen noch hätten! – Lebensmittel fände man wohl.«

Niemand antwortete ihm. Die Sorge im grauen Gewand ging ungesehen inmitten der kleinen Schar und ließ keinen Mut, keine Zuversicht mehr aufkommen.

»Heute Morgen sind uns die gewohnten Lebensmittel nicht verabfolgt worden«, sagte Pedrillo. »Haben Sie das wohl bemerkt, Señores?«

Jetzt erinnerten sich alle dieses Umstandes.

»Man kann ja Nüsse und Kastanien pflücken«, sagte beschwichtigend wie immer der Doktor. »Man kann auch Fische fangen. Verhungern werden wir nicht.«

Als die Hütte erreicht war, fand sich es, dass der Häuptling und mehrere angesehene Männer des Stammes zugleich mit dem Zauberer in der Nähe der offenen Tür Platz genommen hatten. Die Gesichter aller dieser Leute zeigten finstere Entschlossenheit; nur Gonn-Korr lächelte triumphierend. Er schien unter dem Ledermantel irgendeinen Gegenstand zu verbergen, den er heimlich zuweilen mit vergnügten Blicken ansah.

»Wo mögen die anderen Kerle stecken?«, raunte der Kunstreiter. »Es ist im Dorf so merkwürdig still geworden.«

»Nun kommt der Häuptling, um uns anzureden.«

Der Mann, dessen Hand soeben das Herz des eigenen Kindes durchbohrt, der hart und verschlossen aussehende Mann trat jetzt den Gefangenen näher.

»Arbeiten«, sagte er, »Nüsse pflücken. Gleich hingehen.«

Das war nur mit Mühe aus einigen Brocken der spanischen Sprache, aus Gesten und den Wortlauten des Stammes zusammengefügt worden; es schien ein Befehl zu sein, dessen Ausführung nötigenfalls sogleich erzwungen werden würde und der gerade dadurch Verdacht erregte. Ramiro suchte die Blicke seiner Genossen.

»Da oben gibt es einen Kampf auf Leben und Tod«, raunte er. »Man wünscht sich unser zu entledigen.«

»Während wir ohne Schießwaffen sind.«

»Ich will wenigstens meine Pistole mitnehmen. Vielleicht flößt der Schuss den Unholden etwas heilsame Furcht ein.«

Und Ramiro ging in die Hütte, um den, das Lager bildenden Blätterhaufen zu durchwühlen und die versteckte Waffe zutage zu fördern, aber schon nach wenigen Minuten kam er mit blassem Gesicht wieder zu den übrigen.

»Die Pistole ist fort!«, sagte er. »Das war unsere einzige, allerletzte Hoffnung.«

Pedrillo sah ihn ganz erschrocken an.

»Mein Gott, Señor Direktor«, stammelte er, »das wäre zu furchtbar. Ich will noch einmal mit suchen helfen.«

Ramiro zuckte die Achseln.

»Es nützt nichts, mein Junge, die Pistole ist fort. Der ganze Blätterhaufen war auseinandergerissen worden.«

»Dann ist auch kein anderer als dieser schändliche Zauberer der Dieb!«

Gonn-Korr blickte auf. Das Wort »Zauberer« hatte er verstanden, außerdem aber sagte ihm auch sein scharfer Verstand, dass jetzt von dem verlorenen Gegenstand die Rede sei; er griff unter den Mantel und brachte mit berechneter Langsamkeit die Pistole zum Vorschein. Ein Ausdruck satanischen Behagens lag auf seinem hässlichen Gesicht, er sah die Gefangenen an, als wolle er sagen:

»Ich habe das Ding, welches ihr vermisst – und ich will es behalten. Versucht doch, ob ihr stark genug seid, mir es zu entreißen.«

»Um Gottes willen!«, rief Ramiro. »Die Waffe ist geladen, es stecken zwei Schüsse darin.«

Bei diesen Worten waren alle Weißen aufgesprungen.

»Lasst uns dem Burschen die Pistole mit Gewalt wegnehmen«, rief Benno. »Er ahnt nicht, was sie für ihn selbst und uns alle bedeutet.«

Ramiro trat dem Zauberer näher.

»Gib mir das Ding, Gonn-Korr«, sagte er, »du sollst etwas anderes dafür erhalten, – dieses zum Beispiel.«

Und er zeigte ihm seine Uhr. Der Zauberer blieb bei dem fatalen Lächeln, das ihn an diesem ganzen Morgen noch nicht verlassen hatte.

»Nein!«, antwortete er. »Nein. Ich will nicht.«

»Aber du musst mir meine Pistole zurückgeben, – du sollst es.«

Und Ramiro sprang vor, um mit einem schnellen Griff die gefährliche Waffe wieder in seinen Besitz zu bringen, aber ebenso gewandt hatten sich auch im gleichen Augenblick mehrere Eingeborene zwischen ihn und den Buckligen geworfen, ein Beil wurde drohend erhoben und mit dem Ton des Gebieters rief der Häuptling:

»Fort! Nüsse pflücken!«

Es hatten sich binnen Sekunden zwei Gruppen gebildet. Etwa zehn Indianer deckten bewaffnet und kampfbereit die Person des Zauberers und ihnen gegenüber standen mehr als fünfzig Weiße. Aber in den Händen der Eingeborenen lagen die schweren Steinbeile, die Lanzen und die Bogen mit den vergifteten Pfeilen, während die Peruaner nur ihre Messer besaßen, sonst nichts.

»Fort!«, befahl wieder der Häuptling.

»Lasst uns gehen, Kinder«, bat Doktor Schomburg. »Die Entscheidung vollzieht sich jedenfalls jetzt, es ist also gleichviel, ob hier im Dorf oder da oben im Walde.«

Niemand antwortete, aber der Vorschlag würde im nächsten Augenblick befolgt worden sein, wenn nicht ein plötzliches Ereignis der ganzen Situation ein verändertes Aussehen gegeben hätte. Je stärker sich der Verdruss der Weißen bekundete, je gefährlicher ihre Lage geworden war, desto mehr frohlockte der Zwerg; er spielte mit Ramiros Pistole wie ein Kind mit dem Ball, er strich voll Vergnügen über die blankpolierten Stahlflächen und hob endlich den Lauf bis zu seinem Gesicht empor. Was da in der engen Röhre nur stecken mochte?

Er sah hinein, blies hinein und drehte das Ding nach allen Seiten. Seine Finger spielten an dem Drücker herum, den Lauf hielt er dicht vor das Auge. Und dann geschah, was nicht ausbleiben konnte. Der Schuss krachte, durch das Gehirn getroffen stürzte Gonn-Korr wie ein gefällter Baum rückwärts zu Boden und war tot, ehe er auch nur einen Schrei ausstoßen konnte.

Ramiro erhaschte im Fluge die Pistole und barg sie in seiner Brusttasche, – er hatte ganz mechanisch, der Eingebung des Augenblickes folgend, gehandelt; erst als die Waffe in Sicherheit gebracht war, übersah er mit Überlegung das Geschehene. Tief atmend wandte er sich zu den Genossen.

»Unser Widersacher ist tot, Señores«, sagte er mit merklich unsicherer Stimme.

»Ein Gottesgericht!«, rief Halling. »Auf die braunen Kerle hat es einen sehr heilsamen Einfluss geübt. Sehen Sie nur die Schreckensmienen.«

Wirklich waren die Eingeborenen wie außer sich. Da lag Gonn-Korr und rührte kein Glied, aus seinem zerschmetterten Kopf strömte das Blut, ein Feuerzauber hatte ihn getötet. Aller Blicke suchten den Kunstreiter. Der hielt die Hand in der Brusttasche und stand festen Fußes den Angreifern gegenüber.

»Ich wollte, dass es jetzt für den zweiten Schuss eine Veranlassung gäbe«, sagte er, »dann wäre unser Ansehen befestigt.«

»So nehmen Sie den großen grauen Hund aufs Korn, Señor. Die Bestie fletscht die Zähne, sobald man sie nur ansieht.«

Wirklich näherte sich der Hund mit dumpfem Knurren dem Kunstreiter, dessen Haltung ihm vielleicht besonders missfallen mochte. Den Kopf gesenkt, die Augen von Blut unterlaufen, so schnappte das Tier nach den Knien Ramiros, der ihm zunächst einen kräftigen Fußtritt versetzte und dann blitzschnell die Pistole hervorzog. Auch der zweite Schuss krachte. – Als der Pulverdampf verflogen war, wälzte sich die Dogge in ihrem Blut, sterbend, unfähig, aufzuspringen und den Gegner anzugreifen. Noch wenige Minuten, dann war sie tot. Die Indianer zitterten.

»Ala!«, tönte es von ihren Lippen. »Ala! Ala!« (Es ist genug!)

Und ohne Zeit zu verlieren, retteten sie sich durch einen schleunigen Rückzug. Schon nach Sekunden war kein einziger mehr zu entdecken. Ramiro ließ den Arm sinken.

»Was nun?«, fragte er.

»Zunächst müssen wir die Leiche beiseite schaffen und den Kadaver des Hundes.«

»Dann aber auch irgendetwas essen«, meinte Benno. »Lassen Sie uns eine Ziege schlachten und braten, Señores. Die Pistole dient als Freipass zu jedem Stall und jeder Herde.«

»Erst lasst uns nur den Toten fortschaffen. Das Gesicht vergesse ich, glaube ich, im Leben nie wieder, – es war das eines Teufels.«

Zwei Männer ergriffen den Körper des Zauberers und trugen ihn hundert Schritte weit in den Wald hinein. Mochten da die Ratten das Übrige besorgen. Auch der Hund wurde entfernt und das Blut im Sand verwischt. Noch ehe diese Arbeiten beendet waren, sahen schwarze blitzende Augen scheu und forschend durch die Gebüsche; aus der Gegend der Nusswälder her kamen sämtliche Männer des Dorfes in voller Waffenrüstung herbeigeschlichen und erkundigten sich voll heimlicher Furcht nach der Ursache des Donners, den sie da oben gehört hatten.

Der Häuptling gab Auskunft, es bildeten sich dichte Gruppen, in denen lebhaft gesprochen wurde und schließlich schien ein bestimmter Plan fertig vorzuliegen. Man ließ die Weißen gewähren, ohne sich um sie zu bekümmern. Ramiro schlachtete eine Ziege, er pflückte eine Anzahl der schlechtschmeckenden Äpfel und nahm aus den großen Körben, die auf dem Dorfplatz standen, den Bedarf an Nüssen und Maronen, alles ohne auf Widerstand zu stoßen.

Als er sich aber zufällig den Hütten der Eingeborenen näherte, da schwirrte ihm ein Pfeil mit schwarzer Feder dicht am Kopf vorüber. Das war eine Kriegserklärung in aller Form; jede Begegnung musste nun einen Kampf im Gefolge haben und die Lage der Weißen erschweren. Ramiro seufzte.

»Wenn man entdeckt, dass die Pistole machtlos geworden ist, dann hat unsere letzte Stunde geschlagen«, sagte er. »Ich bin es auch fast zufrieden, – das Leben unter solchen Umständen ist eine Folter.«

Niemand antwortete ihm; träge und bleiern schlichen die Stunden. Von den Indianern ließ sich keiner blicken, aber die Körbe mit den

Nüssen und anderen Früchten verschwanden aus den Dorfgassen und an mehreren neuen Einbäumen wurde bis zu Sonnenuntergang emsig gearbeitet; vielleicht wollten die braunen Gesellen ihre Sklaven zwischen den Felsen und den abgeernteten Bäumen allein lassen, um sich ihrer zu entledigen.

Ein breites Feuer flammte vor dem Eingang der Hütte, aber von den Weißen war keiner aufgelegt, in der Nähe der wärmenden Glut behaglich zu liegen und Geschichten zu hören oder zu erzählen, – ein sehr ernster Zwischenfall hatte die Herzen noch mehr erschüttert und mit banger Furcht erfüllt. Es war noch vollkommen hell, als zwei Peruaner mit den Bambusgefäßen zum Bach gingen, um den Bedarf an Wasser herbeizuholen; sie kamen, obgleich für den Weg einige wenige Minuten genügt hätten, nach Stunden noch nicht zurück, und als Ramiro mit der Pistole in der Hand ausging, um sie zu suchen, da fand er beide tot!

Schwarze Pfeile steckten in den Wunden; es ließ sich nicht bezweifeln, dass die Eingeborenen, einen offenen Kampf vermeidend, überall im Hinterhalt lagen, um den Fremden aufzulauern und sie aus sicherem Versteck hervor zu töten. Ramiro nahm die Bambusgefäße, füllte sie und brachte sie in das Lager, alles mit der ungeladenen Pistole in der Hand, ohne irgendwie belästigt zu werden.

Der Feuerzauber sicherte seinen Besitzer vor jedem Angriff. Aber die Bestürzung, die lebhafte Trauer waren doch allgemein. Zwei Kameraden hatte jählings der Tod getroffen, zwei gute treue Gesellen; und man konnte sie an ihren Mördern nicht rächen, konnte nichts unternehmen, um von den noch lebenden, von sich selbst ein gleiches Schicksal abzuwenden.

»Wir müssen fort von hier«, sagten einige. »Wie lange wird es dauern, bis die Wilden sehen, dass Ramiros Pistole unschädlich geworden ist?«

»Aber wohin ohne alle Hilfsmittel? Wohin in die meilenweite Wildnis? Möglicherweise gehen wir eine Zeit lang immer im Kreis herum und kommen zuletzt doch wieder hierher zurück.«

Niemand antwortete. Der Gedanke war so entsetzlich, dass ihn kein einziger weiter spinnen wagte. Als die Nacht herabsank, wachten alle. Der Platz um das Feuer lag im Halbschatten; die Peruaner flüsterten drinnen in der Hütte mit halber Stimme, sie entwarfen hundert Pläne und ließen jeden einzelnen derselben auch ebenso schnell als unausführbar wieder fallen. Es gab kein Mittel, um dem teuflischen Verfahren der Wilden zu entrinnen, – das erkannten alle.

Wo sich ein Weißer blicken lassen würde, da flog ihm der vergiftete Pfeil ins Herz; wo sich eine Hand ausstreckte, um Wasser oder Lebensmittel zu erlangen, da lauerte im Verborgenen der Tod. Vielleicht nach einer Woche oder in noch kürzerer Frist war von der ganzen, stattlichen Reihe kräftiger und lebensfroher Männer kein einziger mehr übrig.

Ein Gedanke, schauerlich genug, um auch das festeste Herz erbeben zu lassen. Ramiro hielt das Gesicht in den Händen verborgen. Wenn ihn hier in der Wildnis der Tod ereilte, dann kam von ihm niemals eine Nachricht über das Weltmeer, dann hatten die Seinigen den Ernährer verloren, ohne zu wissen, ob Schuld oder Unglück ihn von seinen heiligsten Verpflichtungen trennte.

Vielleicht dachte dann seine verlassene Frau, dass ihr Mann mit den erworbenen Schätzen herrlich und in Freuden lebe, während doch auf einer einsamen Felsenhöhe die Ratten und Geier seinen unbegrabenen Körper fraßen und die Juwelen der Frascuelo in ihrem Versteck blieben bis an den Jüngsten Tag. Weiter und weiter spann der unglückliche Mann den Faden seiner bitteren und quälenden Gedanken. Gab es keine vergangene, längst vom Strome der Zeit überflutete Stunde, in der er das Schicksal herausgefordert hatte, – eine Stunde, die ihn anklagte, deren düstere Schatten in alle Zukunft reichten?

Gab es keine Stimme, die in seinem Herzen das: »Schuldig! Schuldig!« immer wiederholte, sooft er mir der inneren mahnenden Stimme ein williges Gehör lieh? Tiefer sank seine Stirn in die bergenden Hände; Schauer nach Schauer durchrieselte die bange Seele.

»Herr«, betete ungesehen, ungehört der erschütterte Mann, »Herr, wenn es möglich ist, lasse diesen Kelch vorübergehen!«

Und dann dachte er an den Nachsatz.

»Aber nicht mein Wille.«

Er ächzte, er krümmte sich vor innerer Qual. Konnte er so beten? Konnte er so gleichsam die einzige Hoffnung der Seinen freiwillig dahingehen? Aber nicht mein Wille!

»O Gott, Gott, der du alles weißt, aller Dinge Ursprung kennst und in den Herzen liest wie in einem offenen Buche – vergib mir! Ich kann es ja nicht aussprechen – ich kann es nicht!«

Still war es in der dämmernden Hütte, ganz still. Wo der Tod zur Tür hineinsieht, da verstummt jedes Wort, da hält die Seele Einkehr bei sich und wie in ein einziges Bild zusammengefasst, gleitet das ganze vergangene Leben an den Blicken des Geistes vorüber. Gegen den ernsten Tod und die Ewigkeit gehalten, schrumpft doch das Menschenschicksal, ob gut oder böse, zusammen zum Nichts. Der Wind flüsterte in den Zweigen, das Feuer brannte mehr und mehr herab. Endlos, endlos dehnte sich die Nacht.

»Dass man nicht schlafen kann«, seufzte der Doktor. »Nicht wahr, Halling, wir beide sind schon in weit bedenklicheren, weit gefährlicheren Lagen gewesen und haben doch einen Ausweg gefunden? Warum also jetzt die Hoffnung vollständig aufgeben?«

Halling seufzte, aber er antwortete nicht. Ob wirklich die Situation noch verhängnisvoller, noch ernster werden konnte? Wieder vergingen Stunden, da schien es plötzlich den Männern, als krieche zwischen der Tür und dem verglimmenden Feuer eine dunkle, langgestreckte Gestalt ganz langsam, Zoll um Zoll heran. War es ein Mensch oder ein Tier? Vielleicht eine Unze. Sie steigt gelegentlich bis zur »Tierra templada« empor, – vielleicht einer der Eingeborenen. Bennos Hand legte sich auf die des Kunstreiters.

»Sehen Sie dorthin, Señor! – Ein lebendes Wesen!«

Ramiro hatte wie mit einem Schlag seine volle Geistesgegenwart wieder erlangt. Er ergriff die Pistole und trat aufspringend zur Tür.

»Ein Indianer?«, sagte er halblaut. »Ja, aber wie –.«

Ein brauner Arm streckte sich ihm entgegen.

»Schießen Sie nicht, Señor! Um aller sieben Nothelfer willen, schießen Sie nicht!«

Benno flog empor, wie von einer Feder geschnellt.

»Das ist Trente!«, rief er. »Hurra, das ist Trente!«

Unter der Tür erschien das ungekämmte, ungewaschene Haupt des biederen Maultiertreibers; ein breites Grinsen lag auf dem vergnüglich blickenden Gesicht, die Augen blinzelten schlau.

»Gewiss bin ich es, junger Herr!«, nickte der Bursche, indem er beide Hände in die Überreste einst gewesener Taschen versenkte.

»Gewiss bin ich es! Oder dachten Sie, ich würde meine gütigen Gönner schmählich im Stiche lassen?«

»Ach – Trente! Trente!«

Es war, als hätten sich von allen diesen Herzen Felsenlasten gelöst, als sei plötzlich eine neue Sonne aufgegangen, als lache über dem verdunkelten Leben ein neuer, schönerer Himmel.

»Wie hast du uns gefunden, braver Kerl?«, fragte der eine, und »bist du allein hier?« der andere.

Jeder wollte Einzelheiten hören, wollte erfahren, wie sich die Dinge zugetragen hätten und was von der nächsten Zukunft zu erwarten sei.

»Bist du im Besitz einer Pistole, Trente?«, rief Ramiro.

»Wir haben zehn Stück mitgebracht, auch Pulver und Blei in Menge.«

»Gott sei gepriesen! Wer ist denn außer dir noch anwesend, Trente?«

Der Maultiertreiber drückte die Hände, welche ihm von allen Seiten dargereicht wurden, sein Gesicht leuchtete vor Vergnügen.

»Costa ist mit mir hier oben in den Bergen«, versetzte er, »auch Luiz und Antonio. Die anderen warten unten am Fluss, – alle Einbäume haben wir natürlich gleich in Sicherheit gebracht.«

»Die Fahrzeuge der Wilden? Das ist kostbar.«

»Und mein Hund?«, rief Benno. »Ist das Tier gerettet?«

»Wohlauf, junger Herr, so munter wie nur jemals.«

»Und Michael?«, fragte der Kunstreiter.

Trente malte eifrig mit dem Zeigefinger auf seiner Stirn.

»Der arme Tropf«, sagte er. »Noch so einfältig wie immer.«

»Aber Trente, woher hast du denn plötzlich einen so großen Mut genommen? Wie konntest du es wagen, uns hierher zu folgen?«

Der Maultiertreiber schnippte mit den Fingern; er setzte einen Fuß vor und warf sich gewaltig in die Brust.

»Warum sollte ich keinen Mut besitzen?«, sagte er in hochfahrendem Ton. »Die Geschichte mit dem Lahmfuß war ja bloßer Schwindel, alles Betrug und Gaukelei. Es gibt gar keinen Lahmfuß.«

Jetzt lachten alle.

»Wie hast du das entdeckt, Trente?«

»Nun, wir fanden den Totenschädel mit dem Wachsklumpen und dem weißen Mantel, – Sie selbst waren ja dabei, junger Herr! – Puh, ein Gewand aus natürlichen Blättern, mit Dornen zusammengeheftet, weiter nichts. Aber auch den Burschen, der den Lahmfuß spielte, habe ich gesehen, er lag mit halbzerschmettertem Schädel unter den Toten und hat noch vor seinem Ende erzählt, dass Tenzileh durch die drei Bilder ins Bockshorn gejagt werden sollte, damit er sich desto besser überrumpeln ließe.«

»Das dachte ich von jeher«, schaltete Halling ein. »Aber nun sage mir, Trente, habt ihr die Pistolen und die Munition hier oben, oder sind diese Dinge unten bei den übrigen?«

»Nein, nein, wir haben sie auf unseren Schultern hierher getragen, auch den Kasten mit den sonderbaren Geräten, Señor Doktor. Ich dachte –.«

»Meine Instrumente! Gott sei gepriesen! Trente, wenn du nicht so entsetzlich schmutzig wärst, würde ich dich küssen.«

Der Maultiertreiber lachte vergnügt und auch selbst dann, als er erfuhr, wie im Augenblick die Dinge standen, blieb seine gute Stimmung ungetrübt.

»Wo sind die Kugelbüchsen?«, fragte er. »Ich schleiche mich heran und hole sie.«

»Das wolltest du wagen, Trente?«

Der Bursche warf sich in die Brust.

»Da es keinen Lahmfuß gibt, wage ich alles«, versetzte er sehr selbstzufrieden.

Dann glitt die schlanke, dunkle Gestalt ebenso geräuschlos wie sie vorhin gekommen war, aus der Hütte, und bald danach standen mit ihm auch die drei anderen indianischen Treiber mitten unter ihren weißen Reisegenossen, denen sie die schwere, mühsam bergan getragene Bürde treulich überlieferten, dafür den herzlichsten Dank erntend, der nur immer dem Menschen zuteil werden kann, dem der Errettung aus schwerer, drohender Gefahr.

Noch war man dem Bereiche der schwarzen Pfeile nicht entronnen, aber der Anblick treuer Freunde und der Besitz so vieler Pistolen belebte den gesunkenen Mut. Es musste jetzt gelingen, durch einen Handstreich frei zu werden; die Gelegenheit schien günstig wie nie vorher. Ramiro zeigte den Maultiertreibern die Hütte, in welcher sämtliche Gewehre unter Stroh und Blättern versteckt lagen.

»Es ist von hier aus die vierte in der Reihe«, sagte er, »wie wolltest du hineingelangen, mein braver Trente?«

»Schläft jemand in dem Raume, Señor?«

»Nein, das nicht. Deine Stammesgenossen fürchten sich vor den unbekannten Dingern so sehr, dass niemand in ihrer Nähe bleiben mag.«

Trente lächelte verächtlich.

»Meine Stammesgenossen?«, wiederholte er. »Meine Stammesgenossen? – Ich zähle mich ganz und gar zu den weißen Menschen, Señor.«

Nach dieser kühnen Behauptung ließ er sich jedoch mit der ganzen Gewandtheit des Wilden auf alle Vieren nieder und begann unhörbar und ungesehen den Marsch zu der bezeichneten Dorfhütte. Ihm nach folgten ebenso geräuschlos die drei anderen, denen sich Utiti und Obijah als Freiwillige anschlossen.

Wie in den Boden hinein waren die braunen Gesellen verschwunden; die Zurückbleibenden hätten schon nach Sekunden glauben können, die Wiederbegegnung mit den vier entschlossenen Maultiertreibern sei nichts als nur ein besonders lebhafter Traum, eine Vision gewesen. Ramiro verteilte die sorgfältig geladenen Pistolen, dann scharten sich die Bewaffneten um den Eingang der Hütte. Sobald ein mit den kecken Führern verabredetes Signal ertönte, sollten alle vordringen und den bedrohten Kameraden zu Hilfe eilen.

»Wie mir das Herz klopft!«, raunte Benno. »Hörten Sie kein Geräusch, Señor?«

»Nichts! Nichts!«

»Ob Trente die Hinterwand der Hütte durchbrechen will?«

Ein Achselzucken war die Antwort. Wildschlagende Herzen ließen unwillkürlich die Lippen verstummen; voll Erwartung horchten alle hinaus in das Dunkel. Da regte sich hart neben dem Feuer am Boden ein lebendes Wesen. Ein nackter brauner Arm schob geräuschlos über das Gras eine Kugelbüchse bis vor den Eingang der Hütte, – ganz geräuschlos, so dass selbst die Nächststehenden nichts hörten. Ramiro griff zu; fast wäre ein Jubellaut seinen Lippen entflohen. Unversehrt die kostbare Waffe, ganz unversehrt, – welch ein Glück!

Und die zweite und dritte wurde geborgen, Stück für Stück, bis keine mehr fehlte. Wie Schlangen krochen die Treiber über den Boden, listig und gewandt, befähigt, der Kampfweise ihres eigenen Volkes mit gleichem Geschick zu begegnen und sie durch noch größere Schlauheit zu übertrumpfen. Jede Hand war emsig beschäftigt, die Büchsen zu laden; eine fieberhafte Tätigkeit erfüllte die Hütte. Doktor Schomburg verbarg seine kostbaren Instrumente einzeln unter den

Kleidern, Pulver und Blei wurden zu Bündeln geschnürt, die sich die Männer auf ihre Rücken befestigten.

Die Reste des Ziegenfleisches und der Nüsse wurden in Sicherheit gebracht und endlich noch die Taschen mit Äpfeln gefüllt. Sobald Trente und seine Genossen von ihrer gefahrvollen Expedition zurückgekommen, sollte die Flucht aus dem Dorf geräuschlos bewerkstelligt werden. Minute nach Minute verging; unruhig sahen die Weißen einander an. Konnten nicht jetzt, nachdem alle Kugelbüchsen geborgen waren, die Maultiertreiber endlich zurückkehren?

»Es wird doch nichts Böses passiert sein?«, raunte Benno. »Dann müsste man irgendein Geräusch gehört haben. Trente wollte dreimal nacheinander pfeifen.«

»Aber es ist möglich, dass ihn die Bösewichter daran verhinderten, – ich will mich lieber bis zur Hütte schleichen und selbst nachsehen.«

Ramiro schüttelte den Kopf.

»Sie nicht, junger Herr!«, entschied er. »Dauert mir die Sache zu lange, dann gehe ich selbst.«

»Und ich begleite Sie!«, nickte Pedrillo.

»Ich auch! Ich auch!«

Sie verharrten sämtlich neben dem Eingang der Hütte, entschlossen, für die wackeren Treiber mit Leib und Leben einzustehen. Düsterer Ernst lag auf den Zügen aller, niemand sprach, aber die Herzen schlugen schneller und unruhige Vorstellungen marterten das Gehirn jedes Einzelnen. Doktor Schomburg sah auf die Uhr.

»Vierzig Minuten, seit uns Obijah die letzte Kugelbüchse reichte.«

»Dann lassen Sie uns nicht länger zögern, Señores. Vielleicht machtet man unsere braven Kameraden, während wir hier müßig stehen und über alle Möglichkeiten nachdenken.«

»Ja, ja, wir wollen gehen. Vorwärts!«

»Horch!«, flüsterte jemand. »Was war das?«

Jeder Laut erstarb, minutenlang herrschte das Schweigen des Todes, dann hob Ramiro den Kopf.

»Bei den Hütten knurrt eine Dogge. Ich höre es genau.«

»Ich auch. Vorwärts! Vorwärts!«

13.

Freier Abzug – Der Stamm der Menschenfresser – Urwaldschätze – Das Affenkonzert – Flussfahrt – Hoffnungen und Befürchtungen

Sobald die Weißen aus der Hütte hervortraten, verwandelte sich das Knurren der Dogge in lautes zorniges Gebell. An verschiedenen anderen Stellen mischten sich Hundestimmen hinein in den Lärm, hier und da erschien in dem dämmernden Halbdunkel flüchtig auftauchend die Gestalt eines Indianers, man hörte Zurufe und Fragen; binnen Minuten war das ganze Dorf in Alarm geraten. Trente und seine Kameraden gesellten sich zu den übrigen.

»Der verwünschte Hund!«, rief der Maultiertreiber. »Er hatte uns entdeckt; wir konnten keine Bewegung riskieren, ohne sein wütendes Gebell herauszufordern.«

»Da sind die Eingeborenen, – alle bewaffnet!«

»Wir müssen sie erschrecken, ihnen eine Salve geben, oder die vergifteten Pfeile –.«

Ramiro hatte noch nicht ausgeredet, als auch schon mehrere Geschosse die Luft durchschnitten, glücklicherweise ohne zu treffen, aber doch scharf an den Köpfen der Männer vorüber. Ein Pfeil hatte sogar Bennos Strohhut durchbohrt. Er hob die Waffe vom Boden auf.

»Eine schwarze Feder!«, rief er. »Schnell! Schnell! Wenn ich drei zähle, schießen wir.«

»Aber über die Köpfe weg, Señor!«

»Natürlich. Eins! – Zwei! – Drei!«

Die Salve krachte und rief eine entsetzliche Bestürzung hervor.

»Ala! Ala!«, scholl es durch die immer lichter werdende Dämmerung des heraufziehenden Morgens. »Ala! Ala!«

»Rasch!«, kommandierte der Kunstreiter.

»Jetzt ist der Augenblick da, um ganz offen das Dorf zu verlassen.«

In geschlossener Reihe, die Gewehre schussfertig, so drangen sämtliche Peruaner bis zu den Hütten der Eingeborenen vor. Ein Wutschrei gellte ihnen entgegen, ein verzerrtes Gesicht sah sie an. Es war der Häuptling, welcher sich durch den Augenschein überzeugt hatte, dass die versteckten Kugelbüchsen fehlten. Ein solcher Zauber, so gewaltig, so furchtbar, – und für immer verloren!

Blind vor Zorn riss er den Bogen an sich und legte den schwarzen Pfeil auf die Sehne. Neben ihm bellte die Dogge, bereit, ihr schreckenerregendes Gebiss gegen die Weißen zur Anwendung zu bringen, – es war ein Augenblick, in dem hüben und drüben Menschenleben auf dem Spiel standen. Man sprach nicht, verabredete oder befahl nichts, aber zehn Büchsenschüsse trafen zugleich die schäumende Bestie, deren letzter krampfhafter Sprung dem plötzlichen Aufhören aller Lebenskräfte voranging.

Die Glieder zogen sich zusammen, die Augen schienen aus dem Kopf hervordringen zu wollen und dann sank der ganze hässliche Körper schwer hintenüber. Des Häuptlings besonders geschätzter und verzogener Hund war tot. Das gab das Signal zur allgemeinen Flucht. Mehrere Hände streckten sich aus, um den auf die Bogensehne gelegten Pfeil noch zur rechten Zeit wegzureißen, andere schoben und drängten, bis der erbitterte Häuptling fortgerissen wurde und nun den Stammesgenossen in eiliger, schreckerfüllter Flucht folgte.

»Wie eine Schar riesiger Füchse laufen sie davon!«, lachte Benno. »Lautlos, Hals über Kopf, immer, wo sich die Gelegenheit bietet, unter Deckung.«

Trente klatschte in die Hände, er jubelte, dass es von den Bergen widerhallte.

»Besiegt! Besiegt! Da geben sie Fersengeld, diese roten Lümmel!«

Auch Utiti und Obijah waren vollkommen außerstande, ihren Triumph in sich zu verschließen. Ein Freudengeheul, von den fliehenden Indianern ohne Zweifel gehört und verstanden, gurgelnde und schnalzende Laute brachen von ihren Lippen, sie begannen auf der Stelle den Siegestanz ihres Volkes, dem sich die vier Treiber in unbewusstem, aber nicht zu verleugnendem Stammesgefühl sogleich anschlossen.

Obwohl Trente keine Gelegenheit vorübergehen ließ, von den Farbigen nur mit höchster Verachtung zu sprechen, warf er jetzt seine braunen Glieder so keck in die Luft, dass es aussah, als habe er den Hütten, in welchen vordem seine menschenfresserische Großmutter gelebt, nie auch nur für eine Stunde den Rücken gekehrt.

Beladen mit Munition und Proviant, in den Händen die Kugelbüchsen, im Gürtel die langen Dolchmesser, so tanzten diese lebensfrohen

Burschen da den Siegestanz, dass jeder Muskel, jede Sehne zuckte, dass es so aussah, als wären Verrückte den schützenden Mauern entsprungen und hätten sich hier auf dem Bergplateau der Wildnis ein Stelldichein gegeben.

Die Peruaner lachten umso vergnügter, als ja nun alle Gefahr im Augenblick überwunden schien. Der Doktor legte die Hand auf Ramiros Achsel:

»Sehen Sie nur, Freund«, flüsterte er, »die Eingeborenen lassen uns den Weg in das Tal vollkommen frei, sie flüchten bergan.«

Der Kunstreiter nickte.

»Jedenfalls, um da oben zwischen dem Geklüft sichere Verstecke aufzusuchen, in die wir ihnen nicht folgen könnten.«

»Und allerdings auch nicht folgen wollen, denke ich. Was mich besonders freut, ist, dass bei der ganzen Angelegenheit durch unsere Schuld kein Menschenleben verloren gegangen ist, obwohl wir selbst eine Anzahl braver Kameraden einbüßen mussten.«

»Zwei Tote liegen da drüben«, nickte seufzend der Kunstreiter. »Aber wir haben keine Zeit, sie zu bestatten, – wahrhaftig nicht.«

»Nur ein wenig Erde oder Laub«, bat Ramiro. »Es ist ein schrecklicher Gedanke um ein unbedecktes Totenantlitz.«

Der Doktor schwankte nach.

»Aber wenn die Wilden zurückkämen«, wandte er ein. »Haben Sie das bedacht, Señor?«

Der Kunstreiter schüttelte den Kopf.

»Das geschieht auf keinen Fall, Herr! – Überdies habe ich einen Gedanken, dessen Ausführung sehr wenig Zeit kosten dürfte. Wir versenken die Leichen im See.«

Doktor Schomburg gab nach.

»Sei es denn«, antwortete er. »Die unklugen Burschen haben ihren Tanz beendet; wir wollen gehen und die Toten aufsuchen.«

Niemand erhob Einwendungen und so wurde denn der fromme Plan sogleich ins Werk gesetzt. Man band den beiden Toten große Steine an die Füße und trug sie hinaus bis zu der Höhe, wo unter rauschenden Kastanien ein stiller blauer See zwischen Felszacken lag. Weiße Blütenblätter bedeckten die regungslose Flut, Vögel sangen an ihrem Rand und tief über den Wasserspiegel neigten sich schaukelnd grüne Ranken.

Ein ganz junger Bursche war der eine der Erschossenen; kaum zwanzig Sommer mochte er gesehen haben. Noch lag das Rot des Lebens und der Gesundheit auf seinen Wangen, noch lockte sich um seine Stirn das volle dunkle Haar – und nun sollte ihn die Tiefe da unten für immer in ihrem Schoße bergen.

Der Zweite war älter; manche schlimme Erfahrung, manche Erkenntnis begangener Irrtümer mochte die Falten in sein ernstes Antlitz gegraben haben. Aus Rio wollte er eine Zeit lang verschwinden.

»Eine Geschichte vom grünen Tisch!«, hatte er einmal leichthin aber doch mit zuckenden Lippen gesagt. »Dergleichen muss erst in Vergessenheit kommen. Mittlerweile kämpft man ein wenig gegen die Spanier in Peru.«

Und nun lag auch er an der Seite des jüngeren Kameraden. Mitten auf dem Wege hatte ihn die Hand des Schicksals ereilt, er war tot, er konnte nie, nie solange die Welt steht, nach Rio zurückkehren. Der Doktor sprach für die beiden Toten ein Gebet in deutscher Sprache, und ungehört, jeder für sich allein, fügten die Umstehenden in ihrem Herzen hinzu, was hier am nächsten lag.

»Vergib die Schuld. Vater im Himmel, vergib sie in Gnaden! Nur so ist sie zu tilgen, nicht anders.«

Und dann glitten, von langen Seilen getragen, die Leichen unhörbar hinab in das letzte Bett. Über ihnen schloss sich murmelnd das bewegliche, flutende Element und alles war vorbei, vorbei als wären die zwanzig Jahre des einen und die fünfzig des anderen niemals gewesen. Ramiro sah um sich.

»Wir haben in der Hütte nichts zurückgelassen, nicht wahr, Señores? Es ist alles für den Abmarsch bereit?«

»Alles!«

»Nun, dann vorwärts in Gottes Namen! Trente, wirst du übrigens den Rückweg sicher wiederfinden können?«

»Ganz sicher, Señor. Wir haben überall Zeichen hinterlassen.«

Der Zug setzte sich in Bewegung und allmählich kehrte auch eine bessere Stimmung in die Herzen wieder ein. Trente musste erzählen, wie es ihm gelungen war, der mörderischen Schlacht zwischen den beiden Indianerstämmen unbeschadet zu entgehen und später die flüchtigen Maultiere einzufangen. Höchstens ihrer dreißig hatten die Treiber geborgen, während alle anderen entweder getötet wurden oder sich im Wald verirrt hatten.

»Auch die Bohnen sind dahin«, schloss der Führer, »und auch die trockenen Ochsenhäute, auf denen wir über das Wasser fahren wollten.«

Letzterer Verlust bekümmerte die Wanderer nicht sonderlich, denn solche Augenblicksboote wuchsen ja an unzähligen Palmen in den Wäldern und auf den offenen Ebenen, man konnte sie überall erlangen, – desto schlimmer war es, dass die Bohnen fehlten. Man musste sich nun auf wilde Früchte und den Ertrag der Jagd verlassen.

»Oder die Maultiere schlachten«, warf Benno ein. »Reiten kann ja doch nur noch die Hälfte von uns.«

»Vielleicht lassen sich vorläufig die Einbäume der Wilden als Transportmittel benutzen. Habt ihr sie versteckt, Trente?«

»Sicherlich. Wenn auch die kupferfarbenen Burschen dahin kämen, so würden sie kein Boot wiederfinden; wir haben alle an das Land gezogen und mit Laub bedeckt.«

»Das war sehr vernünftig, Trente. Seht, da bricht die Sonne durch das Gewölk, – wie schön ist es doch hier oben!«

Überall in reicher Fülle wuchsen Kastanien- und Ulmenbäume. Palmen mit schuppigen, ungenießbaren Früchten, aber von prachtvollem Aussehen, Mimosen mit ihren zarten, hellgrünen Federblättern, Bambus und Farne, hoch genug, um unter den buschigen Wedeln ungesehen dahinzugehen. Schwarze, große Brombeeren reisten an Ranken von Armdicke im Gras, Haselnüsse bildeten ganze Hecken die Bäume entlang.

Gegen Mittag wurde Halt gemacht und während der heißen Stunden im Schatten alter Bäume sorglos geschlafen. Wasseradern durchzogen hier und da das Land, als Fälle über Klippen in das Tal stürzend, als murmelnde Bäche durch Sand und Schilf die Wanderer auf ihrem Wege treulich begleitend, zuweilen in Becken gedehnt zum See mit stolzen weißen und purpurroten Schwimmvögeln, immer aber eine herrliche, unbezahlbare Erquickung, sei es durch den gespendeten frischen Trunk oder durch das Bad, das dem Leib und der Seele neue Spannkraft verlieh. Während der Rast flochten die Führer aus Palmbast eine Anzahl Hängematten für die Nacht, so dass wenigstens die Europäer nicht auf dem nackten Boden zu liegen brauchten.

Dann kam der zweite Tag und mit ihm die Hoffnung, am Abend den Kameraden wieder zu begegnen. Es war merklich heißer geworden, man sah einzelne Affen und hier und da einen Flug grauer Papageien;

man fand wieder am Wege die kostbaren Früchte der verschiedenen Palmenarten, es zeigten sich die schöngefärbten großen Schlangen und im Dickicht hing an Zweigen voll saftigen grünen Laubes das Faultier.

»Nun noch eine kurze Strecke«, sagten die Führer, »dann sind wir am Ziel.«

Bei diesen Worten begegneten sich ihre und Utitis Blicke.

»Du sollst an Tenzilehs Stelle König werden«, nickte Trente. »Ich weiß es gewiss.«

Stolz hob der Indianer den Kopf, aber ebenso schnell ließ er ihn auch wieder sinken.

»Wohin kann sich mein unglückliches Volk wenden?«, seufzte er. »Überall wohnen Feinde.«

»Auch da, wo jetzt das Lager aufgeschlagen ist, Utiti?«

Er nickte.

»Auf ihren Wanderzügen kommen sie dahin; es sind die Kopfjäger, Leute, welche Muscheln in den Lippen, in den Ohren und der Nase tragen. Sie führen die Köpfe ihrer getöteten Feinde immer mit sich.«

»Himmel, wie schrecklich!«

»Als Skelette?«, rief Benno.

Utiti schüttelte den Kopf.

»Nein, nein, die Schädel werden im Rauch gedörrt und ihnen dann Augen aus Stein eingesetzt. Man malt die Gesichter weiß und rot an.«

Doktor Schomburg hatte mit großem Interesse diesen Bericht angehört.

»Werden wir auf unserer Reise nach Nordwesten einer solchen Horde begegnen?«, fragte er.

»Das glaube ich nicht, Fremder, ich möchte es euch auch nicht wünschen. Diese Männer mit den Muschelplatten in den Lippen essen Menschenfleisch.«

»Noch jetzt? – Noch in unseren Tagen?«

»Ja, gewiss. Immer, wenn sie es nur bekommen können. Wird jemand krank und der Zauberer erklärt ihn für unheilbar, so isst man ihn, ehe er abmagert.«

Benno schüttelte sich.

»Schweig still, Utiti!«, rief er. »Mir wird übel!«

Halling lachte.

»Welche liebenswürdigen Eigenschaften besitzt denn das Völkchen noch außerdem?«, fragte er. »Nun, – die Leute setzen auch ihre Alten und Schwachen am Wege aus, sie vergraben die neugeborenen Kinder, wenn diese irgendeinen Fehler mit auf die Welt gebracht haben.«

»Davon möchte ich mehr hören. Sobald sich der Trupp auf die Wanderschaft begibt, wird den Alten und Krüppeln anbefohlen, im Dorf zurückzubleiben?«

»Nein, sondern man nimmt sie eine Wegstrecke weit mit sich und erst wenn sie nicht mehr gehen können, baut man ihnen ein kleines Dach aus Zweigen, legt einige Lebensmittel sowie eine Kalebasse voll Wasser neben sie und geht dann unbekümmert weiter. Die Männer wenigstens sehen sich nach solchen armen Geschöpfen gar nicht um.«

»Aber den Frauen wird zuweilen die Trennung schwer?«

»Ich habe einmal einen solchen Vorgang mit angesehen«, berichtete Utiti. »Mein Stamm begegnete im Wald jenem anderen, da wir aber Kundschafter vorausgeschickt hatten, so gelang es uns, rechtzeitig unter einem Mimosendickicht Schutz zu finden. Nie werde ich die Angst dieser Stunden vergessen. Obijah, du warst ja auch dabei!«

Als der ehemalige Günstling Tenzilehs seinen Namen nennen hörte, fuhr er plötzlich auf und sah wie verwirrt um sich.

»Was sagtest du, Utiti?«

Der Häuptling wiederholte seine früheren Worte und nun nickte Obijah lebhaft mit dem Kopf.

»Ja, ja, – gerade vor unserem Lager hielt der Zug. Wir mussten die Mütter mit den kleinen Kindern schleunigst waldeinwärts schicken und den Hunden die Mäuler verbinden. Ein Laut hätte uns allen das Leben kosten können.«

»Es war schrecklich«, fiel Utiti ein. »Wohl zwei Stunden haben wir so verbracht, immer in steter, dringender Todesgefahr. Hätte einer, nur ein einziger der Menschenfresser das Dickicht betreten, dann wären wir verloren gewesen. Aber die Leute waren emsig beschäftigt, ein altes blindes Mütterchen auszusetzen, sie dachten nur an das eine, nämlich, diese Last abzuschütteln und darüber vergaßen sie alles andere. Das Blätterdach wurde geflochten und nachdem man ein paar Bissen Mandiocabrot und einige Früchte auf den Boden gelegt, holten zwei Männer das arme blinde Weib aus der Reihe der übrigen hervor. Es war schrecklich zu sehen, die Alte mochte begreifen, was ihr jetzt drohte, sie klammerte sich voll Todesangst an die Leute, welche sie führten und rief immer laut und herzzerbrechend einen Namen: ›Marua! Marua!‹«

»Gewiss ihre Tochter!«, schaltete Benno ein.

Utiti nickte.

»Ja, ihre Tochter. Ach, das alles war so traurig, so traurig! – Die Männer setzten gewaltsam das wehrlose Weib unter die Matte von Baumzweigen und nun sollte der ganze Zug seinen Weg wieder aus-nehmen, aber das ging nicht so rasch, denn ein junges Mädchen in-mitten der Frauen weinte so bitterlich, dass es sich nicht trösten lassen wollte und immer wieder stillstand, sooft auch die anderen vorwärts drängten. Endlich gab der Häuptling einen barschen Befehl und nun nahmen zwei Weiber das Mädchen in ihre Mitte, um es mit sich zu ziehen. Noch steht das traurige Bild vor meiner Seele, – Marua blickte zurück zu der alten Mutter, die gerade jetzt mit einem Jam-merlaut ihre Arme ausstreckte, – dann riss sie sich gewaltsam los und flog zu der Blinden, die sie mit beiden Armen fest umschlang. ›Marua! Marua!‹, jauchzte die Alte; sie betastete mit zitternder Hand das Ge-sicht ihres Kindes und weinte jetzt vor Freude, nicht als sei sie im weiten Wald schutzlos den Tieren der Wildnis überlassen, sondern als könne ihr nun kein Leid mehr geschehen. Und das Mädchen hielt sie fest umfasst, es war offenbar entschlossen, das Los der Mutter zu teilen, mochte dieses nun fallen, wie es wollte.«

Halling lächelte schelmisch.

»Und das alles sahst du mit an, tapferer Utiti?«

»Ja. Der ganze Stamm sah es. Und natürlich haben wir später, als die Männer mit den Muscheln in den Lippen vorübergezogen waren, die arme alte Frau und ihre Tochter mit uns genommen. In der nächsten Nacht hätte ja die Unze diese beiden wehrlosen Weiber zerrissen.«

»Das war brav von euch, Utiti. Und zuletzt kam mit Musik und Tanz die Hochzeit, nicht wahr? Du hast doch das gute Mädchen gewiss geheiratet, nicht wahr?«

Der Häuptling seufzte, sein Gesicht trug den Ausdruck angstvoller Sorge.

»Marua ist meine Frau geworden«, versetzte er, »du bist klug, Fremder, du hast es erraten, aber ob sie wohl jetzt noch lebt, sie und die Kinder? – Es sind ihrer vier, der älteste Knabe konnte schon die Schleuder spannen und Pfeile schnitzen. Ob sie wohl leben?«

Ramiro klopfte ihn tröstend auf die Schulter.

»Auch andere Leute kennen solch bange Fragen, Utiti«, sagte er mit unsicherer Stimme.

»Wohl dir, du wirst wenigstens die Entscheidung bald hören, aber ich, ich –.«

Und unfähig, weiter zu sprechen, schüttelte er stumm den Kopf. Während dieser Unterhaltung war emsig marschiert worden. Jetzt sah man die bekannten Bergformationen, dann die Stelle, an welcher damals die Einbäume landeten und nun auch schon das kleine friedliche Lager, auf dessen Feuerstellen blaue Rauchwolken langsam zum Himmel emporstiegen. Ein Hund bellte laut und ungestüm.

Benno legte die letzten Schritte laufend zurück und in der nächsten Minute begegneten sie einander, er und das graue Windspiel, dessen Freudensprünge eine rührende Begrüßung ausdrückten. Der Hund legte bald beide Vorderpfoten auf die Schultern seines jungen Gebieters, bald umkreiste er ihn bellend und winselnd oder leckte seine Hände, warf sich vor ihm auf den Rücken und lief eine Strecke weit fort, um mit erneuten Freudenbezeugungen zurückzukehren.

»Pluto!«, rief unser Freund. »Pluto, mein gutes Tier!«

Ramiro sah lächelnd auf die Gruppe der beiden.

»Der Hund begrüßt nur Sie, Benno«, sagte er. »Entsinnen Sie sich noch der Stunde, in welcher er zu uns kam?«

Benno nickte, während seine Hände das weiche, graue Fell liebkosten.

»Wie oft erscheint mir im Traum das verlassene Schiff!«, antwortete er. »Ich sehe den toten Burschen und den an den Mast genagelten Zettel, am deutlichsten aber –.«

»Die rieselnden Papierflocken!«, ergänzte der Kunstreiter. »Den von den Ratten zerstörten Brief. Wie viele Tränen sind vielleicht um dieser Botschaft, dieser verlorenen Worte willen geweint worden.«

Bennos Gesicht war blass, als sei er krank.

»Ihnen will ich es gestehen«, flüsterte er, »der Gedanke an den Brief hat mich seitdem nicht mehr verlassen. Es ist mir bis zu dieser Stunde, als müsse das zerstörte Blatt gerade für mich eine schwerwiegende Bedeutung gehabt haben.«

Der Kunstreiter fuhr mit der Hand über die Stirn.

»Gott mag es wissen, Benno. Ist die Botschaft des verlorenen Schriftstückes wirklich für Sie bestimmt gewesen, dann wird Ihnen dieselbe früher oder später auf anderem Wege sicherlich zugehen.«

»Aber«, rief er dann, »lassen wir jetzt alle diese traurigen Erinnerungen. Sehen Sie doch, das Tier ist noch immer wie außer sich.«

Ein Jubelruf unterbrach seine Worte. – Utiti hatte ihn ausgestoßen. Nach Art seines leichtlebigen Volkes tanzte er in großen Freudensprüngen umher, während die Kinder sich an ihn hängten und um die Wette kreischten und hüpften. Auch das scheue braune Weib mit dem Kleinsten auf dem Rücken war näher herangekommen und gnädig reichte ihr der Häuptling die tapfere Rechte, gnädig wie ein Fürst, der dem Untertanen Audienz gibt, – mehr als nur das wäre des Kriegers unwürdig gewesen.

Auch die Weißen umdrängten ihre Freunde; Michael kam herzu, blasser noch als sonst, mit dem gleichen verwirrten Blick und dem scheuen unsicheren Wesen.

»Habt ihr die Alraunwurzel gefunden?«, fragte er flüsternd und hastig.

Benno klopfte ihm die Schulter.

»Noch nicht, Michael«, antwortete er voll Mitleid. »Aber freut es dich denn gar nicht, uns wiederzusehen?«

Der Halbirre schüttelte den Kopf.

»Nicht gefunden«, wiederholte er, ohne die ihm gestellt Frage zu beachten. »Nicht gefunden. – Das ist so traurig.«

Und dann wandte er sich seufzend ab. Die roten Männer hatten unterdessen ihren künftigen König in die Mitte genommen. Allen voraus drängte sich das hexenartige, gelb angestrichene alte Weib, welches damals die Reisenden zuerst begrüßte; zeternd mit geballten Fäusten deutete sie auf einen Mann, der von fern her den verschiedenen Begrüßungen zugesehen hatte, ohne sich in die Niederlassung hineinzuwagen. Es war Obijah, Tenzilehs Günstling, – diese Tatsache richtete ihn und er wusste das.

»Du sollst unser Anführer werden, tapferer Utiti«, riefen die Männer. »Du sollst den Platz bestimmen, an welchem künftig unsere Hütten stehen.«

»Aber vor allen Dingen sollst du Obijahs Kopf abschlagen!«, schrie die Hexe. »Es fehlt da in der Reihe gerade noch der dritte Verräter.«

Und sie deutete auf etwas, das die Weißen nur mit Grauen anzusehen vermochten. Auf langen Stangen hinter den Feuern steckten Menschenköpfe, unkenntlich durch die Einflüsse der Zeit und des Wetters, ein entsetzlicher Anblick, aber doch trotz aller Entstellung den Reisenden vollkommen verständlich in ihrer Bedeutung, vollkommen erkennbar, obwohl das leibliche Auge nur eine schreckliche Zerstörung sah. Die Hexe erhob den knöchernen Arm.

»Tenzileh!«, rief sie. »Naporra!«

Und dann, auf den scheu blickenden Mann und zugleich auf die dritte, noch leere Stange deutend, setzte sie fast kreischend hinzu:

»Obijah!«

Die Weißen sahen einander an.

»Sollen wir das geschehen lassen?«, flüsterte Ramiro.

Ein entschiedenes »Nein« ging von Mund zu Mund.

»Der arme Kerl darf auf keinen Fall in dieser barbarischen Weise abgeschlachtet werden.«

»Obijah, komm zu uns!«, rief Benno.

Die Hexe trat ihm in den Weg.

»Der Verräter soll das Dorf nicht betreten!«, schrie sie.

»Komm, Obijah, komm!«

Diesmal riefen mehr als zwanzig Stimmen, und keck gemacht durch so offenbaren Beistand näherte sich der Indianer dem Lagerplatz seiner Freunde; er stand mitten unter ihnen, als die Dorfbewohner klirrend mit ihren langen Speeren gegeneinander schlugen und in lautes Geschrei ausbrachen.

»Obijah muss sterben, er hat sein Volk ins Unglück gestürzt!«

Auch Utiti mischte sich in die Sache hinein.

»Fliehe!«, raunte er. »Fliehe! Ich kann dein Leben nicht retten.«

Ramiro stand auf und näherte sich dem verbitterten Volk.

»Obijah ist von uns als Reisebegleiter angenommen«, sagte er in ruhigem, festem Ton, »er wird morgen mit uns euer Dorf verlassen und nicht hierher zurückkehren. Während dieser Nacht müsst ihr ihm gestatten, an unserem Feuer zu schlafen.«

»Er soll sterben!«, schrie die Hexe. »Er soll sterben!«

»Lasst den Fremden in Ruhe«, gebot Utiti. »Was er sagt, ist recht.«

»Ja, ja, die Weißen mögen den Verräter hinnehmen. Von seinem Volk ist er für alle Zeit verstoßen.«

Die Hexe erhielt einige, mit den Ellenbogen gegebene Weisungen, denen sie wohl oder übel Folge leisten musste; es wurde mit einer Lanzenspitze um den Lagerplatz der Weißen ein Strich gezogen, den Obijah nicht überschreiten durfte, und erst nachdem dieses geschehen war, beruhigten sich die aufgeregten Gemüter. Trente klopfte wohlwollend Obijahs Schulter.

»Wir nehmen dich mit«, sagte er, »und betrachten dich als zu uns gehörig, mein guter Bursche, aber du musst dich dieser Wohltat auch durchaus würdig zeigen und besonders niemals vom Lahmfuß oder ähnlichen Dummheiten reden. Leute, die in den großen Städten leben, wie ich z. B. lachen über dergleichen. Das wollte ich dir nur sagen.«

»Du darfst auch nicht in Ohnmacht fallen, wenn etwa eine Gestalt im weißen Mantel an dir vorüber huscht, Obijah! Merke dir dieses ganz besonders.«

Ein lustiges Lachen klang durch das Lager und Trente selbst stimmte mit ein. Er nahm so leicht nichts übel, der verdrießliche Maultiertreiber. Dann wurden die Einbäume aus dem Blätterversteck hervorgeholt und mit so vielen Lebensmitteln, als sich nur auftreiben ließen, beladen. Kokosnüsse. Bananen, Maniokwurzeln und Mais, alles stapelte man auf; dazu mussten Fische gefangen werden. Für den äußersten Notfall stand ja auch das Fleisch der Maultiere den Reisenden zu Gebote, aber das musste ein letzter Behelf sein; vorläufig wollte man nicht daran denken.

In der Nacht wurden Wachtposten mit geladenen Gewehren rings um das Lager aufgestellt, die sich abwechselten, so dass für jeden Mann einige Stunden ruhigen Schlafes ermöglicht wurden, gegen morgen sollte der Aufbruch erfolgen. In der Richtung nach Nordwesten, – mehr als das wusste keiner. Durch den dichten Wald, vielleicht über Ströme, über Gebirgspässe, vielleicht durch nackte Steinwüsten; das alles lag vorläufig noch im tiefsten Dunkel.

Als es Tag geworden war, begannen sich auch die Indianer für ihren Auszug aus ihrer bisherigen Heimat zu rüsten. Zum letzten Mal saßen sie um das Feuer gereiht und mit leisen, langgezogenen Tönen sangen sie ein Trauerlied oder doch wenigstens Sätze, die wie ein solches klangen.

»Wohin sollen wir ziehen? – Weit entfernt sind unsere Freunde und nahe die Feinde, – groß ist der Wald und Unze und Schlange leben darin. – Wo finden wir eine Stätte, um unsere Hütten zu bauen und unsere Früchte zu pflanzen?«

Es klang traurig, dieses eintönige Singen, es fiel wie ein Reif auf den fröhlichen Wandermut der Weißen. Ihre harmlosen Bekannten waren zusammengeschmolzen bis auf ein kleines Häuflein, und die einst so fröhliche buntbemalte Schar saß heute ganz schwarz angemalt und traurig da. Der Zug sollte nach einer fernen Gegend gehen, wo Stammesverwandte lebten, bei denen die Vertriebenen neue Heimstätten zu gründen hofften.

Die Männer trugen nur ihre Waffen, die Frauen waren bepackt wie Lasttiere; selbst die, welche Säuglinge in der Holzwiege auf dem Rücken schleppten, wohl auch auf der rechten Hüfte noch ein etwas älteres Kind, trugen noch Kochgeräte und Hängematten der Familie.

Auf den Schultern der Männer hockten die zahmen Affen und die verschiedenen Arten von Papageien, neben ihnen gingen Hunde und Ziegen. So zog der Trupp nach einem herzlichen Abschied von den Weißen gegen Osten, und noch in einiger Entfernung klang durch den Wald die immer wiederholte bange Frage des Trauergesanges:

»Wohin sollen wir uns wenden?«

Obijah nickte vor sich hin. »Es ist besser, dass ich mit euch gehe«, sagte er.

»Ja, ja, es ist besser; ich mag nicht mehr im Wald leben.«

Und er flocht emsig an Sonnendächern aus Blättern für die Einbäume, er atmete freier, als sich die Boote langsam in Bewegung setzten. Ein sonnenheller, taufrischer Morgen verschönerte die ohnehin so prächtige Umgebung, lustig klang das Wiehern und Schnauben der Maultiere, lustig Plutos Gebell, der neben der kleinen Flotte am grünen, blumendurchzogenen Flussufer dahin sprang.

In jedem Einbaum ruderten abwechselnd vier Männer, während die übrigen reitend und zu Fuß, wie es gerade kam, ihren Weg verfolgten. Jeden Augenblick musste Obijah Rat und Auskunft geben.

»Schau her, mein Junge, ist das Ding hier genießbar? Kann man diese Beeren essen? Kannst du uns sagen, ob das da oben ein Vogelnest ist und es vielleicht essbare Eier enthält?«

Und Obijah wusste alles, kannte alles.

»Das ist ein guter Baum«, sagte er einmal, »ein nützlicher Baum. Haltet die Boote an und die Reittiere, bringt Kalebassen herbei, ihr sollt einen Trunk haben, der für Könige gut genug ist.«

Und dann erklang das Hornsignal, die modernen Argonauten zogen ihre Ruder ein und die Mulas benutzten die Ruhepause um das junge Gras zu weiden. Die sonderbare Pflanze aber gab auf gleich sonderbare Art ihre köstlichen Schätze heraus.

An einem armdicken Stiel wuchs eine nierenförmige Nuss, welche von den Treibern an schnell entzündetem Feuer aus heißen Steinen geröstet wurde; unterdessen hatte Obijah den Weißen gezeigt, wie man den birnenweichen fleischigen Stiel behandeln müsse um zu dem berühmten Trunk zu kommen. Gleich einem Schwamm presste er die hellgrüne Masse und nur eine leere, schlauchartige Haut blieb in seiner Hand zurück, der ganze Inhalt derselben, ein weißer klarer Saft befand sich in der Kalebasse.

»Das schmeckt herrlich!«, erklärte der Doktor. »Wie Moselwein.«

»Wie Erdbeersaft, finde ich.«

»Nein, wie die reife Melone mit Zucker.«

»Obijah, mir noch einen Schluck, hörst du!«

Die beiden Kunstreiter schwangen sich in die höchsten Äste des an sich wenig reizvollen Baumes und von Hand zu Hand gelangten die kostbaren Blütenstiele hinab an die Dürstenden, welche sich den Gang der Dinge insofern vereinfachten, als sie, anstatt den Saft herauszupressen, denselben gleich aus dem Fleisch sogen. Die Nüsse blieben dabei ganz unbeachtet; als aber Trente und Luiz dieselben auf grünen Blättern servierten, fanden auch sie begierige Abnehmer. Alles schmauste und trank, die Gesellschaft war außerordentlich guter Dinge.

»So lasse ich mir die Urwaldreise gefallen«, meinte Benno. »Wachsen viele solcher Bäume hier herum, Obijah?«

Der Eingeborene nickte.

»Sie sind überall zu finden, Fremder. Da ist auch ein Baum, der gute Beeren trägt; siehst du die Papageien, wie sie fressen?«

Mit Stöcken und Steinen wurde die bunte schnatternde Schar vertrieben und abermals eine reiche Ernte gehalten. Hier Früchte wie zarte gelbe Pflaumen, dort große, beinahe schwarze Trauben mit sehr wohlschmeckenden Beeren, rote Kirschen und die Beeren der Myrtaceen. Große Vorräte wurden in die Boote befördert und massenhaft aufgestapelt, ebenso Büschel der reifen Bananen, an denen zwei Männer zu schleppen hatten. Benno deutete auf eine Anzahl großer

Vögel, die dem Plünderungszug schon länger gefolgt waren und sich ganz seltsam gebärdeten.

»Sehen Sie doch einmal diese Tiere«, sagte er, »sie tanzen ein vollständiges Ballett.«

»Der Gallito (Felsenhahn)!«, berichteten die Peruaner. »Seine Federn sind blau, dann steht die Regenzeit vor der Tür. Wie die Tiere hüpfen können!«

Eine Schar zierlich gebauter Hühnervögel hatte auf einem breiten Ast Platz genommen und vollführte hier einen förmlichen, von jedem Mitglied der kleinen Gesellschaft gleichmäßig geübten Tanz, bei dem die auf dem Rücken zusammengelegten Flügel schildartig aufrecht standen.

Die Gallitos wiegten den schlanken Hals von einer Seite zur anderen, sie traten bald auf den rechten, bald auf den linken Fuß, hüpften hierhin und dorthin, schienen sich gegeneinander zu verneigen und voreinander zu fliehen, kurz sie tanzten ein vollständiges Ballett, zu dem ein anderer kleinerer Vogel, der Trupial, die Musik lieferte.

Dieser sang, in den Zweigen versteckt, förmliche Melodien, bei denen sich die Sätze in bestimmten Zwischenräumen regelmäßig wiederholten, aber sehen ließ er sich nicht. So viele Steine auch in die Bäume hinein geschleudert wurden, der Trupial kam nicht zum Vorschein. Hinter einer Biegung des immer breiter werdenden Flusses ließ sich plötzlich eine laute, ja gellende Stimme in kurzem scharfem Gebrüll vernehmen. Der Ton kam einzeln und brach wieder ab, dann folgte ein zweiter, dritter, alle von Pausen unterbrochen. Die Reisenden sahen einander an.

»Was war das?«

»Brüllaffen«, sagte Obijah. »Wir werden sie gleich vor uns haben.«

»Aber es ist nur ein Tier, das da heult«, flüsterte Benno. »Die übrigen folgen nach, – so, jetzt wird die Beobachtung gleich möglich sein.«

Der brüllende Affe hatte die Unterbrechungen seines schrecklichen Geschreis ausgegeben und war nun in ein förmlich teuflisches Geheul übergegangen. Es klang höhnisch und boshaft, raubgierig und drohend zugleich, es erbitterte selbst den sanften Pluto dermaßen, dass er zu winseln begann, obwohl freilich seine Stimme neben derjenigen des Affen keine Geltung zu erlangen vermochte; das entsetzliche Gebrüll übertönte alles. Doktor Schomburg schüttelte den Kopf.

»Ich habe den Löwen brüllen und die Hyäne lachen hören«, sagte er, »aber dieses Geschrei ist unerträglicher, als jene beiden zusammen.«

Obijah deutete auf eine Gruppe astreicher, dichtbelaubter Bäume.

»Da sitzt die Gesellschaft«, sagte er. »Ihr werdet doch einige zum Frühstück schießen, Fremde?«

Benno schüttelte sich.

»Affenbraten!«, rief er voll Grauen.

»Schmeckt herrlich«, nickte der Indianer. »Ein zartes, feines Fleisch.«

In diesem Augenblick setzten etwa zwölf bis zwanzig weitere Stimmen, der ersten folgend, zum Gebrüll ein. Wie ferner Donner klang das schauerliche Konzert, aus dem bald dumpfe, bald gellende oder pfeifende und knarrende Einzeltöne besonders hervortraten; es lähmte bei den Weißen alle Gedanken, es weckte das Verlangen einer schleunigen Flucht, so sehr fühlten sich alle Nerven gequält und gereizt.

Man sah jetzt die Tiere, welche auf den unteren breiten Ästen eines wilden Feigenbaumes hockten und dicht gedrängt ihre unbeschreiblich hässlichen Gesichter den Reisenden zukehrten. Vor ihrer Reihe ging ein altes Männchen mit langsamen, würdevollen Schritten auf einem Ast hin und her, jedenfalls der Vorsänger, dessen Stimme die Musikübung der Horde eingeleitet hatte. Die Tiere zeigten eine fuchsrote Färbung, sie waren klein, mit langem Wickelschwanz versehen und hatten einen gewaltigen Haarwulst hinter dem Kopf. So im bequemen Sitzen ließen sie den Schwanz und die Glieder herabhängen, während der Anführer auf allen Vieren ging und den Schwanz gerade aufgerichtet wie eine Fahnenstange trug.

Jetzt machte dieser Stammesälteste in seinem Vortrag wieder eine Pause und sogleich schwiegen alle übrigen. Ganz in der Weise, wie es vordem anfing, so endete jetzt das gemeinschaftliche Gebrüll der Affenfamilie. Die Boote hielten gerade unter den überhängenden Zweigen des wilden Feigenbaumes, aller Augen sahen die Tiere, denen diese Beobachtung keinerlei Furcht oder Erstaunen einzuflößen schien. Der Anführer sprang sogar auf den untersten Ast, ging bis zu dessen schwankender Spitze und begann ein zänkisches Knurren, offenbar als Herausforderung an Bennos Hund, der mit den Vorderfüßen auf dem Bootsrand stand und seinerseits aus Leibeskräften bellte. Bei der Annäherung des Affen sprang er mit einem gewaltigen Satz an das Ufer und versuchte, nach dem Körper des Vierhänders zu schnappen.

Ein Wutgeheul begleitete jeden dieser vergeblichen Sprünge, besonders wenn sich der Affe im gegebenen Augenblick sehr geschickt an dem langen Wickelschwanz herabließ und seinem Widersacher eine wohl gezielte Ohrfeige verabreichte. Obijah trat vor Ungeduld von einem Fuß auf den anderen.

»Schießt doch!«, bat er. »Schießt doch! Man könnte den großen Kerl so bequem erlegen.«

Und eine Bewegung vollführend, als spanne er den Bogen, seufzte der Verbannte tief auf.

»Ach, wenn ich meine Waffen hier hätte!«, bebte es über seine Lippen.

Ramiro legte an und eine Sekunde später krachte der Schuss. Jetzt kam plötzlich Leben in die vorhin so stumpfsinnige Affenfamilie; ein klägliches Geschrei ausstoßend, rannten die aufgeschreckten Tiere zunächst hin und her, dann griff eines nach einem höher gelegenen Ast, den es aber im Augenblick nicht erreichen konnte. Mit der Schwanzspitze sich anklammernd, schaukelte es darauf eine Zeit lang frei in der Luft, bis es gelang, den vorstehenden Zweig eines anderen Baumes zu erfassen und hinüberzuspringen.

Sobald das erste Tier diesen beschwerlichen Weg zurückgelegt hatte, folgten ihm nacheinander schaukelnd und springend alle übrigen, wobei es indessen durchaus nicht ohne einige kriegerische Verwickelungen abging. Verschiedene Junge wollten sich nach gewohnter Weise an die Brusthaare der Eltern klammern, wurden aber mit tüchtigen Ohrfeigen zurückgewiesen, und mussten es endlich wohl oder übel wagen, den gefährlichen Sprung auf den anderen Baum selbst zu unternehmen.

Der Anführer allein blieb unbeweglich sitzen; er war von der Kugel getroffen worden, aus seiner Brust rannen Blutstropfen, aber er fiel nicht zu Boden, schrie auch nicht, sondern zuckte nur mehrere Mal leicht zusammen, bis ein zweiter Schuss seinem Leben ein Ende machte. Er stürzte schwer, mit allen vier Händen um sich greifend, in das Gras, wo ihm Obijah mit einem Kolbenschlag den Kopf zerschmetterte.

Weiter hinauf tönten schon wieder andere Gesänge. Rote und schwarze Brüllaffen bewohnten überall am Uferrand die Feigenbäume, auf denen sie ihre Morgenkonzerte gaben; erst gegen Mittag legte sich der furchtbare Lärm.

Während der heißesten Stunden suchten Menschen und Tiere den Schatten, um auszuruhen von der Anstrengung der ersten Tageshälfte, Obijah machte ein Gestell aus hartem Holz, brachte den abgezogenen und ausgeweideten Affen in sitzende Stellung und briet ihn so, indem er bald diese, bald jene Seite dem Feuer zukehrte, aber essen musste er ihn allein, selbst die halbwilden Treiber verschmähten es, das menschlich aussehende Geschöpf mit ihren Messern und Zähnen anzufallen. Unter den Weißen entstand ein heimliches Verlangen nach Fleisch.

»Nüsse sind ja eine recht nette Speise«, meinte der Doktor, »und Früchte eine angenehme Zugabe, aber der Magen sehnt sich doch endlich nach etwas Warmem, Ernährendem. Sollten wir nicht einmal Tapire auftreiben können, Obijah?«

»Wenn Strecken mit hohem Schilf kommen, tiefe morastige Einschnitte, dann finden wir sie gewiss, Fremder. An flachen Ufern niemals.«

»Bist du hier in dieser Gegend schon früher gewesen, mein Bursche?«

Obijah schüttelte den Kopf.

»Nein, wir kamen aus entgegengesetzter Richtung von weit her. Tenzileh liebte es nicht, unnötig zu wandern.«

»Schilfhalme stehen vereinzelt überall«, warf Benno ein. »Vielleicht findet sich ja bald eine Stelle, an der Tapire leben.«

Wieder glitten die Einbäume über das stille Wasser. Wilde Schwäne, schöngefärbte Enten und Möwen segelten vorbei; fast erdrückend lastete die Hitze.

»Ich möchte baden«, seufzte Halling.

»Ich auch, ich auch«, klang es von allen Seiten.

Obijah band ein Stück seines Affenbratens an einen langen Faden und hielt es in das Wasser hinein.

»Wir müssen uns erst überzeugen, ob sich im Fluss Piranhas befinden«, sagte er.

»Das sind Fische?«, fragte jemand. »Ja. Ach, da könnt ihr sie schon sehen, – es ist an kein Bad zu denken. Fremde, ihr würdet den Versuch dazu sogleich mit dem Leben bezahlen müssen.«

Neugierig beobachteten sämtliche Weiße die Vorgänge im Fluss. Zu Hunderten, vielleicht zu Tausenden hatten sich ganz kleine, oft nur fingerlange silberglänzende Fische auf den Köder gestürzt und diesen buchstäblich in Atome zerrissen. Während sonst die stummen Bewohner der Fluten schon durch das leichteste Geräusch verscheucht werden, nahmen hier die Piranhas von der ganzen Flotte mit allen ihren Insassen nicht die geringste Notiz, sondern umdrängten das Boot als wollten sie sogar in den Kiel desselben hinein beißen.

Ein Schlag in das Wasser verstärkte nur die außerordentliche Angriffslust der kleinen behänden Geschöpfe, die mit ihren scharfen Zähnen alles anfielen, was sie erreichen konnten. Obijah zog den leeren Faden wieder ein.

»Wäre der Jaguar so dreist und so mutig wie die Piranhas«, sagte er, »dann gäbe es im ganzen Land keinen lebenden Menschen mehr.«

»Wagen sich denn die kleinen Burschen auch an größere Fische heran?«, fragte der Doktor.

»An alles Lebende. Aber sie wohnen zum Glück nur an flachen Stellen; wo das Wasser tiefer wird und wo Alligatoren erscheinen, da verschwinden sie sogleich!«

»Das glaube ich. Die gepanzerten Echsen sind doch wohl Gegner, vor denen selbst diese Raublust kehrt machen muss.«

»Lasst uns die Boote anlegen«, bat Ramiro. »Es wird Abend und hier scheint das Ufer für ein Nachtlager besonders günstig.«

»Nur ein tüchtiges Stück Fleisch fehlt. Wenn jetzt ein Hirsch käme, das wäre herrlich, – oder besser noch, ein Rudel Hirsche.«

»Wollen wir ein Maultier schlachten, Señor?«

Der Doktor schüttelte den Kopf.

»Noch nicht, Kinder. Vielleicht fangen wir morgen einige größere Fische oder treffen Tapire. Man muss sparsam wirtschaften.«

Die Boote wurden festgelegt und Obijah machte ein Feuer, das man mit grünen Zweigen bedeckte, um durch den beißenden Rauch die Moskitos fernzuhalten; dann rösteten und kochten die Treiber das bescheidene, aus Nüssen und Flusskrebsen, sowie aus Piranhas bestehende Nachtessen. Die kleinen Fische wurden in Körben mit leichter Mühe gefangen, schmeckten auch sehr gut, aber jedes Tierchen bot nur einige dürftige Bissen, und so war es schwer, sich an ihrem Fleisch zu sättigen.

Langsam versank während des Abendessens die Sonne unter den Horizont, eine weitgedehnte purpurne Fläche zurücklassend, die sich in dem Wasser des Flusses widerspiegelte. Es wogte und schimmerte alles in diesem Glühen und Leuchten, bis plötzlich vom unteren

Himmelsrand eine Anzahl breiter, tiefblauer Streifen aufschossen und sich fächerartig durch den Purpur des Sonnenunterganges bis in das helle graublaue Gewölk hineinschoben. Von unten her gaben die stillen Fluten dieses großartige Bild in voller Schöne nochmals zurück.

Je schneller ringsumher die Tropennacht ihr Dunkel wie weite Schleier von Baum zu Baum spann, je undeutlicher alle Formen sich abzeichneten, umso schöner und klarer traten am Himmel die Lichterscheinungen hervor, umso wirkungsvoller, als jetzt Stern nach Stern auftauchte und zwischen den dunkelblauen Streifen in hellem Lichte erglänzte. Aller Augen verfolgten das interessante Schauspiel, in welchem Obijah nichts Unbekanntes zu sehen schien.

»Die Regenzeit kommt heran«, sagte er. »Der Gallito hat blaue Federn und der Himmel blaue Stäbe, das ist immer so.«

»Jetzt verschwindet das Rot«, rief Benno. »Es kommt ein weißer Schein.«

»Das Zodiakallicht! – Nun geben Sie Acht, Señores, der Anblick ist prachtvoll.«

Eine weiße Lichtpyramide erhob sich vom Rand des Horizontes und stieg bis zum Zenit, Fächerstrahlen nach allen Seiten sendend, wunderbar klar und rein, die blauen Stäbe verhüllend, eine milchweiße breite Flut von Glanz und Schimmer, die das Auge weder blendete noch anstrengte, deren Eindruck vielmehr ein beruhigender, ja fast feierlicher zu nennen war.

Im hellen Licht wiegten die uralten Waldriesen ihre Kronen, im hellen Licht lagen die sonderbaren vorweltlichen Einbäume und die Gestalten der nackten, kupferfarbenen Männer. Es war so still, so feierlich, dass sich unwillkürlich die Gedanken zu ernsten Dingen wandten, – in die Vergangenheit mit ihrer Sehnsucht nach fernen Lieben, in die Zukunft mit ihren bangen, noch unbeantworteten Fragen.

Da erhob im Wald ein Vogel die leise Stimme und sogleich fielen alle seine Genossen in den frommen Gruß mit ein:

»Dios te de! Dios te de!«

Tiefes Schweigen herrschte unter den Reisegenossen; Obijah war es, der zuerst wieder sprach.

»Es läuft nun gleich ein Feuer über den Himmel«, sagte er, »aber hinab auf die Erde kann es nicht kommen.«

»Denkst du, dass es ein Gewitter geben werde, Obijah?«

Der Eingeborene schüttelte den Kopf.

»Kein Donner und kein Regen, Fremder, aber doch ein Feuer«, wiederholte er. »Hast du das denn schon früher gesehen, mein Bursche?«

Der Indianer nickte. »Schon oft, Herr.«

Aller Blicke hingen voll Spannung an dem weißen ruhigen Licht des Himmels. Wohl eine Viertelstunde verging, ohne Veränderungen mit sich zu bringen, dann zuckte plötzlich ein breiter, roter Feuerstrahl über den Horizont und ihm nach folgten unaufhörlich, beinahe ohne Pausen andere, ebenso gestaltete Blitze, die sämtlich einen schnurgeraden Weg nahmen, niemals die eingeschlagene Bahn verließen und von keinem noch so leisen Donner begleitet waren.

»Flächenblitze«, sagte der Doktor. »Ein prachtvolles Schauspiel. – Aber fast schauerlich. Diese tiefe Stille in der Natur wirkt lähmend.«

Obijah hielt acht Finger empor.

»So viele Tage noch«, sagte er, »dann kommt die Regenzeit. Das Wasser löscht die Sonne ganz aus.«

»Und wo bleibt ihr mit Weib und Kind während dieser nassen Wochen?«

Der Eingeborene zuckte die Achseln.

»Wir machen unsere Hütten mit Tierfellen so dicht wie möglich, viele Stämme ziehen in die Berge.«

Ramiro seufzte.

»Das neue Missgeschick«, sagte er. »Auch das noch!«

Halling suchte ihn zu trösten.

»In vier Wochen haben wir peruanischen Boden unter den Füßen, Señor. Das Ärgste ist überstanden.«

Der Kunstreiter presste wie im Krampfe seine Hände zusammen.

»Vier Wochen!«, wiederholte er. »Vier Wochen! – Ist das nicht ein Nichts, eine Spanne Zeit, so winzig, dass man sie kaum berechnen sollte?«

»Gewiss, also richten Sie sich an diesem Gedanken doch aus, Señor. Freuen Sie sich, der Heimat so nahe zu sein.«

Ramiro senkte den Kopf und presste die Hand fest auf das klopfende Herz.

»Wenn nur die Stimme hier drinnen einmal schweigen wollte«, flüsterte er in Bennos Ohr. »Wenn ich nicht ein leises Mahnen fort und fort hören müsste. Aber sooft nur ein froher hoffnungsvoller

Gedanke auftauchen will, – gleich ist es wieder da. ›Hüte dich! Hüte dich!‹, so klingt es, – und wohin ich mich wenden, was ich vornehmen mag, der Klang verfolgt mich bei Tag und Nacht zu jeder Stunde, in jede Lebenslage hinein.«

Benno klopfte gutmütig die Schulter des aufgeregten Mannes.

»Das ist die Unruhe vor der Entscheidung«, tröstete er. »Wo Großes auf dem Spiel steht, da können nur leichtsinnige Charaktere ganz getrost an Glück und Gelingen glauben, der besonnene Mensch denkt jedenfalls auch an ein mögliches Fehlschlagen.«

Ramiro trocknete die heiße Stirn.

»Hätte ich nur früher aus Deutschland abreisen können«, seufzte er, »wäre es mir nur möglich gewesen, direkt über Lima meine Heimat zu erreichen. Aber woher nehmen und nicht stehlen? Wie oft überlegten wir das alles, meine arme Frau und ich, wie haben wir die Sache erörtert und besprochen! Auch durch den Verkauf meiner besten Tiere wäre kaum das Fahrgeld zusammengebracht worden, dann aber hätten die Meinigen verhungern müssen. Und so fasste ich denn den Gedanken, quer durch Brasilien zu wandern. Die Fahrt bis Rio de Janeiro gab ja der Agent für einige wenige Taler, – denn ich muss, ich muss mit dem Bruder Alfredo zusammentreffen, es koste, was es wolle. O Benno, wenn ich an den Schatz meiner Väter denke, – auch für Sie! – an alle diese Millionen!«

»Still, Señor still!«

Der Kunstreiter beugte die geöffnete Hand flach nach vorn.

»Sehen Sie, Benno, sehen Sie? Es liegt da ein Stein im Wege, ein Etwas, dem ich keinen Namen geben kann, aber es ist da, es martert und quält mich immerfort, es verbietet sogar Ihnen, an das berauschende, himmelhohe Glück wirklich zu glauben.«

Benno schwieg; es durchschauerte ihn sonderbar, er wagte es nicht, in diesem Augenblick eine wohlfeile Tröstung auszusprechen. Ramiro schien auch keine Antwort erwartet zu haben, er stützte den Kopf in die Hand und sah stumm vor sich hin. Die Erscheinung am Himmel hatte unterdessen aufgehört, es war dunkle Nacht geworden, ein Windstoß ließ die Kronen der Bäume rauschend zusammenfahren, leise plätschernd schlugen die Wellen gegen die plumpen Fahrzeuge am Ufer.

»Vier Wochen!«, wiederholte sich in Gedanken der Kunstreiter. »Vier Wochen! – Dann kann ich vor Alfredos Tür stehen.«

Und die wilden Herzschläge erstickten ihn fast. Klang es nicht immer wieder hindurch, immer wieder, sooft er auch horchte und endlich, endlich die leise Stimme besiegt zu haben hoffte:

»Hüte dich! – Hüte dich!«

Schaudernd schloss er die Augen.

14.

Eine Schmarotzerpflanze – Gefiederte Tänzer – Der Stamm
der Wasserbewohner – Die Jagd auf den Lamantin – In
Lebensgefahr – Die Regenperiode – Ein ungeladener Gast –
Das Faultier im Rauchfang

Die Nacht und ein anderer Tag waren während der stillen Fahrt durch
den Urwald dahingegangen, dann noch eine Nacht und wieder ein
Morgen. Hell stand die Sonne am Himmel, eine gebüschfreie Ufer-
landschaft tat sich auf und weit hinaus sah man vor den Einbäumen
nur eine breite, scheinbar unbegrenzte Wasserfläche.

»Jedenfalls ein großer Strom, der quer vor unserem Wege liegt«,
meinte Doktor Schomburg. »Nun gilt es, die Tiere hinüberzubringen.«

»Oho«, rief Trente, »Mula kann schwimmen.«

Halling hatte durch das Taschenfernrohr gesehen.

»Es liegen Inseln im Wasser«, berichtete er. »Das ist jedenfalls ein
Trost.«

»Obijah«, rief Benno, »sieh dir einmal diese Palmen an! Ein fremdes
Gewächs hat sie ganz umsponnen und erdrückt.«

Der Eingeborene nickte, ein scheuer Blick traf die Stämme, welche
Bennos ausgestreckte Hand bezeichnete.

»Ich weiß wohl«, antwortete er, »das ist der Würger, – auch die
Palmen haben ihre Dämonen.«

»Der Matapalo-Baum (Würgefeife)«, setzten die Peruaner hinzu.
»Er siedelt sich in der Krone des Baumes an, umzieht ihn von oben
bis unten mit seinen Luftwurzeln und nährt sich von dem Lebenssaft
des Opfers, ohne selbst den Erdboden irgendwo zu berühren.«

Trotz Obijahs ängstlicher Warnung wurde die kleine Flotte angehalten und sämtliche Europäer erkletterten das Ufer, um diese seltsame
Erscheinung näher anzusehen. Jede Palme war mit einem Gitterwerk
armdicker Stränge von allen Seiten wie mit einem Spalier umzogen,
während oben, hoch auf der verdorrten Krone die Schmarotzerpflanze
als kräftiger Stamm sich erhob und einen reichen Schmuck von Blättern, Blüten und Früchten an den langen Luftwurzeln zu Boden
sandte.

Die Beeren sahen aus wie kleine Pflaumen, waren aber bei aller Schönheit ungenießbar, so dass nur einige Zweige gepflückt wurden, die Halling zu seiner Zeichnung brauchte. In Hallings Taschenbuch fand sich alles Bemerkenswerte der ganzen Reise in Bildern vereinigt. Die beiden sorgfältig gearbeiteten Zinkgefäße aus Rio waren bei der Gefangennahme im Dorf Tenzilehs den Siegern zum Opfer gefallen und nicht wiedererlangt worden; die Naturforscher hatten also kein Mittel, irgendwelche Pflanzen oder Tiere sicher aufzubewahren.

Hellgrünes, nicht zu hohes Gras bedeckte überall den Boden, kleine Seitenarme des Flusses schlängelten sich hindurch und tränkten die Wurzelfasern der Pisang- und Zuckerrohrpflanzen, deren hohe dichte Halme den Blick auf das Wasser stellenweise verhüllten. Mitten in den grünen Massen schien sich ein lebendes Wesen zu befinden, die Stängel wogten hin und her, man hörte ein Plätschern und Rollen, einen Ton wie das Schnauben eines Pferdes und plötzlich sprangen leichte Wasserstrahlen hoch in die Luft empor, um wie ein Regen auf die Köpfe der Männer zurückzufallen. Wen es traf, der wurde durchnässt. Erstaunte Blicke begegneten einander.

»Was bedeutete das?«

»Einer unserer Genossen neckt uns!«

»Bist du es, Matteo?«

Keine Antwort. Benno schnitt einen langen Stängel von einer Zuckerrohrpflanze ab und fuhr damit in das Blättergewirr hinein. Augenblicklich hörten die Spritzfluten auf, das Wasser schlug über die Seitenränder des Flussarmes und zu aller Ohren drang das Geräusch einer eiligen Flucht. Es waren offenbar größere Geschöpfe, die da, sich überstürzend, dem tieferen Flussbett entgegen stürmten, vielleicht sogar viele an der Zahl. Obijah musste sie gesehen haben, er sprang mit einem hohen Satz an das Ufer und lief zu den Weißen; sein Gesicht glänzte vor Vergnügen.

»Der gute Fisch ist da«, raunte er. »Aber ihr wisst doch, dass man seinen Namen nicht nennen darf, Fremde?«

Ein erstauntes Kopfschütteln antwortete ihm.

»Welcher Fisch?«, fragte Ramiro. »Und warum sollte man von ihm nicht sprechen dürfen?«

»Weil er dadurch beleidigt wird. Der gute Fisch kann auch sehr schaden, er nimmt eine menschliche Gestalt an, schmückt sein lang herabhängendes schwarzes Haar mit Blumen und spielt mit den Fingern auf einem Stück Holz eine leise Musik. Alle, die das hören, müssen ihm folgen und er führt sie in den Tod.«

Doktor Schomburg lachte.

»Sehen Sie doch nach, wie dieser neue Rattenfänger von Hameln heißt, mein lieber Halling, und dann sagen Sie es mir auf lateinisch. Man darf wohl annehmen, dass der Fisch ohne klassische Bildung geblieben ist.«

Benno und der junge Naturforscher waren schon unterwegs zum Ufer. Was da im Zuckerrohr geschnoben und geraschelt hatte, das musste doch herausgebracht werden, – und jetzt sahen sie ja auch schon Obijahs geheimnisvolle Wesen im hellsten Sonnenlicht durch das Wasser schlüpfen – spielende, springende Delfine mit langen scharfgezahnten schnabelartigen Schnauzen und graurötlichen schlanken Leibern. Die Tiere sandten schon wieder hohe Wasserstrahlen in die Luft empor und schossen unbekümmert um die Nähe der Menschen zwischen den Einbäumen durch die Fluten dahin.

»Inia boliviensis (Bolivianischer Amazonasdelfin)!«, rief Benno mit lauter Stimme. »Zahlreich wie die Sperlinge auf unseren deutschen Dächern.«

Obijah hatte genau zugehört; jetzt nickte er verständnisvoll mit dem, längst durch einen neuen Blechlöffel geschmückten Kopf.

»Ihr habt auch einen anderen Namen«, sagte er blinzelnd und lächelnd.

»Das ist vernünftig. Wie soll der gute Fisch wissen, wer damit gemeint ist? Es wäre ja unmöglich.«

»Ganz unmöglich«, bestätigte äußerst ernsthaft der Doktor. »Aber nun sage mir, mein guter Obijah, wie heißt denn das Tier wirklich? Raune den Namen leise in mein Ohr, hörst du, ich verrate nichts.«

Obijah spähte und horchte sorgfältig.

»Bedenke, wenn der Fisch als schöner Jüngling mit seiner gefährlichen Musik vor uns herginge und uns zu einer Zauberinsel führte«, sagte er flüsternd. »Das wäre doch schrecklich.«

Der Doktor nickte.

»Kann er denn durchaus nicht leiden, dass irgendein Mensch seinen Namen ausspricht, Obijah?«

»O er nimmt es so übel auf, dass sein Zorn keine Grenzen kennt. Aber ich will dir das Geheimnis ganz leise sagen, – der Fisch heißt Orinocua.«

»So! So! – Ihr tötet ihn also wohl niemals?«

Der Indianer erschrak heftig.

»Ihn töten, Fremder? Wohin denkst du? Nein, nein, das darf unter keiner Bedingung geschehen.«

Und auf den Fluss hinaus deutend, sagte er: »Sieh die Fische, Herr! Vor deinem Boot führen sie ihre Tänze auf, – das ist ein glückbringendes Vorzeichen.«

Ramiro wandte den Kopf.

»Inwiefern, Obijah?«, fragte er mit unsicherer Stimme. »Erkläre mir das deutlicher.«

Der Indianer sah immer auf den Fluss hinaus.

»Was du beabsichtigst, wird gelingen«, versetzte er. »Was du wünschest, wird in Erfüllung gehen.«

Ein plötzliches Rot schoss in Ramiros blasses Gesicht.

»O Herr Doktor«, sagte er, »lassen Sie die Delfine leben.«

Der Gelehrte versprach es kopfschüttelnd.

»Schade um das gute Fischgericht«, seufzte er. »Aber was tut man nicht seinen Freunden zuliebe?«

Die übrigen lachten und allerlei Spötteleien wurden laut, doch ließ man die springenden, meterhoch aus dem Wasser hervor schnellenden Delfine unbehelligt und fuhr zwischen ihren hohen Spritzstuten hindurch, ohne einen Schuss abzugeben. Obijah hatte dafür auch einen vielversprechenden Trost in Bereitschaft.

»Es findet sich noch ein großes Tier«, sagte er, »viermal so groß als der gute Fisch. Das können wir schießen und sein Fleisch essen; ihr sollt sehen, es schmeckt vorzüglich.«

»Und das Tier lebt im Wasser?«, forschte der Doktor. »Wie heißt es denn?«

»Es ist der Tupan. So große Augen hat es.«

Und Obijah bog Daumen und Zeigefinger zur Rundung.

»Der Tupan ist so lang wie ein Boot«, fügte er bei.

»Ein Lamantin«, riet Halling. »Es kann nichts anderes sein.«

»Und da sind Alligatoren«, setzte jemand hinzu. »Ihre falschen Augen schielen nach unseren Fahrzeugen.«

»Ach – und da hebt eins den ganzen Kopf aus dem Wasser. Wahrhaftig, der Geselle begleitet das Boot.«

Die Delfine schienen sich um die Panzerechsen durchaus nicht zu bekümmern, sie spielten munter im Wasser und in der Luft, während die Alligatoren träge am Ufer im Schlamm lagen oder mit den Booten weiterschwammen. Sobald eine Kugel ihre Köpfe traf und unschädlich an denselben abprallte, tauchten sie unter und kamen nicht wieder zum Vorschein.

Am Nachmittag desselben Tages zeigte es sich, dass wirklich ein meilenbreiter Strom quer vor den Reisenden lag. Die Ufer gingen über in schlammige, mit Schilf und Mangroven bewachsene Strecken, dann hörten sie ganz auf und man musste die Maultiere schwimmen lassen, um sie bis zur nächsten Insel zu bringen. Langgestreckt lagen die mit Palmen bewachsenen Inseln in der Flut, groß genug, um auf ihrem Grund die Nacht zu verbringen und im Schutz des grünen Blätterdaches ruhig zu schlafen, – es galt nur, hinüberzugelangen.

Die Einbäume wurden in zwei Reihen geordnet und dann die Maultiere in die Mitte genommen. Einige zeigten große Scheu vor dem Wasser, andere waren gefügiger, aber nach stundenlangem Bemühen kamen doch alle an das Ufer der Insel. Am nächsten Morgen ging die Fahrt über eine noch breitere und bewegtere Strecke des gewaltigen Stromes bis an ein zweites Eiland. Hier sah man in blauer Ferne die Grenze des Waldes am Horizont, – morgen konnte man, wenn nichts Unerwartetes geschah, die Reise zu Land fortsetzen. Menschen und Tiere waren ermüdet, es begann an Proviant zu fehlen.

»Obijah«, sagte zum zwanzigsten Male der Doktor, »wo bleibt das versprochene große Tier?«

Und immer antwortete der Indianer:

»Wir werden es schon noch finden, Herr!«

»Ein Boot!«, rief plötzlich unser Freund. »Ein großes Boot! – Wilde! –.«

Die Einbäume wurden schleunigst auf den Strand gezogen und befestigt; jeder Mann nahm das geladene Gewehr zu sich und klopfenden Herzens erwarteten alle, was nun folgen werde.

»Das ist eine wahre Arche«, sagte Halling, »ein schwimmendes Haus.«

»Und an Bord bellt ein Hund, – ich höre Kinderstimmen.«

Wieder wurde das Taschenfernrohr hervorgezogen.

»Zwei Frauen rudern«, berichtete der junge Naturforscher. »Ich sehe es genau.«

»Sind denn keine Männer an Bord?«

»Eine sitzende Gestalt hält eine Leine in das Wasser, vielleicht ist ein Netz oder ein Korb daran befestigt.«

»Und im Vorderteil des Fahrzeuges muss sich ein Feuer befinden. Man sieht Rauch aufsteigen.«

»Das ist eine sonderbare Geschichte, Obijah, kannst du dir erklären, was dieses riesige Boot mit einer Besatzung von Frauen und Kindern eigentlich bedeutet?«

Der Indianer schüttelte den Kopf.

»Feuer im Boot«, sagte er, »das habe ich noch niemals gehört oder gesehen.«

»Ich auch nicht«, gestand Ramiro. »Das ist seltsam.«

»Aber ein kriegerisches Aussehen hat das Ding nicht.«

»Keineswegs; eher ein gemütliches. Das breite Sonnendach aus Bast und Blättern verhüllt in seinem Schatten ein ruhiges Familienleben, glaube ich. Da schreit ein Baby und eine weibliche Stimme singt.«

Von der Seite her näherte sich Trente seinen Gebietern, er war offenbar etwas unruhig, etwas beklommen.

»Señor!«, raunte er. »Nun, mein Junge?«

»Señor, ob auch dieses sonderbare Boot, – ich meine, – hm, ja, – es könnte ein Lockmittel sein, – eine –.«

»Du glaubst, dass die braunen Menschen nur Gespenster sind, dass Schattenhände die Ruder führen, und –.«

»Heilige Mutter Gottes, heiliger Stephan und alle sieben Nothelfer, steht uns bei! Das wäre grässlich.«

»Du, Trente«, flüsterte Benno. »Vielleicht ist es auch der Lahmfuß! Er reist mit Familie und das schreiende Baby ist ein Lahmfüßchen!«

»Ach gütiger Gott, ich, – ich – ja, die Maultiere brauchen Futter, ich muss Gras schneiden!«

Und weg war er, wie fortgeweht. Die anderen lachten ihm nach. Das Boot mit den rudernden Frauen sah wenig furchterregend aus, es trieb so langsam heran, dass sich bald Gelegenheit fand, den Leuten zu winken. Obijah pfiff laut und dann zeigte er den Unbekannten eine Kokosnuss, die er über den Kopf hielt.

Im Boot wurde das Friedenszeichen sofort verstanden, die fischende Gestalt, ein Mann, wie man jetzt sehen konnte, nahm aus einem Korb einen großen zappelnden Wasserbewohner und schwenkte denselben durch die Luft, dann drehte er das Steuer und die große plump gebaute Arche näherte sich dem Ufer.

»Keine Sitzbretter«, flüsterte Benno. »Frauen und Kinder kauern so auf dem Boden.«

»Es sind bis auf den einen Mann Frauen, zusammen zehn Personen.«

Der Fischer erhob sich jetzt von seiner Arbeit und ließ mit ebenso kräftiger als anmutiger Bewegung den Einbaum langsam an den Strand heran gleiten, dann befestigte er die Spitze desselben an einen Baumzweig und nahm aus dem Binsenkorb die beiden größten Fische, welche er den Weißen darbot. Als Obijah einige Bananen und Nüsse als Gegengabe darreichen wollte, schüttelte der Fremde den Kopf.

»Wir essen das nicht«, sagte er.

»Lebt ihr denn nur von Fischen?«, fragte Obijah.

»Ja. Wir sind Guatos.«

»Ach, – der sagenhafte Stamm der Wasserbewohner!«

Und die beiden Naturforscher beobachteten mit steigendem Interesse das sonderbare Völkchen. Es waren die schönsten und größten Indianer von ganz Brasilien, Leute mit langen, tiefschwarzen Haaren und reichem Schmuck aus Alligatorenzähnen; sie hatten sanfte angenehme Züge und ein bescheidenes Wesen; es war aber sehr schwer, ihre Sprache zu verstehen, Obijah musste häufig auf allerlei Umwegen zum Ziele gelangen.

»Lebt ihr denn immer in euren Booten?«, fragte der Doktor. »Tag und Nacht, während des ganzen Jahres?«

»Ja!«

»Und ihr besitzt überhaupt kein Haus?«

»Die Guatôs haben ein einziges, aber auch das steht auf Pfählen im Wasser. Wenn ein neues Boot ausgebrannt werden muss oder wenn jemand gestorben ist, zieht die Familie für einige Tage dorthin. Es wird auch einmal im Jahre eine Stammesversammlung gehalten, bei der sich aber nur die Männer einfinden dürfen.«

Die Weißen sahen einander an.

»Welch ein Leben!«, sagten ihre Blicke.

»Können wir euch denn gar nichts schenken?«, fragte der Doktor. »Möchtet ihr irgendein Kochgerät haben?«

Der Indianer deutete auf den Steinhaufen, unter dem grünes Holz langsam verbrannte.

»Wir rösten unsere Fische immer ohne Töpfe«, antwortete er.

Dann zeigte man ihm aber einen Nagelbohrer und den ergriff er begierig, während seine Gemahlin eine Schere erhielt. Nach einigen freundlichen Begrüßungen stieß das Familienboot wieder ab und die selten vorkommende Begegnung mit den Guatôs, einem halb verschollenen, sagenhaften Stamm war vorüber.

Die beiden großen Fische wanderten sogleich in den Kochkessel, dann wurden zum Abendessen Früchte gepflückt und die Nester der Wasservögel geplündert; Trente war dabei nirgends zu entdecken, erst als ein helles Lagerfeuer durch die Gebüsche glänzte, kam er zum Vorschein, aber auch dann noch zaudernd, mit verlegenem Gesicht.

»War es – nun – ob das Boot –«, stammelte er. »Sie wissen schon, Señor Benno, ob die Leute darin –?«

»Der Lahmfuß lässt dich grüßen, Trente!«

»Hei! – War er selbst, er –?«

»Gewiss, und gerade dich wollte er besuchen. Das Baby wird ein Doppellahmfuß, es ernährt sich schon jetzt nur von Menschenfleisch und zwar genießt es ausschließlich Maultiertreiber.«

Der Schreckensschrei erstarb auf Trentes Lippen; er sah die lachenden Gesichter ringsumher und zog sich etwas beschämt zurück.

»Hätte ich nur nicht gerade so notwendig Gras schneiden müssen«, murmelte er, »dann würde ich die Prahlereien dieses Burschen ganz gehörig bestraft haben. Es war doch solch ein brauner Kerl, ein Wilder?«

»Völlig wild!«, versetzte Benno so ernsthaft, das alles laut lachte. »Der Unglückliche glaubt sogar an Gespenster.«

Michaels blasses Gesicht sah in den Kreis der lagernden Männer hinein.

»Wassernixen gibt es«, sagte er geheimnisvoll flüsternd. »Sie tragen lange weiße Gewänder, – ich glaube, sie tanzen im Mondschein über den Flüssen – und wenn dann der Tote –.«

»Was faselst du da, Michael?«

Ramiros Stimme ließ den jungen Menschen plötzlich zusammenzucken.

»Der Tote lag doch in ihren Armen«, murmelte er. »Ich habe es gesehen, – sie trugen ihn hinab in den Palast auf dem Grund des Wassers, – ob er da wieder zum Leben erweckt worden ist?«

Niemand antwortete. Die Schleier des Irrsinns hatten sich immer dichter um das Geistesleben des jungen Mannes gelegt, er sprach nur selten und arbeitete nie etwas, – man hatte sich längst daran gewöhnt, ihn nicht mehr zu beachten und so geschah es auch heute. Nach und nach brannte das Feuer weiter herab, die plätschernde Flut wiegte alle Männer in den Schlaf und erst spät am nächsten Morgen wurde der Aufbruch vorgenommen.

Heute galt es, das feste Land zu erreichen und den letzten Teil der beschwerlichen Reise anzutreten. Die lebensfrohen jungen Leute sprachen schon von den Verhältnissen in Peru, von Krieg und Sieg, sie zählten die verflossenen Monate zu den interessantesten ihrer ganzen Vergangenheit und waren emsig dabei, die Tiere in geschlossener Reihe über das Wasser zu bringen.

Einige sträubten sich, andere wollten keine Fesseln dulden und so vergingen recht beschwerliche Stunden, bis das Ufer des festen Landes ganz in der Nähe war und alle Schwierigkeiten als überwunden angesehen werden konnten. Obijah stand in einem der vordersten Kähne; er hatte schon längst auf die helle bewegliche Flut hinaus gespäht und jetzt hob er plötzlich wie warnend seine Hand.

»Psst! – Ich glaube, etwas vor uns schwimmt der große Fisch.«

»Wo? Wo?«

»Still! Still! Wenn er uns hört, so taucht er.«

Ramiro hob leise das Gewehr und legte an.

»Der dunkle Gegenstand da in dem sonnenbeschienenen Wasserstreifen, Obijah?«

Der Indianer nickte.

»O«, murmelte er, »hätte ich meinen Bogen hier!«

»Sei unbesorgt, die Kugel trifft noch sicherer.«

Im nächsten Augenblick krachte der Schuss und eine dunkle Masse sprang hoch in die Luft empor, um sogleich wieder schwer zurückzufallen. Die Umgebung der Stelle färbte sich rot; das Wasser schlug ringsumher schäumende Wellen.

»Ein Messer!«, rief Obijah. »Ein Messer!«

Zehn zugleich wurden ihm gereicht, er ergriff das nächste und sprang ohne sich eine Sekunde zu besinnen, in das Wasser.

»Rudert heran!«, gebot er. »Macht zwei feste Seile los.«

Seine Befehle wurden augenblicklich befolgt; es verging etwa eine Minute, in der man von dem unerschrockenen Burschen nichts sah, dann tauchte er plötzlich dicht vor dem vordersten Boot wieder auf.

»Der große Fisch ist tot!«, rief er. »Ich habe ihm den Rest gegeben. Hei! – Jetzt erhalten wir Fleisch.«

»Wo ist denn aber deine Beute, Obijah?«

»Der Fisch liegt auf seinem Weideplatz, da unten in den Wassergewächsen. Das Wasser ist durchzogen mit langen Ranken, man muss sich sehr in Acht nehmen.«

Und dann streckte er die Hand aus.

»Gebt mir ein Seil!«, rief er.

»Obijah«, fragte Benno, »soll ich mit dir tauchen?«

»Ist nicht nötig, Fremder. Lasst nur das Boot hier liegen.«

Er verschwand wieder und brachte nach kurzer Zeit die beiden Enden des Seiles an die Oberfläche zurück.

»So, nun gebt mir das andere her.«

»Bindest du es unter Wasser um den Körper des Tieres, Obijah?«

»Gewiss. Gleich sollt ihr den großen Fisch sehen.«

Ramiro und der Doktor hielten das Seil, während mehrere andere ein zweites Boot etwas weiter hinaus ruderten, um dort aus Obijahs Hand das zweite Seil in Empfang zu nehmen. Alles harrte voll gespannter Erwartung der Dinge, die da kommen würden. Unter den Maultieren herrschte große Unruhe. Sie rissen an den Halftern, schnoben und warfen die Köpfe aus, so dass es von Augenblick zu Augenblick mehr Mühe kostete, ihrer noch einigermaßen Herr zu bleiben. Trente und seine Genossen wussten nicht mehr, wohin sie ihre Aufmerksamkeit zunächst richten sollten.

»Was haben die Tiere?«, fragte Pedrillo. »Irgendetwas muss sie erschrecken.«

»Das glaube ich auch. Aber was denn? – Mula sieht das Land und will nicht länger schwimmen.«

»Da taucht Obijahs Kopf wieder auf.«

Vergnüglich lächelnd, triefend wie eine gebadete Katze schwang sich der Indianer aus den Fluten empor; seine Hand hielt die Enden des zweiten Seiles, er nickte sehr zufrieden und sah stolz umher.

»Ich muss jetzt ein Boot ganz für mich allein haben«, rief er. »Auch eine Kalebasse oder eine Bratpfanne.«

»Was, Obijah – eine Bratpfanne?«

»Ja, ja, schnell, Fremde!«

Man reichte ihm das Gewünschte; mehrere Peruaner kletterten in das andere Boot hinüber und Obijah blieb in dem seinigen allein.

Nass wie er war, den Blechlöffel hoch in der Tropfen sprühenden Haarmasse, so stand er gleich einem siegreichen Feldherrn in der Mitte des Einbaumes und trieb mit leichten Ruderschlägen das Fahrzeug bis ganz in die Nähe derjenigen, in denen die Seile von mehreren Männern gehalten wurden; dann begann er eine Tätigkeit, beider die Weißen einander kopfschüttelnd ansahen.

Er schöpfte eilends, als gelte es sein ganzes Heil, das Boot voll Wasser.

»Obijah«, rief Benno, »was machst du da?«

»Lass mich nur, Fremder!«

Und wieder schaufelte er aus Leibeskräften, bis das Fahrzeug zu drei Vierteilen unter Wasser lag.

»So«, rief er dann, »nun zieht die Seile auf, aber ganz langsam, ganz vorsichtig, – der Fisch ist glatt wie ein Aal.«

»Und was willst du mit dem Boot, Obijah?«

»Zieht nur! Zieht nur! Der Fisch ist größer, als zwei Männer zusammen.«

Vorsichtig. Zoll um Zoll hoben vier Männer die im Wasser nicht eben schwere Last empor, bis das ungeheure Tier an der Oberfläche erschien. Mit einem Ruck hatte Obijah das halb und halb sinkende Boot unter den Riesenrumpf des Fisches gebracht und schaufelte nun das Wasser ebenso eilig wieder hinaus, wie er es vordem hereingeworfen hatte.

Bereitwillige Hände halfen ihm dabei, der Einbaum wurde nach und nach flott und nahm nach einer geschickt ausgeführten Drehung das gefangene Tier der Länge nach in sich auf. Ein lautes Bravo belohnte den kühnen Jäger.

»Das hast du gut gemacht, Obijah«, rief der Doktor. »Ein wahres Ruder- und Taucherkunststück! – Fangt ihr den Lamantin immer auf diese Weise?«

Der Indianer wischte sich die Tropfen von der Stirn.

»Immer!«, versetzte er. »An Land ziehen kann man den großen Fisch nicht, dafür ist er zu glatt.«

Die Aufmerksamkeit aller wendete sich jetzt der erlegten Beute zu. Vier Meter lang, mit einem borstigen Körper und kleinem Kopf war der Lamantin ein sehr hässliches Geschöpf, dessen wulstige Schnauze an die des Schweines erinnerte.

Ramiros Kugel hatte ihm das Gehirn durchbohrt und so den schnellen Tod herbeigeführt.

»Jetzt wollen wir ein Feuer entzünden und das Tier zerlegen«, rief sehr vergnügt der Doktor.

»Halling, halten Sie Stift und Papier bereit, – ich möchte die Lungen und die Gedärme des Tieres messen.«

»Obijah, du bist ein Prachtkerl! Ohne dich wären wir an diesem Wasserungetüm vorübergefahren und hätten nichts bemerkt.«

Die Maultiere schienen in diesem Augenblick von furchtbarem Erschrecken gepackt zu werden, sie schrien laut und drängten mit aller Macht in eine dichtgeschlossene Gruppe zusammen. Es war unmöglich, sie noch im Zaume zu halten, oder sie vorwärts zu bringen, – wie in ausbrechender Verzweiflung schlugen sie um sich und bissen stellenweise sogar nach den Händen derer, welche ihre Zügel ergreifen wollten. Trente schüttelte den Kopf.

»Die Tiere sind bezaubert«, rief er.

Spähenden Blickes sah Ramiro über das Wasser hinaus.

»Ob sich vielleicht Alligatoren in der Nähe befanden?«

Da entdeckte er einen ziemlich kleinen, dunklen Punkt, der dem Zuge der Wellen entgegen, an die Einbäume heran trieb. Die Sonnenstrahlen beleuchteten ein scheckiges Fell und grünlich schimmernde Katzenaugen, – voll Schreck wandte sich der Kunstreiter zu den übrigen.

»Was ist das?«, fragte er hastig.

Obijah sah hin.

»Die Unze!«, rief er. »O – es ist die Unze!«

Und als Ramiro das Gewehr ergriff, fiel er ihm schnell in den Arm. »Nicht schießen, Fremder! Nicht schießen!«

Aber die Warnung kam zu spät. Von mehreren Booten aus war das Raubtier bemerkt worden und ehe noch Obijah geendet hatte, pfiffen schon eine Anzahl Kugeln über das Wasser dahin. Der Jaguar tauchte, für Sekunden verschwand er, es blieb ungewiss, ob ihn einer der Schützen getroffen hatte.

Den Maultieren war es inzwischen gelungen, ihre Fesseln zu sprengen; die Reihen lösten sich auf und in wilder Flucht stürmte jedes einzelne Tier dem Land zu. Weißer Gischt überflutete die Boote, das Wasser schlug hohe Wellen, – eine Szene äußerster Verwirrung hinderte sekundenlang jeden freien Blick, jedes ruhige Nachdenken. Und der Jaguar? Hart vor einem Boot tauchte er plötzlich wieder auf, die Vorderpranken umkrallten den Rand des Fahrzeuges, ein dumpfes Knurren brach aus der Brust hervor, das Maul mit den furchtbaren Zähnen war wie zum Angriff halb geöffnet.

Eine ruhige Überlegung gab es nun für die im Boot Sitzenden natürlich nicht mehr. Während der eine mit dem Kolben auf das Raubtier losschlug, schoss der andere die Pistole ab oder stach mit dem Messer, aber der Jaguar schien von allen diesen Begrüßungen nicht die mindeste Notiz zu nehmen, er hob den sehnigen Körper aus dem Wasser und schwang sich über den Bootsrand, während im gleichen Augenblick die Insassen heraussprangen und so rasch wie möglich die Flucht ergriffen.

Alle bis auf einen! Benno stolperte und konnte nicht schnell genug den anderen folgen. In gewaltigem Bogensatz flog ihm über sechs Schritt Entfernung das Raubtier gerade entgegen.

Ein Schreckensschrei durchbebte die Luft. Die das Grässliche mit ansahen, konnten weder schießen noch sonst zur Rettung ihres bedrohten Kameraden irgendetwas vornehmen, – es war, als laste auf jedem Herzen ein Alp, als tanzten Flammen vor den Augen aller. Der Einbaum schaukelte, hoch über seine Bordwände schlugen die Fluten in das Innere, – die Unze hatte auf dem schwankenden Boden ihren Sprung verfehlt und senkte sekundenlang wie beschämt den Kopf, so dass Benno Zeit genug behielt, um die Stange des Sonnendaches aus dem Boden zu reißen und diese dem wütenden Tier, als es mit offenem Maul den Kopf wieder erhob, tief in den Schlund zu stoßen.

Ramiro hatte vom nächsten Boot aus den Vorgang mit angesehen. Ohne Überlegung, ganz instinktmäßig, sprang er von einem Fahrzeug auf das andere, drehte die Kugelbüchse um und schlug mit der Kraft der höchsten Aufregung den Kolben gegen die Stirn des Jaguars, so dass das Raubtier zusammenbrach und ohne Besinnung liegen blieb.

Im gleichen Augenblick ergriff der Kunstreiter seinen jungen Gefährten und schob den Taumelnden mehreren anderen hin, die heran gerudert waren und ihre Arme bereits ausstreckten, um ihn in ihr Boot auszunehmen. Als Ramiro gefolgt war, brachten eilige Ruderschläge das Fahrzeug aus der Sprungweite des Jaguars, der sich von den erlittenen Angriff ziemlich schnell erholte und unschlüssig, aufrecht im verlassenen Boot stand.

»Schießt ihn nieder!«, rief der Doktor. »Es ist die höchste Zeit.«

Und diesmal traf eine Kugel das Herz. Im Todeskampf krümmte sich das große Tier, ehe es alle Viere von sich streckte und verschied. Ein dumpfer Schrei war das Letzte, ein wütendes Fauchen wurde vom Tod erstickt. Ramiro hatte sich um die Unze gar nicht mehr bekümmert, er legte den Arm um Bennos Nacken und streichelte liebevoll das blasse Gesicht seines jungen Schützlings.

»Sind Sie ganz unverletzt?«, fragte er mit bebender Stimme. »Ist Ihnen gar nichts geschehen, Benno?«

Ein Kopfschütteln, ein etwas erzwungenes Lächeln antworteten ihm.

»Haarscharf streifte die Bestie an meinem Kopf vorüber, Señor, – ich fühlte die leise Berührung des Pelzes, den heißen Atem.«

Und Benno schauderte in der Erinnerung des schrecklichen Augenblickes.

»Weinen Sie!«, flüsterte Ramiro. »Weinen Sie, Benno, – die furchtbare Aufregung könnte Ihnen schaden.«

Aber nun lächelte unser Freund doch wirklich.

»So schlimm ist es nicht, Señor. Mir fehlt gar nichts, – ich habe das erste Erschrecken schon überwunden.«

Ramiro atmete tiefer.

»Gottlob!«, sagte er aus Herzensgrund. »Gottlob, Benno! Wenn Sie gestorben wären, – ich weiß nicht – aber das hätte mich in Verzweiflung gestürzt.«

Und dann sah er wieder voll Zärtlichkeit in die Augen des jungen Mannes.

»Benno, ich habe Sie gerettet, ein Menschenleben vor der Vernichtung bewahrt, – ist das nicht ein stolzes, seliges Gefühl?«

»Gewiss, Señor. Mein Leben wird nicht lang genug sein, um diese Schuld abzutragen. Ohne Ihre schnelle Tat wäre ich verloren gewesen.«

Es glänzte feucht in den Augen des Kunstreiters.

»So war es ja nicht gemeint«, sagte er nach einer Pause. »Sie schulden mir nichts, – nichts, – aber die Sache selbst, – ich, – nun, ich möchte wissen, ob wohl da oben von den Schicksalsmächten das eine gegen das andere abgewogen wird. Eine schnelle Tat gegen die andere?«

»Ich glaube es, Señor. Das Gute kann nie umsonst geschehen sein, es kann in seinen Wirkungen nie verloren gehen.«

Ramiros Lippen bebten.

»Das ist ein zweischneidiges Schwert«, sagte er, »es enthält eine Verurteilung, nicht wahr? Auch das Böse, Schlimme, einmal verübt, ist zum Bleibenden geworden und steht nun auf unserem Wege, – in seinen Wirkungen, wie Sie es nannten.«

»Aber kommen Sie«, setzte er, sich gewaltsam aufraffend, hinzu, »kommen Sie, Benno, die Einbäume landen. Jetzt wollen wir den Lamantin braten.«

»Und die Unze!«, rief Trente. »Hurra, das gibt Karbonaden (Scheiben geschnittener Rippenstücke)!«

Auch Obijah schnalzte mit der Zunge.

»Fein!«, rief er. »Fein! Wie das Fleisch vom Reh und von dem Armadillo.«

In langer Reihe landeten die Fahrzeuge und wurden auf den Strand gezogen; auch das mit dem toten Jaguar fing man ein und zerlegte sogleich die Beute. Ein buntes, bewegtes Bild entwickelte sich unter den hohen Uferbäumen, die Maultiere wälzten sich wohlig im Gras oder rannten nach der langen Haft fesselfrei umher, die Treiber sammelten alles Gepäck zusammen und formten mit schnell geflochtenen Seilen große Bündel, wieder andere entzündeten ein Lagerfeuer, das einen nach dem Wald hin geschlossenen Halbkreis beschrieb, und endlich waren die Peruaner selbst emsig beschäftigt, ihre Hängematten passend anzubringen.

Jeder einzelne hat, was ihm besonders zusagte. Es gab an diesem Tag auch eine Suppe von grünen Papageien und ein Gericht großer Flusskrebse, außerdem Orangen und Bananen von ungewöhnlicher Größe. Obijah sah mehrere Male zum Himmel empor.

»Morgen regnet es«, sagte er. »Die Moskitos verstecken sich schon;, die Bienen verschließen ihre Fluglöcher.«

»Dann wird man sich also darauf einrichten müssen, sechs Wochen hindurch pudelnass zu werden, während des Schlafes ein Tropfbad zu erhalten und jeden Bissen vom Regenwasser durchtränkt in den Mund zu schieben?«

»Das ist möglich, wenn wir nicht etwa vorher glücklich an das Ziel gekommen sind. Keinesfalls wollen wir uns durch den Regen die gute Laune verderben lassen.«

Das Feuer wurde mittels großer Äste erhalten und als die Nacht herabsank, immer höher und heller angefacht. Ein reiches Tierleben zeigte sich in dieser üppigen, vom Wasser reichlich getränkten, überaus fruchtbaren Gegend; die mannigfaltigsten Töne und Stimmen drangen aus dem Wald hervor.

Hier kreischten ganze Herden der kleinen Titis oder Winselaffen, dort huschte mit seinem durchdringenden Schrei der Kauz um den Feuerschein, dessen Glühen auch die ruhelosen Vampire und Fledermäuse hell umstrahlte.

Hierher mochten selten oder niemals auf ihren Wanderzügen die roten Kinder des Urwaldes gekommen sein; ohne Scheu ließen die Tiere das fremde Geschöpf, den Menschen, ganz nahe an sich herantreten, ohne Scheu liefen, krochen und flogen sie um seine Lagerstätte. Ein Brechen und Knicken in den Gebüschen drang zu Obijahs Ohren, ein Geräusch wie ängstliches Quieken und noch ein anderes wie Knurren, Fauchen.

»Das sind Pekaris!«, raunte er. »Die Wildkatzen gehen auf Beute.«

Wie ein Zauberwort wirkte die Botschaft; im Augenblick lag jedes Gewehr schussgerecht in der Hand. »Die Herde kommt hierher«, sagte mit unterdrückter Stimme der Kunstreiter. »Es müssen viele Tiere sein.«

»Ach, das wäre gut. Wir brauchen endlich einmal Fleisch.«

Durch zerreißende Ranken und brechendes Unterholz stürzte sich jetzt eine große Anzahl von Pekaris hindurch, die in blinder Eile dem Feuer gerade entgegenliefen. Wie gehetzt sprangen die kleinen scheckigen Tiere von einem Punkt zum anderen. In den dichten Blättern rasselte der Schuppenpanzer der Boa, mit gellenden Schreien verschwand eins der Schweine aus der Reihe seiner Genossen, die wild grunzend und quiekend sinnlos vor Furcht weiter stürmten, empfangen von dem nie erlebten Schrecken des Büchsenschusses, der sie so unbarmherzig niederstreckte und klaffende Lücken in ihre Reihen hineinriss.

Hier lag ein Opfer und dort eins; nur die Wildkatzen hatten nichts bekommen. Ein ärgerliches Winseln und Knurren bekundete ihren Groll; aber sie hielten sich verborgen, und hüteten sich, aus den Gebüschen hervorzukommen. Wenn einer der Peruaner die Zweige auseinander bog, huschte auf leisen Sohlen ein schlanker Körper nach der anderen Seite davon, ohne sich ergreifen zu lassen. Zehn Pekaris lagen tot auf dem Platz. Für die unvorbereitete, plötzlich auf eng begrenztem Gebiete abgehaltene Jagd ein reicher Erfolg; der Doktor nannte ihn sogar wundervoll, wahrhaft beglückend.

Ihm hatten der fettige Lamantin und die von einem sonderbaren Duft umwogten Jaguarkoteletts nicht geschmeckt; er wollte am nächsten Tag selbst einen Schweinebraten zubereiten und aus Maismehl Klöße backen, um endlich wieder ein deutsches Gericht in den Magen zu bekommen. Die Treiber schlachteten eilfertig alles genießbare Fleisch aus und hängten dasselbe an die Äste der nächsten Bäume, von wo es Füchse und Raubvögel, so viele ihrer auch das Lager umkreisen mochten, doch nicht leicht wegschleppen konnten.

Das Feuer erhielt neue Nahrung, sechs Männer mit geladenen Kugelbüchsen standen Wache und die übrigen schliefen; nur von Zeit zu Zeit tönten leise die Panzerschilder der Boa und das Krachen zerbrechender Knochen, sonst war alles still. Am Himmel erloschen die Sterne, graues Gewölk zog heraus, ein Windstoß fuhr durch die Luft und ließ die empfindliche Haut der Eingeborenen vor Kälte schaudern, – dann fielen große Tropfen; es regnete zuerst leise, später viel stärker und gegen Morgen so unablässig, dass ein einziger Silberschimmer alles überzog, die Erde und die Menschen, die Pflanzen und die Gegenstände, welche unter freiem Himmel lagen.

Von Blättern und Blumen rieselte es stetig herab, auf dem Boden bildeten sich kleine Rinnen, überall klatschten Tropfen, überall lockerte sich das Erdreich. Wenn der Wind durch die Baumkronen fuhr, rauschten ganze Springfluten herab und trafen wie plötzliche Schläge die Köpfe der Menschen. Von der hellen, lebenspendenden Sonne war kein Schimmer zu entdecken; der Himmel sah aus wie ein bleiernes Gewölbe, einfarbig und öde.

Mit hängenden Flügeln saßen die Vögel auf den Zweigen, unter den dichtesten Blätterdächern ärgerlich schnatternd die Affen. Selbst das flinke rote Eichhörnchen war verschwunden; nur zuweilen sah man aus dem Astloch eines hohlen Baumes die spitze Schnauze hervorlugen und blitzschnell wieder verschwinden; das Tier war emsig beschäftigt, den Zugang seiner Wohnung gegen die andrängenden Regenfluten mit Moos und Stroh zu verstopfen. Heute Morgen bot das Lager einen trübseligen Anblick.

Obijah bemühte sich vergeblich, ein Feuer zu entzünden; immer wieder erloschen die Funken und ließen zischend nur verkohlte Stellen zurück. Die abgebrochenen Holzstücke waren wie durch Wasser gezogen; sie konnten das Feuer nicht mehr nähren.

»Es hilft nichts«, seufzte der Indianer. »Hier geht die Sache unmöglich.«

»Hier?«, wiederholte Benno. »Wie verstehst du das, Obijah?«

»Nun, – im Wald wird es uns gelingen, ein Feuer zu erhalten. Man setzt einen hohlen Baum von innen heraus in Brand.«

»Ist das bei euch etwas ganz Gewöhnliches?«, rief voll Erstaunen unser Freund.

»Ja! Warum auch nicht?«

»Aber wenn nun ein Waldbrand entsteht, wenn Tausende von Bäumen weggerafft werden? Palisander, Cederu, Nussbäume, – die kostbarsten Hölzer?«

»Das schadet nicht, Fremder. Es bleibt immer noch genug übrig.«
Die Weißen sahen einander an.

»Dann lasst uns nur aufbrechen«, meinte Ramiro. »Man muss doch irgendetwas Warmes genießen.«

Alle Gewehrläufe wurden mit Pfropfen aus Bast verschlossen, Medizin- und Instrumentenkasten mit demselben Material dicht umwickelt und auch das Fleisch so gut es anging, vor Nässe bewahrt. Die Tiere schlichen mit hängenden Ohren umher, Pluto schüttelte jeden Augenblick sein Fell, das die Tropfen spritzten.

Nur im Strom zeigte das Leben unter den rieselnden Regenfluten eine erhöhte Tätigkeit. Delfine in Scharen spielten an der Oberfläche, hier und da erschien in den Buchten die plumpe Schnauze des Lamantin, Krebse und Krabben wateten durch den nassen Sand, und die Schwimmvögel hielten reiche Ernte.

»Auf! Auf!«, ermahnte der Kunstreiter. »Hier ist es entsetzlich öde.«
Doktor Schomburg seufzte.

»Wenn wir nur vom Fieber verschont bleiben«, sagte er, »dann wird sich schon alles Übrige ertragen lassen. Aber ich fürchte, einer so gründlichen und andauernden Nässe kann kein menschlicher Körper unbeschädigt widerstehen.«

»Wir haben ja den Medizinkasten«, tröstete Benno. »Im dichten Wald dringt auch vielleicht der Regen nicht so durch die Blätter der Bäume.«

»Und abgestorbene Holzteile zum Verbrennen findet man überall.«

Die Einbäume erhielten noch einen letzten Abschiedsblick und weiter ging es, Schritt für Schritt in den triefenden Urwald hinein. So reich wie sich das Tierleben bereits gezeigt hatte, so üppig grünten und blühten auch überall die Bäume und Sträucher. Gleich einem Feenmärchen erschien den Blicken der Nordländer diese Umgebung. Blatt und Knospe, Blüte und Frucht, alles wuchs am selben Stiel, und alles in unermesslicher Fülle.

Riesenhafte Ananasse zeigten sich neben Früchten, die von den Peruanern als Papaya, Nispero und Cherimoya bezeichnet wurden, neben hundert anderen Beeren und kopfgroßen Früchten, von denen eine mehr wohlschmeckendes, aromatisches Fleisch enthielt, als der hungrigste Mensch auf einmal hätte verzehren können. Es wuchs eine Überfülle der köstlichsten, edelsten Obstsorten in jedem Teile des Waldes; große gelbe Melonen lagen unbeachtet am Boden, Vorräte, die in Deutschland Tausende kosten würden, verdarben hier unter den nassen Blättern, ohne irgendeinem lebenden Wesen genützt oder eines erfreut zu haben.

»Da ist die Aguacate (Avocado), Herr Doktor«, sagte Ramiro. »Nun wäre für Brot oder Kartoffeln zum Braten schon ein Ersatz gefunden.«

Er deutete auf eine birnenförmige Frucht, deren Fleisch annähernd wie ein mit Butter zubereitetes etwas säuerliches Gemüse schmeckt.

»Wir wollen unsere Taschen füllen«, setzte er hinzu. »Obijah hat hoffentlich seinen hohlen Baum bald entdeckt.«

Der Indianer nickte.

»Wird schon kommen«, versetzte er. »Nasser als wir sind, können wir überhaupt nicht mehr werden.«

Die Weißen sammelten Früchte, und wenn eine neue, noch unbekannte Gattung sich ihnen darbot, aßen sie tüchtig, aber es war trotz aller dieser jungen leistungsfähigen Magen doch unmöglich, alles zu probieren. Goldige Apfelsinen winkten von einer. Feigen und Mandeln von der anderen Seite; über kleine klare Teiche mit wehenden Schilfseinfassungen neigten sich schwere fruchtbeladene Äste und ließen bei jeder Erschütterung des umgebenden Bodens ihre herrlichen Schätze zu Hunderten in das Wasser fallen, in die Dornen und zwischen die Pisangblätter, wo sie ungesehen zugrunde gingen. Man hätte Lastwagen füllen können, ohne den vorhandenen Reichtum in erkennbarer Weise zu schmälern.

»Da ist ein hohler Baum!«, sagte Obijah.

Ein uralter Stamm, an den meisten Ästen bereits abgestorben, an anderen noch mit goldigen Früchten und prachtvollen roten Blumenbüscheln geschmückt, ein grauer verwitterter Riese stand gerade vor dem Zuge der Reiter und Fußgänger, denen die Regentropfen nur immer über Stirn und Nase herabliefen; ihn hatte der Eingeborene als sicheren Feuerherd ausersehen.

In Meterhöhe klaffte eine weite, mit Moos und Flechten bedeckte Höhlung, die vielleicht doppelt breit und tief in das Innere des abgestorbenen Baumes hineinführte. Überall sah man Auswüchse und Astlöcher; wahrscheinlich diente der Riese, selbst zum Tode wund, mit seinen letzten Lebenskräften noch zahllosen fremden Geschöpfen als Heimstätte oder Nährboden. Der Zug machte Halt und Obijah untersuchte vorsichtig mit einem abgebrochenen Ast den Untergrund der Höhlung.

Ein dumpfes Knurren tönte heraus, ärgerlich und drohend, – irgendein vierfüßiges Tier wohnte da in dem hohlen Baum, aber welches?

»Für die Unze ist der Raum zu eng«, meinte Ramiro. »Aber eine Katze wird es doch sein. Man hört das Fauchen.«

»Schießen Sie einmal mit der Pistole hinein, Señor!«

Obijah hatte während dieser kurzen Unterredung den Baum umgangen und winkte jetzt den übrigen.

»Gebt mir euer längstes Messer, Fremde!«

Er erhielt eine der schweren breiten Klingen, welche man offen in der Lederscheide zu tragen pflegt, dann scheuchte eine Handbewegung von ihm die Genossen aus der nächsten Umgebung des hohlen Baumes, und nachdem alle diese Vorbereitungen getroffen waren, legte er sich neben dem Stamm auf die Knie, um durch das bröckelnde, modernde Holz hindurch das Messer in die Höhlung hineinzubohren.

Drinnen ertönte ein Schrei. Ein buntgefärbtes Fell, ein Paar grünlich schillernder Augen kamen zum Vorschein und im Bogensatz sprang ein schönes, schlankes Tier aus der Tiefe hervor, gerade zwischen die Maultiere, welche scheu zur Seite wichen. Ihm nach folgte ein zweites, dem ein eigentümliches, halb komisches, halb trauriges Schicksal zuteil wurde. Getrieben von Obijahs spitzem und scharfem Messer, ohne Furcht vor dem gänzlich unbekannten Menschen, sprang das Tier unvorsichtig geradeaus auf die Schultern Trentes, dem ohnehin etwas ängstlich zumute war, – denn der Ton des unbekannten Wesens im hohlen Baum hatte ihm eine Gänsehaut bereitet.

Was mochte da wohl knurren und brummen? Konnte es nicht auch der tausendjährige Tapir sein? Und dieser Gedanke beschäftigte ihn gerade sehr lebhaft, als das schlanke, schwarzbraune Wesen ihm so unvermutet vor die Brust sprang.

»Hei!«, schrie er in den Wald hinaus, dass es gellte und vom fernen Echo spottend zurückkam. »Hei! – Alle sieben Nothelfer, alle Heiligen und –.«

Aber da sah er das Katzengesicht und fühlte das Katzenfell; die ganze unbändige Wut der Hasenfüße kam über ihn, er packte mit beiden Fäusten den ungeladenen Gast und riss ihn gewaltsam von sich ab.

»Du Hund«, schrie er, während ihm das Blut aus mehreren Kratzwunden floss, »du vertrackte Bestie, ich will dir den Garaus machen, wenn du auch noch so sehr zappelst.«

Ein schallendes Gelächter ringsumher steigerte noch seine Verbitterung.

»Trente«, rief Ramiro, »Trente, lass die Pardelkatze laufen, sie wird dir nichts zuleide tun!«

Aber der Maultiertreiber sah sein kostbares Blut fließen und war vor Zorn fast außer sich. Den gefangenen Ozelot mit Aufbietung aller Kräfte, indem er ihn bei der Kehle und den Hinterbeinen festhielt, vor sich her schleppend, lief er etwa zwanzig Schritte weit bis zu einem kleinen tiefliegenden Teich und schleuderte das Tier kopfüber hinein.

»So, du Scheusal«, rief er, »nun ertrinke, nun lass dich von den Fischen fressen! Mich wirst du so leicht nicht wieder angreifen!«

Der Ozelot plumpste wie ein Stein zwischen blühende farbenprächtige Wasserrosen und treibende, von den Bäumen gefallene Früchte, aber schon nach wenigen Sekunden tauchte er wieder auf, pustete aus Leibeskräften und schwamm in großen Zügen an das entgegengesetzte Ufer, wo er sogleich zwischen den Gebüschen verschwand. In den Reihen der Peruaner wollte das ausgelassene Lachen kein Ende nehmen.

»Wie der Trente schimpfen kann!«, rief einer. »Und welche Kräfte er besitzt!«

»Die unglückliche Katze flog wie ein Ball durch die Luft!«

Der Maultiertreiber wischte mit nassen Blättern das Blut von seiner Schulter.

»Señor Doktor«, bat er, »haben Sie nicht ein Pflaster für mich? – Das brennt wie Feuer.«

Der Medizinkasten wurde geöffnet und die Wunde verbunden. Inzwischen hatte Obijah mit einem Beil aus den inneren trockenen Wänden des Baumes große Stücke herausgeschlagen und ohne Mühe entzündet, ein mächtiger Schweinebraten zischte in der Pfanne und daneben kochten abgeschälte Aguacates (Avocados) als ergänzende Speise. Kaffee gab es seit den Tagen des Überfalles nicht mehr, man musste sich mit Wasser begnügen oder trank den Saft verschiedener ausgepresster Früchte.

»Wenn wir nur ein Schutzdach hätten!«, sagte Halling. »Das ist ungemütlich. Man müsste ein förmliches Wohnhaus zimmern, einen Herd aus Steinen bauen, Moos für die Lagerstätten trocknen und –.«

»Und die ganzen sechs Regenwochen hier untätig verbringen, wollten Sie sagen?«

»Ja!«

»Du allmächtiger Himmel! Dann sterbe ich vor Ungeduld!«

Es war ein förmlicher Schreckensschrei, den Ramiro hervorstieß; er stützte den Kopf in beide Hände und nahm von dem bewegten Treiben seiner Umgebung keine Notiz mehr. Lustig wirbelten von Obijahs Herd die Flammen empor, blaue Rauchsäulen stiegen in das hohle Innere des Baumes und Scharen der verschiedenartigsten Geschöpfe ergriffen die Flucht.

Schwarze und kupferrote, meterlange Schlangen fielen von den Ästen; ein Eulenpaar, weiß mit roten runden Augen, taumelte angstvoll in das sonst so sorgfältig gemiedene Tageslicht hinaus, Eichhörnchen sprangen mit gewaltigen Sätzen auf die nächststehenden Bäume, und unter dem Schirmdach der Blattkrone schwirrten pfeifend, vom Rauch vertrieben, Papageien und zahllose andere Vögel.

Käfer von der Größe einer kleinen Maus stolperten mit langen Beinen durch das nasse Moos; Tausendfüßler, Ameisen, große Vogelspinnen schossen aus ihren Schlupfwinkeln unter den halbverfaulten Baumwurzeln hervor, das lange nasse Gras gab unzählige Kröten von der Größe eines Tellers heraus, Eidechsen mit schillernder Haut erschienen und verschwanden ebenso schnell wie sie gekommen waren, – zuletzt lenkte eine klägliche Stimme das Interesse der Reisenden allein auf sich.

»Ein Faultier!«, rief Benno. »Jedenfalls hängt es ganz oben in den Zweigen.«

Obijah legte sorgfältig nasse Erde dahin, wo die Wände des Baumes in Brand geraten wollten; das Feuer blieb daher auf seinen ursprünglichen Herd beschränkt, nur die Rauchwolken zogen dicht und dunkel empor, das Faultier von seiner Weide vertreibend, es prickelnd und kitzelnd, dass sogar in dieses schwerfällige Geschöpf etwas Leben kam.

»Da hängt das Tier!«, rief Benno.

»Ein kleines hässliches Wesen mit langen Affenarmen und einem dichten Pelz.«

Aller Blicke richteten sich nach oben. Das Faultier streckte schwer und ungeschickt die Vorderarme aus, um auf einen anderen Ast hinüberzuklettern; gleich einem unbehilflichen Greis tastete es, ehe die Bewegung gewagt wurde, nach einem Stützpunkt, und erst als dieser gefunden war, ließ es den plumpen Körper langsam nachfolgen. Um die Entfernung eines einzigen Schrittes zu durchmessen, waren ihm mindestens fünf Minuten erforderlich gewesen.

»Ich möchte hinaufsteigen und den trägen Gesellen herunterholen«, meinte Benno. »Freiwillig wird er ja nicht aus den Baumwipfeln hervorkommen.«

»Und ebenso wenig kannst du ihn losreißen, Fremder«, fiel Obijah ein. »Drei Männer sind kaum imstande, seine Krallen vom Baum abzulösen.«

»Flieht er denn nicht, wenn man sich ihm nähert?«

»Niemals. Er sieht dich fest an und bleibt hängen, ohne sich zu bewegen.«

Benno und Pedrillo beobachteten das Tier, dem der Rauch sehr zu missfallen schien. Es ließ sich an den Ästen eines kleineren Baumes ein wenig tiefer herab und fing hier ganz unbekümmert an, mit der rechten Hand einige Blätter abzurupfen und dieselben zum Maule zu führen.

»Ich steige hinauf«, erklärte Benno. »Wollen Sie mit, Pedrillo?«

»Gewiss, ich gehe sogar voraus.«

Die beiden schwangen sich in das Geäst; in wenigen Minuten hatten sie das fressende Faultier erreicht und konnten es ungestört aus der Nähe betrachten.

»Wahrhaftig«, rief Benno, »es rührt sich nicht von der Stelle und sieht uns ganz menschlich bittend an!«

Sie versuchten jetzt beide, die um den Ast geschlungenen Krallen des Tieres zu lösen, aber ganz vergeblich; diese Muskeln glichen eisernen Schrauben, sie wichen nicht um Haaresbreite. Benno berührte das Tier, ohne es zu verletzen, mit der Messerspitze, aber auch dieses Mittel schlug fehl, das Faultier blieb bei seinen sanften flehentlichen Blicken, ohne den umklammerten Ast loszulassen.

»Señor Ramiro«, rief unser Freund, »bitte geben Sie mir ein Beil, ich will doch einmal sehen, ob das sonderbare Geschöpf nicht aufzuschrecken ist.«

»Indem Sie ihm den Schädel zerschmettern, Benno?«

»Nein, keineswegs! Aber indem ich den Ast abhaue.«

Der Kunstreiter lachte, er schwang sich in den Baum und nun begannen die beiden jungen Leute, den armdicken Ast vom Stamm zu trennen. Pedrillo reichte denselben mit dem unbeweglich daran hängenden Faultier den Genossen zur Besichtigung; überall wurde der Pelzträger durch Streicheln und Kitzeln möglichst gereizt, aber immer ganz vergebens, er nahm von seiner Umgebung gar keine Notiz, auch dann nicht, wenn man ihn kräftig schüttelte.

»Hängt den dummen Gesellen wieder in den Rauch«, sagte endlich der Doktor. »Vielleicht lebt er dadurch ein wenig auf.«

Die jungen Leute legten den abgehauenen Ast quer über mehrere andere hinweg, dann stiegen sie zur Erde, und sogleich tastete das Faultier nach allen Seiten, um den emporwirbelnden Rauchwolken zu entgehen. Als es sich mühselig aus einen nebenstehenden Baum hinübergeschwungen hatte, begann es zu fressen, als sei nicht das geringste Ungewöhnliche geschehen; – das einzige unter allen lebenden Geschöpfen, welches sich dem Angreifer gegenüber weder zur Wehr setzt, noch ihm zu entfliehen sucht.

Jetzt hatte auch Obijah das weithin duftende Frühstück fertig zubereitet und die Reisegesellschaft konnte essen, – aber stehend, überströmt vom rieselnden Regen, ohne Tisch oder Teller, ohne eine Ecke, in der sich es gemütlich plaudern oder gar rauchen ließ. Tabakblätter wuchsen überall, doch man konnte sie nicht mehr, wie bisher, im Sonnenschein trocknen und zu kunstlosen riesigen Zigarren verarbeiten.

Das Fleisch der gebratenen Pekarischweine war sehr zart, und das Beigemüse schmeckte vortrefflich, dennoch aber wollte die frühere gute Laune nicht wieder aufkommen. Sechs Wochen in diesem Zustand der Durchnässung, – ließ sich das wirklich denken?

»Ich halte es aus«, schwor Ramiro. »Die Luft ist ja warm.«

»Aber in den Nächten weht ein kühler Wind; da holt man sich das tödliche Fieber. Und dann noch eins! Die Kleider fallen in Fetzen.«

Ramiro wusste das alles, er sah die Unmöglichkeit des Weitermarsches vollkommen ein, aber das zuzugeben, hätte ihn erstickt.

»Wären wir nicht in die Gefangenschaft der Indianer geraten, so befänden wir uns jetzt im Gebirge«, seufzte er; »so wäre das Ärgste überstanden.«

Und dann trieb er zur Eile.

»Gebt den Tieren die Sporen, Kameraden! Vorwärts! Vorwärts! Dieser Aufenthalt ist unerträglich.«

Obijah schüttelte den Kopf.

»Fremder«, raunte er in Bennos Ohr, »das alles kommt noch viel schlimmer. Die Früchte an den Bäumen fallen ab, ohne dass neue reifen, die Blattkronen verlieren an Dichtigkeit und lassen mehr Regen durch, am Boden bilden sich Sümpfe, – man kann nicht weitergehen.«

Benno schauderte.

»Wie macht ihr es in solchen Zeiten, Obijah?«, fragte er den treuen Helfer.

»Oh, wir bauen Hütten auf hohen Pfählen, wir sammeln vorher Brennholz und Nüsse, wir trocknen Fische und bereiten aus Tierfellen dichte Decken. Du hast ja gesehen, wie sorgfältig sich unsere Feinde auf die Regenzeit einrichteten.«

Der junge Hamburger beugte sich vom Maultier herab tiefer zu seinem nebenher schreitenden Gefährten.

»Und was denkst du, wird aus uns, Obijah?«, fragte er. »Ist es möglich, dass wir unaufgehalten weiter marschieren?«

Der Eingeborene schüttelte den Kopf.

»Nein!«, gab er zurück. »Nein! Wir müssen ein Haus bauen und die armen Mulas essen, oder –.«

»Sprich das Wort nicht aus!«, bat Benno.

Und lautlos, ohne Gesang und Scherz, wie das Geleit eines Totenzuges bewegte sich die Karawane durch den plätschernden Regen dahin.

15.

Unliebsamer Aufenthalt – Magere Küche – Der Bau der Regenhütten – Der unentbehrliche Wilde – Die Tapirjagd – Reiche Beute – Die Giftküche – Fieberfantasien – Der erlegte Maultierräuber

Drei Tage und Nächte waren verstrichen, die beschwerlichsten, entmutigendsten der ganzen bisherigen Reise. Hier und da gab es einen hohlen oder gestürzten Baum, in dessen Innerem das Feuer hell aufloderte, aber das Fleisch der Pekarischweine war verzehrt und anderes Wild war den Reisenden noch nicht wieder zu Gesicht gekommen.

Im Sumpf des Bodens lagen zu Tausenden die abgefallenen und windverstreuten Blätter, verblüht, verblasst war jede Blume, in das Gras gesunken jede Frucht. Reihen von kleinen, schlanken Granatapfelbäumen hatten ihre köstlichen Früchte abgeworfen, die großen Pisangblätter schienen vergilbt, leer die Ranken und Sträucher, an denen zu günstigerer Zeit so wundervolle Beeren wuchsen.

Aber das alles hätte sich noch ertragen lassen; man schlachtete ein Maultier und gewann Fleisch für mehrere Tage, man fand Gelegenheit, in einem hoch angeschwollenen Bach mit leichter Mühe Fische zu fangen; hier und da gab es auch an besonders geschützten Stellen noch genießbare Mandiokawurzeln und wilden Mais, – aber die Wege waren unpassierbar geworden.

Bei jedem Schritt sanken Tiere und Menschen tief in den durchweichten Boden, es fand sich keine Stelle mehr, an welcher man noch sitzen und von der Wanderung über unzählige Hindernisse einen Augenblick ausruhen konnte. Eine allgemeine Mutlosigkeit hatte sich der Reisenden bemächtigt, sie sahen einander an, als wollten sie sagen: »Wie lange ist dieser Zustand noch denkbar?«

Und dann kam die Stunde, in welcher sich einer der Peruaner auf einen aus dem Sumpf hervorragenden Stein setzte und den Kopf in die Hand stützte.

»Ich bin krank, Kameraden, es ist mir unmöglich, weiter zu gehen. Ihr müsst mich meinem Schicksal überlassen. Haltet euch nicht auf! – Adieu! Adieu!«

Der ganze Zug stockte und Doktor Schomburg trat sogleich an den Kranken heran.

»Sie haben das Fieber«, sagte er nach der ersten Untersuchung.

»Ich dachte es schon gestern. Das ist ein großes Unglück.«

Der Peruaner zitterte am ganzen Körper.

»Lassen Sie sich durch mich nicht aufhalten«, brachte er mühsam hervor. »Es ist mein Schicksal und ich werde es tragen wie ein Mann.«

Aber der Doktor schüttelte energisch den Kopf.

»Wir bleiben bei Ihnen«, versicherte er. »Ich wenigstens gehe nicht von Ihrer Seite.«

»Keiner von uns!«, tönte es aus den Reihen der übrigen. »Wir bleiben alle zusammen.«

Auch Ramiro stammelte ein »Ja! Ja!«, aber es klang, als wenn etwa der überführte Verbrecher eingesteht: »Ich bin schuldig.«

Eine Welt von Trauer und Weh lag in den beiden kurzen Silben. Obijah nickte lebhaft.

»Der Platz ist gut«, sagte er, mit glänzenden Augen umherblickend, »sehr gut sogar.«

»Aus welchem Grund?«, fragte Benno, in die windgepeitschte, durchnässte Landschaft hinaussehend.

»Es ist eine grauenvolle Öde überall.«

Der Wilde zeigte auf eine dichtverschlungene Fülle blattloser Gebüsche mit langen, ganz geraden Ästen und Zweigen, dann auf Bäume, deren schönes Laub leider sehr gelichtet erschien.

»Da ist der Jatoba-Baum!«, sagte er. »Und da der Bambus. Das gibt zusammen ein gutes Haus.«

»Ach – die biegsame Baumrinde? Wollen wir gleich anfangen, Obijah?«

Der Eingeborene nickte lebhaft.

»Ja! Ja! Gleich anfangen«, sagte er aus Herzensgrund. »O da ist Arbeit für alle Hände.«

Benno ahmte sogleich den Ton eines Trompetensignals nach.

»Achtung!«, rief er. »Alle Mann auf zum Häuserbauen!«

»Das ist recht!«, tönte es zurück. »So ging auch die Geschichte nicht länger. Wir wollen, vor Abend unter Dach sein.«

»Obijah, ist das möglich?«

Wie ein Feldherr vor der Schlacht, so übersah der Löffelträger die Schar seiner Kerntruppen.

»Dann müsst ihr sehr fleißig sein, Fremde!«, entschied er.

»Das wollen wir auch. Gib deine Befehle, Obijah!«

»Nun, – seht ihr da die Bäume, deren Kronen von einem Kranz schlanker Nebenstämme getragen werden?«

»Das sind die natürlichen Lauben, welche wir schon so oft bewundert haben. Was soll es mit ihnen?«

»Geht hin und reißt alle Blätter und grünen Ranken ab, schält das Moos herunter und tötet sämtliche Insekten. Fünf Männer für jede Laube.«

»Schön. Die erste Kompanie rückt ab. Und nun die zweite?«

»Ihr sollt Palmbast sammeln. Die Streifen so lang wie möglich.«

»Und ich, Obijah?« – »Und ich?«

»Ihr beide helft mir, die Jatoba schälen. Ihr anderen schlagt Bambusstäbe und sammelt die biegsamen Lianenranken. Du, Trente, suchst mit deinen Kameraden große Steine für den Feuerherd.«

»Aus dem Schlamm?«, fragte mit gerunzelter Stirn der Maultiertreiber.

»Ja. Du legst alle schmutzigen Steine aufeinander und der Regen spült sie ab. Außerdem musst du hohle Bäume suchen und Brennholz herausschlagen.«

Trente murmelte etwas, aber er versuchte doch keinen Widerspruch. In weniger als zehn Minuten waren über sechzig Männer in voller Arbeit, um nach den Vorschriften eines Wilden tief im Urwald eine Anzahl von Nothütten zu errichten und Dach und Fach zu schaffen für durchnässte, ermüdete Menschen.

Trotz des bleiernen Himmels und des eintönig herabrauschenden Regens erklangen doch an diesem Tag wieder die gewohnten lustigen Lieder, es wurden Scherzworte gewechselt und in das Geräusch der Axtschläge hinein mischten sich Lachen und Pfeifen. Man unternahm wieder etwas, man kämpfte gegen feindliche Gewalten und sorgte mit angestrengter Tätigkeit für den morgigen Tag; das brachte neues Leben in alle Adern, neuen Mut in jedes, vorher so zaghafte Herz.

Gesäubert von Blättern und Ranken standen sehr bald die riesigen Bäume im weiten Rund ihrer Nebenstämme, zu hohen Bergen häuften sich Bambusstäbe. Bast und die Rinde der Jatoba. Mit Messern und Beilen arbeiteten die Männer unermüdlich, und nur einer saß müßig, die tiefliegenden Augen wie abwesend ins Leere gerichtet, mit blassem

Gesicht und gefalteten Händen, – Michael, der Irre, den nichts mehr aus seiner Versunkenheit aufrütteln konnte.

Sobald ihn einer der Männer aufforderte, auch seinerseits mit zuzugreifen, schüttelte er abwehrend den Kopf.

»Nein, nein, ich mag nicht.«

Und dann fiel er zurück in das tatenlose Sinnen und Grübeln, aus dessen Netzen sich seine Seele nicht mehr freimachen zu können schien. Jetzt ging Obijah an das Bearbeiten der Jatobarinde. Der zähe Stoff bog und dehnte sich in jede Form, duldete, ohne zu bersten, dass Spalten und Löcher hineingeschnitten wurden, ließ sich rollen und auseinanderziehen nach Belieben; für ein Dach gab es kein besseres Material und so begann denn der Eingeborene ohne Hammer oder Nägel, ohne Bohrer oder Zange sein Werk.

Nur mit Bastschnüren befestigte er die Platten aneinander und ebenso geschickt an den oberen Ästen der Bäume. Immer eine Schicht legte sich über die andere und in wenigen Stunden waren die Dächer fertig, – es fehlten jetzt nur noch Wände und Fußböden. Aber gerade diese letzteren? Bretter? Woher sollten im Urwald wohl Bretter kommen? Obijah lächelte.

»Der Fußboden ist am aller leichtesten hergestellt«, antwortete er. »Siehst du die aufrechtstehende Wurzeln der Bäume, Fremder?«

»Ja, – aber –.«

»Nun, man legt sie platt und stopft Bast in die Fugen.«

»Wahrhaftig«, rief Benno, »das leuchtet ein. Obijah, was hätte aus uns werden sollen, wenn du bei deinem Volk geblieben wärst?«

Der gutmütige Bursche erstickte einen Seufzer.

»Daran muss man nicht denken«, versetzte er. »Es ist auch ohnehin noch Böses genug zu überwinden, – wir haben keine Matten, keinen Schmuck, keine Flöten.«

Und eilig, um das aufquellende Heimweh nach den Seinigen zu überwinden, kletterte er wieder in die Zweige und befestigte von Baum zu Baum die langen, biegsamen Bambusstäbe, an denen sich die Jatobarinde halten sollte. Trente und seine Genossen mauerten aus großen Steinen den Herd, während wieder andere ganze Berge von Brennholz herbeischleppten oder die Baumwurzeln aus dem Boden hoben.

Das gab breite Bretter, – man brauchte sie wirklich nur hinzulegen und konnte zur Not darauf tanzen. Ein helles Feuer loderte bald empor, lustig zog der Rauch durch eine Doppelklappe, die einerseits der

Luft freien Zutritt ließ, andererseits das Eindringen des Regens doch verhinderte.

Eine Anzahl Hängematten wurden aufgespannt und ein schwebendes Gestell errichtet, um darauf die nassen Kleider zu trocknen; dann gingen einige unternehmende Köpfe daran, auch Tische und Bänke zu zimmern. Ramiro trocknete Moos, um die Fugen auszufüllen; später holten er und Pedrillo aus den dichtesten Ästen der Bäume die letzten, noch nicht vom Regen vernichteten Früchte, gruben Mandiocawurzeln aus und pflückten den wilden Mais. Gott mochte wissen, wovon so viele Menschen während der langen Zeit leben sollten.

»Die Maultiere«, sagte bedauernd einer der Treiber. »Die armen Mulas.«

»Und dann haben wir die Palmen«, versicherte Obijah.

»Aber ohne Früchte, denke ich.«

Der Wilde nickte.

»Das Mark des Stammes kann man essen, auch sind große fußlange Maden von Fingerdicke darin.«

»O Gott, Obijah«, sagte Benno, sich vor Ekel schüttelnd.

»Ach, Fremder, das kennst du nicht. Geröstet schmecken die Dinger sehr gut.«

Trente zog die Schultern bis zu den Ohren empor.

»Solche Waldmenschen«, meinte er verächtlich. »Solche braune Allesfresser. Scheußlich.«

Und dann ging er fort, um einen Bach oder Teich zu suchen. Vielleicht gab es da Enten zu schießen und Fische zu fangen. Die Wände des Hauses wuchsen zusehends, das Dach hielt dicht und der Fieberkranke lag wohlgebettet in seiner über dem Feuer getrockneten Hängematte.

Doktor Schomburg zimmerte sich mit dem Beil und dem Taschenmesser ein kleines offenes Regal für den Instrumentenkasten und die Apotheke, Halling verfertigte einen höchst eigentümlichen Wandkalender, indem er zweiundvierzig kleine Pflöcke in ein Stück Jatobarinde hineinschlug und Namen und Datum jedes Tages auf ein daran befestigtes Blatt Papier schrieb. An jedem Morgen sollte dann ein Pflock herausgezogen werden.

Ramiro wandte sich ab, als er es sah. Ihm war das Herz zum Sterben schwer.

»Nur eins fehlt«, meinte der Doktor. »Die Beleuchtung. Wir werden in dem fensterlosen Haus eine stete Nacht haben.«

Obijah, der wie eine Schwalbe am Gesims unter der Decke hing, mit Bastschnüren im Munde und um die Hüften gewunden, sah fragend zu den übrigen hinab.

»Fremder«, rief er, »sage das noch einmal.«

Der Doktor wiederholte seine früheren Worte in einem seltsamen Kauderwelsch, das zur allgemeinen Erheiterung unter den Reisegenossen schon seit längerer Zeit gesprochen wurde und dessen Bestandteile der deutschen sowohl als der indianischen und spanischen Sprache entlehnt waren.

Man konjugierte dabei nicht und bekümmerte sich noch weniger um irgendeine Deklination, sondern wählte nur das betreffende Wort und verständigte sich trotz dieser lakonischen Kürze vortrefflich. Auch jetzt sprach der Doktor in ähnlicher Form und Obijah verstand ihn sogleich.

»Licht?«, rief er. »Licht genug! Es fließt aus den Bäumen.«

»Harz also! Und du kennst solche Bäume, Obijah?«

»Ja, viele, viele. Sie stehen überall.«

»Gut. Wir kommen nun zu der Lampe. Wer schafft dafür ein Gefäß?«

»Man macht Fackeln, nicht wahr?«

»Die rauchen zu stark und verbrennen zu schnell. Man müsste einen metallenen oder tönernen Tiegel haben.«

Wieder war es Obijah, der ein Auskunftsmittel kannte.

»Ich weiß, wo du solch ein blankes Ding findest, Fremder!«

Der Doktor sah empor.

»Nun«, sagte er, »da wäre ich begierig.«

»Du selbst trägst es in der Tasche. Du hast Zauberkraut darin.«

»Meine Schnupftabakdose!«, rief der Naturforscher. »Meine gute silberne Schnupftabakdose! – Das wäre doch zu arg.«

Die Genossen lachten.

»Einstweilen fehlt ja noch das Brennmaterial«, tröstete Halling, der seinen an der Wand befestigten Kalender von allen Seiten bewunderte.

»Vielleicht finden wir irgendwo Lehm oder Tonerde.«

»Und überdies gibt es so viel Arbeit, dass man während der Abendstunden gern schläft. Obijah, du willst doch Luftklappen und eine Tür anlegen?«

Das waren Dinge, die der braune Baumeister nicht kannte, aber zustande kamen sie doch, obwohl Obijah nicht begriff, warum man durchaus aufrechten Ganges das Haus betreten müsse und nicht vielmehr auf allen Vieren, wie es bei den Strohhütten seines Stammes immer geschah.

Eine Tür von solcher Höhe hatte er nie gesehen, und dass man einen tüchtigen Balken von innen vorlegte, um während der Nacht den Eingang zu sperren, war ihm auch neu. Aber er begriff doch alles und arbeitete unermüdlich vom Morgen bis in die Nacht. Den Fußboden erhöhte er durch Steine um wenigstens einen halben Meter und legte nachher die bogenförmigen Wurzelbretter so glatt, dass sich kein Schwanken und keine Unebenheit zeigte.

Den Palmbast wusste er wie Eisendraht zu verwenden und ganz allein mit dem Handbeil baute er in wenigen Tagen mehrere große Schuppen, so dass alle Hängematten unter Dach und Fach kamen und auch die Maultiere eine etwas geschützte Zufluchtsstätte erhielten.

Dabei regnete es unaufhörlich, das Grünfutter wurde sparsamer, es gab weit und breit keine Wurzel, keine genießbare Frucht mehr, auch kein Bach fand sich in der Nähe; dagegen entdeckte Obijah bei seinen täglichen Streifzügen eine Fährte, die jedenfalls von einer Tapirherde herrühren musste und durch diese Nachricht kam neues Leben in die Seele aller.

Das Fleisch der Maultiere war sehr zähe; es gab eine leidliche Suppe, aber keinen Braten und noch weniger fand sich daran ein genießbares Fett. Die Hoffnung auf einige wohl gemästete Tapire trieb also schon in der nächstfolgenden Nacht unsere Freunde trotz des strömenden Regens in den Wald hinaus. Es war doch möglich, eins der ersehnten Tiere zum Schuss zu bekommen.

Eine wunderliche Gesellschaft zog da über den durchweichten Boden. Breitrandige, selbst geflochtene Strohhüte bedeckten die Köpfe; sämtliche Röcke, Westen und Halstücher waren zu Haus geblieben, ebenso die Stiefel und Strümpfe. Das unentbehrlichste Kleidungsstück hatte man bis zu den Knien aufgekrämpt und so ging es vorwärts, obwohl Wasser und Schlamm häufig bis zu den Köpfen hinauf spritzten.

Am Himmel glänzte weder Sonne noch Mond, grau und eintönig lag die Wolkendecke über den Baumwipfeln, unaufhörlich strömten neue Fluten herab und fielen klatschend in die größeren und kleineren

Tümpel, die sich überall gebildet hatten. Welch eine Öde ringsumher! – Das blühende Land war zur Wüste geworden; durch blattlose Äste wehte der Wind, fußtiefer Morast bedeckte den Boden.

»Sehen Sie doch diese Bäume!«, rief Benno. »Wahre Urgestalten. Obijah, kennst du die seltsamen Erscheinungen?«

»Ja, ja, in dem Mark des Baumes leben viele Maden.«

»Es ist der Barrigudo«, sagten die Peruaner. »Der Bauchige.«

Wirklich verdiente der Baum diesen Namen. Einige Fuß über der Erde schwoll sein Stamm zu einer Art Trommel von ungeheurem Durchmesser und ging dann wieder über in die gewöhnlichen Formen. Der Barrigudo hatte unzählige Risse und Höcker; graues Moos hing in langen Fasern von seiner Trommel herab, Ranken und Flechten umzogen ihn dicht wie ein festes Gewebe. Ramiro sah in die Zweige des seltsamen Baumes hinaus, vielleicht nur zufällig, ohne Absicht, dann aber blieb er plötzlich stehen und winkte den Gefährten.

Oben im Baum vollzog sich ein aufregendes Schauspiel. An den letzten Ausläufern eines schwankenden Astes saß eng aneinander geschmiegt ein Affenpärchen von jener kleinen Sorte, die als einzige Wehr nur ihre Gewandtheit und Sprungfertigkeit besitzt. Die Tiere winselten vor Furcht, sie sahen in zwei grünliche Augen, die dicht vor ihnen am Stamm des Barrigudo in einem Katzenkopf funkelten und die einem Tier gehörten, das sprungfertig, tief geduckt auf dem Ast saß und lauernd die unglücklichen kleinen Geschöpfe zu beobachten schien.

Aller Augen wandten sich dem bezeichneten Punkt zu. Der Schrecken der Affen teilte sich offenbar den Männern in gewissem Grade mit.

»Der schwarze Jaguar (Amerikanischer Panther)!«, raunte Obijah. »Ach, ach, – das ist schlimm.«

»Weshalb, Obijah?«

»Weil die Bestie eure großen Tiere gewittert hat und nun dieselben sucht. Nächstens erscheint sie bei unserem Haus, dessen können wir ganz sicher sein.«

»Ist denn der schwarze Jaguar gefährlicher als der bunte?«

»Viel gefährlicher. Sein Blutdurst kennt keine Grenzen.«

Das gefürchtete Raubtier, vielleicht vom Hunger gequält, saß unterdessen immer noch in seiner geduckten, sprungfertigen Stellung. Der lange Schweif peitschte die Weichen, das Maul mit dem furchtbaren

Gebiss war halb geöffnet und ein leises Knurren brach aus der Brust hervor.

Die Affen saßen auf einem so dünnen Zweige, dass es dem Jaguaren unmöglich war, ihnen hinterher zu klettern; er wusste, dass ihm ein Sturz in die Tiefe gewiss gewesen wäre und blieb daher klüglich der Versuchung fern, aber die Ungeduld verzehrte ihn förmlich, er hörte und sah nichts außer dem einen, – der Beute, welche ihm unerreichbar blieb.

»Die schwarze Unze ist vor Hunger fast außer sich«, raunte Obijah. »Schießt nicht, Fremde, oder wir werden angegriffen.«

Er hatte die Worte kaum gesprochen, als unter dem Fuß eines der Männer ein dürrer Zweig zerbrechend knackte. Auffahrend wandte der Jaguar den Kopf und war im nächsten Augenblick mit einem ungeheuren Satz auf einen tiefer stehenden Ast gesprungen und waldeinwärts verschwunden.

Die Gebüsche rauschten, ein Schauer von Tropfen prasselte herab. Gleich einer Erscheinung glitt das schlanke Tier davon und ebenso schnell flüchteten nach der anderen Seite die geängstigten kleinen Affen. Binnen Sekunden herrschte tiefe Stille ringsumher. Obijah seufzte.

»Der schwarze Jaguar kommt wieder«, sagte er. »Vielleicht haben wir seinen Besuch schon in der nächsten Nacht.«

»Dann wird er mit einer tüchtigen Salve empfangen und hoffentlich erlegt.«

Obijah schüttelte den Kopf.

»Eure Kugeln sind nicht zuverlässig genug, Fremde; ich werde mir eine Lanze machen und Gift kochen, das ist besser.«

»Obgleich wir nur zwei Töpfe besitzen? – Wenn dann der eine einen Sprung bekommt, können wir überhaupt keine Speise mehr bereiten.«

»Dann brät man das Fleisch am Spieß oder röstet es auf Steinen. Überdies könnt ihr auch das Pfeilgift getrost essen, Fremde, dem Magen schadet es nicht.«

Die Weißen hätten um keinen Preis ihren treuen Freund und Beschützer verletzen mögen; sie hüteten sich daher, ihm zu widersprechen, aber im Stillen dachte doch jeder, dass er die Probe lieber nicht machen wolle.

Durchnässt bis auf die Haut, fast geblendet vom stetigen Regen setzten alle ihren Weg fort, und nach gut einer Viertelstunde war glücklich die Stelle erreicht, an welcher Obijah die Fährte der Tapire gesehen hatte. Der Indianer bückte sich, um den Boden zu untersuchen.

»In dieser Nacht sind die Tiere noch nicht hier gewesen«, berichtete er. »Dann lasst uns der Spur nachgehen. Vielleicht befindet sich in der Nähe ein Sumpf oder das Lager der Bachen.«

Trente schlich sich an Bennos Seite.

»Ihr schießt nur junge Tapire, nicht wahr, Señor? – Man könnte ja sonst Unglück haben, – ich meine – was den tausendjährigen betrifft, – das wäre doch fürchterlich.«

»Sein Fleisch essen zu müssen«, nickte Benno. »Da stimme ich dir bei. Wir wollen sehen, was sich tun lässt.«

Trente machte ein verlegenes Gesicht.

»Ich kann nicht schießen, Señor Benno«, seufzte er. »Wenigstens doch sehr schlecht. Ja, gewiss, sehr schlecht.«

»Deshalb wolltest du, wenn die Tapire in Sicht kommen, Reißaus nehmen, nicht wahr? Aber wohin?«

Der biedere Trente sah zur Seite; er schämte sich, aber er fand nicht die Kraft, dieses beklemmende Gefühl abzuschütteln.

»Es wird sich schon ein Versteck finden«, seufzte er. »Nur, weil ich doch nicht schießen kann.«

»Da ist die Tränke«, flüsterte Obijah. »Ein Sumpf!«

»Jedenfalls eine Stelle, an der sich die Tiere wälzen.«

Hohe Bäume umstanden einen Teich, vor dem sich eine morastige Fläche weit ausdehnte. Links lag eine dichte Wand von Schilf und großblätterigen Wasserpflanzen, die gerade jetzt während der Regenzeit am üppigsten grünten. Die Jäger konnten sich hier bequem verbergen und für einen Angriff auf das Schwarzwild genügende Deckung finden. Fünfzehn Kugeln waren bereit, im Augenblick einer etwaigen Gefahr die Sicherheit des Bedrohten zu verteidigen.

»Gibt es keine Tapire, so schießen wir Enten«, meinte Ramiro. »Das Wasser ist buchstäblich von ihnen bedeckt.«

»Und da naht ein Flug grauer Gänse. Kann man ihr Fleisch essen, Obijah?«

»Es schmeckt sehr gut, Fremder, auch das der Enten.«

Immer mehr große und kleinere schöngefärbte Wasservögel kamen aus dem dichten Inneren des Waldes herbei, um zu fischen, Hühner mit goldglänzendem und blauem Gefieder, der Kuhvogel, weiße Reiher und Schwäne.

Erbitterte Kämpfe um den Besitz der stummen, wehrlosen Wasserbewohner entspannen sich überall, bis vielleicht plötzlich aus der schäumenden Tiefe die Schlange auftauchte und mit ihrem scheußlichen Rachen den Hals eines Vogels packte, um das schreiende, sich vergeblich sträubende Tier hinabzugehen in das nasse Reich, dem sie selbst als heimische Bewohnerin angehörte, dessen Fluten aber die Widerstandskraft des unglücklichen Vogels sofort lähmten.

Voll Entsetzen stob dann die Schar der Enten und Gänse nach allen Richtungen auseinander. Obijah horchte.

»Jetzt kommen die Tapire!«, raunte er.

Leise wurden auf den Kugelbüchsen die schützenden Pfropfen gelockert, jedes Herz schlug in glühender Jagdlust schneller, jedes Auge spähte den Tieren entgegen. Dann hörten auch die ungeübten Sinne der Weißen ein Schnaufen und Grunzen, das Geräusch zahlreicher stampfender Füße.

»Es muss eine ganze Herde sein«, flüsterte Benno. »Obijah, gib du das Zeichen zum Schuss.«

»Sei nur jetzt ganz still, Fremder. Der Tapir hört den leisesten Ton.«

Die Männer atmeten kaum. Links vor ihnen lag die mit Hunderten von Vögeln bedeckte Lagune und vor derselben das Schlammfeld, rechts ein dichtes Bromeliengestrüpp, das in den eigentlichen Wald ausmündete und an dessen Grenzen der Wildpfad führte. Auf diesem letzteren näherten sich die großen schwarzen Rüsselschweine, fünf an der Zahl mit zwei halbwüchsigen Jungen, die noch den buntgestreiften Pelz, ihr Kinderkleid, trugen.

Grunzend oder auch leise pfeifend trabten die plumpen Gesellen herbei, ohne Ahnung der Gefahr, welcher sie entgegengingen, nur bestrebt, zu der Schlammpfütze zu gelangen und sich wohlig im Morast zu wälzen. Die kleinen Tiere ahmten den größeren nach. Alle vier Füße hoch in die Luft erhoben, wühlten die Tapire gemächlich in der schwarzen spritzenden Masse, um dann zum Teiche zu eilen und ein Bad zu nehmen.

Sie schwammen wie die Enten und schienen auch mit diesen ganz vertraut und befreundet, denn keines der gefiederten Geschöpfe nahm von den Eindringlingen die mindeste Notiz; sie spielten um die schwarzen Kolosse her lustig im Wasser und nahmen es nicht einmal übel, wenn ihnen zuweilen von denselben der Weg versperrt wurde.

»Noch nicht schießen?«, fragten Ramiros Blicke den Indianer.

Und ganz leise antwortete dieser: »Nein, nein, – der Tapir taucht und du hast ihn verloren, Fremder.«

Nachdem die Tiere eine Zeit lang gebadet und ihren Durst gelöscht hatten, stiegen sie wieder an das Ufer, um jetzt die jungen Keime des Schilfes und der übrigen Wasserpflanzen abzurupfen. Der vorderste Tapir war ein außergewöhnlich großes und altes Tier, dessen linker Vorderfuß einmal in irgendeinem Kampf eine schwere Verwundung davongetragen haben musste.

Das Knie war zur Dicke eines mäßigen Kohlkopfes angeschwollen und der Fuß hinkte beträchtlich; auch schien der Tapir bei jedem Schritt einen heftigen Schmerz zu Empfinden, denn er pfiff und wimmerte erbärmlich, sobald sich die Last seines schweren Körpers auf das kranke Glied stützen musste. Obijah berührte des Doktors Arm.

»Du nimmst das Junge aufs Korn, Fremder. Benno das zweite Tier und so fort. Den Alten können wir nicht essen.«

Schomburg nickte und gab die erhaltene Weisung ebenso geräuschlos weiter. Schon hoben sich die Kugelbüchsen, um ihre tödliche Ladung zu entsenden, da störte ganz unerwartet ein plötzlicher Zwischenfall den Gang der Dinge und gab allen früheren Plänen eine veränderte Richtung.

Mit einem gewaltigen Satz sprang aus dem Dickicht der vorhin bei seiner Jagd gestörte schwarze Jaguar und flog rittlings auf den Rücken des alten Tapirs, dessen Fell seine Krallen vergebens zu durchdringen versuchten. Überall abgleitend, konnte sich der freche Räuber nur mit den Zähnen im Nacken des bedrohten Schweines festhalten, aber ohne den Mut und – wenn das Wort mit Bezug auf ein Tier statthaft ist – die Geistesgegenwart desselben zu erschüttern.

Der Tapir mochte die schwachen und starken Seiten seines furchtbaren Gegners kennen. Er machte keinen Versuch, den gefährlichen Reiter abzuschütteln, wohl aber raffte er alle seine Kräfte zusammen und stürmte trotz des kranken Fußes blitzschnell mit dem Jaguar auf dem Rücken gegen die Bromelienhecke, das zähe, dornenreiche Gestrüpp vor sich niederwerfend wie Strohhalme, mitten hinein in die schlagenden Zweige, deren Wucht den Kopf der Katze empfindlich traf und ihre Haut so unsanft berührte, dass sie den Halt verlor und von dem Rücken des Tapirs abgestreift wurde.

Für einen Augenblick herrschte ein betäubendes Durcheinander von Tönen. Der Tapir stieß vor Schmerz und Zorn zugleich ein gellendes schrilles Pfeifen hervor, der Jaguar heulte laut auf, ehe er in den Wald entfloh, und drei Schüsse widerhallten zugleich von den fernen gebirgigen Anhöhen.

Ein junger Tapir und zwei Mutterschweine waren erlegt; ein Hurra der Jäger begleitete dieses frohe Ereignis. Enten, Gänse und anderes Geflügel flohen mit wildem Geschrei in das Schilf und auf die Bäume, das Wasser der Lagune schlug hohe Wellen, Kreischen und Flügelschlagen erfüllte rings während mehrerer Minuten die Luft, bis sich der erste Lärm gelegt hatte und die Jäger einzeln aus dem Schilf hervorkamen.

»Wieder der schwarze Jaguar!«, sagte kopfschüttelnd Doktor Schomburg. »Du hast ihn auch diesmal noch nicht zuletzt gesehen, Fremder. Ich versichere dir, dass er uns folgt und uns belagern wird.«

»Aber für den Augenblick ist er verscheucht und wir haben Fleisch für mindestens acht Tage, Obijah!«

Der Eingeborene nickte.

»Das ist gut«, antwortete er, »denn ich muss nun notwendig die Zutaten für das Gift zusammensuchen.«

»Kannst du sie denn im Wald finden, Obijah?«

Er sah auf, ganz erstaunt, ganz außer Fassung.

»Woher sollten sonst die Sachen wohl kommen, Fremder?«

Doktor Schomburg nickte eifrig.

»Ja, ja, ich weiß, Obijah, ich weiß. Ihr habt nur den Wald und den Fluss, um alle eure Lebensbedürfnisse zusammen zu sammeln. Schon gut, aber sage uns vorher, auf welche Weise wir die erlegten Tiere nach Haus schaffen?«

»Indem ihr sie schleift, Fremder. Das Fell kann es aushalten.«

»Trente!«, rief Benno. »Trente! Wo steckst du?«

Aber keine Stimme antwortete ihm; der Maultiertreiber schien verschwunden, als habe sich die Erde aufgetan und ihn in ihren schwarzen Schlund hinabgezogen. Alles Suchen und Rufen blieb vergebens. Endlich kam Benno auf den Gedanken, die Baumwipfel zu durchforschen, er erkletterte einen astreichen, von Lianen stark umflochtenen Stamm und hielt in der Krone eine sorgfältige Umschau.

Da hockte auf einem Baum, von dessen Höhe man das Innere des Bromeliengestrüpps überblicken konnte, der Maultiertreiber in der Stellung eines erschreckten Affen; er sah voll Todesangst hinunter und legte den Finger auf den Mund, als wolle er andeuten, dass Sprechen gefährlich sei, zeigte dann auf den Boden und zog vor Angst die Schultern bis zu den Ohren hinauf.

»Der Tapir ist wohl noch da?«, lachte Benno.

Der Maultiertreiber telegrafierte mit Kopf und Händen.

»Still! Still!«, baten alle diese ängstlichen Zeichen. »Um Gottes willen, still!«

»Trente, du bist ein Narr! Gleich komm herab, wir gehen jetzt fort.«

Benno schwang sich auf einen anderen Zweig, um in das Dickicht hinabzusehen. Richtig, da lag der verwundete Tapir und blutete schrecklich; die Zähne des Jaguars hatten ihm doch übel mitgespielt, er versuchte mehrere Male, sich zu erheben, fiel aber immer wieder kraftlos zurück und dann erfüllte ein klagendes Pfeifen die Luft.

»Armer Kerl«, dachte mitleidig unser Freund, »ich möchte ihm aus Gnaden den Todesstoß versetzen.«

Und laut rief er: »Obijah, komm doch einmal hierher zu mir.«

Der Tapir mochte so nahe bei seinem Versteck die fremdartigen Laute hören und lebhaft erschrecken, – er raffte alle Kräfte zusammen, taumelnd erhob er sich und schwankte dem Wald zu wie ein Betrunkener, vor dessen Blicken sich die Umgebung im Kreise zu drehen scheint. Trente wand sich auf seinem Ast, als habe er heftige Schmerzen.

»O das verruchte Wesen«, ächzte er. »O der Seelenmörder!«

»Komm, komm, du sollst die erlegten Tiere ziehen helfen!«

Obijah war auf den Baum geklettert und sah dem Tapir nach.

»Lass den Alten, Fremder, man kann das zähe Fleisch nicht essen.«

»Aber man kann das arme Tier aus Mitleid töten.«

»Das lass nur, es legt sich in den Kessel und schläft tagelang, bis die Wunden wieder geheilt sind. Komm jetzt, ich bitte dich, es ist die höchste Zeit, um für das Gift die nötigen Zutaten zu sammeln.«

»Soll ich dir dabei helfen, Obijah?«

»Gern, gern. Es ist gut, wenn ich einen Kameraden habe.«

Sie kletterten nun vom Baum herab und befestigten unten auf dem Erdboden mehrere mitgebrachte Lederriemen an die Hälse der erlegten Tiere, dann spannten sich je zwei Männer vor eines derselben, und der Heimweg wurde angetreten. Trente saß immer noch auf dem Baum.

»Hallo!«, rief er. »Hallo! – Ihr werdet doch nicht? – Ihr wollt doch nicht?«

»Fortgehen, meinst du? Sicherlich wollen wir das. Lebe wohl, Trente, lass dir die Zeit nicht lang werden!«

»O nein, nein, Señores, nein, nicht ohne mich. Ich habe ja den Weg bezeichnet, – ihr könnt euch allein nicht durch den Wald finden.«

Und indem er sich vom Baum mehr fallen als herabgleiten ließ, eilte Trente in langen Sätzen den Weißen voraus an die Spitze des Zuges.

»Wenn der schwarze Jaguar kommt«, rief er, »so schlage ich ihm mit der Faust den Schädel ein.«

Indem er aber diese heldenmütige Versicherung abgab, spähte er sorgfältig nach allen Seiten, um bei dem ersten Nahen des Tapirs Reißaus zu nehmen. Die Unze war ja nur ein gewöhnliches Wesen von Fleisch und Blut, und diesem gegenüber stand Trente durchaus seinen Mann, aber das Rüsselschwein mit dem Auswuchs am Knie – brr!

Alle Heiligen stehen uns bei! Darin konnte der Geier stecken, das entsetzliche Wesen, von dem alles Lebende bedroht wurde. Und Trente murmelte, während er angstvoll Umschau hielt, ein Stoßgebet über das andere. Obijah und Benno hatten sich von den übrigen getrennt, um allerlei geheimnisvolle Dinge zusammenzusuchen.

»Achte auf den Weg, Fremder«, sagte der Eingeborene. »Wenn du die rote Feuerameise siehst, so sage es mir.«

»Die willst du auch für das Gift gebrauchen?«

»Ja.«

»Und was sonst noch?«

»Eine Lianenart, einen Zweig mit Blattknospen, den ich dir schon zeigen werde, außerdem den Kopf einer Schlange und die Stacheln eines Fisches.«

»Welches Hexengebräu!«, rief Benno, beinahe schaudernd. »Aber woher willst du wohl den Fisch nehmen, Obijah? Es ist kein Fluss in der Nähe.«

»Dann muss ich wandern, bis ich einen finde. In der Nacht, welche dem nun kommenden Tag folgt, haben wir den schwarzen Jaguar bei uns zu erwarten.«

»Dessen bist du so vollkommen sicher, Obijah?«

»Ganz sicher. Während der Regenzeit schlafen viele kleine Tiere oder verhungern, weil sie kein Futter finden; die Raubkatzen leiden daher empfindlichen Mangel, sie sind dreister als jemals.«

Benno fühlte, dass es ihm kalt bis ins Herz hineinkroch. Welch ein Leben war das! – Krieg bis aufs Messer, Krieg von allen gegen alle. Etwas anderes gab es für das rote Volk in der Tiefe seiner Urwälder nicht mehr. Zu Land und zu Wasser lauerte das Verderben, aus der Luft schoss es herab und aus dem Wald tauchte es auf, – ein einziges Flüchten, Sich verstecken, ein Suchen und Spüren nach dem Unentbehrlichsten, das war das Los der gutmütigen Indianer.

»Da hängen die Nester der Feuerameise«, sagte Obijah. »Nun gib mir dein Messer, Herr, – es geht damit schneller, als mit dem Beil.«

Vor den beiden Wanderern erhob sich ein Baum, den man es ansah, dass er auch in der guten Jahreszeit keine Blätter und Früchte getragen haben konnte. Alle Äste waren schwarz und dürr und alle reichlich behangen mit sonderbaren, aus Haaren und Moosen gewobenen Nestern, die wie spitze riesige Tüten aussahen.

Zu Tausenden schaukelten diese grauen Behälter an allen Zweigen. Obijah schnitt zwei davon ab und umwickelte die obere, offene Seite mit festen Baststreifen, dann nahm er ein großes, zu diesem Zweck vom Ufer des Teiches mitgebrachtes Blatt und hüllte das ganze Paket sorgfältig hinein. Große Dornen vertraten dabei die Stellen der Stecknadeln, und endlich befestigte Obijah das Bündel an einen Stock.

»So, Fremder, nun trage es auf der Schulter. Die Ameisen können nicht herauskommen.«

»Sind die Tiere giftig, Obijah?«

»Für sich allein nicht.«

Der Eingeborene fand kaum Zeit, zu antworten, so emsig spähte er umher.

»Da ist die Liane, Fremder, und da der Baum. Wir wollen für alle Fälle mehrere Zweige mitnehmen.«

»Eine Ficusart«, dachte Benno, »ein ganz harmloses Gewächs.«

Er ließ sich auch diese Beute auf die Schulter packen und wanderte dann geduldig hinter dem Wilden her in die dichtesten und sumpfigsten Gründe des Waldes hinein. An jedes Astloch klopfte Obijah, in jede Spalte, unter jede Baumwurzel bohrte er einen langen spitzen Stock und horchte dann sorgfältig, ob sich im Inneren kein Geräusch vernehmen lasse.

»Die Schlange schläft«, sagte er kopfschüttelnd. »Hätten wir Sonnenschein, so würden wir sie auf einem Stein oder sonst an einem freien Punkt finden, bei Regenwetter aber ist es schwer, ihr Versteck zu finden.«

Er verdoppelte seine angestrengte Aufmerksamkeit, oft kroch er auf allen Vieren oder stieg in die Kronen der Bäume; endlich schienen seine Bemühungen mit Erfolg gekrönt. Etwa in Brusthöhe befand sich unter den Zweigen eines Wollbaumes ein Astloch, aus dem bei den Drehungen des Stockes ein Zischen hervor tönte. Obijahs Gesicht erhellte sich ganz plötzlich, in seinen Augen flammte der Triumph des Siegers, er nickte mehrere Male lebhaft vor sich hin, dann horchte er wieder und lächelte sehr zufrieden.

»Zwei Stimmen«, raunte er. »Es sind zwei Schlangen darin.«

Und nun schob er den Stock langsam hinein und wieder zurück, als wollte er ihn ganz wegziehen. Das Zischen in der Höhle verstärkte sich und eine Sekunde später stieß Obijah einen Freudenruf hervor.

»Ich habe sie! Ich habe sie! Nun ist das schwerste Hindernis überwunden.«

Er zog den Stock hervor und mit ihm eine große prachtvoll gefärbte Schlange, deren schillernde, rot und metallgrün glänzende Schuppen ein schönes regelmäßig gezeichnetes Muster bildeten. Das Tier zerbiss wütend den Stock und peitschte mit dem Schweif den nassen Boden, sein Hals schwoll zum Kropf; vielleicht hätte es sich im nächsten Augenblick auf seine Angreifer gestürzt, wenn nicht der Eingeborene dem zuvorgekommen wäre. Mit einem wuchtigen Beilschlag trennte er den Kopf der Schlange von ihrem Rumpf und sah dann voll Befriedigung auf die Beute in seiner Hand.

»Ein zweiter Stock, Fremder, du bekommst immer mehr zu tragen. Ich will nur erst den Schlangenkopf umwickeln, damit du dich nicht ängstigst.«

»Wird er denn nicht vom Stock herabfallen, Obijah?«

Der Wilde lächelte.

»Ich muss das Stück Holz mit in den Kochtopf werfen«, versetzte er. »Die Zähne lassen nie wieder los, was sie einmal erfasst haben.«

Die nächste Palme lieferte einen breiten Baststreifen und in diesen verschnürte und verpackte Obijah die grausige Jagdbeute, die zu den Ameisen auf Bennos Rücken wanderte. Noch zuckte und bäumte und wand sich der kopflose Schlangenkörper. Die Schuppen hoben sich und fielen wieder ein, die Zeichnung auf dem Rücken begann zu erblassen und eine fahle Färbung anzunehmen.

Ein grauenvoller Anblick. Über den Köpfen der beiden Männer rauschte ein schwerer Flügelschlag. Mit langem Halse spähte ein Geier hinab in den Sumpf, auf den zuckenden Schlangenleib, – auch ihn hungerte.

»Nimm noch die große Kröte«, sagte Obijah. »Wahrhaftig, dann ist der Hexenbrei vollständig.«

Benno dachte weiter wandernd an einen fernen, halb vergessenen Abend, den er daheim in Hamburg im Theater verbracht hatte. Es wurde Macbeth gegeben und einer seiner Schulkameraden hatte ihm hinter des Onkels Rücken zu dieser Vorstellung ein Billett verschafft.

Weder vorher noch später war Benno jemals in ein Theater gekommen, die Einzelheiten des Stückes schwebten daher seiner Fantasie, ob auch der Zusammenhang sich etwas gelockert hatte, doch sehr deutlich vor. Unwillkürlich verglich er die Dichtung mit der Wirklichkeit, wie er sie hier selbst erlebte:

»Sumpf'ger Schlange Schweif und Kopf
Brat' und koch' es im Zaubertopf:
Molchesaug und Unkenzehe,
Hundemaul und Hirn der Krähe,
Zäher Saft des Bilsenkrauts,
Eidechsbein und Flaum vom Kauz,
Mächt'ger Zauber würzt die Brühe,
Höllenbrei im Kessel glühe!«

»Da ist die Kröte!«, rief Obijah.

Benno erschrak heftig; alle seine Gedanken waren im fernen Hamburg gewesen.

»Hu, das abscheuliche Tier«, stammelte er ganz verwirrt, »es hat einen scharfen Saft«, nickte Obijah, indem er ohne Besinnen dem tellergroßen braungrünen Lurch den Kopf mit dem Hals abhackte.

»So, Fremder, nun haben wir alles beisammen.«

»Bis auf den Fisch«, nickte Benno.

»Den finde ich schon. Jetzt gehen wir erst einmal nach Hause.«

Er schnitt noch von einer sehr harten Holzart den langen Schaft zu einem Speer und dann suchten die beiden Kameraden, triefend vom Kopf bis zu den Füßen, das Heim unter dem Rindendach einstweilen wieder auf. Hier duftete ein Schweinebraten, zu dem Luiz und Trente eine tüchtige Portion Palmenmark als Beigericht kochten.

Die großen Maden waren vorher herausgezogen worden und rösteten auf einem heißen Stein als Leckerbissen für Obijah, der sie sogleich heißhungrig verzehrte.

»Ich gehe jetzt allein wieder fort«, sagte er nach der Mahlzeit, wobei dem Tapirfleisch alle Ehre angetan worden war, »aber hoffentlich komme ich bald zurück, Fremde, ihr müsst nun meinen Weisungen genau befolgen, – es ist des schwarzen Räubers wegen.«

Er sprach so ernsthaft, so eindringlich, dass seine Worte die beabsichtigte Wirkung unmöglich verfehlen konnten.

»Nenne uns deine Anordnungen, Obijah«, versetzte der Doktor, »wir wollen sie getreulich ausführen!«

Auch die übrigen stimmten lebhaft bei.

»Sage uns alles, du! Wir vertrauen deiner Klugheit vollkommen und wissen wohl, wie viel Dank wir dir schuldig sind.«

»Nun gut. Einen der beiden Töpfe müsst ihr mir geben Morgen koche ich darin ein Stück Fleisch und esse es vor euren Augen.«

»Soll geschehen. Weiter!«

»Wir brauchen auch notwendig für diese Nacht ein Licht. Du musst das blanke Ding aus deiner Tasche hergeben, Fremder.«

Der Doktor stellte mit einem unterdrückten Seufzer die Tabakdose auf den Tisch.

»Nimm hin, Freund Obijah. Was brauchst du ferner?«

»Ihr müsst auf den heißen Steinen die Ameisen rösten, aber ohne die Nester zu öffnen; dann müsst ihr die Ranken und den Zweig eine Stunde lang kochen lassen. Bis das alles geschehen ist, bin ich wieder hier.«

»Gut, Obijah.«

»Und nun gehen zwei von euch eine Strecke weit mit mir«, fuhr der Eingeborene fort.

»Die Bäume, aus deren Rinde das Licht herausfließt, stehen ganz in der Nähe, – ich will euch zeigen, wie man es sammelt. Nehmt dazu einen Strohhut mit; ich flechte für den Eigentümer einen neuen.«

Zwei Peruaner erklärten sich bereit, dem Eingeborenen zu folgen, und da Obijah die Sache sehr eilig betrieb, so entfernten sich alle drei ohne langes Zögern. Während Trente den Kochtopf säuberte, gingen einige andere fort, um Brennholz und neues Palmenmark herbeizuholen.

Halling zimmerte aus Jatobarinde eine lange Röhre, die er am Dach befestigen wollte, um für das Regenwasser eine Traufe herzustellen. Niemand sprach; es schien als verfolgten alle den gleichen Gedanken, der vielleicht zu quälend die Herzen beklemmte, um ihn ganz verborgen halten zu können, »wenn Obijah nicht wieder zurückkäme!«

Wer es zuerst halblaut sagte, das blieb ungewiss, aber sicher ist, dass Bennos Stimme sogleich klar und energisch gegen solche Vermutung protestierte.

»Obijah ist treu; wenn er das Leben behält, so sehen wir ihn wieder!«

»Ich glaube es auch«, nickte Ramiro. »Ohne ihn wäre die Weiterreise ein verzweifeltes Unternehmen.«

»Der gute Bursche! Wie geschickt er jede Arbeit anzugreifen weiß. Er kann alles, weiß alles, er ist Jäger, Fischer, Baumeister und Koch zugleich.«

»Koch bin ich auch«, sagte Trente, und warf sich gewaltig in die Brust.

Die Kameraden lachten.

»Du hast uns mutig und treu beigestanden, Trente«, versicherte der Doktor. »Das werden wir dir niemals vergessen.«

Benno trug jetzt, nachdem er die Ranken und Zweige in das kochende Wasser getan, den Sack mit den eingesperrten Ameisen herbei und legte ihn auf die heißen Steine. Ein bläulicher Dampf zog empor, das Blatt mit dem lebenden Inhalt krümmte sich zusammen und in den Nestern kreiste kurze Zeit hindurch eine verstärkte, krampfhafte Bewegung, die dann aber schnell erlosch und einer vollkommenen Ruhe Platz machte.

Die Ameisen waren lebendig geröstet, es raschelte wie Stroh, wenn man ihre Nester behutsam schüttelte. Im Topf wallte und kochte das

Wasser, heiße Dämpfe schlugen empor. Nach einer Stunde, hatte Obijah gesagt, sollten Ranke und Zweig herausgenommen werden.

Vorsichtig löste Benno den Baststreifen von dem zweiten Paket. Da lag der Schlangenkopf mit den erloschenen Augen und den noch immer fest in das Holz verbissenen Zähnen, – wenn man ihn berührte, so ging durch die zerschnittenen Fasern etwas wie ein leises Zucken.

Einer der Peruaner schnitzte aus dem mitgebrachten Stock den Spieß, wie ihn Obijah brauchte, ein anderer stillte die beiden Seiten der Tabakdose mit Harz und schließlich löste jemand von einer besonders starken Messerklinge das Heft, um dem Eingeborenen diese scharfe Waffe für seinen Speer zur Verfügung zu stellen.

Alle Genossen des einsamen, vom Regen überrieselten Hauses arbeiteten emsig; man trug Holz und Palmenmark herbei, man brachte Harz und Futter für die Tiere, während wieder andere das Fleisch der Tapire ausschlachteten und alle Abfälle eine Viertelstunde weit in den Wald trugen, um nicht durch den Geruch die streifenden Raubtiere anzulocken.

Nach zwei Stunden kam Obijah zurück. Der mitgenommene Binsenkorb war voll von Fischen, es zappelte und sprang von größeren oder kleineren Tieren, die alle an den Seitenflossen lange Stacheln trugen. Obijahs Gesicht zeigte lebhafte Zufriedenheit, er hatte schneller als sich erwarten ließ seine Beute gefunden und konnte nun an die Bereitung des Giftes gehen.

»Es ist gut«, sagte er sehr befriedigt, »es ist gut. Im Sommer hätte ich vielleicht einen ganzen Tag gebraucht, um diese Fische zu erlangen, aber jetzt treten die kleinen Bäche über ihre Ufer und dadurch geraten die Tiere zwischen Gras und Gebüsch, aus dem sie dann den Rückweg nicht mehr finden können. Ich habe sie alle mit der bloßen Hand gefangen!«

Er setzte den Korb zu Boden und schüttelte sich wie ein nasser Pudel, dass die Tropfen spritzten; dann befühlte er die Säcke mit den Ameisen.

»Schön! Schön! Gleich werde ich mich an die Arbeit machen.«

Auch der Speer fand seinen Beifall, und dass ihm das schöne Messer gehören sollte, erfüllte den bescheidenen Burschen mit wahrem Entzücken; er besah es von allen Seiten, als habe er es jetzt erst kennengelernt.

Dann rieb er eifrig die letzten Tropfen von sich ab, aß in aller Geschwindigkeit einige übrig gebliebene Maden und schnitt darauf zunächst mehreren Fischen die Stacheln ab. Als das geschehen war, legte er den Schlangenkopf, die Kröte und die Flossen zusammen in das kochende Wasser.

Ein plötzliches Zischen und Aufbrausen erfüllte das Gefäß, die früher fahlgelbe Farbe der Flüssigkeit ging über in ein dunkles Braun, während ein scharfer, aber nicht unangenehmer Geruch das ganze Haus erfüllte. Am großen mittleren Tisch stand Obijah und zerrieb die gerösteten Ameisen zu einem schwarzen Pulver.

Er sah immer auf seine Arbeit, und wenn jemand mit ihm sprach, so gab er möglichst kurze, in einem verlegenen, beklommenen Ton gehaltene Antworten. Endlich warf er mit einem Ruck seine vom Regen etwas beschädigte Frisur in den Nacken, die ausgespreizten zehn Finger fuhren ungeduldig über die Stirn und seufzend sagte er:

»Fremde, ihr müsst jetzt nicht so viel sprechen.«

Ramiro und Benno sahen einander an.

»Höchstwahrscheinlich gibt es allerlei Zeremonien, die der gute Junge zum Gelingen des Werkes für unerlässlich hält«, flüsterte der Kunstreiter. »Man müsste ihn allein lassen.«

»Aber wir können uns doch nicht in den Regen hinaus begeben. Draußen schüttelt der Sturm die Baumwipfel.«

»Dann wollen wir wenigstens schweigen und am anderen Ende des Hauses bleiben. Ecken und Winkel hat es ja genug.«

Ohne eine Verabredung, wie zufällig ließen die Weißen den Eingeborenen bei seiner Arbeit allmählich allein. Obijah hatte jetzt die letzten Ameisen zerrieben, im Topf brodelte immer noch das abscheuliche Gemisch und heiße Dampfwolken erfüllten den ganzen Raum. Langsam das schwarze Pulver zusammenfegend, schüttete Obijah diese Tausende von getrockneten Ameisen mit in den Topf hinein.

Dann, als sich die Suppe allmählich dunkler und immer dunkler färbte, begann er seine Zauberei, ohne die sich seiner Ansicht nach das Gift nicht frei und kräftig entwickeln konnte. Von einem Fuß auf den anderen tretend, tanzte er langsam um den kochenden Kessel herum, während seine Lippen halblauten Tones eine gezogene Weise mehrere Mal wiederholten.

»Hu – u – um!«, klang es den Weißen. »Wa – se – kaa! Hu – u – um!«

Jedenfalls enthielten die Silben einen Zauberspruch, der dazu dienen sollte, die gebundenen Eigenschaften der im Topf kochenden Substanzen zu lösen. Das Gemisch trieb hohe Blasen, einzelne Tropfen liefen über den Rand, – die Masse war jetzt dickflüssig und vollkommen schwarz. Schneller und schneller wurden Obijahs Bewegungen; erstreckte den rechten Arm weit von sich und rief einige Silben wie einen Namen dreimal nacheinander mit beschwörendem Klang in die Welt hinaus, dann folgte der linke Arm und ein anderer Name.

Auf der Stirn des Tänzers standen große Tropfen, er sprang wie toll vor dem dampfenden Topf umher, gellende Schreie ausstoßend gleich einem Irrsinnigen. Aus dem Halbschatten des Hintergrundes hervor beobachteten die Weißen das sonderbare, unheimliche Schauspiel. Obijah glaubte fest an die Notwendigkeit und Wirksamkeit dessen, was er tat, ihm graute vielleicht, als er die Dämonen beim Namen rief, sein Herzschlag stockte und kalte Schauder rannen durch alle seine Adern, aber die geheimnisvollen Mächte der übersinnlichen Welt musste er für das geplante Unternehmen doch gewinnen; er konnte ihren Beistand nicht entbehren und so entschloss er sich, die gefürchteten Namen laut anzurufen:

»Mero! Eraki! Kyamee!«

Lächelnd wandte sich der Doktor zu seinen Genossen:

»Geister weiß und grau,
Geister rot und blau,
Rührt, rührt, rührt,
Rührt aus aller Kraft.«

Halling nickte, ebenso Benno und die beiden Kunstreiter. Sie hatten vielleicht unwillkürlich das Gleiche gedacht und empfunden.

»Da steigt auch eine Erscheinung aus dem Topf!«, raunte Benno.

Eine große Blase hatte sich aus dem schwarzen Brei erhoben und stand einen Augenblick zitternd auf der Oberfläche, dann zerplatzte sie mit dumpfem Schall, und nun hielt Obijah das Werk für vollendet. Er nahm aufatmend den Topf vom Feuer und setzte ihn beiseite, dann warf er selbst sich wie vollständig erschöpft in die Hängematte und blieb liegen, als habe ihn ein schwerer Schlag zu Boden gestreckt.

Es war jetzt vielleicht zwölf Uhr mittags, ein gewaltiger Sturm heulte und tobte um das einsame Haus, dessen Bewohner flüsternd zusammensaßen, eng gedrängt, bei der starken Bewegung der Luft fröstelnd trotz der Wärme, die draußen herrschte. Über den Himmel zogen dunkle Wolken, Ströme von Regen rauschten herab, plätschernd ergoss sich das Wasser in breiter Rinne vom Dach und sprang aufschlagend, zu hohen Spritzwellen gesammelt, wieder an den Wänden empor. Hier und da krachte es im Walde: Ein Stamm, innen zerfressen und morsch, wurde von der Gewalt des Sturmes niedergerissen; schwerer Flügelschlag, ein banges Aufkreischen erfüllten einen Augenblick die Luft, dann hörte man wieder nur das Sausen und Brausen, dessen Klänge wie Orgelton das Haus umfluteten.

Hinauszugehen und irgendeines der täglichen Lebensbedürfnisse dem durchnässten Wald abzuringen, war ganz unmöglich; man musste untätig dasitzen und die Langeweile der beschäftigungslosen Stunden über sich ergehen lassen ohne Murren oder Seufzen. Halling wollte aus kleinen Stücken Jatobarinde ein Kartenspiel zusammenstellen, aber die einzelnen Blätter wurden so dick, dass man mehrere derselben nicht wohl zwischen den Finger halten konnte, – der Plan war nicht ausführbar.

»Elf Pflöcke sind bis jetzt herausgezogen worden«, sagte jemand. »Bleibt ein Rest von einunddreißig Tage wie dieser.«

»Oder noch schlimmer, wenn es nicht mehr gelingen sollte, Nahrungsmittel aufzutreiben, – das Fleisch der vorhandenen Maultiere reicht nicht aus.«

Wieder folgte ein längeres Schweigen, das erst durch den Ruf einer matten Stimme unterbrochen wurde. In den Hängematten lagen jetzt schon vier Fieberkranke, die sich nicht mehr aufrecht zu halten vermochten, einer davon bat um einen Trunk Wasser.

»Was rauscht da so?«, flüsterte er mit jenem ausdruckslosen Ton, der das fehlende Bewusstsein verrät. »Es sind lauter Stimmen, die mich anklagen – sie rufen allerlei böse Worte, hört ihr es nicht? Verschwender, Taugenichts, unzuverlässiger Mensch! – Ach, und das alles ist Wahrheit, traurige Wahrheit.«

»Sei ruhig, Carlos!«, antwortete der Kunstreiter. »Draußen pfeift der Sturm, das ist alles.«

Er ließ den Fiebernden trinken und rückte ihm das unter den Kopf geschobene Polster zurecht.

»Schlafe, Carlos«, sagte er, »es spricht niemand mit dir oder von dir.«

Der Kranke hörte nur halb, er setzte das unruhige Flüstern fort, während Obijah sich aus der Matte erhob und nun daranging, seinen Spieß zu vervollständigen. Das Gift in dem Kochtopf dampfte noch immer; erst wenn es abgekühlt war, konnte man die Waffe hineintauchen und den tödlichen Stoff dadurch auf das Metall übertragen.

Nach einigen Stunden war der Spieß fertig, Obijah warf ihn zur Probe aus weiter Entfernung in einen Baumstamm und weder der Schaft noch die Spitze hatten gelitten.

»Jetzt darf der schwarze Jaguar kommen«, lächelte der Indianer. »Ich nehme den Kampf mit ihm allein auf.«

Er tauchte das Messer, so weit es reichte, in die zähe schwarze Flüssigkeit und ließ die herabfallenden Tropfen in das Gefäß zurückgleiten. Als das geschehen war, bedeckte er den Topf mit einem Stück Rinde und stellte ihn in die Ecke.

»Morgen ist das Curare zu einem festen Klumpen geworden, Fremde; dann können wir es draußen in die Erde graben und das Gefäß wieder brauchen. Jetzt lasst uns die Wände des Stalles nachsehen.«

»Erwartest du denn den Jaguar dort, Obijah?«

»Er kommt sicherlich, um ein Maultier zu stehlen. Menschen in ihren Wohnungen werden niemals angegriffen.«

Es machte einen unwillkürlich beunruhigenden Eindruck, den Wilden mit solcher Zuversicht sprechen zu hören. Anstatt zu schlafen, musste man also in dieser Nacht den Besuch eines der blutdürstigsten Raubtiere erwarten – das war eine beängstigende Aussicht. Obijah untersuchte in dem an das Wohnhaus stoßenden Stall jeden Bambusstab, den er mit seinen Genossen zwischen den lebenden Bäumen angebracht hatte.

»Irgendwo wird die scharfe Kralle ein Loch reißen«, sagte er, »man muss nur womöglich die schwache Stelle vorher ausspähen.«

»Und wolltest du dich aufstellen, um mit dem Spieß das Tier anzugreifen? – Hast du eine derartige Jagd schon früher erlebt, Obijah?«

Der Eingeborene nickte.

»Viele!«, antwortete er. »Wir verwahren unsere Ziegen immer in Ställen aus Bambusgittern. Wenn dann die Unze sehr hungrig wird, kommt sie während der Nacht und zieht ein Tier durch die Stäbe.«

»Wobei du sie mittels des Curaregiftes schon erlegt hast, Obijah?«

»Im Ganzen ihrer fünf, aber freilich, noch keine schwarze.«

Und als wolle er über diesen Gegenstand nun nicht mehr sprechen, wandte sich Obijah mit erneuter Sorgfalt zu den Wänden.

»Es ist alles fest«, sagte er. »Wir müssen abwarten, von welcher Seite der Angriff kommt.«

Er füllte die Schnupftabakdose mit Harz und als die Dunkelheit hereinbrach, wurde diese eigentümliche Lampe angezündet. Das Licht derselben war ziemlich schwach, aber angenehm und der Geruch wenigstens erträglich. So kam bei Sturm und prasselnden Regenschauern die Nacht heran; auf ihrer Streu lagen die geduldigen Maultiere, Pluto war im vordersten Wohnhaus angebunden und sämtliche Männer in der Umgebung der Mulas aufgestellt.

Jeder hielt das Gewehr schussfertig in der Hand, – es herrschte eine Spannung, die alle Nerven so erregte, dass der Schweiß auf den Stirnen stand und die Augen unnatürlich glänzten. – Des Doktors Uhr zeigte Mitternacht, wütend peitschte der Sturm die Baumwipfel; bald laut, bald leise sprach der Fieberkranke vor sich hin.

»›Ein Taugenichts!‹, sagte mein Vater. ›Ein Taugenichts!‹ Auch die Lehrer wiederholten das Wort. Und doch habe ich nichts Böses getan, keine Sünde, – ich habe nur flott gelebt und die Welt für eine Stätte des Vergnügens gehalten. Ist das so schlimm?«

Der Doktor gab dem Schwerkranken ein Beruhigungsmittel.

»Es geht zu Ende mit dem armen Carlos«, sagte er seufzend. »Morgen werden wir ein Grab graben.«

Tiefe Stille folgte diesen Worten. In zweifacher Gestalt stand vor der Tür das bleiche Gespenst des Todes und pochte an mit knöchernem Finger, – schaudernd schwiegen alle, die da zu Schutz und Trutz in dem windumtobten Rindenbau versammelt waren. Ob die Maultiere den unsichtbaren Feind bereits witterten? Sie spitzten die Ohren und zuweilen ertönte aus ihrer Mitte ein starkes ungeduldiges Schnauben.

Einige unter ihnen richteten sich auf und suchten die um einen Baumstamm geschlungenen Zügel zu lockern, andere scharrten heftig mit den Füßen. Trente streichelte sein Reittier, er flüsterte ihm beruhigende Worte ins Ohr und wollte es veranlassen, sich niederzulegen; aber alle diese Mühe war umsonst, der Graue schnellte immer wieder vom Boden empor, seine Haare begannen sich zu sträuben, er zitterte am ganzen Körper.

Obijah sah von einem zum anderen.

»Die schwarze Unze ist in der Nähe«, sagte er.

Es war, als hätten die Maultiere diese Worte verstanden. Ihr lautes Geschrei, ihr wildes Reißen und Stampfen ertönte überall. Einige Zügel gaben nach und mit rasender Eile stürzten die fessellosen Tiere durch den ganzen weiten Raum dahin, gegen die Wände anrennend, in wahrer Todesangst, die sich von Augenblick zu Augenblick verstärkte.

»Die Unze streift hart an den Wänden hin«, sagte Obijah.

Ramiro näherte sich ihm.

»Wollen wir nicht eines der Maultiere in das Freie hinauslassen?«, fragte er. »Mit dem verhältnismäßig geringen Opfer könnten wir uns von dieser furchtbaren Aufregung loskaufen.«

Der Eingeborene schüttelte den Kopf.

»Nur bis zur nächsten Nacht«, versetzte er. »Die Unze würde dann wiederkommen und ein anderes Tier verlangen, bis keines mehr vorhanden wäre, danach kämen wir an die Reihe. Wenn der schwarze Würger einmal einen Menschen gefressen hat, nimmt er kein anderes Fleisch mehr an.«

Die Worte waren kaum gesprochen, als ein wütendes Geheul draußen vor dem Haus die Aufmerksamkeit aller ganz allein in Anspruch nahm. Wie eine Katze miaute das Raubtier und knurrte zugleich wie ein Tiger; Zorn und Ungeduld lagen in jedem dieser langgezogenen Töne.

Obijah hielt den Spieß mit dem furchtbaren Gift in beiden Händen; er hatte einen Fuß vorgesetzt und lauschte begierig. Von welcher Richtung kam der Schall? Kein zweites Heulen gab Antwort. Draußen war alles still.

»Die Unze sucht, – sucht!«, raunte der Wilde.

Durch die lautlose Stille klang das Ächzen des Fieberkranken.

»Freilich! Freilich!«, sagte er seufzend. »Dass meine alten Eltern darben mussten, hatte ich verschuldet. Wie schnell ist nicht so eine Handvoll Geld ausgegeben. Ach, das man doch nie glaubt und gehorcht, solange es noch Zeit ist!«

In die schaurige Selbstanklage des Sterbenden mischte sich ein Aufschrei, den nicht allein die Maultiere hervorstießen, sondern ebenso wohl auch die Menschen. Es geschah etwas, das ganz unvorbereitet, ganz ungeahnt kam, aber gerade dadurch umso stärkeres Entsetzen verbreitete.

Während alle Männer lauschten und unter äußerster Anspannung ihrer Kräfte die Tiere zu beruhigen suchten, hatte sich urplötzlich über ihren Köpfen das Dach laut krachend gespalten und durch die entstandene Lücke fiel mit jähem Sturz der schwarze Jaguar mitten in den Raum hinein.

Sein plötzliches Erscheinen riss zwei Männer zu Boden, sekundenlang herrschte eine unbeschreibliche Verwirrung, ein Durcheinander von Menschen und Tieren, wie es unordentlicher nicht gedacht werden konnte.

Dann hatte Obijah die Lage der Dinge überblickt, hoch in beiden Händen schwang er den Spieß und mit gellendem Kampfgeschrei stürzte er sich auf das Raubtier, ihm die vergiftete Klinge so tief zwischen die Schultern bohrend, dass der Schaft abbrach und er selbst weit über den Kopf des Jaguars weg in den Sand flog.

»Gewonnen!«, jubelte er. »Gewonnen! Das Messer steckt in der Wunde.«

»Aber die Unze lebt noch.«

»Einerlei! Einerlei!«

Zurück an die Wände war alles geflüchtet, die Maultiere hatten sich losgerissen und stürzten in den vorderen Raum. Der Jaguar blieb allein in der Mitte des Stalles, er brüllte vor Schmerz, der Rachen schäumte, die Krallen rissen große Klumpen Erde aus dem Boden, aber trotz der Foltern, welche er erlitt, befähigten ihn seine gewaltigen Kräfte doch, sich aufzurichten und zum Sprung anzusetzen.

Aus seiner Wunde ragte das abgebrochene Ende des Schaftes hervor, Krämpfe erschütterten den schlanken Körper, Blut und Geifer rannen aus dem Maul hervor. Blind vor Wut stürzte sich das Tier auf den nächsten Gegner, dessen Pistolenkugel ihm als Gegengruß in das Gehirn flog. Es war Trente, der jetzt die leichte Waffe von sich warf, blitzschnell eine der in der Nähe stehenden Kugelbüchsen ergriff und den Kolben sausend auf den Kopf der Katze niederschmettern ließ.

Schießen konnte niemand! In dem verhältnismäßig engen Raume hätte einer den anderen treffen müssen, wenigstens soweit die Gewehre in Betracht kamen; Pistolenkugeln aber schienen auf den Jaguar keinen Eindruck zu machen. Er sprang wieder vom Boden auf, sein Geschrei erfüllte die Luft, wütend grub er die Krallen in den Rücken eines der wie toll umher rennenden Maultiere und riss es neben sich in den Sand – dann aber mochte das Gift seine Kräfte erschöpft haben. Er fiel rückwärts hin und wand sich im Todeskampf. Obijah trat mit verschränkten Armen an seine Seite.

»Der schwarze Dämon ist tot!«, rief er frohlockend aus. »Hei, Mero, Eraki, Kyamee, ihr habt geholfen!«

Und dem noch röchelnden Tier das Herz aus der Brust schneidend, trug er dieses zum Herd, um es mit etwas Speise und einigen Haaren auf einen heißen Stein zu legen und langsam verkohlen zu lassen. Er brachte seinen Göttern ein Dankopfer dar.

16.

Schlangenbraten – Fortsetzung der Wanderung – In der ›Tierra fria‹ – Die Bergkrankheit – Der barmherzige Samariter – Bei den Chinchillajägern – Erste Nachrichten aus Conzito

Woche hatte sich an Woche gereiht, nur noch sechs Pflöcke steckten in dem hölzernen Wandkalender; schwere, leidvolle Tage schlichen an den Bewohnern des Rindenhauses langsam vorüber. Die Regenfluten füllten zuerst alle Vertiefungen des Bodens, dann blieben sie stehen und die Erde wurde zum See. Das Wasser rauschte vor der Haustür, Bäume und Sträucher erhoben sich aus weißem Gischt, – endlich quoll die nasse Woge auch zwischen den Brettern des Fußbodens hervor, und wer sich aus der Hängematte wagte, musste in fußhohen Fluten waten.

Obijah erhöhte den Herd um mehrere Steinschichten, fertigte ein Regal für das Brennholz und ging mit den Maultiertreibern auf weite Streifen, um allerlei fragwürdige Lebensmittel herbeizuschaffen, – armdicke, enorm lange Wurzeln, deren Fleisch wie erfrorene ungesalzene Kartoffeln schmeckte, Palmfrüchte in der Gestalt großer Tannenzapfen und hier und da ein Gürteltier oder einen Affen, auch wohl Fische; aber diese letzteren wurden nicht mehr gekocht, da das Salz fehlte und ohne dieses die Speise unerträglich schien.

Alle Maultiere waren geschlachtet worden, vier Kameraden hatte man unter strömendem Regen zur letzten Ruhe gebettet, – schwerer und schwerer wurde das Los der Überlebenden. An jedem neuen Morgen sahen sehnsüchtige Blicke zum Himmel empor. Kein Strahl des Tagesgestirns fiel auf die Erde herab, keinen Augenblick schwiegen Wind und Regen.

Ein besonders heftiger Stoß hatte die Haustür weggerissen, der volle Wasserstrom flutete in das Innere und kleine Fische, Schlangen und Krebse tummelten sich lustig unter den Hängematten umher, zuweilen das nur etwa einen Fuß höher hinaus brennende Herdfeuer voll Erstaunen umschwimmend, bis die Schnauzen von einem springenden Funken getroffen wurden und die ganze Gesellschaft schleunigst das Weite suchte.

Einmal erschien zum Erschrecken aller die große schöngezeichnete Abgottschlange und glitt langsam, vielleicht ein Versteck suchend, durch das Haus. Sie mochte von den eindringenden Fluten aus ihrem Bau vertrieben worden sein, vielleicht nagte auch in der Unglückszeit ein wütender Hunger in ihren Eingeweiden; sie hob zuweilen den Kopf mit der unruhig hin und her fahrenden Zunge, dann begann sie, sich an einem der freistehenden Bäume aufzurichten.

Es war Pluto, auf den das gefährliche Tier Jagd machte. Er stand in einer Hängematte, die für ihn mit einigen Ledersätteln zum Lager eingerichtet worden war, und bellte wütend der Schlange entgegen, so dass Benno erschreckend seinen Namen rief und ihn zu sich auf die entgegengesetzte Seite des Raumes hinüberzulocken suchte.

Ramiro und Pedrillo gaben zugleich Feuer, die Schlange drehte sich im Wasser blitzschnell um und erhielt jetzt auch noch eine Kugel in das Genick, aber sie lebte nicht allein trotz dieser drei schweren Verwundungen, sondern ihre ungeheure Körperkraft schien auch vollständig ungebrochen, – der schlanke Baum bog sich unter ihren Windungen wie ein Grashalm im Luftzuge.

Wütend peitschte die Schweifspitze das Wasser, der Rachen mit der gespaltenen Zunge öffnete sich, um die Beute im jähen Aufschnellen zu erhaschen, da bog sich Obijah, in einer Hängematte stehend, plötzlich vor und traf den Kopf des Ungeheuers mit einem Beilschlag so nachdrücklich, dass das Gehirn zerschmettert wurde.

»Hurra!«, rief Benno. »Schlangenbraten, Schlangenragout, Schlange mit Palmenmark. Jetzt gibt es wieder Vorräte.«

Obijah sprang ins Wasser, dass es klatschte.

»Fass das Tier nicht an, Fremder, – es ist immer noch Leben darin.«

Dann schnürte er den Hals des Reptils fest an den Baum, bis es ihm gelungen war, den Kopf ganz vom Rumpf zu trennen.

Selbst zerhackt, zuckten die einzelnen Stücke noch wie abgezogene Aale, die sich in der Pfanne krümmen, als lebten sie. Der Hunger trieb das schreckliche Gericht hinein; es schmeckte nicht so sehr schlecht, aber der Ekel würgte die Weißen, bis auch dieses Gefühl abstumpfte.

Draußen vor dem Haus saßen große Geier und verschlangen die Abfälle; sie fassten schon seit Wochen förmlich auf den nahestehenden Bäumen Posto, um an jedem Tag ihre Mahlzeiten zu bekommen. Alles hungerte, alles sehnte sich dem Wiedererwachen der Natur entgegen;

fast wie ein Traum erschien den gepeinigten Menschen die Erinnerung an Sonnenschein und Blumenduft, an die herrliche Rast auf grünen Matten und das Vergnügen der Jagd im Wald.

Noch ein Tag, ein einziger, dann waren sechs Wochen unter stetem Regen und Sturm vorübergezogen. Sechs lange, furchtbare Wochen. Obijah hatte ein Capivara geschossen, ein Wasserschwein, – man briet es auch, aber das Fleisch war nur ein weißes, wässeriges Fett, das, ohne Salz genossen, Übelkeit erregte. Die Geier bekamen von dieser Mahlzeit den Löwenanteil.

So kam der Tag der Befreiung heran. Noch schien die Sonne nicht wieder, aber es blieb während des ganzen Tages trocken, und am Abend war das Wasser um mehrere Zoll gesunken. In der nächsten Nacht schlief niemand. Ob wohl die Sonne den neuen Morgen mit ihrem belebenden Glanz erfüllen würde? Gegen vier Uhr sang eine Vogelstimme. Es schienen Ewigkeiten vergangen, seit sich auf den blattlosen Zweigen kein geflügelter Sänger mehr hören ließ. Obijah hob mit vergnügtem Gesicht die Hand.

»Das ist der Guacamayo (Papageienart)«, sagte er, »nun kommt die Sonne wieder zurück.«

Noch eine zweite Stimme gesellte sich zu der ersten. Purpurrote, taubengroße Vögel schwangen ihre leuchtenden Flügel und segelten durch die Luft dahin, verfolgt von den Blicken der Männer, die nun seit gestern nichts mehr gegessen hatten und in halber Verzweiflung auf ihren Hängematten lagen. Im Osten erschien ein schmaler, heller Streif, etwas wie ein Schimmer von gelb oder weiß. Einer zeigte es dem anderen. War es auch wirklich keine Täuschung?

»Wie oft hat man den Sonnenschein verwünscht«, sagte mit leiser Unsicherheit der Stimme Doktor Schomburg. »Wie oft! – Und zur Strafe wurden wir auf so lange Zeit in die Verbannung geschickt!«

»Aber jetzt naht die Erlösungsstunde. Seht nur, da erscheint ein Goldkäfer, er putzt seine Flügel. Und da sind Bienen.«

»Der Himmel wird immer heller. Licht! Licht! – Ach, die Wolken teilen sich, – und da – da ist die Sonne!«

Wie der indische Feueranbeter das Knie beugt und die gefalteten Hände aufhebt, sobald das Tagesgestirn am Horizont erscheint, so sahen alle diese halbverhungerten, von Fieber und Schmerzen gequälten Menschen voll sehnsüchtigen Entzückens zu den ersten goldigen Sonnenstrahlen empor. Ihr Erscheinen bedeutete Leben und Freiheit, die Erfüllung aller Hoffnungen, die Erlösung aus unerträglichen Banden. Höher und höher stieg der segenbringende Glanz.

Auf den Baumwipfeln erschien das Spiel der kommenden und verschwindenden Schatten, Vögel hoben sich in die Luft empor, das Eichhörnchen öffnete die Winterwohnung hoch oben im sicheren Stamm und sprang hinaus, um seine Glieder nach langer Haft wohlig zu strecken, der Specht hämmerte wieder, all die tausend Stimmen des Waldes erwachten, und als erst die Sonnenstrahlen voll und heiß herab brannten, da war auch das metallische Klingen und Klirren der Moskitos wieder da, noch nicht in ganzer Stärke, aber doch mit dem ersten Hauche neu beginnend, als unvermeidliche Zugabe des eben erwachten Lebens.

»Obijah«, rief Benno, »reisen wir heute von hier ab?«

Der Eingeborene schüttelte den Kopf.

»Das Wasser muss sich erst verlaufen, Fremder. Man sinkt in den Schlamm und kommt nicht weiter.«

»Aber was gibt es hier zu essen, Obijah?«

»Ich weiß etwas«, nickte der Gefragte. »Wenn ihr es nur nehmen mögt.«

»Zeig her!«

Der Eingeborene hob draußen ein großes, vom Wasser erweichtes und zerrissenes Blatt empor, dann griff er in das geöffnete Versteck hinein und zeigte einen großen, hübschen Frosch von wenigstens sechs Zoll Länge und prächtigen bunten Farben.

»Da ist es!«, sagte er. »Schauderhaft! – Sonst gibt es nichts, Obijah?«

Er schüttelte traurig den Kopf.

»Gar nichts.«

Und dann wurde das schlimme Gericht abgewandten Blickes verzehrt. In der überall herrschenden sumpfartigen Durchnässung fanden sich die Frösche zu Tausenden. Obijah konnte mit leichter Mühe mehr Tiere fangen, als er für die Küche gebrauchte, – auch während des folgenden Tages hatten unsere Freunde keine andere Speise, als nur diese.

Dann war das Wasser unter den heißen Sonnenstrahlen verdampft und die Reise konnte endlich fortgesetzt werden. Es ging nur langsam, mit großer Schwierigkeit vorwärts, die Kräfte der ausgehungerten Menschen drohten oft, sie zu verlassen, aber doch wurde Strecke nach Strecke zurückgelegt und in dieser Weise sehr bald neues, noch nicht erschöpftes Jagdgebiet aufgefunden. Wie durch einen Zauber zu neuem Leben erweckt, drängten Blatt und Blüte sich an den eben noch kahlen Stämmen hervor.

Orangen und Myrten waren mit weißen Blütenschleiern bedeckt, Orchideen und Passifloren glänzten in allen Farben. Auf den einigermaßen trockenen Wegen gingen Arguti (pflanzenfressende Nagetiere) und Pekari (Nabelschweine) ihrer Nahrung nach, um in dem nächsten hohlen Baum aufgespürt und für die Küche getötet zu werden.

Obijah hatte sich einen Bogen geschnitzt und mehrere Pfeile zu Verteidigungszwecken mit dem gefährlichen Curare vergiftet, wieder andere dagegen brauchte er zur Jagd, und fast nie fehlte es den Wanderern an dem nötigen Fleisch. Er kochte auch aus jungen Blattstielen ein wohlschmeckendes Gemüse und fand, nachdem etwa vierzehn Tage vergangen waren, an den sonnigsten Stellen schon reife Beerenfrüchte oder Melonen als Erquickungstrank.

Eines Morgens deutete der Doktor auf eine am Horizont daliegende ferne Gebirgskette.

»Das ist Peru, Señor Ramiro, – ihre Heimat.«

Der Kunstreiter nickte nur, er war unfähig, ein Wort hervorzubringen. Obijah und Benno beobachteten unterdessen eine Spur, die tief in den weichen Boden hineingedrückt war und die der Indianer kannte.

»Das Tier mit der langen Zunge«, sagte er. »Ein Ameisenbär also. Aber die Fährte ist eine doppelte.«

»Gewiss. Die Mutter hat ihr Junges mitgenommen, um ihm einen hohlen Baum, in dem Ameisen leben, mit den scharfen Krallen auszukratzen. Es muss selbst die lange Zunge in den Bau hineinhalten.«

»Wer geht mit zur Jagd?«, rief Benno.

Aber sie alle zogen es vor, in den Hängematten zu schaukeln und müßig die wundervolle Morgenluft zu genießen. Jetzt wurde alles anders, alles neu; der dichte Urwald mit seiner Überfülle sich drängender und ineinander verschlingender Pflanzenformen, mit dem Gewirr von tausend Leben, tausend verschiedenartigen Erscheinungen – der schöne zauberhafte Urwald trat nun zurück gegen die lichteren kühlen Höhen, welche den Übergang auf peruanisches Gebiet vermittelten; es galt bergan zu steigen und dann jenseits des Gebirges vorsichtig auszuspähen, wie im Bereich der kriegführenden Mächte die Dinge standen.

»Du gehst auf dem kürzesten Wege nach Conzito, nicht wahr?«, fragte eine Stimme den Kunstreiter. »Du willst zuerst und zunächst deine Heimat wiedersehen?«

Er wehrte mit angstvoll erhobener Hand.

»Sprich doch nicht so vermessen, ich bitte dich, Alfeo. Gott allein weiß, ob ich die Stätte meiner Väter jemals wieder betrete, es liegen noch so viele Meilen zwischen ihr und dem Punkt, auf dem wir stehen.«

Alfeo schüttelte den Kopf.

»Wenn man schon vierhundert Meilen zurückgelegt hat, sollte man doch nicht gerade die paar letzten so sehr fürchten«, meinte er.

Statt aller Antwort sprang Ramiro aus der Hängematte und eilte den Jägern nach in den Wald. Er konnte von seiner Heimat, von dem, was ihn in Conzito etwa erwartete, nicht sprechen, ohne durch furchtbares Herzklopfen fast erstickt zu werden. Gerade, dass sich nun in so kurzer Zeit alles entscheiden musste, gerade der Gedanke an die Nähe des enttäuschenden oder auf den Gipfel der Seligkeit erhebenden Augenblickes drohte ihn völlig aus der Fassung zu bringen. Mit großen Schritten eilte er den Vorausgegangenen nach.

Die plumpen Füße des Ameisenbären hatten den immer wieder befahrenen Weg dermaßen ausgetreten, dass es ohne Schwierigkeit gelang, ihm zu folgen. Obijah und Benno waren bald eingeholt, alle drei Männer bahnten sich mit dem Messer in der Hand mühsam den Pfad durch das grüne Meer von Schlingpflanzen, die hier nach dem reichlichen Regen überall mit ihren Blätter und Blumenmassen den Durchgang förmlich versperrten.

Über dem natürlichen Boden hatte sich in starker Mannshöhe eine zweite, aus Ranken und Flechten bestehende Decke gebildet, ein festes, lebendes Dach, auf dem Affen und kleinere Tiere wie auf der Erde umher gingen. Vogelnester steckten darin, die Brutstätten der blauen Hühner und der schönen Mähnentauben; erwachend aus langem Schlaf glitten die bunten Schlangen hindurch, Papageien und Pfefferfresser wiegten sich auf allen Ästen und zerstörten bei ihren Streifzügen mehr halbreife Früchte, als genügt haben würden, um Hunderte von Menschen zu sättigen.

Der schlanke Stamm der Assaipalme (Kohlpalme) trug schon seine roten Trauben, denen die räuberischen Papageien am meisten nachstellten; andere Arten, über zweihundert Fuß hoch, auf fünfzig Fuß über den Boden sich erhebenden Luftwurzeln stehend, waren bedeckt mit einer Unzahl weithin leuchtender Blumen, denen sich die verschiedensten Parasiten zugesellten, einige mit zwölf Fuß langen, oben silbergrauen und unten purpurroten Blättern, andere mit zolllangen Stacheln oder großen Blütentrauben in allen möglichen Farben.

Dazwischen standen auf den Luftwurzeln und hingen unter denselben Schlingsarren mit großen hellgrünen Wedeln, Bartmoos von mehreren Fuß Länge und tausend andere helle und dunkle Fäden, die sich um scharlachrote Loranthusblumen wanden oder neben glänzend weißen Glocken aus dem Grün hervorsprangen. Hatte vor der Regenzeit der Wald seine tausendfältigen Reize verschwenderisch dargeboten, so war jetzt doch alles Frühere wie verwischt im Anblick einer Pracht, die jeder Beschreibung spottete.

Ein großes Meer von Kränzen und Girlanden, so erschien die Umgebung, wohin der trunkene Blick auch schweifen mochte. Quer über den schmalen, oft nur durch unbarmherzige Messerschnitte gangbar zu machenden Weg des Ameisenbären hing mit allen seinen Ästen, schwebend in freier Luft ein hoher alter, vielleicht einmal vom Blitz gefällter Baum. Er hatte nicht stürzen können, der dichtgedrängten Nachbarschaft wegen, er war auch, trotzdem sich seine Wurzeln gen Himmel kehrten, nicht gestorben, sondern trieb lustig neue grüne Schüsse und gab auf dem halbzersplitterten Stamm und in dem dichten Geäst außerdem noch Tausenden von Schmarotzern ein freies Quartier.

Obijah winkte den beiden anderen.

»Ich will nachsehen, wohin sich das Tier mit der langen Zunge begeben hat«, flüsterte er.

Benno und der Kunstreiter blieben lauschend stehen, während der Eingeborene auf leisen Sohlen an den Stamm des schräg liegenden Baumes heranschlich. Geräuschlos glitt die schlanke Gestalt durch das Gras, unhörbar bewegten sich die Zweige, unhörbar die Halme, auf die Obijah trat. Und dann winkte er.

»Kommt zu mir!«, hieß das Zeichen.

»Der Ameisenbär ist ein dummes Tier«, raunte Ramiro.

»Man kann ihn sehr leicht überrumpeln – und sein Fleisch schmeckt ausgezeichnet.«

Sie schlichen beide dem Eingeborenen nach, er und Benno, bis sie an Obijahs Seite standen und nun die erhoffte Beute vor sich sahen. An dem untersten Ende des gefallenen Baumes stand aufgerichtet ein großes hässliches Tier mit borstig emporgesträubten fast schwarzen Rückenhaaren und einem nach oben gebogenen, in eine ungeheure Pinselquaste auslaufenden Schweif. Von den Schultern fielen lange wallende Mähnen herab, und während die Gesamterscheinung außerordentlich plump erschien, waren Kopf und Hals schlangenartig geformt.

Die Schnauze lief spitz zu, gleich dem Maule des Aales. Dieses sonderbare, über meterlange Tier stand auf den Hinterfüßen und scharrte und kratzte emsig mit den Vorderkrallen die morsche Rinde des Baumes in großen Stücken herab, während ein Junges, der Mutter in jeder Beziehung vollständig gleichend, auf dem Stamme wartend stand und jedes Mal, wenn ein Teil des Inneren bloßgelegt worden war, die fadendünne lange Zunge hervorschnellte, um dieses Glied in ein Gewimmel schwarzer Ameisen hineinfallen zu lassen und nach einigen Sekunden, bedeckt mit Beute, wieder hervorzuziehen.

Der lebende, zappelnde Bissen wurde mit Behagen verzehrt und dann wiederholte sich das gleiche Verfahren, bis der junge Bär gesättigt war und nun die Mama an ihre eigene Sättigung denken konnte. Obijah sah zu den beiden Weißen hinüber.

»Schießen!«, raunte er. »Nehmen Sie das große Tier aufs Korn, Benno. Ich hole das Junge vom Stamm.«

Einen Augenblick später fielen beide Schüsse, und mit einem lauten Aufschrei stürzte die alte Bärin zu Boden, um nicht mehr aufzustehen. Das Junge war wohl ins Herz getroffen, es zuckte kaum, sondern blieb tot in derselben Stellung, die es lebend eingenommen, auf dem gestürzten Stamme sitzen.

»Hurra«, rief Benno, »das war eine glückliche Jagd.«

Der Kunstreiter lehnte das Gewehr an einen Baum, warf Rock und Hut ab und machte sich bereit, eine in der Nähe stehende Palme zu erklettern.

»Obijah«, sagte er, »kannst du mir einige Baststreifen zur langen Schnur aneinanderknüpfen?«

»Sicherlich, Fremder!«

Der Kunstreiter schwang sich gewandt an dem glatten Stamm der Assaipalme empor, und als er bei der Fülle roter Fruchttrauben unter dem Blätterdach angelangt war, warf ihm der Wilde die um ein Stück Holz gewickelte Schnur mit sicherem Griff hinauf. Nun begann eine Ernte, die sehr angenehme Stunden versprach; Traube nach Traube, jede einzelne über einen Fuß lang, kam am Seil herabgefahren, bis sich ein förmlicher Berg gehäuft hatte; dann erklärte Obijah, zum Lager zurückkehren und Transportmittel herbeiholen zu wollen.

»Ich brauche notwendig den großen Kochtopf«, setzte er hinzu. »Da drüben steht eine Palme, aus deren Stamm Milch herausfließt.«

»Der Kuhbaum?«, rief Ramiro.

»Das ist wahrhaftig ein günstiger Tag.«

Und der Sonnenschein der gegenwärtigen Stunde vertrieb unmerklich aus seinem Herzen die düsteren Schatten.

»Kommen Sie, Benno«, sagte er gutgelaunt. »Wir wollen Milch lutschen, ich sehe da eine ganze Reihe von Kuhbäumen.«

Er glitt ebenso rasch, wie er hinaufgestiegen war, an dem glatten Stamm wieder zu Boden und schnitzte geschickt aus Bambus zwei fingerdicke Röhren. »So Benno, nun kommen Sie mit, – die Beute hier läuft uns nicht davon.«

Über Schlingpflanzen und durch hohes Gras gingen sie lachend und plaudernd zu einer Gruppe sehr hoher, dichtbelaubter und mit einem Flor von purpurroten Blüten bedeckter Bäume, deren weiße Rinde nur von einer einzigen Flechte umsponnen war. Hier schnitt Ramiro mit dem Taschenmesser in die äußere Borke ziemlich tief hinein und brachte dann in die Wunden jene Röhrchen, aus denen sogleich ein weißer Saft reichlich hervorquoll.

»So. Benno, jetzt saugen Sie!«

Er selbst nahm das eine der Bambusstäbchen zwischen die Lippen, während sich unser Freund des anderen bemächtigte. Dicht an den Labung spendenden Baum gedrängt, tranken beide in vollen Zügen und sahen sich nur zuweilen mit dem Ausdruck des größten Behagens von der Seite an, ohne jedoch zu sprechen. Erst als der Durst vollkommen gestillt war, verstopfte Ramiro die Quellen, damit nichts von dem kostbaren Stoff verloren gehen konnte.

»Schmeckt ganz wie Milch, nicht wahr Benno? – Ach, wie manchen Kuhbaum habe ich als Knabe mit meinen Genossen ausgeplündert. Es waren doch selige Zeiten!«

Bennos Herz schlug schneller; die Erinnerung an vergangene Tage brachte ihm nur Seufzer, nur das Andenken herber Entbehrungen. Wenn seine fröhlichen Genossen über die Elbe ruderten und auf den dortigen Inseln Räuber und Gendarm spielten, wenn sie Streifzüge nach den Bahrenfelder Tannen (Teil des Altonaer Volkspark) oder nach Eimsbüttel unternahmen, – er war nie dabei gewesen, hatte nie die Erlaubnis zu irgendeinem Vergnügen erhalten.

Jetzt weckte ihn Obijahs Stimme aus dem Nachsinnen, in das er unwillkürlich verfallen war. Der Eingeborene hatte die Maultiertreiber mitgebracht und die reiche Beute, ein großer Kochtopf voll Palmmilch, die beiden Ameisenbären und die vielen blauen Trauben der Assaipalme, wurde ins Lager befördert. Neben den Hängematten brannte schon ein helles Feuer, die erlegten Tiere wurden sogleich am Spieß gebraten, und Palmmark, mit dem Saft der Trauben angerührt, dazu gegessen.

Den Beschluss machte die frische, so lange entbehrte Milch. Dass in demselben Topf damals das Curaregift gekocht worden war, hatten die Reisegenossen seitdem längst vergessen. Im Urwald durfte man nicht wählerisch sein. Als die Wanderung fortgesetzt wurde, begann der Boden sich zu heben. Der dichte Pflanzenwuchs trat zurück, die Moskitos verschwanden, nur noch wenige Kolibris flatterten hier und da um vereinzelte Blumen und anstatt der großen, farbenprächtigen Schmetterlinge erschienen kleinere, braune und gelbe Arten; die Luft wurde bemerkbar kühl, nahe und näher traten die Bergkuppen aus den Nebeln der verschleierten Ferne hervor.

Da oben lag das ewige Eis, da, in der »Tierra fria« gedieh kein grüner Halm, lebte kein Tier, aber auch selbst in den weiten Ebenen am Fuße jener Höhenzüge wuchs auf steinigem Boden nur noch eine eigentümliche, von der des Tieflandes sehr verschiedene Pflanzenwelt, die nicht selten das Vordringen der Wanderer außerordentlich erschwerte.

Ohne Zweige oder Blätter trieben die Fackeldisteln ihre grauen Stämme über vierzig Fuß empor, viereckigen Säulen gleich, hässlich und einförmig, nur mit den etwas geneigten kahlen Kronen einander zuweilen berührend; dazwischen standen dornige verkrüppelte Akazien und Solanumpflanzen, blühender Kaktus mit purpurnen und grünen Glocken, oft schlangenförmig, oft als stachlige Kugeln den Boden übersäend.

Es war schwer, diese Strecken ungefährdet zu passieren, es war fast unmöglich, hier irgendetwas Genießbares zu finden. Auf freien Anhöhen stand zuweilen ein hoher dichtbelaubter wunderschöner Baum, an dem Tausende von goldroten großen Äpfeln verlockend prangten, aber die Peruaner warnten einstimmig ihre Freunde, diese schönen Früchte auch nur zu berühren.

»Kein Tier frisst sie, keine Biene saugt aus ihren Blüten Honig – jeder Tropfen Saft dieses Baumes und dieser Äpfel enthält tödliches Gift.«

So schritten denn die Wanderer hungrig und müde zwischen den am Boden liegenden, herrlich duftenden Früchten hindurch, ohne dieselben zu berühren. Während dieser Wanderung gab es als alleiniges Erfrischungsmittel nur die faserigen Stängel verschiedener über den Boden kriechender Pflanzen, die allerdings in Fülle vorhanden waren, aber doch den Magen nicht wirklich befriedigten.

Es ging höher und höher hinauf; die Eingeborenen des heißen Unterlandes begannen zu glauben, dass es nicht mehr die gleiche Welt sei, in der sie jetzt über hartes Gestein dahinzogen. Ein herrlich kühler Wind wehte von den schneebedeckten Kuppen herab, ganze Scharen dichtbehaarter Huanakos weideten an den mit spärlichem Gras bewachsenen Abhängen, Geier und Adler zogen in der reinen blauen Luft ihre Kreise, vielleicht voll Erstaunen die unbekannten Erscheinungen der Menschen betrachtend, vielleicht nach Beute spähend, lüstern, ihre Kräfte mit denen der Eindringlinge zu messen.

Donnernd stürzten sich Gebirgsbäche von der Höhe in das Tal, über schroffe Klippen springend, schäumend und spritzend, dass der weiße Gischt in ausgedehntem Umkreis wie Flocken die Felsflächen überschüttete, – das Wasser war eiskalt, als Obijah einmal die Hand hineinhielt, stieß er einen Schrei hervor.

»Das brennt! Das brennt!«

Die Reisenden beruhigten zwar den treuen Genossen, aber er wagte es doch nie wieder, die kalte schäumende Flut trinken zu wollen; ihn fror entsetzlich, er ging ganz krumm vor Kälte. Der Kunstreiter gab ihm seinen Rock und ging selbst in Hemdsärmeln, er empfand jetzt weder Kälte noch Hunger; die Aufregung hielt ihn warm und ließ die Ansprüche des Magens nicht mehr aufkommen. Halling und Benno schossen täglich Huanakos; sie zwangen dann die Eingeborenen, das warme Blut der Tiere zu trinken und hielten durch diese Nahrung die Kräfte der Halberstarrten einigermaßen aufrecht; bald aber machte sich ein Mangel fühlbar, der alle gleich empfindlich traf, – es gab kein Brennholz mehr.

Der seltene Baumwuchs hatte gänzlich aufgehört, das Gestein war kahl, nur hier und da an geschützten Stellen spross noch ein wenig Gras, von dem sich eine Kaninchenart notdürftig nährte, – Holz wurde nicht gefunden. Man musste nun das Fleisch mit den Messern schaben und roh essen.

Die Weißen vermischten es mit einigen Körnern Schießpulver, das linderte in etwas den faden Geschmack, aber es konnte doch das fehlende Salz nicht ersetzen. Immer beschwerlicher wurde die Reise, immer höher stieg die Sorge. Ramiros Augen glühten wie im Fieber.

»Halten Sie aus, Benno«, flüsterte er, »halten Sie um Gottes willen aus. Nun zählt das Ende der Wanderschaft nur noch nach Tagen, – bald kann ich Schätze in Ihren Schoß schütten, – Sie sollen reich werden wie Krösus, Benno, – es ist der Ertrag einer ganzen Diamantgrube, den ich besitze, über den ich verfügen werde, – denken Sie doch daran, blicken Sie nicht so mutlos, es schneidet mir ins Herz, Sie so blass zu sehen.«

Unser Freund lächelte etwas gezwungen.

»Mir ist nicht ganz wohl«, sagte er. »Das wird hoffentlich bald vorübergehen.«

Ramiro sah ihn forschend an.

»Das ist die Bergkrankheit«, seufzte er. »Der Doktor und Herr Halling leiden auch daran.«

Bennos Hand deutete auf den sonst so fröhlichen, geschwätzigen Trente.

»Wie der arme Schelm leiden mag, Señor Ramiro«, flüsterte er.

»Sehen Sie nur die graue Farbe und die gekrümmte Haltung. – Trente«, rief er dann mit lauter Stimme, »du bist doch nicht krank?«

»Nein, Señor.«

»Na, was hast du denn aber? Weshalb sprichst du nicht?«

Der Maultiertreiber schüttelte den Kopf.

»Dies ist das Reich des Todes«, sagte er mit kläglicher Stimme. »Ich fürchte mich.«

In seiner Nähe zuckte Obijah schaudernd zusammen.

»Es ist so«, bestätigte er. »In diesen Bergspalten haust der Tod, von hier steigt er hinab zu den Wohnungen der Menschen und erwürgt sie. Man fühlt, dass man von ihm erfasst wird.«

Der arme Schelm schloss zitternd die Augen. Er hatte nur halbes Bewusstsein; die Kälte lähmte alle Funktionen des Körpers und der Seele zugleich; Obijah glich in seinem Aussehen einem Betrunkenen, der mechanisch vorwärts stolpert, gleichviel wohin, gleichviel auch, ob er möglicherweise im nächsten Augenblick hinfallen und liegen bleiben wird.

Die drei Deutschen litten von dem Einfluss der Kälte am wenigsten; als aber auch das Trinkwasser zu fehlen begann, wurde die allgemeine Lage unerträglich. Nur Moos und graue Flechten bedeckten den Boden, es gab kein Holz, um am Abend ein Feuer zu entzünden, außerdem aber würde auch der heftig wehende Wind schon jede Flamme im Keime erstickt haben.

Sobald sich einer der Männer für einige Minuten auf den Boden legte, überfiel ihn eine Art Erstarrung; die Glieder versagten den Dienst, die Zunge wurde schwer, der Blick umnebelt, – aus dem anfänglich brennenden Durst entstand Wasserscheu, aus dem Verlangen nach Speise ein heftiger Widerwille gegen alles Genießbare. Huanakos mit ungeheuren Mähnen standen wie Steinbilder auf den vorspringenden Klippen, Kaninchen und die schönen silberglänzenden Chinchillas, große, in ihrer Erscheinung an Hasen erinnernde Ratten und andere kleine Nager huschten zu Tausenden zwischen den Felsspalten umher, aber ohne von den Reisenden belästigt zu werden.

Niemand wollte essen, niemand dachte an eine Verfolgung der scheuen Tiere, nur Pluto kehrte aus dringender Notwendigkeit zu den Sitten seiner freilebenden Vorfahren zurück, indem er die Chinchillas jagte und sich an ihrem Fleisch sättigte. Niemand in dem ganzen Zug sprach mehr, niemand dachte an die Zukunft, nur zuweilen trat vor die Seelen der gequälten Menschen die Erinnerung an das Rindenhaus über dem Sumpf, in dem sich Schlangen und Frösche lustig tummelten.

Dann schlich wohl durch die Herzen das ganze bittere Weh des Lebens. Hätte man damals die Möglichkeit gehabt, sich nach Bedarf mit Fleisch zu versorgen! – Und besäße man heute nur für Stunden den Schutz und die Wärme eines festen Hauses! Aber das war ja nicht neu, das stand nicht vereinzelt da. Die älteren unter den Reisegefährten ertrugen es stumm als etwas Unabwendbares, etwas, das den Menschen von der Wiege bis zum Grabe überallhin begleitet. Ramiro allein bewahrte einen gewissen Mut.

Er zählte mit heißem Verlangen jeden Schritt, er freute sich, wenn er rückwärts blickte, der eroberten Strecke. Es ging doch bei allem Leiden noch immer vorwärts, ja es schien, als sei der Höhepunkt jetzt erreicht. Wie ein elektrischer Funke durchlief dieser Gedanke den ruhelosen Geist des Mannes. Vor ihm dehnte sich ein Plateau voll einzelner Geschiebe und Schluchten. Hier lagen neben- und übereinander hohe Blöcke, dort gähnte ein Abgrund, wieder dort ragten schlanke Felskegel gleich Säulen empor.

Aber zwischen diesen Formen dehnte sich die Ebene, man stieg nicht mehr bei jedem Schritt bergan. Sollte der Höhenzug zwischen den mit ewigem Schnee bedeckten Zinnen nun wirklich überschritten sein? Er glaubte es und ohne Rast und Ruhe ging er von einem zum anderen, um die Schwankenden zu stützen und die Mutlosen aufzurichten.

»Sieh mich an, Obijah – und auch du, Trente! Was da vor uns liegt, ist das Tal, wo die grünen Bäume rauschen, wo Palmen wachsen und wo die Luft wärmt, wie in Brasilien. Glaube mir, Peru ist nicht minder schön als deine Heimat! Ich will euch ja alles, dessen ihr bedürft, reichlich geben, nur haltet euch jetzt noch aufrecht, lasst uns nicht gleichsam im Hafen ertrinken.«

Aber er hätte diese Worte voll leidenschaftlichen Flehens ebenso gut Marmorbildern sagen können, als den Unglücklichen, die mit blutenden Füßen und starren Blicken wie lebende Skelette über das Gestein schlichen. Sie hörten ihn nicht, antworteten ihm nicht und bald schon, sehr bald kam der Tag, an dem sie zu Boden sanken, unfähig, weiter zu gehen, sterbend, wie erstarrt. Auch Benno schloss mit mattem Lächeln die Augen.

»Es ist aus, Señor Ramiro, die Kräfte sind erschöpft. Gehen Sie allein weiter und Gott schenke Ihnen seinen besten Segen.«

Doktor Schomburg nickte.

»Ja, gehen Sie allein, Señor. Ihre Ausdauer grenzt an das Wunderbare, Sie sind noch zu größeren Dingen von der Vorsehung bestimmt – gehen Sie allein.«

Aber er schüttelte den Kopf, er biss die Zähne zusammen, um dem qualvollen Schluchzen zu wehren.

»Ich verlasse Sie nicht. Stirbt einer, so sterben alle. O mein Weib, meine Kinder!«

Und im Übermaße des Schmerzes hob er beide Arme zum Himmel empor.

»Erbarmen, ewiger Gott. Erbarmen!«

Benno wandte den Blick. Über sein eingefallenes Gesicht rannen große Tränen; er allein kannte ja das Geheimnis des Kunstreiters, er allein konnte den herzzerreißenden Gram des unglücklichen Mannes ganz verstehen.

»Es ist Ihre Pflicht, uns zu verlassen, Señor Ramiro«, flüsterte er. »Sie sind es den Ihrigen schuldig.«

Die Antwort war ein Kopfschütteln.

»Nein, – in Ewigkeit nein.«

Neben seinem jungen Schützling auf dem Felsboden kniend, hielt er den Kopf desselben in seinen Armen und wehrte so dem Winde, das blasse kranke Gesicht direkt zu berühren. Rings um die beiden her hatten sich sämtliche Reisegefährten in den Schutz einer vorspringenden Felswand gelagert; fast jeder Arm deckte das Gesicht, aller Haltung zeigte den Verlust aller Kräfte.

Vom Himmel fielen leichte Schneeflocken im Spiel des Windes herab, Ramiro suchte einige derselben mit seinem Hutrand zu fangen und wollte diese spärliche Erquickung auf Bennos fieberheiße Lippen träufeln, aber unser Freund wandte schaudernd den Kopf.

»Kein Wasser, Señor, um Gottes willen kein Wasser!«

»Aber Sie sollten sich überwinden. Benno, es ist Ihnen besser, wenn Sie wenigstens die Lippen anfeuchten.«

»Nein! Nein!«

Ramiro drückte seine Stirn gegen die des Knaben.

»Großer Gott«, betete er im innersten Herzen, »lasse mich nicht länger leben als ihn!«

Vielleicht eine Stunde später mochte in dieser schrecklichen, hoffnungslosen Lage vergangen sein, da richtete plötzlich das Windspiel den Kopf auf und begann zu horchen. Bald machte das Tier gegen die peruanische Seite des Gebirges hin einige hastige Schritte, bald kehrte es wieder zu den fast eingeschneiten Männern zurück und sah dieselben unruhig an.

Irgendetwas Besonderes musste seine Aufmerksamkeit erregt haben. Ob Menschen in der Nähe waren? Ramiro horchte. Es klang wie der

Schritt eines Pferdes oder Maultieres auf dem harten Boden. Der Kunstreiter schüttelte unwillkürlich den Kopf, ein einzelner Reiter hier oben im Gebirge, wie wäre das möglich gewesen. Und dann sprang plötzlich der Hund wie elektrisiert empor.

Bellend und winselnd, außer sich vor Freude stürzte er dahin, einem Mann entgegen, der, ganz in Leder gekleidet, ein schönes großes Maultier ritt und langsam des Weges zog, als habe er keine Eile, an das Ziel zu kommen. Jetzt, bei der unerwarteten Annäherung des Hundes hielt er sein Tier an und hob wie erschreckend, abwehrend die Hand. Jemand, der am hellen Tag ein Gespenst gesehen hätte, konnte nicht jäher auffahren als der Fremde bei dem Anblick des Hundes.

Pluto benahm sich, als sei er von Sinnen, er sprang an dem Reiter empor, als wolle er zu ihm in den Sattel gelangen, er winselte und bellte und schoss dann wie ein Pfeil vom Bogen zu seinem jungen Gebieter zurück, um sogleich den Fremden wieder aufzusuchen und dasselbe Spiel von Neuem zu beginnen.

Der Mann liebkoste einen Augenblick mit ausgestreckter Hand den Kopf des Hundes, dann sprang er von seinem Maultier, befahl demselben, ruhig stehen zu bleiben und näherte sich festen Schrittes der Gruppe der Peruaner, von denen mehrere wie in neuer Hoffnung die Gesichter erhoben und den Schnee von sich abzuschütteln versuchten. Aufstehen konnte kein einziger.

Der Fremde grüßte ruhig. Er war ein hochgewachsener Mann gegen fünfzig, von angenehmen Gesichtszügen und ernsten, dunklen Augen, – ein Weißer, wie der Kunstreiter auf den ersten Blick erkannte. Zu ihm und dem halb besinnungslosen Knaben wandte sich, vielleicht bewogen durch das auffallende Verhalten des Hundes, der fremde Wanderer; voll Mitleid blickte er auf den mit geflossenen Augen daliegenden Kranken.

»Guten Tag. Leute! Was habt ihr denn da? – Einen Leidenden?«

Benno öffnete die Augen und sah in das über ihn gebeugte Gesicht des Unbekannten.

»Rettung«, murmelte er. »Rettung!«

»Armes Kind«, sagte erschüttert der Fremde. »Ich werde meine Weinflasche holen.«

Er ging eilends zu seinem Tier und nahm aus dem Gepäck, das er mit sich führte, eine kleine Flasche, von deren Inhalt er einige Tropfen auf Bennos Lippen goss. Während dieser Bemühungen erzählte ihm Ramiro das Notwendigste und fragte dann mit stockender Stimme, ob es möglich sei, den Halbverschmachteten einige Hilfe zu schaffen.

»Wenigstens doch diesem Knaben«, setzte er hinzu, »und den armen Rothäuten. Auch sie sind ja Menschen wie wir.«

Über das milde, ernste Gesicht des Fremden glitt sekundenlang ein flüchtiges Lächeln.

»Ich hoffe, allen helfen zu können«, antwortete er. »Hier herum haben mir befreundete Indianer ihre Hütten, – Chinchillajäger – ich werde die Leute herbeiholen.«

»Und Sie meinen, dass wir von diesen Eingeborenen nichts zu fürchten hätten, Señor? – Ja, und dass –.«

»Nun?«

»Wir besitzen kein Geld, um irgendwelche Zahlung zu leisten.«

Der Fremde pfiff seinem Maultier und als es herbeikam, schwang er sich sogleich in den Sattel.

»Die Leute sind Christen, Señor«, sagte er. »Man wird keine Bezahlung von Ihnen verlangen.«

Und zum Gruß mit der Hand winkend, sprengte er davon so schnell es die Bodenbeschaffenheit gestattete. Ramiro hielt die Weinflasche in der Hand, sonst würde er vielleicht versucht gewesen sein, das ganze Ereignis für eine Vision zu halten.

»Benno«, flüsterte er, »Benno, haben Sie denn nichts gehört?«

Unser Freund nickte mit geschlossenen Augen.

»Eine angenehme Stimme hatte der Fremde«, sagte er, mühsam sprechend. »So ruhig, so zuversichtlich!«

»Wie Pluto bellt!«, setzte er dann hinzu. »Señor Ramiro, ob das Tier den Fremden kennt?«

»Es schien mir so, aber der Mann nahm von dem armen Gesellen nur außerordentlich wenig Notiz.«

»Pluto läuft ihm nach«, flüsterte der Knabe.

Wirklich schien das Windspiel vollkommen im Zweifel, wohin es sich jetzt zu wenden habe. Bald mit hastigen Sätzen an Bennos Lagerstätte springend, bald dem Fremden nacheilend, stürzte das Tier unter kläglichem Winseln hin und her, bis zuletzt ein den Reisegenossen unverständlicher gewaltiger Instinkt es bewog, an der Seite des Reiters zu bleiben. Laut und schmerzlich winselnd schoss es ihm nach und verschwand.

Eine Felswand trennte die Peruaner von dem Fremden und dem Hunde, sie sahen nicht, dass der Mann das Tier aufhob und es für Sekunden zu sich in den Sattel zog. Jetzt war auf dem ernsten Antlitz alle Ruhe wie durch einen Zauberschlag verbannt; ein heißes Weh glühte in den dunklen Augen, zuckte um den Mund mit den dichtgeschlossene Lippen. Der Mann lehnte seine Stirn gegen den Kopf des Hundes.

»Pluto!«, flüsterte er tief erschüttert. »Pluto! – Du kommst zu mir zurück! – O Gott, Gott, so ist alle Hoffnung dahin, – die letzte, einzige. So bin ich verurteilt.«

Seine Zähne pressten sich hörbar aufeinander, er umschlang wie in Verzweiflung mit beiden Armen das Tier, aber nicht lange dauerte dieses von einem übermächtigen Weh erpresste Sichvergessen, schon nach Minuten hatte der Unbekannte die verlorene Selbstbeherrschung wiedergefunden. Langsam ließ er den Hund zu Boden gleiten und setzte dann, wie um die verlorene Zeit wieder einzubringen, das Maultier in den flottesten Galopp.

Nach Sekunden war von ihm und dem Windspiel nichts mehr zu sehen. Ramiro hatte seine Weste ausgezogen und dieses Kleidungsstück unter Bennos Kopf geschoben. Trotz der Kälte war ihm warm als rinne Feuer durch alle seine Adern, lebhaft sprechend und gestikulierend ging er von einem der Kranken zum anderen, tröstete und bat, half und versprach goldene Berge, wenn nur diese letzte Prüfung überstanden sein würde.

»Wir sind jetzt in Peru«, sagte er. »Es ist Hilfe in naher Aussicht! – Richtet euch an dieser Gewissheit doch auf, Kameraden, sprecht mit mir, lasst uns fröhlich sein und dem Himmel danken.«

Aber nur wenige Stimmen antworteten ihm. Die Indianer lagen mit geschlossenen Augen wie tot, ihre Farbe war ein fahles Grau.

»Benno, Benno«, flehte der Kunstreiter, indem er neben dem Knaben niederkniete, »sprechen Sie doch mit mir!«

Ein leises: »Ich bin so krank!« schlug an Ramiros Ohr.

Mit beiden Armen presste er die schlanke Gestalt des Knaben gegen seine Brust, angstvoll suchte er das kalte Gesicht mit seiner eigenen heißen Stirn zu erwärmen. Wahre Todesangst durchflutete ihm die Seele, er zählte Minute um Minute, bis der Fremde zurückkehren würde. Und endlich, nach einer langen trostlosen halben Stunde sah der Kopf des Maultieres wieder über die Anhöhe hinaus, aber diesmal nicht allein; es waren wenigstens noch zwölf andere Tiere und ebenso viele Männer mit dem Reiter zur Hilfe für die Peruaner herbeigekommen, lauter Eingeborene, ganz in Leder gekleidet, mit Mützen von Chinchillapelz auf den Köpfen und hohen selbstgefertigten Stiefeln aus ungefärbtem gelbem Leder.

Die Leute trugen ganze Bündel von wollenen Decken und Lamafellen mit langem dichtem Haar; sie machten sich sofort daran, die Kranken in diese wärmenden Hüllen einzuwickeln.

»Gottlob!«, rief aus Herzensgrund der Kunstreiter. »Gottlob! Sie haben Wort gehalten, Señor. Der Himmel wird Ihnen vergelten.«

Der Fremde neigte statt aller Antwort nur leicht den Kopf. Er sprach mit den Eingeborenen einen Dialekt, den Ramiro nicht verstand, so viel aber war ersichtlich, dass ihm die Leute mit einer blinden Ergebung gehorchten; ihre Blicke hingen an dem Wink seiner Hand, er brauchte nur ein Wort zu sagen und wurde sogleich verstanden.

»Señor«, bat der Kunstreiter, »möchten Sie nicht einem der Leute befehlen, mit anzufassen? Ich will den kranken Knaben tragen.«

Der Unbekannte nahte eben mit einer großen Pelzdecke, welche er geschickt um Bennos Körper legte.

»Ich selbst werde Ihnen helfen«, antwortete er.

»Ist denn ein Indianerdorf in der Nähe?«, fragte Ramiro.

»Nur einige Holzhütten für die Zeit der Chinchillajagd, aber die Wände sind fest und für Brennholz und wärmende Decken ist ausreichend gesorgt. Auch Lebensmittel sind vorhanden.«

»Und Wasser?«, klang es fast erstickt von den Lippen des Kunstreiters.

»Sicherlich.«

Wieder sprach der Fremde einige leise Worte und sogleich nahte ein Eingeborener mit einem großen Garrafon (Korbflasche), den er dem Peruaner darbot.

»Trinke, weißer Mann!«, sagte er in spanischer Sprache.

Ramiro fühlte jetzt, da die augenblickliche Gefahr vorüber schien, etwas wie einen Schwindel, der alle seine Kräfte zu erschöpfen drohte. Er trank voll Begierde das kalte, mit ein wenig Rum versetzte Quellwasser und dann machten sich beide, er und der Fremde, daran, den halb bewusstlosen Benno in das Quartier der Eingeborenen zu tragen. Es war ein trauriger Zug, der da schwankenden Schrittes aufbrach, Männer mit hohlen bleichen Gesichtern, mühsam gestützt von den

Indianern; andere wie tot von Zweien getragen, noch andere reitend, starr vor sich hinsehend, gleichgültig gegen alles, was um sie herum geschah.

»Ist die Niederlassung weit von hier?«, forschte Ramiro.

»Ein schwache Viertelstunde. Aber Sie sind nicht stark genug, um den Kranken zu tragen, Señor, überlassen Sie ihn mir, ich werde einen Mann zur Hilfe herbeirufen.«

Der Kunstreiter schüttelte hastig den Kopf.

»Nein, nein, – verzeihen Sie, Señor, aber ich möchte unter keiner Bedingung den Knaben verlassen.«

»Wie Sie wollen. Ist der junge Mensch Ihr Sohn?«

Ramiro seufzte.

»Er ist mir teuer wie ein solcher, mir vom Schicksal anvertraut, Señor. O Gott, Gott, – wenn Benno stürbe!«

In den Augen des Fremden blitzte es plötzlich auf.

»Benno heißt der Knabe?«, fragte er mit mehr Interesse, als sich der Sache gegenüber erwarten ließ. »Benno?«

Und dann setzte er, sich verbessernd, beinahe hastig hinzu:

»Es ist die Bergkrankheit, weiter nichts – in zwei bis drei Tagen wird Ihr Schützling wieder hergestellt sein.«

»Ach – Gott sei gepriesen!«

Es wurde vorläufig nichts weiter gesprochen; so schnell es die Umstände gestatteten, begab man sich zur Niederlassung der Chinchillajäger, deren Bretterhütten bald, im Schutz einer gewaltigen Felswand liegend, vor den Blicken der Männer auftauchten. Drei große Gebäude ohne Fenster, aber mit einer verschließbaren Tür versehen, standen nebeneinander; vor den Wänden stapelte sich Brennmaterial bis zum Dach und dicht hinter der Felsmauer stürzte wie ein Band aus Silber ein schäumender Bergquell hinab in das tiefere Tal.

Nur einige wenige Koniferen ragten mit dunkelgrünen Häuptern über die kahlen grauen Steine hinaus, sonst wuchs auch hier nur das Moos und weißliche Flechtwerk, von dem die Chinchillas lebten, – im Übrigen war alles kahl. Von innen wurden, als sich der Zug näherte, die Türen weit geöffnet und so gleichsam ein »Willkommen!« gesprochen, das die Herzen der Peruaner mit neuem Mute erfüllte.

Eine angenehme Wärme drang ihnen entgegen, auf einem hohen, festgefügten Steinherd brannte ein helles Feuer und in gewaltigen eisernen Kesseln zischte und brodelte eine Suppe, deren Düfte schon von Weitem die Geruchsnerven wohltätig berührten. Es waren nur indianische Jägerhütten, deren Schutz sich jetzt den Wanderern darbot, aber dennoch Heimstätten, welche den kranken, überanstrengten Menschen wie ein wahres Paradies erschienen.

So warm die Luft da drinnen, so sauber gefegt und mit hübsch geflochtenen Bastmatten belegt war der Boden. Rings an den Wänden zog sich ein breites Lager aus trockenem Moos mit Lamapelzen überdeckt, ein warmes weiches Bett für die Halberstarrten, – welch lockende Aussicht!

Der Unbekannte ordnete alles selbst an, er half hier und riet dort, er war die Seele der ganzen Bewohnerschaft, seinem leisesten Winke gehorchte jeder. Die Kranken wurden mit warmem Wasser am ganzen Körper gewaschen und dann in Pelze vom Kopf bis zu den Füßen eingewickelt. Sie sollten schwitzen, mehr brauchte es nicht, um den richtigen Kreislauf des Blutes wieder herzustellen, wie der Fremde sagte.

Doktor Schomburg und die meisten anderen Peruaner hatten auch wirklich nach einigen Stunden der Ruhe und Erwärmung das Bewusstsein vollständig wiedererlangt, die Schmerzen in Kopf und Rücken waren geringer geworden, und nur ein tiefer Widerwillen gegen alle Nahrungsmittel, besonders gegen Wasser noch zurückgeblieben. Sobald sie die klare Flüssigkeit sahen, zog ihnen ein Krampf die Kehle zusammen.

Der Fremde träufelte dann etwas Wein auf ihre Lippen; auch das war schwer zu ertragen, Benno schauderte, sooft die Reihe an ihn kam, aber es half doch und für keinen der Kranken bestand eine ernstliche Sorge, außer für die Rothäute. Diese lagen immer noch wie tot; sie atmeten zwar, aber sonst gaben sie kein Lebenszeichen.

Ein wohltuendes Dunkel herrschte in dem geräumigen Haus; draußen pfiff der Sturm und rüttelte vergebens an dem festen Dach, Wogen von Schneeflocken wirbelten über die Felsen, eiskalt war die Luft, – drinnen aber sprangen und knisterten rote Funken, Streiflichter huschten spielend über den Fußboden, man konnte sich so recht wohlig in dem duftigen trockenen Moos bequem machen, konnte den weichen Pelz bis über die Ohren ziehen und vergessen, dass es Sturm und Kälte im Leben überhaupt gibt, dass zu Zeiten der Weg auf rauem Fels führt und dass die Füße bluten.

Ramiro hatte Fleischsuppe gegessen, Bohnen und ein gutes Brot aus Maismehl, jetzt lag er mit den Händen unter dem Kopf neben Benno auf dem Moos und horchte fortwährend, ob auch die Atemzüge seines Schützlings etwa ein beginnendes Fieber verraten würden; aber da war nichts zu fürchten, der Knabe schlief fest und ruhig, auf seiner Stirn standen die ersehnten Schweißtropfen und mit einem Seufzer der Erleichterung lehnte Ramiro den Kopf bequemer zurück auf die weichen Polster.

Er konnte sich mit gutem Gewissen dem Schlaf hingeben; Benno bedurfte des Wächters nicht und überdies würde ja auch der geringste Laut des Kranken ihn wecken, ihn zur Hilfeleistung herbeirufen. Er durfte schlafen, durfte mindestens seinen eigenen Gedanken ungestört nachhängen. Auf einem niederen Holzschemel, nicht weit von ihm entfernt saß mit gestütztem Kopf der Fremde und sah vor sich hin, – Ramiro empfand das brennende Verlangen, von diesem Mann über die Verhältnisse des Landes, besonders aber über den Stand der kämpfenden Armeen einiges zu erfahren.

Er konnte der Versuchung, ihn anzureden, unmöglich widerstehen und so hob er denn leicht die Hand, wie um im Voraus Verzeihung zu erbitten.

»Señor! – Ich habe nicht die Ehre ihren werten Namen zu kennen, daher –.«

Der Fremde hob langsam den Kopf.

»Nennen Sie mich Ernesto, Señor –.«

»Frascuelo!«, ergänzte der Kunstreiter, indem er mit verbindlicher Handbewegung sich gleichsam selbst vorstellte. »Ich bin ein geborener Peruaner.«

»Aber Sie kommen jetzt aus Brasilien, nicht wahr?«

»Ja. Es ist uns unterwegs ein Hund zugelaufen, eben das hübsche graue Windspiel, welches ihnen so sehr zugetan scheint. Sollten Sie es verloren haben, oder sollte es Ihnen möglicherweise gestohlen sein, Señor Ernesto?«

Der Fremde schüttelte den Kopf.

»Keines von beiden«, antwortete er gelassen, jedoch ohne irgendein Wort der Frage oder der natürlichen Verwunderung hinzuzusetzen. »Das Tier scheint sehr freundlich zu sein.«

Bei dem ersten Laut seiner Stimme hatte Pluto den Kopf erhoben und sich ihm schweifwedelnd genähert; jetzt leckte das hübsche Tier seine Hand, wie um ihm zu versichern:

»Ich habe dich innig lieb!«

Ramiro hatte von der Welt genug gesehen, um zu wissen, dass hier etwas Unausgesprochenes im Hintergrund lag; Pluto konnte sich unmöglich täuschen, er kannte den Fremden und war bisher dessen Eigentum gewesen, so viel stand für den erfahrenen Blick des Kunstreiters fest, aber er schwieg natürlich aus Zartgefühl vollständig und fuhr fort, von sich selbst zu sprechen.

»Ich bin aus Conzito gebürtig, Señor Ernesto. Sollten Sie möglicherweise diesen Ort kennen?«

Der Fremde nickte lebhaft.

»Aus Conzito!«, wiederholte er. »Nun begreife ich, weshalb mir vorhin der Name Frascuelo so besonders auffiel. Sie sind ohne Zweifel ein Glied jener Familie, der ein sagenhafter Schatz gehören soll, unermessliche Reichtümer, die in dem Garten des Klosters San Felipe verborgen liegen.«

Ramiro konnte vor Aufregung kaum sprechen.

»Es ist so!«, brachte er mühsam hervor. »Ich bin der alleinige Erbe des ungeheuren Vermögens.«

Ein leises Kopfschütteln Ernestos antwortete ihm.

»Wenn nämlich die Steine jemals gefunden werden«, sagte der Fremde. »Ich glaube es nicht.«

»Weshalb nicht? Waren Sie in Conzito?«

»Ich habe länger als ein Jahr an Ort und Stelle gelebt. Die Spanier –.«

»Um Gott!«, unterbrach der Kunstreiter. »Ist Conzito in den Händen der Feinde?«

»Das wissen Sie nicht? Es stehen viele tausende Spaniern zwischen hier und Ihrer Vaterstadt. Den zehnfachen Wall zu durchbrechen, dürfte schwer genug werden.«

»Das ist ein Unglück!«, seufzte erschüttert der Kunstreiter. »O Gott, das ist ein Unglück. Ich muss um jeden Preis in die Stadt gelangen.«

Ernesto lächelte traurig.

»Um jeden Preis!«, wiederholte er. »Wahrlich, ein keckes Wort, Señor. Sagen Sie lieber: ›Wenn es des Himmels Wille ist!‹ – das macht die Seele ruhig und stumpft jeder Täuschung die Spitze ab. Überdies,

wenn Sie etwa kämen, um dem sagenhaften Schatz nachzuspüren, so
–.«

»Nun, Señor, nun?«

»So wäre das ohne Zweifel eine vergebliche Mühe. Die Spanier haben längst von dem Gerede gehört und in dem ganzen Garten, im See und in dem gebirgigen Ausläufer des Parks das Oberste zu unterst gekehrt, sie haben jeden Winkel durchforscht und selbst in den Zellen der Mönche die Steinplatten aufgerissen, aber alles umsonst. Es fand sich nicht das Geringste.«

Ramiro atmete plötzlich freier.

»Und der Abt von San Felipe?«, fragte er. »Ist es noch Bruder Alfredo?«

»Ja. Während die Spanier zu dritten Mal dem Schatz nachforschten, hat er ununterbrochen mit der Stirn am Boden vor den Stufen des Altares gelegen und gebetet. Hernach, sobald der Überfall resultatlos verlaufen war, ließ er ein Dankfest feiern, eine Prozession mit Musik und Fackeln, der alles Volk begeistert zuströmte. Danach sollte man ja allerdings glauben, dass er von dem Schatz weiß, oder doch, dass er an das Vorhandensein desselben wenigstens glaubt.«

Ramiro nickte.

»Ob das nicht die Spanier auch annehmen müssen, Señor Ernesto? Ob sie nicht gegen den schutzlosen Mann Gewaltmaßregeln anwenden und ihn zum Geständnis zwingen werden?«

»Nein, bei einem Würdenträger der Kirche ist das unmöglich. Jeder andere Sterbliche wäre ohne Zweifel schon längst in den Block gespannt worden, das glaube ich allerdings auch.«

Eine Pause folgte diesen Worten, dann sagte der Fremde:

»Und dennoch muss sich Bruder Alfredo sehr unsicher fühlen, denn die Aufregung hat ihn krank gemacht. Er soll zuweilen nicht vom Lager aufstehen können.«

»Krank?«

Ramiro hatte nur dieses eine Wort hervorgestoßen, er taumelte vor Schreck, seine Hände waren krampfhaft verschlungen.

»Krank, Señor Ernesto?«, wiederholte er. »So hieß es in der Stadt, ja.«

»Und seit wie lange haben Sie dieselbe verlassen?«

»Es sind etwa vier bis fünf Wochen seitdem verstrichen.«

Ramiro schloss die Augen.

»Vier bis fünf Wochen! Was konnte nicht inzwischen alles geschehen sein?«

Und entmutigt im tiefsten Herzen ließ er den Kopf zurücksinken. Wie ein grauer Schleier lag es vor seinen Blicken. Der Fremde stand auf und näherte sich ihm.

»Sind Sie krank?«, fragte er in freundlichem Ton. »Kann ich Ihnen in irgendeiner Weise helfen?«

Ramiro wollte sprechen, aber das Wort blieb ihm in der Kehle stecken. Endlich raffte er sich auf, sein Gesicht war blass, seine Lippen zuckten.

»Señor Ernesto«, sagte er, »ich möchte Ihnen ein Geheimnis anvertrauen, etwas, von dem außer mir nur noch dieser Knabe weiß, aber Ihnen muss ich es mitteilen, Sie schickt Gott, um –.«

»O stille, stille! Gott verfügt wahrlich über bessere Boten. Ich bin –.«

»Sie sind ein guter Mensch, ein Mann, der seinem Nächsten im Unglück selbstvergessend die Hand reicht, der kein Herz betrügen oder verraten könnte, ich weiß es, ich fühle es und darum will ich Ihnen alles sagen.«

Ernesto wandte sich ab.

»Ich bin ein bereuender Sünder«, flüsterte er mit halber Stimme. »Einer, der des anderen Last tragen hilft, damit ihm die eigene leichter werde.«

»Und nun –«, fügte er dann tief atmend hinzu, »nun sprechen Sie, Señor. Womit kann ich Ihnen nützen?«

Ramiro streckte die Hand aus.

»Soll ich Ihnen alles sagen? Alles? Und ohne Furcht, verraten zu werden?«

Der Fremde schlug ein.

»Es ist mein Lebenszweck, anderen zu dienen«, versetzte er. »Ich bin glücklich, wenn es mir gelingt, Gutes zu leisten.«

Ramiro überzeugte sich, dass von den Reisegenossen keiner ihn hören konnte, dann teilte er dem Fremden in kurzen Zügen mit, welcher Grund ihn nach Peru geführt hatte.

»Sie kennen die Verhältnisse des Landes«, fügte er hinzu, »Sie allein können mir helfen, nach Conzito zu gelangen. Wollen Sie das, Señor Ernesto?«

Der Mann mit dem ernsten Gesicht nickte halb seufzend.

»Ich will es«, antwortete er, »wenigstens soll alles geschehen, was meinerseits überhaupt möglich ist. Ich kenne alle Indianerstämme von hier bis zu den Küstendistrikten, ich bin in jedem ihrer Dörfer vollständig zu Hause. Vielleicht gelingt der Plan.«

Ramiros Brust hob sich im Gefühl einer neuen Hoffnung.

»Ich weiß von Ihren äußeren Verhältnissen nichts, Señor Ernesto«, setzte er zögernd hinzu, »aber eins ist gewiss, – so arm ich auch gegenwärtig bin, – wenn der Schatz –.«

Ernestos Handbewegung unterbrach ihn.

»Das lassen Sie nur, Señor, ich bin unabhängig, meine Zeit braucht nicht bezahlt zu werden. Aber dennoch, wenn Sie einen großen Gewinn mühelos erlangen, dann geben Sie den Rothäuten ein Geschenk. Es sind sämtlich arme Schelme.«

»Gewiss!«, rief im überströmenden Gefühl der Kunstreiter. »Gewiss! Ich will die Leute fürstlich belohnen.«

Ernesto beugte sich über Bennos Lager.

»Der Knabe ist ganz außer Gefahr«, sagte er nach kurzer Untersuchung. »Morgen wird er schon etwas Nahrung zu sich nehmen können. Gute Nacht, Señor, schlafen Sie wohl.«

Ramiro hielt ihn zurück.

»Noch eins«, bat er. »Wie weit ist es bis zum nächsten Indianerdorf?«

»Zwei Tagereisen. Ich verschaffe Ihnen Maultiere und Proviant.«

»O Señor, – womit –.«

»Gute Nacht! Gute Nacht!«

Seine Hand warf noch einen großen Holzblock in das Feuer; dann schloss sich hinter ihm die Tür. Pluto war schon vorausgesprungen, um auf keinen Fall von ihm getrennt zu werden. Jetzt war Ramiro mit den fest Schlafenden allein. Er sah um sich, wie im Zweifel, ob die Ereignisse der letzten Stunden nur ein Traum oder Wirklichkeit gewesen. Wer war der Fremde? Welcher Zauber umgab den ernsten Mann, dass er es vermocht hatte, so im Fluge das Vertrauen des anderen zu erlangen? Der Kunstreiter bereute nichts.

Ernesto war unglücklich, sehr unglücklich, das ließ sich ohne Mühe erkennen, er sprach auch über sich selbst und seine Stellung im Leben kein Wort, aber sicherlich durfte man ihm alles sagen, alles anvertrauen, wovon das Herz gequält und beängstigt wurde, – er konnte um keinen Preis einen Verrat, eine Untreue begehen.

Draußen pfiff der Sturm über die Dächer und klapperte mit den Ästen der Koniferen, – es heulte und flüsterte um die Berggipfel und sang in den Schluchten mit seltsam langgezogenen Melodien – allmählich legten sich auch in des Kunstreiters Seele die wilden Wellen der Erregung, sein Körper streckte sich auf dem weichen Mooslager, seine Augen schlossen sich und das Herz schlug ruhiger. Ramiro schlief traumlosen Schlaf, – die höchste Wohltat, welche der Himmel dem armen sterblichen Geschlechte zuteil werden lässt.

17.

Rekonvaleszenten – Auf der Chinchillajagd – Der Schlupfwinkel der Huanakos – Ein Kunstreiterstückchen – Eine deutsche Hazienda in Peru

Am nächstfolgenden Morgen war ein großer Teil der Peruaner wieder ziemlich genesen und auch bei denen, welche von der Bergkrankheit ernstlicher ergriffen gewesen, zeigte sich eine entschiedene Besserung. Sogar Obijah hatte die Augen geöffnet und sah voll Erstaunen auf seine unmittelbare Umgebung.

Die Pelze, zwischen denen er lag, die festen Bretterwände, der gedielte Fußboden und nun gar die Korbflaschen, das an der Wand hängende Zimmermannsgerät, – alles war ihm neu und unbekannt, alles erregte das lebhafteste Interesse des wackeren Burschen, der außer seinem Urwald von der Welt noch nichts gesehen hatte. Matten Blickes winkte er den Kunstreiter zu sich an das Mooslager.

»Fremder, willst du mir eine Frage aufrichtig beantworten?«

»Ganz gewiss, Obijah. Was gibt es, mein guter Junge?«

»Lass uns leise sprechen, hörst du! Wir sind in dem Reich des weißen Geiers, nicht wahr? Es ist ein verzaubertes Leben, das wir führen?«

Ramiro schüttelte lächelnd den Kopf.

»Was du nur denkst, Obijah! Es sind die Hütten indianischer Pelzjäger, in denen wir uns befinden. Alle Not hat nun ein Ende; wir bekommen zur Weiterreise Maultiere und Lebensmittel, auch die nötige Kleidung und was sonst fehlt. Vielleicht haben wir in acht Tagen meine Vaterstadt erreicht.«

Obijah schien durch diese Nachricht mehr erschreckt, als beruhigt.

»Es ist so kalt«, sagte er traurig. »Die Luft schneidet.«

»Aber sie wird in den Tälern wieder warm. Schlafe nur, Obijah, das ist für deine Wiederherstellung das Beste.«

Von Lager zu Lager wanderte der Kunstreiter und überall traf er Genesende, die ohne Schmerzen in den Moospolstern ausruhten, die aber schauderten, sobald nur von irgendeiner Speise gesprochen wurde.

»Nicht essen!«, hieß es einstimmig. »Kein Wasser! – Man hat das Gefühl, als werde einem die Kehle zusammengeschnürt.«

Señor Ernesto kannte diese Erscheinung der gefürchteten Bergkrankheit, aber er hielt sie für ungefährlich und ritt am nächstfolgenden Morgen allein und ohne Begleitung, wie er gekommen war, auf seinem Maultier fort, um einige Meilen weiter im Gebirge eine andere Gruppe von Chinchillajägern zu besuchen.

»In zwei Tagen bin ich zurück«, sagte er. »Vor dieser Frist können die Indianer mit den Maultieren doch nicht hier eintreffen.«

Ramiro hielt die Hand des geheimnisvollen Mannes zwischen seinen beiden.

»Und dann begleiten Sie uns ins Tal, Señor?«, bat er mit bewegter Stimme. »Dann wollen Sie mir helfen, nach Conzito zu gelangen?«

Der Fremde nickte.

»Sie haben mein Wort«, sagte er einfach.

»Ja, Señor Ernesto, ja, und ich vertraue Ihnen vollständig.«

Noch ein Händedruck, dann setzte sich das Maultier in Bewegung und Pluto tanzte mit lustigen Sprüngen nebenher. Seit dem Erscheinen des Fremden bekümmerte sich der Hund nur noch um diesen. Ramiro suchte mit einem der Chinchillajäger in ein Gespräch zu kommen; die Leute verstanden sämtlich das Spanische und konnten auch hier und da einige Sätze zusammenstellen, – als der Kunstreiter wie zufällig fragte, wer ihr weißer Freund denn eigentlich sei, sagten sie:

»Er ist der gute Vater Ernesto, ein großer Zauberer, der alles weiß und alles kann. Er hat uns gezeigt, wie man feste Häuser baut und aus Leder Anzüge und Stiefel macht, er hat uns mit anderen weißen Männern in Verbindung gebracht, so dass wir nun unsere Felle gut verkaufen können. Früher kannten wir keine Eisenwerkzeuge und bestellten keine Fruchtfelder; jetzt hat jeder unter uns seinen Garten mit Trauben und Orangen, seine Felder mit Mais, Melonen, Cherimoya und Hülsenfrüchten, auch einen Hühnerhof und einen Stall mit Schweinen. Das alles verdanken die armen Rothäute dem Vater Ernesto.«

»Und noch mehr!«, rief mit glänzenden Augen ein anderer. »Wir können auch zählen. Gib nur acht, Fremder, du sollst es gleich sehen.«

Dabei erhob er die Finger der linken Hand und berührte dieselben mit denen der rechten.

»Eins! Zwei! Drei! – Noch viel mehr! Noch viel mehr! Hundert!«

Ein Spottlachen der übrigen belohnte diese vorzügliche Leistung auf dem Gebiete der Rechenkunst.

»Du bist ein Stümper!«, rief einer der Jäger. »Noch viel mehr! – Das kann jeder sagen. Aber man muss die Namen der Zahlen kennen. Pass auf, ich weiß sie alle! – Neun! Sieben! Elf! Sechsundneunzig!«

Jetzt lachte auch Ramiro, trotz der Beklemmung, welche seine Seele im Bann hielt.

»Wenn ihr eure Felle verkauft, dann hilft euch der Vater Ernesto dabei ein wenig, nicht wahr?«, fragte er.

Ein Chor von Stimmen antwortete ihm.

»Sicherlich hilft er uns. Wir bringen alle Felle zu ihm und er zählt sie den Händlern vor.«

»Vater Ernesto hat viel Geld«, sagte einer. »Er schenkt es den Armen und Kranken in den Dörfern.«

Kopfschüttelnd entfernte sich der Kunstreiter; er hatte viel erfahren und doch auch wieder nichts. Die Indianer wussten von dem sonderbaren Mann nur das, was sie selbst von ihm gesehen hatten. Die meisten Peruaner standen gegen Abend dieses Tages schon wieder auf, und am folgenden Morgen erhob sich auch Benno.

Der Kunstreiter wusch ihm das Gesicht mit kaltem Wasser, träufelte einige Tropfen desselben auf seine Lippen und ließ ihn nach Ernestos Vorschrift die Hände hineinhalten, bis sich der Widerwille allmählich legte. Unser Freund war noch sehr blass und schwankte ein wenig auf den Füßen, aber bei der guten Fleischnahrung, welche er erhielt, kehrten seine Kräfte schnell zurück, besonders da Ernesto eine Flasche Wein für ihn bestimmt und in das Moos seines Lagers gesteckt hatte.

Nicht allen Kranken konnte diese Vergünstigung zuteil werden, aber dem Doktor gab Benno doch die Hälfte des feurigen Getränks, wenn auch heimlich, um keinen Neid zu erregen. Der Naturforscher war von der Krankheit besonders stark ergriffen worden. Sobald die ausgeschickten Indianer mit den Maultieren eintrafen, wollten die meisten Peruaner sofort ihre Reise fortsetzen.

Die Aussicht auf Kampf und Kriegsspiel erfüllte ihre Seelen, nebenbei aber war es auch peinlich, als Gäste eines völlig fremden Mannes untätig zu leben. Señor Ernesto wollte von Bezahlung nichts hören; man durfte daher seine Gastfreundschaft nicht länger als nötig in Anspruch nehmen.

Benno spähte schon wieder nach irgendeiner Art von Beschäftigung; er half den Chinchillajägern bei der Anfertigung ihrer Rosshaarschlingen, in denen sie die hasenartigen Tiere einfingen, und später begleitete er sie, um die Fallen aufzustellen. Das war keine eigentliche Jagd, aber man durfte ja das Tierchen nicht schießen, weil die Kugeln den silberglänzenden Pelz beschädigt hätten.

Ein Fell um die Schultern gelegt, eine Mütze aus demselben Stoff auf dem Kopf und Kniestiefel aus rotem Leder an den Füßen, so ging er vor Sonnenaufgang mit den Jägern in die Berge, um den Ertrag der Jagd einzuheimsen. Das Schneetreiben hatte aufgehört, aber der Wind pfiff noch kalt von den höheren Gebirgskuppen herab; knarrend bogen sich die Äste der Koniferen (Kiefernart), wie ausgestorben lag die Landschaft.

»Kein einziges Tier ist gefangen«, sagte ganz enttäuscht unser Freund. »Alle Fallen sind leer.«

Wohl zehn warnende Stimmen flüsterten zugleich:

»Still! Still! Die Chinchillas schlafen noch.«

Dann winkten ihm die Leute, mit ihnen in ein Versteck hinter großen Felsblöcken zu treten.

»Die Tiere kommen gleich zum Vorschein«, hieß es. »Der Hunger treibt sie aus ihren Höhlen.«

Benno schüttelte den Kopf.

»Weshalb geht ihr denn so früh hinaus, um bei den Fallen nachzusehen?«, raunte er. »Einmal gefangen, kann euch die Chinchilla ja nicht wieder abhanden kommen.«

Ein Indianer deutete zu den höheren Felsspitzen empor.

»Siehst du da die großen Geier, Fremder? Diesen müssen wir die Beute streitig machen.«

Wirklich wiegte sich hier und da einer dieser hässlichen Räuber auf den Ästen der Koniferen oder saß wie ein Steinbild auf einem Felsvorsprung, ohne einen Ton von sich zu geben oder sich zu bewegen. Der nackte widerwärtige Hals war halb geneigt und nur das Leuchten der schwarzen, wie Perlen glänzenden Augen bewies, mit welcher lebendigen Aufmerksamkeit das Tier die erhoffte Jagdbeute überwachte.

»Schießen?«, fragte Benno, indem er die Pistole aus dem Gürtel zog.

»Nein! Nein! Die Chinchillas würden erschrecken.«

Graue Wolken segelten über den Horizont, es war allmählich Tag geworden, aber die Sonne lag hinter dichten Hüllen verborgen, von ihren Strahlen traf keiner die Erde. Wie kalt wehte hier oben der Wind! Benno fühlte, dass ihm die Zähne im Munde zusammenschlugen. Vor jede Felsspalte hatten die Jäger ihre kaum sichtbaren, feinen Rosshaarschlingen gelegt, alle so, dass ein einziger Rundblick das ganze Gebiet beherrschte. Jetzt mussten sich die Chinchillas zeigen, um das taufeuchte Moos abzurupfen und in dieser Weise gleichzeitig zu essen und zu trinken.

Da kam auch schon aus der Felsspalte ein schnupperndes silberglänzendes Näschen hervor, und auch dort eins. In kurzer Zeit waren gegen dreißig Chinchillas, während sie aus der, den Menschen sowohl als auch den Geiern unzugänglichen Höhle hervortraten, von den arglistig gelegten Schlingen an den Hinterfüßen festgehalten worden. Es begann nun ein angstvolles Ringen um die verlorene Freiheit, ein Zucken und Aufbäumen der wehrlosen kleinen Geschöpfe, wie es trauriger nicht gedacht werden kann.

Nur hier und da brach aus furchtbar arbeitender Brust ein leiser klagender Ton hervor, meistens blieben die Tiere stumm und duckten sich in Todesangst auf den Boden, sobald der Jäger herbeikam, um mit einem scharfen Hieb sein Opfer zu betäuben und es dann regelrecht zu schlachten.

Aber auch die Geier begannen jetzt, ihren Anteil zu fordern. Ihr schriller, unangenehm klingender Schrei erfüllte die Luft, ihre langen Hälse reckten sich noch länger, um der Beute nachzuspähen. Einer beobachtete den anderen, die Federn wurden gesträubt und scharfe Schnabelhiebe schon ausgeteilt, ehe noch eine Chinchilla den Räubern zuteil geworden war. Blutstropfen und Federn fielen in Menge von den Bäumen, die schweren Flügel rauschten durch die Luft, – ganz nahe vor Benno stieß ein großer alter Vogel zu Boden, um eine gefangene, vor Angst zitternde Chinchilla zu ergreifen und sich mit dem kläglich schreienden Tier in die Luft zu erheben.

Bei diesem Anblick hielt sich Benno nicht länger, der Schuss krachte und durch den Kopf getroffen stürzte der Geier flügelschlagend mit gellendem Aufschrei auf den Felsboden herab; der Schnabel hielt noch im Todeskampf die gefangene Chinchilla krampfhaft fest, während die gewaltigen Krallen den Menschen jedes Näherkommen gefährlich erscheinen ließen.

Erst nach Minuten war das große Tier verendet und Benno konnte seine Jagdbeute näher in Augenschein nehmen. Mit ausgebreiteten Armen hielt er die Flügel des Geiers von sich ab, ohne jedoch die ganze Weite derselben auszuspannen. Es war ein außergewöhnlich großes Exemplar und die Indianer besahen es mit geheimem Neid.

»Was willst du mit dem Vogel beginnen?«, fragte endlich einer.

»Ihn dir schenken!«, versetzte lächelnd der Knabe. »Esst ihr das Fleisch.«

Ein Kopfschütteln war die Antwort.

»Wir balgen jedes Tier sorgfältig ab und gerben die Haut; später verkauft der gute Vater Ernesto uns die Sachen in der Stadt zu teuren Preisen.«

»Macht dir das Schießen Vergnügen?«, setzte ein anderer hinzu. »Willst du gern noch ein wenig auf die Jagd gehen, Fremder?«

»O sehr gern«, rief Benno. »Was gibt es denn hier? Huanakos, wilde Kamele, – nicht wahr? Lasst uns also einen tüchtigen Braten in die Küche schaffen.«

Die Pistole wurde mit der Kugelbüchse vertauscht, Ramiro und Pedrillo schlossen sich dem Zug an und unter Führung der Indianer krochen alle bis in ein tiefes, von Felsspitzen rings umschlossenes Tal, auf dessen unterstem Grund das schäumende Gebirgswasser, von Klippe zu Klippe springend, einen kleinen See gebildet hatte. Wie in einer verzauberten Welt schienen sich da unten die Jäger zu befinden.

Hoch über ihre Köpfe brauste der Wind hinweg, kein noch so leises Geräusch des Lebens drang bis in diese entlegene Tiefe. Es war hier auch nicht so kalt wie weiter oben, langes Moos netzte seine Fäden in den Schaumperlen des Wassers, Schwarztannen standen in Gruppen beisammen, eine wildromantische, aber düstere Umgebung bildend, ganz geeignet, die abergläubischen Indianer mit allen Vorstellungen ihres Geister- und Dämonenglaubens zu erfüllen, sie in scheuer Furcht zu erhalten.

Einer der braunen Gesellen berührte leise die Schulter unseres Freundes.

»Früher«, sagte er mit bebenden Lippen, »früher, ehe wir Christen waren, ging keiner von uns in diese Schlucht hinab. Wir glaubten, dass Woharra, der böse Geist, hier unten seine Wohnung habe.«

Bei diesen Worten sah der Bursche unruhig nach allen Seiten; seine Augen glänzten und die Stimme bebte vor heimlicher Furcht. Es war nur allzu deutlich, dass der Gedanke an den gefürchteten Woharra immer noch in den tiefsten Tiefen seiner Seele mit der besseren Erkenntnis stritt; er beobachtete unausgesetzt die Schwarztannen, und wenn in diesem Augenblick aus der Mitte derselben eine teuflische Erscheinung hervorgesprungen wäre, so würde dieselbe nur ein heftiges Erschrecken, aber kein Befremden erregt haben.

»Hierher kommen die Huanakos zur Tränke?«, flüsterte Ramiro.

»Sie wohnen in diesen Schluchten. Fremder, sie haben in einer Ebene hinter den schwarzen Bäumen ihre Sandlöcher, in denen sie baden.«

»Baden?«, wiederholte der Kunstreiter.

»Ja, sie wälzen sich und werfen den Sand in ganzen Wolken auf. Aber bis zu diesem Ort gelangt kein menschlicher Fuß; es ist eine unzugängliche Tiefe.«

»Hoho! Das wollen wir erst einmal untersuchen. Kommen Sie, Pedrillo.«

»Fremde, Fremde«, warnten ängstlich die Indianer. »Da in die dunklen Schluchten zwischen den Bäumen wolltet ihr euch hineinwagen?«

»Gewiss. Weshalb auch nicht?«

»Ja, weil da der böse –«

»Nein, nein«, verbesserte rasch ein anderer, »das nicht. Was würde wohl der Vater Ernesto dazu sagen? Aber weil ihr in die Schlucht der großen Huanakos doch nicht hineingelangen könnt, Fremde.«

»Das wollen wir gerade einmal versuchen.«

Die drei Weißen betraten das Tannendickicht und sahen nun unmittelbar vor ihren Füßen allerdings eine schauerliche Untiefe. Aus jähen Spalten hervor wuchsen die moosbedeckten uralten Stämme bald kerzengerade, bald halbliegend wie in mühsamem Ringen nach Licht und Luft, überall schwere schwarze Zweige weithin von sich streckend, überall große Raubvögel in Astlöchern und gewaltigen Nestern beherbergend. Geier und Adler flogen aus, die weiße Eule fauchte den Eindringlingen entgegen.

Ein Gewirr von Klippen umgab die Schlucht, auf deren unterstem Grunde eine Sandfläche sich dehnte. Wahrlich, es schien auf den ersten Blick undenkbar, da hinunter zu klettern.

»Tut es nicht, Fremde«, baten mit gehobenen Händen die Indianer. »Tut es nicht! Ihr verliert in jähem Sturz euer Leben.«

Ramiro legte sich platt auf den Boden und sah hinab in die Schlucht.

»Pedrillo«, sagte er, »sollte das so unmöglich sein?«

Der Schlangenmensch lächelte.

»Da hinab geht es allerdings nicht«, versetzte er, »aber dennoch will ich in weniger als zwei Minuten unten ankommen. Geben Sie acht, Señor!«

Er warf seine Kopfbedeckung, Rock und Stiefel ab, dann ging er auf dem stark geneigten, nicht ganz armdicken Ast einer Tanne wie auf breit gebahnter Straße dahin, bis seine hohe, schlanke Gestalt inmitten reich bewachsener Zweige über dem grauenvollen Abgrund gleichsam in freier Luft zu schweben schien.

Den Indianern sträubte sich jetzt schon das Haar auf dem Kopf, aber vollständig von Grauen erfasst wurden sie doch erst, als sich Pedrillo mit einem schnellen, graziösen Schwung hinabfallen ließ und im Sturz mit der linken Hand den Ast wieder ergriff. Nun hing er zwischen Himmel und Erde, nach ihrer Meinung dem schrecklichsten Tod unrettbar verfallen. Freilich, sein hübsches Gesicht zeigte keine Spur von Furcht.

Pedrillo fing an, den Ast in schaukelnde Bewegung zu bringen, erst leise, dann stärker, bis ihn die gewaltigen Schwingungen ganz in die Nähe der Klippen führten. Im Fluge hatte er einen der spitzen Ausläufer ergriffen, die Tanne schnellte zurück, Pedrillo stand auf einem Vorsprung, der kaum seinem Fuße einen sicheren Halt darbot, und mit gewaltigem Satz sprang er im selben Augenblick in die Tiefe hinab.

Ein Schreckensschrei bebte von den Lippen der Eingeborenen. Ging das mit rechten Dingen zu? Konnte wirklich ein Mensch von Fleisch und Blut so wie ein Vogel über Klippen und Abgründe dahinfliegen? Selbst Ramiro klatschte Beifall. Das war eine Kunstleistung ersten Ranges, sein junger Zögling hatte schier den Meister überholt.

»Aber wie kommen Sie wieder heraus, Pedrillo?«, rief unser Freund. »Und gar noch mit einer Jagdbeute!«

»Das ist leicht genug, – Señor Ramiro wird schon alles ordnen. Und nun, ihr Leute, wo stecken denn eure Schafe?«

»Fremder«, rief einer der Indianer, »du weißt ja gar nicht, wie man die Huanakos überhaupt jagt!«

Der Schlangenmensch rollte sich zusammen und lief zum wahren Entsetzen der Eingeborenen als vollendete Kugel eine Strecke weit über den Sand dahin, dann schaute er unter seinem eigenen rechten Arm hervor blinzelnd und sehr vergnügt auf die Rothäute, welche ihn seit diesem Augenblick schaudernd für ein übernatürliches Wesen hielten.

»Ich will die Wollträger aus ihren Schlupfwinkeln jagen und ihr sollt sie schießen!«, rief er. »Das ist doch sehr einfach.«

Die Indianer stießen einander an.

»Wei-Torrah!«, flüsterte einer. »Wagst du es, mit diesem Mann zu sprechen?«

Aber der Tapfere streckte alle zehn Finger abwehrend von sich.

»Du musst es tun, Makembo, du bist der, dem Vater Ernesto die Oberaufsicht anvertraut hat.«

Der andere zitterte.

»Er ist ganz sicher ein Abgesandter Woharras, – vielleicht zieht er uns alle in die Schlucht hinab.«

Kaum war der Gedanke ausgesprochen, so verschwanden die biederen Rothäute als habe der Wind sie hinweg geweht, alle bis auf einen. Der blieb, obwohl ihm die Zähne im Munde klapperten; es war der Künstler, welcher bis drei zu zählen vermochte und der sich vielleicht aus diesem Grund für etwas Höheres berufen hielt. Zagend sagte er:

»Die Huanakos werden nicht aufgetrieben. Man wickelt sich in ein Fell, legt sich auf ihren Weg und vollführt allerlei sonderbare Bewegungen, dann kommen die neugierigen Tiere herbei.«

Pedrillo lachte.

»Benno«, rief er, »leihen Sie mir also Ihren Pelzmantel.«

Unser Freund nahm sogleich die wärmende Hülle von den Schultern und warf sie seinem Genossen hinab.

»Am liebsten käme ich zu Ihnen, Pedrillo!«, sagte er.

Aber dagegen protestierten beide Kunstreiter zugleich.

»Das können Sie nicht so ohne Weiteres, Benno. Wer nicht vom Fach ist, der soll sich vor dergleichen hüten.«

Das war mit dem alten Stolz gesagt, mit jenem bewussten Ton, über welchen Benno auf den Gefilden St. Paulis damals heimlich gelacht hatte. Jetzt in der peruanischen Kordillere hörte er ihn wieder; Ramiro bewegte die Hand, als wolle er sagen:

»Das verstehen Sie nicht, Freund, – überlassen Sie die Sache mir.«

Pedrillo hatte das Fell mit beiden Händen aufgefangen.

»Hört, Kinder«, rief er, »ich kann nun aber doch unmöglich ohne Aufhören im Sand liegen und schaukeln wie eine chinesische Pagode; ihr müsst mir daher, wenn die Huanakos zum Vorschein kommen, irgendein Zeichen geben. Taschentücher, um damit zu wehen, existieren hier leider nicht.«

»Wohl aber kann ich den Schrei der Kanincheneule nachahmen.«

»Das ist gut. Man hält also vorläufig ein wenig Ruhe.«

Pedrillo suchte sich einen Felsvorsprung, auf dem er sitzen konnte, während oben die drei anderen Männer hinter den Stämmen der Schwarztannen Posto fassten und, selbst ungesehen, die ganze Schlucht bequem überblickten.

»Seid ihr wirklich niemals da hinunter gekommen?«, fragte Ramiro den Eingeborenen.

Der Mann schauderte.

»Niemals, Fremder, – die Huanakos wissen das auch, sie wohnen zu Hunderten in der Sandschlucht, ja, noch mehr, sie gehen vor unseren Augen da unten herum und baden sich in den tiefen Löchern, denn noch nie sind sie in ihrem Gebiet beunruhigt worden, es ist kein Pfeil, keine Kugel hinab geflogen, – wozu auch? Das getroffene Tier müsste ja liegen bleiben und den Geiern zur Beute werden.«

Ramiro lächelte.

»Gib acht, wie leicht wir die Beute einheimsen, du sollst sogar mit Hand anlegen, mein Junge. Habt ihr übrigens in eurer Niederlassung recht lange und starke Seile?«

»Gewiss, Fremder, wir brauchen ja zum Beladen der Maultiere eine Menge von Tauwerk.«

Der Kunstreiter nickte.

»Dann geh hin und hole das längste, stärkste Seil hierher, hörst du, Kelli?«

»Sehr gern, Fremder.«

Die Rothaut verschwand, als brenne der Boden unter ihren Füßen. So übernatürliche und grauenerregende Dinge mit anzusehen, das war furchtbar. Wer sich beizeiten retten konnte, der durfte wahrhaftig nicht zögern. Oben am Himmel durchbrach jetzt die Sonne das graue Gewölk, goldige Strahlen fielen auf die Tannen und die grünen Moosflächen der Felsen, auf große schwarze Holzkäfer, die mit eiligem

Lauf in den Rissen der alten Stämme aus und ein gingen und zwischen die tiefen Klippen, in denen Geier und Adler ihre Horste bauten.

Eine einsame Welt hier oben in der »Tierra fria«, ein verändertes Leben, das dem in den heißen Urwäldern in keinem Punkt glich. Rosig und golden glänzte von den höchsten Zinnen der ewige Schnee, beinahe schwarz sah aus der steinernen Umfassung das Wasser des Gebirgssees hervor, und inmitten dieser beiden, den Blick begrenzenden Linien lag unbewegt die graue Sandfläche.

Nur das Nadelholz und das Moos, die ausdauerndsten Erscheinungsformen der Pflanzenwelt waren hier oben vertreten. Höher und höher stieg die Sonne, in alle Abgründe fielen ihre hellen Strahlen, – jetzt mussten doch die Huanakos bald zum Vorschein kommen.

Der Indianer hatte das Seil gebracht. Voll Grauen duckte er sich und wartete mit den beiden Weißen der Dinge, die da folgen würden. Auf dem scharfen Grat einer Klippe erschien ein grauer Kopf mit spitzer Schnauze. Ein großes Tier spähte zwischen den Felsen hervor, vielleicht vorhin durch Bennos Schuss, durch das Stimmengeräusch erschreckt, ungewiss ob es die Wanderung zum See unternehmen dürfe oder nicht.

Ein leises Meckern klang durch die stille Luft – noch ein zweites Tier trat an die Seite des ersten. Ramiro legte beide Hände an den Mund. Der verabredete Eulenschrei wurde, wenn auch gedämpft, so doch täuschend nachgeahmt und im selben Augenblick rollte sich Pedrillo, ganz in das Fell gehüllt, bis zur Mitte der Schlucht.

Hier blieb er zwar liegen, streckte aber bald den einen, bald den anderen Arm von sich, schüttelte den Kopf, oder scharrte den Sand aus, kurz, er erregte durch seine Bewegungen schon nach Sekunden das Interesse der Huanakos. Sie streckten die Köpfe weit vor und stießen einen Ton aus, der halb wie ein Meckern, halb wie das Wiehern eines Pferdes erklang. Das rollende Ding da unten erregte ihre Neugierde.

»Es kommen mehrere von diesen großen Schafen zum Vorschein«, raunte Benno. »Auf der steilen Anhöhe sehe ich ihrer vier.«

»Und da drüben wohl an zwanzig. Der erste ist jedenfalls der Leitbock.«

»Und nun steigen sie hinab.«

Wie durch die leere Luft schienen diese rotbraunen, über meterhohen und zwei Meter langen Tiere auf den steilen, spitzen Felsklippen in das Tal zu klettern. Ihre langen Hälse trugen sie meistens frei, der ganze Körper aber steckte bis zu den Füßen in einem dichten wolligen Fließ, das bei den alten Böcken sogar noch auf dem Boden nachschleppte.

Wo nur Platz genug vorhanden war, um den Fuß auf einen Stein oder einen Vorsprung zu setzen, da gingen die seltsamen Tiere schwindelfrei, mit vollkommener Sicherheit über Spalten und Abgründe, in deren Tiefen sie bei dem geringsten Fehltritt zerschmettert worden wären. Von allen Seiten eilten sie herbei, ihre eigentümlichen Stimmen erklangen immer lauter.

»Jetzt zähle ich schon gegen hundert«, raunte Ramiro. »Wie sonderbar die Tiere aussehen! Etwas haben sie vom Schaf, etwas vom Pferd und nicht am wenigsten vom Kamel.«

»Kelli, schmeckt das Fleisch gut?«

»Sehr gut, Fremder. Aber du erlangst es ja nicht, oder kann der Mann da unten fliegen?«

»Jawohl, du wirst es gleich sehen.«

Die Huanakos hatten jetzt den sandigen Grund der Schlucht erreicht, alte Böcke von wahrhaft erstaunlicher Größe, Weibchen mit ihren Jungen, schlanke und feiste Tiere, zusammen weit über hundert, – alle drängten sie sich, von unwiderstehlicher Neugier getrieben, um den versteckten, unter dem Fell laut lachenden Pedrillo, streckten die langen Hälse vor, beschnupperten das fremdartige Bündel und stießen mit den spitzen gespaltenen Schnauzen daran, um zu sehen, was es sei. Ramiro und Benno lachten beide, dennoch aber empfand der Kunstreiter eine unwillkürliche Unruhe.

»Die Tiere beißen doch nicht?«, fragte er den Eingeborenen.

»Sie spucken«, antwortete dieser. »Nun, das wird ja zu ertragen sein. Machen Sie sich jetzt nur bereit, Benno, unser Freund springt gewiss bald auf, – dann geben wir Feuer.«

Er hatte die Worte noch nicht ausgesprochen, als Pedrillo plötzlich das Fell in die Luft schleuderte und vor den Augen der erschreckten Huanakos ein Rad schlug. Auf Händen und Füßen in ihre Reihen hineinlaufend trieb er die Tiere zu schleuniger Flucht, allerdings nicht ohne von ihnen auf die fatale Weise begrüßt zu werden.

Sie spuckten ihm ins Gesicht, zuweilen wurde er sogar von halbzerkauten Mooshalmen überschüttet, – sein ganzer Kopf sah aus, wie mit dem Schaum eines stehenden Gewässers bedeckt. Während der lustige junge Mann laut auflachend beide Arme zum Schutz vor seine Augen hielt, erklangen am oberen Rand der Schlucht zwei Schüsse zugleich und nun wurde die Flucht der Huanakos eine allgemeine.

Als Pedrillo aufblickte, sah er neben sich ein getroffenes Tier im Todeskampf am Boden liegen und etwas weiterhin ein zweites, das den letzten Atem aushauchte. Ein Blattschuss hatte seinem Leben ein schnelles Ziel gesetzt. Pedrillo winkte den glücklichen Schützen.

»Das war gut gemacht, Kinder! – Nun sorgen Sie für ein tüchtiges Seil, Señor Ramiro.«

»Ist schon hier!«, antwortete der Kunstreiter, indem er festen Schrittes auf den Zweigen der Schwarztanne hinabging. »Ich komme zu ihnen, Pedrillo!«

Er hängte das Seil über den Ast und kletterte dann an den beiden Enden desselben gewandt wie eine Katze auf den Boden der Schlucht.

»So, Pedrillo, jetzt müssen wir die Tiere hinaufschaffen. Ich denke, dass die Tanne uns trägt.«

»Beide zugleich – und mit einem Huanako?«

»Hm! – Nun, jedenfalls muss die Sache probiert werden.«

Kelli, der Indianer, stand oben und schlug vor Entsetzen die Hände zusammen.

»Woharra verblendet euch die Sinne!«, rief er. »Ihr seid verloren.«
Auch Benno erschrak.

»Lassen Sie lieber die Beute im Stich, Señor Ramiro«, rief er unruhig. »Es herrscht ja bei uns kein Mangel an Fleisch.«

Der Kunstreiter schüttelte den Kopf.

»Wir wollen die Sache so vorsichtig einrichten, als sollte eine hundertjährige Großmama transportiert werden, Benno. Geben Sie Acht, in wenigen Minuten bringe ich Ihnen das erste Tier.«

Mit Pedrillos Hilfe schnürte er den erlegten Bock fest an das eine Ende des Seiles, dann zogen beide Männer die Last bis an den Tannenzweig empor und während nun Pedrillo, in der Schlucht stehend, das Seil mit dem Aufgebot aller seiner Kräfte festhielt, kletterte Ramiro an demselben hinauf, bis er den Ast erreicht hatte.

»Señor, Señor«, rief Benno, »um Gottes willen hüten Sie sich! Soll ich zu Ihnen kommen, Ihnen helfen?«

Die Augen des Kunstreiters blitzten, sein ganzes braunes Gesicht strahlte in einem Vergnügen, das der unglückliche Mann seit vielen Monaten, vielleicht schon seit Jahren nicht mehr empfunden hatte.

»Ich bin für meine Körperkräfte, für meine Kunstfertigkeit immer berühmt gewesen, Benno! In jungen Jahren trug ich auf jeder Schulter einen erwachsenen Mann, in jeder Hand außerdem ein Kind und zwischen den Zähnen das dritte. Mit dieser Last konnte ich spielend durch die Manege gehen.«

»Soll ich zu Ihnen kommen, Señor?«

»Auf gar keinen Fall.«

Er trat mit beiden Füßen auf den Ast, griff in das dichte Fell des Tieres und hob es langsam empor. Schritt für Schritt seitwärts gehend, trug er die Last bis an den Stamm der Tanne und reichte sie dort den beiden, die ihre vereinten Kräfte brauchten, um hier den Weitertransport glücklich auszuführen.

Ramiro lehnte sich an den Stamm, seine Augen glänzten, er trocknete mit dem Ärmel den Schweiß von der Stirn.

»Nun kommt das zweite Tier, Benno.«

»Aber kracht nicht der Ast, Señor? Es fallen ganze Stücke Moos und Massen von Nadeln in die Tiefe.«

Ramiro schaukelte sich.

»Alles fest«, sagte er. »In fünf Minuten ist auch das andere Tier oben.«

Wieder bis zur Mitte des Zweiges hinausgehen und sich in die Schlucht hinablassen, war das Werk einiger Minuten. Bennos Herz klopfte voll geheimer Furcht. Würde das verwegene Spiel zum zweiten Mal gelingen? Es schien so. Ganz nahe am Stamm der Tanne war Ramiro schon angekommen, er hob die Last in seinen Händen um sie den beiden Genossen hinüberzureichen, da bog sich plötzlich der Zweig, – ein Krachen und Splittern ertönte, Staub wirbelte auf und die ganze schwarze Masse von Holz und Nadeln stürzte in den Abgrund, breite Streifen Rinde, Moos und Flechten mit sich reißend. Der Ast war gebrochen, man sah nur das Gewirr größerer und kleinerer Zweige, von den Menschen dagegen im ersten Augenblick nichts.

Benno schrie laut auf; er hielt die beiden Männer für zermalmt unter der Wucht des gestürzten, für sich allein einem mäßigen Baum gleichkommenden Zweiges. Der Indianer zitterte am ganzen Körper.

»Woharra hat alle beide erschlagen«, stammelte er mit schreckensbleichen Lippen.

Aber schon nach Sekunden zeigte es sich, dass diese Sorge unnötig gewesen war. Ramiro kam zuerst zum Vorschein; er hatte, das Schaf fallen lassend, den Stamm zur rechten Zeit mit beiden Armen umklammert und war an ihm glücklich, obwohl stark geschunden, auf dem Boden der Sandschlucht angelangt, während Pedrillo seinerseits von den stürzenden Ausläufern der Zweige getroffen und niedergeworfen worden war. Fast zur selben Minute erhoben sich beide, etwas blutend, Hände und Gesicht voll Schrammen, aber doch im Übrigen unversehrt, – Ramiro lachte sogar laut.

»Woharra ist diesmal noch gnädig gewesen, Kelli«, rief er. »Er hat uns nur einige Tropfen Blut abgezapft, weiter nichts.«

»Gott sei gepriesen!«, rief Benno. »Das sah schrecklich aus.«

»Aber es ist in Wirklichkeit nicht so schlimm. Wir müssen nun den Zweig als Leiter benutzen.«

Pedrillo hatte den gleichen Gedanken, er versuchte es schon, den geknickten Ast vom Boden auszuheben und nach einigen Bemühungen gelang auch das Werk. Benno und der Indianer hielten oben die verschiedenen Seitenäste fest und beide Kunstreiter kletterten ohne viele Mühe empor – das Seil hatten sie auch mitgebracht, aber das daran befestigte Tier lag doch unten in der Schlucht; über die schwankende, sprossenlose Leiter konnten sie es nicht tragen.

»Lauf, Kelli«, gebot Ramiro, »hole einige von deinen Kameraden herbei. Wir müssen das Huanako mit vereinten Kräften heraufziehen.«

Der Indianer entfernte sich so schnell wie möglich, während die drei anderen von einer Tanne einen langen, mit einer Astgabel versehenen Stecken abschnitten und einigermaßen säuberten. Als Kelli mit einer Anzahl seiner Genossen zurückkam, stellte sich Ramiro auf die am weitesten vorspringende Klippe und hielt dort mittels der Astgabel das Seil weit genug in die leere Luft hinaus, um ein Hinterhaken der daran befestigten Last unmöglich zu machen.

Es kostete viele Mühe, der Erfolg aber krönte alle Anstrengungen; im Triumph wurden die beiden Huanakos nach Haus gebracht und dort sogleich einige große Stücke Fleisch in den Kessel getan. Hier oben pfiff ein kalter Wind; man konnte sich die kräftige Suppe sehr wohl gefallen lassen. Ramiro war immer noch in besonders guter Stimmung.

»Ob ich wohl jemals meine Pferde wiedersehen werde?«, sagte er halb seufzend. »Und Rigolo, den Esel? – Nun liegt das alles so nahe, vielleicht bin ich in wenigen Tagen ein schwerreicher Mann. Ach Benno, Benno, welch eine Seligkeit, wenn meine Hand durch Perlen und Edelsteine gleitet, wenn ich über Millionen verfüge! Vor so kurzer Zeit lebte ja Bruder Alfredo noch, – weshalb nicht auch jetzt, nach wenigen Wochen? – Unsinn, daran zu zweifeln. Wir werden in nächtlicher Stille das Versteck plündern. Sie und ich, Benno, wir werden, während wir in schlechten Kleidern durch die Straßen gehen, Millionen in allen Taschen tragen. Ach, da wünscht man sich unwillkürlich nur eins, ein einziges, – dass man nämlich Flügel besäße, um über das Weltmeer zu segeln und der armen bangenden Frau den Schatz in den Schoß zu schütten. Wie Fürsten sollen sie leben. Juanita und meine Kinder; was die Erde an Glückseligkeit birgt, das will ich für sie herbeischaffen.«

»Gott gebe es!«, sagte aus Herzensgrund unser Freund. »Gott gebe es!«

Ramiro ging hinaus und ließ sich den Wind um die heiße Stirn wehen. Vielleicht wollte er allein sein, allein mit der mächtig verlangenden Sehnsucht des Herzens, aber auch mit jener leisen Stimme, die nie ganz schwieg, nie, auch nicht an diesem Morgen, der so viele alte Erinnerungen geweckt hatte und so viele neue flammende, leidenschaftliche Hoffnungen.

Gegen Abend desselben Tages kam Señor Ernesto von seiner Reise zurück und vierundzwanzig Stunden später erschienen auch die Indianer mit Maultieren und Lebensmitteln. Es folgte nun der Abschied, zu einer vorläufigen Trennung von denen, welche Freud und Leid der langen Reise eng verbunden miteinander geteilt hatten.

Die peruanische Armee stand links gegen die Küste hin, das Städtchen Conzito aber lag rechts im flachen Lande, es war daher eine Teilung notwendig, obgleich nur ein enger Kreis von Vertrauten den eigentlichen Grund dieser Maßregel erfuhr. Sechs Kranke gab es noch, die mussten reisefähig geworden sein, ehe man nach der Heimat des Kunstreiters aufbrach; die größere Anzahl der jungen Leute ging daher nach herzlichem Lebewohl unter Führung einiger Indianer schon voraus und dann entwickelte Señor Ernesto den Zurückgebliebenen seinen Plan.

»Conzito ist, wie ich Ihnen bereits erzählte, von den Spaniern besetzt«, sagte er, »wir müssen uns also einzeln und in allerlei Verkleidung hineinschleichen. Ich habe in der Stadt ein eigenes Haus.«

Der Kunstreiter schlug die Hände zusammen.

»Das ist ein Glück!«, rief er voll Jubel. »Das ist ein Glück!«

»Wir wollen es hoffen«, nickte der Mann mit dem ernsten Gesicht. »Einige Meilen von der Stadt entfernt liegt am Waldrand eine kleine Besitzung, die mir gehört; dahin, denke ich, begeben wir uns zunächst und bis auf Weiteres sind Sie alle meine willkommenen Gäste.«

»Señor Ernesto, – ach mein Gott, wie sollen wir Ihnen wohl jemals vergelten? Sie haben uns das Leben gerettet, Sie sind es, der mir die Erfüllung aller meiner Hoffnungen verheißt!«

Der Fremde wiegte den Kopf.

»Wir sind vom Ziele noch weit entfernt«, sagte er. »Das ganze Land ist im Aufruhr begriffen, vielleicht zieht sich die Schlachtlinie unversehens über unseren Weg, vielleicht sind plündernde spanische Truppen schon jetzt in meine Besitzung eingefallen und haben alles eingeäschert. Lassen Sie uns also nicht zu früh triumphieren.«

Ramiro erschrak.

»Und das sagen Sie so ruhig, Señor Ernesto?«

»Ja. Es sind nicht Räuber und Mordbrenner, welche uns die wahrhaft wertvollen Güter des Lebens stehlen können.«

Der Kunstreiter beugte sich näher zu ihm herüber, sein Herz schlug schneller, in seinen Augen glühte eine fieberhafte Unruhe.

»Señor Ernesto«, sagte er mit unsicherer Stimme, »ich weiß, was Sie meinen. Der edelsten unersetzlichsten Schätze berauben wir uns selbst. Es ist die eigene Hand, welche uns tödliche Wunden schlägt.«

Vielleicht wurde das ausdrucksvolle Gesicht des Fremden in diesem Augenblick noch bleicher als zuvor, aber seine Lippen sagten nichts mehr über den Gegenstand des Gespräches. Er setzte dem Kunstreiter die Einzelheiten der bevorstehenden Abreise auseinander, und als zwei Tage später Obijah, Trente und der Doktor ziemlich genesen waren, ließ er die Maultiere satteln.

Die Indianer erhielten die Felle der beiden Huanakos und überdies versprach ihnen Doktor Schomburg ein ansehnliches Geldgeschenk, das er aber natürlich nicht in der Tasche mit sich führte, sondern erst durch ein Bankhaus in Lima erheben musste. Señor Ernesto wollte es späterhin seinen Schützlingen überliefern.

Die Maultiere kletterten jetzt bergab; noch wehte der kalte Wind und noch waren die Reiter umgeben von baumloser Öde, dann aber zeigten sich grüne Matten und weite buschige Ebenen, dann wuchsen am Wege wieder bunte Blumen, durch das Gras ringelten sich

Schlangen und in den Zweigen bauten singende große und kleine Vögel ihre Nester.

Obijah wunderte sich täglich mehr. Es war also doch noch dieselbe Welt, in der er immer gelebt hatte, und es waren wirklich Männer seines eigenen Volkes, die da aus Tonpfeifen rauchten und Kleider trugen wie die Weißen.

Eines schönen Tages verschwand der Löffel aus seinem Haar, dessen überlange Fülle der Schere weichen musste; Obijah hatte von den Peruanern häufig den Ausdruck »Die Wilden« gehört, er fing nun an, leise den Sinn desselben zu erfassen und richtete sich danach ein.

Hätte nicht die Sintflut im Urwald längst jegliche Malerei von seinem Körper abgewaschen gehabt, so würde er dieselbe jetzt in aller Stille entfernt haben. Dem Reiterzuge voran gingen eingeborene Kundschafter. Noch war von den Spaniern in dieser Gegend nichts bemerkt worden; das Indianerdorf mitten im Walde, an den Ufern eines klaren Flusses wurde erreicht, ohne dass irgendeine Störung eingetreten wäre.

Überall in den Gärten neben den festen, mit Türen versehenen Hütten der Eingeborenen schnitten Frauen und Kinder die reisen, an Stöcken gezogenen Trauben und packten die Ernte in große Körbe, welche von den Männern zur Stadt gebracht werden sollten. Es gab auch Pfirsiche, Melonen und Ananas, sowie zahlreiche einheimische Beerenfrüchte, – jede Person im Dorf arbeitete, jede trug Kleider; selbst die Kinder, welche ihren Müttern in Hof und Garten fleißig zur Hand gingen, waren anständig angezogen. In dem sauberen Dorf blieben die Reiter für einen Tag und eine Nacht, dann kehrten die ausgesandten Kundschafter zurück, um Bericht zu erstatten.

»Spanier in der Nähe«, hieß es. »Die ganze Gegend ist voll von Soldaten; berittene Indianerregimenter werfen sich den Spaniern entgegen, es lungert Gesindel auf allen Straßen.«

Das waren schlechte Nachrichten. Blasse Gesichter sahen einander an, unruhig schlugen alle Herzen. Was nun? O – die bange, bange Frage! Nur Ernesto blieb gelassen.

»Es ist in sicherem, dem Feinde unzugänglichen Versteck nahe an meinem Haus ein Schatz von Lebensmitteln gespeichert«, sagte er, »trockenes Fleisch, Mehl, Wein und Hülsenfrüchte, genug, um uns für die Dauer eines Jahres und noch darüber hinaus zu ernähren. Auch Salz haben wir, Gewürz und trockene Früchte, es fehlt an nichts,

– weshalb also zagen? Mögen die Spanier kommen und das Haus
anzünden – wir bauen in zwei Tagen eine geräumige indianische
Hütte wieder auf. Mögen sie die Herden stehlen oder abschlachten,
– wir werden auch ohnehin satt werden. Und mehr als nur diese
Güter können sie uns nicht nehmen.«

»Können wir denn offen am Tag unsere Reise fortsetzen, Señor?«

»Ich denke, ja. Mein kleines Gut liegt ohnehin nur etwa sechs oder
acht Stunden von hier entfernt.«

Ramiros Gesicht überzog sich mit plötzlicher Röte.

»So dass ich übermorgen nach Conzito gelangen könnte?«, rief er
voll Aufregung auf.

»Der Entfernung wegen, ja.«

»Ach, gottlob, gottlob!«

Die Maultiere setzten sich wieder in Bewegung und gegen Abend
des nächsten Tages war Ernestos Landgut erreicht. In rotgoldigem
Schein lag ein einstöckiges langgestrecktes, von einer breiten Veranda
umgebenes Haus, das mit seinen blitzenden Fensterscheiben, der
wohlerhaltenen Malerei und dem üppigen Grün rankender Spalier-
pflanzen einen äußerst angenehmen, wohltuenden Eindruck hervorbrachte.

Eine Gruppe hochstämmiger Orangenbäume beschattete den Eingang, blühende Rosenhecken zogen sich unter den Fenstern dahin,
Walnuss- und Kastanienbäume sandten von beiden Seiten ihre
mächtigen Zweige weit über das Dach hinaus. Der ganze Besitz mit
allen Hintergebäuden, dem Garten und dem großen Geflügelhof war
eingefriedet von einer dichten Hecke stacheliger Bromelien, die ihre
ungeheuer langen Blätter im Abendwind fächelten und vorn an der
Eingangspforte kaum Platz genug freiließen, um an ihren Dornen
unberührt vorbeizukommen. Benno neigte sich zu dem Ohre des
Kunstreiters.

»Wie deutsch die ganze Niederlassung aussieht!«, flüsterte er.
»Finden Sie nicht auch, Señor?«

»Ich dachte unwillkürlich gerade jetzt dasselbe. Und mehr noch,
mein Junge, – auch Ernesto ist ein Deutscher. Alle Erfahrung müsste
mich täuschen, wenn es anders wäre.«

Benno nickte.

»Drängen wir uns nicht in sein Geheimnis, Señor. Ich habe den
ernsten Mann außerordentlich gern.«

»Ich nicht weniger. Er trägt irgendeinen tiefen Kummer, ein unheilbares Leid im Herzen, – vielleicht hängt das mit seiner, offenbar äußerlich verleugneten Nationalität zusammen.«

In diesem Augenblick erschien unter der Tür des Hauses die Gestalt einer älteren Frau in der Tracht einer Dienerin oder Aufseherin. Sie schützte mit erhobener Hand ihre Augen vor den Strahlen der Sonne und sah auf die Landstraße hinüber; von ihren Lippen brach bei dem Anblick des Reiterzuges ein heller Jubellaut.

»Komm, Pietro, komm! – Der Herr ist wieder da.«

Während aus dem Inneren des Hauses ein älterer Mann herbeieilte, stürmte plötzlich Bennos Hund an den Maultieren vorüber, schoss wie ein Pfeil vom Bogen durch die Eingangspforte und begrüßte mit lautem freudigem Gebell die beiden alten Leute, welche bei seinem Anblick kaum ihren Augen zu trauen schienen.

»Pluto!«, rief der Mann. »Pluto! Bist du es denn wirklich?«

Die Frau eilte in fliegender Eile den Reitern entgegen.

»O Señor Ernesto«, rief sie, »Señor Ernesto, – ist Ramon bei Ihnen?«

Der Herr des Hauses schüttelte den Kopf; sein Gesicht war sehr blass.

»Nein, Frau, nein, ich weiß von ihm nichts. Wir sprechen später noch zusammen.«

Und dann stiegen alle von den Tieren, um in das Haus zu gehen. Wieder sahen Ramiro und Benno einander an.

»Hier in diesem Haus ist Pluto erzogen worden! Denken Sie nicht auch?«

Benno nickte.

»Und jener Ramon, von dem die Frau sprach?«

»Ist der Tote, den wir an Bord des verlassenen Schiffes sahen.«

Der Kunstreiter neigte kaum merklich den Kopf.

»Arme Alte! Ohne Zweifel war er ihr Sohn.«

»Still, Señor, still. Wie blass der wortkarge Mann aussieht! – Wir wollen ihn um keinen Preis verletzen.«

18.

Der zahme Silberlöwe – Ein Freund in der Fremde – Das Versteck in den Felsen – Feindliche Truppen – In den Händen der Spanier

»Treten Sie ein, Señores!«, sagte mit freundlicher Handbewegung der Hausherr. »Machen Sie es sich bequem, jeder auf seine besondere Weise. Mein guter alter Pietro und sein Weib werden für Ihre Bedürfnisse nach Möglichkeit sorgen, und was mich selbst betrifft, so heiße ich Sie von Herzen willkommen. Bleiben Sie meine Gäste, solange es Ihnen gefällt.«

Und dann, die Tür eines Zimmers zu ebener Erde erfassend, fügte er mit dem leichten Schimmer eines Lächelns hinzu:

»Hier drinnen ist einer, der mich begrüßen möchte, ein zahmer Puma. Ich sage das, damit keiner der Herren erschrickt!«

Er öffnete die Tür. Ohne von den Umstehenden Notiz zu nehmen, sprang ein großer schlankgebauter Silberlöwe ihm entgegen und schmiegte sich spinnend nach Katzenart an seine Knie, indem er um den geliebten Herrn herumging und den Kopf in seine liebkosende Hand legte. Die rote Zunge fuhr dabei wie die des Hundes über die Finger, welche ihn streichelten.

»Carry!«, sagte schmeichelnd der Hausherr. »Carry, hast du mich lieb?«

Da sprang der Silberlöwe empor, legte die Vordertatzen auf Ernestos Schultern und presste seinen Kopf gegen den des Mannes; das Schnurren ging dabei über in ein leises Winseln, wie es Tiere hervorstoßen, um in ihrer Weise den Menschen zu sagen:

»Ich habe dich lieb, sehr lieb!«

Wie unbewusst legten sich Ernestos Arme um den Körper des Kuguars.

»Bist mein gutes Tier«, sagte er halblaut. »Ja, ja, mein gutes Tier!«

»Ich habe diesen ungestümen Burschen von seinen ersten Lebenstagen an erzogen«, setzte er dann, gegen seine Gäste gewendet, hinzu.

»Die Alte würgte mir sämtliches Geflügel, daher erschoss ich sie und fand bei der Gelegenheit in ihrem Bau das noch blinde Junge, –

so nahm ich es aus Erbarmen mit und zog es mit der Milchflasche groß. Dafür dankt mir Carry mit wahrhaft rührender Zärtlichkeit.«

Er schob den Silberlöwen unter Streicheln von sich, und als in diesem Augenblick das Windspiel schnuppernd ins Zimmer trat, sagte er:

»Carry, da ist Pluto! Kennst du ihn noch?«

Beide Tiere horchten auf und dann begrüßten sie einander in jener lebhaften Weise, die sich durch Springen und gegenseitiges Umherkugeln äußert. Vielleicht waren sie so ziemlich von gleichem Alter und hatten schon als täppische zahnlose Geschöpfe zusammen herumgetollt und aus demselben Napf ihr Futter empfangen; jetzt wenigstens begrüßten sie sich wie alte Bekannte und liefen sehr bald Seite an Seite in den Garten hinaus, um da ihre Spiele fortzusetzen.

Als der Kuguar erschien, gackerten die Hühner in ihren dicht verschlossenen Ställen, vor Furcht flogen Tauben und Pfauen in die höchsten Baumwipfel, sonst aber erregte der Anblick des Raubtiers nirgends ein Erschrecken, weder bei den Hunden, noch den sonstigen, zu Ernestos Haushalt gehörigen Tieren; sie kannten den Günstling ihres Gebieters wahrscheinlich alle und wussten, dass er ihnen kein Leid zufügen würde.

Unterdessen führte der alte Pietro die fremden Gäste in die für sie hergerichteten Zimmer. Die Rothäute und mehrere der Peruaner mussten mit dem Logis in einem Nebengebäude vorliebnehmen, jeder der Weißen erhielt dagegen ein Stübchen im oberen Geschoss des Hauses.

Die netten einfachen Räume waren vielleicht vordem als Vorratskammern für Früchte oder Sämereien benutzt worden, denn sie erschienen sehr schmucklos und bescheiden, aber doch hatten unsere Freunde ein Gefühl, als wären sie plötzlich in einen Königspalast versetzt. Da gab es ein Bett mit schneeweißen Leinentüchern, einen Spiegel, eine Lampe, da fand sich Seife, eine Bürste und sogar ein Handtuch.

Fabelhafte Schätze für Menschen, die seit langen Monaten den Urwald und das Gebirge durchzogen hatten, froh, wenn nur ein Dach aus Palmenblättern nächtlichen Schutz gewährte und hier und da ein Fluss das Baden erlaubte, wobei dann Wind und Sonne die Funktion des Handtuches übernehmen mussten.

Mehrere eingeborene Diener brachten das Abendbrot, Wein, gebratenes Geflügel und frischgebackene Semmeln mit goldgelber Butter. Die Freunde sahen einander an. War das Wirklichkeit oder ein holder, mit dem nächsten Morgenlicht in Nichts zerflatternder schöner Traum?

Es gab im Haus auch einen bescheidenen, immer lächelnden kleinen Mann, der sich auf die Künste des Schneiders und des Barbiers zugleich verstand, der Haare und Bärte gebührend stutzte und Kleider abmaß aus weißem Leinen, auch für die Indianer, von denen dieses Anerbieten sehr verschieden aufgenommen wurde. Trente benahm sich dem Meister Zwirn gegenüber wie ein Audienz bewilligender Fürst, Obijah dagegen sah aus wie jemand, dem man etwa gesagt hat:

»Hüte dich! Unter deinen Füßen liegt eine Pulvermine und jeden Augenblick kannst du in die Luft fliegen.«

Das Maßband des Schneiders hatte so verdächtige Zauberzeichen, überdies wurde allerlei in ein Buch geschrieben, – das war nicht geheuer. Und mit einem Satz, dem Ramiro und Pedrillo lebhaften Beifall klatschten, sprang der vortreffliche Obijah aus dem offenen Fenster in den Garten hinaus.

Die Geschichte wollte er sich doch noch erst einmal überlegen. Benno machte ihm später in der wunderlichen Sprache, in welcher sich die Reisegenossen verständigten, den Vorgang klar und erregte dadurch bei dem Eingeborenen einen schmerzlichen Seufzer.

»Die weißen Männer sind klug, Fremder«, sagte er mit traurigem Gesicht. »Meine Brüder müssen von ihnen noch so vieles lernen, ach, so vieles. Komm mit mir hinaus, ich will dir etwas Wunderbares zeigen.«

Als sie dann beide vor dem großen Scheunentor standen, sah Benno einen ganz gewöhnlichen Ackerwagen mit zwei Pferden, welche eben Feldfrüchte einfuhren, – er lachte unwillkürlich und erklärte dem Sohn des Urwaldes auch dieses vermeintliche Wunder; ja, er bewog ihn sogar, selbst auf den Wagen zu klettern und sich über den Hof fahren zu lassen.

Aber Obijah schwitzte dabei vor Angst große Tropfen; die Pferde sahen zu schrecklich aus, – Tiere von solcher Länge und Breite konnten doch nur arge Dämonen sein. Auch in das Bett legte sich Obijah nicht; Benno verließ ihn laut lachend, als er eben in den äußersten Winkel des Zimmers gekrochen war und dort auf einer Pferdedecke die Glieder so krumm wie möglich zusammengezogen hatte.

Unser Freund suchte dann im Wohnhaus seine eigene Schlafstätte; ehe er sich aber niederlegte, rückte er noch einen Stuhl an das offene Fenster und sah, die Zigarre zwischen den Lippen, behaglich zurückgelehnt, hinaus in die mondhelle Landschaft.

Ein Ausläufer der Kordilleren zog sich, in einiger Entfernung die Aussicht abschließend, neben dem Besitz Ernestos dahin und trat am Ende des Gartens ganz nahe an denselben heran. Blauer Duft umhüllte die waldlosen Höhen, vielzackig und wild erschien die Gruppierung der einzelnen Kuppen und Kegel, von wunderbarer, berauschender Schönheit aber der Wasserfall, dessen schäumende Fluten über ein rotes, von den Wogen spiegelglatt abgeschliffenes Gestein rauschend und murmelnd in die Tiefe fielen.

An der Bromelienhecke zog sich der Gebirgsbach hin, Menschen, Tiere und Pflanzen mit seinem frischen, kalten Wasser reichlich verfolgend; wie ein weißes Band glänzte sein Lauf im Mondlicht, wie verstreutes, hier und da zwischen den grünen Blättern hervorschimmerndes Silber.

Bennos Blicke berauschten sich an der Schönheit der Natur; er sah über die blühenden Rosenhecken hinweg mit jenem träumerischen Behagen, das uns überfällt, wenn wir nach langer Unruhe ein Ziel endlich erreicht haben und von den Beschwerden der mühevollen Wanderung nun zur Rast auf weichem Pfühl gelangt sind. Was weiter für ihn folgen werde, danach wollte er vorläufig nicht fragen, es war so süß, so verlockend, sich dem Gefühl der Sicherheit mit voller Seele hinzugeben. Da klopfte es draußen leise an die Tür und unser Freund fuhr auf:

»Herein!«

»Schlafen Sie noch nicht, Benno?«

Benno erhob sich und öffnete rasch die Tür. Da stand Señor Ernesto in eigener Person, – jedenfalls hatte also dieser Besuch einen besonderen Grund.

»Bitte, Señor, treten Sie näher.«

»Störe ich Sie auch wirklich nicht?«

»Wie wäre das möglich?«, lächelte Benno. »Überdies dachte ich noch nicht daran, mich schlafen zu legen.«

Der Hausherr nahm einen Stuhl und rückte ihn neben denjenigen seines jungen Gastes. Er hatte die ledernen Reisekleidung gegen solche aus blendend weißem Leinen vertauscht; auch er rauchte und bot unserem Freunde, als dieser aus Bescheidenheit seine Zigarre weglegte, sogleich eine neue an.

»Lassen Sie uns einen Augenblick plaudern, Benno«, sagte er. »Es betrifft Ihren Hund, was ich von Ihnen erfahren möchte.«

»Ich stehe Ihnen zu Diensten, Señor Ernesto.«

»Bitte, bitte. Erzählen Sie mir doch freundlichst, wann und wo Ihnen das Tier zulief. Es liegt mir sehr viel daran, das genau zu erfahren.«

Benno schüttelte den Kopf.

»Zulief?«, wiederholte er.

»So sagte Señor Ramiro.«

»Dann tat er das wahrscheinlich, um nur in aller Kürze mitzuteilen, dass keiner von uns an den Hund wirkliche Eigentumsrechte besitzt. Der Sachverhalt ist folgender.«

Und nun erzählte Benno dem horchenden Manne, wie damals in sternloser Nacht, mitten auf offener See die Stimme des bellenden Tieres erklungen war und wie man am Morgen das Wrack ohne Bemannung treibend aufgefunden hatte.

»Pluto war außer Ratten das einzige lebende Wesen an Bord des unglücklichen Schiffes«, schloss er seinen Bericht.

Ernesto hatte wie zufällig den Vorhang des Fensters ein wenig verschoben, so dass sein Gesicht im Dunkel blieb.

»Sie fanden von der ganzen Besatzung keinen Mann mehr vor?«, fragte er mit veränderter, tonloser Stimme.

»Nur eine Leiche, Señor, – die eines jungen Mannes; wie ich glauben möchte, dessen, dem der Hund gehörte.«

»Beschreiben Sie mir doch, bitte, diesen Toten etwas genauer, Benno.«

»Er war groß und schlank gewachsen, hatte ein schmales Gesicht und kurzes, lockiges Haar. An der linken Hand –.«

»Befand sich eine Narbe von Halbkreisform, nicht wahr?«

»Sie wissen das, Señor?«

Er nickte; aus seiner Brust rang sich ein schwerer Seufzer.

»Sollten Sie zufällig die Taschen dieses Toten durchsucht haben?«, fragte er nach einer Pause. »Aber das ist wohl nicht geschehen.«

»Doch, Señor, ich weiß es gewiss und auch Ramiro kann die Sache bestätigen. In den Taschen des armen jungen Mannes fanden sich indessen nur Schlüssel, etwas Geld und sonstige wertlose Kleinigkeiten. Aber –.«

Benno stockte und schwieg, so dass Señor Ernesto fragend aufblickte.

»Aber?«, wiederholte er. »Was wollten Sie hinzufügen, Benno?«

In den Wangen unseres Freundes kam und ging das Blut.

»Ich weiß nicht, ob ich sprechen darf«, gestand er.

»Bitte, ganz offen, ganz ohne Rückhalt, junger Freund. Es liegt mir viel, unsagbar viel daran, alles zu erfahren.«

»Nun denn, – von der Hand des Toten war eine schriftliche Notiz vorhanden, etwas, das einen Brief betraf, den –.«

»Den Sie gefunden haben, Benno?«

»Nein, Señor. Den die Ratten zu Fetzen zernagt hatten. Es war unmöglich, auch nur die Zusammengehörigkeit zweier Buchstaben auf diesen Überbleibseln nachzuweisen. Ich selbst habe die Sache versucht, aber ganz umsonst.«

»Und wo sind die zernagten Fetzen schließlich geblieben?«

»Aus meiner Hand hat der Wind sie ins Meer geweht«, sagte traurig unser Freund. »Bis auf diese Stunde ist mir es peinlich, an den zerstörten Brief zu denken.«

Señor Ernesto reichte ihm plötzlich die Hand.

»Sie sind ein guter Mensch«, flüsterte er. »Haben Sie Dank für die freundliche Teilnahme an dem Geschick eines sehr unglücklichen Mannes, Benno. Der Eigentümer des Hundes, wenigstens der frühere, und der Schreiber jenes Briefes bin ich.«

»Das dachte ich«, gestand Benno »und eben aus diesem Grund war es mir nicht klar, ob meine Erzählung vielleicht wie eine Indiskretion erscheinen könnte. Darf ich jetzt noch eine Frage hinzufügen, Señor?«

»Fragen Sie.«

»War jener Brief für Hamburg bestimmt gewesen?«

»Ja.«

»Nun gut, dann schreiben Sie denselben nochmals und vertrauen ihn mir an. Geht alles gut, so kehre ich in Begleitung des Doktors und des Herrn Halling doch mit nächster Schiffsgelegenheit nach Hamburg zurück.«

Señor Ernesto schien sehr erstaunt.

»Nach Hamburg zurück?«, wiederholte er. »Ja, – Verzeihung! – Aber ist es denn nicht Ihre Absicht, sich dem Kunstreiter anzuschließen und – und –.«

»Selbst ein solcher zu werden? Nein, doch nicht ganz, wahrhaftig nicht. Ich bin aus unerträglichen Verhältnissen in Rio – entlaufen, Señor, es soll nichts beschönigt werden! – entlaufen, und habe mich dem einzigen Menschen angeschlossen, der überhaupt an meinem Schicksal freundlichen Anteil nahm. Ramiro und ich kannten einander schon in Hamburg; ich wurde seinetwegen über das Weltmeer geschickt.«

»Weil Sie ein Akrobat –.«

Benno schüttelte den Kopf.

»Nein, weil ich in einer öffentlichen Zirkusvorstellung auf dem Esel geritten hatte. Eine komische Rolle natürlich, eine Verkleidung, – meine Familie glaubte mir den begangenen Fehler nie verzeihen zu können und so wurde ich zu einem Gewürzkrämer nach Rio in die Lehre gegeben.«

»Zu einem Gewürzkrämer? – Und gegen Ihren Wunsch?«

»Ach! – Ich befand mich in der Obersekunda und hatte bis dahin begründete Hoffnung, dereinst studieren zu dürfen. Aber, wie gesagt, meine Familie war tödlich beleidigt.«

»Eine unglaubliche Härte!«, sagte halblaut der Hausherr. »Und zu so – bitte verzeihen Sie dieses Wort! – zu so engherzigen Leuten wollen Sie zurückkehren?«

Benno legte die Hand über die Augen.

»Ich muss es«, sagte er traurig. »Was bleibt mir wohl anderes übrig? Ein Kunstreiter zu werden, wäre doch schlimmer als alles Sonstige.«

»Das ist freilich unleugbar. Aber da Sie einmal hier sind, so weit von der Heimat entfernt, – ich dächte doch, es müsste sich für Sie irgendetwas finden lassen.«

Benno blieb die Antwort schuldig. Doktor Schomburg hatte ihm versprochen, mit dem Onkel ein Wort im Vertrauen zu reden und demselben die Härte seiner Handlungsweise klar auseinander zu setzen, vielleicht ließ sich dadurch der von der Meinung der Welt so sehr abhängige Mann doch noch bestimmen, ihn an einem drittem Ort wieder in die Schule und später auf die Universität zu schicken.

Das allein hielt Bennos Hoffnung aufrecht, denn an die Auffindung des geheimnisvollen Schatzes im Klostergarten zu San Felipe glaubte er nicht. Der Senator würde sich doch endlich erweichen lassen. Nach längerer Pause sagte Señor Ernesto mit halber Stimme:

»Möchten Sie nicht Landwirt werden, Benno? – Ich lebe allein, ohne irgendeine Familienbeziehung; bleiben Sie bei mir und lernen Sie in Frieden Ihren eigenen Kohl bauen. An Ihre Eltern würde ich schreiben und in jeder Beziehung volle Bürgschaft leisten.«

»Ach, Sie sind so außerordentlich gütig, aber –.«

»Aber es zieht Sie einzig und allein zum Studium? Dann wäre ich wahrlich der letzte, Ihnen irgendeinen anderen Weg vorzeichnen zu wollen. Aber vielleicht schadet es nicht, wenn ich Ihrem Herrn Vater einige Zeilen schreibe, ihm so manches auseinandersetze. Ein Zeuge mehr ist immer für den Beschuldigten von großem Wert.«

Benno nickte.

»Wie lebhaft danke ich Ihnen!«, sagte er. »Gewiss, es wird für mich von großem Nutzen sein, wenn Männer wie Sie und Doktor Schomburg meine Sache führen, obgleich immer eins, ein schweres Unglück gegen mich spricht – man empfindet zu Haus für mich keine Liebe, ich bin eine ungern geduldete Last.«

Die Zigarre fiel auf den Fußboden. Benno lehnte den Kopf gegen die Wand, in seinen Augen glänzten Tränen, die er nicht unterdrücken konnte. Ernesto schien vor Erstaunen sprachlos.

»Keine Liebe?«, wiederholte er beinahe stammelnd. »Ihre Eltern sollten Sie nicht lieben?«

»Meine Eltern sind tot. Ich lebte bisher im Haus meines Onkels, der schon mit seinem verstorbenen Bruder sehr schlecht stand und diese Abneigung auf den Sohn desselben übertragen hat.«

»Vielleicht«, setzte er dann tiefer atmend hinzu, »vielleicht haben Sie bisher meinen Familiennamen nie gehört, Señor! – Ich heiße Zurheiden und mein Onkel ist der Großhändler Senator Johannes Zurheiden aus Hamburg.«

Hätte er nicht mit gesenktem Kopf diese Worte gesprochen, wäre er nicht mit seinen eigenen Gedanken so vollständig beschäftigt gewesen, so würde er jedenfalls gesehen haben, wie jäh und gewaltig, gleichsam von einem plötzlichen Keulenschlag der Mann vor ihm getroffen wurde, wie er die Lippen öffnete, ohne einen Laut hervorbringen zu können, wie er erblasste, als würge ihn der Sensenmann zwischen seinen Knochenhänden.

»Zur –.«

Mehr brachte er nicht hervor. Die kurze Silbe schien alle seine Kräfte vollständig erschöpft zu haben.

»Zurheiden«, ergänzte Benno. »Meine Eltern starben schon, als ich noch ein ganz kleines Kind war und so blieb ich im Haus des Onkels, – ungern gesehen, nur geduldet, verbrachte dort eine unglückliche, freudlose Kindheit.«

Und er schauderte im Andenken des düsteren, einsamen Hauses am Alten Wandrahmen, der schwarzen Fluten, die an seine Grundmauern schlugen, des großen hallenden Flures, in dem einst Onkel Johannes dem verstoßenen Bruder jene Worte gesagt hatte, die diesen für immer in die Verbannung trieben, jene Worte, die er nicht kannte, über die er heimlich grübelte, seit ihm Harms damals zuflüsterte:

»Und dann ist dein Vater zur vorderen Tür hinausgegangen und nie bis auf diesen Tag zurückgekommen.«

Señor Ernesto hatte unterdessen Zeit gehabt, sich wenigstens äußerlich zu fassen; er nahm Bennos Hand zwischen seine beiden und drückte sie lange und herzlich.

»Das sind traurige Verhältnisse«, sagte er mit umschleiert klingender, ganz veränderter Stimme, »aber für Sie doch nicht hoffnungslos, denke ich. Das wird sich alles finden, wenn nur der Herr Senator erst einmal erfährt, dass Sie leben und sich nichts zuschulden kommen ließen. Die Lage der Dinge im Niederberger'schen Haus muss man ihm schildern.«

»Ist übrigens Ihr Herr Onkel ein unverheirateter Mann?«, setzte er dann fragend hinzu.

»Ja.«

»So lebten Sie ganz allein mit ihm?«

Ein plötzliches Lächeln glitt wie ein Sonnenstrahl über Bennos hübsches Gesicht.

»Harms war da«, sagte er, unwillkürlich sprechend, als müsste sein Zuhörer alle diese Verhältnisse kennen. »Harms war da und es ist vielleicht von mir sehr undankbar, dass ich mich über den Mangel an Liebe so bitter beklage. Harms hat mir, als ich ein kleiner Junge war, die Sorgfalt und Fürsorge der zärtlichsten Mutter durch seine Treue ersetzt, er ist es gewesen, der für mich die Trommel und den Blechsäbel am Weihnachtsabend heimlich in das Haus schmuggelte, von ihm erhielt ich Naschereien und jene Kleinigkeiten, mit denen man ein Kindesherz entzückt, – Bleisoldaten, einen Drachen, Bilderbogen, späterhin bares Geld, um einmal eine Zigarre kaufen, eine Omnibusfahrt bezahlen zu können und was dergleichen mehr ist. Ohne Harms hätte sich mein Leben, glaube ich, gar nicht denken lassen; er war mir alles in allem.«

»Ein ehrenvolles Zeugnis für den Alten«, sagte mit erstickter Stimme der Hausherr. »Gott segne ihn tausendfältig, er ist ein, muss ein herzensguter Mensch sein.«

»Gewiss, gewiss, Harms ist ein prächtiger Kerl. Er hat mir auch sein ganzes Vermögen vermacht, Häuser am Dammfleet und am Meßberg. Gewaltige Siegel besitzt das Dokument, wie er mir sagte.«

»Guter, alter Harms, Seele von Gold!«

Es klang wie ein Schluchzen, ein herausquellendes Weinen, gegen das kein Sträuben, kein Wollen mehr hilft. Señor Ernesto beugte sich aus dem offenen Fenster, als beobachte er draußen irgendeinen Vorgang, der ihn besonders interessiere; erst nach Minuten ging er langsamen Schrittes im Zimmer hin und her, wie um einen inneren Aufruhr niederzukämpfen.

»Harms ist natürlich ein langjähriger Diener Ihres Onkels?«, fragte er dann. »Ja, er hat seine Laufbahn als solcher in den Tagen meines Großvaters schon begonnen, – jetzt ist er ein wohlhabender Mann, der von seinen Zinsen sehr gut leben könnte, aber trotzdem zieht er es vor, mit weißer Schürze Messer und Gabeln zu putzen oder im Schuppen Holz zu spalten. Das Haus Zurheiden ist dem Alten gar zu sehr ans Herz gewachsen. Er hat sicherlich schon ein Dutzend Briefe für mich nach Rio geschickt und grämt sich stündlich, weil niemals eine Antwort kommt.«

Señor Ernesto nickte.

»In Conzito ist ein Postamt«, sagte er mit tröstendem Ton. »Von dort aus wollen wir schreiben, sowohl an Harms, als auch an den Herrn Senator. Es soll noch alles gut werden, Benno.«

Er reichte dem jungen Mann beide Hände und sah ihn freundlich an.

»Gute Nacht jetzt, mein lieber Junge, schlafen Sie sanft und halten Sie sich ganz überzeugt, dass ich Ihnen mit Rat und Tat beistehen werde, so viel mir möglich ist. Schlimmsten Falles gibt es deutsche Hochschulen auch außerhalb Deutschlands, so dass man dem gestrengen Herrn Senator über den Kopf nehmen könnte, was er etwa gütlich nicht bewilligen sollte.«

Benno atmete tiefer.

»Ich danke Ihnen tausendmal!«, rief er. »Ihre Güte rührt mich unendlich, Señor Ernesto.«

Der Hausherr schüttelte leicht den Kopf.

»Sprechen Sie nicht davon, Benno. Gute Nacht, Gute Nacht!«

»Schlafen Sie wohl, Señor!«

Die Tür schloss sich und mit leisen Schritten ging der Gebieter des schönen Landgutes über den Korridor, um am entgegengesetzten Ende desselben sein eigenes Zimmer zu erreichen und sogleich hinter sich zu verschließen. Wie gelähmt sank er in einen Sessel und stützte den Kopf in die Hand.

»O mein Gott, mein Gott, du hast mich verlassen!«

Dann sprang er wieder auf und hob die Arme gen Himmel.

»Nein! Nein! – Ich versündige mich, ich bin wohl wahnsinnig geworden!«

Und er legte den Kopf auf den Tisch, um bitterlich, aus tiefstem Herzensgrund zu weinen.

Am folgenden Morgen stand Ramiro schon bei den ersten Strahlen der Sonne neben mehreren Knechten, welche reife Granatäpfel pflückten und in Körbe packten, während ein Halbindianer einen leichten Handkarren herbeizog und Korb nach Korb in demselben unterbrachte. Das Ganze wurde mit Bast fest zusammengebunden und stand nach kaum einer Stunde reisefertig da. Señor Ernesto kam aus dem Haus, bleicher noch als sonst, aber trotz des Ernstes, der ihn nie verließ, freundlich und milde, wie immer.

»Nun, Modesto«, sagte er, »bist du bereit, deine Fahrt anzutreten?«

Der Halbindianer nickte.

»Ich kann sofort gehen, Señor.«

Ramiro wandte sich bittend an den Hausherrn.

»Wenn Sie mich die Reise mitmachen lassen wollten, Señor Ernesto!«, sagte er nach der ersten Begrüßung. »Was könnte das wohl schaden?«

»Unendlich viel, mein Bester, weit mehr als Sie denken. Die Spanier würden in Ihnen einen Spion sehen und Sie an den nächsten Stamm knüpfen.«

»Aber Modesto soll doch hingehen!«

»Für den ist die Sache anders. Er kommt mit einem von mir unterzeichneten Schein als mein Diener, um den Leuten in der Stadt Früchte zu verkaufen; das ist hier ein ebenso alltägliches Ereignis, wie sonst überall in der Welt. Aus den Dörfern bringt man Lebensmittel zum Markt, die Großstädter würden ja sonst keinerlei frisches Obst erhalten können.«

»Nun wohl, so bezeichnen Sie auch mich als Ihren Diener!«

Ernesto schüttelte den Kopf.

»Ich sage Ihnen, es geht nicht, Señor. Das ganze Land steht gegen die fremden Unterdrücker in Waffen; reihenweise werden die Soldaten vergiftet, in den Hinterhalt gelockt, in Sümpfe geführt, ja, durch hinab geschleuderte Felsstücke in den Gebirgspässen erschlagen. Man sieht in jedem Begegnenden einen Feind und Spion, besonders hier, wo höchstwahrscheinlich ein Zusammenstoß der feindlichen Armeen erfolgen wird. Einige Meilen weiter nach links stehen Peruaner und Eingeborene, vor uns rücken die Spanier heran und erkämpfen jeden Fußbreit Landes mit ihrem Blute. Glauben Sie mir nun, dass es unter solchen Umständen gefährlich sein würde, den Leuten als Spion zu erscheinen?«

Ramiro senkte den Kopf.

»Ich bescheide mich«, antwortete er. »Wann erwarten Sie den Indianer zurück, Señor?«

»Das kommt ganz darauf an. Vielleicht ist Modesto schon heute Abend wieder hier, vielleicht erst nach Tagen oder Wochen. Er kennt die Umgebung wie seine eigene Tasche, er weiß, wo dir einzelnen Güter liegen und wo am Wege die Wirtshäuser stehen, endlich sind ihm alle Gebirgsschluchten ganz genau bekannt und nicht minder alle Flussübergänge – er soll also auskundschaften, auf welche Weise man in die nicht befestigte Stadt hineingelangt, ohne den Soldaten zu begegnen.«

»Aber wenn man ihn anhält, ihm Früchte und Karren wegnimmt und –.«

»Das ist sogar sehr wahrscheinlich. Er wird dann winseln und heulen, wird behaupten, dass er aus Furcht vor Strafe nicht zu seinem Herrn zurückkehren könne und bei guter Gelegenheit nach Conzito entfliehen. Damit wäre ja denn auch der Zweck des ganzen Unternehmens vollständig erreicht.«

Ramiro winkte dem Indianer: »Sage mir noch einmal, mein guter Bursche, was du womöglich in Erfahrung bringen sollst?«

Modesto grinste unterwürfig.

»Ob der Abt von San Felipe, Bruder Alfredo noch lebt und ob er sich wohl befindet«, versetzte er.

Der Kunstreiter erstickte mit Mühe einen schweren Seufzer.

»Das ist es«, murmelte er. »Das ist es. Modesto, willst du dir rechte Mühe geben, um für mich auf diese Frage eine Antwort zu erlangen?«

»Das ist leicht genug, Señor. Ich gehe in die Klosterkirche und bete ein Ave Maria, – bei der Gelegenheit frage ich den nächsten besten Mönch nach dem Befinden des Abtes. Mein Gebieter, Señor Ernesto ist ja in der Stadt so hoch geachtet, dass alle Leute seinen Namen kennen.«

Ramiro nickte.

»Dann geh, mein Junge, geh und Gott geleite dich. Biete alle deine Schlauheit auf, Modesto, führe die Spanier gehörig hinter das Licht!«

»Ja, Señor, ja. Soll alles besorgt werden.«

Modesto fuhr mit seinen Granatäpfeln hinein in den sonnendurchglänzten Morgen, während ihm der Kunstreiter sehnsüchtig nachblickte.

»Ach, wenn doch dieser lange, ewig lange Tag erst durchlitten wäre!«

Bennos Fenster waren noch verhüllt und Señor Ernesto meinte, man solle ihn nicht stören.

»Sie wollen den jungen Menschen adoptieren, nicht wahr?«, fragte er scheinbar zufällig den Kunstreiter.

»Wenn ich zu meinem Vermögen gelange, ganz sicher, ja.«

»Und dann? Soll er ein Kunstreiter werden?«

»Alles was er etwa wünschen kann, ein Graf, ein Prinz, der Beherrscher meilenweiter Ländereien zu sein. Es liegen im Klostergarten von San Felipe Millionen über Millionen, die will ich mit ihm teilen.«

»Da erscheint er am Fenster«, sagte Ernesto. »Guten Morgen! Guten Morgen!«

Eine Minute später stand Benno neben seinen beiden Beschützern unter den geplünderten Granatbäumen und begrüßte mit jeder Hand einen. Sein hübsches braunes Gesicht glänzte in Frohsinn und Gesundheit; er sagte, dass er sich vorkomme, wie irgendein armer Köhler oder Hirte des deutschen Märchens, so einer, der plötzlich versetzt sei in das Fürstenschloss voll ungeahnter Pracht und Herrlichkeit.

»Wie wunderschön ist Ihr Besitz, Señor Ernesto«, setzte er ganz begeistert hinzu. »Sie müssen hier doch leben wie im Paradies.«

Ein leises Kopfschütteln war die Antwort, ein gar ernster wehmütiger Blick.

»Aus dem Paradies sind wir allesamt verstoßen, Benno, – die Jugend täuscht sich nur darüber und will es nicht glauben – Aber da kommen die anderen Herren«, setzte er dann rasch hinzu. »Wir wollen nun frühstücken.«

Wieder hatte Pietros Frau das köstlichste Weißbrot frisch gebacken; dazu gab es alle möglichen guten Dinge und dann gingen sämtliche Herren hinaus, um die Besitzung in Augenschein zu nehmen. Hinter dem Blumengarten begannen die Weinberge, in denen Tausende und Abertausende von Stöcken, mit reifenden Trauben beladen, ihre breiten grünen Blätter im Morgenwind fächelten.

Pfirsichspaliere zogen sich an den Rückseiten der Wirtschaftsgebäude dahin, hohe Palmen streckten ihre gefiederten Wedel in die Luft empor, während unter ihrem Schatten die Pisanggewächse Blätter wie Tischtücher in reicher Fülle trieben und zentnerschwere Fruchtbüschel, die riesigen Bananentrauben, dem Beschauer entgegenstreckten. Alleen von Orangenbäumen durchzogen das ganze Gut.

Überall spross und grünte der Sommer in tausend Blüten und Früchten, überall hing der Segen an Zweigen und Büschen. Man durfte nur die Hand ausstrecken, um das Köstlichste zu pflücken, was je unter tropischer Sonne zur Reise gedieh. Den Beschluss machte eine Wanderung an den stäubenden, rauschenden Wasserfall.

»Jetzt werde ich den Herren meine Proviantkammer zeigen«, sagte Ernesto.

Der Kunstreiter sah umher.

»In den Felsen?«, fragte er. »Ja. Ich habe die geräumigen, weitverzweigten Höhlen ihrer Kälte wegen immer als Aufbewahrungsort für Lebensmittel gebraucht, jetzt aber schon seit längerer Zeit große Vorräte darin angesammelt, um im Fall einer Belagerung gerüstet zu sein. Für längere Zeit können die Spanier nicht an diesem Ort bleiben.«

»Erwarten Sie denn überhaupt so ganz bestimmt, dass Soldaten hierher kommen werden, Señor Ernesto?«

»Das ist zu fürchten, ja. Allen Besitz, den ich nicht verlieren möchte, Kleinigkeiten, an denen das Herz hängt, Briefe, Bilder und dergleichen habe ich in den Felsspalten versteckt. Kein Räuber wird sie finden.«

Die Gesellschaft stand jetzt vor dem Fall, dessen Wassermassen hoch herab in ein natürliches Becken stürzten und weißen flockigen Schaum rings über eine Fülle von Stromgewächsen dahin sandten. Rohr von zwanzig Fuß Höhe, Schilfhalme, unter deren grünen Wogen sich ein Mann mit Leichtigkeit verbergen konnte, wundervolle Miritipalmen standen hier in dichten Gebüschen, bedeckt mit Blumen, denen Bienen und Kolibris nachjagten.

Bis zu den Regionen des ewigen Schnees streifte der entzückte Blick und wandte sich dann seitwärts, einer Anzahl bewachsener Felsblöcke zu, einer wildromantischen Partie, wie sie schöner und herrlicher nicht gedacht werden konnte. Hier ein freistehender Kegel, ganz grau und kahl, dort Moos in tiefen Schluchten, eine schlanke, zwischen Steinen hervor wachsende Palme mit geneigter, niedergebeugter Krone, – dann wieder Abgründe, in die der Fuß des Menschen nicht gelangen zu können schien, dunkle Tiefen ohne Boden oder Licht.

»Aber ich sehe keinen Eingang«, rief Benno.

Der Hausherr lächelte.

»Das freut mich«, antwortete er. »Ich bin dann umso sicherer, dass auch die Spanier nichts entdecken werden.«

Er trat hinter einen bemoosten Felsblock, der in stattlicher Höhe zum Himmel ragte, und forderte die übrigen auf, ihm zu folgen. Noch zwei oder drei Windungen, ganz bequem zurückzulegen, und dann standen alle in einer geräumigen Höhle, deren eine Wand durch das herabstürzende Wasser gebildet wurde. Gleich einer silbernen, beweglichen Decke lag es vor dem Raum, in welchem jetzt die Männer standen.

Nicht dicht genug fließend, um den Durchblick der Sonne ganz zu verhindern, hüllte es das Innere der Höhle in einen Halbschatten, welcher die Gegenstände ringsumher zwar erkennen ließ, aber doch nur in unbestimmten Umrissen, nur wie verschwommen, als ob Nebel auf und nieder wogten, um das Geheimnis dieser Zugänge zu behüten.

Ernesto schlug Feuer und entzündete an mehreren Stellen der Felswände Lichter, die in eisernen Armen steckten. Nun war alles hell beleuchtet; man sah zahlreiche Säcke, Kisten und Tonnen, Haufen von Decken und Pferdegeschirren, Eisengeräte und Mobilien. Was hier gespeichert lag, das konnte hinreichen, um einen großen Hausstand auf Monate hinaus zu versorgen. Benno nahm jede Einzelheit voll des lebhaftesten Interesses in Augenschein.

»Schließen sich an diese Höhle noch weitere, Señor Ernesto?«, fragte er. »Noch drei. Aber da muss ich mit einem Licht vorausgehen.«

Der zweite Raum enthielt aufgeschüttetes Saatkorn, dann kam der dritte, ganz leere. Señor Ernesto hielt in erhobener Hand das Licht.

»Vorsichtig, meine Herren!«, sagte er mit warnender Stimme.

Als Benno leichtfüßig zu ihm sprang, streckte er sogar erschreckend den Arm aus.

»Nicht so hastig! – Da ist eine Untiefe.«

Der Kerzenschimmer fiel auf einen gähnenden Spalt mit breiten, schwarzen Rändern. Hoch vom Himmel her drangen Lichtfunken in das Gewölbe, drangen vereinzelte Laute der Außenwelt, ein Vogelgezwitscher, das Rauschen des Windes in den Palmenkronen, der Ruf einer Menschenstimme, – nur da unten herrschte die Ruhe des Todes. Eine eisige Luft stieg empor; von den Insekten, die bisher an den Wänden der Höhlen gesehen waren, fand sich hier keines mehr vor.

»Geht das tief hinab?«, fragte Benno, unwillkürlich flüsternd. »Ein schauerlicher Ort, Señor Ernesto!«

»Geben Sie einmal acht! Ich will einen Stein hineinwerfen.«

Er tat es und erst nach geraumer Zeit ertönte das Aufschlagen des Kiesels; es plumpste, als falle derselbe ins Wasser.

»Sicherlich geht das über hundert Fuß hinab«, meinte der Doktor.

»Ich würde den Zugang vermauern lassen, Señor Ernesto.«

Der Hausherr lächelte.

»Keiner meiner Arbeiter wagt sich in diese Höhle«, versetzte er. »Die Leute sind sämtlich Christen, aber von ihrem Dämonenglauben lassen sie doch nicht ab. Da unten wohnt die Schwester des bösen Geistes«, sagen sie, »eine kleine Eulenart, die in den Gebirgsschluchten häufig vorkommt und deren Feindschaft sie besonders fürchten. Ich bin überzeugt, dass es mir auf keinen Fall gelingen würde, die abergläubischen Menschen zum Eintritt in die Höhle zu bewegen.«

Er ließ das Licht sinken und ergriff Bennos Arm, um ihm den Weg zu zeigen.

»An diesem Punkt müssen wir umkehren, Señores. Weiter als bis hierher führt kein Weg.«

Benno sah empor zur vielzackigen, hochgewölbten Decke des unheimlichen Raumes. Hier und da hingen Blumen über den Spalten; ein Sonnenstrahl glitt spielend bis zu halber Tiefe hinab, aber die gähnende Gruft da unten lag in ewigem Dunkel; nie sollte menschliche Weisheit ergründen, woher das Wasser, in welches der Stein gefallen, kam und wohin es floss.

»Wer da hinabstürzte!«, sagte schaudernd unser Freund. »Mein Gott, sprechen Sie etwas so Schreckliches nicht aus! – Schnell, schnell, dass wir wieder an das Tageslicht kommen, Benno. Sie müssen mir geloben, auf keinen Fall allein hierher zurückzukehren.«

»Ich würde nie absichtlich Ihren Wünschen entgegen handeln, Señor Ernesto.«

»Das ist gut. Jetzt können Sie einmal reiten, wenn es Ihnen Vergnügen macht. Meine Pferde sind ganz in der Nähe.«

Ramiro und der Schlangenmensch beteiligten sich an dem Ausflug zu den Weiden, und ein angenehm verlebter Tag ging schnell dahin. Der Kunstreiter hatte einmal den Hausherrn gefragt, zu welcher Stunde Modesto aus der Stadt zurückkommen könne, und seitdem sah er alle fünf Minuten auf die Uhr.

»Jetzt ist die Zeit da, Benno«, flüsterte er. »Wie mir bangt!«

»Denken Sie nicht immer daran, Señor; das macht Ihnen die Sache nur schwerer. Modesto wird schon zurückkommen.«

»So? – Und wenn er gefangen genommen, wenn er getötet wäre?« Benno zuckte die Achseln.

»Haben wir nicht schon ganz anderes ertragen, als nur eine geringfügige Verzögerung, Señor? Denken Sie an den Tag unserer Gefangennahme, an den, der im versumpften Wald ein Halt gebot. Damals hatten wir kein Leben, wie wir es hier führen.«

Ramiro senkte die Stirn in beide Hände; er blieb die Antwort schuldig. Stunde um Stunde verging, der Abend brach herein, aber Modesto kam nicht zurück.

»Er ist in irgendeiner Weise verhindert worden«, sagte der Hausherr. »Morgen oder übermorgen sehen wir ihn wieder.«

Auch jetzt schwieg der Kunstreiter, aber er zuckte, wie von einem Schuss getroffen.

»Morgen oder übermorgen!«

Vielleicht auch erst nach Wochen, vielleicht nie. Wie lose Fäden im Wind, so schien die Hoffnung zu zerflattern, in nichts zu zerrinnen.

Als man daran dachte, sich abends zur Ruhe zu begeben, da fehlte Michael. Er war mit dem alten Philippo am Nachmittag in den Wald gegangen und nicht zurückgekehrt; Ramiro erschrak aufs Neue.

»Gibt es hierherum reißende Tiere?«, fragte er den Hausherrn. »Sollte der arme Junge verunglückt sein?«

Ernesto schüttelte den Kopf.

»Wir haben seit Jahren keinen Jaguar mehr gesehen«, antwortete er. »Da kann gar nichts geschehen sein, aber trotzdem will ich zu Ihrer Beruhigung Leute mit Fackeln in den Wald schicken.«

Ehe jedoch diese Absicht ausgeführt werden konnte, erschien der Gesuchte und sah aus, als sei ihm ein unerwartetes Glück begegnet. Das magere Gesicht glühte in unnatürlichem Rot, die Augen glänzten fieberhaft.

»Junger Herr«, flüsterte er, als ihm Benno entgegenging, »junger Herr, ich möchte Ihnen etwas mitteilen.«

Unser Freund fühlte bei dem Blick in die verstörten Züge des Unglücklichen ein tiefes Erbarmen.

»Michael«, sagte er, »wie sehr haben Sie uns erschreckt!«

»Womit denn? Ich bin so unendlich glücklich.«

»Das freut mich. Aber wo waren Sie denn so lange?«

»Im Wald – mit dem alten Philippo. Junger Herr, soll ich Ihnen etwas sehr, sehr Schönes erzählen?«

»Nun, was gibt es denn also, Michael?«

Der Irre beugte sich ganz nahe zu unserem Freunde hinüber.

»Aber nichts verraten!«, flüsterte er.

»Nein, nein.«

»Philippo hat die Alraunwurzel gefunden.«

Und der arme junge Mensch fasste Bennos Hände, er schluchzte vor Freude, augenscheinlich war ihm der letzte Überrest vernünftigen Denkens abhandengekommen.

»Ich will nun die Wassernixen beschwören«, raunte er. »Habe ich einmal die wundertätige Alraunwurzel in der Hand, so müssen mir alle Geister zwischen Himmel und Erde unweigerlich gehorchen.«

Benno versuchte nicht, dem Unglücklichen diese Wahnvorstellungen auszureden, er bat ihn nur, jetzt ruhig sein Lager aufzusuchen.

»Señor Ramiro ängstigt sich Ihretwegen, Michael«, sagte er.

Der Halbirre erschrak.

»Was geht das diesem Mann an? Ramiro möchte gern, dass mir die Wassernixen niemals begegneten, ich weiß auch, warum. Aber«, setzte er dann plötzlich hinzu und ergriff mit heißen Fingern Bennos Hand, »es ist doch gar kein Boot in der Nähe und kein Ruder?«

Es lief kalt durch die Adern unseres Freundes. Wie oft hatte nicht Michael schon diese Worte wiederholt, immer dieselben und immer im Ton einer entsetzlichen Seelenangst. Irgendein trauriges, erschütterndes Geheimnis lag ohne Zweifel dem beständig wiederkehrenden Gedanken zugrunde, – aber welches?

Benno grübelte nicht, er gab sich keine Mühe, in solcher Untiefe Anker zu werfen; ihn wenigstens gingen diese Dinge auf keinen Fall etwas an.

»Jetzt wollen wir zu Bett gehen, Michael«, sagte er in beschwichtigendem Ton. »Morgen können Sie dann die Kräfte der Alraunwurzel probieren.«

Michael nickte mit glänzenden Augen. »Morgen!«, raunte er. »Morgen! – Junger Herr, ob wohl die Wassernixen hier in Amerika mit denen in Ungarn eine Verbindung unterhalten? Oder ob sie alle, von uns Menschen ungehört und ungesehen, immer miteinander sprechen? – Ein Geist zum anderen, über den ganzen Erdball hinweg?«

Benno schüttelte den Kopf. »Das weiß ich nicht, Michael, kommen Sie jetzt nur mit mir; der Hausherr und die übrigen warten.«

Sie gingen zur Veranda, auf welcher seltsamerweise die ganze Bewohnerschaft des Landgutes sich versammelt hatte, ebenso die fremden Gäste, einschließlich der Rothäute. Es schien als ob alle horchten. In der Ferne erklang der dumpfe Galopp eines Pferdes, das sich im schnellsten Tempo dem Haus näherte.

»Señor Ernesto«, rief, von schlimmer Ahnung ergriffen, unser Freund, »Señor Ernesto, was ist geschehen?«

Der Herr des Landgutes streckte ihm die Hand entgegen.

»Noch nichts, Benno, aber es kommt ein berittener Bote, der jedenfalls hierher eine Nachricht bringt – man hört das Pferd. Einer meiner Peones wird es sein. Bleiben Sie nur auf alle Fälle hier, gehen Sie nicht ohne mich aus dem Haus.«

»Da ist der Reiter!«, riefen in diesem Augenblick mehrere Stimmen zugleich.

Eine dunkle Gestalt sprengte in schärfstem Galopp über die offene, keine Spur einer wirklichen Straße zeigende Fläche daher, parierte vor dem Haus geschickt wie ein Zirkusreiter das Pferd und sprang ab, um unter die Veranda zu treten. Lautlose Stille empfing den Ankömmling.

Den Strohhut vom Kopf nehmend, sagte der hübsche junge Mann mit einem Rundblick auf die Versammelten halb zögernd, halb unruhig, indem er den Schweiß von seiner Stirn wischte:

»Guten Abend, Señor Ernesto! Ich habe euch eine Mitteilung zu machen.«

»Guten Abend, Esteban«, antwortete der Hausherr. »Was gibt es?«

»Wollt ihr es nicht lieber unter vier Augen hören, Señor?«

»Ich glaube kaum. Meine werten Gäste sind sämtlich gut peruanisch gesinnt.«

»Nun«, versetzte der junge Hirte, »ihr müsst es ja wissen. In zwei oder drei Stunden sind die spanischen Soldaten hier, Señor Ernesto.«

Ein Schreckensschrei zerriss die Luft, selbst der Hausherr wechselte die Farbe.

»So schnell schon, Esteban? Weißt du es gewiss?«

»Ganz gewiss, Señor. Ich muss jetzt fort, um mit den anderen die Pferde in Sicherheit zu bringen.«

Er schwang sich sogleich wieder in den Sattel, stürzte ein ihm in aller Eile gereichtes Glas Wein auf einen Zug hinunter, winkte mit ausgestreckter Hand ein Lebewohl und sprengte davon wie er gekommen war, mit jagendem Huf und jagendem Pulse, nur darauf bedacht, das Eigentum seines gütigen, menschenfreundlichen Gebieters vor der drohenden Gefahr zu beschützen und von der Annäherung des Feindes rechtzeitig Kenntnis zu geben.

Unruhige Blicke sahen ihm nach, unter den Versammelten herrschte tiefes Schweigen. Das war eine Hiobsbotschaft, wie sie schlimmer nicht gedacht werden konnte.

»Wollen wir flüchten, Señor Ernesto?«

Jemand aus der Gruppe der Dienstboten hatte es gesagt, aber der Hausherr schüttelte den Kopf.

»Wir widersetzen uns in keiner Weise, lassen die Eroberer nehmen, was sie finden und stellen den Ausgang Gott anheim«, entschied er. »Ich glaube, es ist in meinem Haus kein Verräter, kein heimlicher Feind, das genügt mir.«

Sie umdrängten ihn alle, die Frauen schluchzend, die Männer mit blitzenden Augen, – jeder wollte ihm die Hand drücken, ihm versichern, dass erst über die eigene Leiche der Weg zu seinem Herzen führen solle. Nur mit Mühe gelang es der ruhigen Autorität Ernestos, die Leute einigermaßen zur besonnenen Auffassung der Sachlage zurückzuführen; er hieß alle ohne Ausnahme schlafen gehen und schloss selbst an den Fenstern die Läden. Carry, der Puma, wurde in sein eigenes Schlafzimmer gebracht, dann erloschen im Haus sämtliche Lichter und alles ringsumher lag wie ausgestorben. Es schlief natürlich niemand. Oben auf dem Korridor hatte Ernesto im Dunkeln Bennos Hand ergriffen und ihm zugeflüstert:

»Sie gehen doch unter keiner Bedingung aus Ihrem Zimmer, junger Herr? Gewiss nicht?«

»Ich verspreche es Ihnen, Señor.«

»Das ist gut. Sie ahnen nicht, welche Gräuel hier stattfinden, wie unbarmherzig bei dem geringsten Verdacht der Spionage oder der heimlichen Gegnerschaft die Spanier verfahren. Eines Hauses Türen zu verschließen, die Umgebung abzusperren und alles, was in dem umzingelten Gebäude lebt, zugleich mit demselben zu verbrennen, das ist diesen Leuten ganz geläufig. Es geschieht jeden Tag.«

Benno schauderte.

»Sie denken, dass die Truppen nur auf dem Durchmarsch begriffen sind, Señor Ernesto?«

»Gott gebe es. Wenn hierherum eine Schlacht stattfinden sollte, dann werden natürlich die Ereignisse vollkommen unberechenbar.«

»Aber das schöne Haus!«, sagte in bedauerndem Ton unser Freund. »Sie haben doch gewiss Ihre Heimat sehr lieb, Señor Ernesto! Wohnen Sie schon länger hier?«

»Etwa seit zehn Jahren. Als ich kam, war diese Stelle dichter Urwald und die benachbarten Indianer völlig wilde Heiden. Menschen ohne Kleider, ohne Arbeit, ohne eine Ahnung von dem Begriff des Geldes. Ich brachte für den Bau des Hauses Leute aus der Stadt mit hierher, und dann begann ich meine Reisen zu den Eingeborenen, – gottlob! Wenn auch die Spanier jetzt mein Besitztum verwüsten sollten, ganz umsonst habe ich doch nicht gelebt.«

Er legte im Dunkeln den Arm um Bennos Schultern und berührte leicht mit seiner Stirn die des Knaben.

»Benno, möchten Sie nicht für immer bei mir bleiben?«, flüsterte er. »Möchten Sie nicht dereinst alles was ich besitze – und das ist

ziemlich viel! – als Erbe erhalten, ganz wie – wenn – Sie – mein Sohn
– wären?«

Die Stimme des sonst so ruhigen Mannes bebte, es schien, als habe
er kaum Kräfte genug, um die wenigen Worte hervorzubringen. Fester
lehnte sich seine Stirn gegen die des Knaben, fester umschlang sein
Arm den Nacken desselben.

»Benno, sagen Sie nicht nein, bleiben Sie bei mir! – Wenigstens
vorläufig.«

»Bis Briefe aus Hamburg kommen«, antwortete seltsam erregt unser
Freund. »Ich würde mich von Ihnen nur sehr schwer auf immer
trennen, Señor Ernesto, – es ist mir oft, als hätten wir uns jahrelang,
ja, von jeher gekannt, aber dennoch –.«

»Nun, Benno?«

»Dennoch möchte ich gar zu gern studieren. Gehen Sie mit Doktor
Schomburg und den übrigen nach Hamburg, Señor, zurück nach
Deutschland, Ihr Leben wird dann nicht mehr so einsam, so freudlos
sein.«

Ernesto seufzte tief.

»Das ist unmöglich«, sagte er in traurigem Ton. »Ewig unmöglich.
Gute Nacht, Benno. Ich habe Ihr Versprechen – erinnern Sie sich
dessen?«

»Ja, Señor, ja.«

Sie trennten sich und Benno suchte gleich allen übrigen sein Lager,
aber ohne die Augen schließen zu können. Wie unglücklich mochte
sich Ernesto fühlen! – Es war ein Scheinleben, das er führte, anderen
zum Segen, für ihn selbst nur eine täglich erneute schwere Aufgabe,
eine Bürde, die er trug ohne zu klagen, aber deren Druck er fast erlag.

»Schließen Sie mit Ihrem Gewissen nie ein Abkommen, Benno«,
hatte er einmal gesagt, »halten Sie nie eine Übertretung für geringfügig
und verzeihlich, darin liegen unberechenbare Gefahren versteckt.«

Jedenfalls sprach er das aus eigener Erfahrung. Ein schmerzliches,
zerstörendes Leid musste ihn in früher Jugend getroffen haben. Benno
lag mit offenen Augen und zählte die eiligen Schläge seines Herzens.

Wenn jetzt der Morgen angebrochen wäre, wenn die Sonne in das
Fenster hineingesehen hätte, – wie eine Erlösung würde er es empfun-
den haben. Aber die Nacht fing ja erst an; es war noch nicht zwölf
Uhr. Neben ihm klopfte Ramiro an die leichte Bretterwand.

»Schlafen Sie, Benno?«

»Nein, Señor.«

»Ich horche immer. Noch ist Modesto nicht zurück.«

Ein plötzlicher Gedanke durchzuckte die Seele unseres Freundes.

»Das spanische Regiment kommt aus der Stadt«, sagte er. »Es ist leicht möglich, dass einer der Soldaten den Abt von San Felipe kürzlich in der Kirche sah.«

Ramiro seufzte tief.

»Möglich!«, bebte es über seine Lippen. »Immer nur: Möglich! – Und doch dürstet meine Seele nach Gewissheit.«

Benno antwortete nicht. Im ganzen Haus war es totenstill, nur die Uhren tickten leise und unmerklich drehte sich der Zeiger jener Stunde entgegen, in der die Feinde anrücken sollten, vielleicht mit blanker Waffe, als Plünderer und Angreifer jedenfalls. Zusammen auf derselben Matte lagen Pluto und Carry; der Hund spitzte die Ohren, er knurrte leise. Ob die Spanier schon kamen? Ein Steinchen, vielleicht nur ein wenig Kies flog von draußen gegen Ernestos Fenster.

»Señor! Señor!«

Er sprang auf.

»Bist du es, Pietro?«

»Sie kommen! Sie kommen!«, raunte mit gerungenen Händen der alte Hausmeister. »O Señor Ernesto, wie der Boden dröhnt! Es sind ihrer viele! Ach so viele!«

»Still! Begib dich augenblicklich in das Haus und verschließe die Tür. Es darf kein Licht angezündet werden.«

Der Alte verschwand und auch Ernesto legte sich wieder hin. Es war nicht gut, wenn die Spanier erfuhren, dass man innerhalb der von ihnen besetzten Linie Verbindungen unterhielt, dass man ihre Ankunft schon vorher gewusst hatte. Das nannten sie Spionage, Verrat, Empörung; sie bestraften es durch auserlesene Martern, unter denen ein einfaches Erschießen oder Verbrennen noch als das Harmloseste zu bezeichnen war. Ramiro klopfte wieder gegen die Wand.

»Sie kommen!«, rief jetzt auch er. »In wenigen Minuten sind sie da.«

»Und vielleicht ist Modesto bei ihnen!«

»Gott gebe es! Gott gebe es!«

Sie schwiegen beide, einer so unruhig wie der andere. Ach, wenn es heller Tag gewesen wäre, – welche Wohltat. Draußen waren unterdessen die Schützen ausgeschwärmt. Hinter jedem Strauch und Baum

Deckung suchend, drangen sie von drei Seiten gegen die Besitzung vor, leise gleitend wie der Tiger, wenn er auf Raub ausgeht, wie die Schlange, deren Windungen das Opfer umschlingen, noch ehe dieses die Nähe des gefährlichen Feindes erkennt.

Kein Zeichen eines Hinterhaltes, einer peruanischen Besatzung oder auch nur einer Feldwache ließ sich blicken, rings um das Gehöft lag alles in tiefster Stille, so dass der Anführer der Schützen sehr bald durch eine berittene Ordonnanz dem Regimentskommandeur einen Rapport abstattete und nun die Truppen auf offenem Feldweg anrückten. Es gab hier nichts zu fürchten, so viel hatte man schon gesehen. Ganz im Dunkel lag das Haus mit seinen Nebengebäuden und dem großen parkartigen Garten.

Nur Pluto bellte; sonst ließ sich keine Stimme vernehmen. Die Offiziere traten zusammen, Nachtgläser durchforschten rings die Umgebung.

»Nichts Verdächtiges«, flüsterte der Kommandeur. »Wir können hier einstweilen Posto fassen und die eingeborenen Kundschafter vorausschicken.«

Er gab dann den Befehl, Zelte aufzuschlagen und die Mannschaften bis auf eine starke Wache sich hinlegen zu lassen; danach klopfte jemand an die Tür des Hauses. Nach einer halben Minute öffnete sich im oberen Stock ein Fenster.

»Wer ist da?«, fragte mit lauter Stimme der Hausherr.

»Soldaten Seiner Majestät des Königs von Spanien. Machen Sie auf, Señor!«

Das Fenster schloss sich wieder und bald danach ging Ernesto die Treppen hinab, um seine Haustür zu öffnen, gewiss nicht leichten Herzens, aber äußerlich vollkommen gelassen.

»Treten Sie ein, meine Herren«, sagte er. »Was steht Ihnen zu Diensten?«

Die spanische Höflichkeit verleugnete sich auch in diesem Augenblick noch keineswegs. Der Adjutant des Kommandierenden, Graf Lunar, ein schwarzäugiges schlankes Kerlchen, nicht viel größer als ein vierzehnjähriger deutscher Knabe, – Graf Silvio Lunar verbeugte sich äußerst höflich.

»Ich grüße Sie, Señor! Die Soldaten Seiner Majestät bitten um alles, dessen der Sterbliche bedarf, Brot, Wein, Fleisch usw.. Für die Offiziere außerdem Zimmer im Haus, Betten und Bedienung.«

Señor Ernesto hatte ohne Unterbrechung zugehört; jetzt deutete er mit der Rechten in das Innere des Flures.

»Treten Sie also ein, meine Herren! Wir befinden uns im Krieg und ich kann Sie nicht hindern, mein Eigentum als das Ihrige zu betrachten.«

Der Adjutant legte wieder zwei Finger an die Feldmütze; seine schwarzen Augen schienen die Umgebung nach allen Seiten zugleich beobachten zu wollen.

»Unter Kavalieren versteht man sich jederzeit ohne Mühe«, sagte er in gefälligem Ton. »Bitte, Señor, verschaffen Sie uns ein Licht und öffnen Sie die für Seine Exzellenz den Herrn Obersten bestimmten Gemächer.«

Ernesto biss die Zähne zusammen. Dieses junge Bürschchen trat auf wie jemand, der nur zu befehlen braucht, um sogleich eine Reihe von Sklaven sich demütig verbeugen zu sehen; aber es wäre unklug gewesen, ihm zu widersprechen.

Der alte Pietro musste mit zitternden Händen die Staatsgemächer des Hauses erleuchten und Wein und Braten auf den Tisch schaffen. Nach und nach hatten sich die übrigen Offiziere des Regiments eingefunden; eine glänzende Gesellschaft füllte sämtliche Räume, und als der Kommandierende in einer schnell befestigten Hängematte Platz genommen hatte, ließ er den Hausherrn zu sich kommen.

Eine Handbewegung mochte als Gruß gelten, dann begann ein Examen, welches mehr als nur einmal die Röte des Zornes in Ernestos bleiches Gesicht trieb.

»Ihr Haus ist vollständig mit Wachtposten umgeben, Señor, es kann niemand herein oder hinaus, entsinnen Sie sich gefälligst dieses Umstandes und sprechen Sie durchaus die Wahrheit. Wer befindet sich außer Ihnen selbst etwa noch hier?«

»Meine Dienerschaft«, antwortete Ernesto, »dann einige fremde Gäste.«

»Ah! – Wer sind diese Leute?«

Ernesto gab Auskunft und der gebietende Herr Oberst runzelte ärgerlich die Stirn.

»Reisende?«, wiederholte er in misstrauischem Ton. »Reisende, während das ganze Land im Krieg begriffen ist? – Man führe mir die Leute sogleich hierher.«

Ein Unteroffizier mit mehreren Soldaten wurde beordert, das ganze Haus zu durchsuchen. In jedes Zimmer drangen die Mannschaften, gleich Gefangenen mussten unsere Freunde ihnen folgen, um von einer Wache umgeben vor Seiner Exzellenz zu erscheinen und sich hochmütig und misstrauisch zugleich beobachten zu lassen. Alle Namen wurden notiert.

»Ihre Pässe!«, befahl der Oberst.

»Wir haben unser Gepäck und mit diesem sämtliche Legitimationspapiere bei einem Überfall der Indianer verloren.«

»So! So! Die alte Geschichte. Und wohin dachten Sie sich jetzt zu begeben?«

»Quer durch das Land nach Lima, Exzellenz.«

»Was wollen Sie dort?«

»Wir gedenken uns nach Europa einzuschiffen.«

»So? Und Ihre Reise wäre wirklich eine rein wissenschaftliche gewesen? – Auch die Ihrige, Señor, und diejenige dieses jungen Menschen?«

Sein scharfer Blick streifte den Kunstreiter und zugleich das Gesicht des neben ihm stehenden Knaben.

»Antworten Sie«, sagte er in strengem Ton. »Was führte Sie hierher?«

Ramiro zuckte die Achseln.

»Wenigstens nichts, das sich auf den Krieg bezöge, Exzellenz. Es waren Familienangelegenheiten, derentwegen ich mich in Rio den Herren Naturforschern anschloss, ganz private Verhältnisse.«

Der Oberst lächelte ironisch.

»Oder man ist ein Kundschafter«, sagte er, »man steht in Verbindung mit mehreren peruanischen Regimentern, die auf keinen Fall weit von hier entfernt sein können. Es gilt, unsere Stellung auszuspionieren und den Durchgang nach Conzito zu ermöglichen, nicht wahr?«

»Nein, Exzellenz, wir geben keinem Menschen Nachricht und haben keinerlei Botschaften übernommen.«

Ramiro sagte das mit dem Ton der Wahrheit, aber er konnte nicht verhindern, dass ihm bei dem Namen seiner Vaterstadt das Blut heiß ins Gesicht stieg.

»Wir haben nirgends peruanische Soldaten gesehen«, fügte er hinzu, »also auch mit solchen nicht verkehrt.«

Der Oberst zuckte die Achseln.

»Sie dürfen vorläufig die Besitzung nicht verlassen«, befahl er. »Was weiter geschieht, wird sich finden.«

»Und nun zu Ihnen«, fügte er dann, gegen den Hausherrn gewendet, hinzu. »Wo sind Ihre Pferde, mein Herr, und Ihre Rinder?«

»Die Tiere weiden in den Grasebenen jenseits des Flusses, Exzellenz.«

»Gut. Und die Vorratsschuppen, die Magazine für Lebensmittel und Futter?«

»Diese stehen neben dem Wohnhaus.«

Ein zorniger Blick traf den seinigen.

»Man berichtet mir, dass diese Räume leer sind, Señor. Der Proviant ist also versteckt, Sie haben die Absicht, Seine Majestät, den König von Spanien, zu bestehlen.«

Ernesto lächelte gelassen.

»In keiner Weise«, antwortete er.

»Dann geben Sie sogleich die Vorräte heraus.«

»Außerdem, was hier liegt, besitze ich nichts, Exzellenz. Nehmen Sie, was Sie finden, – ich kann es nicht verhindern.«

Der Spanier nickte drohend.

»Verlassen Sie sich darauf, Señor. Und wehe Ihnen, wenn wir Sie auf Nebenwegen ertappen! Die ganze Schwere der Kriegsgesetze würde Sie treffen.«

Ernesto verbeugte sich ruhig.

»Können wir uns jetzt entfernen, Señor?«

»Gehen Sie zum –.«

Er sprach das Wort nicht aus, aber die Bewegung, mit welcher er sich abwandte, war deutlich genug. Eine reiche Beute an guten Dingen schien ihm klüglich entrückt und er bebte vor Wut. Draußen auf dem Flur standen Unteroffiziere und Soldaten; unsere Freunde konnten daher kein Wort miteinander sprechen, erst oben in den beiden letzten, ihnen gebliebenen Schlafzimmern waren sie allein und rückten nun nahe zusammen, um das Nötigste zu beraten und die vollen Herzen durch gegenseitige Aussprache zu erleichtern.

»Señor, Señor«, bat Benno, »ich bitte Sie um Gottes willen, geben Sie doch die versteckten Vorräte heraus.«

Ernesto schüttelte den Kopf.

»Weshalb das? Wovon sollten wir leben und womit sollte ich demnächst meine Felder bestellen?«

»Ach, das ist gleichviel, Señor! Man wird die Felsenkammer finden und wird Sie zur Verantwortung ziehen, – töten, erschießen, unter der Maske des Kriegsrechtes abschlachten.«

Ernesto ergriff im Dunkel die Hand des Knaben und drückte sie zärtlich.

»Täte Ihnen das leid, Benno?«

»Ach! – Ich glaube, ich könnte nie im Leben wieder froh werden.«

»Sie sind ein guter Junge, und ich danke Ihnen tausendfältig jede freundliche Empfindung, aber die Proviantkammer will ich doch lieber noch nicht preisgeben. Morgen, spätestens übermorgen, zieht die Rotte weiter.«

»Aber was kann nicht bis dahin alles geschehen sein?«

»Ich will mich schon in Sicherheit bringen«, raunte Ernesto. »Diese Felsen haben unzählige geheime Schlupfwinkel, die nur der Eingeweihte kennt, – schlimmsten Falles finde ich dort ein sicheres Asyl.«

Dabei blieb es, auch die anderen konnten ihn nicht umstimmen.

»Wenn es sich nur um den Wert handeln würde«, sagte leise Ernesto, »dann sollten diese Herren in Gottes Namen alles nehmen, lebendes und totes Besitztum, ich hänge wahrhaftig nicht an diesen irdischen Güter, aber das Verlorene lässt sich nicht ersetzen. Ich kann für Geld weder Saatkorn noch Lebensmittel wieder einkaufen.«

»Und nun«, fügte er tief atmend wieder hinzu, »nun lassen Sie uns womöglich noch einige Stunden schlafen. Morgen stehen jedenfalls neue Heimsuchungen bevor.«

Er zog auf dem in aller Eile hergerichteten, gemeinschaftlichen Strohlager unseren Freund an seine Seite, und wenn auch vielleicht niemand wirklich schlief, so schlossen sich doch die Augen und in dem ganzen Haus wurde es still.

19.

**Übermütige Sieger – Die Alraunwurzel – Nächtliche Flucht –
In der Höhle geborgen – Gelungene List**

Mit Tagesanbruch begann auf dem ganzen Gut ein lautes, eigenmächtiges Treiben der Soldaten, ein Suchen und Spionieren, dem die Offiziere keinerlei Widerstand entgegensetzten. Im Haus und in den Wirtschaftsgebäuden wurde jeder Winkel durchsucht, jeder Verschluss geöffnet, jedes Hindernis mit Gewalt beseitigt. Der Haziendero, Señor Ernesto, galt als reicher Mann, – wo steckten denn aber seine Schätze? Er musste doch das Geld irgendwo verborgen haben. Die Soldaten plünderten rücksichtslos den Garten und den Weinberg.

In allen Bäumen hingen die schwarzbärtigen Gesellen, alle Trauben schnitten sie halbreif von den Stöcken. Schon am Nachmittag war auf dem Gut keine genießbare Frucht mehr zu finden. In den Zimmern kommandierten die Offiziere. Nur zwei Räume waren dem Herrn des Hauses übrig gelassen, in allen anderen dagegen trieben die säbelrasselnden Fremden ihr Wesen; Ordonnanzen kamen und gingen, jeden Augenblick wurden gefangene Indianer oder weiße Dienstleute der benachbarten Haziendero unter Bedeckung vorgeführt, um über den Stand der feindlichen Armee Rechenschaft zu geben.

Die Leute wurden ausgehorcht, wo das peruanische Heer im Hinterhalt lag, ob sich Freikorps gebildet hatten und tausend andere Dinge mehr; wenn sie auf alles dieses keine Antwort geben konnten, drohte ihnen der Oberst mit den härtesten Strafen und sann für die erlittene Täuschung auf Rache an solchen Personen, die im Augenblick seiner Macht verfallen waren.

»Mein Herr«, schnaubte er dem Besitzer des Gutes entgegen, »mein Herr, wo befindet sich Ihr Vieh. Auf den Weiden am Fluss ist keine Katze zu entdecken, geschweige denn Rinderherden oder gar Pferde.«

Ernesto zuckte die Achseln.

»Ich kann Ihnen keinerlei Auskunft geben, Exzellenz. Die Peones handeln in dergleichen Dingen meistens nach eigenem Ermessen.«

Ein Wutblick streifte den kecken Mann.

»Indem sie das Eigentum Seiner Majestät des Königs von Spanien zu stehlen versuchen, nicht wahr? Die Tiere sind beizeiten in das

Gebirge getrieben, vielleicht gar aus Vorsicht über die Grenze gebracht worden!«

Ernesto schwieg, während der Oberst vor Zorn unaufhörlich die Farbe wechselte.

»Ist es nicht so?«, polterte er.

»Vielleicht, Exzellenz. Bis man im Namen des Siegers von mir die Auslieferung meiner Pferde und Ochsen verlangte, waren die Tiere mein unbestrittenes Eigentum, über das ich nach Gefallen verfügen konnte.«

Ein Zähneknirschen antwortete ihm.

»Es ist gut, Señor, – man beobachtet Sie und Ihr ganzes Haus. Wehe Ihnen, wenn Veruntreuungen entdeckt werden.«

Besonders der schlanke junge Adjutant hatte seine Augen überall, er kommandierte das Dienstpersonal, er erbat sich die Schlüssel zu allen Schränken und rückte jedes Möbel von der Stelle, immer in der Hoffnung, versteckte Schätze zu finden.

Die Soldaten lungerten unterdessen auf den Feldern und im Wald herum, ihrerseits mit heimlicher Schadenfreude von den eingeborenen Dienern des Hausherrn beobachtet, der ganz zufrieden lächelte.

»Es kann unmöglich lange dauern«, tröstete er seine Leute, »die Mannschaften haben ja offenbar nichts zu essen.«

»Sie graben Wurzeln aus der Erde, schütteln die unreifen Palmfrüchte ab und schießen jeden Vogel, der vorüberfliegt.«

Ernesto nickte.

»Umso besser«, antwortete er. »Es ist hoffentlich unter euch niemand, der die geheime Proviantkammer verrät.«

Die Leute küssten seine Hände, Frauen fielen schluchzend vor ihm auf die Knie, und selbst bärtige Männer bemühten sich vergebens, mit fester Stimme zu sprechen.

»Wir lassen alle unser Leben für Sie, Señor.«

»Das ist gut, Kinder. Morgen ziehen die Horden weiter, verlasst euch darauf.«

Unter denen, die zwischen den streifenden Soldaten anscheinend müßig umhergingen, war auch Ramiro. Bis an den Morgen hatte seine Hoffnung auf Modestos Rückkehr wenigstens noch ein kärgliches Dasein gefristet, jetzt aber schien sie ganz erloschen. Der Indianer mit dem schlauen Gesicht würde aus der Menge aufgetaucht sein, wenn er überhaupt mit den Soldaten gekommen wäre, er hätte, ob noch so strenge bewacht, doch ein Lebenszeichen gegeben, aber es war von ihm keine Spur zu entdecken, keine, – der Kunstreiter suchte vergebens und ihn fror trotz der glühenden Hitze, welche an diesem Tag die Luft erfüllte. Am Rand des Waldes saß ein alter Soldat mit der leeren Pfeife zwischen den Zähnen; als Ramiro heimlich spähend vorüber schlich, rief ihn der Spanier an.

»Hast du ein wenig Tabak für mich, Kamerad?«

Der Kunstreiter griff in die Tasche und gab den geringen Vorrat bereitwillig heraus.

»Hier, Señor.«

Der Soldat legte zwei Finger an die Mütze.

»Señor?«, wiederholte er. »Señor? – Bei der gebenedeiten Jungfrau, es klingt für einen halbverhungerten Menschen wie Hohn, sich so nennen zu hören.«

Ramiro blieb stehen.

»Halbverhungert?«, fragte er mit gut gespieltem Erstaunen. »Ich denke, ihr lebt in dem niedergeworfenen Land wie die Herren und schmaust und trinkt was ihr mögt.«

Der Soldat hob abwehrend die Hand.

»Ich sage dir, mache mich nicht wild, du. Ist in deinem Besitz irgendein genießbarer Gegenstand, so gib ihn heraus, und die Heiligen werden es dir lohnen.«

Ramiro schüttelte kläglich den Kopf.

»Wir selbst haben keine Lebensmittel«, antwortete er. »Ein Bote, den der Señor um Brot und Fleisch nach Conzito schickte, ist nicht zurückgekehrt.«

Der Soldat lachte.

»Setze dich einen Augenblick zu mir. Kamerad. Also du glaubst, in der Stadt gäbe es noch irgendetwas zu kaufen? – Santa Barbara, welcher Irrtum!«

»Habt ihr alles verzehrt?«, fragte scheinbar gleichgültig der Kunstreiter. »Längst. Der Hunger hat uns ja vorwärts getrieben, sonst würde unser Oberst sicherlich nicht aufgebrochen sein. Er liebt es, in recht weichen Betten zu schlafen und viel Wein zu trinken, – aber durch den Wald marschiert er sehr ungern.«

Ramiro tat, als suche er eine Unterhaltung aus bloßer Langeweile.

»Wie ist denn Conzito?«, fragte er. »Ich muss auch noch dorthin. Ein kleines Nest, nicht wahr?«

Der Spanier nickte.

»Ganz klein«, bestätigte er, »aber total ausgeplündert. Die Einwohner liegen den ganzen Tag auf den Knien und beten um Erlösung von unserer Gewaltherrschaft, – sie hassen uns wie die Sünde.«

»Hm, das scheint erklärlich. Wart ihr übrigens lange dort, Kamerad?«

»Wenigstens sechs Monate. Und ich kann dir sagen, dass wir unsere Zeit verschwendet haben, dass wir entsetzlich betrogen wurden. In Conzito sollte ein Schatz vergraben sein, dem spürten wir nach.«

Ramiros Herz schlug so gewaltig, dass er fürchtete, der andere möge das Heben und Senken seiner Brust bemerken.

»Ein Schatz?«, wiederholte er achselzuckend. »Du lieber Gott, dergleichen ist immer müßiges Gerede.«

Der Soldat wiegte den Kopf.

»Hier wohl schwerlich«, meinte er. »Die Juwelen liegen in einem Klostergarten – das ist ja das Unglück! – und der Abt behütet das Versteck wie seinen Augapfel. Ich sage dir, wäre das ein gewöhnlicher Bürger oder gar ein Junker von feinstem Adel, wir hätten ihm das Geheimnis mit glühenden Zangen aus dem Leib gerissen, aber so ein geistlicher Herr, das ist ein eigen Ding. An solch einer Person legt keiner gern die Hand an.«

Ramiro schlug ein Kreuz.

»Behüte uns der Himmel!«, rief er.

»Ja, ja, das sage ich auch. Und das Schlimmste ist gerade, dass sich dieser Mönch ganz sicher fühlt; er weiß, dass er unantastbar ist.«

»Habt ihr denn ganz genaue Nachforschungen nach dem Schatz im Klostergarten angestellt?«

Der Soldat nickte fortwährend mit dem Kopf.

»Vorgestern zum letzten Mal«, berichtete er. »Ich gebe dir die Versicherung, dass wir wie die Galeerensträflinge arbeiteten und doch nichts fanden. Mit langen Netzen haben wir den Grund des Sees durchforscht, mit brennenden Laternen sind wir zwischen dem Geklüft herumgekrochen, bis zu zehn Fuß Tiefe haben wir den Garten aufgegraben, – alles umsonst.«

»Pah!«, rief Ramiro. »Es ist kein Pfennig vorhanden.«

»Das glaube ich doch, denn Bruder Alfredo, der Abt, begleitete uns in der Mitte aller seiner Mönche, wohin wir auch gingen. Und die geistlichen Herren beteten in lateinischer Sprache immerfort, sie hoben die Arme zum Himmel und sangen Bußlieder, jedenfalls um für das Geheimnis die göttliche Bewahrung zu erflehen. Wir haben denn auch nicht das Geringste gefunden.«

»Bruder Alfredo begleitete euch?«

Der Kunstreiter konnte den Ausruf nicht zurückdrängen, er beugte sich vor, um in das Gesicht des Soldaten zu sehen, seine Augen glänzten, seine Fingerspitzen bebten.

»Bruder Alfredo«, wiederholte er, »das ist also der Abt? Und er –.«

Der Spanier lachte laut.

»Bist du aber bei dem Gedanken an den Schatz warm geworden!«, rief er. »Kannst wahrhaftig deine Worte nicht mehr zusammenfinden. Ach Gott, ja, wenn man so ein paar Edelsteine besäße, nur eine Handvoll, man könnte das fahrende Leben mit einer netten Heimat vertauschen und den Rest seiner Tage in Frieden verbringen.«

Ramiro legte die Hand über die Stirn; all sein Blut wogte heiß durch die Adern.

»Du hast recht«, raunte er, »die Juwelen! – Die Juwelen! Für wen will denn der geistliche Herr das Geheimnis bewahren?«

»Natürlich für die Kirche. Unter uns gesagt, – mein Oberst hat ihm Halbpart versprochen, wenn er gutwillig die Steine herausgibt, aber Bruder Alfredo würdigte ihn nicht einmal einer Antwort. Er soll ihm den Rücken gekehrt und über ihn hinweggesehen haben, als sei die Exzellenz nur leere Luft.«

»Das mag ich leiden!«, rief der Kunstreiter. »Ein energischer Mann, dieser Priester. Ist wohl noch jung, he?«

»Bewahre, ein Graukopf wie wir beide und krank dazu. Wenn er geht, stützt er sich auf die Schultern zweier Brüder.«

Ramiro stand auf.

»Wunderliche Geschichten«, sagte er. »Was man nicht alles erlebt! – Also Millionen sollte der Schatz enthalten?«

»Viele Millionen. Du, wenn wir einmal hineingreifen dürften! Aber solch ein Glück kommt ja nicht an arme Schlucker wie du und ich. Pater Alfredo stirbt und das Geheimnis wird für ewige Zeiten mit ihm begraben, – denkst du nicht auch, Kamerad?«

»Ja, wer kann es wissen!«

Der Soldat berührte mit der Pfeifenspitze die Schulter des Kunstreiters.

»Noch, einen Gedanken habe ich«, flüsterte er, »und den teilen in Conzito viele Leute.«

»Welcher ist das?«

»Ja, – es soll noch irgendwo in der Welt ein direkter Erbe des verborgenen Schatzes herumlaufen, der letzte Frascuelo, ein Jugendgenosse des Abtes, – vielleicht hütet der Graubart für diesen das Nest mit den goldenen Eiern. All ihr Heiligen, wenn das richtig wäre!«

Ein sonderbar beklemmendes Gefühl rieselte durch alle Adern des Kunstreiters.

»Nun«, sagte er, »und wenn ein solcher Glückspilz wirklich erschiene, was in aller Welt könnte es wohl dir nützen?«

Die Augen des Spaniers blitzten plötzlich auf.

»O du! Man ist im Krieg, da gilt ein Menschenleben blutwenig. Eine einzige Kanonenkugel rafft vielleicht Hunderte dahin, was wäre es also Großes, wenn man zufällig einen Mann – hm, du verstehst mich.«

Und der alte Soldat lachte.

»Ich täte es, Kamerad, ich täte es. Jeder ist sich selbst der nächste, besonders im Krieg.«

Ramiro unterdrückte mit Mühe den Ausruf des Grauens, den Schrei, der sich auf seine Lippen drängte.

»Du wolltest den Frascuelo erschlagen?«, raunte er.

»Ja, das heißt, wenn die Juwelen erst in meinem Besitz wären. Ja, tausendmal ja, – dann hätte alle Not ein Ende.«

»Oder sie beginnt in Wirklichkeit erst! Nun aber lebe wohl«, setzte er dann rasch hinzu. »Dort kommt der Adjutant; er braucht mich nicht zu sehen.«

Ramiro suchte im Schatten der Pfirsichbäume ein Plätzchen, wo er ungestört den Kopf in die Hand stützen und träumend vor sich hinstarren konnte. Noch schwebte der Gedanke an den Schatz seiner Vorfahren nur gleichsam wie ein Luftgebilde, ungreifbar und wesenlos vor seiner Seele, aber doch fand sich schon jemand, der ihn erschlagen, auf irgendeine Weise aus dem Wege schaffen wollte, um die Juwelen gewaltsam an sich zu reißen; jemand, dem es nicht darauf ankam, einen Menschen zu töten, nur um des Gewinnes, der unstillbaren rücksichtslosen Habgier willen.

Am Abend dieses Tages, zu später Stunde schlichen zwei dunkle Gestalten aus dem Inneren des Hauses hinab an den Wasserfall; Michael und der alte Philippo, ein Mann von mindestens fünfzig Jahren, mürrisch und verdrossen, nur dann zugänglich, wenn es sich um irgendeine abergläubische Vorstellung handelte, um ein geheimnisvolles Beginnen, das mit seinen unklaren Gedanken an die Geisterwelt im Zusammenhang stand. Er glaubte an magische Kräfte, an Beschwörungen und Zauberformeln; seine Augen glühten, sooft er von dergleichen Dingen nur sprach.

»Die Alraunwurzel«, hatte er in Michaels lauschendes Ohr geflüstert, »die Alraunwurzel, mein Junge! Wenn diese gefunden ist, besitzen wir den Schlüssel zu allem Verborgenen, zu den Toren der Geisterwelt.«

Jetzt hielt er das kostbare Etwas in seiner Hand, jetzt konnte die Beschwörung ihren Anfang nehmen. Am Himmel zogen windgetrieben die grauen Haufenwolken (Cumuluswolken) ihre eilige, wechselnde Bahn. Bald legten sich undurchdringliche Massen vor das Antlitz des lächelnden Mondes, bald blickte ein Glanzstreifen verstohlen hindurch und fiel auf die stäubenden Fluten, sie in Silber verwandelnd. Michael und der alte Philippo standen an der Einfassung des natürlichen Beckens, in das sich die Wassermassen hinabstürzten.

In der Hand des Peruaners glänzte eine kleine Blechlaterne, aus deren Inneren ein Lichtschein hervorquoll; in diesen Umkreis einer schwachen Flamme hielt Philippo eine graue, ziemlich große Wurzel, von der etliche Ausläufer und eine Menge ganz feiner Fäden herabhingen. Alle Erde war sorgfältig abgewaschen; das sonderbare Gewächs lag ganz sauber und zierlich aussehend in der Hand des Alten.

»Nimm die Laterne, Michael«, gebot er jetzt dem Knaben. »Ich will dir erklären, aus welchen Zeichen man die Wunderkraft der Alraunwurzel deutlich erkennt.«

Michael zitterte am ganzen Körper.

»Ist es etwas Furchtbares?«, stammelte er. »Werden Blitz und Donner erscheinen?«

»Du bist ein Narr!«, versetzte nachdrücklich der Alte. »Ein Narr und ein Hasenfuß zugleich; es sollte mich durchaus nicht wundernehmen, wenn dich die Geister für ganz unwürdig hielten, dir überhaupt zu erscheinen.«

Michael erschrak.

»Es ist wohl nicht so schlimm«, flüsterte er hastig. »Was wollten Sie mir denn zeigen, Philippo?«

»Sieh hierher, Bursche! Das ganze Leiden Christi ist auf der Alraunwurzel dargestellt. Erkennst du das breite Kreuz?«

In der Hand des Halbirren bebte die Laterne, dass der Lichtschein flackernd bald hierhin, bald dorthin fiel.

»Ich sehe es«, brachte er mühsam hervor. »O ja, ja, ich sehe das Kreuz, Philippo!«

»Nun gut«, fuhr der Alte fort, »und hier ist der Kopf mit der Dornenkrone, hier sind die durchgrabenen Hände, hier die Füße. Siehst du das alles?«

»Ja, ach ja.«

»Dann wirst du auch begreifen, dass die Wurzel Zauberkräfte haben muss.«

Nach dieser gewagten Schlussfolgerung nahm er die Laterne wieder an sich und sagte:

»Knie jetzt nieder, mein Junge. Ich werde die Geister anrufen.«

Michaels Zähne schlugen unaufhaltsam gegeneinander.

»Wie das Wasser rauscht!«, flüsterte er. »Ob die Nixen erzürnt sind?«

Das Gesicht des Alten zeigte förmliche Verzückung.

»Ich höre sie singen«, gab er zurück.

»Wo denn aber? Wo?«

»Drinnen im Fall! Gib acht, es sind leise, zarte Stimmen.«

Durch die Spalten im Innern der Felsen ging ein Klingen und Raunen, ein leises Pfeifen, wie es der Wind an Herbsttagen im Kamin hervorbringt. Aus verborgenen Zugängen plätscherte in Tropfen das Wasser und verursachte jene geheimnisvolle Musik, die das Ohr entzückte. Um die gestörte Denkkraft des armen Knaben legten sich dichte Schleier, er faltete die Hände und hielt andächtig den Blick gesenkt.

»Kein bellender Hund ist hier«, sagte er, »kein Boot und kein Ruder. Ob mir die Nixen ein festes Versprechen geben werden, Philippo?«

»Worüber?«

»Ach, das brauchst du nicht zu wissen. Ist Joseffo hier?«

Der Peruaner schüttelte ärgerlich den Kopf.

»Wer ist nun das wieder?«, fragte er. »Glaubst du, dass es dem Zauber nützen kann, wenn immerfort allerlei Unsinn geschwatzt wird?«

Michael seufzte.

»Das ist kein Unsinn, guter Philippo. Es soll das Feuer aus meinem Kopf wegbringen, das schreckliche Feuer! Rufe die Nixen, hörst du, rufe sie!«

Der Alte zog einen Kreis auf dem Erdboden und noch einen zweiten in der leeren Luft, dann hielt er die Alraunwurzel hoch empor. Seine Augen glühten, seine Stimme klang heiser vor Aufregung.

»Auf«, rief er mit unterdrücktem Ton, »auf, ihr Luftgeister! Und ihr in der Erde! Und ihr im Wasser! Ich beschwöre euch im Namen –.«

Weiter kam er nicht. Ganz nahe bei ihm tauchte ein bärtiges Männerantlitz aus der Finsternis heraus auf und eine Stimme fragte:

»Was treibt ihr hier?«

Michael stieß einen lauten Schrei hervor.

»Joseffo!«, rief er. »Joseffo! – O mein Gott, er lebt! Die Wassernixen haben ihn aus ihren langen Schleiern wieder herausgegeben – ach, wie glücklich bin ich!«

Er wollte vorwärts gehen, taumelte und sank schwer zu Boden, die plötzliche Aufregung mochte wohl seine letzten Kräfte erschöpft haben.

»Joseffo!«, murmelte er. »Damals riefst du mich, aber ich konnte nicht antworten, ein schwerer Druck lag auf meinem Gesicht, – nun ist das alles vorüber.«

Der Unbekannte nahm aus Philippos Hand die Laterne und wollte sich offenbar zunächst überzeugen, wer hier vor ihm stehe, aber der Peruaner war schneller als er; ein wuchtiger Schlag ließ die Leuchte in Trümmer auf den Boden fallen, dann folgte ein Sprung, ein Hohnlachen und die Stelle, an welcher Philippo gestanden hatte, war leer.

»Hierher, Leute!«, rief mit lauter Stimme der zuletzt Erschienene. »Hierher! Verrat! Verrat!«

Man antwortete ihm aus mehreren Richtungen zugleich. Es war der Adjutant, Graf Lunar, welcher auf einer seiner Kontrollgänge den Geisterbeschwörer so plötzlich überrumpelt hatte und der jetzt wissen wollte, wohin der Flüchtling entkommen sei.

»Fackeln her!«, gebot er. »Laternen! Diesem Verrat werden wir auf die Spur kommen.«

Im Haus und um dasselbe herum wurde es lebendig. Einer fragte den anderen, niemand konnte Auskunft geben, niemand wusste, um welche Angelegenheit sich es möglicherweise handeln könne, aber die Unruhe hatte jedes Herz ergriffen, selbst dasjenige Ernestos, der unwillkürlich lebhafter sprach und handelte.

»Was mögen die Kerle haben?«, flüsterte er in Bennos Ohr. »Da unten am Wasserfall versammeln sie sich.«

Unser Freund erbleichte.

»Bei der verborgenen Vorratskammer?«, bebte es über seine Lippen. »Großer Gott, wenn die Höhle entdeckt würde!«

»Das glaube ich nicht – es ist wenigstens durchaus unwahrscheinlich. Ich selbst habe sieben Jahre hier gelebt, ohne von dem Versteck irgendetwas zu ahnen.«

»Aber doch ist eine Entdeckung möglich, Señor! Ach Gott, wenn Sie die Vorräte sogleich herausgegeben hätten!«

Der Hausherr beobachtete mit gespanntem Interesse die Vorgänge unten am Wasserfall.

»Ich will alle Vorsichtsmaßregeln beobachten«, sagte er nach einer Pause. »Señor Ramiro, möchten Sie möglichst unbemerkt meine Dienstboten und ebenso Ihre sämtlichen Begleiter in die Scheune am Fluss hinab schicken. Es soll keiner fragen, sondern sich ungesäumt dorthin begeben.«

Der Kunstreiter nickte.

»Und ich selbst?«, flüsterte er. »Bleiben Sie bei den übrigen, Señor. Benno und ich kommen nach.«

Ramiro verschwand und nun wandte sich Ernesto zu seinem jungen Gefährten.

»Ich kenne im Gebirge noch eine zweite geräumige Höhle«, sagte er. »Dahin könnte man nötigenfalls flüchten.«

»Wenn die Vorratskammer entdeckt ist, meinen Sie?«

»Ja! Außer mir selbst kennt kein Mensch den Schlupfwinkel; es schien mir besser, noch eine letzte Zufluchtsstätte zu behalten, von der kein Verräter etwas weiß.«

Benno stimmte lebhaft bei.

»Und auch dort liegen Vorräte?«, fragte er.

»Nein, das leider nicht. Wasser kann man erlangen, aber die Lebensmittel fehlen. Ich habe natürlich nicht voraussehen können, was jetzt eingetroffen ist.«

In diesem Augenblick trat Ramiro wieder in das Zimmer.

»Verzeihung, Señor Ernesto«, sagte er, »es fehlen zwei Männer, die ich nicht aufzufinden vermag. Michael und Philippo. Wissen Sie zufällig, wohin die beiden gegangen sind? – Oder Sie, Benno?«

Ratlose Blicke begegneten einander!

»Gerade diese beiden!«

»Mein Gott, mein Gott«, seufzte Ramiro, indem er ängstlich mit der Hand durch das Haar fuhr, »was mag das bedeuten?«

»Es kommt jemand!«, flüsterte Benno.

Schnelle Schritte sprangen die Treppe hinauf; einige Sekunden später stand Halling mühsam atmend vor den drei Männern und deutete, mehr keuchend als sprechend auf die Person des Hausherrn.

»Fliehen!«, presste er hervor.

»Weshalb?«, fragte Ernesto. »Was ist geschehen?«

»Die Vorräte sind gefunden! Um Gottes willen – schnell!«

Ein Schrei brach über Bennos Lippen.

»Ich dachte es wohl! Ach, ich dachte es wohl!«

Ernesto blieb so ruhig wie zuvor.

»Sie wissen, dass die Höhle unter dem Wasserfall entdeckt worden ist, Herr Halling?«

»Ja, ja, und mehr noch. Die Soldaten haben den strengen Befehl, lautlos das Haus zu umzingeln, damit Sie nicht entschlüpfen können, Señor. Eilen Sie, oder es ist zu spät.«

»Ja, ja, Señor, ja, – so zögern Sie doch nicht!«

Benno riss bei diesen Worten das Fenster auf und drängte gewaltsam seinen Gönner dorthin.

»Auf das Dach der Veranda, Señor! Schnell! Schnell!«

Der Plan war gut und schon die nächsten Sekunden sahen alle vier Männer wohlbehalten zwischen den Rosenhecken, von wo aus sie im eiligen Lauf, ungehört und ungesehen den Versammlungsort ihrer Genossen, die leere Scheune, aufsuchten. Es war eine seltsame, unheimliche Flucht, die in vollkommener Stille und scheinbar ohne einen Verfolger bewerkstelligt wurde.

Das ganze Gut lag wie ausgestorben, kein Laut störte die Ruhe der Nacht, auch das Fackellicht am Wasserfall war erloschen; in der umgebenden tiefen Finsternis gelangten die vier Flüchtigen unangefochten zur Scheune und hier drängte sich Benno vor den Gutsherrn.

»Sie halten sich draußen versteckt, Señor. Ich rufe unterdessen die anderen.«

Auch Halling und der Kunstreiter waren dieser Ansicht.

»Sie allein sind gefährdet, Señor, – bleiben Sie also unter Deckung.«

Benno kam noch einmal wieder zu den Genossen zurück.

»Wir bilden eine Kette«, flüsterte er. »Sie begeben sich in das Versteck, Señor Ernesto, – jetzt gleich! – und von dort her zeigt einer den anderen den Weg.«

Im Wohnhaus blitzte ein plötzlicher Lichtschein durch die Dunkelheit. Für Sekunden schimmerten zwischen den Hecken die bunten Uniformen der Soldaten, dann ertönte ein lauter, zorniger Ausruf: »Leer! – Der Vogel ist entkommen!«

Benno schluchzte fast vor Aufregung.

»Und Sie zögern noch?«, rief er verzweifelt. »Sie suchen also den Tod?«

Ernesto schüttelte den Kopf.

»Ich mag nicht allein flüchten, – wir gehen alle, oder auch ich bleibe.«

»Auf, Kinder!«, erklang von der Veranda her die Stimme des Obersten. »Sucht ihn! Sucht ihn! – Ein Fass Wein für den, der ihn mir lebendig bringt!«

Ein lautes Hurra beantwortete dieses Versprechen. Die Soldaten zerstreuten sich nach allen Richtungen über das ganze Gut und nun hieß es, sich schnell in Sicherheit zu bringen. Aus der Scheune waren die Dienstboten des Hauses hervorgetreten, die Rothäute und der Rest der Peruaner mit dem Doktor, der bei dem eiligen Rückzug seinen Instrumentenkasten und die Apotheke glücklich gerettet hatte.

Benno trieb sie zur schleunigsten Flucht, dem Gutsherrn nach, der durch das Dunkel zum Gebirge voranging und so den übrigen den Weg zeigte.

»Um Gottes willen keinen Laut!«, raunte es von Lippe zu Lippe. »Die Verfolger sind uns dicht auf den Fersen.«

Wie schwarze Schatten in der Finsternis glitten die Männer durch Garten und Feld. Einer fehlte. – Trente.

»Wo mag er sich befinden? Hat ihn jemand gesehen?«

Obijah wusste es. »Er wollte den armen sinnesschwachen Michael suchen.«

»Ein ganzer Kerl, der Trente, obgleich er vor dem Lahmfuß so sehr zittert. Ihm werden doch hoffentlich die Spanier nichts am Zeug flicken.«

»Gott gebe es!«

»Mir nach!«, raunte in diesem Augenblick Señor Ernesto. »Hier über den spitzen Stein müsst ihr treten.«

Obijah schüttelte den Kopf.

»Ich noch nicht«, sagte er. »Trente muss erst gefunden werden.«

»Aber wo willst du ihn suchen. Rothaut?«

»Überall, Fremder, bis ich ihn gefunden habe. Obijah war einst ein Häuptling, der Freund eines Königs, er kann seinen Bruder in der Gefahr nicht verlassen.«

Ein leiser, ganz leiser Pfiff tönte in diesem Augenblick durch die Nacht und erregte unter den Flüchtlingen ein allgemeines Erschrecken.

Obijah erwiderte das Zeichen.

»Es ist Trente«, sagte er. »Ich kenne sein Signal.«

Bange Sekunden vergingen, dann erschien der Maultiertreiber, gebückt und schwer atmend unter der Last, welche er auf seinen Schultern trug.

»Obijah!«, sagte er mit unterdrücktem Ton. »Costa! – Ist keiner von euch hier?«

Der Indianer sprang vor und ergriff mit fester Hand den leblosen Körper, welchen sein Stammesgenosse trug.

»Dahin!«, zischte er. »Schnell!«

Trente verstand ihn sofort. Ohne zu fragen oder zu zögern, eilte er ihm nach und vielleicht eine halbe Minute später waren die letzten des kleinen Zuges im Felsgewirr verschwunden. Draußen herrschte die frühere Stille, der Wind wehte rauschend durch die Baumkronen, ein feiner Regen begann herabzurieseln, – kein Mensch war hier zu sehen.

»Nur vorwärts!«, sagte mit leiser Stimme der Gutsherr. »Es sind keine Abgründe oder Hindernisse vorhanden.«

Ein Feuerzeug wurde in Tätigkeit gesetzt, ein leichtes Flämmchen sprang auf und die Flüchtlinge sahen vor sich eine lange, schmale Grotte. Man hörte den Fluss plätschern, ohne jedoch das Wasser zu sehen.

»Weiter! Weiter!«, gebot Ernesto.

Noch etwa fünfzig Schritte wurden eilends zurückgelegt, dann war eine Art natürlicher Rotunde erreicht und hier machte man Halt. Trente und Obijah legten die bis dahin getragene Last auf den Boden, – es war Michael, den die Treue des Maultiertreibers dem sicheren Tod entrissen hatte; er sah ohne eine Spur von Bewusstsein, mit weit offenen Augen umher und sprach leise vor sich hin.

Mit dem weißen abgemagerten Gesicht glich er vollkommen einem Sterbenden, es schien aber, als sei er trotz dieser schweren körperlichen Erschöpfung glücklich und ruhig, als bereite sich sein gestörter Geist, ohne Kampf und Qual, die irdische Hülle für immer zu verlassen. Von dem, was mit ihm geschehen war, von seiner Rettung durch den Maultiertreiber wusste er nichts.

»Wo ist Joseffo?«, hörten ihn die Umstehenden fragen.

Der Kunstreiter erschrak.

»Joseffo?«, wiederholte er mit erstickter Stimme. »Was meinst du damit, Michael?«

»Ich habe ihn gesehen!«, flüsterte der Sterbende. »Ich habe seine Stimme gehört.«

»Das war im Traum, mein armer Junge. Du musst jetzt schlafen und darfst vor allen Dingen kein Wort mehr sprechen, hörst du!«

»Ja, ja, – ich möchte, die Wassernixen sängen wieder. Ach, es klang so süß, – man musste weinen, und doch tat die leise Musik so wohl.«

Er versank in eine Art Halbschlaf, bei dem die Hände krampfhaft zuckten und das undeutliche Murmeln fortdauernd anhielt. Ramiro legte ihm ein in Wasser getauchtes Taschentuch auf die Stirn, Doktor Schomburg ließ ihn, so gut es anging, ein beruhigendes Medikament einnehmen, aber doch wussten beide Männer mit vollkommener Sicherheit, dass das Leben des unglücklichen jungen Menschen nicht zu retten war.

Bei ihm saß Ramiro und hielt den Kopf des Kranken an seine Brust gebettet. Sooft der Name Joseffo im Fiebermurmeln das Ohr des Kunstreiters traf, setzte sein Herz momentan die Schläge aus, um dann mit verdreifachter Stärke weiter zu pochen und die jagende haftende Unruhe aller Pulse dem ganzen Organismus mitzuteilen. Joseffo! – Wie kam nur Michael gerade heute auf diesen Namen?

Neben der Gruppe der beiden standen und kauerten die übrigen. Nur Philippo fehlte. Vielleicht lag er mit zerschmettertem Schädel draußen am Fluss, vielleicht krümmte er sich unter den Martern der grausamen Feinde. Ein leiser Ton zu seinen Füßen ließ den Gutsherrn aufhorchen.

Das war Carry, der sich da an die Knie des geliebten Herrn schmiegte und ihn spinnend und kosend umschlich. Carry, der zahme Puma, der unbemerkt den Sprung aus dem Fenster mitgemacht haben musste, – jetzt befand er sich hier und Ernesto atmete freier. Das Tier war vollständig gehorsam, es würde sich keinen Laut, keine Bewegung ohne die Erlaubnis seines Herrn gestatten.

»Da ist auch Pluto«, raunte jemand. »Wenn er nur ein einziges Mal bellt, sind wir verloren.«

Der Gedanke berührte die Herzen wie eine kalte Hand. So nahe, so entsetzlich nahe schwebte über den Häuptern aller die drohende Gefahr. Jetzt wurde es draußen laut. Die Soldaten durchsuchten – zum Glück ohne Fackeln – den Garten, sie riefen einander zu und sprachen so laut, dass die Versteckten jedes Wort hören konnten.

»Unsere Exzellenz schnaubt Rache«, sagte einer. »Speck und Mehl sind gefunden, aber die Goldfüchse nicht. Gib acht, wenn wir den Kerl aufstöbern, so lässt ihm der Alte Daumenschrauben anlegen, oder ihn in den Bock spannen.«

»Unsinn! Das darf er ja nicht wagen.«

»Aber er riskiert es, um bares Geld zu erlangen. Madrid ist weit und eine Notlüge schnell erdacht.«

Eine andere Stimme lachte höhnisch.

»Was da Notlüge? Solche Weitläufigkeiten! Wenn der Bursche das Geld herausgegeben hat, bohrt man ihm ein kaltes Eisen in die Brust und wirft den Leichnam den Geiern vor. Basta.«

»Du hast gut reden. Was nützt uns denn überhaupt die ganze Geschichte? Und wenn Tausende gefunden werden, so erhalten wir doch keinen Pfennig.«

»Wenn wir nicht Gewalt brauchen«, zischte der andere. »Oder wird uns etwa unser Sold jemals ausbezahlt? Gibt man uns die nötigen Lebensmittel? Besitzen wir anständige Uniformen? Nein, nein und nochmals nein. Die Herren Offiziere können das alles für sich selbst verbrauchen, sie leben herrlich und in Freuden, während uns der Magen knurrt. Strafe mich Gott – wenn ich den Gutsherrn finde, so würge ich ihn zwischen diesen Fäusten, bis er sein Geld herausgegeben hat und dann ist es sicherlich nicht unser Oberst, der von der Sache etwas erfährt.«

»Aber wir!«, riefen die anderen. »Wir natürlich!«

»Erst haben!«, brummte der verwegene Sprecher. »Dann teilen.«

In diesem Augenblick näherte sich von der entgegengesetzten Seite des Gartens her ein anderer Trupp Soldaten den vorigen.

»Habt ihr das Wild erlegt?«, riefen sie schon von Weitem.

»Nichts gesehen oder gehört.«

»Wir auch nicht. Und doch können diese Burschen nicht weit sein, sie müssen vielmehr hierherum ein Versteck haben.«

Ein lautes Gelächter folgte diesen Worten.

»Wenn das deine ganze Weisheit ist, Geronimo, dann tust du mir wahrlich leid genug. Hier sind sie, die Vögel, das wissen wir alle, aber zeige uns das Nest, mein guter Junge. Daran fehlt es.«

»In den verdammten Klippen natürlich – und nicht weit von hier, das weiß ich bestimmt, denn der junge Bursche, den wir ohnmächtig am Wasserfall liegen sahen, ist auch verschwunden; es muss ihn also einer auf den Schultern fortgetragen haben.«

»Eine Rothaut!«, rief jemand. »Ich sah es.«

»Und du verfolgtest ihn nicht?«

»Wozu denn? Überdies war ich ohne Waffen, der Indianer aber hielt im Munde ein breites Messer, das er mir ohne Zweifel beim ersten Angriff zwischen die Rippen gebohrt hätte. Seine Augen funkelten vor Kampflust, er kam ganz allein in unsere Mitte gelaufen und hob den Ohnmächtigen vom Boden auf, – weshalb sollte man solchem Wilden gegenüber sein Leben in Gefahr bringen?«

Vom Wohnhaus her ertönte ein Hornsignal und die Soldaten horchten auf.

»Sammeln!«, sagte einer. »Jetzt gibt es Speck und Bohnen.«

»Wir werden nun natürlich, soweit die Vorräte reichen, hier bleiben und alles in guter Ruhe verzehren. Es ist viel Wein gefunden, trockenes Fleisch, Obst, Eier, – lauter aparte Dinge für die Herren Offiziere. Wir müssen den Speck kauen.«

»Geht nur hin« sagte einer, »ich komme nach. Mir ist nicht wohl.«

»Mir auch nicht, – schon der Gedanke an etwas Fettes macht mich ganz elend. Brr, ich glaube, die unreifen Trauben haben mich trank gemacht.«

Langsam schlendernd entfernten sich die durch das Leben in der Wildnis verlotterten Soldaten, um dem Rufe des Signalhorns zu folgen. Wieder hörten die in den Felsen versteckten Flüchtlinge das Rauschen des Windes als einzigen Laut, – ob aber nicht doch noch der eine oder andere Soldat in der Nähe geblieben war, konnte niemand wissen. Es gab in der Höhle kein Licht.

Nur ein halber, ungewisser Schimmer fiel von der Seite des Flusses her in den langgestreckten Raum; man konnte die Umrisse der verschiedenen Gestalten erkennen, aber weder ihre Züge, noch gar den Ausdruck der Gesichter, – es war auch nicht ratsam, Feuer zu schlagen, denn niemand konnte wissen, ob nicht durch verborgene Spalten irgendwo ein Schimmer des Lichtes hinauf dringen und dem lauernden Feinde alles verraten würde.

Nein, nein, das Dunkel war der beste Verbündete, der treueste Freund in dieser entsetzlichen Lage. Man suchte und fand Trentes tapfere, hilfsbereite Hand, um sie zu drücken und ihr den Dank abzustatten für das, was sie an dem armen, halbirren Knaben getan, man flößte diesem letzteren ein beruhigendes Mittel ein und sandte zum Himmel ein stummes Gebet um Beistand, um Erlösung vom Übel. Wenn Michael im Delirium des Fiebers laut schreien, oder sprechen würde, wenn der Klang seiner Stimme den Schlupfwinkel verriet, – was dann?

Und Pluto? – Großer Gott, Pluto! Es gab kein Mittel, ihn am Bellen zu verhindern, er hatte einmal schon vernehmlich geknurrt, so vernehmlich, dass nur das Lachen der Soldaten diesen Laut noch glücklich übertönte. Vielleicht, wenn sich der Vorgang wiederholte, war alles auf einen Schlag verloren.

Leise, ganz unhörbar leise strich der Puma, eine Acht nach der anderen beschreibend, um die Füße der Männer. Dieses Tier trug kein Halsband, keine Fessel, es konnte durch nichts verhindert werden, in jedem Augenblick hinauszuspringen und durch seine Gegenwart das Geheimnis der Flüchtigen zu enthüllen.

Am Boden lag Michael und neben ihm hielt Ramiro den Kopf des kranken Knaben an seiner Brust, vielleicht ebenso sehr um zu helfen und zu lindern, als um gegebenen Falles das Wort auf den Lippen des Fiebernden mit kräftiger Hand zu ersticken. Michaels Seele ruhte aus in der Erfüllung des langgehegten sehnlichen Wunsches.

»Joseffo«, flüsterte immer wieder der Knabe, »Joseffo, – ich habe seine Stimme gehört. Es war alles nur ein böser Traum, – ein Nichts. Ich bin so ruhig, so glücklich, das Leben ist jetzt so leicht und rosig geworden.«

Tiefer herab sank Ramiros Kopf, seine heiße Stirn berührte die eisige des Kranken.

»Mein armer Junge«, flüsterte der Kunstreiter, »ach, mein armer Junge!«

»Glücklich bin ich«, gab Michael zurück. »Ganz glücklich. Die Türme meiner Heimat sehe ich, in der Luft liegt ein rosiger Schimmer – und die Engel singen Halleluja.«

»Still! Still!«

Angstvoll schlugen die Herzen, fest verschlungen lagen die Hände ineinander. Pietros Frau weinte immer leise vor sich hin.

»Eins nur freut mich«, raunte sie, »ein einziges, – dass sich mein Ramon weit von hier in Sicherheit befindet.«

Bennos Blicke suchten in der Dunkelheit voll Erstaunen diejenigen des Gutsherrn, der diese Bewegung mehr geahnt, als gesehen haben mochte. Ein bedeutsamer Druck seiner Fingerspitzen erstickte auf Bennos Lippen jedes weitere Wort.

»Ich habe der armen Alten nichts erzählt«, flüsterte Ernesto. »Mag sie, solange es ihr möglich ist, noch hoffen, ihre Seele in den Träumen des Wiedersehens wiegen. Die Erkenntnis kommt dann barmherzig langsam.«

Benno schauderte. Er sah vor den Blicken seines Geistes den jungen Toten auf dem Verdeck des steuerlos treibenden Schiffes, er sah, wie man die Leiche in das Meer versenkte und wie sich über ihr die Wogen für immer schlossen.

Und hier an seiner Seite frohlockte die beraubte Mutter, dachte sich ihr Kind, ihr einzig geliebtes in Sicherheit, im vollen Frieden, während sie selbst mit allen Hausgenossen dem schrecklichsten Lose verfallen schien. Eine erschütternde, furchtbar ernste Lehre des Schicksals.

»Señor Ernesto«, raunte die Alte, »wenn wir sterben sollten, mein Mann und ich, – es liegt ja alles in Gottes Hand! – Und wenn Sie glücklich davonkämen, denken Sie dann wohl an das wenige, welches wir unserem Sohn hinterlassen können? Wollen Sie Ramons Interessen wahrnehmen?«

Er biss die Zähne zusammen; ein stummes Kopfnicken gab der armen Mutter die ersehnte Versicherung.

»Ich danke Ihnen«, raunte die Alte. »In Ihrer Hand liegt alles so sicher, so wohl verwahrt, Sie sind der Trost und die Zuflucht so vieler armer Seelen, Señor Ernesto.«

»Still!«, flüsterte er. »Man spricht.«

Draußen ächzte eine Männerstimme. »Wie krank ich bin, du! – Mir liegt es gleich Blei im Magen.«

»Und mir nicht minder. Das fehlte noch, wenn man hier wie ein Hund unter freiem Himmel verenden müsste.«

»Lass uns wenigstens an das Feuer zu gelangen suchen. Mich friert.«

Schwere Schritte entfernten sich und nun schien es, als sei keiner dieser unfreiwilligen Wächter mehr zurückgeblieben. Mit vorgestrecktem Kopf lauschte Benno zum Ausgang hinüber.

»Ich will draußen einmal nachsehen, Señor Ernesto.«

Aber dieser hatte schon seinen Arm ergriffen.

»Nie!«, antwortete er mit dem Ton des unabänderlichen Entschlusses. »Nie!«

»Aber, Señor –.«

»Ich selbst gehe hin.«

Aus dem Schatten der Felswand löste sich eine dunkle Gestalt. Es war Obijah, der alle seine Gewänder abgestreift hatte und jetzt in Adams Toilette auf den Ausgang der Höhle hindeutete.

»Ich kann es am besten«, raunte er. »Weiße Männer werden den Häuptling meines Stammes nicht überlisten.«

»Das glaube ich auch«, nickte Ernesto. »Aber bedenke, wie sehr du dich hüten musst, diesen Schlupfwinkel zu verraten, Rothaut!«

Obijah lächelte.

»Eher gehe ich mitten unter die Fremden und lasse mich töten, ohne mit den Wimpern zu zucken.«

»Du bist ein guter Bursche, – Gott geleite dich!«

Der Indianer verschwand so geräuschlos, wie die Eidechse über den Boden kriecht; nach einigen Minuten erschien er wieder.

»Hierherum befindet sich kein Mensch, Fremde, ihr dürft immerhin sprechen.«

Dann tauchte er zurück in die Dunkelheit. Es regnete stark; das herabstürzende Wasser musste seine Spuren vollständig verwischen.

»Was mag Obijah vorhaben?«, flüsterte Benno. »Ob er uns Lebensmittel verschaffen will?«

»Lassen Sie ihn nur machen«, gab Ernesto zurück. »Eine solche Rothaut zu überlisten, wird den Spaniern nicht gelingen.«

Man richtete sich jetzt, nun da es auf ein wenig Geräusch nicht ankam, etwas bequemer ein; es wurden Sitzplätze aufgesucht und mehrere Männer holten in ihren Hüten Wasser aus dem Fluss, so dass wenigstens der quälende Durst Befriedigung fand. Wind und Regen rauschten in Strömen; es war nicht wahrscheinlich, dass während der Nacht die Spanier hierher zurückkehrten.

»Schlimmsten Falles könnten wir durch den Fluss schwimmen oder waten«, meinte Benno. »Es muss eine dazu passende Stelle ausgesucht werden.«

Ernesto nickte.

»Ich habe schon daran gedacht«, bestätigte er, »aber was geschieht mit dem armen jungen Burschen da? Ihn zu tragen wäre unmöglich, es würde uns alle ins Unglück stürzen.«

Benno näherte sich dem Ohre des Gutsherrn.

»Michael stirbt bald«, flüsterte er. »Doktor Schomburg hat mir es gesagt.«

»Ja, ja, ich glaube es auch. Aber –.«

Ein leichtes Geräusch vor dem Eingang ließ den Gutsherrn verstummen.

»Trente!«, sagte mit gedämpftem Ton Obijahs Stimme. »Trente, komm her.«

Sogleich schlüpfte der Maultiertreiber hinaus und eine Minute später erschienen die beiden Eingeborenen wieder in der Höhle, jeder beladen mit sechs oder acht Kugelbüchsen. Außerdem hingen um Obijahs Schultern, wie Früchte am Stamm, auf- und nebeneinander ebenso viele Patronengurte mit Munition und zwischen den Zähnen hielt dieser Tapfere einen gewaltigen Sarrass (Husarensäbel), so dass er nicht sprechen, sondern nur brummen konnte, bis Benno ihn von seiner Bürde befreite.

»Die Spanier sind alle betrunken!« – war das Erste, was er berichtete.

»Wie, Obijah, betrunken?«

»Alle!«, nickte der Indianer. »Sie haben die Höhle gestürmt und die Weinfässer an sich genommen. Es ist ein förmlicher Aufruhr entstanden.«

Mit gespanntem Interesse hörten die Weißen den Bericht.

»Und wo befinden sich die Offiziere?«, fragte Ernesto.

»Du meinst die Häuptlinge?«, flüsterte Obijah. »Ach, Fremder, denke an das Schicksal Tenzilehs; er war ein König und doch in seiner Hütte ein Gefangener. Die weißen Männer mit den Sternen auf der Brust sitzen im Haus und müssen ruhig ansehen, dass das Volk den Wein trinkt und blutige Händel anfängt.«

Ernestos und Bennos Blicke begegneten sich.

»Für uns ist das gut«, nickte ersterer. »Ich wollte, die Soldaten zerstörten noch in dieser Nacht, was sich nicht sogleich verzehren lässt.«

»Ich habe aber jetzt keine Zeit«, sagte sich wichtigmachend Obijah. »Trente, du sollst mit mir gehen, wir können dann mehr tragen.«

»Ja, ja«, rief der Treiber. »Komm nur.«

»Nein, noch nicht, vorher musst du die hellen Kleider ausziehen. Du leuchtest ja durch die Nacht, wie der Mondschein.«

Trente erschrak.

»Ohne Kleider sollte ich einher laufen? Das sähe ja aus als wäre ich ein Wilder.«

»Oho! Hat denn nicht deine Großmutter Menschenfleisch gegessen? Die meinige tat dergleichen niemals.«

Trente zögerte nicht länger, er schlüpfte aus dem weißleinenen Anzug wie die Schlange aus der Haut und ging in Obijahs Begleitung davon.

»Ihr könnt gern einmal herauskommen, weiße Männer«, hatte letzterer noch flüsternd gesagt.

»Hier herum befindet sich kein einziger Soldat.«

Benno und der Gutsherr traten vorsichtig ins Freie und sahen zum Haus hinüber. Es regnete im Augenblick nicht, aber der Himmel hing voll schwarzer Wolken; drüben am Waldrand glühten zahlreiche Fackeln und größere Lagerfeuer, bei deren Schein ein wüstes Treiben sich enthüllte.

Die Soldaten hatten den Weinfässern die Böden eingeschlagen und aus der Küche alles mögliche Gerät herbeigeschleppt, um immer nach Belieben mit dem Becher tief in die purpurne und goldige Flut eintauchen und in Strömen das lang entbehrte Nass trinken zu können. Einzelne Gruppen sangen, andere stritten sich mit schwerer Zunge und lahmen Bewegungen um irgendeine Frage, die im Laufe der Debatte gänzlich verloren ging und durch kleinliche Nörgeleien ersetzt wurde.

Es gab aber auch ganze Reihen von Leuten, die krank und ächzend am Boden lagen, zu elend um zu zechen oder zu raufen; diese bekümmerten sich um gar nichts, an ihnen vorüber glitt Obijah und nahm aus einem offenen strohgedeckten Schuppen die zusammengestellten Kugelbüchsen mit den Patronengurten, ohne dass die wimmernden Kranken es bemerkten.

Wie ein Schatten huschte die hohe schlanke Gestalt durch den Lichtkreis, lautlos und behände, verschwunden, sobald nur ein Kopf sich drehte, geduckt gleich dem Tiger im Sprung, gestreckt gleich der kriechenden Schlange, alles wie es die Umstände erforderte. Vom Lager her tönte ein lärmendes, wildes Durcheinander.

»Trinkt, Kameraden, trinkt!«, rief eine Stimme. »Lieber einmal lustig sein, als zehn Tage hindurch mit einem zahmen Tröpfchen hingehalten zu werden. Was kommen soll, das kommt doch, auch wenn wir wie die Murrköpfe zusammensitzen.«

»Da hast du Recht, Geronimo. Und wäre es nur, um den Alten zu ärgern! Hei, wie der da drinnen vor Wut schwitzt, wie er alles prügeln, erwürgen, beißen möchte, – wenn er nur Zähne hätte.«

Ein tolles Gelächter folgte diesen Worten.

»Zweimal stand er schon mit der Pistole am Fenster, um in das Lager hineinzuschießen, aber jedes Mal sind ihm die anderen zur rechten Zeit in den Arm gefallen. Dann ruft er zischend vor Wut nach dem kleinen Grafen Lunar, den ihm kein Mensch herbeischaffen kann.«

»Der Adjutant! – Ich weiß, wo er ist.«

»Natürlich, ich auch. Er sucht unter den Futtervorräten und Mehlsäcken das bare Geld des Gutsherrn.«

»Wird es aber schwerlich finden. Das ist jedenfalls in Sicherheit gebracht worden.«

»Nun, wir haben den Wein, Kameraden. Man muss die Dinge nehmen, wie sie eben sind. Prosit!«

»Spanien hoch!«

Und eine Zuckerschale und ein großer, durch einen Korkstöpsel notdürftig verschlossener Blumentopf klirrten lustig aufeinander.

»Hoch Spanien!«, riefen weitere Stimmen; der edle Wein floss über die Kleider und in den Sand, – eine widerwärtige, den Beschauer tief empörende Szene.

Jetzt kamen Trente und Obijah nach der Höhle zurück, wieder beladen mit Beute. Es gab schon für jeden in der Höhle befindlichen Mann eine Kugelbüchse mit Munition und einen Säbel oder Dolch, aber das schien dem unternehmungslustigen Obijah noch nicht genug; er wollte womöglich die Spanier kampfunfähig machen und schleppte unter Trentes und der übrigen, inzwischen herzugekommenen Treiber Beistand immer emsig die Waffen aller Gattungen bis an die Höhle.

Benno, Ernesto, Halling und Pedrillo beförderten die ihnen von den Indianern überlieferten Gewehre und Hiebwaffen, besonders aber die Munition in das Wasser des vorbeifließenden Gebirgsbuches. Silberhelle schäumende Wellen glitten über Pulver und Blei dahin, füllten murmelnd die Flintenläufe und hüpften durch manche bunte Säbelquaste, bis der Schuppen leer war und die zechenden Soldaten wehrlos wie Kinder waren.

Es ist etwas sehr Seltenes, dass eine Rothaut lacht, selten wie Schneeflocken im Mai, während dieser Stunden aber sahen die Weißen, dass Obijah beide Hände auf die Knie legte, sich etwas vornüber beugte und vergnügt und lautlos lachte.

»Das war gut«, sagte er, mit dem Kopf nickend, »das war gut.«

»Denkst du wirklich das ganze Regiment entwaffnet zu haben, Obijah? Nahmst du alle Gewehre weg?«

»Alle. Ja. Hei, wir können jetzt unser Versteck gern verraten, es kommt kein Mann in die Höhle, ohne von einer Bleikugel empfangen zu werden.«

Aber Señor Ernesto erhob erschrocken die Hand.

»Um des Himmels willen nicht, Obijah! Wir würden schon aus Rache belagert und ausgehungert werden, nebenbei aber kannst du doch nicht wissen, wie viele Pistolen noch vorhanden sind, wie viele Gewehre die Offiziere vielleicht im Haus verborgen halten. Willst du dich übrigens nochmals hinauswagen?«, setzte er dann hinzu. »Gibt es irgendeinen Gegenstand, den du erobern könntest?«

Obijah nickte.

»Die Soldaten spielen Ball mit den Orangen«, antwortete er. »Überall am Boden liegen die goldenen Äpfel, – ich will sie sammeln, damit Michael und die Frauen eine kleine Erquickung erhalten. Überdies gibt auch jede Schale zwei Trinkbecher, so dass wir nicht mehr unsere Hüte mit Wasser zu füllen brauchen.«

»Obijah ist ein lebendiges Not- und Hilfsbuch«, rief Benno. »Alles kann er, alles weiß er, – was wäre wohl im Urwald ohne ihn aus uns geworden!«

»Und jetzt entwaffnet er geräuschlos ein ganzes feindliches Regiment. Ja, Obijah ist ein Prachtkerl!«

Der Indianer sah wieder so verschlossen, so ernsthaft aus wie immer.

»Komm, Trente«, sagte er. »Wir wollen die Apfelsinen aufheben.«

Es sollte indessen zu dieser letzteren Arbeit nicht kommen; ein ganz unerwartetes Ereignis änderte plötzlich die gesamte Sachlage und nötigte sowohl Weiße als Rothäute zum eiligen Rückzug in die Höhle. Unter den Bäumen des Waldrandes, dicht hinter den zechenden, lärmenden Soldaten stieg zischend eine Rakete hoch in die Luft empor.

In goldenem und bläulichem Licht, einer brennenden Riesengarbe gleich, schwebten die Feuermassen sekundenlang in der Luft und erloschen dann mit jenem bekannten leisen Klang, der die leere Hülse zur Erde zurücksendet. In weniger als einer halben Minute war das ganze Schauspiel entstanden und wieder verschwunden.

»Eine Rakete!«, rief Benno. »Das ist wunderbar.«

»Jedenfalls das Signal eines Spions der Peruaner«, meinte mit plötzlich aufflammendem Interesse Señor Ernesto. »Es müssen Truppen in der Nähe sein.«

»Vielleicht Freischaren, – unsere Reisegenossen!«

»O Gott, Gott, dann wären wir erlöst!«

»Schnell in die Höhle!«, rief Ernesto. »Im Lager wird es lebendig.«

Die Spanier mochten von dem Gedanken an einen drohenden Verrat plötzlich ernüchtert worden sein, sie sprangen auf, taumelten durcheinander und sprachen alle zugleich. Es erklang ein Hornsignal, die Offiziere stürzten aus dem Haus, die Soldaten liefen zum Schuppen, um sich ihrer Waffen zu versichern, dann aber durchbebte ein Schrei des heftigsten Erschreckens die Luft. Alles leer! Äffte denn ein Spuk die Sinne? – Wo waren sämtliche Waffen?

»Der Feind!«, ging es von Mund zu Mund. »Sicherlich ist der Feind hierherum irgendwo versteckt!«

»Und wir sind ohne Waffen!«

Der Oberst erschien in Person am Gewehrschuppen.

»Da haben wir es!«, donnerte er. »Das ist die Strafe für eure Unbotmäßigkeit. Nun lasst euch samt und sonders abschlachten wie die Kälber, – ich wasche meine Hände in Unschuld.«

Auch die am ärgsten Betrunkenen waren jetzt zu sich selbst gekommen, die lautesten Schreier verstummt und die Kranken aufgerüttelt. Blasse Gesichter sahen einander an, wer hatte die Waffen geraubt?

»Sammelt euch innerhalb der Hecke«, befahl der Oberst. »Es sollen Wachtposten aufgestellt und diesen die vorhandenen Pistolen überliefert werden. Mit Tagesanbruch müssen unsere Kundschafter die Umgebung abstreifen, außerdem aber wollen wir die Felsen durchsuchen. Irgendwo steckt ja dieser Señor Ernesto mit seinen Freunden. Will es Gott, so soll die ganze Gesellschaft, ehe wir von hier fortgehen, an den Bäumen hängen.«

Das war im Ton der gereizten, knurrenden Dogge gesprochen worden. Vielleicht sehnte sich der Oberst nach einem Gewaltakt gegen Wehrlose, um einigermaßen den tiefen Groll, welchen er empfand, von seiner Seele abschütteln und zum Ausdruck bringen zu können.

Während die Gefangenen unwillkürlich den Atem anhielten, zerstreuten sich in lautloser Stille die ernüchterten Spanier und schlichen davon. Stoßgebete murmelnd, von abergläubischen Befürchtungen ganz erfüllt, um auf dem Platz des wüsten Gelages einige Ordnung zu schaffen und dann unter dem Schutz der Bromelienhecke den Morgen heimlich schauernd zu erwarten.

20.

Verfolgt und entdeckt – Verzweiflungskampf in der Felsenhöhle – Das Ende des Wahnsinnigen – Für den Freund verwundet – Der Abzug der Spanier

Es regnete in Strömen, seine stäubende Tropfen drangen durch Risse und Spalten in die Höhle, ein kalter Wind fand hier und da Zutritt; nur ganz allmählich, ganz sonnenlos hatte sich der junge Tag aus den Schleiern der Nacht empor gerungen, ohne das Versteck unserer Freunde mehr als nur notdürftig erhellen zu können.

Michael lebte noch, aber an seinem Lager stand der Todesengel und neigte tiefer und tiefer seine weißen Flügel über die Stirn des armen Knaben. Pedrillo und Halling hatten während der Nacht den Kunstreiter abgelöst und statt seiner den Kopf des Sterbenden an ihrer Brust gehalten, aber Ramiro blieb doch immer in der Nähe, er selbst war fast so bleich wie der Kranke, sein früher so dichtes, schwarzes Haar zeigte heute eine aschgraue Färbung, das braune, lebensfrische Gesicht glich dem eines Greises.

Doktor Schomburg mischte aus der Reiseapotheke auch für diesen Leidenden ein Stärkungsmittel und Ramiro nahm es dankbar entgegen, aber doch mit einem trüben, hoffnungslosen Lächeln. Es war ja nicht der Körper, welcher des Arztes bedurfte. Höher und höher stieg das Tageslicht.

Zusammengedrängt am letzten, innersten Ende des Ganges kauerten die Frauen und Mädchen aus Ernestos Haushalt, alle blass und stumm, die meisten unter der vorgehaltenen Schürze heimlich weinend, andere mit starrem Blick und gefalteten Händen, betend im Übermaß der Angst und Seelenqual.

Draußen sammelten sich ja die Spanier, um in aller Form und bei hellem Morgenlicht die Felspartien zu durchsuchen; sie sprachen laut miteinander, die Gefangenen hörten jedes Wort.

»Ich habe einen Plan!«, sagte jemand. »Gebt Acht, wenn die Vögel hier in den Felsen sitzen, dann müssen sie zum Vorschein kommen.«

»Was ist denn das für eine Idee, Geronimo?«

Der Soldat lachte.

»Dass ich ein Narr wäre, mein Geheimnis preiszugeben. Es soll mich bei dem Alten, wenn er auch keine Weinfässer mehr zu verteilen hat, doch wenigstens in besondere Gunst setzen.«

»Ach so Kamerad. Ein Pröbchen schwarzer Kunst etwa?«

»Natürlich.«

In der Höhle machte Trente bei diesen Worten des Soldaten eine Bewegung äußersten Erschreckens.

»Schwarze Kunst?«, flüsterte er.

Beide, der Kunstreiter und Ernesto legten wie auf Verabredung ihre Hände an die Dolche, welche sie im Gürtel trugen.

»Hüte dich!« hieß das, und »hüte dich!« stand in den Blicken, womit sie den armen zitternden Burschen ansahen. Ein Laut, und es war um ihn geschehen, das erkannte er.

»Willst du die Flüchtlinge in Vögel verwandeln, Geronimo?«, fragte draußen eine spöttische Stimme. »Nein, in Schafe, damit wir frisches Fleisch bekommen.«

Trente krümmte sich, als leide er an Bauchgrimmen.

»Also geschlachtet sollen wir werden? Geschlachtet, Señores? Alle sieben heiligen Nothelfer, das würde doch der spanische Oberst nimmermehr anordnen; er ließe uns wenigstens unsere menschliche Gestalt.«

Ernesto runzelte die Stirn.

»So dass du es für klüger hältst, dich beizeiten gutwillig zu ergeben, Bursche?«

»Ja! Ach ja!«

Der Gutsherr schüttelte den Kopf.

»Was ist da zu machen?«, flüsterte er.

Benno näherte sich dem ganz verzweifelten Maultiertreiber.

»Höre mich an, Trente«, sagte er mit eindringlichem, obwohl kaum vernehmbarem Ton. »Höre mich genau an. Du hast damals als wir in der Gefangenschaft der Indianer waren, durch deine Treue und deinen persönlichen Mut unser aller Leben gerettet, du hast in dieser letzten Nacht die kaltblütigste Tapferkeit bewiesen, – willst du das alles zunichtemachen, nur um einer verrückten Einbildung willen? Sollen wir sterben, weil du ein Narr bist?«

Trente weinte.

»Aber ein Schaf werden?«, raunte er, während die Tränen über sein braunes Gesicht herabrollten. »Blöken müssen, anstatt zu sprechen?«

Benno presste die Zähne zusammen, um nicht laut heraus zu lachen.

»Trente, besinne dich!«, brachte er mühsam hervor.

Und der ehrliche Bursche nickte.

»Ich will blöken«, seufzte er. »Geschlachtet zu werden ist ja auch vielleicht gar nicht schlimmer, als zu hängen.«

Benno drückte ihm die Hand.

»Beruhige dich über diesen Punkt, Trente«, lächelte er. »Du weißt ja nicht einmal, ob der Spanier überhaupt imstande ist, dich in ein Schaf zu verwandeln; vielleicht prahlt er nur ein wenig.«

Das Gesicht des Maultiertreibers erhellte sich zusehends.

»Das ist auch wahr«, sagte er. »Señor Benno, das ist ein Trost, den Ihnen die heiligen Nothelfer eingegeben haben.«

»Nun, dann denke nicht weiter an die Geschichte, mein guter Trente. Ich glaube, es gibt größere Gefahren, denen wir unsere Aufmerksamkeit zuwenden müssen.«

Benno beruhigte durch einen einzigen Blick die übrigen. Trente würde keine Unvorsichtigkeit begehen. Draußen bildeten die Soldaten eine immer dichter und zahlreicher werdende Gruppe.

»Der Adjutant wühlt schon wieder im Heu«, sagte jemand. »Das Bürschchen hat Schulden, es möchte gar zu gern einen recht straff gefüllten Geldsack finden und ganz allein für sich behalten.«

Ein anderer lachte.

»Wer möchte das wohl nicht, du? – Übrigens kommt jetzt der Alte angewackelt; er hat schon einen Frühtrunk im Leibe, Kinder.«

»Psst! – Weißt du denn nicht, dass er auf tausend Schritte hört?«

Geronimo rieb sich die Hände.

»Jetzt kommt mein Zauberspruch«, rief er.

In der Höhle zuckte Trente, wie von einem Messerstich getroffen.

»Heiliger Stephan, heilige Barbara, – wenn ich blöken muss, anstatt zu sprechen, verlasst mich nicht!«

Auch die übrigen sahen sich befremdet, um nicht zu sagen, unruhig an.

»Was meint der Kerl?«, raunte Ramiro. »Er hänselt seine Genossen.«

Aber der das sagte, glaubte es selbst nicht. Sie hatten sämtlich das Gefühl, als müsse jetzt eine schwere Entscheidung bevorstehen.

»Bis an das Herrenhaus sind die Felsen durchsucht«, sagte eine Stimme. »Es ist keine Maus darin zu finden gewesen.«

»Also sitzen die Flüchtlinge hierherum versteckt. In einer Viertelstunde haben wir die ganze Gesellschaft eingefangen.«

»Da du doch vom Fangen sprichst«, rief ein anderer, »wie steht es mit dem guten Mann, der die Rakete steigen ließ, hat man ihn entdeckt?«

»Keine Spur. Es ist natürlich ein Spion, der sich beizeiten aus dem Staub machte.«

»Psst! – Kein Wort mehr.«

Der Oberst, von allen seinen Offizieren umgeben, näherte sich jetzt der sprechenden Gruppe und begann die nötigen Anordnungen zu treffen.

»Hierherum stecken die Verräter, meine Jungen! Seine Majestät, unser allergnädigster König ist von ihnen auf das Dreisteste betrogen und bestohlen worden, also schafft sie lebend zur Stelle und ich will euch die kleine Ausschreitung von gestern nicht weiter anrechnen. Ein toller Streich, den Wein zu rauben und ihn aus Kochtöpfen zu trinken. Wollen darüber lachen, Kinder! – Aber nun bringt mir auch die Halunken lebend herbei.«

Ein Hurra brach von den Lippen der Soldaten. So leichten Kaufes sollten sie über die Revolte hinwegkommen? – Das war verlockend genug. Und nun stürmte alles gegen das trotzig dastehende breite Gebirge. Vielleicht eine gute Viertelstunde weit erstreckten sich die regellosen Massen, hier vorspringend, dort tiefe Einschnitte bildend, offene Täler, von schwebenden, hochgewölbten Brücken überspannt, schroffe Wände und vielgestaltige einzelne Kegel.

Alle diese Schluchten und Klüfte zu untersuchen, mochte keine kleine Arbeit sein. Den Gefangenen schien der Herzschlag zu stocken. Dicht gedrängt, die Kugelbüchsen schussfertig, so standen sie am Eingange nebeneinander und harrten der Dinge, die da kommen würden. Wenn die Feinde das Asyl entdeckten, sollten sie den räuberischen Einfall teuer bezahlen.

»Einen Augenblick!«, sagte draußen Geronimos Stimme. »Wir wollen es erst einmal mit der List versuchen.«

Und mit der Zunge schnalzend, rief er laut:

»Komm, Pluto, komm!«

Ein kurzes Bellen des Hundes antwortete ihm, ehe noch drinnen die erschrockenen Männer zuspringen und das Tier gewaltsam verhindern konnten. Es war nur ein schnell verhallender, ein einziger Laut, aber er reichte doch hin, um das Vorhandensein der Höhle zu verraten. Ein lautes Hurra der Spanier begrüßte die Entdeckung, gleich einem Bienenschwarm stürzten sich die zerlumpten Gestalten in das Gewirr von Stein und Felsblöcken, um den Eingang zu finden und im Triumph die Gesuchten hervorzuziehen.

»Dachte ich es nicht!«, rief Geronimo. »Das Tier wurde überrumpelt, es musste dem Rufe antworten.«

Und wieder lockte er:

»Pluto! Pluto!«

Aber diesmal ohne Erfolg. Die da drinnen mochten wohl wirksamere Mittel gefunden haben, um das Tier zum Schweigen zu bringen; kein Laut antwortete den Spaniern, auch dann nicht als der Puma gerufen wurde. Vielleicht genügte Ernestos Blick, seine erhobene Hand, um ihm Gehorsam zu verschaffen.

»Einerlei, meine Jungen«, rief im Ton gesättigten Rachedurstes der Oberst, »einerlei, die Schufte können uns nun nicht mehr entgehen. Riskiert nichts, wir haben Zeit, wir werden die Festung aushungern.«

Aber der Ruf verhallte ungehört. An jeden Spalt wurde geklopft, jeder Stein zu bewegen versucht. Zehnmal, zwanzigmal streiften einzelne Soldaten nahe an dem Zugang der Höhle vorüber, ohne sie zu entdecken, dann endlich geriet einer mehr durch Zufall als im Verfolgung eines Planes gerade vor die Mündung der Gewehre und flog ebenso schnell wie er gekommen war, wieder zurück.

»Hier sind sie! Hier sind sie!«

Der Oberst richtete sich höher auf, sein Auge blitzte.

»Dringt vor, meine Jungen, dringt vor! Holt mir den Gutsherrn lebendig!«

Die Worte schrillten von seinen Lippen, dass es fast kreischend klang. Lebendig musste er ihn ja haben, den, dem er Geständnisse erpressen wollte. Mitteilungen über versteckte Summen, lebendig um jeden Preis. Was hätte ihm auch ein Leichnam nützen sollen? – Tote plaudern nichts aus, weder Ersehntes, noch Gefürchtetes.

Wieder unternahmen es mehrere Soldaten, sich dem Eingang zu nähern, vielleicht durch plötzliche gewaltsame Überrumpelung erst einmal den Zutritt zu erzwingen und so die weit geringere Anzahl der Flüchtlinge mit leichter Mühe zu ergreifen, aber in der ersten Sekunde schon sollte ihnen dieser Versuch teuer zu stehen kommen.

Die Schüsse krachten und vier Spanier stürzten tot oder kampfunfähig zu Boden. Dennoch aber errangen die Soldaten einen Sieg, wenn auch einen unbeabsichtigten. Bei dem Geräusch der Schüsse sprang Carry, Ernestos zahmer Silberlöwe plötzlich aus den Felsen hervor und einem der Andrängenden gerade an die Kehle. Seine Zähne fügten dem Mann eine tödliche Verwundung zu, aber auch sein eigenes Schicksal wurde in diesem Augenblick besiegelt.

Ein Dolchstoß durchbohrte ihm das Herz; nach wenigen krampfhaften Zuckungen war er verendet. Ernesto sah es und ein Ausdruck herben Schmerzes flog über sein blasses Gesicht.

»Mein Tier!«, sagte er halblaut. »Mein armes Tier!«

Der alte Hausmeister zielte schon.

»Dieser betrunkene Schuft hat es getan«, zischte er. »Der da! – Nimm es hin, du spanischer Hund!«

Als sich der Pulverdampf verzogen hatte, lag der Soldat mit durchschossenem Kopf am Boden und die Waffe, von der Carrys Herz getroffen worden war, flog weit hinaus zwischen die Klippen. Wieder ein Toter mehr in diesem ungleichen, schrecklichen Kampf. Jetzt wurden doch die Soldaten stutzig. Ihre Gegner verfügten über Waffen und Munition, außerdem aber über die allerbeste örtliche Gelegenheit, sie konnten anlegen und zielen, ohne selbst den Feinden ihre eigenen Personen preisgeben zu müssen; während sie vollständige Deckung besaßen, konnten sich die Spanier nicht nähern, ohne sogleich als Zielscheiben zu dienen, – das entmutigte die ohnehin sehr wenig disziplinierten Truppen.

»Da lasse sich der Teufel abschlachten!«, rief einer. »Es ist, als ob ein Tier zum Metzger geführt wird, aber kein ehrlicher Kampf.«

»Das sage ich auch, Kamerad. Die peruanischen Rebellen sollen mit allen ihren Waffen herauskommen und wir wollen sie so warm empfangen, dass keiner den Platz mehr verlässt, aber dieses Spiel ist ungleich. Ich gehe nicht wieder vor.«

»Ich auch nicht, du!«

Graf Lunar, der Adjutant, näherte sich dem Obersten.

»Exzellenz verzeihen«, sagte er. »Dürfte ich mir in diesem besonderen Falle einen Vorschlag erlauben?«

»Bitte, mein lieber Graf! Sie wollen die Festung aushungern, nicht wahr?«

»Mit Eurer Exzellenz Erlaubnis, – nein. Das dauert zu lange und ist zu ungewiss. Wer kann beurteilen, wie viel Proviant möglicherweise die Rebellen mit sich führen? – Nein, mein Vorschlag ist ein anderer.«

Der Oberst wirbelte den spitzen Bart durch die Finger.

»So sprechen Sie, Graf, bitte, sprechen Sie!«

»Ich würde Feuer vor dem Eingang der Höhle legen, brennende Pechfackeln zum Beispiel, oder grünes Holz. Der Rauch erstickt die Eingeschlossenen!«

»Aber ich will den Rädelsführer durchaus lebendig haben!«, rief die erbitterte Exzellenz. »Er soll Geständnisse machen.«

»Das wird auch geschehen, das lässt sich durch Feuer am leichtesten erreichen. Dem beißenden Rauche widersteht kein lebendes Wesen.«

»Nun gut!«, rief der Oberst. »Versuchen wir die Sache. Holt Pechfackeln herbei, meine Jungen. Brecht die Äste von den Bäumen.«

Nach allen Richtungen hin eilten die Soldaten auseinander. Rücksichtslos wurden die jungen Pfirsichbäume abgebrochen, rücksichtslos die geplünderten Weinstöcke aus dem Boden gerissen, – es sollte ja grünes Holz langsam schwelend verbrennen, kein trockenes, das leicht aufflammte. Die Gefangenen sahen einander an.

»Ob wir uns ergeben müssen?«, fragte Benno. »Das wäre schrecklich.«

Ernesto presste krampfhaft die Hände zusammen, aber er schwieg; er sah vielleicht die Unmöglichkeit vor sich, zu entrinnen, aber er wagte nicht, den Gedanken auszusprechen. Immer noch früh genug kommt die böse Botschaft, – es entnervt, das Ziel schon im Voraus als unerreichbar zu erkennen.

Trente hatte seinen Rock ausgezogen und an der schmalen, zum Fluss hinabführenden Stelle gänzlich in das Wasser getaucht. Jetzt forderte er die übrigen auf, ein Gleiches zu tun.

»Die Flammen dürfen nicht erst um sich greifen, Señores«, flüsterte er. »Wir müssen sie schon im Keime ersticken.«

»Und das hältst du für möglich, Trente?«

»Ich hoffe es wenigstens.«

Obijah flüsterte mit dem alten Pietro.

»Da stehst du, weißer Mann«, sagte er kaum hörbar. »Da hinter der vorspringenden Ecke. Vier Männer laden dir immerfort neue Gewehre und du schießest jeden Soldaten, der Feuerbrände anhäuft, auf dem Fleck nieder. Willst du das?«

Der Hausmeister nickte voll Ingrimm.

»Die Räuber!«, zischte er. »Die Wegelagerer in Uniform! Ich wollte die ganze zerlumpte Schar hätte zusammen nur ein einziges Herz und es wäre gerade mir vergönnt, so recht mitten hinein zu schießen. Hei, da hätte ich mein armes Peru vom Übel erlöst!«

Obijah schüttelte leicht den Kopf.

»Das kannst du nicht, Weißer«, sagte er, »aber fünf oder sechs Feinde erlegst du doch vielleicht und das ist für einen tapferen Krieger immer schon eine schöne Zahl. Die am Boden liegen, können uns nicht mehr schaden.«

»Und nun zu dir«, wandte er sich an den Schlangenmenschen. »Was denkst du, Fremder, wäre es dir möglich, dich da auf den Steinvorsprung hinaufzuschwingen?«

Pedrillo maß mit den Augen die Entfernung zwischen dem Boden und der Klippe, die sich wie eine Art Nische in das Gestein hineinsenkte.

»Ich kann es!«, nickte er. »Aber was sollte ich denn da oben, mein vortrefflicher Obijah?«

Die Augen des Indianers funkelten.

»Du sollst die Feuerbrände, welche ich dir zuwerfe, wieder hinabschleudern, gerade unter die Feinde«, zischte er, »ihnen auf die Köpfe, – willst du das?«

»Mit dem größten Vergnügen. Ich werde gleich einmal Probe machen.«

Pedrillo flog mit dem elegantesten Schwung etwa fünf oder sechs Fuß hoch an der Steinwand empor bis in die Nische; vorsichtig spähend sah er in den Garten hinüber, dann, nach kurzem Rundblick winkte er dem Eingeborenen.

»Obijah, sie kommen, sie kommen! Dein Gedanke war gut, Mann, ich bleibe am liebsten gleich hier oben.«

Obijah gab ein Zeichen des Einverständnisses, dann trat er wartend bis nahe an den Zugang der Höhle, wo Pietro mit geladenem Gewehr schon Posto gefasst hatte. Vier Männer standen hinter dem Alten, jeder mit einer gefüllten Patronentasche versehen, bereit, die abgeschossene Büchse gegen eine andere zu vertauschen und sofort wieder zu laden.

Außerdem hatte Trente einen Berg von triefenden Röcken vor sich aufgestapelt, – mochte also jetzt der erste Feuerbrand in den Spalt stiegen, man war für einen energischen Empfang vollauf gerüstet und überließ die Verantwortung der unvermeidlich gewordenen Gräuel mit gutem Gewissen denen, die das Unglück heraufbeschworen hatten.

Draußen knisterte es wie von Funken, ein Geruch brennenden Harzes verbreitete sich durch die Höhle, Rauch wallte auf und hoch im Bogen fiel der erste Brand zwischen das Gestein, gerade vor den Eingang, vor die Füße Obijahs, der die lohende Fackel ergriff und sie gelassen dem Schlangenmenschen überreichte.

»Gib den Gruß weiter, Fremder!«

Pedrillo biss die Zähne zusammen. Sollte er rücksichtslos das brennende Holz den Soldaten auf die Köpfe werfen? Aber es musste sein, oder schuldloses teures Leben war auf das Äußerste bedroht. Wie würde wohl der Sieger dem Gutsherrn mitgespielt haben? Wie den unglücklichen Frauen? – Die grausamsten Martern wären über alle verhängt worden. Und der Schlangenmensch zielte gut.

Die Brandfackel, von kräftigem Arm geschwungen, flog sausend durch die Luft, mitten hinein in die Reihen der Soldaten. Ein Schrei des Erschreckens, ein Auseinanderfalten war die Wirkung des unerwarteten Angriffes; hier hatte ein Spanier die Hände versengt, dort einer die Stirn und wieder dort ein dritter das Haar, aber ernstlich verletzt oder gar getötet war keiner. Sie sprangen schreiend vor Wut umher, sie schleuderten die brennende Fackel vor den Eingang der Höhle zurück und nun konnte der ungleiche Kampf als eröffnet gelten.

Hin und her flogen die glühenden Scheite, mehr und immer mehr Soldaten schleppten Fackeln und Baumzweige herbei; immer größer wurde die Anzahl derer, welche sich an der Erstürmung beteiligten. Rauch und Funken erfüllten die ganze Umgebung, zuweilen donnerte ein Schuss, und eine Stimme schrie laut aus, – dann hatte sich einer der Spanier zu nahe herangewagt und war von Pietros Kugel getroffen worden.

Blut rieselte über das Gestein, Blut durchsickerte den Boden, dichte Wolken beißenden schwarzen Rauches erfüllten die Höhle und nötigten drinnen den Kunstreiter, auf seinen Armen den sterbenden Michael näher an den zum Wasser hinabführenden Gang zu tragen. Hier wurde geschöpft und geschöpft, um nur mit den nassen Kleidungsstücken die Feuerbrände rechtzeitig zu ersticken; der Boden schwamm, die Tropfen spritzten, aber Michael sah und hörte davon nichts mehr, er war der Wirklichkeit vollständig entrückt.

»Joseffo ist bei mir«, flüsterte er, während ein unheimliches Dehnen und Strecken seinen ganzen Körper durchlief, »er spricht mit mir. Horch, es ist Ihr Name, den er nennt, Señor Ramiro, – er möchte Ihnen die Hand drücken.«

Der Kunstreiter schauderte.

»Nicht doch«, sagte er mit erstickter Stimme. »Nicht doch. Du solltest schlafen, Michael.«

»Wollen Sie dem armen Joseffo die Hand nicht geben, Señor? – Er ist so freundlich, spricht so milde und gut. Die Wassernixen haben ihn in ihre Schleier gehüllt und sanft gebettet, – er scheint ganz – ganz glücklich.«

Immer tiefer beugte sich das Haupt des Kunstreiters herab; seine bleichen Lippen zuckten krampfhaft.

»Joseffo ist tot«, sagte er, mühsam sprechend. »Lass ihn ruhen, Michael, rufe ihn nicht.«

Der Sterbende wandte zum letzten Mal den Kopf.

»Er ist bei – mir«, stammelte er, »Joseffo schickt – Ihnen – Ihnen – Grüße, – Señor Ramiro –.«

Dann war alles vorüber. Das bleiche Haupt lag unbeweglich in den schützenden Armen des Kunstreiters, die Seele hatte endlich Ruhe gefunden in jener Verwandlung, die wir den Tod nennen und die doch der Beginn des Lebens ist. Während wenige Schritte entfernt der blutige Kampf seinen Fortgang nahm, ließ Ramiro sanft den erkaltenden Körper zu Boden gleiten und deckte über das abgezehrte Gesicht ein Taschentuch.

Mit Hallings Hilfe trug er den Toten in einen Winkel, – jetzt konnten ihm ja der erstickende Rauch und die Funken nichts mehr anhaben. Wer den sonst so lebensfrohen Mann sah, der musste ein unwillkürliches Mitleid Empfinden. Wie gebrochen neigte er sich über die Leiche, wortlos, abgestumpft gegen alles, was um ihn her vorging. Doktor Schomburg suchte den gebeugten unglücklichen Mann so viel als er vermochte, auszurichten.

»Für den armen Michael wäre keine Genesung, keine wirkliche Lebensfreude mehr denkbar gewesen«, sagte er. »Es war ein Scheinleben, das der bedauernswerte junge Mensch führte; dabei mussten sich die Körperkräfte naturgemäß verzehren und der erste stärkere Anstoß den Kranken dahinraffen. Es scheint, dass Michael einen heftigen Schreck erlitten hat, vielleicht war schon die Aufregung einer eingebildeten Geisterbeschwörung ihm schädlich. Er glaubte die Stimme eines Verstorbenen zu hören.«

Der Kunstreiter zuckte zusammen.

»Joseffo!«, sagte er tonlos, beinahe unverständlich.

Es schien, als schwebe auf den Lippen des Doktors eine Frage, die er jedoch nicht aussprach. Anstatt dessen kam Ramiro selbst auf diesen Gegenstand zurück.

»In seinen letzten Augenblicken verkehrte Michael mit dem Toten«, brachte er mühsam hervor. »War das eine Fieberfantasie, Herr Doktor?«

Ein mitleidiger Blick traf die gesenkte Stirn des Fragenden, eine Hand legte sich beruhigend mit festem Druck auf die seinige.

»Michael hatte kein Fieber, Señor Ramiro.«

»Nicht? Wirklich nicht? Aber was war denn? – Ich meine –.«

»Wollen wir nicht annehmen, was uns das Erhebendste, Wohltuendste ist? Wollen wir nicht glauben, dass Michael in seiner Sterbestunde mehr sah, mehr erkannte, als unser Verstand zu fassen vermag? Wer auch Joseffo war, so ist er dem armen Jungen als Freund, ist ihm versöhnt und voll Liebe erschienen.«

Der Kunstreiter sah nicht auf; vielleicht nahmen ihn seine Gedanken so in Anspruch, dass er darüber alles andere völlig vergaß.

»Joseffo wollte mir die Hand drücken«, sagte er leise und in einem Ton, der wie verhaltenes Schluchzen klang.

»Dann reichen Sie ihm im Geiste die Ihrige, Señor Ramiro, vergessen Sie alles, was hinter Ihnen liegt, fassen Sie recht von Herzen Joseffos Hand und seien Sie versichert, er sieht jeden Ihrer Gedanken, er hört das Wort der Versöhnung, ob es auch niemals laut ausgesprochen wurde.«

Ramiro wollte antworten, aber nur ein unartikuliertes Ächzen brach sich Bahn – ohnmächtig sank er auf Michaels kaum erkalteten Körper zurück.

»Wir müssen die Sache kürzer machen«, sagte Graf Lunar, der Adjutant Seiner Exzellenz. »Klettert hinauf. Soldaten, und träufelt durch die Ritzen der Felsen brennendes Pech auf die Köpfe dieser Rebellen herab.«

Der Vorschlag fand nur geteilten Beifall.

»Ich will den Schurken lebendig haben«, knirschte der Oberst. »Verbrennen kann man ihn später noch immer.«

Vielleicht war der kleine bewegliche Adjutant im Stillen ganz anderer Ansicht, aber er hütete sich, das auszusprechen. Wenn man den Gutsherrn zwang, sein bares Geld herauszugeben, – was hatte er davon? Besser, der Mann starb und was sich dann möglicherweise zwischen den Klippen versteckt fand, nun, das gehörte dem glücklichen Entdecker, aber keineswegs Seiner Majestät dem König von Spanien.

»Klettert hinauf, meine Jungen«, ermahnte der Adjutant die Soldaten, »seht nach, ob sich in der Felsdecke Spalten befinden.«

Es wurden Leitern herbeigeholt und die verwegensten Soldaten unter den Mannschaften stiegen in das Gewirr von Klippen und steilen Wänden empor. Wie die Eidechsen glitten sie über das Gestein und suchten und tasteten allerorten.

»Hallo!«, rief einer. »Ich habe einen breiten Spalt entdeckt, ich –.«

Weiter kam er nicht. Blitzschnell hatte sich der Lauf einer Kugelbüchse nach oben gekehrt, der Knall erschütterte gleich einem Donner die Luft und aufschreiend presste der Soldat beide Hände gegen seine Brust.

»Ich – bin – getroffen!«

Dann sank er zurück, tot oder doch sterbend. Es wagte sich keiner seiner Kameraden in die Nähe der gefährlichen Stelle, um ihm Hilfe zu leisten.

»Unser zwölfter Toter«, sagte ein Soldat. »Das sind wahre Teufel da drinnen. Jeden Angriff schlagen sie zurück.«

»Und erschießen uns höchstwahrscheinlich mit unseren eigenen Gewehren, die Halunken, die!«

»Man darf aber doch die Sache nicht aufgeben, das wäre schimpflich. Vielleicht nützt es, den Rebellen durch hinausgeschleuderte brennende Fackeln die frische Luft abzuschneiden, – sie müssen dann um Gnade bitten.«

»Da kannst du lange warten, Miguel, aber ich habe einen anderen, besseren Gedanken, einen, der zum Ziel führen wird.«

Man lachte.

»Schon wieder ein Geheimnis, Geronimo? Das Erste hat uns verzweifelt wenig genützt.«

»So?«, war die in gereiztem Ton ausgesprochene Antwort. »So? – Und verriet euch nicht mein Scharfsinn das Asyl der Rebellen?«

»Freilich, – aber es scheint uneinnehmbar zu sein. Bis jetzt sind zwölf Tote zu verzeichnen.«

»Einerlei!«, rief jemand. »Einerlei, was geschehen ist, lässt sich nicht wieder rückgängig machen. Heraus mit deinem Gedanken, tapferer Geronimo.«

Der Soldat nickte.

»Im Fluss liegen zwei Kähne«, antwortete er. »Greifen wir also die Rebellen auch von der Wasserseite an.«

Der Vorschlag wurde beifällig aufgenommen. Eine Anzahl Soldaten stürmte zu den Kähnen, während die zurückgebliebenen den schon begonnenen Kampf mit den brennenden Pechfackeln energisch fortsetzten. Überall loderte und glühte es, überall lagerten in der Luft schwarze Rauchwolken, knisterten und sprühten ganze Garben rotgelber Funken.

Unter Trentes unermüdlichen Händen zerfielen die nassen Decken in Lumpen, Pedrillos und Obijahs Kräfte reichten nicht mehr hin, um immerfort die hereinbrechenden Massen von brennendem Holz wieder zurückzuschleudern; andere, minder tapfere und geschickte Leute mussten sie einstweilen ersetzen, während nun zu allem übrigen das Feuer auch durch die Decke hereinregnete.

Freilich erloschen diese glühenden Tropfen bei der ersten Berührung des überschwemmten Bodens, aber sie konnten im unglücklichen Falle auch die Köpfe der Menschen treffen und dann wäre der Jammer unübersehbar gewesen. Jedes Auge tränte, jede Brust kämpfte mit dem Ersticken. Man erkannte einander nur noch durch die Stimme; fast jeder einzelne Mann fühlte einen Schwindel, der ihm die Sinne zu rauben drohte. Ernesto und Benno standen nebeneinander.

»Den Zugang von der Wasserseite werden wir nicht verteidigen können«, flüsterte seufzend der Gutsherr. »Ich fürchte, dass jetzt unser Schicksal besiegelt ist.«

Benno erschrak heftig.

»Sagen Sie das nicht, Señor! Keiner von uns würde mit dem Leben davonkommen.«

»Keiner«, nickte Ernesto. »Daher muss ein Entschluss gefasst werden. Ich will eine weiße Fahne, – ein Taschentuch – an einer Bajonettspitze aufstecken und den Obersten um eine Unterredung bitten.«

»Wozu das?«, fragte, von schlimmer Ahnung erfasst, unser Freund. »Sie denken doch auf keinen Fall an eine Übergabe der Festung, Señor Ernesto?«

»Nicht dieser«, versetzte der Gutsherr, »aber meiner Person. Wenn der Oberst verspricht, Ihnen allen freien Abzug zu gewähren, so mag er mit mir selbst anfangen, was ihm beliebt.«

Benno schüttelte heftig den Kopf.

»Niemals soll das geschehen«, sagte er mit unterdrücktem, aber doch leidenschaftlichem Ton. »Niemals. Der blutdürstige Tyrann würde Ihnen ohne Zweifel den Kopf abschlagen lassen.«

Ernestos ruhiges Gesicht zeigte keine Veränderung.

»Und wenn das geschähe?«, gab er zurück. »Was läge daran? Ihr Leben hätte ich erhalten, Benno, und es ist mehr wert als das Meinige.«

Unser Freund atmete schneller.

»Als das Ihrige?«, wiederholte er. »O Señor, Señor, wie können Sie nur so sprechen? Kein Auge würde um mich weinen, kein Herz sich grämen, wenn ich stürbe, Ihr Verlust dagegen müsste Tausende in Leid und Trauer versetzen. Der gute Vater Ernesto – wie sehr lieben ihn nicht alle.«

Im Halbdunkel der raucherfüllten Höhle suchte der Gutsherr die Hand des Knaben und hielt sie dann fest zwischen seinen beiden.

»Sagen Sie das Wort noch einmal, Benno! – Vater Ernesto!«

»Gewiss, gewiss, so nannten die Indianer Sie immer. Vater Ernesto! – Es kann Ihnen nicht gestattet werden, Ihr kostbares Leben für uns zu opfern.«

Er rief auch die übrigen herbei und alle waren der Ansicht, dass das Äußerste versucht werden müsse, um die Höhle noch eine Zeit lang zu halten.

»Ich denke immer an die Rakete«, sagte Halling. »Jedenfalls war sie ein Signal.«

»Aber vielleicht ein solches, das noch mehr spanische Truppen herbeiruft. Wer kann es wissen?«

»Hilf, Himmel!«, rief mit unterdrücktem Ton der Schlangenmensch. »Hilf Himmel! Da sind die Kähne.«

Frauen und Mädchen flohen kreischend aus der gefährlichen Nähe des zweiten Zuganges. Es entstand im Augenblick ein Durcheinander mit wahrhaft entsetzlichen Einzelheiten; hier und da fielen Tropfen brennenden Harzes den Unglücklichen auf Arme und Köpfe, einzelne stürzten im Gedränge zu Boden, andere taumelten, vom Rauch halb erstickt, gegen die Wände des engen Raumes und versperrten in dieser Weise den Durchgang.

Man sprach und rief, ohne eine Antwort zu erhalten; – das Elend schien jetzt auf seinem Höhepunkt angelangt zu sein. Und doch noch nicht. Mehrere Pistolenschüsse krachten zugleich, die Soldaten machten sich den Weg frei, um das Innere der Höhle zu stürmen.

Obijah und Trente hatten schon während der letzten Minuten einen jener Felsblöcke, die überall zerstreut umherlagen, mit vereinten Kräften aufgehoben und jetzt trugen sie, seitwärts gehend, die schwere Last bis zum Ausgang. Den Pistolenkugeln der Angreifer mit wahrem Heldenmute trotzend, hoben die vier nackten braunen Arme den Stein hoch empor und schleuderten ihn in gewaltigem Schwung gerade in das nächst liegende Boot, mitten hinein in die Reihen der gedrängt stehenden, mit der Führung eines Fahrzeuges wenig vertrauten Soldaten.

Ein lautes fröhliches Hurra begleitete den Wurf, der zwei Männer zu Boden streckte und durch den jähen Sturz derselben das Boot zum Kentern brachte. Es schlug um und alle seine Insassen fielen in das Wasser.

»Einen anderen Block!«, rief Trente. »Schnell!«

Die Spanier fluchten lästerlich, die aufgeschreckten Frauen schrien und jammerten, aus dem zweiten Boot wurde sinnlos immerfort in die Felsen hineingeschossen – es schien als sei die ganze Hölle mit allen ihren Schrecken gegen das kleine Häuflein der Gefangenen losgelassen worden, als gebe es vor dieser doppelten Bedrohung keine Flucht und keine Rettung.

Wieder schleuderten die Indianer einen neuen Block auch in das zweite Boot, aber ohne dasselbe zum Sinken zu bringen, ohne die Mannschaft am Schießen zu verhindern. Eine Kugel traf Obijahs Arm, der tapfere Mann konnte nicht mehr kämpfen; er taumelte und obwohl kein Klagelaut seinen Lippen entfloh, sahen doch die Gefährten, wie vollständig erschöpft er war.

Trente allein konnte die großen Steine nicht werfen, seine Genossen aber standen am vorderen Eingang und wehrten dort mit vereinten Kräften den von draußen herein geschleuderten Feuerbränden, – sie hatten keine Zeit, auch die Soldaten an der Landung zu verhindern.

So geschah es, dass mehrere derselben Fuß fassten und plötzlich im Innern der Höhle auftauchten. Ernesto sah es; gedankenschnell warf er sich den Eindringenden entgegen.

»Der Kampf ist entschieden«, rief er. »Ich ergebe mich!«

Die Spanier mochten alles erwartet haben, nur das nicht; sie stutzten und traten unwillkürlich zurück.

»Ergeben?«, rief einer. »Ergeben? Jetzt noch?«

»Fasst ihn! Fasst ihn!«, schrien andere dazwischen.

Aber der richtige Augenblick schien, so schnell auch die wenigen Worte gesprochen waren, doch schon verfehlt. Vor dem Gutsherrn standen vier Männer, entschlossen, mit ihrem eigenen Leben das seinige zu verteidigen, ihn nicht herauszugeben, es koste, was es wolle. Ramiro, der Doktor, Halling und Benno hielten die Gewehre im Anschlag, sie sprachen nicht, aber ihre Stellung verriet den unerschütterlichen Entschluss, nur über ihre eigenen Leichen den Weg zu dem bedrohten Freunde freizugeben.

Auge in Auge, umwallt von schwarzem Rauch, umsprüht von Funken, totenstill in der lärmenden Umgebung, standen die Angehörigen der beiden kämpfenden Parteien einander gegenüber, nur sekundenlang, aber erfüllt von brennendstem Hasse, von der Überzeugung, dass es unmöglich, undenkbar sei, ohne Schwertschlag, ohne die Entscheidung der Waffen das Feld zu räumen und dem Sieger auf Gnade und Ungnade anheimzufallen.

Mitten hinein in diese bange Stille klang ganz plötzlich von draußen das Signal zum Sammeln, aber niemand hörte es, weder die Soldaten, noch die Gefangenen. In allen Seelen tobte gleicherweise der gewaltigste Aufruhr, herrschte gebietend die Spannung, welche der Katastrophe vorausgeht. Wer würde den Sieg behalten?

Einer der Spanier schlich unbemerkt hinter den Gutsherrn, um gegen dessen Kopf mit dem Kolben der Pistole einen Schlag zu führen. Das tötete nicht gleich, aber es betäubte, es machte im Augenblick kampfunfähig und mehr brauchte man vorläufig nicht zu erreichen. Schon war die Waffe erhoben, in der nächsten Sekunde würde sie auf Ernestos Scheitel herabgefallen sein, wenn nicht gerade zur rechten Zeit Benno zwischen den Bedrohten und den Angreifer mitten hineingesprungen wäre.

Der Pistolenkolben traf seine Stirn, er warf die Arme in die Luft, taumelte und sank ohne einen Laut schwer zu Boden.

Ernesto schrie laut auf. »Benno! Allmächtiger Gott, Benno!«

Wieder ertönte jetzt draußen das Signal, näher, dringender; die Spanier horchten auf, es war, als kehre allen diesen erbitterten, von der wildesten Leidenschaft berauschten Köpfen auf einen Schlag das Bewusstsein zurück, als erwachten sie aus einem Taumel, der alle Sinne, alle Kräfte des Geistes gleicherweise umstrickt gehalten hatte.

Vom Garten her wurden keine Feuerbrände mehr in die Felsen geschleudert, man hörte die Fußtritte eilig Flüchtender, hier und da rief eine Stimme den abwesenden Freunden eine Warnung zu.

»Miguel! Geronimo! Wo steckt ihr?«

»Hallo, he! Hallo!«

Hörnerklang und Trommelwirbel schmetterten durcheinander. Die Spanier drängten sich, jetzt völlig unbekümmert um ihre Widersacher, aus dem schmalen Felszugang ins Freie, sie stürmten fort, ohne sich umzusehen; schon nach wenigen Minuten drang kein Laut, der die menschliche Nähe verraten hätte, mehr zu den Gefangenen in die Höhle. Still, schauerlich still war es drinnen geworden.

Am Boden kauernd, hielt Ernesto mit beiden Armen den bewusstlosen Knaben fest an seine Brust gepresst, und wieder beugte sich Doktor Schomburg über einen Patienten, um ihm ein Heilmittel auf die Lippen zu träufeln, aber diesmal ohne jenes ernste Erbarmen, mit dem er Michaels Todeskampf beobachtet hatte.

»Seien Sie ganz ruhig, Señor«, sagte er, »die Sache ist ohne Bedeutung. In wenigen Augenblicken hat Benno die Besinnung wiedererlangt.«

Der Gutsherr glitt immer aufs Neue mit bebenden Fingern über die riesige Beule auf Bennos Stirn.

»Für mich hat er den Schlag erhalten«, stammelte er, wie jemand, dem ein einziger Gedanke jedes andere Interesse verdrängt, »mein Gott, mein Gott, nimm mich! – Wenn er stürbe, so wäre ich sein Mörder.«

Der Doktor schüttelte den Kopf.

»Welche Übertreibung!«, sagte er. »Aber da ist, dem Himmel sei Dank, nicht an Tod und Sterben zu denken. Wenn so ein Junge auf der Eisbahn fällt, oder er purzelt aus einem Baum, auf dem anderer Leute Äpfel wuchsen, dann gibt es eine tüchtige Beule – und mehr ist auch dieses nicht.«

»Aha«, fügte er dann hinzu. »Benno öffnet schon die Augen.«

Etwas wie ein erstickter Jubelschrei brach über Ernestos Lippen, er beugte sich hastig, voll Erwartung über das rußgeschwärzte Gesicht des Knaben.

»Benno!«, flüsterte er in zärtlichem Ton. »Benno, tut es sehr weh, mein Junge?«

Unser Freund drehte langsam den Kopf, als wolle er probieren, ob die Sache wirklich noch gehe, dann sah er voll Erstaunen umher.

»Ja, – wo sind denn die Spanier?«

»Sehen Sie wohl«, lächelte der Doktor. »Es ist gar nichts.«

»Gott sei gepriesen! Benno, haben Sie wirklich keine unerträglichen Schmerzen, können Sie den Kopf gut bewegen?«

Der Knabe lächelte.

»Es tut ein wenig weh, Señor, ganz wenig. Morgen ist das alles vergessen. Aber wo sind die Soldaten?«

Trente war schon vorsichtig ins Freie hinausgetreten; gerade jetzt kam er wieder herein.

»Sie sind sämtlich verschwunden, die Spanier«, berichtete er. »Wie weggeblasen. Was mag das nur bedeuten?«

»Ob es eine List ist, um uns in einen Hinterhalt zu locken?«

»Nein, nein, die Ursache liegt tiefer. Sie sind wirklich auf und davon.«

»Aber wir brauchen deshalb noch nicht gleich hinauszugehen. Vielleicht kehren ja auch die Unholde zurück.«

»Wie der Garten aussieht!«, sagte Trente, indem er die Hände zusammenschlug. »Es ist kein Baum, kein Weinstock verschont geblieben.«

Der Gutsherr atmete tiefer, wie erlöst vom Fluche.

»Das soll mich nicht kümmern«, antwortete er. »Lass fahren dahin, – was mir Wert hatte, das ist alles gerettet worden.«

Und wieder strich er zärtlich über Bennos Stirn.

»Ich will hinausgehen«, setzte er hinzu, »und einmal im Haus Umschau halten.«

Aber die übrigen verhinderten ihn daran. Es war in der Höhle etwas erträglicher geworden, der Rauch hatte sich verzogen und anstatt des früheren Getöses herrschte die tiefste Stille. Rings an den Wänden hockten ermattet die tapferen Kämpfer, alle so müde, so erschöpft, als hätten sie meilenlange Wege zu Fuß durchwandert, alle schwarz wie die Neger, mit geröteten Augen und zerfetzten Kleidern.

Hier und da verband der Doktor eine Brandwunde oder wusch doch wenigstens die schmerzende Stelle mit reinem Wasser; auch Obijahs Arm hatte die nötige Behandlung erfahren und obgleich der unerschrockene Häuptling ein wenig auf den Füßen schwankte, so war er doch bereit, aufzustehen und eine Rekognoszierung vorzunehmen.

»Ich gehe mit«, erklärte Trente.

»Und ich«, setzte Halling hinzu.

Obijah schüttelte den Kopf.

»Kein weißer Mann«, sagte er sehr bestimmt. »Das ist zu gefährlich.«

Man ließ ihn gewähren, und die beiden Rothäute schlichen sich fort, um auf Umwegen in die Nähe des Hauses zu gelangen. Unterdessen sah Pedrillo aus dem Eingang in den Garten und zu dem Lagerplatz der Spanier hinüber.

Es war alles leer, auch die Zelte abgebrochen und das Gepäck entfernt; an eine Rückkehr der Soldaten ließ sich offenbar nicht denken. Die Gefangenen liefen hin und her, bis die beiden Rothäute wieder in der Höhle erschienen.

»Zwei Soldaten waren noch im Haus«, berichtete Trente, »die haben wir eingesperrt.«

»Und sonst ist niemand zugegen?«

»Keine Seele. Aber auch –.«

Und Trente stockte.

»Solche Spitzbuben!«, fügte er hinzu.

Ernesto lachte wie ein glücklicher Mensch.

»Es ist alles in Trümmer geschlagen, nicht wahr, mein guter Bursche? Die Spiegel sind nur noch Splitter, das Treppengeländer heruntergerissen, die Möbel zerstört. Man hat meine Pferde mit sich genommen und den armen Kettenhund getötet.«

Trente sah sehr erstaunt auf.

»Als hätten Sie dabei gestanden, Señor. Es ist wirklich alles, wie Sie sagen.«

»Nun, das schadet nicht. Ich habe auf den Weiden noch mehr als dreitausend Pferde und besitze auch die Mittel, um neues Mobiliar zu kaufen. Lasst uns jetzt nur sehen, dass wir in das Haus kommen. Eine Schütte Stroh zum Ausruhen wird sich ja immer noch finden, und – ich gestehe, dass mich meine Kräfte verlassen.«

Die ganze kleine Schar drängte dem Ausgang zu, die Frauen weinend und betend, die Männer mit dem geladenen Gewehr in der Hand, bereit Freiheit und Leben so teuer wie nur möglich zu verkaufen. Vor den Blicken der meisten drehte sich alles im Kreis, die Luft schien mit Funken erfüllt, die Stimme versagte den Dienst und die trockenen Lippen bluteten bei jeder Bewegung.

Zwei Männer trugen unter dem Aufgebot aller ihrer Kräfte Michaels Leichnam in das Haus, während der alte Pietro den getöteten Puma auf seinen Armen hielt und ihn mitnahm, um später den Körper zu begraben. Im Garten sah es aus, als hätte über die Beete und Rabatten ein Artilleriepark seinen Weg genommen. Jeder Halm war geknickt, jedes Gewächs zertreten, selbst die Bäume ihrer Kronen beraubt und die Zaunpfähle herausgerissen; das Ganze, noch vor wenigen Tagen so schöne blühende Landgut war in eine Wüste verwandelt, – vielleicht mussten Jahre dahingehen, ehe alle diese Wunden heilten, aller Schaden ausgebessert werden konnte. Pietros Frau schlug einmal über das andere die Hände zusammen.

»Um Gottes willen, Señor Ernesto«, rief sie, »wie sieht es hier aus!«

»Schade! Schade! Die armen Pfirsichbäume. Allen sind die Kronen abgebrochen.«

Aber der Gutsherr kümmerte sich um keine dieser Klagen.

»Lasst das nur«, versetzte er. »Ein paar Bäume wachsen schnell wieder nach.«

Auch die Veranda vor dem Haus war zum größten Teil zerstört, die Fensterscheiben zerschlagen und die Gardinen herabgerissen. Hier und da lagen leere Weinfässer, Kisten und Säcke; man hatte das trockene Obst, den Mais und die Bohnen umhergestreut, als wären die unersetzlichen Lebensmittel nur ebenso viele Sandkörner.

»Nun, Trente«, fragte der Gutsherr, »wo habt ihr denn die beiden spanischen Soldaten gelassen?«

»Im Keller, Señor. Da war ein dunkler Raum mit fester, eiserner Tür, – ich dachte, die würde das Raubgesindel nicht zerbrechen können.«

Dabei schwenkte er in hocherhobener Hand den Schlüssel des unterirdischen Gefängnisses und eilte mit einigen anderen Männern voraus, um die unglücklichen Soldaten herbeizuschleppen. Das große Wohnzimmer zu ebener Erde glich einem Trümmerhaufen; es war kein Stück der Einrichtung an seinem Platze und keines ganz geblieben, – über Splitter und Scherben brachten die Rothäute ihre beiden Gefangenen vor das Tribunal, um sie hier ein endgültiges Urteil in Empfang nehmen zu lassen. Ernesto schien die Sache kurz machen zu wollen.

»Wohin ist euer Regiment gegangen?«, fragte er. »Sprecht die Wahrheit, Leute.«

Die Spanier sahen einander an.

»In das Gebirge«, antwortete einer. »Wir mussten flüchten.«

»Aus welchem Grund?«

»Weil unsere Kundschafter berichteten, dass peruanische Truppen im Anmarsch sind; Freischärler und Indianer.«

Ein Freudenschrei erklang ringsumher.

»Gelobt sei Gott – das ist die Erlösung von allem Übel.«

»Weshalb seid ihr beide denn zurückgeblieben?«, forschte Ernesto. »Wir hatten den Befehl, den Grafen Lunar aufzusuchen. Er ist beim Abmarsch nirgends zu finden gewesen.«

Der Gutsherr runzelte die Stirn.

»Derselbe Menschenfreund, welcher den Rat gab, uns Feuer auf die Köpfe zu werfen, nicht wahr?«

»Das wissen wir nicht, Señor.«

Ernesto fuhr mit der Hand über die Stirn.

»Ihr seid jedenfalls nur die Werkzeuge anderer«, sagte er. »Was habt ihr übrigens da in den Taschen?«

Die Spanier wurden sehr verlegen.

»Ja«, stammelte einer, »das sind –.«

»Das ist«, setzte der andere hinzu. »Das ist nun – im Krieg –.«

»Stiehlt man zuweilen Silberzeug, meint ihr? Ebenso häufig muss man es aber auch wieder herausgeben. Legt nur die Sachen da auf den zertrümmerten Tisch.«

Sehr beschämt brachten die Soldaten etliche Dutzend silberner Löffel, Gabeln und Messer zum Vorschein. Als ihre Taschen den Raub herausgegeben hatten, blieben sie mit gesenkten Köpfen stehen, offenbar im Glauben, dass jetzt eine exemplarische Strafe über sie verhängt werden würde. Der Gutsherr zeigte zur Tür.

»So, nun macht, dass ihr fortkommt!«

Wie elektrisiert fuhren die Soldaten auf.

»Wie?«, rief der eine. »Wie? Verstehen wir Eure Exzellenz recht? Wir sollten gehen dürfen? Wirklich?«

»Ja. Und zwar sogleich. Der Anblick eurer Uniformen tut unseren Augen weh.«

Die beiden Spanier wechselten einen kurzen schnellen Blick, dann schossen sie zur Tür hinaus wie zwei Schwalben, die einander im Sonnenschein, dicht über dem Boden dahin streifend, um die Wette jagen und nach Sekunden schon wer weiß wie weit entflohen sind.

»Ohne Gruß oder Abschied«, lächelte Ernesto. »Das ging schnell.«

Auch die übrigen lachten.

»Jetzt wollen wir das obere Stockwerk untersuchen«, meinte Ernesto. »Vielleicht findet sich dort irgendein Winkel, in dem man schlafen könnte.«

Er hatte die Worte kaum ausgesprochen, als plötzlich ein gellender, markerschütternder Schrei wie aus weiter Entfernung herüberklang, nur kurz, aber hörbar, als habe eine menschliche Brust im Ringen mit dem Tod nach einmal alle Kraft aufgeboten, um fremde Hilfe, fremde Unterstützung herbeizurufen. Blasse Gesichter sahen einander an.

»Was war das?«

»Es kam von der Gegend des Wasserfalles«, sagte Benno.

Ramiro erhob sich.

»Dann will ich nachsehen«, nickte er. »Da ist der Spalt in der innersten Höhle.«

Der Gutsherr schüttelte leicht den Kopf.

»Wenn jemand hineingefallen wäre, dann gäbe es für ihn unter keiner Bedingung irgendeine Hilfe mehr.«

Der Kunstreiter eilte fort, während die übrigen stumm und in gedrückter Stimmung zurückblieben. Wohl alle gedachten heimlich des leisen Schalles, mit welchem damals der Stein in die Tiefe fiel, lange, lange, nachdem man ihn in den Spalt geworfen. Kein Wort wurde gesprochen, bis Ramiro wiederkam und schweigend dem Gutsherrn zwei Gegenstände überreichte, eine Offiziersmütze und einen gewaltsam abgerissenen Orden, beides Dinge, die alle bei dem Adjutanten mehrfach gesehen hatten. Der Kunstreiter war sehr blass, er lehnte sich gegen den Pfeiler einer Tür und schloss die Augen.

»Wo fanden Sie das, Señor?«, fragte nach einer Pause der Gutsherr.

»Am Rand des Spalts. Ich warf ein Steinchen hinein, aber aus der grausigen Tiefe drang kein Laut empor.«

Ernesto legte schaudernd die beiden buntschillernden Gegenstände auf einen Tisch.

»Gott hat gerichtet«, sagte er. »Für uns bleibt da nichts zu tun übrig.«

21.

Peruanische Freiheitskämpfer – Der Aufbruch zur Entscheidungsschlacht – Wegelagerer – Der Schmied von Conzito

Eine ruhige Nacht war vergangen. Es hatten sich Stroh und Betten vorgefunden, auch einige Lebensmittel und Kleidervorräte; man konnte aus den Haaren und von der Haut die letzten Spuren jener schrecklichen Belagerung entfernen, man konnte essen und schlafen, wenn auch letzteres nur teilweise.

Benno hatte etwas Fieber; der Doktor und Ernesto blieben daher bei ihm und überwachten seinen unruhigen Schlummer, in dem er zuweilen leise vor sich murmelte und dann wieder den Kopf von einer Seite zur anderen warf. Wenigstens einmal in jeder Viertelstunde fragte der Gutsherr:

»Bester Doktor, es wird doch nichts zu bedeuten haben?«, und ebenso oft antwortete der Gelehrte: »Durchaus nichts, Señor; Sie sollten in Gottes Namen den Kopf aufs Kissen legen und schlafen.«

Aber Ernesto wandte sich ab.

»Ich kann es nicht«, raunte er. »Benno bekam den Schlag für mich, er warf sich absichtlich dem Angreifer entgegen.«

Schomburg nickte wohlgefällig.

»Gewiss tat er das, Señor. Benno ist ein prächtiger Junge, ich habe ihn sehr lieb.«

»Ich auch! Ich auch!«

Als die beiden so zusammen flüsterten, stahl sich Ramiro vom Lager und kam geräuschlos herbei.

»Es ist doch nichts passiert, ihr Herren?«

»Hilf Himmel, nun kommt auch der und will beruhigt sein! Ich sage Ihnen, Sie sollen schlafen. Mann, dem Jungen fehlt nichts.«

»Aber Sie selbst wachen doch, Doktor!«

»Weil jemand die kalten Umschläge wechseln muss und weil ich keinem von Ihnen wirklich vertrauen kann.«

So verging die Nacht, bis gegen Morgen der Boden von Hufschlägen erdröhnte und alles was im Haus schlief, durch das Donnern und Stampfen zahlloser Pferdehufe geweckt wurde. Man hob den Kopf und lauschte, man eilte an die Fenster und im ersten Augenblick schien das Erschrecken der jüngsten Vergangenheit wieder zurückzukehren. War das abermals ein Besuch spanischer Soldaten? Aber nein, nein, – ein ganz anderer Anblick bot sich den eng zusammengedrängten Männern. Das Gut musste in aller Stille umzingelt sein und nun rückten von drei Seiten zugleich die berittenen Truppen gegen den Mittelpunkt vor.

»Indianer!«, ging es von Mund zu Mund. »Indianer!«

»Komm her, Obijah, komm! Willst du die Söhne deines Volkes in Augenschein nehmen?«

Der Häuptling eilte mit verbundenem Arm herbei und alle traten auf die Veranda hinaus, um den Reiterzug zu begrüßen. Der brauste heran, wie eine Gewitterwolke, das klirrte und rasselte, das blitzte im Morgensonnenschein von tausend scharfgeschliffenen Lanzenspitzen und wallenden gelben und weißen Federbüschen, die in den unbedeckten Haaren steckten.

Auf kleinen feurigen Rossen saßen kleine braune Männer, die sämtlich so gut wie gar keine Kleider am Körper trugen und denen auch die Schusswaffen fehlten. Ungeheure Bogen mit langen Pfeilen hingen von ihren Schultern herab, ebenso lange Lanzen lagen in ihren Händen. Jetzt schwangen sie dieselben hoch durch die Luft, ein gellendes Kriegsgeschrei widerhallte von Berg zu Berg; dichter und immer dichter schloss sich der Kreis, bis wenigstens tausend nackte Krieger vor dem Haus Halt gemacht hatten.

Einer der Männer, vielleicht ihr Anführer, ritt etwas vor und rief einige Worte, die nur der Gutsherr verstand und in die er sofort einstimmte.

»Hurra für Peru! Nieder mit Spanien!«

Die Dienstboten des Hauses und auch dessen Gäste errieten den Sinn des Gesagten und ein brausendes Lebehoch klang den Indianern entgegen.

»Habt ihr keine Weißen bei euch?«, fragte Ernesto. »Keine Freischärler?«

Die Eingeborenen deuteten nach rückwärts.

»Von dort werden sie kommen. Es ist nur ein kleines, unberittenes Häuflein, daher haben wir die Vorhut übernommen. Wo sind denn nun aber die Spanier, welche wir anzutreffen hofften? Unser Spion gab doch das verabredete Signal gerade von diesem Punkt aus.«

Ernesto erzählte den Hergang der Dinge und dann setzte er den Indianern auseinander, dass es ihm unmöglich sei, sie als Gäste zu empfangen und zu bewirten.

»Die Spanier haben mich ausgeplündert«, sagte er. »Ich besitze nicht so viel, um meinen Hausgenossen und mir selbst ein Mittagsessen kochen lassen zu können.«

Die Eingeborenen deuteten sogleich auf ziemlich große lederne Beutel, die jeder von ihnen rechts und links am Sattel befestigt hatte.

»Es sind Bohnen darin und trockenes Fleisch«, hieß es. »Wir besitzen aber auch noch außerdem große Herden lebender Ochsen und Schafe, die einstweilen von den Freischärlern versteckt gehalten werden. Die wertvolle Beute haben wir einem flüchtigen Trupp spanischer Kavallerie gerade zur rechten Zeit abgenommen; es sind mindestens 500 Rinder und doppelt so viele Schafe. Auch Mehl ist vorhanden und trockenes Obst.«

»Nun«, rief Ernesto, »dafür danke ich dem Himmel, denn mir selbst ist gar nichts geblieben.«

»Noch eine Frage übrigens«, setzte er dann hinzu, »führt euer Weg nach Conzito?«

»Gewiss. Wir wollen die Spanier hinauswerfen; ihrer tausend mögen sich noch in der Stadt befinden, – mit denen nehmen wir es trotz ihrer Geschütze auf.«

Der Gutsherr nickte.

»Baut also eure Zelte«, sagte er. »Schöpft Wasser aus dem Fluss, der mein Gut begrenzt, das ist alles, was ich euch bieten kann.«

Einer der Indianer deutete auf die Straße hinaus.

»Eine Staubwolke!«, rief er. »Das werden die Freischärler sein.«

»So sprenge ihnen entgegen und berichte, dass der Platz offen ist, mein Junge!«

Der Eingeborene wandte das Pferd; ein Zungenschlag, und Ross und Reiter flogen dahin, so dass kaum der Blick der Nachschauenden ihnen zu folgen vermochte. Wenige Minuten später zeigte sich es indessen, wie fröhlich zwischen dem braunen Häuptling und dem Anführer des Freikorps die gegenseitige Begrüßung ausgefallen sein musste.

Eine Musikbande, die mehr aus begeisterten Dilettanten als aus Künstlern bestehen mochte, eine seltsam, ja ungeheuerlich zusammengewürfelte Musikbande ließ ihre Weisen erschallen und lustig schmetterten richtige und falsche Ton im trauten Verein durch die sonnige Morgenluft dahin.

Ein prächtiges Bild entrollte sich langsam den Blicken der Zuschauer. Voran trabten die biederen Rinder und die Schafe, dann kam in allen denkbaren Kostümen das Heer, zuerst die Musik, darauf die Mannschaften. Schwarze Zylinder wechselten mit geflochtenen Strohhüten, nackte Füße mit Kanonenstiefeln, das Infanteriegewehr mit der Sense oder dem Beil.

Dieser trug eine Uniform, in welcher sich Peru und Spanien friedlich vereinten, jener weißes Leinen, dem sich ein Helm zugesellte und der dritte vielleicht einen schwarzen Frack, dem irgendwo im Gedränge die Schösse abhandengekommen sein mussten. Alle aber ohne Ausnahme waren jung und lebensfroh, alle pfeifen die fragwürdigen Melodien der Kapelle lustig mit und lachten über den langgezogenen Triller, welchen der Hornist am Schluss jeder Strophe als Extrazugabe mit größter Uneigennützigkeit verabfolgte.

Hier hatte jedes Land der Erde seine Vertreter gefunden, sogar die schwarzen Söhne Afrikas fehlten keineswegs. Es gab Engländer und Franzosen, Russen und Skandinavier, Deutsche und Italiener; man sah den blonden und den dunklen Bart, den Recken und den Knirps, die treuherzigen und die verschmitzten Züge. Hier trug einer einen regelrechten Tornister, dort einer einen Quersack oder gar einen alten Sattel, in dem er seine Habseligkeiten mühsam eingepackt hatte, – eine wirkliche militärische Ausrüstung besaß keiner. Den Beschluss machten zwölf oder zwanzig Maultiere, die auf ihren geduldigen Rücken Säcke mit Lebensmitteln trugen.

»Hurra für Peru!«, rief die fröhliche Schar.

»Hurra! Hurra!«

Doktor Schomburg sah durch das Glas.

»Halling«, rief er plötzlich, »kommen Sie doch einmal hierher!«

Der junge Naturforscher eilte herbei und dann zeigte ihm Schomburg einen der vordersten Fußgänger.

»Ist das nicht Alfeo?«, sagte er. »Alfeo der Erzähler, unser bisheriger Reisegefährte?«

Halling brauchte nicht erst das Glas zur Hilfe zu nehmen.

»Gewiss! Gewiss!«, rief er. »Und sind da nicht Matteo und Emilio und Carlos? Sind da nicht alle, die sich im Gebirge bei den Chinchillajägern von uns trennten?«

Und nun erkannten auch schon die Ankommenden ihre früheren Genossen, nun erhob sich ein lautes Begrüßen, ein fröhlicher Wiedersehensjubel, der selbst unseren Freund, trotz Fieber und Schwäche auf die Veranda lockte.

»Da ist ja Pedrillo, der Springer, und Ramiro! Grüß Gott, Leute! Haben euch die Feinde kein Leid angetan?«

»Salem, Señor Doktor! – Hei, welch eine Beule ziert denn Bennos Stirn! Wie der gehörnte Siegfried geht er einher.«

»Und da ist Señor Ernesto, unser Retter. Fürchterlich müssen die Spanier auf ihrem Gut gehaust haben, Herr!«

Ein allgemeines Händeschütteln, ein gegenseitiges Fragen und Antworten, dann eine Beratung, die damit endete, dass man einstimmig beschloss, einen Tag und eine Nacht hier zu rasten, ehe der Weitermarsch auf Conzito fortgesetzt wurde. Die Truppen. Indianer wie Weiße, erhielten von der peruanischen Regierung keinerlei Sold, sie hatten auch keine anderen, als selbstgewählte Offiziere und lebten daher so ziemlich nach eigener Neigung, indem sie Beute machten und mit dem Feinde einen beständigen Guerillakrieg führten, ohne sich dem regulären Armeekorps anzuschließen. Jetzt wurde ein Sturm auf das bedrängte Städtchen geplant und man wollte ausruhen, ehe der Waffentanz begann.

»Uns nehmt ihr mit«, hatte Señor Ernesto gesagt, während seine Blicke den Kunstreiter suchten und fanden.

»Uns nehmt ihr mit, nicht wahr, Freunde? Ich muss mein Gut, ehe es wieder bewohnbar ist, vorher den verschiedensten Handwerkern in die Hände geben.«

Der Vorschlag wurde sogleich angenommen. Ramiros Herz schlug so heftig, dass er im Augenblick kein Wort sprechen konnte. Morgen nach Conzito, – morgen! Erschien es nicht wie ein Traum, ein Märchen?

»Benno«, flüsterte er. »Morgen! Morgen!«

Unser Freund reichte ihm herzlich die Hand.

»Möchte sich alles gestalten, wie Sie es hoffen, Señor, möchte Ihnen das Herrlichste in Erfüllung gehen.«

Der Kunstreiter wandte sich ab, er dachte an den spanischen Soldaten, der ihn, gerade ihn ohne Bedenken erschlagen wollte, um den Schatz der Frascuelo an sich zu reißen. War es denn dem Auge des Sterblichen überhaupt möglich, zu entscheiden, was nützlich und was schädlich sei? Durfte jemals der Mensch die Zukunft selbst bestimmen wollen? – Er wusste es nicht, aber seine Seele betete in heißem Verlangen, nicht für das eigene Los, nur für das der fernen Lieben.

Sein Weib, seine Kinder, ihnen wollte er den goldenen Segen in den Schoß schütten. Der gegenwärtige Augenblick freilich bot zu stiller Betrachtung keinen Raum. Trente und Luiz hatten unter Bergen von Trümmern noch ein übersehenes volles Weinfass aufgefunden und dieses rollten sie zur Begrüßungsfeierlichkeit sofort herbei.

Das edle Nass ging in viele Teile, fünfzehnhundert durstige Kehlen wollten bedacht sein, aber es war in dem mächtigen Gebinde genug enthalten und jeder Feldbecher, jede Flasche konnte gefüllt werden. Dem Gutsherrn galt der Toast, von allen Gruppen zugleich ausgebracht, in allen Zungen ihm zugejubelt. Glasflaschen und Blechtöpfe klangen gegen die Kalebassen der Indianer.

Holzlöffel, schnell aus der Küche herbeigeholt, rieben sich sekundenlang gegen stumpfe Porzellantassen, aber allen Trinkern schmeckte der goldige Wein nach durchwachter Nacht wie einst den heimatlosen Scharen der Israeliten das Manna in der Wüste. Mehrere Ochsen und Schafe wurden geschlachtet, hohe Feuer flammten auf, in weitem Umkreis bildeten indianische Krieger eine Vorpostenkette, die das ganze Lager wie mit einem festen Gürtel umzog.

Gleich erzgegossenen Bildern hielten die Reiter auf ihren Pferden, unbeweglich, aber mit den Augen des Falken die Umgebung durchspähend, horchend wie die Katze, wenn sie auf den nächtlichen Raub ausgeht. Ernesto hatte den Freischärlern zugetrunken und ihnen herzlich gedankt, beinahe allen einzelnen in ihrer eigenen Sprache.

Er verstand den Gruß, mochte ihm derselbe entgegen klingen wie er wollte, und er konnte ihn zurückgeben. Dann übernahm der alte Pietro die weiteren Honneurs des zerstörten und zertrümmerten Hauses. Benno wurde bewogen, sich wieder hinzulegen und der Gutsherr selbst suchte sein ehemaliges Zimmer im oberen Stock, um womöglich einige Stunden ruhig zu schlafen.

Die Tür ließ sich zum Glück noch schließen, auch ein paar eiserne Stühle und ein ebensolcher Tisch hatten den Vandalengelüsten der Spanier mit Erfolg widerstanden, der Gutsherr konnte daher beides in eine dem Fenster möglichst entfernte Ecke rücken und dann, von fremden Blicken ungesehen, eine gar traurige, ernste Viertelstunde durchleben. Unter seinen Kleidern trug er am Körper einen breiten, ledernen Gurt und aus diesem zog er eine Brieftasche hervor.

Alte Dokumente fielen auf den Tisch, vergilbtes Papier mit amtlichen Siegeln. Briefe und Blätter aller Art. Er breitete mit bebender Hand den ängstlich behüteten Schatz vor sich aus; auch eine Bleizeichnung war darunter, die eines Hauses mit hohem altertümlichem Giebel und einer, von reicher Holzschnitzerei umgebenen Tür.

»In deo spes mea«, stand darüber und zur Seite an der Grundmauer des Gebäudes floss ein schmaler Wasserarm.

Keinerlei Inschrift trug das Bild, keinen Namen, aber doch sprach es erschütternd zu dem Herzen des Beschauers. Vor der Tür mit den frommen Worten stand ein Engel und in dessen erhobener Hand blitzte das flammende Schwert; er deutete hinaus in die Weite, während ein Mann, gebeugt unter der Last des Selbstvorwurfes, das Gesicht von den Händen verhüllt, sich wandte, um stumm, ohne Widerspruch, dem erhaltenen Befehl zu gehorchen.

Das Datum eines fernen, lang verschollenen Tages stand unter dem Bild mit dem ernsten Inhalt, – sonst nichts. Aber noch anderes war da, Briefe und Erinnerungszeichen, auch Dokumente, besonders eins, ein Taufattest. In welcher Sprache man dasselbe ausgestellt hatte, wollt ihr wissen? – In deutscher. Und der Name auf dem vergilbten Blatt klang deutsch wie alle anderen Worte, welche das Schriftstück enthielt.

»Theodor Ernst Zurheiden.«

Vor länger als einem halben Jahrhundert war das Dokument in Hamburg ausgefertigt. Und heute saß der, den damals die Wiege in dem alten Haus am Wandrahmen so weich und warm umschloss, als Mann mit ergrautem Haar vor den Erinnerungszeichen einer fernen Vergangenheit, und ein Gedanke, bitter wie der Tod, durchflutete sein Herz.

»Theodor Ernst Zurheiden!«

Hätte er seinen Namen laut aussprechen, hätte er das süße Wort »Vater!« von den Lippen seines Sohnes hören dürfen, – welche Seligkeit!

Aber zwischen ihm und dem Knaben stand die Schuld, stand immer noch der Engel mit dem flammenden Schwert und trieb ihn unerbittlich fort aus dem Paradies. Sollte sein Sohn erfahren, wie schwer der Vater gesündigt hatte? – Nimmer, davor mochte ihn Gott bewahren.

Aber so fest, wie der Entschluss in seiner Seele lebte, so tief schmerzte doch das Entsagen.

Wie hatte damals alles in ihm mit tausend Stimmen des Glückes und der Freude so hell gejubelt, wie ging gleichsam eine neue Sonne strahlend auf als Benno so plötzlich seinen Namen aussprach. Wie ein Blick in den geöffneten Himmel war es dem einsamen Mann erschienen, wie das Lächeln einer neuen beglückenden Hoffnung, – aber nur zu bald kam die Erkenntnis, und er drängte das lang bewahrte, ängstlich vor den Blicken der Welt behütete Geheimnis tiefer als jemals zurück in die erschütterte Seele.

Sein Sohn, sein Knabe, den er als Säugling von wenigen Monaten zuletzt gesehen hatte, – jetzt hatte ihn eine Verkettung der seltsamsten Umstände zu ihm in den fernen Weltteil geführt, und doch durfte er ihm die Wirklichkeit ihrer beiderseitigen Beziehungen nicht enthüllen, durfte ihm nicht Dinge mitteilen, die ihn selbst, den Vater, in den Augen des Sohnes unheilbar herabsetzen und aller Rechte berauben mussten. Niemals, o niemals!

Tiefer beugte sich die Stirn des erschütterten Mannes herab über die Dokumente auf dem Tisch. Jetzt erst, ach jetzt erst wusste er, welches Glück er in den Tagen der Jugend durch eigene Schuld für immer verscherzt hatte. Und doch fiel bei allem Gram ein heller Freudenschein in das bekümmerte Herz.

»Benno wollte für mich in den Tod gehen«, dachte der unglückliche Mann. »Er hat keine Ahnung, wer ich bin, aber er wollte das Leben für mich dahingehen. O mein herzlieber Junge, mein Kind, mein einziges!«

Und schwere Tränen fielen durch die vorgehaltenen Finger. Ernesto glaubte, nie in seinem Leben eine so bittere Stunde, ein so ätzendes Weh erlitten zu haben, wie eben jetzt, nun er sich selbst das Urteil sprechen musste. Erst nach langem Sinnen verbarg er die Blätter wieder im Ledergurt und warf sich, erschöpft an Leib und Seele, auf das Strohlager, um womöglich zu schlafen.

Ihm war es, als habe er seit den letzten Tagen Jahre durchlebt, als seien alle alten Wunden ausgebrochen und das lang begrabene Leid mit neuer Kraft zum Leben erwacht. Draußen sangen die Freischärler; in das Halbwachen des Gutsherrn, in seine traurigen Erinnerungen hinein klangen die Töne einer lustigen Schar, deren Lieder den verschiedensten Sprachen entnommen waren.

Alle sangen die Melodie aus frischen Kräften mit, den Text dagegen schafften sie sich durch Worte oder Silben ihrer eigenen Mundart und so klang denn das Ganze komisch genug, aber es brachte dem Gutsherrn den Vorteil des Schlafes. Vielleicht hätte ihn eine tiefe, vollkommene Stille wachgehalten, das Singen aber beruhigte sein erregtes Nervensystem und er schlief, während unten die jungen Leute um das Feuer lagerten und mit allen möglichen Scherzen und Torheiten sich für den anstrengenden Nachtmarsch zu entschädigen suchten.

Für die späteren Tagesstunden war eine ernste Feier in Aussicht genommen worden. Schon seit dem frühen Morgen gruben mehrere Männer ein großes Grab, während andere die Gefallenen des letzten Kampfes aufhoben und von Blut und Staub zu reinigen suchten.

Im Ganzen hatten vierzehn Spanier bei der Belagerung der Höhle ihr Leben eingebüßt; alle diese Toten mussten, ehe man das Gut verließ, der Erde zurückgegeben werden, außerdem aber war noch ein anderer Reisegefährte unter den Gebüschen am Wasserfall aufgefunden worden, – Philippo, der Geisterseher, der Mann mit dem blassen, mageren Antlitz und den tiefliegenden Augen.

Ein Dolchstich hatte ihm das Herz durchbohrt; Tausende von Insekten krochen an seinem Körper umher – er sah schrecklich aus, so schrecklich, dass barmherzige Hände sein Gesicht verhüllten, ehe er hinausgetragen und neben die anderen gebettet wurde. Eine lange Reihe junger, lebenskräftiger Männer, die alle noch mehr als ein halbes Jahrhundert vor sich gehabt zu haben schienen und die nun dahingerafft waren!

Auf den erstarrten Lippen des einen schien noch ein Fluch zu schweben, auf den Lippen des anderen der Ausdruck heißer Angst; dieser hielt die Hände gefaltet und jener geballt, bei allen hatte der Tod die braune südliche Färbung in ein fahles Grau verwandelt.

Nur Michael war ganz blass; er hielt die Augen fest geschlossen und um seine Lippen spielte ein zufriedenes, ja heiteres Lächeln. Keiner der Reisegefährten war an der Leiche des stillen, oft bedauerten jungen Menschen ohne ein letztes Liebeszeichen vorübergegangen; Blume nach Blume schmückte die Decke, auf welcher Michael lag, bis zuletzt das blasse Antlitz wie aus einem Meer von Grün und Blüten hervor sah.

Die alte Menna, Pietros Frau, hatte ihm das Haar zierlich geordnet und eine weiße Decke über den Körper gebreitet, – die Decke sollte zusammengeschlagen und in Ermangelung eines Sarges als Umhüllung des Toten verwendet werden. Ramiro lag auf seinen Knien neben dem Toten und hielt dessen kalte Rechte zwischen seinen beiden Händen.

»Armer Michael, armer Junge, – wäre dir doch niemals der Mann begegnet, dem du in das ferne Land folgen solltest, um dort zu sterben!«

Der Kunstreiter wünschte in diesem Augenblick auf das Sehnlichste, neben dem Toten zu liegen und von all der Angst, der Unruhe des Daseins nichts mehr zu empfinden. Es erschien ihm wie ein Hafen der Ruhe, dieses Bett von Grabesblumen.

»War es euer Sohn, der Bursche da?«, fragte ihn einer der Fremden.

Ramiro schüttelte den Kopf.

»Seine Mutter vertraute ihn mir an, als sie starb. Es war für den armen Schelm kein Stück Brot vorhanden, kein Geld und keine Freunde; so dankte denn die kranke Frau dem Himmel, als ich mich erbot, ihr Kind zu mir zu nehmen und einen tüchtigen Mann daraus zu machen. Die Anlagen hatte er, aber –.«

»Es fehlte ihm an Verstand, nicht wahr?«

Der Kunstreiter nickte stumm.

»Wie kam das?«, fragte arglos der andere. »Als ihr ihn erhieltet, ist er doch sicherlich ganz bei Sinnen gewesen. Damals schwatzte er noch nicht von den Wassernixen mit den langen weißen Gewändern?«

»Nein, noch nicht«, antwortete tonlos der Kunstreiter.

Der andere schwieg. Er mochte unwillkürlich Empfinden, dass hier ein trauriges Geheimnis zugrunde lag. Unter den geknickten Pfirsichbäumen, am Fuße der Weinberge war das Grab ausgeworfen worden und gegen Abend versammelten sich alle Anwesenden, um den Toten das letzte Geleit zu geben, auch die Indianer, soweit nicht der Vorpostendienst sie zurückhielt und Benno, obgleich er den Kopf in der Binde trug und sich noch etwas matt fühlte.

Ernesto hielt eine kurze Grabrede und dann spielte die Musik einen Choral, bei dessen Ausführung der gute Wille für die Tat genommen werden musste. Nach Beendigung desselben sangen alle Anwesenden ein Lied, das die Peruaner anstimmten und dessen Melodie wenigstens von den übrigen innegehalten wurde. Nun warf man Erde hinab –

auch Ramiro spendete seine drei gefüllten Schaufeln und der schwarze Staub fiel gerade auf Michaels Brust. Armer Junge!

Der Kunstreiter entsann sich unwillkürlich in diesem Augenblick des hellen übermütigen Lachens, das er dereinst an dem Knaben gekannt hatte, der ersten spielenden Freude, mit welcher sich dieser in der Manege gezeigt hatte. So schnell ging das alles im Sturm des Lebens verloren, so schnell und unwiederbringlich. Benno stand neben dem gebeugten Mann.

»Blicken Sie vorwärts, Señor«, flüsterte er. »Michael ruht, sein heimliches Sehnen ist gestillt, – wollten Sie ihm die Erlösung von einem traurigen Dasein missgönnen.«

Ramiro schüttelte leicht den Kopf.

»Später!«, gab er zurück. »Ich erzähle Ihnen noch alles, Benno.«

Dann wurde das Grab aufgefüllt und als die Feier beendet war, legte Ernesto an einem etwas entfernten Punkt noch einen anderen Gestorbenen, ein Wesen, das er lieb gehabt hatte, in eine Grube, die unter blühenden Hecken gegraben worden war, – den getöteten Puma.

Das graue Windspiel stand dabei und beschnupperte ängstlich den Spielkameraden, es sprang über seinen Körper hinweg und berührte ihn mit dem Fuße, wie um ihn zu necken. Weshalb lag Carry denn heute so sonderbar still? Der Wind wehte Schauer von Blumenblättern über die beiden Gräber; blasse, schweigende Menschen reichten sich stumm die Hände.

Erst im großen Zimmer des Erdgeschosses, als der Gutsherr und seine Gäste beieinander saßen, wurde wieder eine Unterhaltung angeknüpft. Die Indianer brachten einen Peon, welcher seinem Gebieter melden wollte, dass Rinder und Pferde den Nachstellungen der Spanier glücklich entgangen waren; dann kamen nacheinander mehrere Spione, alle mit guten Nachrichten.

Der Feind flüchtete gegen die Grenze von Bolivien; dieser Teil des Landes war fast ganz von ihm verlassen, nur Conzito und eine andere, ebenfalls kleine offene Stadt hielt er noch besetzt, doch konnte es keine Schwierigkeiten verursachen, ihn auch von dort zu vertreiben. Einer der Männer hatte Nachrichten aus Conzito. Nur wenige Geschütze befanden sich dort und höchstens tausend Soldaten; man konnte ebenso wohl die Stadt mit einem Handstreich nehmen, als dieselbe aushungern.

Lebensmittel aller Art wurden in dem heimgesuchten Ort schon längst mit Geld aufgewogen und doch hungerten selbst die reichsten Leute, weil keine Ernte eingeheimst und keine Viehherden angetrieben werden konnten. Ramiros Blicke suchten die der Freischärler.

»Wollt ihr Conzito aushungern?«, forschte er heiser vor Aufregung.

Ein allgemeines lebhaftes Nein beantwortete diese Frage.

»Wir wollen stürmen«, hieß es, »und tüchtig dreinschlagen.«

»In vierundzwanzig Stunden oder noch früher muss die Stadt unser sein.«

Der Doktor streckte lächelnd die Hand unserem Freund entgegen.

»Dann findet sich auch eine Gelegenheit für einen Brief nach Lima an meinen Bankier«, sagte er, »und von dort nach Hamburg. Die Schülermütze taucht wieder aus dem Dunkel der Zukunft empor, Benno.«

Ernesto wandte sich ab, sein Gesicht war sehr blass.

»Sie wollen das unglückliche Peru mit dem ersten Schiff verlassen, nicht wahr, Herr Doktor?«

»Ja, und Benno begleitet uns. Ich freue mich heute schon darauf, in Hamburg dem Herrn Senator gehörig den Kopf zu waschen. Es gibt auch noch eine Obervormundschaftsbehörde und an diese wende ich mich, wenn etwa Herr Johannes Zurheiden seine tyrannischen Gelüste immer noch nicht besiegt hätte. Leute dieses Schlages haben gewöhnlich vor der öffentlichen Meinung einen heillosen Respekt, – das will ich benutzen, um den Despoten zahm zu machen.«

Ernesto antwortete nicht, er sprach überhaupt während des Abends wenig, nur als sich der Peon verabschiedete, um wieder zu den versteckten Herden zurückzukehren, trug er diesem auf, sich zum Marsch nach Conzito bereit zu halten.

»Wenn die Spanier vertrieben sind, schicke ich einen Boten«, sagte er. »Etwa dreiviertel aller vorhandenen Ochsen müssen in die Stadt getrieben werden.«

Der Peon drehte den kleinen spitzen Schnurrbart.

»Die wollt ihr den Armen schenken, nicht wahr, Señor?«

Eine Handbewegung hieß ihn schweigen.

»Davon später, Giacomo.«

Der hübsche Bursche lächelte.

»Schon gut, Señor«, sagte er. »Damals, als die halbe Stadt abbrannte, habt ihr ja den Leuten die Häuser wieder aufgebaut, und als das Fieber wütete, habt ihr für euer Geld Spitäler herrichten und aus Lima Ärzte kommen lassen – wer euch kennt, der weiß, dass ihr jetzt den Hungrigen die Tische decken wollt. Der Vater Ernesto tut es einmal nicht anders, er muss immer den Armen und Elenden helfen. Ein Lebehoch für ihn!«

Der Peon hob das Glas und überall wurde der Toast enthusiastisch ausgenommen, – nur der, dem er galt, schien keine Freude zu Empfinden. Er nickte, aber seine Lippen blieben stumm. Gegen zehn Uhr abends kam noch ein indianischer Spion.

»Die Spanier müssen von der Niederlage ihrer Kameraden Nachricht erhalten haben«, sagte er. »Sie beziehen alle Wachen doppelt und stellen ringsumher Vorposten auf. Die Bürger verlassen die Stadt.«

»Nach welcher Richtung?«, fragten zwanzig Stimmen zugleich. »Auf dem Wege hierher. Es ist für schweres Geld in Conzito kein Wagen zu haben, ebenso wenig ein Pferd oder Maultier.«

»Die arme Stadt!«, sagte mitleidig der Gutsherr. »Wie mag es während der letzten Tage so manchem Schutzlosen ergangen sein!«

»Schrecklich!«, bestätigte der Spion. »Die Soldaten sind in alle Häuser eingedrungen, haben jeden Raum durchsucht, jedes Schloss erbrochen und die versteckten Lebensmittel an sich genommen. Wer im Besitz solcher Sachen gefunden wurde, der erhielt mindestens Stockschläge, bei bedeutenderen Fällen aber schlug man ihm einfach den Kopf ab.«

»So dass die Bürger faktisch für ihre Kinder, ihre Kranken nichts mehr zu essen besitzen?«

»Unmöglich! Das wäre das Werk von Teufeln.«

»Gewiss, das ist es. Aber nicht diese Plünderung allein treibt die armen Leute in die Wildnis hinaus, – es geschah noch viel Ärgeres, etwas, für das der spanische Befehlshaber gerädert werden sollte.«

Aller Augen sahen auf den Berichterstatter.

»Und das wäre?«, fragte jemand. »Steht etwa die Stadt in Flammen?«

Der Spion schüttelte den Kopf.

»Nein, – auch das wäre noch nicht die härteste Maßregel, denn das Wetter ist warm und der Schutz der Häuser entbehrlich. Nein, nein, etwas viel Schrecklicheres ersann der Despot, um die unglücklichen Einwohner für die Hinterziehung einiger Lebensmittel zu bestrafen.«

Und als rings im Kreis nur fragende Blicke den seinigen begegneten, da setzte er hinzu:

»Bei jedem der wenigen Brunnen und am Flussufer stehen Soldaten mit geladenen Gewehren. Die bedauernswerten Menschen können nirgends einen Tropfen Wasser mehr erlangen.«

Ein Schrei der Entrüstung brach sich Bahn. Das war sichtbar, unerhört, wehrlosen Frauen und Kindern gegenüber.

»Wir müssen hin!«, sagte der Anführer des Freikorps. »Wir müssen hin, meine Jungen. Jede Stunde Verzug bringt armen gequälten Menschen den Tod.«

Und nun war kein Halten mehr. Ursprünglich sollte erst am nächsten Nachmittag aufgebrochen werden, aber jetzt schien es allen, als könne man nicht schnell genug die Stadt erreichen, um den bedrängten Einwohnern zu helfen.

»Gestattet ihnen denn der Barbar wenigstens den freien Abzug?«, fragte Ernesto den indianischen Spion.

Dieser schüttelte den Kopf.

»Nur teilweise, Señor. Das besitzlose Volk kann gehen, wohin es ihm beliebt, die Vornehmen dagegen müssen bleiben. Sie sitzen in ihren leeren Häusern und haben weder Wasser noch Lebensmittel.«

Der Anführer erhob sich.

»Auf!«, kommandierte er, ohne diesem kurzen Befehl noch ein weiteres Wort hinzuzufügen.

In dem jetzt entstehenden, allgemeinen Durcheinander wandte sich der Gutsherr zu unserem Freunde.

»Benno«, sagte er voll Unruhe, »werden Sie auch die Anstrengungen der Reise ertragen können?«

Der Knabe nickte.

»Man geht ja in der Nacht und durch den dichten Wald auf jeden Fall langsam, Señor.«

»O – es ist für Sie ein Maultier vorhanden, Benno. Aber –.«

»Mir fehlt nichts, Señor, gar nichts. Die Beule schmerzt, wenn sie berührt wird, das ist alles. Vorwärts! Vorwärts! Jeder Augenblick, den wir hier müßig zögern, ist ein Verbrechen an den armen Dürstenden.«

Von jedem einzelnen unter den Anwesenden wurde diese Meinung geteilt; die Freischärler brannten vor Begierde, zum ersten Mal ihre Waffen mit denen der Feinde zu messen, und so trieb und drängte alles zur Eile. Laternen und Fackeln wurden entzündet, die Indianer fingen ihre Pferde ein und sattelten dieselben, man koppelte die Rinder und bestimmte eine Anzahl von Dienern für den Transport der Schafe, – dann verließ der stattliche Zug das Gut, auf dem außer dem alten Hausmeister und dessen Frau niemand zurückblieb.

Pietro und Menna sollten sich am anderen Tag zu den Indianern in das Gebirge begeben und dort Schutz suchen; einstweilen wollten sie das Wertvollste der zerstörten Einrichtung in den Felsen verbergen und dann das Haus dem wechselnden Geschick des Krieges überlassen. Vielleicht kehrten ja die Spanier nochmals zurück, vielleicht brachen beutesuchende Plünderer in das Gehöft und setzten sich vorläufig dort fest, – wer konnte das wissen?

Vom Himmel schienen weder Mond noch Stern; graues Gewölk lag dicht über der Erde; es sah aus als müsse vor Anbruch des Tages noch ein Gewitter oder doch ein stärkerer Regen die heiße drückende Atmosphäre abkühlen.

Im Wald erklang keine Tierstimme; was an Vögeln in der Nähe gelebt hatte, das war dem mörderischen Nachstellungen der Spanier erlegen, während sich die Vierfüßler, erschreckt von dem Lärm der vielen Stimmen, beizeiten geflüchtet hatten. Nur die schönen Leuchtkäfer mit ihren fingerlangen schmalen Körpern huschten gleich lebenden Diamanten durch die Luft und ließen hinter sich einen glänzenden Lichtstreifen, der erst nach Sekunden wieder verschwand, um anderen, noch schöneren und stärkeren Platz zu machen.

Auch Obijah hatte ein Reittier erhalten, eine eigensinnige Mula, die Trente als Sachverständiger am Zügel führte und bei dieser Gelegenheit den Häuptling in den Grundregeln der edlen Reitkunst unterrichtete.

»Du hast gar zu lange Beine, Obijah«, seufzte er einmal. »Man weiß mit den gewaltigen Stelzen nicht wohin.«

Und gehorsam zog der Indianer die Knie herauf, bis wieder jemand sagte:

»Seht diese Schneiderfigur! Wie die Kneifzange auf dem Esel.«

»Und wenn der Schneider reiten will«, intonierte eine Stimme, »und hat kein Pferd, dann nimmt er –.«

»Psst! Wie kann man jetzt singen? Sollen die Spanier schon von Weitem hören, dass wir kommen?«

»Unsinn! Über vier Meilen hinweg?«

Und alle Deutschen unter der kleinen Schar sangen das Lied zu Ende.

»Dann nimmt er einen Ziegenbock und reite ihn verkehrt.«

Obijah verstand das nicht, aber die Sache war ihm unheimlich; er erklärte, lieber gehen zu wollen, und so erhielt der Doktor das störrige Maultier, während der Häuptling seine Schmerzen verbiss und tapfer mit den übrigen marschierte. Die Hälfte der Indianer ging zu Fuß voraus, dann folgten die Weißen, und die Nachhut bildeten wieder fünfhundert Rothäute, deren jeder, auf dem eigenen Pferde reitend, noch ein zweites am Zügel führte.

Hier und da raschelte es in den Gebüschen, die eingeborenen Krieger schlichen herzu und wie sich die Schlange geräuschlos auf ihr Opfer stürzt, so packte die braune Faust mit unfehlbarer Sicherheit jedes Mal den, der da durch die Zweige verschwinden wollte, ehe ihn irgendein Auge sah, – einen Plünderer, der nach Beute ausspähte und das Messer in der Faust, offenbar bereit war, jedem Begegnenden die Waffe ins Herz zu stoßen, falls nur dabei ein Gewinn ihn bereichern konnte.

Es waren Soldaten aller Parteien, die aus Furcht vor einer Strafe desertiert waren, verkommene Subjekte, entlassene Zuchthäusler und sonstiges Gesindel, das bettelnd und raubend die Straßen durch seine Gegenwart unsicher machte. Halb nackt, kaum mit den dürftigsten Lumpen bedeckt, hohläugig und verhungert, so standen sie im Fackellicht zitternd da und baten mit aschbleichen Lippen um Gnade.

»Wir sind gut peruanisch gesinnt«, versicherten sie jedes Mal. »Hurra für Peru!«

»Weshalb kämpft ihr denn nicht in unseren Reihen?«, fragte stirnrunzelnd der Anführer des Freikorps. »Tüchtige Kerle sind nötig, um das Vaterland aus den Krallen der fremden Eroberer zu retten.«

Bei diesen Worten murmelte dann gewöhnlich der Strolch eine ganz unverständliche Entgegnung und schlug sich so rasch wie möglich seitwärts in die Büsche. Sein teures Leben den Kugeln der Spanier preiszugeben, war er nicht gewillt. Auch Frauen und sogar Kinder befanden sich bei diesen Wegelagerern. Einmal gaben die vorausgehenden Indianer den Nachrückenden ein verabredetes Zeichen, der ganze Zug hielt und mit klopfenden Herzen erwarteten alle die Lösung des Rätsels.

»Vor uns im Gebüsch brennt ein Lagerfeuer«, lief es von Mund zu Mund. »Spanier?«

»Das weiß man noch nicht.«

Die Rothäute näherten sich dem beleuchteten Kreis und dann konnten alle freier atmen. Ein sonderbares, vielleicht fesselndes, aber doch auch empörendes Bild bot sich den Blicken der Freischärler. Um ein mächtiges Feuer lagen im Kreis halbnackte, zerlumpte Gestalten, Männer, Weiber und Kinder, Greise im weißen Haar und junge unerwachsene Burschen, alle mehr oder minder betrunken, miteinander zankend oder gruppenweise Karten spielend, rauchend und zechend. Einige sangen auch, wieder andere schliefen, während die meisten dieser schrecklichen Erscheinungen am Feuer das Fleisch eines gebratenen Pferdes verzehrten.

»Solch ein Gaul schmeckt gut«, sagte einer, indem er den letzten Bissen in den Mund schob. »Wisst ihr was, Kinder? Ich habe einen Plan.«

»Und der wäre?«

»Hm, man braucht nur ganz einig zu sein, dann ist die Sache auch schon so gut wie ausgeführt.«

Ein anderer aus der sauberen Gesellschaft warf dem Sprecher noch ein Stück Fleisch in den Schoß.

»So rede endlich einmal, langer Crispio!«, schrie er. »Was gibt es für uns zu tun?«

Der zugeworfene Bissen wurde verschlungen und Crispio wischte sich mit dem Jackenärmel den Mund.

»Die Sache ist einfach«, sagte er schmunzelnd. »In der nächsten Stunde kommen Flüchtlinge aus Conzito hier vorüber, – sie führen bespannte Wagen mit sich, Maultiere, Ziegen, Hunde, – ihr versteht mich schon.«

»Du meinst, wir sollen sie der Mühe überheben, für alle diese Tiere erst Futter herbeischaffen zu müssen?«

»Natürlich!«

Ein rohes Gelächter erhob sich rings im Kreis.

»Du hast recht, Crispio. Spannen wir die Pferde aus und braten wir sie, das ist ein guter Gedanke.«

Andere Stimmen sprachen gegen den Plan.

»Sollen wir die armen Leute ins Unglück stürzen?«, hieß es. »Vielleicht sind auf den Wagen Kranke und Kinder.«

Crispio schleuderte einen giftigen Blick.

»So?«, rief er. »So? Und haben wir hier in unserer Mitte dergleichen etwa nicht? Da ist die alte Magdalena, Jacopos Mutter, und da ist der bucklige Schneider mit seinen vier kleinen Kindern, – leben diese Leute nach eurer Meinung von ihren Renten? Sind sie vielleicht reich und übermütig?«

»Ach, ihr sieben heiligen Nothelfer!«, heulte der Schneider. »Da seht ihr es! – Aber doch, trotz allen Jammers, den wir in unserer Mitte haben, sollten andere Leute spazieren fahren dürfen, nicht wahr? Uns gerade an der Nase vorbei. Immer zu. Mir kann es ja recht sein, denn für mich wollte ich die Pferde nicht ausspannen.«

Seine Worte erreichten vollständig ihren beabsichtigten Zweck, sie weckten die schlimmen Instinkte.

»Wir nehmen die Pferde und Ziegen«, hieß es. »Abgemacht.«

»Und die Leute sollten hier ohne Hilfe, ohne Lebensmittel in der Wildnis sitzen bleiben? Das wäre schändlich«, sagten einige.

Aber diese wenigen, aus denen noch ein Rest des Gewissens sprach, – wie schnell wurden sie überstimmt.

»Ihr braucht ja nicht mitzuessen«, sagte höhnisch der Anstifter des Schurkenplanes. »Lasst uns nur gewähren, das ist alles, was wir verlangen.«

»Horch!«, rief jemand. »Es kommt ein Wagen.«

»Reiterei!«, meinte ein anderer. »Still! Dass kein Wort gesprochen wird.«

Sie schlüpften rechts und links in das Dunkel des Waldes, während am Feuer nur einige Männer zurückblieben, die jetzt, als der Zug der Rothäute und Freischärler herannahte, sogleich bettelnd ihre Hände ausstreckten.

»Eine kleine Gabe für arme Vertriebene, ihr Herren Soldaten! Uns ist alles geraubt worden.«

»Sollen wir die Kerle hängen?«, fragte der Anführer. »Was meint ihr. Leute?«

»Um Gottes willen nicht. Wenn uns Flüchtlinge begegnen, so warnen wir sie und entziehen dadurch den Wegelagerern ihre Beute.«

»Das ist das Beste. Vorwärts also.«

Der ganze Zug setzte sich wieder in Bewegung, gefolgt von den Flüchen der Raubgesellen. Vielleicht war es nur der Gedanke an die überlegene Zahl ihrer Gegner, welcher die Strolche verhinderte, glühende Feuerbrände unter die Vorbeimarschierenden zu werfen. Schimpfworte flogen ihnen nach, wie Schneeflocken im Winter.

»Von diesen Plünderern ist das ganze Land voll«, sagte mit einem unterdrückten Seufzer der Gutsherr. »Erst haben ihnen die Spanier das Ihrige genommen und nun halten sie sich für berechtigt, alles zu stehlen, was sie erlangen können.«

»So muss man die Flüchtlinge veranlassen, einen anderen Weg einzuschlagen.«

Ernesto schüttelte den Kopf.

»Wohin sich die Armen auch wenden würden, dieses Gesindel lauert überall. Es ist besser, wir heißen die Leute umkehren und in unserem Schutz bleiben.«

Der Vorschlag fand allgemeinen Beifall.

»Die unglücklichen Menschen sollen unsere Lebensmittel, soweit dieselben reichen, ehrlich teilen«, sagte der Anführer. »Wenn alle Ochsen und Schafe verzehrt sind, gibt der Herrgott neue.«

»Amen!«, setzte der Gutsherr hinzu. »Meine Herden stehen schon in Bereitschaft. Sobald wir nur die Stadt genommen haben, ist alles gut, denn es kommt ja, wenn die Wege frei geworden sind, augenblicklich Obst und Gemüse vom Land herein.«

»Wann werden wir anfangen?«, fragte Benno.

»Etwa in drei Stunden. Aber Sie dürfen sich aber unter keiner Bedingung den Soldaten anschließen. Benno, ich erlaube es nicht.«

»Nein, nein«, setzte auch der Kunstreiter hinzu. »Vielleicht gibt es vor der Stadt einige leere Häuser, wo wir Quartier nehmen können, – dahin begeben Sie sich und erwarten, was ferner geschieht.«

Benno lachte.

»Wir werden ja sehen«, antwortete er.

Noch eine Stunde verging nach dieser Unterredung, dann hörte man in der Entfernung Stimmen und das Knarren von Wagenrädern.

»Flüchtlinge!«, meldeten die vorausschleichenden Indianer. »Es sind ganze Karawanen, welche da des Weges kommen, auch eine große Anzahl von Fußgängern.«

Ramiro drückte heimlich Bennos Hand.

»Leute aus meiner Vaterstadt!«, raunte er. »Möglicherweise kenne ich einen oder den anderen.«

»Jedenfalls aber erhalten Sie Nachrichten aus San Felipe, Señor!«

»Jedenfalls? – Auch der arme Modesto sollte Bescheid holen und kam nie zurück.«

»Man hat ihn angehalten, oder er ist verunglückt. Aber die Flüchtlinge wohnten bis vor wenigen Stunden unter dem Schatten des Klosters, – sie müssen von allen Vorgängen unterrichtet sein, haben vielleicht sogar vor der unfreiwilligen Reise erst gebeichtet, sind direkt von den Stufen des Altars hinweg aus dem Tor getrieben worden.«

Ramiro wechselte immerfort die Farbe.

»Ich kann es nicht erwarten, Benno«, flüsterte er, »ich kann die brennende Ungeduld nicht länger zügeln. Seit wir in Hamburg an Bord gingen, sind volle anderthalb Jahre verflossen – und immer noch weiß ich von dem Verlauf meiner Angelegenheit nicht mehr als damals.«

»Doch! Doch!«, ermahnte Benno. »Vergessen Sie ganz, was Ihnen der spanische Soldat berichtete? – Dass Bruder Alfredo lebt und dass der Schatz bis jetzt nicht entdeckt wurde?«

Der Kunstreiter nickte.

»Bis jetzt«, wiederholte er. »Bis jetzt. Die ewige Ungewissheit, – warten, immer und immer warten, daran ersticke ich. Benno, wenn es in diesem Augenblick hell wäre, so könnten wir die Dächer von Conzito bereits erkennen.«

»Still!«, mahnte unser Freund. »Die Wagen halten.«

Ramiro drängte sich durch die Reihen der Indianer; er konnte es nicht erwarten, die Flüchtlinge selbst zu sehen und von ihren eigenen Lippen womöglich dies oder das über den Abt von San Felipe zu erfahren. Die Leute sahen schrecklich aus. Fackelträger gingen dem langen Zuge zur Seite; auf Wagen, Pferden und Maultieren, zu Fuß und mit Handkarren hatten sich die Unglücklichen in Nacht und Finsternis hinaus begeben müssen, teils von den Spaniern mit gefälltem Bajonett vertrieben, teils aus Verzweiflung selbst flüchtend, weil in der Stadt für sie kein Tropfen Wasser mehr aufzutreiben war.

Mütter hielten ihre weinenden Kinder mit beiden Armen umfasst. Kranke und Greise beteten laut zum Himmel um Beistand. Wie Boten aus einer besseren Welt wurden die Freischärler von den Unglücklichen begrüßt, alles umdrängte die kleine Truppe, alles wollte den Errettern die Hände drücken und sie umarmen, ihnen schluchzend den Dank stammeln, welchen die Herzen so heiß empfanden.

Manchem unter den lockeren Gesellen stieg in diesem Augenblick das Blut heiß in das Gesicht. Aus Rio waren sie fortgezogen, halb in übermütiger, unbändiger Jugendlust, halb im Gedanken, dass es gut sei, eine Zeit lang aus Rio zu verschwinden, – und hier küsste man ihnen ihres patriotischen Sinnes wegen dankbar die Hände, hier pries man Gott, dass er treue Freunde gesandt hatte, als gerade die Not am höchsten war.

»Ihr werdet die Spanier schlagen«, jubelten weinende schluchzende Menschen mitten in ihren Tränen mit gefalteten Händen den Freischärlern entgegen, »ihr werdet uns den Weg zu unseren Wohnungen, unserer Arbeit bahnen, uns von den unerträglichen Misshandlungen erlösen.«

»Gelobt sei Gott, dass er euch sandte!«

Die Soldaten sahen einander an; es war vielleicht nur ein einziges Empfinden, das jetzt die Herzen aller erfüllte. Ja, bei den ewigen Mächten da oben, sie wollten tun, was in ihren Kräften stand. Und wenn es galt, unter den Kugeln der Spanier zu sterben, – wohl, durch den ehrenvollen Tod des Soldaten auf dem Schlachtfeld war dann so manche Rechnung beglichen, so manche Schuld gesühnt.

Mehr als das Leben konnte man nicht opfern, das aber mochte für Peru, für die bedrängten Brüder dahingegeben werden. Einzelne schwere Tropfen fielen aus den schwarzen Wolken herab und drohten die Fackeln zu verlöschen, ein kühler Wind fuhr durch die Baumwipfel; trotz aller Ungunst der Stunde aber waren die Flüchtlinge jetzt von besserem Mute erfüllt, sie nahmen mit dem innigsten Danke den Schutz der Soldaten an, kehrten ihre Wagen und Reittiere wieder um und begaben sich zurück zu der Stadt, welche sie erst vor wenigen Stunden verlassen hatten.

Hier und da reichte ein Soldat, Weiße und Rothäute, den Halbverschmachteten einen Bissen Speise oder einen Trunk aus der Feldflasche; eine Wunde wurde während des Marsches verbunden, ein Trostwort dem Kranken zugeflüstert, mit einem derben Scherz wurden die Verzagten aufgerüttelt. Neues Leben war in die Seelen aller gekommen, neues und besseres. Die Truppen ihrerseits erhielten Nachrichten aus der Stadt.

Schon am gestrigen Abend hatte man dort von dem schleunigen Rückzug der Spanier erfahren und sogleich richtig geschlossen, dass der Vormarsch der anrückenden Peruaner auf Conzito nun unmittelbar bevorstehen müsse. Der Kommandeur erlaubte seinen Soldaten, in die Bürgerhäuser einzudringen und die abscheulichsten Gewalttaten zu verüben, er ließ alle Armen der Stadt kurzerhand aus den Stadttoren jagen und entzog den Einwohnern das Trinkwasser – lauter Grausamkeiten, die schon jetzt begangen wurden, weil nach dem wahrscheinlichen Fall der Stadt den Besiegten dazu keine Gelegenheit mehr übrig bleiben würde.

Die Leute schilderten Vorgänge, bei denen sich das Haar der Zuhörer sträubte, namentlich was die Behandlung der Kriegsgefangenen betraf. Diese Unglücklichen wurden in die Keller des Ortes gesperrt und ihnen, nachdem man alle Fenster von außen her vernagelt hatte, nur durch die Luken von Zeit zu Zeit die allernotwendigsten Lebensmittel zugeworfen. Wasser erhielten sie gar nicht; man öffnete einen mit sechs geladenen Gewehren verteidigten Zugang und schüttete aus einem großen Korb Brot oder halbverfaulte Früchte den Leuten ohne Weiteres auf die Köpfe.

Diese entsetzlichen Behälter wurden auch niemals gereinigt, es sollten sich fußtiefe Sümpfe darin befinden – man sprach von Leichen, die neben den Lebendigen lagen und nicht entfernt wurden. Rechts und links in den Reihen der Flüchtigen ertönte verhaltenes Schluchzen. Dieser hatte unter den misshandelten Peruanern einen Sohn oder Bruder, jener gar seinen Vater – und nichts, gar nichts konnte geschehen, um die Unglücklichen aus dieser wahrhaft unmenschlichen Behandlungsweise zu erretten. Ernesto schüttelte den Kopf.

»Dass da keine Tumulte vorgekommen sind!«, sagte er. »Ich begreife es nicht!«

»Wie oft! Wie oft!«, tönte es ihm von allen Seiten entgegen. »Aber das machte das Übel nur noch schlimmer, denn wir erfuhren, dass nach solchen Versuchen den Gefangenen für einen vollen Tag alle und jede Nahrung entzogen wurde. Man strafte uns also in denen, welche wir liebten, – das lahmte unsere Hände.«

Ein riesiger Mann mit einem schwarzen Schurzfell und gewaltigen roten Fäusten, der Hufschmied des Ortes näherte sich dem Gutsherrn.

»Meine Werkstatt liegt gerade vor dem östlichen Stadttor, Señor Ernesto«, sagte er. »Ich könnte euch so manches berichten.«

»Was auf den bevorstehenden Kampf Bezug hat, mein lieber Mann?«

»Jawohl, Señor.«

»Dann erzählen Sie uns möglichst genau, was Sie wissen.«

Der Schmied nickte.

»Will ich tun«, sagte er, während ihm die Freischärler und der Gutsherr mit dem lebhaftesten Interesse zuhörten. »Will ich tun, Señores. Sehen Sie, gestern Abend, als sich die Nachricht von dem Rückzug der Spanier in Conzito verbreitete, da fingen die Soldaten an, auf den Straßen alles Volk vor sich herzutreiben und einfach aus den Toren zu jagen. Wer sich zeigte, der wurde von Bajonetten empfangen und musste laufen, wie ihm diese den Weg vorschrieben.«

»Jedenfalls, um militärische Maßregeln ohne Augenzeugen in aller Ruhe ausführen zu können.«

»Natürlich. Das dachte ich mir auch gleich und beschloss den Tyrannen einen Streich zu spielen. Auf dem Hof meines Hauses steht ein hoher alter Baum mit dichtem Laub, in dessen Krone kletterte ich und konnte nun alles beobachten, was auf den Straßen geschah. Weit und breit war kein lebendes Wesen zu entdecken, die Spanier stellten Doppelposten vor jede Haustür, – irgendetwas Besonderes musste im Werk sein. Und richtig, mitten in der Nacht wurden sämtliche Kanonen antransportiert; rings im Halbkreis um das östliche Tor wurden sie aufgestellt, während man die Straße vor demselben absperrte und alles Volk zum westlichen Tor hinaustrieb. Das ist es, was ich allein weiß und was ich euch sagen wollte.«

Beide, der Gutsherr und der Anführer des Freikorps reichten dem wackeren Mann die Hand.

»Nun aber noch eins, Meister Schmied«, fügte Ernesto hinzu, »eins, das ebenso wichtig ist, als eure Mitteilung bezüglich der Geschütze. Wollt ihr uns helfen, links vom östlichen Tore, da wo die engen ärmlichen Straßen sich kreuzen, auf irgendeinem Schleichweg in die Stadt zu gelangen? Ich meine, durch diese zahllosen kleinen Gärten und Höfe, über Zäune und Hecken hinweg müsste sich es machen lassen.«

Der Schmied nickte lebhaft.

»Habe schon ganz dasselbe gedacht, ihr Herren«, rief er. »So wird es ja gehen. Nur die Indianerpferde können diesen Weg nicht mitmachen.«

»Das ist auch keineswegs notwendig. In den Straßen einer Stadt lässt sich Kavallerie selten brauchen, außerdem aber müssen sich unsere Rothäute in aller Stille zu den Kanonen schleichen.«

Der Schmied nickte.

»Das ist gut«, sagte er. »Das ist gut. Sie wollen also die Geschütze vernageln?«

»Wenn es nur irgend angeht, ja.«

Der Schmied schlug mit der geballten Rechten in die offene Fläche seiner linken Hand.

»Es muss gehen«, entschied er. »Und ich selbst will es ausführen, ich will Hammer und Nägel aus meiner Werkstatt herbeischaffen.«

Er streifte, wie um nichts zu versäumen, schon jetzt die Ärmel auf und zeigte seinen muskulösen Arm.

»Wir finden den Weg«, nickte er, »wir finden ihn, ihr Herren Spanier, wenn ihr die Sache auch noch so listig anfangt. Da ist meine Schwester, deren Haus an das freie Feld stößt, ihr gebe ich ein Zeichen und wenn etwa das arme alte Weib von den Barbaren hinausgetrieben sein sollte, so schleiche ich mich leise in ihr Zimmer. Über allerlei Höfe und durch enge Gänge geht es von da nach der offenen Straße, – ich führe die Soldaten bis an das östliche Tor.«

Der Vorschlag ließ sich hören, zumal da man annehmen konnte, dass doch den landfremden Spaniern die genauere Kenntnis dieser Hinterhöfe und halbdunklen Winkel naturgemäß fehlen müsse. Es war vielleicht möglich, die Wache bei den Kanonen derartig zu überrumpeln, dass durch diesen Handstreich der Widerstand des Feindes überhaupt gebrochen und seine Streitkräfte zersplittert wurden.

Zur Erreichung des letzteren Zweckes sollte eine Abteilung Indianer auf das westliche Tor einen geräuschvollen Angriff unternehmen und dadurch die Spanier zwingen, ihre Soldaten an zwei Punkten aufzustellen, während der tatsächliche Einmarsch an einem dritten erfolgte.

Der Schmied rieb sich die Hände; er sog fortdauernd an einer gänzlich leeren Pfeife, und je größer seine Begeisterung wurde, umso mehr eingebildete Dampfwolken stieß er bei jedem Worte hervor.

»Das tut mir wohl«, sagte er, »das ist einmal eine wirkliche Freude. Drei Söhne hatte ich, Señores, prächtige Jungen, die mir nie Kummer oder Sorgen bereiteten, – so recht mein Stolz, meine Hoffnung, die haben mir die Spanier totgeschossen.«

»Alle drei?«, fragte mitleidig der Gutsherr.

»Alle drei, Señores. Dass sich dann meine Alte hinlegte und vor Gram starb, na, – das brauche ich kaum besonders hinzuzufügen. Die Schmiede ist leer. Was sonst, seit einem Menschenalter an lieben

Stimmen darin erklang, das verstummte längst, – ich kann sagen, es wird mir oft ganz kurios zu Sinn, wenn ich so in dem alten Gemäuer allein sitze und mich frage, wohin sie denn alle gekommen sind, mein Weib und die Kinder. Begraben, tot, dahin für immer, das ist ein schwerer Gedanke.«

Ernesto fuhr mit der Hand über das ernst gewordene Antlitz.

»Ein schwerer Gedanke«, wiederholte er beinahe unhörbar.

Der Schmied wiegte den Kopf, seine Augen blitzten plötzlich auf.

»In dieser Nacht zahle ich es den Spaniern heim«, sagte er. »So manch armer Junge liegt in den verpesteten Kellerhöhlen und wird bei lebendigem Leib von Ratten und Mäusen angenagt, indes Elternherzen um ihn bluten, – die alle will ich erlösen helfen.«

Man drückte ihm die Hand, Frauen schluchzten laut, selbst Männer brachten nur mühsam die Worte über ihre Lippen. Sooft von den fürchterlichen unterirdischen Gefängnissen die Rede war, brach jedes Mal die Verzweiflung der armen Leute unaufhaltsam hervor. Indessen war der Regen immer stärker geworden; den Pferden wurden die Füße mit Stroh umwickelt, den Gewehren Pfropfen aufgesetzt und alle vorhandenen Matten und Decken verwendet, um Kranke und kleine Kinder zu beschützen.

Noch etwa eine Stunde, dann musste die Stadt erreicht sein. An den Ausläufern des Waldes sollten die Wagen zurückbleiben. Zwischen den alten, dichtbelaubten Stämmen fand sich etwas Deckung, zumal da auch alle Geschütze am östlichen Tor standen und daher das Lager der Flüchtlinge nicht bedrohen konnten.

»Für morgen werden wir euch Lebensmittel überlassen«, sagte der Anführer des Freikorps, »was dann weiter folgt, muss sich erst finden. Hoffentlich gelingt es uns, die Spanier in die Flucht zu schlagen.«

»Dann schicke ich euch Fleisch«, setzte Ernesto hinzu. »Ihr sollt auch Milchkühe haben und Pferde für den Verkauf in Lima.«

Alles umringte den Mann mit dem ernsten leidvollen Antlitz.

»Als wir krank waren, haben Sie uns gepflegt, als wir abbrannten, haben Sie uns Häuser gebaut, – das vergelte Ihnen Gott mit tausendfältigem Segen, Señor Ernesto, Sie sind in Wahrheit der Vater aller Armen und Unglücklichen.«

»Still!«, bat er. »Still! Sprecht nicht so, Leute.«

Aber auch Benno näherte sich ihm und drückte vom Maultier herab seine Hände.

»O Señor Ernesto, wie beneide ich Sie!«, flüsterte er mit unterdrücktem Ton. »Wie viel wahres Glück ist Ihnen beschieden!«

Der Gutsherr wandte sich plötzlich ab.

»Glück?«, wiederholte er. »Glück? – Ach, mein Gott, Kind, du weißt nicht, was du sprichst.«

Benno war sehr erstaunt, im Grunde erschreckt. Wie eine leidenschaftliche Klage erschienen die Worte des sonst so ruhigen Mannes, wie ein Schrei aus Herzensgrund. Er hatte das, was er sagte, nicht in sich verschließen können.

»Ich wollte Ihnen nicht weh tun, Señor«, sagte leise unser Freund.

»Das weiß ich ja. Vergeben Sie mir, Benno.«

Ehe der Knabe antworten konnte, trat Ramiro, sich mühsam durch das Gewühl drängend, an ihn heran.

»Noch habe ich nichts Bestimmtes erfahren können«, sagte er ganz niedergeschlagen. »Niemand weiß von den Vorgängen im Kloster.«

Benno suchte den bekümmerten Mann zu trösten.

»Aber auch darin liegt eine Beruhigung«, versetzte er. »Wenn eine so angesehene Persönlichkeit wie der Abt von San Felipe gestorben wäre, dann wüssten es alle.«

»Und warum sollte denn auch durchaus etwas Derartiges geschehen sein?«, setzte er unwillkürlich hinzu. »Weshalb sind Sie so sehr unruhig, Señor?«

Der Kunstreiter wandte sich ab, er blieb stumm, als könne das, was er im innersten Herzen empfand, doch niemals in Worte gekleidet werden. Langsam und geräuschlos glitt in Schlangenwindungen der ganze lange Zug durch den regennassen Wald dahin. Je mehr man sich der Stadt näherte, desto sorgfältiger wurde jedes Wort, jedes Zeichen einer menschlichen Gegenwart vermieden.

Dass die peruanischen Truppen auf gerade diesem Wege anrücken würden, wussten die Spanier; sie hatten also ohne Zweifel Wachen ausgestellt und ließen die Umgebung scharf beobachten. Dicht vor Conzito bog die Straße, vom östlichen bis zum westlichen Tor einen weiten Bogen beschreibend, links ab und hier war es, wo der Schmied die Soldaten in einen Nebenweg hineinführte.

Während sämtliche Wagen mit den nicht waffenfähigen Flüchtlingen im Wald zurückblieben, während Pferde und Maultiere versteckt wurden, sammelten sich mehr als fünfzehnhundert entschlossene Männer hart unter den Mauern der letzten Häuser. Die Stadt, welche das Ziel der langen, im fernen Rio Janeiro begonnenen Wanderung gewesen war, die Stadt, in der Ramiro geboren worden war, – jetzt lag sie vor den Blicken der Reisegefährten.

22.

Der Sturm auf die Barrikade – Straßenkämpfe – Vor dem Kloster von San Felipe – Das befreite Conzito – Letzte Enttäuschung

»Lasst mich vorausgehen!«

Der Schmied öffnete eine schief in ihren Klammern hängende Pforte und deutete auf ein Gewirr elender, schmutziger Hütten, wie sie nur in einer tropischen Stadt vorgefunden wird. Wo man sich mit der Winterkälte abzufinden hat, da gelten andere Existenzbedingungen; hier, im heißen Klima, begnügte man sich meistens mit etlichen lockeren Wänden und einem schadhaften Dach, während Türen, Fensterscheiben und Schornsteine als überflüssig betrachtet wurden.

In diesem ärmsten aller Viertel wohnte die Mischlingsbevölkerung der Stadt; entlaufene brasilianische Sklaven, Halbindianer und Neger, lauter Leute, die sehr niedere Hantierungen betrieben und mit der Reinlichkeit durchaus auf gespanntem Fuße lebten.

Sie drängten sich mit ihren Wohnungen eng aneinander, denn es geschah zuweilen, dass der Delegado (Polizist) kam, um einen aus ihrer Mitte abzufangen, wobei dann natürlich alle guten Freunde und Nachbarn des Bedrohten gegen den Vertreter der Ordnung einmütig Front machten und den Schuldigen entschlüpfen ließen, ehe noch die hohe Behörde in ein halbes Dutzend dieser halbdunklen Höhlen den Blick getaucht oder auch nur eine einzige Antwort erhalten hatte.

Es war vergeblich, in diesem Irrgarten einen Vogel fangen zu wollen; der Delegado erschien gar nicht erst mehr und das Verbrecherviertel fristete ein ungestörtes Dasein umso leichter, bis in der unglücklichen Stadt alle Bande der Ordnung gelöst waren. Ganz öde und verlassen, von keinem Licht erhellt, lag das Durcheinander höherer und niederer Gebäude da, offenbar leer, denn es bellte bei der Annäherung so vieler Menschen kein Hund, es schrie kein Kind, – die Bewohner waren aus ihren elenden Schlupfwinkeln vertrieben, sie irrten vielleicht ohne Schutz gegen den Regen auf der Straße umher, während ihre Erlöser in gedrängten Scharen ungeduldig des Augenblickes harrten, in dem es ihnen vergönnt sein würde, hervorzubrechen und die Stadt von den fremden Unterdrückern zu säubern.

»So ziemlich kenne ich den Weg«, flüsterte der Schmied, »aber besser ist es doch, ganz sicher zu gehen. Die Spanier sind auf einen Überfall vorbereitet.«

»Sie glauben, dass sich da in dem Gerümpel Soldaten versteckt halten, Meister?«

Er schüttelte den Kopf.

»Das wohl kaum, aber man könnte den Zugang versperrt haben. Ich will mich überzeugen, ob alles in Ordnung ist.«

Ramiro trat an seine Seite.

»Ich begleite Sie, Meister. So ganz allein wäre die Sache für Sie doch zu gefährlich.«

Und als der Schmied einwilligte, da suchte und fand der Kunstreiter im Dunkel Bennos Hand, die er lebhaft drückte.

»Wenn ich mich nach San Felipe durchschleichen könnte!«, raunte er. »Ich kenne jede Straße, auch in tiefster Nacht fände ich den Weg.«

Benno klopfte ermutigend seine Schulter.

»Glück auf, Señor!«, gab er zurück. »Vielleicht sind Sie, wenn wir uns wiedersehen, ein mehrfacher Millionär.«

Ramiro winkte grüßend mit der Rechten, dann verschwanden er und der Schmied durch das Dunkel verwilderter und zertretener Gärten, in denen schon längst nichts anderes mehr wuchs, als Unkraut, das lustig auf Schutthaufen grünte und wucherte. Die Zurückgebliebenen horchten. Jetzt mussten die Indianer das westliche Tor bald erreicht haben.

Es war verabredet, dass ein lautes anhaltendes Kriegsgeschrei diesen Augenblick den Gefährten kennzeichnen solle; man würde dann beobachten können, wie sich die Spanier dieser Entdeckung gegenüber verhielten. Noch blieb alles still. Durch die wüsten Garten schlichen einige den beiden vorausgegangenen Männern nach, um desto früher zu erfahren, wie es drinnen im Dunkel der engen Höfe und Gänge den Kundschaftern erging, aber auch diese kehrten unverrichteter Sache zurück. Kein Laut klang durch die Nacht.

»Benno«, raunte der Gutsherr, »Sie sollten jetzt das versteckte Lager aufsuchen. Es ist mir angenehmer, wenn ich Sie geborgen weiß.«

»Während Sie selbst die Expedition mitmachen wollen, Señor?«

»Natürlich. Ich könnte und möchte mich nicht ausschließen.«

»Dann bleibe ich an Ihrer Seite. Was kommt, das soll uns beide treffen. Oder dachten Sie, ich könnte ruhig bei den Frauen und Kindern sitzen, während Sie vielleicht leiden, während es Ihnen an einer hilfreichen Hand fehlt? – Nimmer.«

»Warum?«, fragte Ernesto. »Warum? Haben Sie mich lieb, Benno?« Unser Freund nickte.

»Nie in meinem Leben ist mir jemand begegnet, zu dem ich mich so hingezogen gefühlt hätte, wie zu Ihnen, Señor. Sie wissen, meine Jugend war sehr einsam, ich hatte keinen Erzieher, zu dem ich mit Liebe aufblicken konnte, niemand, an dem mein Herz eigentlich hing, – das scheint jetzt alles anders geworden zu sein. Seit Sie kamen, fühle ich mich nicht mehr so verlassen, so freundlos.«

»Aber wahrhaftig, der Gedanke an die Wohltaten, welche Sie mir so großmütig boten, hat daran keinen Teil, Señor!«, fügte er tief errötend mit einem offenen Ausblick seiner ehrlichen blauen Augen hinzu. »Wahrhaftig nicht.«

Der Gutsherr antwortete keine Silbe, aber er tat etwas, wozu ihn vielleicht gerade dieser Blick unwiderstehlich veranlasst hatte, er küsste Bennos Stirn und hielt ihn fest mit einem Arm umfasst. In diesem Augenblick erschien der Schmied an der Pforte. Er war allein und seine Handbewegung zeigte schon von Weitem den Genossen, dass irgendeine verdrießliche Entdeckung gemacht sei.

»Es ist, wie ich dachte«, flüsterte er, sobald ihn die übrigen verstehen konnten.

»Die Spanier haben einen Verhau angebracht.«

»Aus welchem Material? Steine? Erde?«

Der Schmied unterdrückte einen Fluch, der in ein unverständliches Murmeln überging.

»Das ist es ja gerade«, flüsterte er. »Die Schufte wissen, dass man Steine und Erde in wenigen Minuten beiseiteschafft, sie haben also Baumzweige angewandt und damit den Hauptausgang verstopft. Aber nicht genug mit dieser List, nein, es sind auch alte Töpfe und Teekessel, allerlei rasselndes Gerümpel in die Barrikade mit hineingebracht worden. Wenn man nun diesen Bau einreißt, so muss ja von solchem Donnergepolter alles alarmiert werden.«

»Dagegen weiß ich ein Mittel!«, rief Benno.

Aller Augen sahen ihn an.

»Und das wäre?«, fragte der Schmied. »Man erwartet den Augenblick, in welchem unsere indianischen Kameraden ihr Kriegsgeschrei anstimmen. Der größere Schreck lässt dann vielleicht den geringeren unbeachtet bleiben, – die Soldaten überhören das Gepolter in den Gängen.«

Der Schmied nickte.

»Das ist ein guter Gedanke, Jüngelchen; möglicherweise gelangen wir durch ihn ans Ziel. Vorwärts also!«

»Einen Augenblick, Meister. Sie kennen den Weg; wie ist es aber mit uns anderen? Man läuft im Dunkel gegen alle Mauern.«

Der Schmied zog aus dem Bruststück seines Schurzfelles eine Blendlaterne hervor und öffnete sekundenlang eine Spalte derselben.

»Hier ist Licht«, sagte er. »Sobald wir im Bereich der Gebäude sind, kann die Umgebung erhellt werden.«

»Und Ramiro?«, fragte eine Stimme. »Wo haben Sie ihn gelassen, Meister?«

»Er steht vor dem Verhau und will nicht wieder umkehren. Ich möchte, dass die Spanier nur eine Kehle hätten«, raunte er mir zu, »und dass gerade ich sie umdrehen dürfte.«

»Der arme Ramiro!«

Weshalb Benno das unwillkürlich sagte, wusste er selbst nicht, aber seine Seele empfand für den unglücklichen Mann das tiefste Mitleid. Wie mochte ihm das Herz voll Ungestüm schlagen, wie mochte ihn die brennende Sehnsucht verzehren!

»Vorwärts! Vorwärts!«, ermahnte der Schmied.

Mann nach Mann schlüpfte durch die Pforte. Gleich einer dunklen riesenhaften Schlange glitt der Zug durch den Garten und dann in das verworrene Gemäuer. Jetzt blitzte das Licht der Diebeslaterne auf und warf seine Strahlen rückwärts; die Freischärler sahen und erkannten ihre Umgebung.

Bald nach rechts, bald nach links abbiegend, führte eine schmale Gasse tief in das Herz des Armenviertels hinein. Zuweilen musste man durch ein Haus gehen, zuweilen über einen Hof, auf dem leere Ställe standen. Etwas wie Beklommenheit, wie ein leises Grauen überfiel die Seelen aller, waren sie in ein Labyrinth geraten? Würden diese engen Wände, dieser Marsch durch Häuser und Torbogen nie ein Ende nehmen?

»Aufgepasst!«, glitt von Lippe zu Lippe der Befehl des Anführers. »Die Barrikade kommt. Rechts und links in den Wohnungen Posto fassen.«

Die Vordersten standen vor dem Verhau aus Dornen und Gerümpel; was nachdrängte, das suchte Platz in dunklen Zimmern, auf Böden, in Kreuz- und Quergängen. Die Strahlen der Laterne beleuchteten eine Barrikade, deren Entfernung kaum zehn Minuten in Anspruch nehmen würde, die man aber ohne Geräusch nicht hinweg räumen konnte.

Beinahe alle Gassen und Gänge des Verbrecherviertels mündeten hinter dieser lockeren Wand in den breiten Torbogen eines Hauses, das aus die offene Straße hinausführte. Hier hatten bei dem Schein einer Laterne etwa zwölf spanische Soldaten eine Wache bezogen; sie kauerten auf den Steinen und rauchten kurze Pfeifen, in ihren Händen lagen die verbotenen Karten, welche der Unteroffizier umso weniger zu sehen schien, als er selbst eifrig mitspielte.

»Wenn es doch einmal wieder Lohn geben sollte, werde ich euch bezahlen«, sagte er mürrisch. »Das Leben in diesem Nest habe ich völlig satt.«

»Wir auch«, tönte es ringsumher. »Zu essen fast nichts und zu trinken nur Wasser, – das ist kläglich.«

Einer gähnte.

»Tröstet euch, Kinder; die Geschichte dauert nicht mehr lange. Ich habe einen Vogel singen hören, dass dieses die letzte peruanische Stadt ist, welche wir überhaupt noch besitzen. Ein Anlauf, und wir fliegen zum Land hinaus.«

»Das wollte ich! – Ach, ihr Heiligen, das wollte ich!«

»Psst! Da hinten rührte sich etwas.«

Alle horchten; die Freischärler hielten, um sich nicht zu verraten, den Atem an, – dann, nach einigen Augenblicken nahmen die Spanier ihre Karten wieder auf.

»Es sind Ratten, weiter nichts.«

Eintönig klatschten die Regentropfen auf das Straßenpflaster, ebenso eintönig machten die Soldaten ihre zum Spiel gehörigen Bemerkungen, da erscholl plötzlich aus der Entfernung das markerschütternde Kriegsgeheul der Indianer und wie mit einem Zauberschlag veränderte sich die ganze Situation.

»Ein Überfall!«, riefen die Soldaten. »Da ist schon ein Hornsignal.«

»Das kommt vom westlichen Tor. Jedenfalls verlangt der Kommandant Verstärkungen.«

»Dann können wir also noch in dieser Nacht mit den Rothäuten kämpfen; das ist hübsch.«

Eine Ordonnanz kam in vollem Galopp angeritten und überbrachte dem wachthabenden Offizier einen mündlichen Befehl des Befehlshabers. Gleich darauf rasselten die Trommeln, unter dem Torbogen blieb nur ein einziger Posten zurück und im Laufschritt marschierten die Truppen klirrend und rasselnd zum westlichen Tore. Der Schmied tat einen tiefen Atemzug.

»Jetzt!«, gebot er.

Der erste, welcher in die Dornen hineingriff und rücksichtslos, mit blutenden Händen das Hindernis wegräumte, war Ramiro. Einer reichte dem anderen die losgerissenen Büsche, über sämtliche Köpfe hinweg wurde das Material der Barrikade aus den Gängen hinausbefördert, während der Soldat draußen unter dem Torbogen erst Miene machte, seinen Posten in eiliger Flucht zu verlassen und dann vor Verzweiflung laut schrie.

»Ein Überfall! Verrat! Verrat!«

Im Nachtlokal wurde der Ruf gehört und alles stürzte auf die Straße hinaus. Trommeln rasselten, Hörner schmetterten und Kommandorufe tönten dazwischen. Aus allen, als Kasernen benutzten Häusern der Stadt kamen die Soldaten in kleinen Abteilungen angelaufen und sammelten sich an der Stelle, wo das Erscheinen feindlicher Truppen in jedem Augenblick erwartet werden musste – vor dem Torbogen.

Jetzt war das Hindernis entfernt und wie ein breiter Strom ergossen sich auf den Gängen die Reihen der Freischärler. Hüben und drüben fielen die ersten Schüsse, floss das erste Blut, – der Kampf war eröffnet. Mit dem Kolben des Gewehres alles vor sich zu Boden schlagend, unwiderstehlich in der Kraft seiner gewaltigen Arme stürmte der Schmied auf die Straße hinaus und erreichte mit wenigen Sätzen die offene Werkstatt, wo während eines Menschenalters sein Amboss gestanden, wo er ein glücklicher Mann gewesen war und dann durch die Schuld der Spanier alles verloren hatte.

Hier lag der Hammer, hier lagen große schwere Nägel, – im Fluge nahm der Alte das Werkzeug an sich und kehrte dann zu den Seinigen zurück, mit Adlerblicken den Gang der Dinge überfliegend.

»Mir nach, meine Jungen! Mir nach!«

Eine Schar Indianer gesellte sich zu ihm; mitten durch die Bajonette der Spanier bahnten sie sich ihren Weg zu den Geschützen, deren

Pferde sich augenblicklich nicht in der Nähe befanden und die daher von den Soldaten zum Kampfplatz gezogen werden sollten. Vielleicht hoffte man, durch einige vor dem Torbogen aufgestellte Kanonen die Angreifer erfolgreich vertreiben zu können.

Es war eine Szene äußerster Verwirrung. Der Regen blendete die Soldaten, es fehlte an Licht, an den nötigen Kräften, an besonnenen Anführern. Ordonnanzen brachten einander widersprechende Befehle, Kugeln schlugen rechts und links in die Reihen der Bedienungsmannschaften, überall herrschte äußerste Ratlosigkeit. Dann tauchten aus der Finsternis die Gestalten der Indianer empor, ihr gellendes, wahrhaft erschütterndes Kriegsgeheul ertönte und neues Entsetzen packte die Spanier.

Auf so mancher Ebene im Inneren des Landes hatten die nackten verwegenen Reiter ihre Bataillone wie Spreu vom Schlachtfeld gefegt; sie bebten heimlich, als sich die wilden kriegerischen Erscheinungen nur zeigten.

»Rothäute!«, klang der Schreckensschrei. »Rothäute!«

Die wenigen, bei den Geschützen vorhandenen Leute wichen zurück. Vergebens suchten die Offiziere. Ordnung und Manneszucht aufrecht zu erhalten, vergebens legten sie persönlich Hand an ab die Kanonen – in schleuniger Flucht gesellten sich die Soldaten zu dem Gros der Ihrigen, welche im heftigsten Kampf mit den Peruanern begriffen waren.

Es drängte alles auf diesen einen Punkt zusammen, die Entscheidung schwankte bald hierhin, bald dorthin, im Großen und Ganzen aber wurden die Spanier Fuß für Fuß zurückgeworfen und rückwärts in die offene Stadt hineingetrieben. Ein schwerer Hammerschlag schmetterte durch das Getöse, begleitet von lautem Hurra. Im ersten Dämmergrau des jungen Morgens stand da der Schmied und wirbelte triumphierend den Hammer durch die Luft.

Eine Kanone war vernagelt, jetzt ging es an die zweite, bis alle zehn unbrauchbar gemacht waren. Mit ihren Bogen und Pfeilen, ihren langen Lanzen kämpften die Indianer, in dichtem Pulverdampf standen die Weißen. Brust an Brust wurde gefochten, wie Verzweifelte rangen die Freischärler um den Durchgang in die Stadt, aber ohne ihn sogleich erzwingen zu können.

Starren Blickes, allen voraus, stürzte sich Ramiro in das Kampfgewühl. Wo ein Mensch als Hindernis auf seinem Wege stand, da war er bereit, ihm das kalte Eisen in die Brust zu stoßen, aber vergebens, vergebens, immer wieder schloss sich die Mauer, immer neue Scharen tauchten auf, – der Kunstreiter taumelte, es war unmöglich, den Weg zum Kloster zu erzwingen. Unvorhergesehene Schwierigkeiten stellten sich ihm von allen Seiten entgegen. Pedrillo ergriff den Schwankenden und brachte ihn hinter die Gefechtslinie.

»Wir siegen ja, Señor!«, rief er. »Wir siegen ja; was wollen Sie denn noch mehr?«

Ramiros Antwort ging unter in einem abermaligen Kriegsgeschrei der Indianer. Aus einer Seitenstraße brachen die Rothäute, nachdem sie das westliche Tor im ersten Anlauf erstürmt hatten, plötzlich hervor und fielen den Spaniern in die Flanken.

Jetzt kämpften beide Parteien Brust an Brust; aller Hass der verschiedenen Nationalitäten, des Bedrohten und des Unterjochten vereinigten sich, um die Schlacht zwischen den engen Mauern zweier Häuserreihen so sichtbar, so blutig wie nur irgend möglich zu gestalten.

Schritt um Schritt wichen die Spanier, immer weiter zogen sie sich zurück in den Richtung des bürgerlicheren, etwas höher gelegenen Stadtteil, um endlich an diesem Punkt mit den beim westlichen Tor geschlagenen Ihrigen zusammenzustoßen. Zwei Massen, beide fest geschlossen, beide vom trotzigsten Kampfesmut erfüllt, standen einander gegenüber.

»Eher fallen, als sich besiegt erklären«, das war hüben und drüben die Losung.

Hinter den streitenden Parteien entwickelte sich auf der Straße ein seltsames Bild. Aus allen Häusern hervor kamen die Bürger, bewaffnet mit Holzbeilen, Hämmern oder Knüppeln, um sich sogleich, ohne Zögern oder Überlegung dem peruanisch-indianischen Befreiungsheer anzuschließen.

Während Frauen und Kinder mit allen möglichen Gefäßen zu den Brunnen der Nachbarschaft eilten, hatten sämtliche Männer und sogar die größeren Knaben miteinander nur einen Gedanken, den nämlich, an diesem Tag die Spanier für immer aus dem Land zu verjagen. Conzito war die letzte Stadt, in der sie sich bisher noch gehalten hatten, man wusste es allgemein, – und gerade das gab der Seele die Zuversicht, dem Arme die verdoppelte, unbesiegbarer Kraft.

Wo sich die tobende, mörderische Schlacht vorüber gewälzt hatte, wo es still geworden war von dem Lärm der Waffen, da klopften hier und dort unsichtbare Hände von innen gegen die Scheiben der vernagelten Fenster. Flehentliche Stimmen baten um Hilfe, um Erlösung aus furchtbarem Leib und Seele vernichtendem Elend.

»Hierher!«, klang es unablässig. »Hierher! Wir sterben, wenn ihr uns nicht beisteht.«

Vor den Fenstern, hinter denen diese Jammerrufe ertönten, sammelte sich allemal ein Menschenhaufen, zumeist aus Frauen bestehend, aus weinenden, händeringenden Frauen aller Gesellschaftsklassen. Da war die Dame im Schleppkleid und die halbnackte Farbige, die Gattin des Millionärs und die des Tagelöhners, alle vereinigt durch den gemeinsamen Schmerz, den sie miteinander teilten, der ihre Seelen seit Wochen und Monaten schon auf das Grausamste zerriss.

Die Spanier hatten es den armen Müttern nie erlaubt, stillzustehen vor den Fenstern, hinter denen ihre Söhne in unerträglichem Elend schmachteten; es durfte mit den Gefangenen niemand sprechen, niemand sie sehen; es gab für die Bedauernswerten kein anderes Gesetz, als die Willkür ihrer Peiniger, man wusste daher in der Stadt nicht, ob der, den man in den finsteren Keller verschwinden sah, überhaupt noch lebte, oder ob seine Leiche längst draußen in den wüsten Gärten verscharrt, seine letzte Ruhestätte für immer verschollen und vergessen war.

Herzzerreißende Szenen spielten sich ab. Männer mit Beilen stiegen die finsteren Treppen hinab und zerschlugen die verrammelten Türen, während von oben die Frauen nachdrängten, stumm, zitternd am ganzen Körper, mit gefalteten Händen, oft kaum fähig, sich aufrecht zu halten, halb von Sinnen vor Furcht. Was würden sie jetzt erfahren? Was sehen? Tod und Leben hing am seidenen Faden. Ein Priester im Ornat drängte sich durch die Menge.

»Seid still in Gott, ihr Armen! Seid still! – Die ihr nicht mehr werdet aus diesen Gefängnissen hervorgehen sehen, das sind die, denen kein Leid, keine Versuchung mehr nahen kann, die, welche überwunden haben. Betet, dass ihre Seelen Ruhe finden, ihre und die eurigen.«

Durch die Reihen der Frauen ging ein Schluchzen, erst verhalten, dann laut.

»Sind denn von den Eingesperrten so viele gestorben, frommer Vater?«

Der Greis neigte traurig das Haupt mit dem weißen Haar.

»Viele! Viele! – Wenn am frühen Morgen die Toten hinausgetragen wurden, ungewaschen und ohne Sarg, dann bin ich mitgegangen, um an ihren Gräbern zu beten. Ich tue dasselbe auch jetzt, aber für die Lebendigen.«

Man küsste seine Hände, man umringte ihn laut schluchzend. Dann öffneten sich unten die Türen, und aus den entsetzlichen Höhlen traten Gestalten hervor, Jünglinge und Männer, die kaum noch menschenähnlich aussahen. Mit Schmutz überzogen, schwankend, in eisgrauem Haar, abgemagert bis zum Skelett, scheu die Augen dem lang entbehrten Tageslicht verschließend, so kamen sie hervor, unterstützt von helfenden Armen, mit Jubelrufen begrüßt von den Ihrigen, die sie doch wenigstens lebend wiedersahen, wenn auch in bejammernswertem, schrecklichem Zustand.

Hier und da wurde eine bange Frage laut, über den Lippen kam ein Name, ein halberstricktes »Und er? Wo ist er?«

Dann eine Stille, – ach, so vernichtend, so sichtbar in ihrer Bedeutung. Eine Stille, bei der das Herz brach und die Sinne schwanden. In den Armen lagen sich die unglücklichen Frauen, hohe und niedere, alte und junge. Dahin alles, was sie gehofft und ersehnt, wofür sie Tag und Nacht gebetet hatten.

Dahin! Ein entsetzliches Wort. Der Diener Gottes spendete diesen zerschlagenen Herzen seinen Trost, seine Worte voll Erbarmen und Zuversicht. Er weinte mit den beraubten Müttern und Frauen, er bewog sie, die Unglücksstätte zu verlassen und zurückzukehren zu denjenigen Gütern des Lebens, die ihnen das Schicksal noch gnädig gelassen. Überall regten sich Hunderte von Händen, um den Geretteten beizustehen und die Folgen der erlittenen Unbill abzuschwächen.

Man brachte Luft und Licht in jedes Gefängnis, man führte die Verbannten. Heimatlosen wieder in ihre Häuser, und wer noch zwei Röcke besaß, gab einen dem bedrängten Bruder. Die Überzeugung, dass jetzt das spanische Joch für immer abgeschüttelt sei, die frohe Zuversicht des Sieges half im Augenblick alles ertragen und warf ihren rosigen Schimmer selbst über Gräber, über zerschellte Hoffnungen und den Verlust aller irdischen Habe.

Hier und da kamen vergrabene Schätze an Lebensmitteln plötzlich zutage, Berge von trockenem Fleisch und Gemüse, Obst und Speck. Und die Armen durften von allem nehmen, die Hungernden wurden gesättigt. Wenn aus einer belagerten Stadt der Feind vertrieben ist, dann schweigen für den Augenblick die wilden Interessen des Eigennutzes und der Selbstsucht, dann fliehen die Laster zurück in das Dunkel, aus dem sie stammen.

Auf eine kurze Spanne Zeit ist der Mensch dem Menschen das, was er immer sein sollte, ein Bruder. Weiter und weiter, im gleichen Ingrimm der Kämpfer, wälzte sich die Schlacht. Wo die Reihen der Spanier eine Lücke zeigten, wo sie sich, verwirrt von dem plötzlich hereingebrochenen Missgeschick unvorsichtig eine Blöße gaben, da stürmten mit gellendem Kampfgeschrei die Indianer aus dem Hinterhalt hervor und trieben die Gegner in Scharen vor sich her.

Das braune bewegliche Volk leistete Wunder der Tapferkeit, überall wehten und wallten die bunten Federbüsche, überall traf die nie fehlende Hand und erreichte der schnelle Fuß den fliehenden Feind. Durch die Stadt in den Vorort, in einen großen Park mit Villen und Palästen waren die Spanier schon verjagt – hier aber schienen sie wieder festen Fuß fassen zu wollen.

An die letzten Ausläufer des Gebirges gelehnt, vor sich den klaren, engumgrenzten Bergsee, lag mit seinen weißen Mauern das Kloster San Felipe; etwas unterhalb des ringsherum verschlossenen Heiligtums die Hauptkirche von Conzito, die Universität und der Justizpalast, dazwischen die Häuser der reichsten Einwohner.

Überall auf diesem, von der Natur wie zur Verteidigung geschaffenen Terrain fanden die Spanier einzelne Punkte, an denen sie sich festsetzen und, selbst unter Deckung, dem Feind empfindlichen Schaden zufügen konnten. Die Türen der Kirche und des Universitätsgebäudes waren längst mit Gewalt geöffnet und aus allen Fenstern flogen die Kugeln in die Reihen der Angreifer hinein. Rechts und links von unseren Freunden fielen Indianer und Freischärler, während sie selbst bis jetzt glücklich verschont geblieben waren.

Und doch befand sich Ramiro immer in der vordersten Reihe; er suchte unaufhörlich den Mut der Genossen anzufeuern, er sah alles, hörte alles, er erkannte jeden Vorteil und jede Gefahr auf den ersten Blick. Ein Schmerzensruf bebte über seine Lippen. Hinter einer Straßenecke hervortretend, sah er im goldigen Morgensonnenschein zum ersten Mal die Zinnen des Klosters von San Felipe, das Haus an der Mauerpforte des Heiligtums, eben das, in dem er geboren worden war, – den ganzen Besitz, dessen Rund seine Gedanken schon seit

Jahren nicht mehr verlassen hatten, keinen Augenblick, weder im Schlaf, noch wachend.

Nun stand er dem Ziele dieser heißen Sehnsucht so nahe, so nahe, ein Sprung fast hätte ihn zum Eingangstor gebracht; aber zwischen ihm und dem geweihten Boden starrten die Bajonette der Spanier – wenn es diesen gelang, sich hinter der Umfassungsmauer zu verschanzen, dann war es nicht unmöglich, dass sich die letzte endgültige Entscheidung noch tagelang hinauszog. Ramiro sah rückwärts, er begegnete den Blicken Bennos und Ernestos, die Seite an Seite dicht hinter ihm kämpften.

»Dort!«, rief er. »Dort!«

»Glück auf!«, schallte es zurück. »Hurra für Peru!«

»Hurra! Hurra!«

»Hei, Señor Ernesto!«, rief eine helle jugendliche Stimme. »Da finde ich euch ja! Habt schon von mir gedacht, ich sei ein treuloser Verräter, was?«

Der Gutsherr wandte den Blick.

»Modesto!«, rief er. »Hatten sie dich gefangen gehalten, armer Kerl?«

»Ja, ja. In einem Keller bei Ratten und Molchen. Habt Ihr Böses von mir gedacht, Señor?«

Er schüttelte den Kopf.

»Nie, Modesto. Keinen Augenblick.«

»Hei, das ist gut. Hurra für Peru!«

Alle stürmten mit brennendem Kampfesmut vorwärts. Die hohe Steinmauer des Klosters war weder zu überklettern noch ohne Geschütze zu demolieren, man musste daher den Eingang gewinnen. Das versuchten auch die Spanier sogleich, indem sie ihre Hauptmacht gegen das niedere Pförtnerhaus massierten und die Tür desselben zerschlugen. Ramiro schrie auf.

»Wehe! Wehe!«

Vom Turm herab klang in diesem Augenblick wie ein Angstschrei die Glocke des Klosters.

»Helft! Helft!«, sagten diese Schläge. »Schützt den Tempel des Ewigen vor Entweihung.«

Alle Kräfte spannten die Peruaner zu äußerster Anstrengung; jede Brust keuchte, jedes Auge blitzte. Ob sie nicht noch im letzten Augenblick zu verdrängen, am Eintritt zu hindern waren, die gehassten

Fremdherrscher? Es sollte nicht sein. Wer lebend dem furchtbaren Kugelregen der Freischärler, den vergifteten Pfeilen der Rothäute entrann, der stürzte sich durch die weitgeöffnete Pforte in den Hof des Klosters und stürmte nun dessen innerstes Heiligtum.

Binnen Sekunden ertönte das Klirren zerschellender Fensterscheiben, wundervolle Glasmalereien stürzten in Splittern auf den Hof herab, und, selbst in vollständiger Sicherheit, schickten die Spanier einen Hagel von Kugeln in die Reihen der nachdrängenden Peruaner.

»Großer Gott!«, schrie voll Verzweiflung der Kunstreiter. »Soll denn für mich die Qual niemals ein Ende nehmen?«

»Señor!«, rief hinter ihm der Halbindianer. »Señor. Ihr denkt an den Bruder Alfredo? – Ich sage euch, er lebt.«

»Woher weißt du das?«, rang es sich kaum verständlich aus der Brust des Kunstreiters. »Wer hat es dir berichtet, Modesto?«

»Hei, Señor, einer den ich gut kenne. Eben erst begegnete er mir, – Bruder Alfredo lebt, aber er ist sehr schwach; stündlich kann es mit ihm zu Ende gehen.«

»Großer Gott, – und wir stehen hier draußen!«

Eine Hand ergriff seinen Arm und zog ihn fast gewaltsam vom Platz.

»Rasch, Señor, rasch, wir müssen diese Position aufgeben.«

»Nimmer! Nimmer! Es ist Verrat, auch nur an ein Aufgeben –.«

Weiter kam er nicht. Andere drängten sich zwischen ihm und den Warner, die Menge riss ihn unaufhaltsam mit fort und hinter das Universitätsgebäude, wohin die mörderischen Kugeln der Spanier nicht gelangen konnten. Jetzt waren diese letzteren Herren der Situation, die Klosterglocke verstummte, das Schießen hörte für den Augenblick auf und verhältnismäßige Stille beherrschte den Schauplatz des heftigsten Tumultes.

Ramiro lehnte den Kopf gegen die Mauer. Er kämpfte mit einer hereinbrechenden Verwirrung seiner Gedanken, die brennende Ungeduld verzehrte ihn förmlich. Benno reichte ihm eine Flasche mit Wein, die ein barmherziger Bürger herbeigebracht hatte.

»Trinken Sie, Señor«, ermahnte er ihn. »Trinken Sie, freuen Sie sich. Wir sind ja jetzt am Ziel, die Spanier müssen sich früher oder später schimpflich ergeben.«

Ramiro zitterte vor Aufregung so sehr, dass er die Flasche nicht halten konnte.

»Später!«, wiederholte er. »Später! Vielleicht erst nach Tagen!«

»Und wenn selbst. Haben Sie jahrelang gewartet, so dürfen doch jetzt auch noch einige Tage hinzukommen.«

Der Kunstreiter schüttelte den Kopf, er deutete auf seine Stirn.

»Etwas da drinnen ist zersprungen, vernichtet, – ich weiß nicht recht, – aber –.«

Und er schloss die Augen, schwer atmend wie ein Sterbender. Da tönte über das Straßenpflaster der Hufschlag eines galoppierenden Pferdes; wenige Sekunden später hielt ein Reiter in der Uniform der peruanischen Truppen vor dem Universitätsgebäude.

»Wo ist euer Anführer, Leute?«

»Freischaren!«, hieß es. »Indianer! Wir haben hier kein reguläres Militär. Aber was bringst du uns denn, Kamerad?«

»Verstärkung!«, rief der Soldat. »Achtung! Befehl vom General Martinez, euch noch eine Viertelstunde, koste es, was es wolle, zu halten. Dann ist Seine Exzellenz mit zwei Regimentern Infanterie zur Stelle.«

Ein brausendes, donnerndes Hurra empfing diese glückverheißende Botschaft.

»Señor Ramiro!«, rief Benno. »Hören Sie denn nicht? Zwei Regimenter Infanterie!«

»Ja! O mein Gott, ja!«

»Einen Trunk, Kameraden!«, rief die Ordonnanz.

Irgendjemand reichte ihm eine Flasche, die er an den Mund setzte und in einem Zuge leerte; dann grüßte er mit der Hand, wandte das schweißtriefende Pferd und sprengte unter dem Hurra der Zurückbleibenden davon.

Offiziere und Unteroffiziere sammelten unterdessen die zerstreuten Soldaten und führten alle in den Schutz des langgestreckten Universitätsgebäudes. Es sollte jetzt auch nicht ein Leben mehr verloren gehen, ehe die Verstärkung zur Stelle war, und durch einen letzten Ansturm der Sieg ganz errungen werden konnte. Wie sie aussahen, die tapferen Kämpen!

Am besten hatten sich die Indianer bewährt, denn ihnen konnte kein Zeug versengt und herabgerissen werden, ihre dunklen Gesichter zeigten nicht so leicht die Spuren des Pulverdampfes, der auf den Zügen der Weißen im Verein mit Schweiß und Staub eine förmliche Kruste gebildet hatte. Bei so manch einem tapferen Gesellen war auch noch rinnendes Blut hinzugekommen, – mancher fehlte ganz. Überall trugen die Bürger Tote und Sterbende in ihre Häuser, überall wurden Verwundete von den Frauen mitleidig verpflegt. Zahllose Opfer hatte der Tag voll Blut und Zerstörung hüben und drüben gekostet.

Ernesto sah von einem zum anderen.

»Uns fehlt keiner«, sagte er aufatmend.

»Der kleine Kreis ist verschont geblieben, – unser guter Doktor, Herr Halling. Ramiro. Pedrillo und die Indianer, sie sind sämtlich unversehrt. Da kommt der tapfere Maultierbeherrscher«, setzte er lächelnd hinzu.

»Wahrhaftig, Trente hat ein Ohr verloren!«

Der lustige Bursche fasste an die getroffene Stelle, dann schüttelte er sorglos den Kopf.

»Was schadet das wohl, Señor? So ein Ohrläppchen kann man entbehren und überdies habe ich ja auch noch ein zweites.«

Jetzt lachten alle.

»Es sind doch viele Kameraden zu Tode getroffen oder schwer verwundet worden«, sagte der Doktor.

»Den gutmütigen Alfeo sah ich mit gespaltenem Schädel.«

»Ach – ich sah mehr als zehn brave Kerle, die mit uns in der Gefangenschaft der Rothäute waren, mit uns in dem überschwemmten Wald ausharrten, jetzt tot auf dem Straßenpflaster liegen. Ihr Tod hat vielleicht manches gesühnt, das sie im Leben verschuldeten.«

»Wo ist Obijah?«, fragte Benno.

»Hier!«, antwortete die tiefe Stimme des Häuptlings.

Da er aber kein weiteres Wort hinzusetzte, so suchten sie nach ihm. Obijah lehnte an einem zerschossenen Fenster und sah sehr angegriffen aus. Seine in der Heilung befindliche Wunde war von einer Kugel nicht allein wieder aufgerissen, sondern bedeutend vergrößert, so dass der Blutverlust den tapferen Mann außerordentlich geschwächt hatte.

Er konnte nicht gehen, aber die indianische Verachtung gegen den körperlichen Schmerz hinderte ihn, um Hilfe zu bitten, und so stand er denn halb ohnmächtig an den Trümmern des Fensters, bis ihn der Doktor mit sanftem Zwang einer Anzahl von Bürgern übergab, die Decken und Tragbahren herbeibrachten, um möglichst rasch den Verwundeten die nötige Pflege angedeihen lassen zu können.

»Tragt diesen Mann in mein Haus, ihr Leute«, sagte Ernesto. »Wisst ihr, wo dasselbe steht, oder?«

»Sicherlich!«, riefen zehn Stimmen zugleich. »Jedes Kind in ganz Conzito kennt das Haus des guten Vaters Ernesto.«

»Aber jetzt ist es ganz leer«, setzte jemand hinzu. »Die Spanier haben bei dem Feuer der zerschlagenen Möbel ihre Bohnen gekocht.«

»So leiht mir für den Verwundeten das Notwendigste, ihr Leute. Es soll alles ehrlich bezahlt werden.«

Davon wollte niemand hören. Jeder einzelne brachte ohne Aufforderung, was er besaß, um die Not der Verwundeten zu lindern und die Gesunden zu erquicken; wer gar nichts zu geben hatte, der trug doch wenigstens frisches Wasser herbei, badete den Kämpfern die erhitzten Gesichter und kühlte den Indianern die nackten, vom Sonnenbrand schmerzenden Schultern, während die Spanier aus den Fenstern des Klosters das alles voll Ingrimm mit ansahen und vielleicht schon jetzt erahnten, was ihnen in kurzer Frist geschehen sollte, ja, – was schon nach einigen Minuten seinen Anfang nahm.

Mit voller rauschender Musik rückten zwei Regimenter Infanterie auf den Kampfplatz ein und umzingelten das Kloster, an dessen einer Seite der Fluss vorbeilief. Wohin das Auge blickte, da schimmerten im Sonnenlicht reiche Uniformen, da glänzten bunte Farben und blanke Waffen. Ein zahlreiches Gefolge von Offizieren umgab den Befehlshaber, Adjutanten flogen hierhin und dorthin, man begrüßte sich gegenseitig, auch das Indianerregiment erhielt einige anerkennende Worte, dann begann zum zweiten Mal mit frischen Kräften der Angriff. Nur wenige, aber wirksame Worte hatte General Martinez gesprochen.

»Tut eure Pflicht, Soldaten, tut sie heute doppelt! Dieses Kloster ist der letzte Schlupfwinkel des Feindes in unserem Lande; habt ihr ihn hier vertrieben, so ist Peru frei!«

Ein begeistertes Hurra antwortete dem Feldherrn. Unter dem andauernden Kugelregen der Spanier gewannen die Soldaten den Zugang des Klosters; buchstäblich über die Leichen der vordersten rückten mehrere und immer mehrere nach, bis endlich der Punkt unmittelbar unter den Fenstern erreicht war und nun der Einzelkampf Mann gegen Mann in den inneren Räumen des Klosters ausgefochten werden musste.

Ein erschütternder Gedanke! Wo man sonst Kranke pflegte, Bettlern eine Herberge bereitete und reuige Sünder zu Gott zurückführte, wo man betete und in strenger Enthaltsamkeit lebte, da sollte jetzt Blut fließen, da sollte ein Mensch dem anderen das Messer ins Herz stoßen, einer den anderen durch das ganze Heiligtum verfolgen, bis er zusammenbrach und die Seele aushauchte, gerade da, wo sonst das milde Christenwerk der Rettung die Tage und Jahre ausgefüllt hatte. Sie wollten sich ja nicht ergeben, die Spanier. Ein blinder, fanatischer Hass trieb sie zur äußersten Gegenwehr, zu einer tollen Anspannung aller Kräfte, die nur den Sieg der Peruaner beschleunigen musste.

Von Winkel zu Winkel, von Korridor zu Korridor, treppauf und treppab jagten die gerade angekommenen Infanteristen, die Indianer und das zusammengeschmolzene Häuflein der Freischärler den ermatteten Feind, bis endlich die Anzahl seiner Leute bemerkbar abnahm und Lücke nach Lücke dem Vordringen der Verbündeten freieren Spielraum gewährte.

Ob sich für alle die, welche so plötzlich den Blicken entschwanden, irgendwo ein Versteck gefunden hatte? Die Soldaten suchten wie Spürhunde, endlich entdeckten sie in einer abgelegenen Kammer ein niederes Fenster, das in den Hof hinausführte. Hinter diesem lehnten an der Mauer mehrere Leitern, an denen flink wie Katzen die flüchtenden Spanier hinauskletterten, um an der anderen Seite den Sprung in das Wasser zu wagen und spurlos zu verschwinden.

Alle Waffen hatten sie dabei von sich geworfen; die Kirche und die anstoßende Kammer, der Hof, alles war mit Gewehren und Bajonetten dicht bestreut. Wohin man sah, da huschten die flinken Gestalten in eiliger Flucht über Kirchenstühle und durch Seitengänge davon, nur noch bemüht, das nackte Leben zu retten, gänzlich entrückt aller Disziplin, allem militärischen Gehorsam, eine Schar von Verzweifelten, die ihre Sache ausgab und nun, am letzten Ende des gewaltigen Trauerspieles lediglich an eins dachte, – an die Rettung des nackten Lebens.

Man verfolgte sie nicht, die Peruaner trieben sogar ohne Hieb oder Schuss alles vor sich her bis an das Fenster, aus dem ihre Widersacher in den Hof hinabsprangen. Als sich kein Spanier mehr in dem ganzen Gebäude aufhielt, ließ der General die Toten und Verwundeten zusammentragen und hinausschaffen, dann ersuchte er den einzig sichtbar gewordenen Klosterbruder, den Pförtner der Anstalt, nunmehr dem Abt zu berichten, dass der Friede in den geheiligten Räumen wiederhergestellt sei, und dass kein Feind dahin zurückkehren werde.

Dann verließen die Sieger das Kloster und besetzten die Stadt. Nur drei Männer waren in San Felipe zurückgeblieben, Ramiro, Ernesto und Benno. Unter den Vordersten hatten sie Seite an Seite das Gebäude erstürmt – jetzt galt es für den Kunstreiter, die letzte entscheidende Frage zu stellen, und sich mit der Antwort abzufinden, im Guten oder Bösen, aber unweigerlich.

Seltsam, nun gab es keine Schranke, kein Hindernis mehr, nun konnte sich nichts, gar nichts dem quälenden Ungestüm in den Weg stellen, – seltsam, – und doch lag das Herz in der Brust schwer wie Blei, doch war kein Schimmer von Hoffnung oder Freude darin zu entdecken. Ramiro drückte den Freunden die Hand.

»Nun lassen Sie mich allein, Señores. Nachher sehen wir uns wieder. Ist es nicht entsetzlich kalt hier?«

Ein Schauder schüttelte seinen ganzen Körper. Ernesto legte ihm die Hand auf die Schulter.

»Lassen Sie mich mit Ihnen gehen Señor«, bat er. »Der ehrwürdige Bruder Alfredo ist ein langjähriger Bekannter von mir, ich habe so manche Stunde über ernste Dinge mit ihm gesprochen, ich weiß wie er denkt und urteilt. Und noch eins, mein armer Ramiro! Lassen Sie sich sagen, dass nicht Sie allein es sind, dem ein schweres Unglück aus der Seele lastet; auch andere Leute stehen unter dem Druck des Verhängnisses, wissen, was durchweinte Nächte sind und Tage voll hoffnungsloser Mühen. Richten Sie sich auf Señor, sagen Sie, dass ich mit Ihnen gehen soll.«

Aber der Kunstreiter schüttelte den Kopf.

»Ich muss allein hindurch, ganz allein. Es ist da noch etwas – etwas, von dem ich nicht weiß. Es wirft nur seinen Schatten voraus. Adieu, wir sehen uns wieder.«

Sie drückten ihm die Hand und dann ging er davon, halb wie im Traum. War dieses der Weg zum Glücke, zu Reichtum und Segen? Nimmer. Ach, nimmer. So manches hatte er erkannt während der langen Fahrt, so manches mit neuen, anderen Augen gesehen. Wohin war jetzt jener kecke Mut, der ihn noch in Rio beseelte, wohin der alleinherrschende Gedanke an den Millionenschatz?

Der unglückliche Mann verzog die Lippen zum schmerzvollen Lächeln. Er klopfte an mehrere Türen, er wanderte hierhin und dorthin, bis endlich eine Hand ihm öffnete. Ein Klosterbruder sah fragend in das blasse verstörte Gesicht, dann sagte er mit verhaltener Stimme:

»Was begehrst du, Fremder?«

Ramiro musste alle seine Kräfte zusammenraffen, um aus der trockenen Kehle einen Laut hervorzubringen.

»Mich erwartet der ehrwürdige Abt Alfredo«, sagte er endlich, »wollt ihr mich also melden, frommer Bruder.«

Der Mönch schüttelte seufzend den Kopf.

»Schier ein Hohn deuchte es mich, wenn du der Frascuelo wärst«, raunte er. »Schier ein Hohn. Gott vergebe mir das sündige Wort. Nein, ich hoffe, du bist es nicht, du kannst es, darfst es nicht sein.«

Der Kunstreiter sah festen Blickes in die Augen des anderen.

»Weshalb nicht?«, bebte es über seine bleichen Lippen.

»Weil Bruder Alfredo so sehr nach mir verlangte, weil er Tag und Nacht betete, mich vor dem Ende noch sehen zu dürfen und weil – nun – der Tod – ihn abrief, eine kurze Stunde, – vielleicht nur Minuten, bevor ich hierherkam?«

Der Klosterbruder legte beide Hände vor das zuckende Gesicht, er weinte laut.

»Woher hast du die Kunde?«, schluchzte er. »Woher? Wir drückten ihm kaum die Augen zu; seine Stirn ist noch warm.«

Ramiro blieb so ruhig, als liege das alles weit hinter ihm, als sei es nur ein Traum, der nach längst vergangenen Tagen das einst Erlebte wieder vor seine Seele führe, einem Bild, einem wesenlosen Schatten gleich.

»Lasst mich den Toten sehen«, bat er leise.

Der Mönch öffnete die Tür eines großen, ganz schwarz ausgeschlagenen Raumes im mittleren Inneren der Klostermauern. Von Stein war der Fußboden und einfach die Ausstattung, nur ein großes, die Segenshände weit ausbreitendes Christusbild zeigte sich als Schmuck, sonst nichts.

Betend auf ihren Knien lagen die Mönche mit gesenkten Köpfen rings um ein erhöhtes Gestell, das auf einigen Decken die Leiche eines eben erst Gestorbenen trug. Tiefe Stille empfing die Eintretenden; nur einer von allen blickte auf, ein hoher ernster Mann mit weißem Haar, mit magerem, scharfgeschnittenem Antlitz.

»Bruder Jakopo«, sagte er im Ton leisen Vorwurfes, »wer ist es, den du in dieses Gemach zu führen dir erlaubst?«

Der Mönch deutete mit bebender Hand auf seinen Begleiter.

»Er ist es, Bruder Luigi, er, den der Tote so sehnlichst erwartete, um dessen Ankunft er die ewigen Mächte täglich und stündlich bat. Ach, und nun sein Auge für immer geschlossen, nun er nicht mehr hört, nicht mehr empfindet – nun ist Ramiro gekommen.«

Seine Stimme brach im Schluchzen. Um ihn her weinten die anderen, auch Luigi barg erschüttert das Gesicht in den Händen. Mitten unter allen diesen Trauernden lag der Tote. Ein schwarzes Käppchen verhüllte den Scheitel, während im Nacken lange silberweiße Locken unter dem Samt hervorquollen; die mageren Hände waren gefaltet und die Augen fest geschlossen, um Mund und Schläfen lag jener eigentümliche, den verborgenen Seelenschmerz bekundende Zug, der, einmal eingegraben, das Menschenantlitz nie mehr verlässt, auch wenn neue Sonnen dem Herzen ausgingen und neues Glück das verjährte Leid in den Hintergrund zu drängen schien. Luigi trat dem Kunstreiter auf leisen Sohlen näher, er streckte die Hand aus.

»Kennst du mich noch, Ramiro?«

Der andere nickte.

»Jahrhunderte scheint es, seit wir drei, der Tote da, du und ich an dieser Stelle als übermütige Knaben miteinander spielten. Räuber waren wir, Soldaten und dann wieder Löwenjäger, – hier, gerade hier.«

Luigi seufzte schmerzlich.

»Und nun so gebeugt von der Last des Lebens«, sagte er mit unsicherer Stimme.

»Nun so tief betrübt. Wie hat Alfredo gelitten um deinetwillen, Ramiro, wie hat er die Hände gerungen und den Himmel angefleht, dich zu sehen, ehe die letzte Stunde schlug. Deine Verzeihung sollte ihn erlösen, deinen Fluch solltest du von ihm nehmen.«

Ramiro lächelte trübe.

»Meinen Fluch, sagst du, Luigi? Den Fluch des Sünders? Federleicht wog wohl immer vor dem Richterstuhl des Ewigen das unselige Wort.«

Der Mönch faltete die Hände.

»Nahmst du es von ihm, Ramiro? Gedachtest du des Bibelwortes vom vorschnellen Richten?«

Der Kunstreiter fühlte, wie ein Schauer durch alle seine Adern rann.

»Auf dass ihr nicht gerichtet werdet!«, setzte er wie unwillkürlich hinzu. »Ja, ach ja, ich tat es.«

Über das ernste Antlitz des Klosterbruders zog ein hellerer Schein.

»So ist ja alles gut«, sagte er im Ton innerer Befriedigung. »Gott sieht das Herz, er liest die verborgensten Gedanken und wird Alfredos Seele zur Ruhe eingehen lassen. Du aber, mein alter Freund, du hast nun vor dir die Anwartschaft auf äußerliches Glück und Gelingen, du wirst das Erbe deiner Väter antreten und –.«

Ramiros plötzliche Bewegung unterbrach den Sprechenden.

»Mein Erbe?«, flüsterte der Kunstreiter.

»Mein Erbe? – Du denkst an den verborgenen Schatz?«

»Gewiss. Er gehört keinem anderen als dir.«

Ramiro raffte sich auf. Jetzt kam es, das Etwas, dessen Vorahnung ihm, seit er in Conzito weilte, schon immer heimlich die Brust zusammengeschnürt hatte. Jetzt kam es, schwer und zermalmend, das wusste er, fühlte er mit jeder Faser seines Wesens.

»Luigi«, sagte er schwankenden Tones, »Luigi, so hat dir der Tote Mitteilungen für mich hinterlassen?«

Der Mönch schüttelte den Kopf.

»Mir? – Nein?«

»Oder einem anderen Bruder? Einem unter den Gefährten?« Und halbirren Blickes, wie schwebend zwischen Himmel und Hölle sah er über die Schar der Klosterbrüder dahin.

»Einem unter euch? Sagt es mir, erlöst mich von der Folter, – einem unter euch?«

Wieder nahm Luigi das Wort.

»Dein Geheimnis ist wohl behütet, Ramiro, keiner von uns hat es erfahren. Der Tote wollte nicht ausplaudern, was dich um dein Recht betrügen konnte, wollte keines Mannes Redlichkeit auf so harte Probe stellen, dir zum Schaden. Geh also und nimm das Deinige. Willst du später dem Kloster ein Geschenk machen, so soll das Geld verwendet werden, um Kranke zu pflegen und Hungernde zu speisen, wie es das Wort des Herrn verlangt.«

Mit steigendem Grauen hatte der Kunstreiter zugehört. In seinen Schläfen hämmerte das Blut, vor seinen Augen zuckten rote Flammen, von Funken durchwirbelt, empor.

»Wie sollte ich wissen«, sagte er heiseren Tones, kaum verständlich, »wie sollte ich wissen, wo die Diamanten verborgen liegen?«

Der Mönch zuckte die Achseln.

»Hätte dir es Joseffo denn noch nicht mitgeteilt?«, fragte er. »Ihm gab doch Bruder Alfredo die Kunde, ihm ganz allein.«

»Joseffo!« Wie ein Schrei war es aus der Brust des Kunstreiters hervorgebrochen, er lachte, als habe er den Verstand verloren. »Joseffo?«

»Ja, der Neffe Alfredos, sein Abgesandter an dich. Ist er denn nicht zu dir gelangt, steht er denn nicht draußen und erwartet dich?«

Noch einmal richtete sich Ramiro auf. Beide Hände klammerte er an die Bahre des Toten, um einen Stützpunkt zu finden, und so, vornüber geneigt, starren Blickes, wie außer sich, sprach er einige wenige Worte, die letzten hier im Kloster.

»Von allen Lebenden allein wusste Joseffo, wo der Schatz verborgen liegt? Er ganz allein?«

Und voll eines heimlichen Grauens, erfasst von den Schauern der Ahnung wiederholte Luigi das eben Gehörte.

»Ihm ganz allein.«

Wortlos, gleich dem vom Blitz gefällten Baum stürzte der Kunstreiter am Totenbett seines Jugendfreundes zu Boden. Er war ohne Bewusstsein.

23.

Vater und Sohn – Auf dem Sterbebett – Die Beichte des Reuigen – Die Diamanten der Frascuelo werden gefunden – Des Kunstreiters Ende

Wie vom Alp erlöst, atmete ganz Conzito auf. Geschäftige Hände brachten Möbel und Betten in das Haus Ernestos; die dankbaren Leute suchten auf jede nur mögliche Weise dem Wohltäter zu vergelten, was er ihnen früher in den Tagen schwerer Heimsuchung Gutes erwiesen, wie er ihnen beigestanden und sie vor dem Verderben bewahrt hatte.

Dieser brachte ein Kissen und jener einen Stuhl; hier teilte einer seine letzte Handvoll Mais mit den Bedürftigen, dort trugen ihrer zwei einen Tisch oder einen alten Schrank herbei. Die elegante Villa glich förmlich einer Trödlerbude, aber wenigstens hatten doch diese seltsamen Spenden von Wirtschaftsgegenständen den Nutzen, dass sie das total geplünderte Haus für eine ganze Anzahl Verwundeter bewohnbar machten. In den unteren Sälen war ein Hospital eingerichtet worden, auf Stroh und Decken lagen reihenweise die Opfer des heißen Tages, denen mehrere Ärzte ihre Hilfe angedeihen ließen.

Trentes Ohr war verbunden worden, auch Obijahs schwere Wunde, die den tapferen Häuptling gegen seinen Willen zum Ausharren unter Decken und Kissen zwang. Da lag er ohne in Lebensgefahr zu schweben, aber voll Fieber und Schmerzen, treulich behütet von den Kameraden, die bei ihm saßen und alles Mögliche taten, um seine Leiden zu mildern. Er fragte nach diesem und dem und endlich half ihm ein ohne sein Vorwissen eingeschmuggeltes Mittel in einen festen Schlaf, der die Aufregungen des letzten Tages am besten wieder ausgleichen konnte.

Es ließ sich erst nach Stunden annähernd abschätzen, wie viele Soldaten beider Parteien in der Schlacht ihr Leben eingebüßt hatten. Kaum dreihundert Spanier mochten wohlbehalten davongekommen sein und ebenso viele lagen noch mehr oder minder schwer verwundet in den zu Lazaretten eingerichteten Häusern der Stadt, aber auch die Peruaner hatten herbe Verluste erlitten. Berge von Leichen türmten sich in den Straßen, zahllose Verwundete gaben Zeugnis von der Erbitterung des Kampfes.

Neben der letzten vernagelten Kanone lag tot, noch den gewaltigen Hammer in der Rechten, der Schmied. Die Kugel war ihm gerade durch das Herz gegangen; er hatte einen leichten schnellen Tod gefunden, ein Sterben ohne Kampf und Leid, das sah man an seinen Zügen, die noch zu triumphieren, noch den Jubel des Sieges zu verkünden schienen.

Er war tot und die Schmiede nun ganz verwaist, – das Beste, was dem Alten geschehen konnte. Seine Lieben hatte er begraben, sein Tagewerk redlich erfüllt und nun am Abend des Erdendaseins die bedrohte Vaterstadt durch eine heldenmütige Tal vor ungleich größerem Elend bewahrt; mochte ihm die Erde leicht werden, mochte er im letzten Schlafe ausruhen von der Mühe und Plage des langen Weges.

Mit diesem Tapferen waren viele andere gefallen, viele zu Tode verletzt, weit mehr, als Ernestos Haus fassen konnte. In allen Zimmern lagen die Leidenden, ganz oben im einsamen lauschigen Turmgemach der Kunstreiter, den die Freunde als vermeintlich Toten aus den Händen der Klosterbrüder empfangen und schleunigst in die Villa des Gutsherrn übergeführt hatten.

Hier lag er stundenlang im Starrkrampf und erst gegen Abend gelang es den unausgesetzten Bemühungen des Doktors, ihn wenigstens wieder zum Bewusstsein zu bringen. Er hatte die Augen geöffnet, er schien zu sehen und zu hören, aber es kam über seine Lippen kein Wort, kein Laut, er versuchte, nur mehrere Male, sich vom Bett zu erheben und als das eifrige Bemühen misslang, blieb er regungslos liegen, ohne von den Fragen, den Bitten seiner Genossen die mindeste Notiz zu nehmen. Ängstlich sah Benno in das blasse Gesicht des Doktors.

»Wird der unglückliche Mann sterben?«, fragte er mit leisem Ton.

Schomburg wiegte den Kopf.

»Ich habe nur wenig Hoffnung, mein armer Junge«, antwortete er. »Da sind herbe, seelische Erschütterungen vorausgegangen, Dinge, die wir nur vermuten können, ohne sie zu kennen. Es ist möglich, dass die Natur den schweren Schlag überwindet, aber –.«

Und ein Achselzucken vollendete den angefangenen Satz. Benno blieb an dem Schmerzenslager seines Freundes, obwohl ihm Schomburg versicherte, dass eine längere Ruhepause erforderlich sein werde, um Ramiros Kräfte auch nur so weit wieder herzustellen, dass er sprechen und sich bewegen könne. Ein Wärter sollte bei ihm bleiben, aber Benno lehnte das Anerbieten ganz entschieden ab.

»Ich habe heute Nachmittag drei Stunden geschlafen«, sagte er. »Das genügt vollständig und überdies kann mich ja Pedrillo, wenn er will, gegen Morgen ablösen.«

»Lassen Sie mich gleich die erste Wache mit Ihnen teilen, Benno!« Unser Freund schüttelte den Kopf.

»Ich möchte Briefe schreiben, Pedrillo. Schlafen Sie nur einstweilen.«

So blieb denn Benno allein. In den anstoßenden Zimmern befanden sich sowohl der Doktor als auch Halling und Ernesto; wenn irgendetwas Besonderes geschah, konnten alle sofort zur Stelle sein. Benno rückte daher den Tisch mit der brennenden Lampe so, dass der Kunstreiter von dem Lichtschimmer nicht belästigt wurde und setzte sich hin, um zu schreiben. Zunächst natürlich an den alten Harms. Ihm hatte er von Rio aus, einem gegebenen Versprechen zufolge, allwöchentlich einige Zeilen schicken wollen, aber was war aus dieser Absicht geworden?

Bis jetzt war nach Hamburg noch kein Lebenszeichen gekommen, freilich, ohne sein Verschulden, aber doch sicherlich zum tiefsten Kummer des Alten, der ihn für tot, oder schlimmer noch, für treulos halten musste. Jetzt sollte dafür der erste Brief nicht allein sehr lang und erschöpfend werden, sondern auch die baldige Rückkehr nach Hamburg anmelden. Benno sah auf das Lager des Kranken hinüber.

»Señor Ramiro«, flüsterte er zum hundertsten Mal, »gibt es irgendetwas, das ich für Sie tun könnte?«

Doch auch jetzt erfolgte keine Antwort; der Kunstreiter lag regungslos, atmend zwar, aber im Übrigen wie ein Toter da. Benno konnte schreiben, ohne ihm gegenüber eine Vernachlässigung zu begehen. Länger als eine Stunde mochte verflossen sein, da öffnete sich leise die Tür und Ernesto steckte den Kopf in das Zimmer.

»Störe ich?«, fragte er. »Durchaus nicht, Señor.«

Benno holte geräuschlos einen Stuhl herbei.

»Sie sind noch gar nicht im Bett gewesen?«, fragte er ganz erstaunt.

Ein unterdrückter Seufzer antwortete ihm.

»Ich habe verschiedene Boten abgefertigt und empfangen«, sagte der Gutsherr. »Auch General Martinez war hier und besichtigte das

Lazarett. Er schickt morgen eine Abteilung Berittener nach Lima, – die Leute sollen unsere Briefe dahin mitnehmen.«

»Auch Sie wollen schreiben, Señor? – Nach Hamburg?«

Er schüttelte den Kopf. »Nein.«

»Soll ich keinen Brief für Sie besorgen, Señor? An Stelle des verlorenen, untergegangenen, meine ich.«

Ernesto senkte den Oberkörper so tief, dass es unmöglich war, in sein Gesicht zu sehen.

»Ich danke Ihnen«, sagte er nach einer Pause. »Für einen zweiten Brief gibt es jetzt keine Veranlassung mehr!«

Und als Benno schwieg, setzte er hinzu: »Sie melden schon nach Hamburg Ihre baldige Ankunft an, nicht wahr? – Der Brief ist an den alten Harms?«

»Dieser hier, ja. Gott gebe nur, dass das Schiff glücklich nach Hamburg kommt! Der Alte denkt sicher an mich schon wie an einen Toten.«

Ernesto deutete auf das zweite, erst angefangene Schreiben.

»Auch an Ihren Onkel richten Sie einen Brief, Benno?«

Ein dunkler Purpur huschte über das hübsche Gesicht unseres Freundes.

»Nicht an ihn«, versetzte er, »das würde mir nichts helfen; Onkel Johannes hat für mich kein Herz, kein Interesse. Ich schrieb nur einige Zeilen, für meine alten Großmutter bestimmt –.«

»Was haben Sie, Señor?«, unterbrach er seine eigenen Worte. »Ist Ihnen unwohl? Soll ich den Doktor –.«

Eine Handbewegung des Gutsherrn hieß ihn schweigen. Ernesto war aufgestanden, er stützte die Linke gegen den Tisch und berührte mit der Rechten Bennos Schulter.

»Welches Wort nannten Sie da eben?«, flüsterte er. »Ich habe wohl unrichtig gehört? – ›Großmutter‹ sollten Sie gesagt haben? – Unmöglich.«

Benno sah voll Verwirrung auf.

»Ja, Señor, es ist meine Großmutter, an die ich da eben schrieb.«

Ernesto wechselte immerfort die Farbe; er schien sich mit äußerster Anstrengung zu beherrschen, seine Stimme bebte merklich.

»Eine befreundete alte Dame, die Sie so nennen, nicht wahr, Benno? Oder eine langjährige, vertraute Dienerin Ihres Elternhauses? – Ich meine, Ihre wirklichen Großeltern sind ja längst tot.«

Benno schüttelte den Kopf.

»Es ist die Mutter meines Vaters, von der ich sprach, Señor, die, welche mich, so viel sie konnte, für alle Härten des Onkels entschädigte; eine Greisin von mehr als achtzig Jahren.«

»Frau Margarete Zurheiden, geborene Völkers? – Aber es ist ja nicht möglich! Nicht möglich!«

Das war beinahe laut gerufen, Ernesto schien ganz außer sich.

»Sie sollte wirklich noch leben, die Mutter Ihres Vaters, Benno? Wirklich?«

Von seltsamer Ahnung erfasst, sah unser Freund in das aufgeregte Gesicht des Gutsherrn.

»Señor«, flüsterte er mit erstickter Stimme, »Señor, weshalb fragen Sie so? – Ist es möglich, dass Sie meinen armen Vater gekannt hätten? – Oder dass er vielleicht gar jetzt noch –.«

»Noch lebte, wollten Sie sagen, nicht wahr?«

Und leise stahl sich Ernestos Hand um den Nacken des Knaben, leise senkte sich seine Stirn gegen die des Kindes, das er gefunden, ohne es zu suchen, dessen Lippen ihm soeben eine Engelsbotschaft gebracht hatten.

»Benno!«, flüsterte er. »Benno! – Mein Liebling, mein Junge!«

»O Gott im Himmel! – Scherzen Sie nicht, Señor! – Sie sind so ruhig, so gefasst – ich weiß nicht –.«

Ein Schluchzen drängte sich heiß aus Bennos Brust heraus.

»Es wäre des Glückes zu viel«, stammelte er.

Ernesto hielt ihn mit beiden Armen fest umfasst.

»Zu viel?«, wiederholte er. »Zu viel? Nach einem Leben, wie ich es geführt habe? Ach, Kind, litt ich nicht gerade am schwersten, am schmerzlichsten, seit mir bekannt wurde, dass du mein Sohn bist, seit ich dich täglich sah und scheinbar fremd an dir vorübergehen musste?«

»Warum?«, fragte Benno. »Warum?«

»Weil ich glauben musste, dass ein furchtbares Verbrechen, eine Untat ohnegleichen mein Gewissen belaste, weil ich mich für einen Mörder hielt, der es nimmer wagen durfte, seinem Kind zu nahen und von ihm den teuren Vaternamen zu erhalten. O – Gott vergebe es dem, der mich um sechzehn Jahre meines Lebens vorsätzlich betrog!«

Benno wurde bald rot, bald blass.

»Onkel Johannes?«, flüsterte er.

Ernesto nickte.

»Mein eigener Bruder«, antwortete er voll tiefer Trauer. »Ach Benno, erlasse mir die Erzählung dieser Einzelheiten, – nur mit Grauen denke ich daran zurück. Zwischen dem Unseligen und mir wird das alles zur Sprache kommen, von ihm will ich Rechenschaft fordern, aber dein Friede soll durch die Kenntnis solcher Verirrungen nicht gestört werden. Du –.«

»Erlaube, Vater«, unterbrach Benno, »ich kenne deine Geschichte, Harms hat mir alles erzählt. Für dich handelt es sich um jene Worte, welche dir Onkel Johannes auf dem vorderen großen Flur gesagt, – die letzten im Elternhaus. Ist es nicht so?«

»Ja«, rief halblaut, voll Überraschung der Gutsherr, »ja, es ist so. Wie kann aber Harms wissen, was mir damals mein Bruder unter vier Augen mitteilte?«

»Das weiß er auch nicht, im Gegenteil, es ist ihm ein Rätsel, dessen Lösung er niemals finden konnte, aber er sagte mir: ›Diese Worte haben den armen Theodor in den Tod getrieben!‹«

Ein Schauer rann durch die Adern des Gutsherrn.

»Wahrlich, wahrlich, er hat recht, der treue alte Freund. Ich bin nicht gestorben, aber das Leben, welches ich führte, war das eines Verdammten. Willst du wissen, was mir Johannes damals sagte, mein Junge?«

Benno nickte.

»Ich fürchte, dass seine Worte eine schreckliche Beschuldigung enthielten, Vater! Er flüsterte dir zu: ›Deine Mutter ist tot und du bist ihr Mörder!‹«

Ernesto biss die Zähne zusammen.

»Er soll mir Rechenschaft geben«, sagte er nach kurzer Pause. »Unter dem Druck dieses Bewusstseins ließ er mich sechzehn lange Jahre, wie Kain, unstet und ohne Frieden über die Erde gehen.«

Benno berührte leise die Hand seines Vaters.

»Onkel Johannes ist hart«, flüsterte er, »ihm scheint nur der Besitz, das Arbeiten und Erringen überhaupt als höchstes Ziel zu gelten, er hat kein Herz, aber, – vielleicht –.«

Über Ernestos Gesicht flog ein hellerer Schimmer.

»Willst du ihn verteidigen, mein armer Junge? Willst du um Frieden bitten für den, der dich ins Elend hinausschickte?«

Benno wiegte den Kopf.

»Er hat geglaubt, das Rechte zu tun, Vater! Er wollte mich mit harter Hand zu dem erziehen, was er bürgerliche Ehrbarkeit nennt. Es war sicherlich seine Absicht, aus mir einen geizigen Philister heranzubilden, aber ins Elend wollte er mich nicht verstoßen.«

Ernestos Brust hob sich höher.

»Und schließlich hat er nichts erreicht, als dass durch seine grausame Härte für dich und mich alles zum Besten gekehrt wurde, mein lieber Junge! Als dass der gute Gott uns zusammenführte, wo doch Johannes mit Feuer und Schwert dazwischen gefahren wäre, wenn es eben an ihm gelegen hätte! Das ist der große, ewige Trost, den Menschen gegenüber: Sie wollen vielleicht das Schlimmste, aber sie sind ohnmächtige Werkzeuge in den Händen des Schicksals.«

Benno sah bittend in das Auge seines Vaters.

»Eins möchte ich dir noch sagen«, fügte er hinzu. »Deine Mutter hat nie an dir gezweifelt, sie wusste mit vollster Gewissheit, dass dein Messer nicht gegen sie erhoben war und –.«

Ernesto schauderte.

»Auch nicht gegen meinen Bruder«, betonte er. »Gott weiß es, auch nicht gegen ihn. Wir waren beide entsetzlich aufgeregt an jenem Morgen; ich durch die innere brennende Scham, des begangenen Leichtsinns wegen, er durch den Verlust des Geldes. Eine Verwünschung nach der anderen häufte er auf mein schuldiges Haupt, wie einen Verruchten, einen von Gott Ausgestoßenen behandelte er mich, bis sich endlich seine Hand zum Schlage gegen mich erhob. – Nun, – und da ergriff ich das auf dem Tisch liegende Messer, um einen Rasenden abzuwehren. Das Übrige weißt du. Erst als ich das Blut meiner Mutter fließen sah, kehrte mir die Besinnung halbwegs zurück und ich floh aus dem Zimmer. Es schien mir, als sei die Brust getroffen worden.«

Benno schüttelte den Kopf.

»Die Schulter«, sagte er. »Großmama lebte, als ich sie verließ und war sogar für ihr hohes Alter immer recht gesund. Nicht wahr, Vater, du schreibst ihr jetzt einige vorbereitende Zeilen?«

Aber davon wollte Ernesto nichts wissen.

»Wir schreiben gar nicht«, sagte er, »sondern wir kommen selbst. Ich begleite dich nach Hamburg, mein Junge, ich lasse dich nun nie wieder aus den Augen. Sobald nur das Schicksal Ramiros in der einen oder anderen Weise entschieden ist, gehen wir nach Lima.«

»Ich sollte also den Brief an Harms nicht erst abschicken?«

»Es ist unnötig, denn er käme nicht früher als wir selbst.«

»Dabei denke ich an mein, mit der Concordia untergegangenes Schreiben«, setzte er dann sinnend und tiefatmend hinzu. »Wäre es in die Hände meines Bruders gelangt, wer weiß, vielleicht hätte er Hamburg für immer verlassen, es wäre mir nicht möglich gewesen, die Verzeihung meiner alten Mutter jemals zu erflehen. Sein Starrsinn, sein Groll würden ihn vertrieben haben, so dagegen überrumpeln wir ihn und versöhnen vielleicht noch das steinerne Herz.«

Benno schüttelte in Gedanken den Kopf, aber nur in Gedanken; er wollte seines Vaters frohe Hoffnung nicht voreilig zerstören.

»Vielleicht kommt für uns alle in dem alten Haus am Wandrahmen noch eine Zeit des Glückes und des Ausruhens«, sagte er. »Onkel Johannes ist seit jenem unseligen Tage, an dem du Hamburg verließest, nicht mehr über den vorderen Flur gegangen, er lebt wie ein Einsiedler, im Grunde gar wie ein Gefangener, von niemand geliebt – unsagbar arm inmitten seines Reichtums.«

Ernesto zog die verborgene Brieftasche hervor.

»Ich muss dir doch notwendig für meine Worte auch einige Beweise liefern«, sagte er.

»Sieh hier allerlei behördliche Dokumente und hier das Bild unseres Hauses. Seit sechzehn Jahren habe ich gebüßt, mein Junge, umso schwerer und härter, als niemand das Geheimnis meiner Vergangenheit kannte. Und das alles, alles – einer Lüge wegen! – Aber doch nicht umsonst!«, setzte er dann energisch hinzu. »Nun ich dich gefunden habe, möchte ich ja nicht murren, mein Liebling, mein Herzensjunge! – Komm, wir wollen das Bild zerreißen. Gott zürnt nicht ewig, er verbannt keinen Sünder für immer aus dem Paradies, sondern nur so lange, bis der Reuige bittend anklopft. Da, – fliegt hin, ihr Fetzen!«

Er ließ die Stücke des zerrissenen Blattes aus dem offenen Fenster in alle vier Windrichtungen flattern und unterhielt sich dann mit seinem wiedergefundenen Sohn über hundert Einzelheiten aus der Vergangenheit, aus dem Leben in Hamburg und dem alten Haus am Wandrahmen. Bei dieser im Flüsterton geführten Erinnerungsfeier überraschte die beiden Glücklichen später der Doktor, den die Sorge um seinen Patienten in das Zimmer trieb und der nun zu seinem Erstaunen hörte, was sich inzwischen zugetragen hatte.

»Jetzt besitzt also unser junger Freund den natürlichen Schutz des Vaters«, sagte gerührt der alte Herr. »Ich kann alle meine Absichten in Ihre Hände legen, Señor Ernesto, – der Junge wird nun eine deutsche Hochschule besuchen, mit oder ohne den Herrn Senator in Hamburg, nicht wahr?«

Und Ernesto nickte lächelnd.

»Wahrhaftig, er wird es.«

Dann wandte sich infolge eines natürlichen Gedankenganges sowohl als auch aus herzlichster Teilnahme die Aufmerksamkeit aller drei Männer ungeteilt dem Kranken zu. Ramiro antwortete nicht; auf seinem Sprach- und Bewegungsvermögen lag immer noch der Bann des Krampfes, aber doch zeigte ein matter, fast erloschener Blick den freundlichen Pflegern, dass er sie erkannte und ihnen danken wollte.

Doktor Schomburg schüttelte trotzdem den Kopf.

»Es ist aus«, sagte seine Handbewegung. »Ich hoffe nichts mehr.«

Und so schien es wirklich; die nächsten Tage brachten zwar eine Wiederkehr der Bewegungsfähigkeit, Ramiro sprach und nahm zuweilen etwas Nahrung, aber er war gebrochen an Leib und Seele; das Gesicht fiel ein, die Hände bebten leise, das Auge sank tiefer zurück in die dunkel umrandete Höhle.

»Nur ein Verlangen habe ich noch«, sagte Ramiro. »Ich möchte den Klostergarten sehen, die Stelle, an der Alfredo zu verweilen pflegte.«

»Um noch selbst dem Schatz nachzuspüren, Señor?«

Er blickte voll Gram auf seine zitternden Hände.

»Ich? – Ich? – Das ist wohl dahin auf immer. Aber sehen möchte ich die Stelle. Es ist in meinem Geiste ein Gedanke aufgetaucht, etwas, das mich nicht mehr verlässt. Niemand außer mir konnte doch die Situation wirklich beurteilen, niemand konnte Schlüsse ziehen, denn von den Spaniern kannte keiner die Geschichte jenes Tages, an dem der Schatz versteckt wurde, – ich aber weiß aus den Überlieferungen meiner Familie alles.«

»Und aus diesem Grund glauben Sie mit besserem Erfolg suchen zu können, Señor Ramiro?«

»Mit den Augen, ja. Die Hand müssten Sie herleihen, Benno.«

»Sicherlich, Señor. So oft und so lange Sie wünschen!«

Über das Gesicht des Kunstreiters glitt ein Schimmer der Hoffnung, des Mutes.

»So lassen Sie mich bald hinaustragen«, bat er. »Meine Tage, nein, meine Stunden sind gezählt.«

Und als ihm Benno widersprechen wollte, setzte er hinzu:

»Ich sterbe gern, mein guter Junge. Etwas in mir ist zerrissen, schon jetzt tot, – man fühlt das, aber es lässt sich nicht so ausdrücken.«

Benno wandte den Blick. Armer Ramiro! Ein treuer Freund und ein guter Kamerad war er doch immer gewesen. Nun sollte ihm fern von den Seinen das einsame Grab gegraben werden, nun sollte er sterben mit gebrochenem Herzen. Fürwahr, ein hartes Geschick.

»Ich will Sie führen und tragen, ich will Ihnen alles zuliebe tun, was nur in meinen Kräften steht«, versprach Benno.

Die matte Hand des Kunstreiters streichelte sein blühendes Gesicht.

»Dann sorgen Sie, dass man mich bald hinaus bringt, Benno, bald! Es eilt.«

Unser Freund wandte sich mit dieser Bitte zunächst an seinen Vater, aber im Angesicht der obwaltenden Verhältnisse wollte dieser von der Sache nichts hören.

»Vergessen Sie doch den sagenhaften Schatz, Señor Ramiro«, riet er. »Ich will Ihnen dafür etwas Besseres geben, nämlich das feste Versprechen, den Ihrigen auf jede Weise beizustehen. Ihre Frau soll keinen Mangel leiden. Ihre Kinder sollen zu tüchtigen Menschen erzogen werden. Mein Wort darauf, meinen Eid, wenn Sie wollen, Ramiro! Und nun denken Sie nicht mehr an den verschollenen Reichtum im Klostergarten.«

Der Kunstreiter schüttelte den Kopf.

»Ich danke Ihnen tausendfältig, Señor Ernesto, Sie haben durch Ihr großmütiges Versprechen Felsenlasten von meinem Herzen genommen, aber doch bitte ich dringend, lassen Sie mich hinaus. Ich kann die Augen nicht für immer schließen, ohne diese Stelle gesehen zu haben; ich kann es nicht. Und was verschlägt es denn, an welchem Ort ich sterbe? Die Klosterbrüder versagen mir schwerlich das letzte Bett da, wo ich dem göttlichen und menschlichen Rechte nach immer hätte leben sollen.«

Ernesto wandte nichts mehr ein. Die letzte Bitte eines Sterbenden ist heilig; man wagt nicht da zu widersprechen, wo man voraussichtlich nie mehr Gelegenheit haben wird, etwas zu gewähren. Eine bequeme, mit Decken und Kissen ausgestattete Bahre wurde herbeigeschafft und acht der ehemaligen Reisegefährten trugen sorgfältig den Kranken hinaus in den Klostergarten, zu dem ihm die Mönche den Zutritt gern gestatteten. Einer der letzteren ging dann mit, um die Stelle anzugeben, wo der verstorbene Abt an jedem Tag stundenlang zu lesen oder im stillen Gebete zu verharren pflegte.

»Hier war es«, sagte er. »Unter diesem Baum saß der arme Bruder Alfredo und verzehrte sich in der Sehnsucht nach dem, den er wiedersehen wollte, bevor ihn der Tod aus diesem Leben des Leidens und der Täuschung hinwegnahm.«

Er verhüllte das Gesicht mit dem weiten Ärmel seiner Kutte und ging gesenkten Hauptes davon; auch die Träger waren rücksichtsvoll genug, sich zu entfernen, und so blieb denn nur Benno bei dem Sterbenden, dessen Züge das Rot der Aufregung trugen, während sein Auge rastlos umherschweifte.

Zwischen Felsen wuchs, ihre Luftwurzeln im mächtigen Gewirr durcheinander schiebend, eine alte, majestätisch hohe Palme. Weit hinaus reichten die gefiederten Wedel, gleich bunten Kränzen umgaben große Fruchttrauben den Stamm. In Bogenlinien liefen Schlinggewächse an den Luftwurzeln auf und ab, weiße und violette Blütenglocken spendeten süße Düfte, während tief im Grün kleine farbenprächtige Singvögel nisteten und leise zwitschernd den bleichen kranken Mann zu fragen schienen:

»Was siehst du so todtraurig aus, hier in der wundervollen Einsamkeit der Natur?«

Schwer atmend lehnte Ramiro in dem Sessel, den die Klosterbrüder willig herbeigebracht hatten.

»Benno«, flüsterte er, »kommen Sie näher zu mir!«

Als sich unser Freund voll Liebe zu ihm neigte, deutete er auf die Palme.

»Hier saß der Verstorbene«, sagte er. »Immer hier. Lässt sich nicht daraus schließen, dass an dieser Stelle der Schatz vergraben liegt?«

Benno nickte.

»Das habe ich gedacht, als damals zu Beginn unserer Reise der arme Alfeo von diesen Dingen erzählte.«

»Nun wohl, das wäre eins. Jetzt sollen Sie weiter hören. Als mein Vorfahr die Diamanten versteckte, hatte er für seinen Zweck höchstens eine Viertelstunde zur Verfügung, – er konnte also kein Loch in die Erde graben, nicht wahr?«

»Schwerlich!«

»Sondern er musste eine schon vorhandene Höhle benutzen. Und das kann wieder nur unter den Baumwurzeln der Fall gewesen sein. In nächster Umgebung dieser Palme liegen die Steine.«

»Wahrhaftig«, rief Benno, »die Schlussfolgerung ist richtig.«

Wieder suchten die rastlosen Blicke des Kunstreiters hüben und drüben in der grünen Wildnis umher.

»Sehen Sie die dichte Pflanzendecke, Benno, Bromelienranken, die wie angeschmiedet liegen, Bartmoos von eines halben Meters Länge! Seit die Spanier in Conzito hausten, ist hier nicht gegraben worden.«

»Das glaube ich auch nicht, Señor.«

»Nun gut, aus allem diesem lässt sich schließen, dass gerade hier die Nachforschung den besten Erfolg verspricht. Sollten Sie wohl in den Luftwurzeln ein wenig aufräumen können, Benno? Das Holz ist alt und morsch.«

Statt aller Antwort begab sich unser Freund sogleich an die Arbeit. Mit einem Beil, das ihm ein Klosterbruder lieh, schlug er tapfer in das Gestrüpp hinein und schaffte ganze Berge halbvermoderter Stränge und Stümpfe beiseite, während ihm Ramiros unruhig flammende Blicke überallhin folgten und mit heißem Verlangen an jeder seiner Bewegungen hingen.

»Merken Sie noch nichts, Benno? Gar nichts?«

»Leider ist alles leer, Señor!«

»Suchen Sie unter den Wurzeln, Benno. Verlieren Sie keine Zeit. Als der Schatz vergraben wurde, war von den Wucherpflanzen noch keine einzige vorhanden, das dürfen Sie nicht außer Acht lassen.«

»Ich will alles so machen, wie Sie wünschen, Señor.«

Und er arbeitete, dass ihm der Schweiß in Strömen vom Gesicht herabrann; sooft aber Ramiro voll sehnsüchtiger Hoffnung fragte: »Sehen Sie etwas?«, sooft musste er antworten: »Nichts, Señor.«

Dann hüllte sich der arme Sterbende fester in seine Decken.

»Wie kalt es ist!«, seufzte er. »Soll ich Ihnen aus der Klosterküche einen wärmenden Trunk holen, Señor?«

»Nein, nein, graben Sie nur ruhig weiter.«

Das war aber leichter gesagt, als getan. Berge von zerrissenem Wurzelgeflecht lagen schon umher, Steine und Erdschollen bedeckten rings den Boden, – noch zeigte sich nichts, das wie ein Behälter oder Versteck irgendeiner Art ausgesehen hätte.

»Klopfen Sie einmal gegen den Baum«, sagte mit matter Stimme der Kunstreiter, »versuchen Sie es, die Felsblöcke von der Stelle zu schieben, – vielleicht findet sich irgendwo ein Spalt.«

Benno hämmerte überall, aber wieder ohne Erfolg.

»Es ist ganz umsonst, Señor. Vertrauen Sie doch den Worten meines Vaters und denken Sie nicht mehr an die Edelsteine.«

Aber Ramiro schüttelte den Kopf.

»Haben Sie noch Kräfte, Benno?«

»Gewiss, gewiss!«

Benno arbeitete unverdrossen weiter, bis ihn die leise Stimme des Kranken wieder unterbrach.

»Es eilt, Benno, es eilt. Der Tod streckt schon die Hand aus.«

»Soll ich den Bruder Luigi herbeirufen, Señor?«

»Nein! Nein!«

Wieder verging eine Pause angestrengter Tätigkeit, dann sah Benno, dass ihm der Kunstreiter winkte. Er ließ das Beil fallen und sprang zum Sessel.

»Wünschen Sie irgendetwas, Señor?«

»Setzen Sie sich zu mir, Benno. So, hierher. Es ist vergebens, das Mühen und Ringen, – ich soll den Schatz meiner Väter nicht sehen. Aber ein anderes – ein –.«

»O bitte, Señor, bitte, schonen Sie doch Ihre Kräfte, versuchen Sie zu schlafen. Ich will Leute herbeiholen und –.«

Ramiro wehrte mit erhobener Hand.

»Es soll kein Mensch hierherkommen, keiner außer Ihnen. Es gibt für mich noch eine Beichte, ein trauriges Geständnis abzulegen, Benno. Ich kann es nicht unausgesprochen mit in das Grab nehmen, – es mag Ihnen auch als Warnung dienen, – Benno, darf ich Ihnen alles erzählen?«

Unser Freund nickte stumm; sein Herz schlug wie ein Hammer. War die seltsame Veränderung in Ramiros Zügen der Tod? – Er glaubte es.

»Benno, wenn ich nun ein großer Sünder wäre, ein Mensch, der sich gegen Gottes Gebot schwer vergangen hat, – würden Sie mein Andenken als das eines Verlorenen, eines Ausgestoßenen verachten und verleugnen?«

Unser Freund schüttelte den Kopf.

»Señor Ramiro«, flüsterte er, »lassen Sie mich Ihnen sagen, dass ich Ihre Geschichte zu kennen glaube. So manches war nur einer, – einer traurigen Deutung fähig. Das alles möge ruhen, ganz und gar ruhen.«

Der Kunstreiter atmete mühsam.

»Ich muss es aussprechen«, wiederholte er. »Das Gewissen quält mich zu sehr. Ach, Benno, die Hand, welche Sie da so liebevoll drücken, die arme hartgearbeitete Hand ist nicht rein von Sünde, es klebt Blut daran, das Blut eines Schuldlosen. Ich habe einen Menschen erschlagen, Benno.«

Der Knabe umschloss mit seinen bebenden Fingern nur umso fester die Hand, welche eiskalt und schwer zwischen den seinigen lag.

»Ich weiß es«, flüsterte er. »Ich wusste es längst. Joseffo, – nicht wahr, Joseffo?«

Während einer Minute schloss der Kunstreiter die Augen; es schien als überwältige ihn ein nicht zu bannendes Grauen.

»Er war es«, bestätigte er dann. »Joseffo, der Sohn von Alfredos Bruder, ihm selbst zum Verwechseln ähnlich, jung und lebhaft, wie ich jenen gesehen in den Tagen meines Unglückes. So stand er vor mir und erinnerte mich an die verlorene Jugend, an all das erlittene, unverdiente Elend. Mein Blut kochte, wenn ich ihn ansah. Und dann kam die schlimme Stunde. Wir waren zum Fischfang ausgefahren, Michael und ich; Joseffo hatte sich unterwegs zu uns gesellt, aber kein Mensch in dem ungarischen Dorf wusste, dass er mit uns unterwegs war.«

»Da reizte mich der Bursche durch ein keckes Wort und ich schlug zu – mit dem schweren Ruder – vielleicht ohne vorher zu überlegen, ohne die Wirkung des Hiebes zu ermessen, – aber so hart, dass er lautlos hinfiel, tot, mit gespaltenem Schädel.«

»Um das Boot her trieben die feuchten Abendnebel ihr Wesen. Wie weiße wallende Kleider huschten sie über das Wasser, – es war schier unheimlich zu sehen. Man dachte unwillkürlich an lebende Geschöpfe, an rächende Hände, die sich ausstreckten und zuzugreifen drohten. Mitten hinein in das weiße Gewoge legte ich die Leiche und ließ sie langsam versinken, immer verfolgt von Michaels Angstblicken, von seinem bleichen entsetzten Gesicht, das mich mit dem Ausdruck des Wahnsinnes anstarrte.«

»Ich wusch das Blut von den Planken, entfernte sorgfältig alles, was an das Geschehene erinnern konnte und wandte mich dann zu dem unglücklichen Knaben, den ich fest ansah. Mein Plan war fertig, ich wusste, was ich wollte und was ich erreichen konnte.«

»Michael«, sagte ich, »weshalb siehst du mich so an?«

Er fuhr zusammen, als habe ihn ein Messerstich getroffen.

»Joseffo!«, stammelte er mit kläglichem Ton.

»›Was ist mit ihm?‹ Ich hatte die Kraft, das ganz kaltblütig zu fragen.«

»›Was meinst du, Michael, sprich deutlich.‹ Er war auf die Knie gefallen und hielt mir seine gerungenen Hände flehentlich bittend entgegen. ›Schlage mich nicht tot!‹, wimmerte er. Ich zuckte die Achseln. ›Wie kommst du auf so verrückte Gedanken, Michael? Wahrhaftig, dein Kopf ist krank. Und was hätte denn Joseffo mit deinen wunderlichen Einfällen zu tun?‹ Da schrie er vor Entsetzen laut auf. ›Du hast ihn umgebracht. – Mörder! Mörder! Du hast den armen Joseffo erschlagen.‹ Das war für mich gefährlich, ich sprach kein Wort weiter, aber zu Haus haben meine Frau und ich von der Stunde an den Jungen nicht mehr aus den Augen gelassen, wir haben allen Leuten gesagt, er sei krank und sind den folgenden Tag weiter gezogen.«

Ramro machte eine Pause.

»Später galt Michael, wohin wir kamen, für irrsinnig, er durfte nicht mehr ausgehen, den Zirkus nicht mehr betreten, mit keinem Menschen sprechen und nie gegen uns selbst auf das entsetzliche Ereignis jenes Abends zurückkommen, – bis er der geworden war, den Sie in ihm kannten, fast ganz gestört, scheu und unfähig, zu denken oder zu urteilen. – Das alles sah ich an als ein Unglück; bei Gott, ich würde mit dem armen Jungen das letzte Stück Brot geteilt haben, aber während meine bedauernswerte Frau in Jammer und Gewissensangst fast verging, nahm ich die Sache doch niemals so sehr schwer, bis wir in Brasilien waren und so Manches mir zu denken gab. Einer erzählte beim nächtlichen Lagerfeuer dieses und der andere jenes, aber auf eins lief doch das alles immer wieder beharrlich hinaus, – es hatte keiner Trauben geerntet von den Dornen, noch Feigen von den Disteln. – Selbst Tenzilehs Schicksal, selbst das des arglistigen Gonn-Korr, es predigte immer die große ewige Wahrheit: ›Fest steht das eine sicherlich, wer Böses tut, der tut es sich selbst an.‹ – Und damit war mein Urteil gesprochen. Konnte ich mit blutbefleckten Händen einen Schatz heben und seiner froh werden? – Nimmer!«

Er atmete schwer.

»Die Tage dehnten sich zu Monaten, die Monate zu Jahren; Hindernis folgte auf Hindernis, aber in der Hitze dieses schweren Kampfes sah ich klarer und klarer. Mein Ringen und gewaltsames Stürmen sollte umsonst gewesen sein, barmherzig langsam aber sicher ließen mich es die ewigen Mächte erkennen. Und dann kam die Stunde, von der Ihnen Bruder Luigi erzählt haben wird. Ich erfuhr, dass der eine, welcher den verborgenen Schatz aufzufinden wusste, – Joseffo – der von meiner eigenen Hand Erschlagene war, dass ich selbst, gerade ich mir den Zugang zum Paradies versperrt hatte. Das warf mich um; daran sterbe ich.«

Er fuhr mit der Hand über das kalte Gesicht.

»Mir ist nicht vergeben, Benno; Gott zürnt, – das Opfer meiner Reue kriecht am Boden, es steigt nicht aufwärts und bittet für den zerknirschten Sünder.«

Unserem Freund überlief es heiß und kalt.

»Ich will meinen Vater holen«, stammelte er. »Und den Doktor.«

Ramiro nickte stumm, er hielt die Augen geschlossen. Mit einem Satz sprang Benno auf ein überhängendes Felsstück und ergriff schleunigst seinen an einen Zweig gehängten Rock, den er auf der Klippe stehend, anzog, um dann in voller Eile dicht neben dem Baumstamm zu Boden zu springen.

Aber anstatt der weichen Erde berührten seine Füße einen nicht nachgebenden Gegenstand, es klang dumpf, eine spitze Ecke verursachte unserem Freunde heftige Schmerzen. Unwillkürlich brach über seine Lippen ein kaum vernehmbarer Laut.

Ramiro öffnete plötzlich die Augen.

»Was gibt es? Was geht vor?«

»Ich will nachsehen, Señor. Vielleicht ein Stein.«

Er bückte sich und fasste die vorstehende spitze Ecke.

»Eine Eisenplatte!«, rief er, während es wie Feuer durch alle seine Adern rann. »Eine Eisenplatte –!«

»O mein Gott, mein Gott, – sehen Sie genauer nach!«

Benno lag schon auf den Knien, er dachte nicht erst an das Beil, sondern schaufelte mit seinen beiden Händen die Erde von der Platte, als gelte es Tod oder Leben. Dabei sprach er von Zeit zu Zeit ein einzelnes Wort, oder sah hinüber zu dem Sterbenden, der sich mit letzter Kraft im Sessel aufgerichtet hatte und starren Blickes beobachtete, was sich da in der ausgegrabenen Höhlung zeigte.

»Eine Kiste, Señor, – eine schwere Kiste, – verschlossen – aber ich werde sie öffnen – so –.«

»Schnell, Benno, schnell! Ich könnte vorher sterben!«

In diesem Augenblick kam Ernesto raschen Schrittes vom Kloster her. Es mochte ihm unheimlich geworden sein, den Knaben mit dem todkranken Mann so lange allein zu lassen, er wollte sich überzeugen, ob nicht Hilfe notwendig sei und kam denn auch wirklich zur rechten Zeit, um mit kräftigem Arme den Sterbenden zu unterstützen und ihm so den Blick auf die Kiste zu ermöglichen. Seinem Sohn zunickend, fragte er nur einfach:

»Kannst du das allein besorgen, Benno?«

»Ich hoffe es, Vater!«

Die Kiste ließ sich aus dem umgebenden Erdreich nicht herausheben, aber ein kräftiger Beilhieb sprengte das Schloss und nun konnte unser Freund hineingreifen. Ein Jubelruf brach sich Bahn.

»Der Schatz, Señor! Der Schatz!«

»O Gott, ich danke dir! Lassen Sie mich die Hände falten, Señor Ernesto! – Mir ist vergeben, vergeben – ich möchte mich in den Staub beugen!«

»Sie sollten sich nicht so aufregen«, ermahnte der Gutsherr. »Sehen Sie, da bringt Benno schon eine Probe des Fundes hierher.«

Beide Hände des Knaben waren angefüllt mit Edelsteinen. Er legte das alles in seinen Strohhut, während Ernesto den Kranken sanft in den Lehnsessel zurückgleiten ließ und ihm dann den Schatz hinhielt.

»Weißschimmernde Diamanten, Señor! Ein unermesslicher Wert, – groß genug, um überall im Volk als der Schatz der Frascuelo bezeichnet zu werden.«

»Gott sei gepriesen! Gott sei gepriesen!«

Ramiros Hände wühlten mit heißer Freude in den Steinen, von denen Benno immer mehr und mehr herbeibrachte, bis endlich die ganze eiserne Kiste herausgehoben und dem Sterbenden überliefert werden konnte.

»Nun, Señor, sind Sie zufrieden? Habe ich das Meinige getan?«

Der Kunstreiter sah ihn an.

»Für Sie ist die Hälfte, Benno!«

»Kein Pfennig!«, rief unser Freund. »Wahrhaftig, kein Pfennig. Mein Vater hat die Mittel, mich studieren zu lassen, das genügt vollkommen. Und dann, Señor, Sie wissen ja, da ist Harms, der mir zwei Häuser schenken will, – ich müsste doch unersättlich sein, wenn ich von dem Vermögen Ihrer Kinder auch nur einen Heller nähme. Nein, nein, mein Vater und ich bringen den Schatz unberührt nach Europa und wenn es uns gelungen ist, Ihre Frau ausfindig zu machen, dann überliefern wir ihr bei Heller und Pfennig den ganzen Betrag.«

Ernesto nickte zufrieden vor sich hin.

»So ist auch meine Absicht«, bestätigte er. »Ich bin gottlob in der Lage, ohne Versuchung dem Millionenschatz gegenüber zu stehen. Ihre Frau wird das Gefundene aus meiner Hand unverkürzt empfangen.«

Ramiro sah auf.

»Und Sie wollen der Verlassenen beistehen?«, fragte er. »Sie wollen sorgen, dass der Wert der Steine den Meinigen auch wirklich zugutekommt?«

»So wahr mich Gott in diesem und jenem Leben seiner Gnade teilhaftig werden lassen möge, – ja!«

Der Sterbende schloss wieder die Augen.

»Benno«, sagte er, »wo sind Sie? Ich habe von Ihnen gehalten, was ein Vater von seinem Kind hält. Noch ein letztes Abschiedswort möchte ich Ihnen jetzt sagen dürfen!«

Unser Freund trat leise an den Sessel und drückte die Hand des armen Leidenden.

»Ich will es für alle Zeit in meinem Herzen treulich bewahren«, versetzte er mit erstickter Stimme. »Ich bin Ihnen so vielen Dank schuldig, Señor.«

»Keinen, keinen, – ach, im Gegenteil. Ich war die erste Ursache Ihres Missgeschickes, – nimmermehr hätte ich Ihnen ja zureden, Sie bitten dürfen, als Neffe des Senators öffentlich in einem Zirkus aufzutreten. Seltsam, wie klar wir sehen, wenn die Dinge hinter uns liegen; vorher trübt immer der Gedanke an den Vorteil unseren Blick. Aber Gott hat gnädig alle diese Irrtümer, diese verschiedenartige Schuld zum Besten, zum Segen hinausgeführt, – ich sterbe so ruhig, so gern. Joseffo wollte ja meine Hand drücken, – das nehme ich als liebe Friedensbotschaft.«

Er machte eine kurze Pause und fuhr dann mit schwächer werdender Stimme fort:

»Benno, eins möchte ich Sie bitten, – halten Sie Ihr Gewissen rein! Das eine tut Not, nur das eine, – alles Übrige ist Nebensache. Es darf nichts geben, das Sie vor sich oder den Menschen, vor den Augen Gottes verbergen müssten. Nichts. Dass ich jetzt nicht nach Europa zurückkehren und mit den Meinigen im Glücke leben darf, – ich habe es verschuldet. Wie einst Moses vom Berg Nebo herab das gelobte Land sah, ebenso geschieht auch mir. Ich selbst komme nicht hinein.«

Unser Freund bekämpfte tapfer die herausquellenden Tränen.

»Wer bereut, dem ist vergeben«, flüsterte er mit erstickter Stimme.

Vom Turm des Klosters herab läutete in diesem Augenblick eine Glocke mit leisem melodischem Klang, – über das Gesicht des Kunstreiters flog ein Lächeln.

»Señor Ernesto«, flüsterte er, »Benno, – lebt wohl, lebt wohl. Grüßt die anderen – und daheim in Europa die Meinigen, Adieu! Adieu!«

Und dann noch, kaum verständlich:

»Die Glockenklänge – tragen meine Seele – zu Gott empor. Gib mir Schächersgnade, Vater im Himmel!«

Das waren die letzten Worte. Unmerklich wie eine Flamme erlischt, so hatte das Leben aufgehört; leise, ganz leise war der Tod gekommen, dem Freunde gleich, der ein tiefes unheilbares Leid durch seinen Zuspruch beschwichtigt. Ernesto berührte leicht die Hand des Knaben.

»Komm, mein Junge«, sagte er in liebevollem Ton. »Komm, unser armer Freund bedarf für sich selbst der Hilfe und Sorgfalt nicht mehr.«

Benno erschrak.

»Ist er tot. Vater? Wirklich tot?«

»Für dieses Leben, – ja!«

Benno verhüllte mit beiden Händen seine Augen; er weinte bitterlich. Der Gestorbene war ihm ein väterlicher Freund gewesen, ein treuer Beschützer, – jetzt erst glaubte er das ganz zu erkennen.

Ernesto ließ ihn schluchzen, ohne zur Unzeit trösten zu wollen. Ein Klosterbruder holte Doktor Schomburg herbei, dann wurden zunächst die kostbaren Steine so in Sicherheit gebracht, dass niemand von der Sache erfuhr, und erst, als das geschehen war, trug man die Leiche in den Totensaal des Klosters.

Bruder Luigi fragte nicht, ob der Schatz gefunden sei, er sagte nur ganz beiläufig, dass kein Mensch den Klostergarten betreten werde und dass es seiner Ansicht nach am besten und ersprießlichsten sei, von der Sache völlig zu schweigen.

»Was hier Leidvolles und Trauriges vorging, welches Drama im Leben zweier Menschen hier seinen Abschluss fand, das bleibt für alle Zeit das Geheimnis von San Felipe. Denken Sie nicht auch so, Señor Ernesto?«

Und Bennos Vater drückte dem neuerwählten Abt des Klosters herzlich die Hand. Beide Männer waren durchaus einverstanden.

Die Spanier hatten Perus Unabhängigkeit notgedrungen anerkennen müssen und waren aus den Grenzen des Landes endgültig vertrieben worden. Sämtliche Freikorps lösten sich auf, die Indianerregimenter kehrten in ihre Wälder und Gebirge zurück, die Bevölkerung atmete nach so langem schwerem Druck wie vom Alp erlöst, freudig auf und überall regten sich neue Tätigkeit, neue Schaffenslust und Pläne für die Zukunft. Ernesto hatte den Bewohnern von Conzito versprochenermaßen Fleisch und eine große Anzahl von Pferden geschenkt, er fügte aber diesen Gaben später noch weit bedeutendere hinzu, wenn auch dieselben nicht der Gemeinde, sondern einzelnen Personen zugutekamen.

Trente und Obijah erhielten bequeme Stellungen auf dem Landsitz, der dem alten Pietro und dessen Frau als Eigentum überlassen wurde. Mittels genau festgestellter Verträge sicherte Bennos Vater den beiden Männern, deren tatkräftiger Schutz seinen Sohn unbeschadet durch die Wildnis geführt hatte, eine angenehme und sorgenfreie Zukunft, sein Haus in der Stadt dagegen erhielt Pedrillo, der gern das Zirkusleben aufgeben und ein Gastwirt werden wollte. Dazu erschien die Lage des hübschen Gebäudes gerade besonders günstig. Ernesto ließ es daher instand setzen, gab dem gutmütigen Schlangenmenschen das Nötige zum Beginn und schüttelte ihm nur kräftig die Hand, als Pedrillo in laute Dankesworte ausbrach.

»Sie sind meinem Sohn ein treuer Freund gewesen, Señor Pedrillo«, sagte er, »dafür bleibe ich in alle Zukunft Ihr Schuldner.«

Auch das Kloster erhielt ein namhaftes Geschenk. Unter dem Schatten seiner uralten Kastanienbäume hatte Ramiro, Seite an Seite mit dem verstorbenen Abt die letzte Ruhestätte gefunden. Ein eisernes Gitter umgab das Grab und den Stein aus Marmor, auf dem gar tröstliche Worte standen:

»Über ein kleines werdet ihr mich wiedersehen.«

Von dieser Stätte und von so manchem Lebenden, der unvermerkt dem Herzen näher getreten war, kam nun eines Tages der Abschied zur beschwerlichen und entsagungsvollen Reise durch die Provinz Atacama bis nach Lima, wo sich die vier Deutschen einzuschiffen gedachten. Pedrillo, Obijah und Trente begleiteten die Scheidenden, denen General Martinez ein stattliches militärisches Geleit bewilligt hatte, bis vor die Stadt, aber selbst dann schienen sie sich noch nicht an den Gedanken der Trennung gewöhnen zu können.

»Ich könnte heulen wie ein Weib!«, rief Trente. »Es war doch eine so schöne Reise von Rio bis hierher, – und nun soll das alles zu Ende sein.«

»Möchtest du umkehren?«, lächelte Benno. »Möchtest du nochmals mit Menschen und wilden Tieren kämpfen? Nochmals in dem überschwemmten Wald Schlangenbraten essen und es erleben, dass die schwarzen Jaguare dir auf den Kopf fallen, ja und dass vielleicht der Lahmfuß –.«

Trente sah raschen Blickes hinter sich.

»O! O!«, stammelte er. »Die sieben heiligen Nothelfer stehen uns bei.«

Sie lachten alle, auch der harmlose Maultiertreiber. Man drückte zum letzten Mal einander die Hände – warum fällt doch in jeden Freudenkelch ein bitterer Tropfen? – Und empfand auf beiden Seiten gleich schwer, dass hier ein Band vom Herzen zum Herzen äußerlich für immer zerriss. Wie tief erschüttert zeigte sich Obijahs braunes Gesicht, wie rührend klangen seine Worte.

»Als ihr mich kennenlerntet, Fremde, da war ich nicht viel besser als ein Tier, aber ihr habt aus mir einen Menschen gemacht, dafür danke ich euch und es schmerzt mich tief, dass ihr fortgeht.«

Ein offenes herzliches Eingeständnis. Benno küsste zum letzten Lebewohl den treuen Burschen und dann setzte sich der stattliche Reiterzug in Bewegung. Hüben und drüben winkten Hüte und Hände, bis die Ferne auch hier den einen vom anderen trennte und der Wind die heißen Stirnen kühlte, da wie dort, aber in immer weiterer und weiterer Entfernung.

»Nach Hamburg!«, flüsterte Ernesto in das Ohr seines Sohnes. »Nach Hamburg, Benno, – freut es dich?«

Benno nickte halb seufzend.

»Aber der Abschied tut weh, Vater. Nie werde ich Obijah, nie Trente vergessen.«

Nochmals sah er zurück, nochmals sandte er den Freunden, obgleich er sie nicht mehr sah, seine letzten Grüße. Der Heimat, der ersehnten, geliebten Heimat ging es entgegen, – aber ein Stück vom Herzen blieb hier in Peru. Das ist der Lauf der Welt. Es war eine beschwerliche Reise, die nun ihren Anfang nahm, über Höhenzüge, wo der Schneesturm den Reitern um die Köpfe wirbelte, wo sie Nächte ohne Schutz und Tage ohne Wasser durchlebten.

Zwischen den Felsen, in etwas geschützteren Tälern klebten wie Schwalbennester an der Mauer die Dörfer der Eingeborenen am Fuße gewaltiger Bergriesen. Abgehärtete, sehr arme Indianer lebten hier allein von dem Transport der verschiedenen Waren, die sie auf Maultieren zwischen der Küste und dem Inneren des Landes hin- und zurückbrachten. In ihren Hütten herrschte der Mangel, aber trotz aller Ungunst des Bodens und des Klimas waren die Leute doch gutmütig und flink, sie taten als geworbene Führer überall ihre Schuldigkeit und lachten und sangen noch, wenn die Weißen zu erfrieren glaubten.

Hier und da am Weg zeigten sich höchst interessante Ruinen ehemaliger Steinbauten aus der sagenhaften Zeit der Inkas, uralte verfallene Mauern und Einfassungen, plumpe Götzenbilder, die halb aus dem Boden aufragten, halb in demselben wurzelten, – alles Scherben und Trümmer, aber dennoch besonders den beiden Naturforschern äußerst interessant und wertvoll.

Halling zeichnete mit vor Kälte gekrümmten Fingern auch hier wie in den glühenden Wäldern der »Tierra caliente« alles Bemerkenswerte, während Benno neben dem Maultier herlief und überall für den Doktor Trümmer und Steine vom Boden auflas. Hier und da zwischen den Indianerdörfern erschienen bedeutende, aus lauter kleinen Felsstücken und gewöhnlichen Steinen aufgehäufte Hügel, an denen die indianischen Führer niemals vorübergehen konnten, ohne den schon vorhandenen Steinen noch einen weiteren hinzuzufügen.

War das einmal des Zuges wegen ganz unmöglich, so winkten die Leute doch wenigstens mit den Händen, wie man im Vorübergehen einen lieben Menschen grüßt. Als Benno eines Tages dem Grund dieser Zeremonien nachforschte, da schüttelten sie ohne Bescheid zu geben, die Köpfe.

»Nichts. Nichts. Du irrst, Fremder.«

Kam aber wieder eine derartige Anhöhe, dann opferte auch gewiss jeder Führer aufs Neue seinen Stein. In einer deutschen Missionsniederlassung erfuhren die Reisenden den Grund dieser sonderbaren Erscheinung. Unter den Hügeln lagen die ehemaligen heidnischen Zauberer der eingeborenen Stämme begraben und solange nun auch die Körper dieser Gaukler zu Staub geworden sein mochten, so voll geheimer Furcht dachten immer noch die Indianer an den Einfluss ihrer abgeschiedenen Geister auf das Geschick der Lebenden. Man opferte in Ermangelung irgendeiner anderen Gabe einen Stein, um den Toten zu sagen:

»Obwohl wir als Christen getauft sind, ist uns der Glaube an euch und eure Macht doch nicht abhandengekommen.«

Die Missionare wussten das, aber sie konnten an der Tatsache nichts ändern. Erst spätere Tage mussten darin einem nachgeborenen Geschlecht die bessere Erkenntnis bringen. Auch hinter den Kordilleren zeigte die Provinz Atacama ein wüstenhaftes Aussehen. Nur wenige Strecken des regenlosen Landes waren bebaut und schöne hohe Bäume eine Seltenheit; es gab auch fast gar keine Insekten und an größeren Tieren nur äußerst vereinzelte Exemplare.

Im Ganzen konnte dieser Teil der Reise als eine Art von Strafmarsch betrachtet werden. Tag um Tag lösten die Einwohner der verschiedenen Dörfer als Führer einander ab, bis endlich die Stadt Lima erreicht war. Sehr bald fand sich hier eine Schiffsgelegenheit nach Hamburg. Wie ein Traum erschien unserem Freunde die ganze letzte Vergangenheit.

Nun fühlte er wieder unter seinen Füßen die Planken eines Schiffes, nun ging es heimwärts nach Deutschland und doch lebten in seiner Seele die Erinnerungen der vielgestaltigen Reise quer durch Südamerika mit solcher Lebendigkeit, solcher Treue, dass er fast glaubte, alles das erst gestern, erst in der gegenwärtigen Stunde erlebt zu haben.

Waren es denn wirklich beinahe zwei Jahre her, seit er in Rio an Land ging, seit er im Niederberger'schen Haus so abscheuliche, unerträgliche Verhältnisse fand, – ach und seit Ramiro an der Straßenecke Posten stand, um ihn, ihn selbst aus dem unwürdigen Joch zu erlösen und ihm seinen Schutz, seine ganze herzliche Treue im Ausblick zum Himmel feierlich zu schwören?

Armer Ramiro, armer liebevoller Freund! Und alle die anderen bekannten, vertrauten Gestalten zogen im Geiste an Benno vorbei, all die Stunden, in denen das Leben an einem einzigen Haar hing, und die, in denen man lachte und verheißend winkte wie die junge Morgenröte nach durchweinter Nacht. Neben ihm stand Pluto, der jetzt zum zweiten Mal die Reise über das Weltmeer antrat.

Benno liebkoste den klugen Kopf, er ließ die Hand nicht von ihm. Dieses Tieres hatten sich die ewigen Mächte bedient, um ihre Gnadenbotschaft zu senden. Plutos Stimme rief von dem verlassenen Wrack hinüber zu den Lebenden, klang aus dunkler, sternloser Nacht hinein in die lichthellen Kajüten und weckte Herzen und Hände zu schnellem, tatkräftigem Handeln. Was nachher kam, das reihte sich als Folge an diesen Vorgang.

»Mein gutes Tier«, flüsterte Benno. »Mein guter Hund!«

Das Schiff lichtete seine Anker. Auf nach Hamburg!

24.

Trennung von den Freunden und Heimkehr – Das Wiedersehen – Der Finger Gottes – Schluss

Durch die Straßen der Stadt Hamburg fegte ein eisiger Nordostwind. Dichte Massen Schnee lagen überall auf den Dächern und Vorsprüngen, auf den kahlen Ästen der Bäume und an den Seiten der Fahrstraße. Weißer Puder wirbelte, wohin das Auge sah, durch die Luft, vermummte Gestalten gingen eiligst ihres Weges und nur hier und da sprang in Bogensätzen eine Katze über das Trottoir, um so schnell wie möglich den warmen Ofenwinkel zu erreichen.

Bei dem schwachen Licht der Öllaternen fuhr spätabends noch eine Droschke über den Alten Wandrahmen und hielt jetzt in der Nähe der Brücke an. Der Kutscher sprang vom Bock, öffnete die Tür des Wagens und sagte, die Hand an die Mütze legend:

»Welche Nummer war es noch, Herr? – Ich muss das ganz überhört haben.«

»Wir nannten Ihnen keine solche, guter Freund«, antwortete von drinnen eine Männerstimme.

»Lassen Sie uns nur jetzt aussteigen.«

Das fand der biedere Pferdelenker zwar etwas sonderbar, aber da das Trinkgeld gut ausfiel, so schwieg er und ließ seine Fahrgäste, einen älteren und einen jüngeren Herrn, ihres Weges gehen, ohne sich um sie zu bekümmern. Ein Peitschenknall, und der Gaul stolperte, so schnell er konnte, durch das Schneegestöber, um sich im warmen Stall von den Strapazen des Tages auszuruhen.

Die beiden Herren sahen einander, auf der Straße stehend an, offenbar mit glücklichen Blicken, voll Hoffnung und Freude.

»Jetzt sind wir in Hamburg, Vater, in Hamburg – und am Alten Wandrahmen!«

Der Jüngere hatte es gesagt und dabei die Hand des Älteren verstohlen erfasst.

»Wie mir das Herz schlägt!«, setzte er hinzu. »Komm nur rasch, Benno! – Ach, wenn ich schon in diesem Augenblick wüsste, ob meine alte Mutter noch lebt!«

»Da etwas weiterhin steht ja das Haus, vielleicht das zehnte von hier. In wenigen Minuten wird uns Harms die Tür öffnen.«

Sie sprachen kein Wort weiter, sondern gingen wie auf Verabredung vorwärts, bis dicht vor dem hohen alten Gebäude mit dem holländischen Giebel der Knabe plötzlich stillstand.

»Alle Fenster der ersten Etage sind hell erleuchtet«, sagte er. »Und da höre ich Klavierspiel, Lachen, Gläserklingen. Ist das nicht seltsam?«

»Ob vielleicht Onkel Johannes inzwischen eine junge Frau geheiratet hat? Ob in das alte Haus ein anderer Geist eingezogen ist?«

Ernesto nahm den Hut vom Kopf. Trotz der herrschenden Kälte schien es ihm plötzlich zu heiß zu werden.

»Klopfe an, Benno«, sagte er.

Unser Freund sprang die Treppenstufen hinauf, dann aber blieb er plötzlich stehen, der erhobene Arm sank herab, – er bückte sich tiefer, um genau zu sehen, was auf dem Messingschild an der Tür geschrieben stand:

»Behrens und Compagnie«

»Vater – was bedeutet das?«

Ernesto trat näher, auch er sah den fremden Namen.

»Sollte mein Bruder gestorben sein?«, bebte es kaum verständlich über seine Lippen.

»Sollte er? Ich werde mich jetzt sofort überzeugen, Vater.«

Benno zog die Glocke, worauf ein Dienstmädchen erschien und ziemlich erstaunt fragte, was den Herren gefällig sei.

»Ist Herr Senator Zurheiden auf einen Augenblick zu sprechen?«, erkundigte sich Benno, obwohl ihm ein einziger Blick gezeigt hatte, dass andere Menschen jetzt das Haus seiner Väter bewohnten.

»Ich möchte bitten, ihm –.«

Das Mädchen fasste schon nach dem Türgriff.

»Meine Herrschaft heißt Behrens«, antwortete sie. »Der andere Herr wohnt in diesem Haus nicht.«

»Können Sie uns denn vielleicht sagen, wo wir ihn finden?«

Das Mädchen schüttelte den Kopf.

»Ich bin erst seit einigen Wochen in Hamburg«, versetzte sie. »Da müssen Sie schon andere Leute fragen.«

Die Tür flog ins Schloss und Benno und sein Vater sahen sich ziemlich ratlos an.

»Wir müssen uns also in das Stadthaus begeben«, sagte endlich Ernesto.

Aber Benno war anderer Ansicht.

»Am Dorenfleet steht eines von den Häusern des alten Harms«, sagte er, »ich kenne es. Da wird man uns jedenfalls genaue Auskunft geben können.«

Ernesto erhob keinen Einwand und so gingen denn Vater und Sohn mit schnellen Schritten durch die schneebedeckten Straßen bis an das bescheidene einstöckige Haus am Dorenfleet, wo hinter den Scheiben noch ein Licht erglänzte und wo alles sauber und wohnlich den Ankömmlingen entgegensah.

Neben den beiden trabte Pluto, zitternd am ganzen Körper, zuweilen vor Kälte sogar leise wimmernd. Das arme Tier glaubte vielleicht in eine ganz fremde Welt versetzt zu sein; es fror jämmerlich. Ohne Zeitverlust klopfte Benno auch an diese Tür, die sich übrigens als unverschlossen erwies. Nur eine Sperrkette hinderte den Eintritt. Drinnen erklangen Schritte.

»Wer ist da?«, fragte eine Männerstimme.

»Harms!«, jubelte Benno. »Harms! – Ich bin es!«

»Was? Was?«

Mit einem gewaltigen Ruck flog die Sperrkette herab, die Tür öffnete sich und im Rahmen derselben erschien Harms wie er leibte und lebte, angetan mit weißer Schürze und schief sitzender Hausmütze wie immer, zwischen den Zähnen die kurze Pfeife und in der Hand eine Bürste, mit der er wahrscheinlich soeben irgendeinen Gegenstand gereinigt hatte.

»Benno!«, rief er. »O du himmlische Güte, Benno!«

Und Bürste und Pfeife fielen zu Boden, der Alte sah nur seinen Liebling, hielt ihn mit beiden Armen umfasst und küsste ihn und lachte und schluchzte in einem Atem.

»Benno! Benno!«

Mehr schien er gar nicht sagen, nicht denken zu können. Dass hinter dem Knaben noch ein anderer stand, dass Blicke voll Rührung und Liebe die seinigen suchten, – er sah es nicht einmal. Und auch unser Freund hatte im ersten Augenblick des Wiedersehens alles andere völlig vergessen. Er gab die Liebkosungen des Alten verdoppelt zurück, er genoss Minuten des innigsten Glückes, ehe ihm die Sprache wiederkam.

»Harms«, sagte er dann, tief atmend, »Harms, weshalb bist du nicht mehr im Haus und in den Diensten meines Onkels?«

Der Alte rückte die Mütze.

»Ich bin immer noch bei ihm«, versetzte er in etwas eigentümlichem Ton. »Aber –.«

»Wohnt denn der Senator jetzt hier? – Unmöglich!«

Der Alte nickte.

»Komm herein, mein Lamm«, sagte er, in den Ton früherer Tage verfallend. »Komm herein, ich will dir alles erzählen. Das ist ja heute Abend, als wäre plötzlich Weihnachten geworden. Ach, Benno, Benno, du –.«

»Aber«, unterbrach er sich, »darf ich dich auch noch ›du‹ nennen? Muss es nicht ›Herr Zurheiden‹ heißen?«

»Harms, wenn du jemals –.«

»Na, lasse gut sein. Junge, ich tät es ja doch nicht. Aber komm nur jetzt herein, hörst du. Ist das übrigens dein Hund, der da so jämmerlich winselt?«

»Ja, Alter. Siehst du nicht, dass ich auch noch einen Herrn mitgebracht habe? Hoffentlich ist er dir willkommen.«

»Ganz gewiss, da du es bist, der ihn in mein, – in des Herrn Senators Haus führt.«

Die Mütze abnehmend, sah Harms zum ersten Mal in Ernestos Gesicht. Vielleicht schimmerte in diesem Augenblick ein Abglanz ferner, längst verschollener Jugendtage auf den Zügen, in den Augen Ernestos, vielleicht war es die Bewegung, mit welcher dieser beide Hände zugleich ausstreckte, dem Alten so bekannt, so vertraut, dass er unwillkürlich aufmerksam wurde.

»Wer ist der Herr? – Benno, du musst es doch wissen! – Wahrhaftig, wenn so etwas möglich wäre, dann –.«

»Harms, – es ist möglich. Sieh mich an, Alter! Kennst du deinen ehemaligen Spielkameraden nicht mehr?«

»Alle guten Geister – er ist es, Theodor! – Herr Zurheiden! Haben sich denn in dieser Nacht die Gräber aufgetan?«

Und nun streckte der gutmütige alte Mann eine Hand nach rechts und eine nach links.

»Wo hast du ihn gefunden, Benno? – Mein Gott es dreht sich alles mit mir im Kreis. Ist es denn Wirklichkeit, was ich sehe? Kann es angehen?«

Ernesto drückte gerührt die arbeitsharte Hand seines ehemaligen Jugendfreundes.

»Du sollst noch heute Abend alles erfahren, Harms«, sagte er mit vor Aufregung unsicherer Stimme, »aber zuerst gib mir den Bescheid, nach dem meine Seele sich sehnt. Lebt dein Herr, Alter? Und – und – meine Mutter?«

Harms nickte.

»Sie leben beide, hier im Haus sogar.«

»Gott sei gepriesen! Nun ist alles gut.«

Benno schüttelte den Kopf.

»Weshalb wohnen denn in dem Erbe am Alten Wandrahmen jetzt andere Leute?«, forschte er.

Harms seufzte.

»Das ist eine traurige Geschichte«, versetzte er seine unerwarteten Gäste in ein mehr als bescheidenes Hinterzimmer führend.

»Siehst du, Benno, – ja, wissen musst du es doch und sein Erbe solltest du ohnehin nicht werden! – Die Firma Zurheiden ist hin. Perdue! Bankrott! Nun habe ich dir es gesagt.«

»Harms!«

»Es ist so. Ein französisches Haus hat uns mit herumgerissen. Da sind keine Schulden, es kann niemand behaupten, dass er von dem Herrn Senator, Gestrengen, auch nur einen Heller zu fordern hätte, aber – was der arme Mann früher besaß, das musste er, um alle diese Verpflichtungen zu decken, hergeben, auch das Haus.«

»So dass er nichts für sich behielt?«

»Gar nichts.«

»Das ist hart. Und wovon lebt mein unglücklicher Onkel jetzt, wovon ernährt er seine alte Mutter?«

Harms wurde verlegen, er wiegte den Kopf wie eine Pagode und tat mit den Händen allerlei unnütze Griffe, bald hierhin, bald dorthin.

»Ja, siehst du«, sagte er endlich, »es ist dein Geld, wovon die Herrschaften jetzt leben, Benno. Ich weiß, du gibst es ihnen gern, nicht wahr?«

»Ich? Ich? Harms, träumst du?«

»Ne! Ne! Es ist, wie ich sage. Alles, was ich besitze, das habe ich dir vermacht, Junge. Ein großer Brief mit vielen Siegeln ist darüber aufgesetzt worden, – na, und aus diesem Grund ist denn doch natürlich die Geschichte dein Eigentum, das siehst du wohl ein. Die alten Leute müssen aber irgendwie leben und verdienen kann der Herr Senator bei seinem derzeitigen Zustand keinen Pfennig. Ich kann mir nicht vorstellen, dass so ein Herr etwa in einem fremden Büro arbeiten würde; ich habe also ein paar Obligationen an der Börse verkaufen lassen und den Mietern dieses Hauses gekündigt, – so, nun weißt du es. Deine gute Großmama und der Senator wohnen hier oben in den besten Zimmern.«

Ernesto und sein Sohn sahen sich an.

»Harms«, rief Benno, »das alles heißt doch gar nichts anderes, als dass du deine früheren Herrschaften ernährst, dass es dein Brot ist, welches du den Verarmten schenkst.«

Harms schien zu horchen.

»Schnickschnack, Junge«, sagte er. »Wer wird gleich die Dinge bei so hochtönenden Namen nennen. Aber still!«, setzte er dann hinzu. »Der Herr, Senator hat soeben seine Tür geöffnet, er liebt es durchaus nicht, wenn fremde Menschen ins Haus kommen!«

Von oben her erklang in diesem Augenblick eine ärgerliche Stimme.

»Harms!«, rief Johannes Zurheiden. »Komm her!«

»Gleich, Herr Senator!«

Die weiße Schürze flog in den Winkel. Harms fuhr mit der Hand über sein Haar, zog die Weste herab und eilte zur Treppe.

»Ich will ihn vorbereiten«, raunte er. »Seit das Unglück hereinbrach, hat seine Gestrengen mit keinem Menschen mehr gesprochen, ist nicht mehr aus dem Haus gekommen.«

Fort war er. Mit stolzen Blicken sah Benno in das Gesicht seines Vaters.

»Das ist Harms!«, sagte er. »Wahrlich, ein Herz von Gold.«

»Ich will es ihm tausendfältig lohnen«, nickte Ernesto. »Tausendfältig, dessen sei sicher. Und nun lasse mich hinauf, Benno, – ich kann nicht länger warten!«

Er ging zur Tür, aber unser Freund hielt ihn unterwegs am Arme fest.

»Vater«, sagte er, während das Blut heiß in sein Gesicht stieg, »Vater, du willst deinen Bruder zur Rechenschaft ziehen, – er hat das

auch verschuldet, aber – nun er doch ohnehin schon so sehr unglücklich ist, – bitte, lieber Vater – vergib ihm!«

Ernesto legte die Hand auf den Scheitel seines Sohnes, aber zur
Antwort blieb ihm keine Zeit, denn die Tür ging schon wieder auf
und in das Zimmer trat eine Erscheinung, die Benno an drittem Ort
nicht gleich als diejenige seines strengen gebieterischen Onkels erkannt
haben würde.

Vor ihm stand ein Greis in weißem Haar, gebückt und mit erlosche-
nem Blick, ein Kranker, dessen Tage gezählt schienen. Die bebenden
Lippen öffneten sich zum Gruß, aber aus der zusammengeschnürten
Kehle drang kein Laut. Ernesto ging ihm entgegen und fasste seine
beiden Hände.

»Johannes«, sagte er im Ton des innigsten Mitleids. »Johannes,
mein armer Bruder, dass wir uns unter so traurigen Verhältnissen
wiedersehen müssen! – Aber nun vergiss alle Widerwärtigkeiten, alle
Geldnot, hörst du! Mir war das Glück sehr günstig, ich habe als
Goldgräber ein großes Vermögen gewonnen und komme jetzt gerade
zur rechten Zeit, um hier die Dinge zu ordnen. Unser altes Familien-
haus kaufe ich schon morgen zurück, deine Firma wird wieder eröffnet
und alles Böse, alles Leid soll für immer begraben sein.«

Der Senator hatte ihn ohne Unterbrechung ausreden lassen, aber
nicht wie jemand, der eine Botschaft des Glückes empfängt, sondern
gleich einem Verurteilten, den der Richterspruch wie ein schweres
Gewicht zu Boden drückt. Jetzt sah er auf.

»Du bist reich, Theodor? Und du – du wolltest mir helfen?«

»Ja, gewiss, Johannes. Aber sieh doch, hier ist Benno. Willst du ihn
nicht begrüßen. – Er ist inzwischen tüchtig gewachsen, nicht wahr?«

Der Senator reichte dem Knaben die Hand, aber es geschah mechanisch; seine Gedanken waren anderweitig beschäftigt.

»Guten Abend, Benno, – setze dich, Kind, – Herr Niederberger hat
mir damals geschrieben, – es war eine schlechte Kondition, aber wir
werden schon etwas Passendes finden.«

»Theodor«, sagte er dann, zu seinem Bruder zurückkehrend,
»Theodor, es war ein Missverständnis, das, was ich dir an jenem Tag
berichtete, – ich, – ich, –.«

»Lass doch alles Vergangene, Johannes. Es ist tot, gewesen, – wir
wollen uns nicht mehr daran erinnern, sondern nur der Gegenwart
und ihrem Glücke leben. Denkst du das nicht auch?«

Der Senator senkte den Kopf noch tiefer. »Ja, ja, – ich will es. Aber nun, – das Wiedersehen hat mich sehr angegriffen, – Harms, wo bist du?«

Während der Senator, schwer auf den Arm des Alten gestützt, zur Tür ging, blieb er nochmals stehen und sah zurück.

»Du wolltest wirklich die Firma Zurheiden wiederherstellen, Theodor? Du? Du?«

»Ja, ich. Natürlich will ich es. Und sieh her, Johannes, diesen Hund habe ich dir mitgebracht, habe ihn eigens für dich erzogen. Nicht wahr, die Windspiele mochtest du immer besonders gern?«

Er lockte den Hund und führte ihn seinem Bruder zu.

»Hierher. Pluto! Das ist dein künftiger Gebieter!«

Immer tiefer und tiefer senkte sich das eisgraue Haupt des Senators.

»Wirklich«, sagte er, »das wusstest du noch, Theodor?«

»Gewiss, und du würdest auch den Hund mit einem seitenlangen Brief von mir schon viel früher erhalten haben, wenn nicht das betreffende Schiff zugrunde gegangen wäre. Das alles werden wir dir später ausführlich erzählen, Johannes.«

Die bebende Hand streichelte den Kopf des Hundes.

»Später?«, klang es ganz leise, kaum verständlich von den Lippen des Senators. »Später?«

Als erinnere er sich plötzlich an etwas Vergessenes, sagte er dann:

»Ich danke dir sehr, Theodor, ich danke dir. Das andere damals, weißt du, – das andere war gar nicht böse gemeint. Ich wollte immer das Gute, Zweckmäßige.«

Sein scheuer Blick suchte das Gesicht des Bruders.

»Mir ist nicht wohl, Theodor. Gute Nacht, Gute Nacht. Harms soll dir ein Zimmer herrichten. Hörst du wohl, Alter, es darf Herrn Theodor Zurheiden an nichts fehlen.«

»Sicherlich nicht, Eure Gestrengen.«

Harms führte seinen Gebieter die Treppen hinauf, ganz als sei er noch der untertänige Diener des reichen Mannes und nicht dessen Wohltäter, nicht der, welcher dem ganz Verarmten, Freundlosen, als ihn alles verließ, eine Heimstätte, ein sicheres Asyl dargeboten hatte. Benno und sein Vater sahen einander an. Wie traurig war die hereingebrochene Veränderung, wie zerstörend und unheilbar.

Dann kam Harms zurück und geleitete nun den heimgekehrten Sohn in das Zimmer seiner inzwischen vorbereiteten Mutter, die ihm durch ihren Empfang das wahre Heimatgefühl erst einflößte, ihn unaussprechlich beglückte. Was zwischen diesen beiden verhandelt wurde, wie sie stundenlang innig und zärtlich miteinander sprachen, das wollen wir nicht zu schildern versuchen.

Theodor erfuhr, dass seine Mutter keinen Augenblick an ihm gezweifelt hatte, dass sie ihn immer noch herzlichst liebte; das entschädigte ihn für jede durchlittene Qual. Harms und Benno tauschten inzwischen alle bemerkenswerten Erlebnisse aus, wobei der Alte mehrfach vor Schreck die Hände zusammenschlug, oder vom Stuhl aufsprang, – erst spät in der Nacht gingen alle zur Ruhe, obwohl niemand so recht schlief.

Nur als der Morgen heraufzog, kam ihnen jener feste Schlummer, welcher meistens der durchwachten Nacht zu folgen pflegt. Es war kurz vor sieben Uhr früh, als Harms durch ein Klopfen gegen die Haustür geweckt wurde – und dann folgte eine Szene erschütternder Aufregung, die man nur der Achtzigjährigen barmherzig verschwieg, die aber alle anderen desto tiefer und lebhafter empfanden.

Leute, die im Dämmergrau des Wintermorgens über den Alten Wandrahmen gingen, sahen auf der oberen Treppenstufe des Zurheiden'schen Hauses eine zusammengekauerte menschliche Gestalt, die sich nicht bewegte und als man sie anrief, kein Wort zurückgab.

Schnee lag auf dem Hut und den Kleidern des Unglücklichen, Schnee bedeckte die Hände und das eiskalte Gesicht. Die barmherzigen Samariter traten dem Gefallenen näher, rüttelten ihn und sahen unter die Krempe des breitrandigen Hutes, – auch ganz Fernstehende, Fremde, erschütterte der Anblick. Er war es selbst, er, dem einst das hohe alte Haus gehört hatte, der einst Hunderttausende besaß, – Johannes Zurheiden.

Nun hatte der Tod ihn jählings abgerufen, nun trugen ihn die Leute als Leiche zu dem Einzigen, dessen Treue unerschütterlich geblieben war in allem Wechsel der Dinge, zu seinem früheren Diener. Das Geheimnis jener Nacht ist nie aufgeklärt worden, aber dennoch konnten sich die Beteiligten den Zusammenhang des Ganzen unschwer denken.

Der Senator war durch den Schlag, welcher ihn getroffen hatte, ohnehin geistig und leiblich vernichtet, dann kam, als ihm der wiedergekehrte Bruder seine Hilfe anbot, ein Gefühl unerträglicher Demütigung hinzu und er ging in die Winternacht hinaus, vielleicht nur einem zwingenden Verlangen nach Alleinsein, nach Ruhe zu genügen.

Wohin aber? Welcher Ort der Erde war ihm, dem Unduldsamen, Harten geblieben? Wo durfte er anklopfen, er, der nur einen Götzen, einen Mittelpunkt alles Strebens gekannt, das Geld?

Er wusste es nicht. Instinktmäßig wandte er sich zu dem alten Hause, in welchem dereinst seine Wiege gestanden hatte. Theodor wollte es ja zurückkaufen, – hatte er nicht ein Recht auf den Platz an dieser Tür? Und dann nahm ihn gnädig der Tod in seine Arme, dann löste sich unmerklich das gelockerte Band zwischen Leib und Seele.

Johannes Zurheiden war tot.

An seiner Leiche weinte Harms wie ein kleines Kind.

»Er war doch so, – so – ernsthaft und aller Torheit abhold«, sagte der Alte, vergeblich nach einer freundlicheren Eigenschaft des Verstorbenen suchend. »Wie wird er mir fehlen.«

Theodor und Benno folgten tief erschüttert dem Sarg ihres so schnell abgerufenen Verwandten; zwar ohne die eigentliche Trauer des Herzens um einen unersetzlichen Verlust, aber doch mit sehr ernsten Gefühlen, die hier von dem Schimmer des Mitleids verklärt wurden; nachdem dann zunächst die Diamanten des Kunstreiters in Sicherheit gebracht worden waren, schrieb Zurheiden an eine Anzahl bedeutender Blätter in ganz Europa und erreichte es auf diese Weise schon verhältnismäßig schnell, den gegenwärtigen Aufenthalt der Riesendame und ihrer Künstlertruppe ausfindig zu machen.

Es war in Schlesien, wo sie gerade Vorstellungen gaben und dahin reisten Vater und Sohn, um der Witwe das Vermächtnis ihres Mannes zu überbringen. In welchem Zustande trafen sie aber das wandernde Völkchen! – Die Pferde waren bis auf zwei verkauft, der Zirkus baufällig und fast alle Affen gestorben.

Die arme Riesendame selbst sah ohne den Flitter der Vorstellungsstunde so alt und so hoffnungslos aus, dass es den Beschauern durchs Herz ging; die Kinder standen in Lumpen, verhungert und blass um die Mutter herum, – es war ein Anblick zum Erbarmen.

Und dennoch, inmitten dieses Elends dachte die arme Frau nicht zuerst an sich und die Erlösung aus quälendem Jammer, sondern sie faltete die Hände und flüsterte:

»So hat Ramiro zuletzt gesprochen? So hat er gebetet? Dann ist ihm auch die ewige Ruhe zuteil geworden.«

Mit dem Erlös aus dem Verkauf der Diamanten wollte sie eine fromme Stiftung gründen.

»Dass viele Herzen für den armen Ramiro beten!«, setzte sie hinzu.

Zurheiden erzählte der Weinenden von ihrem heimgegangenen Mann und von der ungebrochenen Energie, mit welcher er bis zur Todesstunde sein Ziel verfolgt und dabei immer nur an Frau und Kinder gedacht hatte; währenddessen ging Benno in den Stall, um mit dem, der zusammengeschmolzenen Künstlertruppe noch erhaltenen Esel ein trauliches Wiedersehen zu feiern, aber diese Absicht konnte nicht ausgeführt werden, denn Rigolo erkannte sofort seinen Bezwinger und lief jämmerlich schreiend in den dunkelsten Winkel.

Benno und der auch noch anwesende Athlet konnten das Tier nicht zum Aufstehen bringen; Rigolo zitterte für seine Künstlerehre, er blieb hartnäckig wie nur ein Esel sein kann, liegen und setzte allen Lockungen ein stummes, beharrliches »Nein« entgegen.

Auch Zurheiden sah ihn noch und streichelte, einem unwillkürlichen Gedankengange folgend, freundlich das graue Fell, dann wurde, begleitet von den Segenswünschen der Witwe, die Rückreise nach Hamburg angetreten und hier fanden unsere Freunde den Doktor und den jungen Halling im Begriff, unter Segel zu gehen, um eine wissenschaftliche Reise nach Zentralasien anzutreten.

»Wollen Sie wieder mit?«, fragte Schomburg. »Ich stelle Ihnen Wüstenreisen in Aussicht, Tigerjagden, Kämpfe mit Beduinen und –.«

Aber Benno schüttelte lachend den Kopf.

»Ich halte mich an Horaz und Homer, das ist mir vorläufig lieber.«

Vater und Sohn sahen einander an, als wollten sie sagen:

»Wir verlassen einander nie wieder.«